Cet ouvrage a été publié sous le titre original de

THE MEMOIRS OF RICHARD NIXON

traduit de l'américain par

Michel Ganstel
Henry Rollet
France-Marie Watkins

MÉMOIRES RICHARD NIXON

Stanké

Dépôt légal:
2e trimestre 1978.

ISBN 0-88566-105-2

POUR

PAT, TRICIA ET JULIE

SOMMAIRE

SOURCES ET REMERCIEMENTS

Ceci est un livre de mémoires, un recueil de souvenirs. Du fait que la mémoire est éminemment faillible et inévitablement sélective, je me suis efforcé, chaque fois que c'était possible, de confronter mes souvenirs à tous les témoignages disponibles, pour en confirmer la véracité, et de les compléter à l'aide de sources qui leur étaient contemporaines. Parmi ces sources — notes, mémos, correspondance, documents officiels —, certaines se passent de commentaires. D'autres, par contre, nécessitent quelques explications.

Pendant toute ma carrière publique, j'ai conservé l'habitude de prendre des notes manuscrites très élaborées sur mes idées, mes conversations, mes activités et mes discours. Ces notes, écrites pour la plupart sur des blocs grand format, représentent un total de plus de 20 000 feuillets et couvrent des sujets allant de mes plans et brouillons pour les débats de la campagne de 1946 au premier jet de mon discours de démission en 1974. Leur forme va des quelques mots d'une remarque faite en passant à des dialogues complets, relevés en grand détail.

Entre 1954 et 1957, pendant que j'étais Vice-Président, j'avais pris l'habitude de dicter des passages du type « extraits de journal », couvrant cent douze réunions, conversations ou autres événements notables. Je ne puis me rappeler ni pourquoi j'avais pris cette habitude, ni pourquoi je me suis arrêté de faire de telles dictées. Elles couvrent un éventail de sujets et de personnalités d'une telle diversité qu'il ne semble pas que j'aie obéi, en le faisant, à un dessein déterminé. Ces « extraits de journal », dictés sur des disques « Edison Voicewriter », ont été transcrits en 1961 au moment où j'écrivais mon livre *Six Crises;* mais je ne m'en étais pas servi directement dans cet ouvrage et ils sont donc cités ici pour la première fois.

Les impératifs de l'histoire font que certains des événements de mes années ayant précédé la Présidence, donc déjà traités dans *Six Crises,* se trouvent repris dans les présents *Mémoires*. Le lecteur pourra toutefois se rendre compte que, si les événements en question n'ont pas changé dans les faits, le passage du temps m'a permis de les analyser avec plus de recul. Par ailleurs, le nouveau contexte dans lequel ils s'insèrent m'a imposé de les traiter d'une manière notablement différente et plus brièvement que dans le récit précédent.

Pendant ma Présidence, de novembre 1971 à avril 1973, puis en juin et juillet 1974, j'ai repris l'habitude de dicter mon Journal presque quotidiennement. Les passages qui en seront cités dans ce livre figureront sous le titre *Journal* ou *Extrait de mon Journal*. A l'exception des quelques-unes dont le procureur spécial du Watergate avait exigé la remise, aucune de ces cassettes de mon « Journal dicté » n'avait été transcrite jusqu'à l'été 1976 à San Clemente. De par sa forme, ce Journal dicté n'a bien entendu ni l'ordre ni la composition qu'aurait eu un Journal écrit. Souvent, d'ailleurs, il m'arrivait de dicter quelques pensées sur un sujet donné puis d'y revenir, pour le développer, un ou deux jours plus tard. De ce fait, il m'est arrivé dans ce livre de combiner plusieurs extraits, dictés à des moments différents mais traitant du même sujet. Par contre, les passages où il est question du Watergate font tous partie des mêmes séances de dictée, exécutées dans la même journée.

Pour la période de l'affaire du Watergate, je me suis servi de certaines transcriptions des enregistrements déjà publiées, ou ayant été utilisées par le procureur spécial au cours de divers enquêtes et procès. Dans un effort pour reconstituer aussi complètement que possible ce que je savais et ce que je faisais au cours de la période cruciale ayant suivi l'effraction du Watergate, j'ai demandé à Madame Marjorie Acker, qui est au nombre de mes collaborateurs depuis l'époque où j'étais Vice-Président, de dactylographier également des transcriptions de toutes les conversations que j'ai eues avec H.R. Haldeman, John Ehrlichman et Charles Colson pendant le mois ayant suivi mon retour à Washington après l'effraction du Watergate, c'est-à-dire du 20 juin au 20 juillet 1972. Je lui ai aussi demandé de faire la même chose pour mes conversations avec Haldeman en mai 1973, au cours desquelles nous discutions de ce que nous nous rappelions des événements du 23 juin 1972, date à laquelle j'avais autorisé la réunion pendant laquelle il fut demandé à la C.I.A. d'intervenir pour restreindre le champ de l'enquête du F.B.I. sur le Watergate.

Ces enregistrements inédits comportaient de très nombreux passages inaudibles et inintelligibles. Je crois, malgré tout, qu'ils m'ont permis de rendre compte de ces journées de la manière la plus complète qui ait jamais été faite.

Je rapporte, dans ce livre, de nombreuses conversations dont certaines sont citées textuellement. Celles où il est question du Watergate sont largement basées sur les paroles enregistrées sur les bandes de la Maison Blanche. D'autres sur mes notes manuscrites ou mes extraits de Journal dicté. Il y avait également des notes, ou « mémos de conversations », extrêmement détaillées où se trouvaient consignés la plupart de mes entretiens avec les leaders étrangers. J'ai pu me servir de ces documents pour vérifier et compléter mes propres notes et mes souvenirs. Les conversations auxquelles je n'ai pas directement participé m'ont, bien évidemment, été rapportées soit par ceux qui y étaient présents, soit par d'autres sources dignes de foi. Dans un certain nombre de cas, j'ai dû me reposer entièrement sur ma mémoire pour reconstituer une conversation, mais je me suis efforcé de limiter ces reconstitutions aux dialogues dont les mots, par leur puissance évocatrice, sont restés inoubliablement gravés dans ma mémoire.

Ce livre n'aurait pu être ni écrit ni édité sans le concours de douzaines de personnes, à qui je tiens à exprimer ici ma profonde reconnaissance.

Les dames, admirables de dévouement, qui viennent bénévolement tous les jours s'occuper du courrier qui arrive à « La Casa Pacifica », ont passé de longues heures sur la tâche fastidieuse, mais essentielle, de relire et corriger les trois brouillons du manuscrit.

Cathy Price, Marnie Pavlick, Nora Kelly, Cindy Serrano-Mesa et Meredith Johnson ont consacré bien des heures tardives et bien des week-ends à taper le manuscrit avant de collationner les épreuves et l'original. Judy Johnson a assuré toutes sortes de travaux de dactylographie et de recherche. Meredith Khachidjian a participé à la vérification du manuscrit par rapport aux originaux de mon Journal. Après que les dossiers et documents de la Maison Blanche furent saisis, Howard W. Smith, à titre de simple citoyen, a eu l'extrême amabilité de nous transmettre le jeu complet des communiqués journaliers de notre service de presse et les transcriptions des « briefings » spéciaux en sa possession.

Robert Huberty et Mark Jacobsen, de l'Université de Californie à Irvine, ont assuré la plus grande partie du travail de recherche bibliographique et dans la presse.

Dans un travail d'une telle ampleur, les lecteurs et préparateurs de copie remplissent une fonction vitale aux proportions gigantesques. Je veux présenter ici mes remerciements tout particuliers à David C. Frost et Nancy Brooks, de la maison Grosset & Dunlap, pour leur patience, leur diligence et leur compétence professionnelle. D'autres, ayant participé à ce travail à divers titres, ne doivent pas être oubliés : Jack Brennan, Bernard Shir-Cliff, Larry Gadd, Diana Price ainsi que Robert et Cara Ackerman. Robert Daugherty a assuré le travail de compilation. Les photographies et clichés ont été rassemblés avec l'aide d'Ann Grier. Je veux enfin dire à mes éditeurs, Harold Roth et Bob Markel, de Grosset & Dunlap, Bill Sarnoff et Howard Kaminsky, de Warner Books, combien j'ai apprécié l'intérêt et les encouragements qu'ils m'ont prodigués.

Je veux également exprimer ma gratitude aux douzaines d'amis et anciens collaborateurs ayant participé aux événements relatés dans ces *Mémoires,* et qui m'ont accordé de longues heures pendant que, mes assistants et moi, nous nous efforcions de reconstituer ces événements avec objectivité et véracité. Je remercie aussi ceux qui ont bien voulu relire différentes parties du manuscrit et me faire bénéficier de leurs avis et d'une assistance inestimables : le général Brent Scowcroft, qui a concentré son attention sur les passages touchant aux affaires internationales et à la politique étrangère; Ray Price, qui m'a prodigué ses conseils et son assistance rédactionnelle, surtout en ce qui concerne les questions de politique intérieure; Herb Stein, qui a apporté son aide dans la rédaction des passages touchant à l'économie.

Rose Mary Woods a pu venir séjourner à San Clemente pendant plusieurs mois. Elle a partagé les souvenirs amassés au cours des vingt-trois ans passés avec moi comme secrétaire particulière. Elle a aussi consacré son attention méticuleuse et son souci du détail à la lecture et à la vérification du manuscrit. Marjorie Acker participa aussi à ces travaux. Loie Gaunt, qui rejoignit les rangs de mes collaborateurs quand j'étais encore au Sénat, nous a inlassablement offert les ressources de ses informations et a participé activement à l'effort de ces trois dernières années.

Enfin, je veux mentionner les trois personnes qui ont travaillé avec moi sur ce livre depuis les premiers jours. Ma profonde gratitude va à Ken Khachidjian et à Diane Sawyer pour le travail de recherche qu'ils ont accompli et la manière dont ils ont su rassembler le plus gros de la documentation. Et à Frank Gannon, mon premier assistant rédacteur, responsable de l'organisation des recherches et de la direction d'ensemble de cette entreprise, je dédie ma reconnaissance toute particulière pour son dévouement.

Richard NIXON.

La Casa Pacifica
Mars 1978.

LES ANNÉES DE JEUNESSE
1913-1946

Je naquis dans une maison qui avait été bâtie par mon père. Ma naissance, le 9 janvier 1913, dans la commune de Yorba Linda, en Californie, coïncida avec un record de froid. Yorba Linda était une petite communauté agricole de deux cents habitants à une cinquantaine de kilomètres de Los Angeles, entourée de plantations d'avocatiers, d'agrumes et de champs de luzerne et de haricots.

Le site était, pour un enfant, tout à fait idyllique. Au printemps l'air était saturé du parfum des fleurs d'orangers, et il y avait de quoi exciter l'imagination : à l'Ouest, on avait vue sur l'Océan Pacifique, au Nord sur les montagnes de San Bernardino. Il y avait même une maison hantée au pied des collines voisines, que nous regardions avec crainte et dont nous nous approchions avec prudence. Une ligne de chemin de fer passait à moins de deux kilomètres de notre maison.

Notre vie à Yorba Linda était dure, mais heureuse. Mon père acceptait tous les emplois qu'il pouvait trouver. Nous possédions un potager et un verger : aussi avions-nous toujours de quoi manger malgré nos faibles ressources. Une vache nous donnait son lait, dont ma mère faisait du beurre et du fromage.

J'entrai à l'école de Yorba Linda à six ans. Ma mère m'avait appris à lire à la maison, ce qui me permit de gagner une année.

Après avoir fait mes devoirs et aidé ma mère au ménage, je me plongeais dans un livre ou une revue au coin du feu ou sur la table de la cuisine. Nous prenions le *Times* de Los Angeles, le *Saturday Evening Post* et le *Ladies Home Journal*. Tante Olive, qui était la plus jeune sœur de ma mère, et son mari, Oscar Marshbain, vivaient tout près, à Whittier; ils étaient abonnés à la revue *National Geographic*. Chaque fois que j'allais les voir, je leur empruntais un numéro. C'était la revue que je préférais.

En 1922, mon père vendit la maison et sa plantation de citronniers, et nous nous installâmes à Whittier. Il travailla comme manœuvre sur les champs de pétrole, mais quoique ce travail fût bien payé, il ne pouvait satisfaire un homme de sa trempe : ambitieux (mais sans bassesse), intelligent, et doué d'une fertile imagination. Mon père pressentit de bonne heure que même si les automobiles étaient encore peu nombreuses, et même s'il n'existait dans la région qu'une seule route pavée, l'avenir appartenait aux voitures sans chevaux. Il emprunta cinq mille dollars pour acheter un terrain sur la route principale réunissant Whittier et La Habra. Il le nettoya, y mit un réservoir et une pompe. C'est ainsi que fut créée la première station-service sur les treize kilomètres qui séparaient les deux villes.

L'entreprise eut un succès presque immédiat. Il ouvrit un bazar-épicerie, auquel ma mère ajouta un comptoir où elle vendait des tartes et des gâteaux faits à la maison. L'épicerie se développa rapidement, et n'eussent été les maladies qui s'abattirent sur la famille, nous eussions joui d'une modeste aisance, selon le mode de vie de l'époque. Le marché Nixon était une entreprise familiale. Nous y travaillions tous.

Ce n'était pas une vie facile, mais elle était bonne, au centre d'une famille aimante et d'une petite communauté de quakers très unie. Pour ceux qui travaillaient dur, la Californie de 1920 semblait être un endroit et une époque qui offraient toutes les possibilités.

Le principe selon lequel les contraires s'attirent s'appliquait parfaitement à mes parents. Dans les choses essentielles, ils se ressemblaient beaucoup. Tous deux étaient très attachés à la religion. Ils étaient tout à fait dévoués l'un à l'autre et ils ne reculaient devant aucun sacrifice pour leurs enfants. Mais il était difficile d'imaginer des caractères plus différents.

Mon père, Francis Anthony Nixon, que, toute sa vie, on appela Frank, était né à la campagne dans l'Etat d'Ohio le 3 décembre 1878. Sa mère mourut de tuberculose quand il avait huit ans, et sa longue maladie laissa la famille sans un sou. Après sa mort, la famille s'établit sur un petit terrain désert dans l'Est de l'Ohio, d'où mon père devait faire plusieurs kilomètres chaque jour pour se rendre à l'école. Etant nouveau, de petite taille et habillé de pièces et de morceaux, il fut brimé par ses camarades. Mais il sut leur répondre, n'ayant pas sa langue dans sa poche et les poings inactifs, et en peu de temps, il devint par nature un bagarreur.

Les ressources de la famille ne s'accroissaient pas, et après six ans d'école, il mit fin à ses études pour travailler. C'était une décision inévitable, mais il l'a toujours regrettée. Il exerça toutes sortes de professions au cours des années suivantes, acquérant avec chacune un nouveau savoir-faire, avec beaucoup d'habileté et d'adresse. Il conduisit des bœufs pour mener des troncs d'arbres à la scierie, devint charpentier, planta des pommes de terre, tondit des moutons au Colorado et installa les premiers téléphones à manivelle.

Toute sa vie, mon père a essayé de s'élever par son travail. Il s'établit à Colombus, dans l'Ohio, et devint un conducteur de tramways. L'intérieur des voitures était alors chauffé par de gros poêles pansus, mais les plates-formes où se tenaient les conducteurs étaient à l'air libre. Pendant l'hiver de 1906, mon père eut les pieds gelés. Sa plainte auprès de la compagnie n'ayant eu aucune suite, il organisa une protestation des conducteurs et contrôleurs de tramways. Ils réussirent à faire passer une loi imposant la fermeture et le chauffage des plates-formes.

Ce conflit l'avait cependant aigri et découragé, et il décida de partir pour la Californie du Sud, où, au moins, il n'y aurait pas de danger de gelure. En 1907, il obtint un poste de conducteur sur la ligne de tramways de

Whittier à Los Angeles. En 1908, il fit la connaissance de Hannah Milhous à une fête de la Saint-Valentin. Malgré la famille de celle-ci, qui se montrait plutôt réservée parce qu'elle n'avait pas fini ses études et que le prétendant n'était pas un quaker, ils furent mariés au bout de quatre mois.

Mon père possédait toute la vivacité irlandaise, à la fois dans la colère et la gaieté. C'était son caractère qui m'impressionnait le plus quand j'étais enfant. Il avait de violentes discussions avec mes frères Harold et Don, et tout le voisinage pouvait entendre leurs cris. Il était pour une discipline stricte et sévère, et j'essayais de suivre l'exemple de ma mère, en évitant de le contrarier quand il était de mauvaise humeur. Peut-être l'aversion naturelle que j'ai pour les discussions personnelles vient-elle de ces souvenirs de jeunesse.

C'est sans doute de mon père que j'ai acquis ce que je possède de talent dans les débats. Lorsque je prenais part à des discussions organisées au collège, il me conduisait aux débats, y assistait dans le fond de la salle et écoutait avec toute son attention. En rentrant, il analysait et démontait les raisonnements.

A cette époque où la télévision n'existait pas et la radio était encore dans l'enfance, la conversation avec la famille et les amis était la source principale de distraction. De vives discussions politiques étaient toujours l'un des traits de nos réunions de famille. Mon père fut d'abord un Républicain convaincu. En 1924 cependant, il fut découragé par l'immobilisme de Harding et Coolidge. Un élément populiste entra dans sa réflexion politique, et cette année-là, il abandonna son parti pour voter pour le grand progressiste du Wisconsin, le Sénateur Robert La Follette appelé « Bob le Lutteur ». Il devint même propagandiste convaincu du plan Townsend qui proposait de donner deux cents dollars par mois à toute personne âgée de plus de soixante ans qui prendrait sa retraite et s'engagerait à dépenser cet argent. C'était là un programme trop libéral même pour le New Deal. En 1932, à cause de la prohibition, il vota pour Hoover, parce qu'il était « sec » tandis que Roosevelt était « humide »... Il ne m'a jamais dit pour qui il avait voté en 1936, mais j'ai toujours pensé qu'au milieu de la crise, il a voté pour Roosevelt plutôt que pour Alf Landon, qu'il taxa un jour devant moi d'immobilisme.

L'intérêt que mon père portait à la politique fit qu'il devint mon partisan le plus enthousiaste dès le début de ma carrière. Pour lui, mon succès voulait dire que tout ce qu'il avait cru, tout ce qu'il avait voulu atteindre par son travail, était vrai : qu'en Amérique, un homme pouvait arriver à n'importe quoi avec du travail et de la persévérance. Lorsque je devins membre du Congrès, je lui fis envoyer l'édition quotidienne des débats parlementaires. Il la lisait du début jusqu'à la fin, chose que jamais, à ma connaissance, n'a fait aucun député ou sénateur. Lorsque je me présentai à la Vice-Présidence, il écrivit à l'un des journaux qu'il avait eu l'habitude de lire autrefois une lettre tout à fait directe lui demandant d'appuyer ma candidature : « Ce garçon est l'un des cinq que j'ai élevés, et ce sont, je crois, les mieux qu'il y ait en Amérique. Si vous voulez lui donner un coup de main, je dirai que l'*Ohio State Journal* est toujours sur la bonne voie. »

Tous ceux qui ont connu ma mère ont été frappés par sa personnalité. Elle naquit le 7 mars 1885 dans le Sud de l'Indiana, d'une famille quaker irlandaise de neuf enfants. Elle avait douze ans quand son père décida de rejoindre une nouvelle colonie quaker en Californie. Ils chargèrent de leurs biens un wagon de marchandises, y compris les chevaux et leurs selles, les portes et fenêtres, et arrivèrent en 1897 à Whittier, où mon grand-père planta une pépinière et des orangers. Après des études à la Whittier Academy, ma mère entra à l'Université. Elle aimait l'histoire et la littérature, et se spécialisa dans les langues, le latin, le grec et l'allemand. Lorsqu'elle se maria avec mon père, elle venait de terminer sa seconde année. Ils eurent cinq fils auxquels, à l'exception du troisième qui reçut le nom de son père, elle donna les noms des premiers rois d'Angleterre : Harold, né en 1909; Richard, né en 1913; Francis Donald, né en 1914; Arthur, né en 1918; et Edouard, né en 1930.

Ma mère s'est toujours intéressée aux affaires de la communauté et elle y prenait une part active, mais sa qualité la plus remarquable était son goût profond pour l'intimité. Bien qu'elle rayonnât d'affection et d'amour pour sa famille, elle se montrait toujours à tous très réservée sur ses sentiments et ses émotions. Chacun de nos repas était précédé d'une prière, mais à part certaines occasions où l'un des enfants devait réciter quelque verset de la Bible, ces prières étaient toujours silencieuses. Elle prenait rigoureusement à la lettre le précepte de saint Matthieu, selon lequel la prière devait être faite la porte fermée. Aussi s'enfermait-elle pour dire ses prières du soir.

Souvent, si j'avais des difficultés à prendre une décision sur un discours à préparer, ou si j'avais fait l'objet d'une attaque de la presse, ma mère disait : « Je penserai à toi » — ce qui était sa façon quaker de dire : « Je prierai pour toi. » Cette litote me rendait sa promesse plus précieuse encore. Bien des gens qui ont connu ma mère à Whittier disaient, même de son vivant, que c'était une sainte quaker.

Enfant, je passais des heures à m'essayer au piano. Peu après être entré à l'école, je commençai à prendre des leçons de mon oncle Griffith Milhous. Il m'apprit aussi les bases du violon.

Sur les conseils de ce dernier, je reçus pendant six mois une éducation musicale assez poussée chez une de mes tantes où j'appris le piano et le violon.

Jouer du piano est un moyen de s'exprimer qui satisfait peut-être davantage qu'écrire ou parler. En fait, j'ai toujours eu deux grandes ambitions — toujours insatisfaites : diriger un orchestre symphonique et tenir l'orgue dans une cathédrale. Faire de la grande musique est une des plus nobles aspirations auxquelles un homme puisse se donner.

Quelques jours après notre retour à Whittier, Arthur se plaignit de maux de tête. Le docteur de la famille crut que c'était une grippe et le mit au lit. Son état de santé empira rapidement, et le docteur était incapable d'en trouver la raison. Il ordonna toute une série de tests médicaux, y compris une ponction lombaire. Quand cette épreuve, la plus pénible de toutes, eut été terminée, je me souviens de mon père, descendant l'escalier. C'était la première fois que je le voyais pleurer; il me dit : « Les médecins craignent que le pauvre petit ne meure. »

L'état d'Arthur nécessitait des soins constants. On nous envoya, Don et moi, chez ma tante Carrie Wildermuth à Fullerton. Juste avant de partir, nous allâmes lui dire au revoir. Il avait demandé un de ses plats favoris, un toast à la sauce tomate. Nous lui en apportions, et je me souviens de la joie qu'il en eut. Deux jours plus tard, il mourait.

C'était, dit le docteur, une encéphalite tuberculeuse, mais ces mots étaient de trop grands mots, trop froids et trop impersonnels pour avoir pour nous une signification. Mon père, qui, le dimanche, laissait ouverte sa station-service pour satisfaire au trafic accru du week-end, crut presque que la mort d'Arthur représentait une sorte de rétribution divine. Plus jamais il n'ouvrit la station ou le magasin le dimanche.

La longue lutte de mon frère aîné Harold contre la tuberculose avait commencé plusieurs années avant la mort d'Arthur, et elle dura encore plus de dix ans plus tard. C'était particulièrement dur pour nous, car il avait toujours manifesté une grande joie de vivre. Il était grand, bien bâti, avec les yeux bleus et les cheveux blonds. A un moment, il s'était laissé pousser la moustache, ce qui lui donnait un air presque conquérant. A l'Université, il avait un châssis Ford modèle T avec lequel il luttait de vitesse avec ses amis.

C'est pendant la longue maladie d'Harold que ma mère manifesta toute la profondeur de son courage et de sa foi. La tuberculose était à l'époque presque incurable, et la longue lutte, perdue d'avance, laissa sa marque tragique sur la famille tout entière. Harold alla tout d'abord dans un coûteux sanatorium privé, puis passa quelques mois dans un chalet de l'Antelope Valley, en Californie, qui est beaucoup plus sèche que la région de Whittier.

Finalement, ma mère décida de le prendre avec elle et de vivre dans l'Arizona, à Prescott, que l'on disait excellent pour les tuberculeux, en raison de son climat sec et de son altitude. Elle y passa trois ans avec lui. Pour couvrir les frais, elle soignait trois autres malades, des grabataires. Elle leur faisait la cuisine et le ménage, les lavait, leur passait des frictions à l'alcool et leur donnait des soins tout comme l'aurait fait une infirmière. Plus tard, lorsqu'elle apprit leur mort, l'une après l'autre, elle en souffrit, je pourrais le jurer, autant que s'ils avaient été ses propres enfants.

En plus du surmenage physique et émotionnel des soins, le fait même de la séparation était fort pénible pour ma mère. Mon père faisait régulièrement avec Don et moi le voyage de quatorze heures d'auto jusqu'à Prescott pendant les vacances de Noël et de printemps, et nous y passions aussi une partie de nos étés. Pendant ces deux étés à Prescott, je pris tous les travaux que je pouvais trouver. J'ouvris les portes dans une piscine, j'aidai une fois à plumer et trousser des poulets à frire pour une boucherie. Je fus aussi bonimenteur à la fête du Jour de la frontière qui est encore célébrée chaque année à Prescott.

La maladie d'Harold traînait en longueur. Il devint si maigre qu'il faisait mal à voir. Il était très malheureux à Prescott, il avait le mal du pays, de sorte que l'on décida finalement de le faire revenir à la maison, espérant que l'environnement familier compenserait les inconvénients du climat plus humide. Il avait un désir désespéré de vivre, et il refusait de se conformer aux prescriptions du docteur qui voulait le tenir au lit. C'était particulièrement pénible pour nous : Harold avait encore tant d'espoir, et il était tellement plein de vie!... Nous espérions contre tout espoir que quelque chose comme un sursaut mental viendrait le mettre sur la voie de la guérison. Il dit un jour qu'il voudrait traverser les montagnes de San Bernardino pour voir le désert. Mon père laissa tout tomber pour faire les projets de ce voyage. Il loua l'une des premières caravanes qui se soient trouvées sur le marché — une construction en bois sur un châssis de camion — et il passa des heures avec Harold à tracer leur itinéraire.

Ils partirent un matin, et nous n'attendions pas leur retour avant un mois. Mais trois jours plus tard, ils étaient là. Harold avait eu une nouvelle hémorragie, et malgré son désir instant de continuer, mon père comprit que Harold ne serait pas en état de supporter les rigueurs de la vie en caravane. Harold me dit plus tard qu'il avait été néanmoins heureux d'avoir fait ce trop court voyage. Je peux encore me rappeler sa voix, lorsqu'il décrivait la beauté des fleurs sauvages au pied des collines et la splendeur de la neige brillant dans les montagnes. J'eus l'impression qu'il savait que c'était la dernière fois qu'il les avait vues.

Le 6 mars 1933, Harold me demanda de le conduire dans le centre. Il avait vu une annonce pour un nouveau modèle de mélangeur électrique qu'il voulait offrir à notre mère pour son anniversaire. Il eut à peine la force d'entrer avec moi chez le quincaillier. Nous fîmes faire un paquet d'anniversaire que nous dissimulâmes dans un placard.

Le matin suivant, il décida de retarder la remise du cadeau jusqu'au soir, parce qu'il ne se sentait pas très bien, et qu'il voulait se reposer. Trois heures plus tard, j'étais dans la bibliothèque de l'Université lorsque l'on m'appela de chez nous. A mon arrivée, un corbillard était déjà devant la maison. Mes parents sanglotaient, tandis que l'entrepreneur de pompes funèbres emportait le corps d'Harold. Peu de temps après mon départ pour l'Université, Harold avait demandé à notre mère de le serrer dans ses bras. Bien que n'ayant jamais été particulièrement religieux, il la regarda en disant : « C'est la dernière fois que je te vois, jusqu'à ce que nous nous retrouvions au ciel. » Il mourut une heure plus tard. Ce soir-là je pris le mélangeur électrique et le donnai à ma mère, en lui disant que c'était le cadeau d'Harold.

J'aimais également mes parents, mais d'une façon différente, parce qu'ils étaient très différents. Mon père était un bagarreur, agressif, batailleur, avec un esprit inculte mais vif et étendu. Il me légua le respect de la science et du dur travail, et la volonté de lutter jusqu'au bout. Ma mère m'aimait avec une totale abnégation d'elle-même, et elle m'a laissé sa tranquillité, sa paix intérieure et la volonté de ne jamais désespérer.

Trois mots peuvent résumer ma vie à Whittier : la famille, l'Eglise et l'école.

La famille Milhous était l'une des plus vieilles de la ville, et en comptant les sœurs, les cousines et les tantes, elle comprenait des quantités de gens. C'était un matriarcat, dont le chef avait été d'abord mon arrière-grand-mère, Elizabeth Price Milhous. Cette femme remarquable, avec l'un de ses ancêtres, a fourni le modèle d'Eliza Cope Birdwell, l'héroïne du roman de ma charmante cousine Jessamyn West : *The Friendly Persuasion*. Elle mourut en 1923, à l'âge de quatre-vingt-seize ans. J'avais seulement dix ans, mais je m'en souviens fort bien.

Ma grand-mère, Almira Burdg Milhous, vécut jusqu'à quatre-vingtquatorze ans. A notre fête traditionnelle de Noël, elle siégeait en reine, dans sa meilleure robe de velours rouge, tandis que ses petits-enfants lui apportaient leurs très modestes cadeaux. A tous, elle faisait un compliment, disant que chacun donnait quelque chose qu'elle avait désiré. Elle parut s'intéresser particulièrement à moi, et pour mon anniversaire, ou à diverses occasions, elle m'écrivait quelque citation en vers. Pour mon treizième anniversaire, elle m'envoya un portrait encadré de Lincoln avec ces mots extraits du *Psaume de la vie* de Longfellow, écrits de sa propre main :

La vie des grands hommes nous le rappelle :
Nous pouvons rendre nos vies sublimes,
Et, en partant, laisser derrière nous
L'empreinte de nos pas sur le sable du temps.

Je pendis cette image au-dessus de mon lit, et encore aujourd'hui, c'est un des objets auxquels je tiens le plus. Quand j'étais à l'Université, ma grand-mère me donna une biographie de Gandhi, que je lus du début jusqu'à la fin. L'idéal gandhien du changement pacifique et de la résistance passive la séduisait, et elle avait la profonde répulsion des quakers pour tout préjugé racial ou religieux.

Ma grand-mère appartenait encore à la génération des quakers qui employait, en parlant aux autres, la deuxième personne du singulier. J'aimais l'entendre parler avec ma mère et mes tantes, qui, bien que cette façon de parler eût disparu de leurs maisons, l'utilisaient encore en lui parlant ou en parlant entre elles.

J'avais grandi dans un milieu religieux qui était à la fois exceptionnellement strict et exceptionnellement tolérant. Ma mère et sa famille appartenaient à une des branches de l'Eglise des amis. Mon père s'y était converti, quittant son méthodisme robuste au moment de son mariage, et il témoignait pour sa nouvelle religion de l'enthousiasme typique du converti. Le dimanche, notre famille se rendait quatre fois à l'église, pour l'instruction du dimanche, le service habituel du matin, « l'élévation chrétienne » à la fin de l'après-midi, et encore un autre service le soir; et le mercredi il y avait un service de nuit. Au lycée et à l'Université, je jouais chaque semaine du piano pour divers services religieux. Ma mère me donna une Bible quand j'eus terminé ma huitième année d'école, et jamais je n'allai au lit sans en avoir lu quelques versets.

Mais même les nombreuses cérémonies religieuses des réunions des Amis à Yorba Linda ne suffisaient pas à satisfaire mes parents. Ils étaient fascinés par les évangélistes et revivalistes de ces temps, et nous allâmes souvent à Los Angeles pour entendre Aimee Semple McPherson au temple Angelus, et Bob Shuler, à l'église méthodiste de la Trinité.

Si la religion et la prière tenaient une grande place dans notre famille, elles étaient cependant essentiellement personnelles et intimes. C'est peut-être pour cette raison que je n'ai jamais suivi la pratique habituelle de citer la Bible dans les allocutions que j'ai prononcées pendant ma période scolaire ou ma vie politique. Quand j'étais Vice-Président, le Président Eisenhower me recommanda de citer Dieu de temps à autre dans mes discours, mais je ne pus jamais m'y faire.

J'avais rêvé d'aller dans une Université de la côte Est. J'avais fini troisième dans ma classe terminale du secondaire, remporté le concours d'élocution presque tous les ans, et reçu le prix créé par le Harvard Club de Californie en faveur de l'élève le meilleur en toutes matières. Il y avait une possibilité de bourse à l'Université Yale, mais les frais de voyage et d'entretien auraient dépassé de loin le montant de la bourse, et en 1930, la crise et les énormes dépenses entraînées par la maladie de Harold avaient réduit les ressources familiales à rien ou presque. Je n'avais pas le choix : il me fallait rester chez mes parents, et cela voulait dire que je devais entrer à l'Université de Whittier. Je n'étais pas trop déçu, parce que l'idée que je me faisais de l'Université était si enthousiaste que rien ne pouvait, pour moi, la ternir.

A l'Université, comme au lycée, je continuai à bûcher durement. Pour la première fois de ma vie, je rencontrais des étudiants qui étaient capables de se distinguer sans faire de grands efforts, mais en ce qui me concerne, j'avais besoin de la discipline constante du travail du soir pour me tenir au niveau des cours et des lectures nécessaires.

Tous mes maîtres me firent une grande impression, mais certains d'entre eux eurent une influence particulière sur mon esprit et changèrent ma vie.

Le docteur Paul Smith fut probablement celui qui m'influença intellectuellement le plus dans mes primes années. Je suivais ses cours sur la civilisation anglaise et américaine, sur la constitution américaine, les relations internationales et le Droit. C'était un conférencier brillant, qui parlait toujours sans notes. Il avait fait son doctorat à l'Université de Wisconsin, où il avait étudié sous la direction du grand historien réformiste Glenn Frank. Les conceptions historique et politique du Docteur Smith étaient très influencées par le point de vue réformiste, et ce fut pour moi une révélation que l'histoire pouvait être plus qu'une chronique des temps passés, — qu'elle pouvait être un instrument d'analyse et de critique...

Albert Upton, qui enseignait l'anglais et dirigeait le cercle théâtral, était un iconoclaste. Rien n'était sacré pour lui, et son hétérodoxie avouée nous stimulait.

A la fin de ma première année, il me dit qu'il manquerait toujours quelque chose à mon éducation si je ne lisais pas Tolstoï et les autres grands romanciers russes. L'été suivant, je ne lus que cela. C'était *Résurrection* que je préférais, le dernier grand roman de Tolstoï. Je fus encore plus séduit par les travaux philosophiques de ses dernières années. Son programme de révolution pacifique en faveur des masses russes opprimées, son opposition passionnée à la guerre, et l'accent qu'il mettait sur les éléments spirituels dans tous les aspects de sa vie me laissèrent une impression plus durable que ses romans. A cette étape de ma vie, je devins un tolstoïen.

Le Docteur S. Herschel Coffin m'influença d'une autre façon. Il faisait un cours intitulé « La philosophie de la reconstruction chrétienne » que je suivis pendant ma deuxième année. Ce cours était mieux connu par son sous-titre : « Que puis-je croire? » Il comportait chaque semaine une analyse de soi-même se rapportant aux questions qui avaient été posées lors du cours. Nous étudiions la théorie de l'évolution, l'authenticité réelle de la Bible et la nature de la démocratie. Au début, au milieu et à la fin du cours, nous avions à écrire une dissertation répondant à la question : « Qu'est-ce que je peux croire? »

Je pensais que Jésus était le fils de Dieu, mais pas nécessairement au sens physique du terme. « Il a atteint la plus haute conception de Dieu et des valeurs que le monde ait jamais connue. Il a vécu une existence qui a fait rayonner ces valeurs. Il a enseigné une philosophie qui les a révélées aux hommes. J'irai jusqu'à dire que Dieu et Jésus sont un, parce que Jésus a fourni le grand exemple qui pour toujours entraîne les hommes vers une vie d'idéal. Sa vie fut si parfaite qu'il a mêlé son âme à celle de Dieu. »

J'écrivis que l'exactitude littérale de l'histoire de la Résurrection n'était pas aussi importante que son symbolisme profond. « Le fait important est que Jésus a vécu et a enseigné une vie si parfaite qu'il a continué à vivre et à grandir après sa mort, dans le cœur des hommes. Peut-être l'histoire de la Résurrection n'est-elle qu'un mythe, mais elle enseigne symboliquement une grande leçon : les hommes qui atteignent aux plus hautes valeurs dans leurs vies peuvent gagner l'immortalité... Les docteurs de l'orthodoxie ont toujours répété que la résurrection physique de Jésus est la pierre angulaire du christianisme. Je crois que le monde moderne trouvera une résurrection réelle dans la vie et l'enseignement de Jésus. »

Les éléments populistes des convictions politiques de mon père, l'influence réformiste de Paul Smith, l' « iconoclasme » d'Albert Upton, et l'humanisme chrétien de Coffin donnèrent à ma pensée de jeune homme une teinte très libérale, presque populiste.

Grâce à mes maîtres, je travaillais dur, et je reçus une excellente éducation à Whittier.

Les débats publics étaient alors à l'Université une activité sérieuse et un art très développé. Ils m'apportèrent non seulement l'expérience des techniques de discussion, mais aussi une initiation précieuse à certains des problèmes que j'aurais à traiter quelques années plus tard.

D'après l'organisation des débats, chaque équipe devait être prête à prendre position tout aussi bien pour que contre la question posée. Cette sorte d'exercice s'avéra un excellent antidote contre les certitudes mal fondées et une bonne leçon pour apprendre à comprendre le point de vue d'un adversaire. Cet entraînement m'habitua à parler sans notes : habitude qui fut de grande importance plus tard dans ma carrière politique. A la fin de ma quatrième année, je remportai le concours oratoire interuniversitaire de la Californie du Sud.

L'un des sujets que nous discutions était celui du libre-échange contre le protectionnisme. Après avoir étudié et discuté les deux aspects, je devins un libre-échangiste convaincu, et je le suis resté jusqu'à ce jour. Une autre question était celle de l'annulation des dettes de guerre. Bien qu'ayant discuté une fois de plus en faveur et contre l'annulation, je devins convaincu que le redressement économique de l'Europe importait plus que notre insistance à exiger le remboursement des dettes de guerre. Nous débattîmes également de la supériorité d'une libre économie sur l'économie dirigée. Bien que nous fussions à cette époque au sommet du premier enthousiasme provoqué par les expériences du New Deal, l'examen que je fis des deux aspects de la question me persuada tout à fait des mérites immenses du libéralisme économique.

Un jour, pendant ma dernière année à Whittier, je vis un avis au tableau d'affichage annonçant que vingt-cinq bourses de 250 dollars étaient offertes pour la nouvelle école de droit de l'Université Duke à Durham en Caroline du Nord. Je posai ma candidature et ce ne fut que lorsqu'elle fut acceptée que j'appris que ces bourses étaient surnommées « le repasseur à viande » parce que, sur les vingt-cinq, douze seulement étaient renouvelées en deuxième année.

Je n'étais pas préparé, lors de mon arrivée à Durham en septembre 1934, aux dimensions et à la beauté du campus de Duke. Pour quelqu'un qui était habitué à l'architecture de la Californie et à une petite Université comme celle de Whittier, Duke semblait une ville épiscopale du Moyen Age. Il y avait des flèches et des tours et des vitraux partout. Des douzaines de bâtiments étaient regroupés parmi des hectares de parcs et de jardins.

Dès le premier jour, je compris que j'étais engagé dans une course de compétition. Plus de la moitié de mes camarades appartenaient à la « fraternity » Phi Beta Kappa. L'Université Duke avait adopté la méthode de Harvard en ce qui concernait les cas de jurisprudence, qui comportait la mémorisation de faits et de points de droit dans des centaines de cas différents. Il fallait être capable de les réciter et de répondre à des questions percutantes. Ma mémoire était d'un grand avantage, mais je n'avais jamais eu à faire face à une telle masse de matériaux. Par moments, je désespérais de pouvoir jamais réunir les faits que j'avais mémorisés dans un système cohérent du Droit.

Je parvins à rester au niveau nécessaire pour conserver le bénéfice de ma bourse et je devins un collaborateur de la revue juridique trimestrielle de l'Université, qui s'appelait *Le Droit et les problèmes contemporains*. Ma bourse couvrait les frais d'enseignement seulement, mais je pus compléter mes ressources en travaillant dans la bibliothèque de Droit à des travaux de recherche pour le doyen H. Claude Horack. Je trouvai même le temps de me livrer à des activités politiques et je fus élu Président de l'Association des étudiants du Barreau.

Il me fallait pourtant gagner ma vie. La recherche d'une situation dans une période de crise, on le pense bien, n'est pas chose aisée. Après une tentative infructueuse à New York, je pose au F.B.I. une candidature qui n'eut pas de suite, en raison d'une réduction des crédits.

Je décidai donc que je rentrerais à Whittier pour y exercer une profession juridique. J'y arrivais avec de bonnes perspectives mais avec un avenir incertain. Il me fallait d'abord être admis au Barreau de la Californie. Je n'avais que six semaines avant l'examen, à la préparation duquel les candidats consacraient généralement deux mois. Et pire encore, les trois jours d'examen comprenaient l'énorme code de la Californie que je n'avais pas étudié à l'Université.

Je me mis au travail avec acharnement — tant et si bien que je fus reçu haut la main à l'examen. Ce qui me permit d'entrer au cabinet Wingert et Bewley, à Whittier.

Le premier travail de juriste que j'eus à faire consistait dans des cas de droit foncier et de divorce, qui sont le lot habituel des débutants. Je n'aimais pas les affaires de divorce. Je fus surpris au début par les questions intimes qui étaient discutées, et par le fait que les gens pouvaient s'asseoir tranquillement et en parler à un étranger, fût-ce même à leur homme de Loi. J'ai toujours essayé de pousser mes clients à la réconciliation, mais je n'ai pas souvent réussi.

J'aimais mon métier, et bientôt le cabinet devint Wingert, Bewley et Nixon. Pour la première fois de ma vie, je n'étais plus le fils de Frank et Hannah Nixon : j'étais M. Nixon, le nouvel associé de Wingert et Bewley.

On attend des jeunes juristes qui cherchent des affaires pour leur cabinet qu'ils adhèrent à des clubs locaux. C'est ainsi que je commençai à participer intensément à la vie de la communauté. Je devins membre du club des Kiwanis à La Habra et du club des « 20 à 30 » qui regroupait les jeunes hommes d'affaires ou des professions libérales de cette génération. Dès 1941, j'étais solidement établi dans la société locale. J'avais été élu Président du club des « 20 à 30 », de l'Association des anciens élèves de l'Université de Whittier, des élèves californiens de l'Université Duke, de l'Association des villes du canton d'Orange, et de surcroît, je fus le plus jeune membre qui ait jamais été élu au Conseil d'administration de l'Université de Whittier. Plusieurs personnalités républicaines de la ville me proposèrent de poser ma candidature pour l'Assemblée législative de Californie. Je fus flatté et intéressé par cette offre, mais la guerre intervint.

Encore faut-il, avant d'en venir à cette période cruciale que la guerre fut pour moi, que je fasse état d'un événement qui bouleversera (au meilleur sens du terme) durablement ma vie. Je veux parler d'une rencontre : celle que je fis avec Pat Ryan, au cours d'une représentation théâtrale d'amateurs à laquelle je prenais part. C'était en 1938. Immédiatement, je m'épris d'elle et, comme on le sait, elle devint par la suite ma femme.

Pat est née le 16 mars 1912, dans la petite ville minière d'Ely, au Nevada. Elle fut baptisée sous les noms de Thelma Catherine Ryan. Elle avait un an lorsque son père décida de quitter la mine et de prendre avec sa famille un petit élevage à trente kilomètres au Sud-Ouest de Los Angeles, près d'Artesia. Cette famille de sept personnes (ses parents, une sœur et trois frères) vivait dans une maison très semblable à celle des Nixon au voisinage de Yorba Linda. Elle décida d'adopter le nom de Pat que son père irlandais aimait lui donner. C'est très agaçant que d'être affublé d'un nom que l'on n'aime pas, et, quand nos filles naquirent, Pat proposa de ne leur donner qu'un prénom, Patricia et Julie, de manière qu'elles puissent en changer ou en ajouter un autre lorsqu'elles auraient l'âge d'en décider.

Sa mère mourut du cancer quand Pat n'avait que treize ans. Elle dut prendre sa place et faire la cuisine et le ménage pour son père et ses frères. Au moment où elle sortait de l'école secondaire, les longues années de travail dans la mine réclamèrent leur dû, et son père tomba malade de la silicose. Pat abandonna ses projets universitaires et soigna son père jusqu'à ce qu'il mourût deux ans plus tard. Son père disparu, et ses frères étant à l'Université, Pat était livrée à elle-même, seule — ou presque —, et sans ressources.

Tout en gagnant sa vie dans des emplois divers, Pat Ryan suivit des cours à l'Université et reçut en 1937 le baccalauréat ès sciences avec mention de l'Université de Californie du Sud à Los Angeles. Elle devint professeur à la section « affaires » à l'Université de Whittier où je fis avec elle plus ample connaissance.

En mai 1940, j'envoyai à Pat un panier de fleurs avec une bague de fiançailles. Nous fûmes mariés le 21 juin, au cours d'une simple cérémonie familiale à Riverside, en Californie. Nous partîmes au Mexique en voyage de noces. Nous avions très peu d'argent, de sorte que pour éviter la dépense des restaurants nous avions emporté des boîtes de conserve! Une fois partis, nous découvrîmes que nos amis avaient enlevé toutes les étiquettes, de sorte que chaque repas devint un jeu de hasard... Nous eûmes souvent du porc aux haricots au petit déjeuner et des tranches de pamplemousse pour le dîner.

De retour à Whittier, je retournai à mon cabinet juridique et Pat à l'enseignement. Notre vie était heureuse et pleine de promesses.

Lors de la campagne électorale de 1940, j'appuyai fortement Wendell Willkie. En effet, si j'approuvais certaines parties du programme de Roosevelt, en particulier la Sécurité Sociale, j'étais opposé à sa tentative de rejeter ce qui était chez nous une tradition bien établie : le droit, pour un Président sortant, de se représenter pour un second mandat présidentiel. Je fis même quelques discours pour Willkie devant de petits groupes à Whittier.

En 1941, nous avions économisé assez d'argent pour faire une croisière dans les Caraïbes sur un cargo mixte de la United Fruit Company... Mon souvenir le plus vif de ce voyage est celui de la soirée du 22 juin 1941, lorsque notre vieux steward noir nous dit que la radio venait d'annoncer l'invasion de la Russie par Hitler. Nous souhaitions tous les deux que cet événement conduise à une victoire russe et à la chute de Hitler. Je méprisais Hitler, et, bien que Staline m'eût déçu lors de la conclusion du pacte Hitler-Staline, je n'éprouvais pas de sentiments particulièrement anti-soviétiques ou anticommunistes.

En décembre 1941, grâce à la recommandation d'un de mes professeurs de l'Université Duke, David Cavers, on m'offrit un emploi dans les bureaux du Service des prix à Washington. Le traitement annuel n'était que de 3 200 dollars, pas tout à fait autant que ce que nous réunissions Pat et moi avec son enseignement et mon cabinet juridique. Mais c'était une bonne occasion d'aller à Washington et de voir de près comment fonctionnait le Gouvernement. Je pense aussi que ma mère fut soulagée par ma décision. Bien que celle-ci m'éloignât de Whittier, ma mère pensait probablement que, si la guerre arrivait, je resterais dans les services du Gouvernement; et ainsi je ne sacrifierais pas les principes quakers en allant prendre part au combat dans les forces armées.

Installé à Washington après l'entrée en guerre des Etats-Unis, je fus affecté à la section du rationnement du caoutchouc et des pneumatiques du Service des prix. Je pus donc analyser et observer dans le détail les méthodes du travail administratif.

L'une des premières leçons que je tirai de mon expérience porta sur la façon dont fonctionne la bureaucratie. J'avais été engagé dans la catégorie

P3 au traitement annuel de 3 200 dollars. Je constatai que d'autres agents ayant de moindres qualifications universitaires et moins d'expérience juridique avaient été pris dans la catégorie P4, et même certains dans la P5 à 4 600 dollars par an. Je ne me plaignais pas, mais j'en parlai à quelques personnes que je connaissais à la direction du personnel. L'un de mes supérieurs, David Lloyd, qui devint plus tard l'un des conseillers du Président Truman, me dit : « Faites-vous un personnel. Demandez trois ou quatre personnes pour vous aider, et alors nous serons en mesure de vous élever à la catégorie P5. — Mais, objectai-je, je n'ai pas besoin de personnel! — En ce cas, me répondit-il, vous n'aurez pas de promotion!... »

En tant que jeune conseiller juridique dans la section du rationnement des pneus, je ne puis dire que j'eus beaucoup d'influence sur le Service des prix. Mais cette expérience eut des conséquences énormes sur la politique que je suivis plus tard dans ma carrière.

J'en gardai l'impression durable que, tandis que certains fonctionnaires étaient loyaux, dévoués et capables, d'autres, obsédés par leur pouvoir (réel ou fictif), semblaient prendre plaisir à brimer leur entourage, en particulier les gens du secteur privé. C'était déjà assez difficile de faire fonctionner le rationnement, alors même que la guerre était présente et que nous pouvions faire appel au patriotisme. Je compris que, la guerre une fois terminée, il serait absolument impossible d'appliquer le rationnement et le contrôle des prix et que le marché noir, de même que les Bootleggers pendant la prohibition, serait le seul bénéficiaire du maintien d'un système contrôlé par le Gouvernement.

Malgré mon éducation religieuse quaker, je souhaitais ardemment servir dans les forces armées. Je m'engageai donc, en août 1942. Après avoir suivi un stage de formation d'officiers pour la Marine, je fus envoyé à une base aéronavale de l'Iowa. Mais je voulais participer plus directement au combat contre Hitler. Je demandai et obtins mon affectation au service en mer.

Je reçus l'ordre de rejoindre San Francisco pour y recevoir une affectation outre-mer. Nous nous rendîmes d'abord à Whittier pour faire mes adieux à ma famille. La visite fut très pénible. Bien qu'elles n'en aient rien dit, je savais que ma mère et ma grand-mère, pacifistes en dépit de tout, étaient chagrinées par ma décision. Lors de la Première Guerre mondiale, mon oncle Oscar était allé en France avec le Comité américain des Amis et avait travaillé avec la Croix-Rouge comme infirmier, soignant les blessés des deux camps. Je suis certain que c'est ce genre de service qu'elles auraient voulu que j'accomplisse. C'était pour moi une décision difficile, mais je sentais que je ne pouvais pas rester à ne rien faire pendant que mon pays était attaqué. Le problème du pacifisme quaker, me semblait-il, était qu'il ne pouvait être efficace que si l'on était aux prises avec un ennemi civilisé et humain. En face de Hitler et Tojo, non seulement le pacifisme ne pouvait arrêter la violence, mais encore il favorisait les plans d'un ennemi barbare et affaiblissait le moral de l'intérieur.

Ainsi il ne me semblait pas satisfaisant d'être à l'arrière. Il me fallait combattre. Et c'est la raison pour laquelle, au lieu de rester stationné à Nouméa et Bougainville, dans le cadre des transports aériens de combat du Pacifique-Sud, je sollicitai une affectation au titre d'officier commandant le détachement du S.C.A.T. (South Pacific Combat Air Transport) qui devait appuyer l'invasion de Green Island.

Nous arrivâmes dans la baie à bord d'un hydravion. Mais les Japonais s'étaient déjà retirés, et les seuls dangers que nous pouvions courir venaient de quelques maraudeurs et d'omniprésents mille-pattes géants...

Le génie de la Marine entreprit immédiatement la construction d'une piste pour avions. Quelques jours avant qu'elle ne fût terminée, un bombardier B24 de l'armée qui avait été très endommagé au-dessus de Rabaul dut l'utiliser pour un atterrissage en catastrophe, bien que du matériel du Génie se trouvât sur la piste. C'était le soir, il faisait presque nuit; et tous, nous poussâmes des hourras lorsque l'avion réussit à se poser sur le ventre. Mais — horreur et stupéfaction! —, il alla s'écraser dans un bulldozer et explosa. Ce fut un terrible carnage. Je vois encore l'anneau nuptial sur la main carbonisée d'une des victimes dont je sortais le corps de l'épave tordue.

On a parfois exagéré mes succès au poker pendant cette période de ma vie, tant en ce qui concerne mes talents que l'importance de mes gains. A Whittier, toute espèce de jeu d'argent m'était anathème, en tant que quaker. Mais les pressions du temps de guerre, et la monotonie, plus pénible encore, en firent pour moi une distraction irrésistible. Je trouvai que la pratique du poker était aussi instructive que distrayante et profitable. J'appris que les gens qui ont les bonnes cartes sont ceux qui parlent le moins et le plus bas; ceux qui bluffent ont tendance à parler fort et ainsi à se trahir. Un soir, dans une partie de « Stud Poker », je réussis un *royal flush* par les carreaux. La chance de l'obtenir est de 1 sur 650 000, et j'étais naturellement très excité, mais je jouai avec un véritable visage de joueur de poker, et je ramassai les enjeux.

En juillet 1944, mon tour de service outre-mer vint à son terme et je fus rappelé aux Etats-Unis. Je pris à Guadalcanal un avion de transport pour Hawaï, et au cours d'une escale de ravitaillement sur l'île de Wake, je descendis faire un tour me dégourdir les jambes. C'est la première fois que je vis un cimetière de guerre. Je n'oublierai jamais ces rangées de croix l'une après l'autre qui partaient du bord de la piste pour aller se perdre dans le lointain sur cette petite île, si loin de chez nous. Je pensai à tous ces hommes qui étaient encore en train de lutter pour ces lambeaux de terre hostiles et souvent désertiques, et je me demandai, comme je l'avais fait souvent, pourquoi les Américains et les Japonais pensaient qu'ils valaient la peine que l'on combatte et que l'on meure pour eux. Je savais naturellement qu'ils formaient les indispensables escales vers l'invasion du Japon, et que nous devions nous en emparer, tout comme les Japonais devaient les défendre. Mais à Wake, en attendant que l'avion eût terminé son plein d'essence, j'étais accablé par la futilité de la guerre et les terribles réalités des pertes qu'elle laisse derrière elle.

DÉPUTÉ ET SÉNATEUR
1947-1952

Dès mon arrivée à San Diego, je téléphonai à Pat qui arriva par avion de San Francisco où elle avait travaillé, pendant mon service outre-mer, comme analyste au Service des prix. Je l'attendis à l'aéroport. Elle portait une robe rouge vif et dès qu'elle me vit derrière la barrière, sa figure s'illumina. Elle accourut et se jeta à mon cou.

J'étais de retour mais j'appartenais encore à la Marine. En janvier 1945, je reçus l'ordre d'aller dans l'Est pour travailler à des contrats de la Marine. Pendant les derniers mois de la guerre et les premiers de la paix, nous habitâmes Washington, Philadelphie, New York et Baltimore.

Les événements se précipitaient. En avril, Pat et moi déjeunions au restaurant Bookbinders à Philadelphie quand notre garçon vint nous dire que la radio venait d'annoncer la mort de Franklin Roosevelt. Comme tout le monde nous fûmes bouleversés et attristés. Un mois plus tard, la guerre se termina en Europe et nous vîmes aux actualités les soldats américains et soviétiques se serrer la main au bord de l'Elbe. En août, Pat et moi, nous nous mêlâmes à la foule de Times Square, à New York, pour fêter la victoire sur le Japon.

CANDIDAT AU CONGRÈS : 1946

Pat attendait notre premier enfant; et maintenant que la guerre était terminée, nous commencions à penser sérieusement à ce que j'allais faire dans le civil. La réponse à cette question arriva en septembre, sous forme d'une lettre de Herman Perry, directeur de la succursale de Whittier de la Bank of America. Perry était un vieil ami de la famille, ancien condisciple de ma mère à l'Université de Whittier et à présent un des responsables du Parti Républicain. Son petit mot, fort bref, allait droit au but :

« Cher Dick,
Ces quelques mots pour te demander si tu aimerais être candidat au Congrès sous l'étiquette républicaine en 1946.
Jerry Voorhis compte se présenter; les inscriptions sont d'environ 50-50. Les Républicains gagnent des points.
Réponds-moi par avion si tu es intéressé.
Bien à toi,

H. L. Perry.

P.S. Est-ce que tu es inscrit sur les registres électoraux en Californie? »

Perry savait que je m'intéressais à la politique : nous avions en effet souvent discuté avant la guerre de ma candidature au parlement de l'Etat. Mais, en 1941, j'étais un jeune avocat tout nouvellement marié qui débutait dans sa carrière; en 1946, je serais un officier de marine démobilisé, avec une femme et un enfant. Il était évident que si je voulais faire sérieusement campagne pour le Congrès, cela exigerait toute mon attention et des efforts à plein temps. Pat et moi devrions pouvoir vivre et financer la campagne au moins jusqu'aux primaires de juin. Si je remportais la nomination, nous pourrions ensuite compter sur les fonds de campagne de l'organisation du parti, mais en payant quand même nos frais personnels. Avec ma solde, le salaire de Pat et mes gains au poker, nous avions réussi à épargner pendant la guerre 10 000 dollars. Nous avions envisagé de consacrer cet argent à l'achat d'une maison. Pat était un peu inquiète à l'idée de dépenser nos économies pour une campagne politique qui promettait, au mieux, d'être risquée. Cependant, plus nous songions à un retour à Washington comme famille de parlementaire, plus notre enthousiasme montait.

Deux jours plus tard, je téléphonai à Perry pour le remercier de sa lettre et lui dire que je serais très honoré de me présenter au Congrès. Quand je lui annonçai que je pourrais être en Californie pour me mettre en campagne au début de l'année, il versa un peu d'eau froide sur mon emballement en me déclarant que ma nomination ne dépendait pas de lui. Il m'avait écrit au nom d'un comité de recherche de candidats, appelé le Comité des 100, créé par les responsables républicains du Douzième District qui cherchaient un homme capable de battre Voorhis. Il pensait que si j'étais intéressé j'aurais d'assez bonnes chances, mais le comité allait sûrement examiner plusieurs candidats avant d'en soutenir un.

Le lendemain matin, j'écrivis à Perry pour lui confirmer mon intérêt. J'ajoutai : « Je crois très sincèrement que Jerry Voorhis peut être battu, et je serais ravi d'en avoir l'occasion. Une campagne vigoureuse et agressive pour un programme de libéralisme *pratique* devrait être l'antidote que le peuple attend pour remplacer l'idéalisme du New Deal tel que le conçoit Voorhis. Ma brève expérience à Washington dans l'administration et mes trois ans et demi dans la Marine m'ont donné une assez bonne idée du gâchis qui règne à Washington. »

Le 2 novembre 1945, je pris l'avion pour Whittier afin d'assister au dîner du Comité des 100, au William Penn Hotel. Les recherches du groupe avaient déniché six candidats possibles et chacun de nous devait prononcer un discours en donnant les raisons de sa candidature. Je portais mon uniforme de la Marine; je ne possédais pas encore de costume civil.

Comme le tirage au sort m'avait désigné pour prendre la parole le dernier, après un long programme, j'estimai que la brièveté serait plus appréciée que l'éloquence. Dans le premier discours de ma carrière politique, je donnai mon point de vue des deux opinions opposées sur la nature du système américain :

> « Celle que préconise le New Deal est le contrôle total des citoyens par le gouvernement. L'autre réclame la liberté individuelle et toutes les initiatives que cela comporte.
> Je défendrai le second point de vue. Je crois que les anciens combattants, et je me suis entretenu avec beaucoup d'entre eux pendant la guerre, ne seront pas satisfaits d'une allocation ou d'un secours financier du gouvernement. Ils veulent des emplois respectables dans l'industrie privée, où ils seront respectés pour ce qu'ils produisent, ou bien la possibilité de s'établir à leur compte.
> Si le choix de ce comité se porte sur moi, je serai prêt à lancer une campagne vigoureuse et agressive pour un programme de libéralisme pratique, et je suis sûr qu'avec votre aide l'actuel titulaire peut être battu. »

Je retournai attendre à Baltimore la décision du comité. Il était plus de deux heures du matin quand, le 29 novembre, le téléphone sonna. Roy Day, un des membres du comité, me cria à l'appareil : « Dick, vous êtes nommé! » J'avais récolté soixante-trois voix. Mon plus proche concurrent, Sam Gist, propriétaire d'un magasin de meubles à Pomona, en avait eu douze.

En attendant ma démobilisation, j'avais suivi des cours accélérés sur la politique et les affaires publiques. Tous les soirs, en rentrant chez moi, j'étudiais les magazines, les journaux, des livres sur le Congrès et les campagnes politiques. J'écrivis au leader de la minorité de la Chambre, Joe Martin, me présentai comme le futur candidat républicain pour le Douzième District et lui rendis visite dans son bureau du Capitole. Je m'entretins avec plusieurs parlementaires républicains pour connaître leur opinion sur Voorhis. Grâce au Comité de Campagne républicain, j'obtins un état complet des votes de Voorhis à la chambre et passai plusieurs jours à l'apprendre à fond. Quand je fus enfin démobilisé et retournai en Californie au mois de janvier, j'étais sûr de connaître les états de service de Voorhis aussi bien que lui. La suite allait prouver que je les connaissais encore mieux.

Lors de mes premières rencontres avec mes conseillers pour la campagne, il avait été convenu que mon premier devoir devait être de me faire connaître dans le district. Si j'étais bien connu dans la région de Whittier, dans les autres villes j'étais encore un étranger.

Nous commençâmes par une série de « réunions à domicile », au cours desquelles des partisans républicains ouvraient leur maison à autant d'amis et de voisins qui voudraient faire ma connaissance. En prenant le thé ou le café, je faisais quelques brèves réflexions et je répondais aux questions. Ces réunions me permirent de rencontrer des centaines d'électeurs et m'aidèrent à recruter cette aide féminine bénévole qui est si capitale dans n'importe quelle campagne. Je pus aussi savoir ce que les électeurs pensaient vraiment.

Pat était ma meilleure assistante. Tout de suite après la naissance de Tricia, le 21 février, elle consacra son temps à dactylographier des communiqués pour la presse, à expédier des brochures et à tenir mon semainier à jour. Elle assista avec moi à beaucoup de réunions à domicile et donna ensuite son opinion, ainsi que ses précieuses critiques, sur ma prestation.

Les primaires étaient fixées au 4 juin. A cette époque, la loi californienne autorisait un candidat à se présenter aux primaires des deux partis. Ainsi, elles servaient de galops d'essai avant l'élection générale. Voorhis et moi, profitant de cette latitude, nous nous présentions à la fois à la nomination démocrate et républicaine. Quand on compta les voix, chacun de nous, comme il fallait s'y attendre, avait remporté la nomination de son propre parti. Mais, d'après le total combiné, il me battait d'environ 7 500 voix. Je savais que la bataille allait être rude, si je voulais le battre en novembre.

J'étais déçu de n'avoir pas fait mieux, mais je me consolais en me disant que c'était le résultat aux primaires le plus faible de Voorhis, depuis 1936. Le Douzième District était foncièrement conservateur et républicain et j'étais sûr de pouvoir le reprendre en main si nous parvenions à maintenir l'intensité de la campagne primaire jusqu'à l'élection générale de novembre. « Tout ce qu'il nous faut, écrivis-je à Ray Day, devenu un des conseillers clefs de la campagne, c'est un complexe de victoire, et nous le battrons en novembre. »

Mon plus grand avantage, en 1946, c'était la tendance nationale en faveur des Républicains. Les gens en avaient assez des privations et de la pénurie de quatre ans de guerre, et dans l'explosion de la prospérité d'après-guerre ils commençaient à renâcler contre les règlements et les ingérences du gouvernement qui tenaient une si grande place dans la législation du New Deal de Roosevelt. Dans le Douzième District, comme dans beaucoup d'autres, les anciens combattants ne trouvaient pas de logements à des loyers abordables et nombreux étaient ceux qui n'en trouvaient pas du tout. La pénurie des biens de consommation était aggravée par les longues grèves nombreuses de 1946; il s'ensuivait une montée astronomique des prix. Certains bouchers du district affichaient des pancartes dans leur vitrine : « Pas de viande aujourd'hui? Adressez-vous à votre député. » Mes affiches demandaient : « Etes-vous satisfait des conditions actuelles? Pouvez-vous acheter de la viande, une voiture, un réfrigérateur, les vêtements dont vous avez besoin? Voter pour Nixon, c'est voter pour le changement. Où sont tous les nouveaux logements qu'on vous a promis? Voter pour Nixon, c'est voter pour le changement. » Dans toute la nation le slogan républicain était en 1946 : « VOUS EN AVEZ ASSEZ? » Et la réponse des électeurs allait nettement être un « Oui! » retentissant.

Prévoyant un raz de marée républicain, beaucoup de Démocrates tentèrent de se dissocier de leur parti et certains firent même campagne en critiquant Truman et sa politique. Mais Jerry Voorhis était assez loin sur la gauche de Truman pour que je n'aie pas à me soucier de ce problème.

Peu avant le début de la campagne officielle en septembre, je reçus une invitation d'un groupe (appelé « les Electeurs indépendants de South Pasadena ») à participer à un débat avec Voorhis. La plupart de mes conseillers exprimèrent des doutes, surtout quand ils découvrirent que les Electeurs indépendants étaient en majorité des libéraux du New

Deal. Pour ma part, je pensais qu'en ma qualité de « challenger », je ne pouvais guère refuser un débat avec mon adversaire.

Le débat, finalement, n'en fut pas un. Ce fut plutôt une réunion publique contradictoire au cours de laquelle nous prononçâmes chacun une allocution avant de répondre aux questions du public. Voorhis parla le premier, d'une façon assez fumeuse, sur la nature des rapports entre l'exécutif et le législatif et la nécessité d'une législation progressiste. De mon côté, j'attaquai vivement la paperasserie administrative et l'incompétence bureaucratique provoquant la pénurie de viande et de logements, et je réclamai une action vigoureuse pour mettre fin aux grèves et aux querelles syndicales qui faisaient tellement de tort à l'économie du pays.

Quand vinrent les questions, nous eûmes droit à trois minutes pour chacune de nos réponses. J'essayai d'être le plus bref et le plus concis possible, mais Voorhis avait du mal à respecter son temps de parole. Il y eut une question, cependant, à laquelle il put répondre brièvement. On lui avait demandé s'il avait été inscrit au Parti Socialiste. Il répondit que oui, mais seulement dans les années 20 et au début de la Dépression, quand il estimait que les deux grands partis ne faisaient pas ce qu'ils devaient.

Et puis un de mes partisans demanda à Voorhis d'expliquer ses « singulières idées sur l'argent », allusion à l'un de ses thèmes favoris sur la réforme monétaire qu'il avait exposé dans son livre *Out of Debt, Out of Danger* (« Plus de dettes, plus de danger »). Ses confrères du Congrès n'avaient rien pu comprendre à son programme, pas plus que ce soir-là les électeurs de Pasadena.

Quand mon tour vint, un des partisans de Voorhis m'accusa d'avoir porté contre lui une accusation mensongère en prétendant qu'il était soutenu par le comité d'action politique du Congrès des Organisations Industrielles (C.I.O.). Cette question allait donner naissance — du moins avec le recul — à ce qui allait être la question la plus célèbre et la plus controversée de la campagne de 1946.

Le Comité d'action politique (P.A.C.) avait été fondé pour être l'arme politique du travail organisé et soutenir Franklin Roosevelt lors des élections de 1944. Une organisation jumelle, le National Citizens Political Action Committee (N.P.A.C.) se créa pour permettre la participation non syndicale. Jusqu'à sa mort, le dirigeant syndicaliste Sidney Hillman présida les deux groupes, et beaucoup d'autres leaders du C.I.O.-P.A.C. faisaient également partie du N.C.P.A.C. Les deux comités examinaient les candidats et mettaient à la disposition de ceux qu'ils soutenaient des fonds et des agents électoraux. On a estimé qu'en 1944 les deux organisations de P.A.C. fournirent plus de 650 000 dollars aux campagnes politiques. Si les dirigeants des deux groupes n'étaient pas communistes, ces organisations étaient infiltrées, de notoriété publique, par des communistes et des sympathisants qui, à cause de la discipline de leur parti, avaient une influence sans rapport avec leur nombre. Cette influence posait un problème car on commençait à s'inquiéter des intentions d'après-guerre des Soviétiques et, en conséquence, du mouvement communiste en Amérique.

Voorhis avait été soutenu par le C.I.O.-P.A.C. en 1944. En 1946, cependant, le groupe décida de ne pas lui apporter son soutien, en principe parce que Voorhis n'avait pas défendu devant le Congrès certaines mesures que les syndicats jugeaient importantes. Au printemps de 1946, la section du canton de Los Angeles du N.C.P.A.C. fit circuler un bulletin indiquant qu'elle allait soutenir Voorhis quoi que fasse le C.I.O.-P.A.C. Dans son numéro du 31 mai, le *Daily People's World,* qui était le quotidien communiste de la côte Ouest, publia un article intitulé « Candidats soutenus par les " Cinq Grands " ». La coalition travailliste et progressiste des « Cinq Grands » était formée par le C.I.O.-P.A.C., le N.C.P.A.C., les confréries des chemins de fer, l'A.F.L. Progressiste et le Hollywood Independant Citizens Committee of the Arts, Sciences and Professions. L'article du *Daily People's World* rapportait que les Cinq Grands avaient examiné les candidats et dressé la liste de ceux qu'ils soutenaient pour les primaires du 4 juin. Le premier nom de cette liste était celui de H. Jerry Voorhis, suivi de cette annotation : « Pas de soutien C.I.O. » Ainsi, quand je l'avais accusé d'être soutenu par le P.A.C., il avait répliqué qu'il n'était pas — cette année-là — soutenu par le C.I.O.-P.A.C. Pour moi, c'était un détail oiseux. La section du canton de Los Angeles du N.C.P.A.C. comprenait beaucoup de communistes et de sympathisants et, si l'on considérait les liens étroits entre les deux P.A.C., la question de savoir quel P.A.C., le soutenait ne changeait rien à l'affaire.

Quand la question fut posée au cours du débat de South Pasadena, je tirai de ma poche un exemplaire du bulletin du N.C.P.A.C. annonçant les recommandations du comité et m'avançai sur le podium pour le montrer à Voorhis. Lisant à haute voix les noms des dirigeants des deux organisations, dont beaucoup étaient les mêmes pour chacune, je démontrai qu'il n'y avait pas de différence entre le soutien du C.I.O.-P.A.C. et celui du N.C.P.A.C.

Voorhis se défendit en répétant qu'il s'agissait de deux organisations bien distinctes, mais je pus voir à la réaction du public que j'avais fait mouche. Quelques jours plus tard, Voorhis lui-même le souligna en télégraphiant au siège du N.C.P.A.C. à New York pour demander que « le soutien, quel qu'il soit, accordé par le P.A.C. des Citoyens soit retiré ». S'il avait refusé ce soutien avant d'être mis au pied du mur et contraint d'agir, la question ne se serait sans doute jamais développée. Mais comme il ne l'avait pas fait, je pensai, et je le pense encore, que j'étais en droit de la soulever. L'infiltration communiste dans les organisations syndicales et politiques était une menace sérieuse en ces premières années d'après-guerre, et l'attitude d'un candidat à l'égard du soutien consenti par des organisations lourdement infiltrées révélait celle qu'il avait à l'égard de la menace. La répudiation était aussi une arme essentielle contre l'infiltration.

Après ce débat, le P.A.C. devint dans la campagne un sujet marginal mais controversé. Alors que Voorhis biaisait, Harrison McCall, mon directeur de campagne, eut l'idée de distribuer des dés en plastique portant l'inscription : « Nixon au Congrès — Enfoncez l'aiguille dans le P.A.C. »

Mon étude approfondie des états de service de Voorhis m'avait révélé que, sur la centaine de motions qu'il avait présentées devant le Congrès en quatre ans de mandat, une seule avait été votée et promulguée sous forme de loi. L'objet de cette loi était de faire passer les éleveurs de lapins de la tutelle du ministère de l'Intérieur à celle de l'Agriculture. Je fis publier dans les journaux un placard dénonçant cette œuvre législative plutôt insignifiante. Voorhis répliqua par un autre placard, intitulé *Abuser l'électeur n'est pas digne de la politique américaine*. Il donnait une liste de plusieurs de ses réalisations au Congrès, mais il s'agissait de motions ou de discours, pas de lois promulguées.

Lors de notre quatrième débat, au lycée de Monrovia, Voorhis souleva cette question et déclara que je mentais. Je lui fis observer qu'aucun des exemples qu'il citait n'était une motion promulguée en loi. A la grande joie de mes partisans, dans une salle bondée où se pressaient mille deux cents personnes, je laissai entendre que l'on devrait être un lapin pour être efficacement représenté dans ce district parlementaire.

Voorhis continua de taper sur le clou, de répéter que je mentais sur ses réalisations effectives. En ouvrant notre dernier débat, je me tournai vers lui et lui dis : « Monsieur le Député, je vous mets au défi de citer une seule de vos motions qui ait été votée à la fois par la Chambre et par le Sénat durant les quatre dernières années. » Dans sa réponse, il fit allusion à une mesure qu'il avait réclamée instituant une Semaine de l'Emploi pour les Handicapés Physiques. Encore une fois, mon étude de ses états de service me servit. Je pus présenter à Voorhis une copie de la mesure et lui faire observer que c'était aussi un résolution et non une loi.

Comme il n'y avait pas de sondages, je ne savais pas du tout si la course allait être serrée, le jour de l'élection. Il n'y avait pas non plus de machines pour voter et le dépouillement dura jusqu'au lendemain matin, assez tard. Mais avant que nous allions nous coucher vers quatre heures du matin, je savais que j'avais gagné. Dans l'après-midi, les résultats définitifs furent connus. J'avais obtenu 65 586 voix, et Voorhis 49 994.

J'avais trente-trois ans et j'étais le nouveau député du Douzième District.

En 1950, 1952, 1956, 1968 et 1972, j'allais encore connaître les joies de la victoire et la plupart de ces campagnes devaient être très dures. Mais rien n'égala jamais l'excitation et la jubilation de ce premier succès. Nous fûmes plus heureux, Pat et moi, en ce 6 novembre 1946, que nous ne le serions jamais au cours de ma carrière politique.

En battant une personnalité bien connue comme Voorhis, j'étais devenu, sur le moment, une petite célébrité mondiale. *Time* écrivit que j'avais « transformé une campagne californienne locale (jugée " sans espoir " par les vieux chevaux de retour républicains) en un triomphe sur le puissant député démocrate sortant Jerry Voorhis ». Le journal ajoutait que j'avais « poliment évité les attaques personnelles » contre mon adversaire. *Newsweek* disait de son côté : « Au cours de cinq débats, [Nixon] a écrasé son adversaire, le tenant du New Deal Jerry Voorhis, lequel avoue : " Ce type a une parole d'argent ". »

Malgré des idées fausses — largement répandues par la suite —, le communisme n'était pas le sujet important de la campagne de 1946. La controverse du P.A.C. fournit un élément émotionnel et rhétorique, mais ce n'était pas cela qui intéressait et motivait la majorité des électeurs.

La question primordiale, en cette année 1946, était la qualité de la vie dans l'Amérique d'après-guerre. Les applaudissements les plus nourris de tous les débats éclatèrent spontanément lors du premier, quand je dis que « le moment est venu dans ce pays où aucun dirigeant syndicaliste ou patronal ne doit avoir le pouvoir de refuser au peuple américain aucune des nécessités de la vie ». Voorhis lui-même écrivit plus tard dans son autobiographie, *Confessions of a Congressman* : « Le facteur le plus important de la campagne de 1946 était la différence de l'attitude générale, entre les " sortants " et les " entrants ". Quiconque cherchait à déboulonner un adversaire en place n'avait qu'à indiquer toutes les choses qui allaient mal et tous les ennuis de la période de guerre et d'après-guerre. Beaucoup de ces problèmes étaient intervenus intimement dans la vie quotidienne des gens. » J'avais profité d'un phénomène national que *Time* appelait « une voix froide mais néanmoins furieuse s'élevant contre une foule de questions : la flambée des prix, la pénurie, le marché noir, les grèves, la gabegie et l'incompétence, le gouvernement intervenant trop dans trop de choses ».

Il était vrai aussi que si Voorhis était un parlementaire généralement respecté et travailleur, il n'était pas vraiment sur la même longueur d'onde que les électeurs du district. Je ne doute pas un instant que le Comité des 100 avait raison de penser que n'importe quel bon candidat républicain avait des chances de battre Voorhis en 46, en dépit de sa popularité et de sa place au Congrès.

Voorhis, l'ancien socialiste, croyait que l'intervention massive du gouvernement était chose nécessaire; pas moi. Il voyait de sombres complots parmi les « réactionnaires » et dans les « monopoles »; pas moi. Il soutenait aveuglément les syndicats, alors que je me considérais comme leur ami critique. Il préconisait une politique qui, à mon avis, entravait et restreignait l'industrie américaine. Ses options politiques étaient à 180° des miennes. Surtout, ses interventions au Congrès sur un vaste ensemble de questions ne représentaient pas les souhaits des électeurs de son district.

Comme Voorhis était l'homme en place et moi le nouveau venu, j'avais livré une campagne particulièrement vigoureuse. Je défiais son jugement et ses états de service, états que je semblais connaître mieux que lui. Si ma rhétorique d'alors peut sembler exagérée aujourd'hui, elle concordait néanmoins avec l'approche que les vieux Républicains employaient cette année-là. Par exemple, quand Henry Wallace fit campagne pour les Démocrates en Californie, le gouverneur Earl Warren le traita de « fer de lance d'une attaque par des organisations gauchistes alliées au mouvement communiste ». Plus tôt dans l'année, le sénateur de l'Ohio Robert Taft déclara que les propositions parlementaires démocrates « confinaient au communisme » alors que Joe Martin appelait tous les Républicains à chasser du gouvernement les communistes et autres sympathisants.

Une des accusations les plus fausses portées par la suite contre la campagne de 1946 concernait mes partisans. Alors que je gravissais les échelons politiques, mes adversaires tentèrent de me dépeindre comme un séide à la solde des magnats du pétrole, des riches banquiers, des grands pontes de l'immobilier et des milliardaires conservateurs. Mais un seul coup d'œil sur la liste de mes premiers partisans montre bien qu'ils étaient des représentants typiques de la classe moyenne de la Californie du Sud : un vendeur de voitures, un directeur de banque, un représentant en imprimerie, un courtier d'assurances et un marchand de meubles. Ils n'étaient pas unis par l'intérêt matériel mais par le farouche désir de l'homme de la rue de retrouver le droit de diriger sa vie à sa guise. Comme la majorité des électeurs du Douzième District, ils « en avaient assez » et avaient décidé de remettre les choses au point.

Mon premier choix, pour siéger dans une commission, était la prestigieuse Commission judiciaire. Je ne fus guère surpris de ne pas l'obtenir et fus heureux d'être nommé à mon second choix, la Commission pour l'éducation et le travail. Par une des curieuses coïncidence de l'histoire, un autre nouveau avait été nommé à cette commission, un jeune démocrate du Massachusetts, aimable et beau, nommé John Fitzgerald Kennedy. Les nouveaux élus devaient tirer à la courte paille pour déterminer leur place dans l'importante hiérarchie. Kennedy tira la plus courte chez les Démocrates, et moi la plus courte chez les Républicains. Ainsi, nous nous partageâmes le douteux honneur d'être assis chacun à un bout de la longue table de conférence comme une paire de serre-livres dépareillés.

Le travail de la Commission pour l'éducation et le travail consuma presque tout mon temps, en 1947, pendant ma première année au Congrès. Il y eut des mois d'audiences au sujet d'un texte législatif, que je soutins, qui devint en juin 1947 la loi Taft-Hartley.

Un groupe d'affaires publiques de McKeesport, en Pennsylvanie, demanda au député démocrate du district, Frank Buchanan, de choisir deux nouveaux de chaque parti qui semblaient avoir l'avenir politique le plus brillant pour les inviter à un débat sur la loi Taft-Harley, en réunion publique. Le choix de Buchanan se porta sur Kennedy et moi, si bien que le 21 avril 1947 eut lieu le premier débat Kennedy et Nixon. McKeesport se trouve près de la grande ville industrielle de Pittsburg et le public normalement républicain et conservateur s'augmenta à cette occasion d'un bon nombre de syndicalistes opposés à la loi, qui apportèrent une certaine animation hostile au moment des questions.

Nous reprîmes ensuite le train pour Washington, Kennedy et moi. Nous tirâmes au sort la couchette inférieure et — cette fois — je gagnai. Nous parlâmes fort avant dans la nuit, beaucoup plus de politique étrangère que de questions nationales. Nous étions trop différents, par le milieu, les opinions et le tempérament, pour devenir des amis intimes; mais nous étions réunis par le hasard de nos carrières précoces et nous n'eûmes jamais moins que des rapports aimables. Nous appartenions à la même génération — il n'était que de quatre ans mon cadet — et nous avions fait tous deux la guerre dans la Marine; nous étions arrivés à la Chambre la même année et nous étions tous deux voués à consacrer à notre travail une énergie fantastique. Nos échanges de vues aux réunions de la commission et nos discussions dans le vestiaire n'étaient jamais marqués de l'animosité personnelle qui rend gênants les différends politiques. En ces premiers temps, nous nous considérions comme des adversaires, et non comme des rivaux politiques. Nous avions tous deux un trait de caractère qui nous distinguait de nos collègues parlementaires : ni l'un ni l'autre n'étions enclins à la familiarité et nous étions tous deux embarrassés par les bruyantes manifestations d'une camaraderie superficielle. Il était timide, ce qui le faisait parfois paraître hautain. Mais c'était une timidité née d'un instinct préservant l'intimité et dissimulant les émotions. Je comprenais ce caractère car c'était aussi le mien.

Pat et moi, nous vîmes pour la première fois l'intérieur de la Maison Blanche le 18 février 1947, quand nous assistâmes à une réception donnée par les Truman pour les nouveaux membres du 80ᵉ Congrès. Le 2 juillet, je fis partie d'un groupe de quatre nouveaux députés républicains pour lesquels le député du Wisconsin Charles Kersten avait organisé une rencontre privée avec le Président. Dans les notes que je rédigeai à la fin de cette journée, je décrivis le fameux Bureau Ovale comme « une grande pièce agréable », où il n'y avait « pas de gadgets » — à part une sacoche confidentielle du Pony Express du Far West que Truman nous montra. Sur une table derrière son bureau, il y avait des photos de sa famille et aussi un modèle réduit de l'avion présidentiel, un Constellation de l'Armée de l'Air, que Truman avait baptisé *La Vache sacrée*.

Truman nous mit immédiatement à l'aise. Nous nous assîmes autour de son bureau et il nous parla avec une grande ferveur de la nécessité de participer au redressement de l'Europe, en insistant sur son désir d'encourager la production pacifique de l'Allemagne. Il assura qu'il était heureux de nous voir, bien que nous fussions républicains, parce qu'il avait toujours jugé indispensable que les deux partis coopèrent dans le domaine des affaires étrangères. Il nous confia : « Certains de mes meilleurs amis ne sont jamais d'accord avec moi, politiquement parlant. »

Il nous conduisit devant un énorme globe terrestre et nous montra la Mandchourie en nous parlant de ses richesses en pétrole et en minerai. Il nous dit que les Soviétiques avaient dévasté toute la région mais que la Mandchourie s'en remettrait et deviendrait la prochaine grande région productrice du monde. Puis il fit pivoter le globe et nous désigna l'énorme masse de l'Union Soviétique. « Les Russes sont comme nous, dit-il, ils nous ressemblent, ils agissent comme nous. C'est un peuple remarquable. Ils se sont très bien entendus avec nos soldats à Berlin. Pour moi, ils peuvent avoir tout ce qu'ils veulent à condition de ne pas chercher à imposer leur système à d'autres. » Il mentionna les récits de Mme Roosevelt, assistant à une conférence internationale où le délégué soviétique mettait constamment des bâtons dans les roues en déclarant qu'il devait voir telle ou telle question avec le Kremlin. « C'était exactement comme ça à Postdam où je suis allé avec des sentiments charitables à propos de leur contribution à l'effort de guerre. » Truman nous avoua qu'en ce qui concernait la politique des Russes à l'égard de l'Allemagne et de l'Europe il ne comprenait pas du tout ce qu'ils voulaient.

Il nous dit que le lancement de la bombe atomique avait été pour lui une décision terrible. Il ajouta, parlant de son mandat : « C'est le plus grand spectacle du monde et ça ne coûte rien au journaliste qui " couvre " la Maison Blanche. » Je remarquai, dans mes notes, que la force de Truman était « sa simplicité, son attitude démocratique et sa sincérité ».

Vingt-deux ans plus tard, alors que j'étais Président, Pat et moi, nous nous rendîmes à Independence afin de faire don à Truman, pour sa bibliothèque présidentielle, du piano sur lequel il jouait à la Maison Blanche. Je savais que depuis longtemps il avait changé d'idée sur les Soviétiques. « Les Russes sont des menteurs, me dit-il en 1969, on ne peut pas avoir confiance en eux. A Postdam, ils ont été d'accord sur tout et ils n'ont pas tenu parole. Dommage que la deuxième puissance mondiale soit ainsi, mais c'est comme ça et nous devons garder notre force. »

La plupart des nouveaux ne siégeaient que dans une seule commission; mais Joe Martin, le nouveau président républicain de la Chambre, me demanda si je voulais siéger aussi à la Commission parlementaire sur les activités antiaméricaines. Maintenant que les Républicains détenaient la majorité au Congrès, nous serions rendus responsables de la conduite souvent irresponsable de la Commission. « Nous avons besoin d'un jeune avocat là-dedans pour les dégourdir un peu », me dit-il, avant d'ajouter qu'il considérerait mon acceptation comme une faveur personnelle. Présentée ainsi, c'était une offre que je ne pouvais guère refuser. J'acceptai donc, à contrecœur par suite de la douteuse réputation que s'était faite la Commission sous son président précédent, Martin Dies, un Démocrate du Texas flamboyant et plutôt démagogue.

Ma propre attitude à l'égard du communisme était récemment passée de l'indifférence à une inquiétude extrême. Je ne me souviens pas d'avoir été particulièrement troublé quand Roosevelt reconnut l'Union Soviétique en 1934. Pendant la guerre d'Espagne, la campagne de presse virulente contre Franco — toujours présenté comme un rebelle fasciste — m'avait amené à prendre le parti des républicains espagnols, dont l'orientation communiste était rarement mentionnée dans les journaux. Lors du pacte germano-soviétique, j'avais été violemment contre Staline, non parce qu'il était communiste, mais parce qu'il s'alliait avec Hitler que je méprisais; pendant la guerre j'avais été pour les Russes, non parce qu'ils étaient communistes, mais parce qu'ils nous aidaient à combattre Hitler. J'avais été très heureux quand les Etats-Unis et l'Union Soviétique avaient soutenu la création des Nations Unies. Admirateur de Woodrow Wilson, je pensais que nous avions commis une lourde erreur en n'entrant pas à la Société des Nations, et je croyais que l'O.N.U. offrirait au monde une meilleure chance de bâtir une paix durable.

Ce fut le discours de Churchill sur le rideau de fer, à Fulton dans le Missouri, en mars 1946, qui modifia profondément mon attitude à l'égard du communisme en général et de l'Union Soviétique en particulier. Il déclara :

« De Stettin sur la Baltique à Trieste sur l'Adriatique, un rideau de fer est tombé sur le continent. Derrière cette frontière se trouvent toutes les capitales des anciens Etats d'Europe centrale et orientale. Varsovie, Berlin, Prague, Vienne, Budapest, Belgrade, Bucarest et Sofia, toutes ces villes célèbres et les populations qui les entourent se trouvent dans ce que je dois appeler la sphère soviétique et toutes sont soumises sous une forme ou une autre, non seulement à l'influence soviétique, mais encore à un contrôle de Moscou. Ce contrôle est direct, très important et, dans bien des cas, croissant. »

Ces paroles me causèrent un choc et je me demandai au début s'il n'allait pas trop loin. Mais tandis que l'assujettissement par les communistes de l'Europe orientale devenait de plus en plus apparent — avec la main-mise sur la Hongrie en 1947 et sur la Tchécoslovaquie en 48 —, je compris que la défaite d'Hitler et du Japon n'avait pas produit une paix durable et que la liberté était menacée à présent par un nouvel ennemi plus dangereux encore.

La première fois que je pris la parole à la Chambre, le 18 février 1947, ce fut pour présenter une citation pour outrage au Congrès contre Gerhart Eisler, qui avait été identifié comme le principal agent communiste en Amérique. Il avait été assigné à comparaître devant la commission et avait refusé, d'où l'outrage au Congrès. Je ne parlai que dix minutes et conclus : « Il est essentiel que, en tant que membres de cette Chambre, nous défendions avec vigilance les droits fondamentaux de la liberté de parole et de la liberté de la presse. Mais nous ne devons pas oublier que ces droits ne comprennent pas celui de prêcher la destruction du gouvernement même qui protège la liberté qu'a l'individu d'exprimer son opinion. »

La citation pour outrage fut votée à l'unanimité moins une voix, celle de Vito Marcantonio, Démocrate de l'Etat de New York.

Finalement Eisler fut inculpé pour passeport frauduleux mais, abandonnant la caution, il s'enfuit en Allemagne de l'Est où il devint directeur de la propagande du régime communiste.

A la fin de 1947, je fus nommé à une sous-commission législative spéciale de la commission des activités antiaméricaines. Au cours de nombreuses audiences, nous étudiâmes la nature de la philosophie et de la pratique communistes. Me fondant sur ces rapports, je rédigeai un texte présentant une nouvelle approche du problème complexe de la subversion communiste interne. La plupart des anticommunistes virulents pensaient que le meilleur moyen de mettre fin à la subversion était de déclarer le Parti Communiste hors la loi. Je jugeais qu'une telle mesure serait inefficace et dangereuse. L'effet pratique de l'interdiction du parti serait simplement de pousser dans la clandestinité le noyau dur des communistes. A mon avis, mieux valait attirer le Parti au grand jour afin de connaître ses membres.

Nous devions aussi, et c'était un autre problème, trouver un moyen objectif de définir et d'identifier les organisations servant de façade au communisme. Trop de conservateurs et d'autres anticommunistes se fiaient à des critères élargis et imprécis, et par conséquent beaucoup d'organisations extrêmement libérales et de gauche étaient injustement taxées de communisme. J'estimais que quelque odieuses que soient les croyances d'un groupe ou d'un individu, leur droit de professer ces croyances doit être respecté et protégé à la condition qu'ils ne reçoivent pas de subsides ou d'ordres de gouvernements étrangers et ne se livrent pas à des activités illégales.

Travaillant en étroite collaboration, Karl Mundt du Dakota du Sud et moi, nous préparâmes une motion qui fut présentée au printemps de 1948 et devint le projet de loi Mundt-Nixon. C'était le premier texte législatif à émerger des travaux de la Commission sur les activités antiaméricaines depuis dix ans. Il exigeait l'inscription de tous les membres du Parti Communiste ainsi que la déclaration de la source de tous les textes publiés ou diffusés par les diverses organisations des fronts communistes. Selon notre loi, l'identification d'un groupe comme front communiste serait faite par une Commission de contrôle des activités subversives qui effectuerait ses enquêtes sur requête du ministre de la Justice.

La loi Mundt-Nixon fut votée par la chambre le 19 mai 1948 par 319 voix contre 58. Le Sénat la laissa stagner en commission, tant et si bien que ce ne fut qu'en 1950 que certaines de ses stipulations furent englobées dans la loi McCarran. A ce moment, bien sûr, la question du communisme intérieur avait changé de nature à la suite de l'affaire Hiss et les termes plus durs de la loi McCarran reflétèrent ce changement.

Il est important de se souvenir que la perception du communisme dans la politique américaine se modifia radicalement dans les premières années d'après-guerre. Pendant la guerre, les Soviétiques étaient nos alliés contre Hitler. Les photos de soldats russes et américains se serrant la main au bord de l'Elbe avaient vivement frappé une majorité d'Américains qui espéraient alors voir se lever une aube de paix et de coopération internationales.

Dans l'ensemble, l'anticommunisme américain de cette époque signifiait une opposition au socialisme dictatorial tel qu'il existait en Russie et que beaucoup d'Américains considéraient comme une négation de tout ce que représentaient les Etats-Unis. Au cours de la campagne de 1946, par exemple, quand je parlais du « P.A.C. dominé par les communistes », mes réflexions étaient généralement prises dans ce contexte de socialisme totalitaire opposé à la libre entreprise.

Dans les années 46 à 48, le communisme américain n'était qu'une question marginale. Jusqu'à l'affaire Hiss, on ne le considérait pas comme une menace réelle contre notre mode de vie. Ainsi un sondage effectué en janvier 1948 révéla que 40 % des personnes interrogées pensaient que le Parti Communiste Américain ne représentait pas une menace alors que 45 % croyaient qu'il pouvait devenir un danger.

Cependant, à mesure que se rapprochaient les élections présidentielles de 1948, Truman commença à s'inquiéter de la sécurité intérieure. Maintenant que la Commission sur les activités antiaméricaines était entre des mains républicaines, il décida sans doute que le meilleur moyen de régler la question était de l'étouffer. Le 15 mars 1948, il donna l'ordre à tous les services fédéraux de refuser désormais les requêtes parlementaires et les assignations concernant les questions de loyauté ou de sécurité. Cette décision se retourna contre lui car, au lieu de désamorcer l'affaire, elle donna l'impression que Truman cherchait à cacher quelque chose. Plutôt que d'admettre une erreur de jugement, il préféra durcir sa position. Cette voie allait le conduire dans le maquis d'embrouilles qui lui causerait tant de problèmes, non seulement dans l'affaire Hiss mais aussi deux ans plus tard quand McCarthy commença sa campagne anticommuniste dans le dessein évident d'obliger Truman à revenir sur sa décision.

Ce fut l'affaire Hiss qui changea totalement l'opinion publique à l'égard du communisme intérieur. Le peuple y reconnaissait maintenant une grave menace contre nos libertés. Malheureusement, cette prise de conscience aboutit à des excès émotionnels et à des imprécisions démagogiques qui obscurcirent la question au lieu de l'éclaircir.

LA COMMISSION HERTER

Le lundi 30 juillet 1947, je fus probablement l'homme le plus étonné de Washington en dépliant mon journal du matin : j'appris que j'avais été choisi par le président Joe Martin pour faire partie d'une commission sélectionnée de dix-neuf membres, présidée par le député du Massachusetts Christian Herter, afin d'aller en Europe préparer un rapport en conjonction avec le projet d'aide à l'étranger présenté par le Secrétaire d'Etat, le général George Marshall. Je n'avais même pas parlé à Martin, ni à personne d'autre, de cette commission parce que je pensais n'avoir aucune chance d'y être nommé.

C'était pour moi un honneur inattendu, mais j'étais assez modeste pour comprendre que la géographie et l'âge étaient pour beaucoup dans ma nomination. Martin voulait que la commission soit représentative de la Chambre; j'étais le seul homme de l'Ouest et le plus jeune des nouveaux membres. J'allais maintenant avoir l'occasion de travailler avec les parlementaires les plus influents de la Chambre, mes aînés, et de montrer de quoi j'étais capable dans le domaine de la politique étrangère.

Ma nomination fit plaisir à la plupart de mes conseillers californiens; ils voulaient toutefois que le rapport de la commission désavoue la politique étrangère Truman-Vandenberg de soutien au plan Marshall. Juste avant notre départ pour l'Europe, je reçus une longue lettre signée par une demi-douzaine de mes partisans les plus loyaux : « Nous estimons devoir exprimer notre point de vue au moment où vous vous embarquez pour un voyage au cours duquel vous serez soumis, d'abord, à un adroit programme d'orientation du Département d'Etat et plus tard à une propagande européenne non moins adroite. Nous espérons vivement que vous pourrez maintenir le cap pondéré que vous avez suivi au Congrès. » La conclusion me rappelait que l'élection présidentielle aurait lieu dans un peu plus d'un an : « Nous croyons qu'il n'y a qu'un seul remède fondamental à cette situation, à savoir que nous devons nous débarrasser de toutes les philosophies périmées du New Deal en donnant un coup de balai à Washington et en élisant un gouvernement républicain en 1948. Cela peut être accompli à la condition que les membres républicains du Congrès soient assez sages pour refuser de se laisser entraîner à soutenir une politique étrangère dangereusement impraticable et profondément inflationniste; à la condition, aussi, que les Démocrates ne réussissent pas à diviser notre parti par un internationalisme bipartite, et ceci au point qu'il n'y aura plus aucun moyen de savoir qui est républicain. »

La commission partit de New York à bord du *Queen Mary* à la fin du mois d'août. Malgré toutes nos conférences et nos études, je crois bien qu'aucun de nous n'était vraiment préparé à ce que nous allions découvrir en Europe. Dès que nous débarquâmes à Southampton, il fut évident que nous arrivions sur un continent chancelant au bord de la famine et du chaos. Dans tous les pays que nous visitions, la situation était la même : sans l'aide américaine, des millions d'individus mourraient, avant la fin de l'hiver, de faim ou de maladies causées par la sous-alimentation. Les faits politiques étaient tout aussi évidents : sans notre aide alimentaire et financière, l'Europe allait sombrer dans l'anarchie, la révolution et, finalement, le communisme.

Le Premier ministre britannique Clement Attlee nous invita à prendre le thé au 10 Downing Street et nous passâmes une heure avec le truculent ministre des Affaires étrangères Ernest Bevin, dont le discours récent préconisant la distribution de tout l'or de Fort Knox entre les nations du monde tendait à faire démarrer la discussion sur un mauvais pied.

Si Londres avait été déprimant, Berlin parut désespéré. Ce qui avait été une grande ville florissante n'était plus qu'un monceau de décombres calcinés. Il semblait à peine possible que trois millions de gens pussent vivre encore dans ces ruines. Alors que nous contemplions l'immense salle écroulée de l'ancienne Chancellerie de Hitler, de petits Allemands émaciés cherchèrent à nous vendre en souvenir les médailles de guerre de leurs pères.

Malgré la prudente répugnance de certains de nos diplomates, j'insistai pour que nous rencontrions les dirigeants du Parti Communiste dans chaque pays que nous visitions. Nous découvrîmes que ces hommes étaient en général plus forts et plus impressionnants que leurs homologues démocrates. J'étais curieux de savoir ce qu'ils pensaient, de connaître leur état d'esprit et aussi leurs rapports avec l'Union Soviétique. Je me rappelle tout particulièrement notre entrevue avec Giuseppe di Vittorio, le secrétaire général communiste de la Confédération Italienne du Travail. Son bureau était peint en rouge, décoré de rideaux rouges, et il portait à la boutonnière un petit drapeau rouge. Je lui demandai quel genre de politique gouvernementale il préconisait pour les syndicats italiens; il me répondit qu'il aimerait que les travailleurs soient libérés de tout contrôle du gouvernement et obtiennent le droit de grève.

« Si j'ai bien compris, répondis-je, vous êtes en faveur d'un gouvernement comme celui que nous avons aux Etats-Unis, où les travailleurs sont en grève en ce moment même, plutôt qu'un système comme celui de la Russie où les travailleurs sont sous le strict contrôle de l'Etat et ne se sont pas mis en grève depuis vingt ans. »

Après la traduction, di Vittorio me toisa d'un air glacial et riposta : « Ce monsieur et moi, nous ne parlons pas le même langage. Dans un pays comme les Etats-Unis, les travailleurs doivent se mettre en grève pour obtenir le respect de leurs droits par les réactionnaires capitalistes et par les patrons. En Russie, il n'y a pas de réactionnaires capitalistes, et par conséquent le droit de grève n'a aucune raison d'être. »

Je lui demandai s'il avait des critiques à formuler sur la politique étrangère américaine. Dans les notes que je pris de cette conversation, j'écrivis qu'il « avait entrepris une démolition en règle de notre politique étrangère ». Quand il eut terminé, je lui dis : « Nous accueillons toujours volontiers toute critique de notre politique. Puis-je, cependant, vous demander si vous avez jamais critiqué la politique russe dans le détail avec autant de force? »

Di Vittorio me toisa derechef : « Encore une fois, ce monsieur et moi ne parlons pas le même langage. Si la politique étrangère des Etats-Unis est nécessairement impérialiste, c'est qu'elle est dominée par les capitalistes, les réactionnaires et les patrons. En Russie, il n'y a ni capitalistes, ni réactionnaires, ni patrons, par conséquent il est impossible que la politique étrangère y soit impérialiste. Et, du même coup, elle ne peut être sujette à la critique. »

Il avait raison; nous ne parlions pas le même langage. Ce qui me

frappa le plus, ce fut que sa définition de la ligne du Parti était identique — jusqu'à la phraséologie — à celle exprimée par les dirigeants
communistes que nous avions rencontrés en Angleterre et en France.
Dans mes notes, je conclus que « cela indique nettement que dans le
monde entier les communistes ne doivent pas leur loyauté au pays dans
lequel ils vivent mais à la Russie ».

Si nous avions vu en Grande-Bretagne, en France et en Italie le
masque trompeur d'un communisme patriotique, la Grèce et Trieste nous
montrèrent son vrai visage, et celui-ci était brutal. En Grèce, nous affré-
tâmes un vieil avion-cargo pour nous rendre dans les montagnes du Nord
pour examiner la situation militaire et connaître le moral des soldats
loyalistes luttant contre les rebelles communistes. Alors que nous nous
promenions dans la rue principale d'un village montagnard, le maire
nous présenta à une jeune fille dont le sein gauche avait été coupé par
les communistes parce qu'elle avait refusé de trahir son frère, un des
chefs loyalistes.

A Trieste, le grand port de l'Adriatique à la frontière italo-yougoslave
qui allait devenir une ville libre sous mandat de l'O.N.U., je fus témoin de
la violence qui accompagnait parfois la menace communiste.

Nous arrivâmes la veille du jour où le mandat de l'O.N.U. devait entrer
en vigueur. J'étais à l'hôtel et je commençais à défaire mes bagages quand
j'entendis des chants bruyants. En regardant par la fenêtre, je vis un
cortège d'environ cinq cents hommes et femmes, jeunes, vigoureux et
belliqueux. Beaucoup brandissaient des drapeaux rouges; ils chantaient
tous à pleins poumons l'entraînante *Internationale*. Le siège du Parti
Communiste se trouvait en face de l'hôtel et au passage chaque manifestant saluait du poing levé. Je descendis voir ce qui se passait. Soudain,
il y eut une explosion au coin de la rue. La foule se dispersa et j'aperçus
le cadavre d'un jeune homme dont la tête avait été emportée par une
grenade lancée d'un premier étage. Pendant quelques instants, tout le
monde resta figé, regardant le sang jaillir de son cou, et puis des pierres
et des bouteilles commencèrent à voler. La police arriva et se mit à poursuivre les meneurs communistes.

Un communiste en fuite, fonçant dans la foule comme un joueur de
rugby, renversa une vieille dame et la projeta à travers la chaussée contre
le bord du trottoir où elle resta sans vie. Des incidents de ce genre se
répétèrent tout l'après-midi et dans la soirée. Ce jour-là, cinq personnes
furent tuées, et soixante-quinze blessées par bombes ou par balles. J'étais
sûr que ce qui se passait à Trieste se reproduirait bientôt dans toute
l'Europe occidentale, si l'Amérique n'aidait pas à ramener la stabilité et
la prospérité.

Quelques semaines après notre retour à Washington la commission
Herter publia un certain nombre de rapports basés sur le monceau de
notes et de documents que nous avions rapportés. Le dénominateur commun de tous ces rapports était une vive recommandation pour une aide
économique à l'Europe. Cependant, j'avais effectué un sondage et découvert que 75 % de mes électeurs du Douzième District étaient résolument
opposés à toute aide à l'étranger. Pour la première fois, je me heurtais
au classique dilemme que doit affronter à un moment ou un autre tout

représentant élu par le peuple, dans une démocratie : dans quelle mesure ses votes à l'assemblée doivent-ils refléter les opinions de ses électeurs, dans quelle mesure doivent-ils représenter ses propres convictions? Après ce que j'avais vu et appris en Europe, je croyais si fermement à la nécessité de l'aide économique que j'estimais de mon devoir d'obéir à ma conscience en faisant de mon mieux pour convaincre mes électeurs.

Je préparai immédiatement une suite d'articles pour les journaux locaux; et, dès que je le pus, je rentrai chez moi. J'entamai activement une série de conférences dans tout le district pour décrire ce que j'avais vu et pour expliquer pourquoi je jugeais l'aide économique indispensable, si nous tenions à sauver l'Europe des spectres jumeaux de la famine et du communisme.

Heureusement, ma tournée du district fut une réussite. Le 15 décembre 1947, la Chambre vota le plan Marshall à 313 voix contre 82. Comme chacun le sait aujourd'hui, le plan fut un succès : il sauva l'Europe de la famine, il assura son redressement économique et il la préserva du communisme.

Le voyage de la commission Herter m'avait beaucoup appris. Je comprenais surtout, maintenant, les raisons du succès du communisme en Europe.

Tout d'abord, les dirigeants communistes étaient forts, vigoureux; ils savaient ce qu'ils voulaient et ils étaient prêts à travailler dur pour l'obtenir. Après cette visite, plus jamais je n'allais commettre l'erreur de penser — soit parce que leur jargon est mensonge, soit parce que leurs manières sont souvent grossières — que les dirigeants communistes ne sont pas des hommes très intelligents et très résolus.

Deuxièmement, j'avais vu comment les chefs du communisme européen d'après-guerre avaient compris la puissance du nationalisme et s'appropriaient ce pouvoir. A Rome, par exemple, nous avions vu les murs placardés d'affiches pour les élections municipales. Celles des communistes n'arboraient pas la faucille et le marteau, pas plus qu'elles ne dépeignaient les joies de quelque paradis ouvrier. Non, c'était d'énormes portraits héroïques de Garibaldi, ce patriote du XIXe siècle qui se serait retourné dans sa tombe s'il avait pu voir comment sa lutte farouche pour l'unification de l'Italie et pour la liberté était manipulée par une idéologie internationaliste dont Moscou tirait les ficelles.

Troisièmement, j'avais pu constater que le communisme européen se gorgeait d'argent soviétique. Contrairement à la plupart de leurs homologues démocratiques, les partis communistes étaient généreusement financés par Moscou.

Quatrièmement, j'avais vu que la plus grande partie de l'Europe démocratique était sans chefs ou, pis encore, que beaucoup des classes dirigeantes avaient tout simplement capitulé devant le communisme. Pour la première fois, je comprenais l'importance vitale pour un peuple ou une nation d'un gouvernement fort et j'avais sous les yeux les tristes conséquences lorsqu'un tel gouvernement fait défaut ou quand il échoue. Cette brève visite m'avait permis de voir que la seule chose que les communistes respecteraient — et traiteraient sérieusement — serait une force au moins égale à la leur, renforcée par la volonté de l'utiliser. A Trieste, je notai au crayon une réflexion qui est aussi vraie aujourd'hui qu'il y a trente ans : « Une des règles fondamentales, quand on traite avec les Russes, est de ne jamais bluffer si l'on n'est pas prêt à aller jusqu'au bout, parce qu'à chaque fois ils vous mettront à l'épreuve. »

L'AFFAIRE HISS

Juste avant les vacances parlementaires de 1948, la Commission sur les activités antiaméricaines, présidée par J. Parnell Thomas du New Jersey, avait entendu comme témoin Elizabeth Bentley, courrier d'un réseau d'espionnage communiste à Washington pendant la guerre. Cherchant à corroborer son témoignage, Robert Stripling, jeune garçon dynamique extrêmement intelligent et principal enquêteur de la commission, nous suggéra de faire citer un homme qui avait été un fonctionnaire communiste dans les années 1930 mais qui avait quitté le parti depuis et qui était à présent un des rédacteurs en chef, fort respecté et bien payé, du magazine *Time*. Cet homme s'appelait Whittaker Chambers.

La première fois que je vis Chambers au matin du 3 août, juste avant qu'il témoigne en audience publique, j'eus peine à croire que cet homme était notre témoin. Jamais je n'avais vu d'être plus dépenaillé; tout en lui paraissait fripé.

Il entama son témoignage en racontant comment, intellectuel désabusé, il était devenu communiste en 1924. Il parla de la désillusion croissante que lui causait le stalinisme et de sa rupture finale avec le Parti vers la fin des années 30. Comme beaucoup d'anciens communistes, Chambers était passé par une conversion religieuse. Maintenant il craignait et haïssait le communisme avec une ferveur presque mystique. Il nous dit qu'il avait fait partie d'un groupe communiste dont le but était de s'infiltrer dans le gouvernement. Un des membres de ce groupe, nous affirma-t-il, était Alger Hiss. Il décrivit leur dernière entrevue, qui s'était produite en 1938, où Hiss avait refusé en larmoyant de se joindre à Chambers et de quitter le Parti.

Un murmure de surprise courut dans la salle parce que Hiss, qui n'avait pas été mentionné dans le témoignage de Miss Bentley, était une personnalité bien connue et fort respectée de New York et de Washington. Il avait fait des études brillantes à la faculté de droit à Harvard et avait ensuite été le secrétaire du juge à la Cour Suprême Oliver Wendell Holmes. Après quelques années passées dans des cabinets d'avocats de Boston et de New York, Hiss était revenu à Washington en 1933; comme tant d'autres, il avait été attiré par le New Deal de Roosevelt. Il occupa un certain nombre de postes importants dans le gouvernement et devint enfin l'assistant du Secrétaire d'Etat adjoint et l'un des conseillers du président Roosevelt à la conférence de Yalta avec Staline et Churchill. Hiss était reconnu comme l'un des premiers fondateurs des Nations Unies; il avait été secrétaire général de la conférence de San Francisco au cours de laquelle fut rédigée la charte de l'O.N.U., puis conseiller de la délégation américaine à la première assemblée générale à Londres. En 1947 il avait quitté le Département d'Etat pour devenir président du prestigieux Fonds Carnegie pour la paix internationale. John Foster Dulles, président du conseil d'administration du Fonds, était de ceux qui l'avaient recommandé.

Et maintenant Whittaker Chambers témoignait qu'il avait connu Alger Hiss membre du Parti communiste clandestin.

Il peut paraître surprenant, à la lumière des événements ultérieurs, que le témoignage de Chambers n'ait pas causé plus de remous ce matin-là. Sans doute était-ce, en partie, parce que sa révélation était totalement inattendue. De plus, Chambers payait si peu de mine que son histoire ne fut pas prise autant au sérieux que s'il avait été assuré et impressionnant.

Le lendemain matin, nous reçûmes un télégramme de Hiss demandant à comparaître devant nous pour réfuter les accusations de Chambers. Nous l'invitâmes à se présenter le lendemain.

Quand Alger Hiss se dressa pour prêter serment dans la matinée du 5 août, la différence entre Chambers et lui n'aurait pu être plus frappante. Hiss était grand, beau, élégant et plein d'aisance; il nia catégoriquement l'accusation de Chambers. D'une voix pleine de fermeté, il déclara : « Je suis ici à ma propre demande pour réfuter les inqualifiables propos tenus sur mon compte devant cette commission par un certain Whittaker Chambers. » Puis il baissa le ton pour plus d'emphase et poursuivit : « Je ne suis pas et n'ai jamais été membre du Parti Communiste. Je n'adhère pas et n'ai jamais adhéré aux dogmes du Parti Communiste. Je ne suis pas et n'ai jamais été membre d'aucun front communiste. Je n'ai jamais suivi la ligne du Parti Communiste, ni directement ni indirectement. »

Il nia tout ce que Chambers avait dit et ajouta qu'il ne connaissait même pas de dénommé Chambers et, si sa mémoire était bonne, n'en avait jamais connu. Quand Mundt lui fit observer que Chambers avait témoigné sous serment et déclaré qu'il le connaissait, Hiss répondit sans se démonter : « Je sais qu'il a dit ça. Je sais aussi que je témoigne du contraire selon les mêmes lois. »

Quand Hiss eut fini de parler, des gens se pressèrent autour de lui pour lui serrer la main et le féliciter, et pour compatir avec lui du tort que lui avait causé la Commission.

Ce même jour, le Président Truman tint une conférence de presse impromptue dans le Bureau Ovale. Un des journalistes l'interrogea sur nos audiences. « Monsieur le Président, pensez-vous que l'espionnite du Capitole soit une diversion, pour détourner l'attention du public de l'inflation? » Après avoir été d'accord avec le reporter sur la « diversion », Truman lut une déclaration préparée à l'avance, disant que les audiences « faisaient un tort irréparable à certaines personnes, affectaient gravement le moral des fonctionnaires fédéraux et sapaient la confiance du peuple en son gouvernement. »

Pesant de tout son poids politique contre notre investigation, il réitéra son ordre à toutes les agences et services fédéraux de refuser de remettre à une commission parlementaire tout renseignement concernant la loyauté d'un fonctionnaire.

L'attaque du Président, l'impact de sa directive et le témoignage catégorique de Hiss plongèrent la Commission dans la panique, quand elle se réunit de nouveau dans l'après-midi. Le public de la salle d'audience et la presse semblaient avoir été totalement convaincus par Hiss et nous savions que nous allions passer un mauvais moment pour avoir permis à Chambers de témoigner sans avoir auparavant vérifié son témoignage. Aucun des membres de la Commission ne tenait à subir un tel assaut du président et des journalistes juste avant l'élection présidentielle. L'un d'eux résuma l'opinion générale en maugréant : « Nous sommes fichus. » Je fus le seul à insister pour tenir bon et poursuivre notre enquête. Stripling, dont le jugement était fort respecté par tous les autres membres, finit par me soutenir.

J'avais déjà des doutes sur Hiss parce qu'en dépit de la véhémence de ses dénégations il n'avait jamais déclaré sans équivoque qu'il ne connaissait pas Chambers. Il y avait toujours quelque qualificatif. Quand Mundt avait parlé de Chambers comme d'un homme « que vous dites n'avoir jamais vu », Hiss l'avait interrompu pour rectifier : « Autant que je sache, je ne l'ai jamais vu. »

Les Anglais disent parfois de quelqu'un qu'il est « trop malin ». C'était l'impression que me faisait Hiss : il était trop suave, il avait trop d'aisance, trop d'assurance pour être un témoin entièrement digne de foi.

Stripling et moi parvînmes enfin à faire comprendre à la Commission que nous n'avions plus grand-chose à perdre et il fut décidé que John McDowell (un Républicain réfléchi de Pennsylvanie), Eddie Hebert (un Démocrate de Louisiane qui avait été reporter avant de se consacrer à la politique), et moi-même, nous irions tenter de vérifier l'histoire de Chambers. Nous l'interrogeâmes le 7 août, à New York, dans un calme bâtiment fédéral désaffecté de Foley Square. J'avais dressé une longue liste des choses qu'un homme devait connaître et se rappeler d'un ami.

Je commençai par lui donner une chance de revenir sur ses déclarations en lui demandant avec douceur si nous l'avions bien compris et s'il nous avait vraiment dit que Hiss était communiste.

« C'était peut-être un groupe d'études intellectuel? hasardai-je.

— Pas du tout, répliqua fermement Chambers. La principale fonction de ce groupe était de s'infiltrer dans le gouvernement, au bénéfice du Parti Communiste. »

Chambers avait une foule de renseignements détaillés et intimes à nous donner sur Hiss. A l'enquête, ils se révélèrent tous exacts. Il nous dit que dans l'intimité Hiss appelait sa femme Dilly ou Pross et qu'elle l'appelait Hilly, il nous parla du cocker qu'ils mettaient en pension dans un chenil de Wisconsin Avenue à Washington quand ils allaient en vacances dans le Maryland; il nous révéla les goûts simples de Hiss pour la cuisine. Il nous décrivit Mme Hiss, une petite femme extrêmement nerveuse qui rougissait à tout propos. Il nous dépeignit les trois maisons et appartements où Hiss avait vécu du temps qu'il le connaissait et nous raconta par le menu les séjours qu'il avait fait chez eux.

Chambers nous dit que Hiss était passionné par l'ornithologie et qu'il se rappelait très bien sa joie d'avoir vu un matin un certain oiseau d'une espèce rare.

Après deux heures d'interrogatoire, je demandai à Chambers s'il accepterait de subir l'épreuve du détecteur de mensonge et il acquiesça sans hésiter. « Vous êtes si sûr de vous? » demandai-je. Il me répondit calmement : « Je dis la vérité. »

Fort de ce témoignage, j'étais persuadé que Hiss mentait. Mais, avant que l'affaire aille plus loin, je voulais élucider certains points qui, à mon avis, n'avaient pas été suffisamment couverts lors de notre séance marathon. Je décidai donc d'aller voir Chambers à sa ferme de Westminster, dans le Maryland, où je fis la connaissance de sa femme Esther. C'était une brune fort belle, qui parlait peu et qui avait une expression profondément triste et inquiète.

Une fois encore, la richesse et le luxe de détails des souvenirs de Chambers m'impressionnèrent. Je lui dis carrément que certains l'accusaient de nourrir des griefs secrets contre Hiss, d'avoir un mobile caché pour l'attaquer ainsi. Il resta un long moment silencieux puis il me dit : « Je ne pourrais certainement pas avoir de mobile assez grave pour compromettre ma propre carrière. » Il m'avoua que la vie privée était presque une obsession chez lui et que paraître en public était une des choses les plus pénibles qu'il avait jamais faites.

Je mentionnai en passant que j'étais un quaker et il me dit qu'au temps où ils les avait connus Mme Hiss était quaker et qu'elle avait fini par convertir son mari depuis. Il claqua des doigts et s'exclama : Ça me rappelle quelque chose. Priscilla employait souvent le tutoiement quaker en parlant à Alger, à la maison. » Je savais, d'après ma propre famille, combien il était improbable que quiconque (à part un ami intime) fût au courant d'un détail aussi personnel. Naturellement, Chambers avait pu l'apprendre par quelqu'un d'autre, mais la manière spontanée avec laquelle il l'avait révélé me convainquit qu'il ne mentait pas.

Charles Kersten, un expert des activités communistes, me pressa de parler de mes découvertes à John Foster Dulles. Le 11 août, je téléphonai donc à Dulles à l'hôtel Roosevelt à New York et lui dis qu'à mon avis il devrait examiner le témoignage de Chambers avant de faire une déclaration publique sur l'affaire. Le soir même, Kersten et moi prenions le train pour New York.

Assis sur un canapé dans le petit salon de l'appartement de Dulles, nous attendîmes, Kersten et moi, que Foster et son frère Allen aient lu les transcriptions des trois interrogatoires. Quand ils eurent fini tous les deux, Foster Dulles se leva et arpenta la pièce un moment. « Cela ne fait pas de doute, dit-il enfin. C'est presque impossible à croire, mais Chambers connaît Hiss. » Allen Dulles fut d'accord et tous deux pensèrent que l'affaire devrait être étalée au grand jour, par une confrontation publique des deux hommes, dès que possible. Pas un instant, Foster ne recula devant l'embarras qui pourrait en résulter pour lui alors qu'il avait vivement préconisé Hiss pour la présidence du Fonds Carnegie. Je leur promis de les tenir au courant.

Après ma visite à la ferme de Chambers, j'avais téléphoné à Bert Andrews, chef du bureau de Washington du *New York Herald Tribune* et prix Pulitzer. Je savais qu'Andrews était un adversaire véhément de la Commission; il venait de publier un livre, *La Chasse aux sorcières de Washington,* dans lequel il critiquait vivement le programme de loyauté du gouvernement. Je lui dis que je croyais ce que disait Chambers, mais que je voulais faire passer à son récit toutes les épreuves possibles. Andrews accepta de m'accompagner et d'interroger à fond Chambers.

Il lui posa des questions difficiles et insista lourdement sur les rumeurs qui commençaient à circuler à Washington, selon lesquelles il était alcoolique, qu'en outre il avait souffert d'une maladie mentale et avait dû être interné. Chambers ne se laissa pas démonter et fit observer que ces rumeurs étaient caractéristiques des campagnes communistes de diffamation.

Quand nous revînmes à Washington, Andrews était encore plus excité que moi. Il était convaincu que Chambers disait la vérité et il craignait maintenant que Hiss s'en tire grâce à la négligence et au travail inefficace qui avaient caractérisé dans le passé les audiences des commissions parlementaires. Moi aussi.

A cause de la directive de Truman, nous ne pûmes obtenir aucune aide directe de J. Edgar Hoover ni du F.B.I. Nous pûmes cependant avoir des contacts officieux avec un agent de bas échelon qui se révéla précieux pour nos investigations.

Quand nous rappelâmes Hiss le 16 août, pour l'interroger en séance exécutive, il était d'une tout autre humeur que la première fois.

Je lui dis qu'il y avait pas mal de divergences entre son témoignage et celui de Chambers et que nous voulions lui accorder une chance de les expliquer en séance exécutive avant d'organiser une confrontation publique. Hiss se raidit : « J'ai été furieux et blessé par l'attitude que vous avez adoptée, aujourd'hui que vous avez un conflit entre deux témoins, dont l'un est un ancien communiste avoué, et moi l'autre. Nous disons des choses contradictoires et vous avez du mal à vous décider sur la crédibilité de l'un ou de l'autre. Je ne désire pas faciliter les choses à une personne qui, pour des motifs qui m'échappent, s'applique apparemment à me démolir. On ne devrait pas me demander de donner des détails que cette personne pourrait entendre et utiliser comme si elle les avait connus auparavant. »

Il présenta alors ce qui allait devenir le thème principal de son nouveau témoignage : l'idée que les *détails* de l'affaire n'avaient aucune importance. « La question n'est pas de savoir si cet homme m'a connu et si je ne me souviens pas de lui. La question est de savoir s'il a eu avec moi la conversation qu'il prétend avoir eue, ce que j'ai nié, et si je suis un membre du Parti Communiste ou l'ai été, ce qu'il a dit et que j'ai nié. »

C'était un point crucial. J'avais persuadé la Commission de poursuivre les audiences précisément parce que les détails de l'affaire étaient importants parce qu'eux seuls pouvaient prouver si Hiss avait menti en prétendant ne pas connaître Chambers. Sa dénégation était le principal facteur qui avait discrédité à la fois Chambers et la Commission. Si Hiss pouvait maintenant faire porter les interrogatoires sur la question de savoir si nous pouvions ou non prouver qu'il était communiste, nous étions fichus.

Je lui dis que Chambers avait été averti que toutes les réponses qu'il donnait seraient soumises à la loi sur le parjure. Les détails de ses rapports avec Hiss pourraient être confirmés par des tiers. C'était, dis-je, le but de ces questions.

Hiss demanda s'il pouvait dire quelque chose officiellement. « Certainement », répondis-je.

Avec beaucoup de minutie, il écrivit quelque chose sur le bloc-notes placé devant lui. Il nous dit qu'il avait écrit le nom d'un homme qu'il avait connu dans les années 30 et qui, il s'en souvenait maintenant, avait fait certaines des choses que Chambers prétendait avoir faites. Cet homme avait séjourné plusieurs fois chez lui, il avait sous-loué son appartement, lui avait emprunté de l'argent et s'était servi de sa voiture. Mais, dit Hiss, il hésitait à révéler directement le nom parce qu'il pourrait y avoir une fuite, Chambers pourrait l'apprendre et l'incorporer dans son récit mensonger.

L'interrogatoire reprit. Une fois encore, Hiss se fit tirer l'oreille pour répondre aux questions que Stripling et moi lui posâmes, sur les endroits où il avait habité, sous prétexte que ses réponses pouvaient parvenir aux oreilles de Chambers qui s'en servirait contre lui. Cette réticence en fut trop pour le bouillant Hebert. Il déclara tout à trac : « De Chambers ou de vous, il y en a un qui ment. » Hiss répliqua sans se troubler : « C'est certainement vrai. » Hebert riposta : « Et celui de vous qui ment est le plus grand acteur que l'Amérique ait jamais produit. »

La Commission s'accorda une suspension d'audience de cinq minutes. Quand la séance reprit, Hiss nous annonça qu'il voulait bien nous révéler le nom qu'il avait écrit.

« Le nom de cet homme — qui n'a peut-être pas le moindre rapport avec ce cauchemar — est George Crosley. »

C'est ainsi que George Crosley, l'homme qui n'avait jamais existé, la véritable « diversion » de l'affaire Hiss, fit son entrée en scène.

Hiss passa près d'une heure et quart à répondre à des questions sur George Crosley. C'était, disait-il, un journaliste pigiste, pique-assiette, qui l'avait abordé alors qu'il était conseiller de la Commission sénatoriale Nye sur les munitions et l'armement, pour avoir des renseignements pour une série d'articles qu'il comptait écrire sur les activités de ladite commission. Hiss ajouta qu'il répondait souvent à de telles requêtes de journalistes.

Ils déjeunèrent ensemble deux ou trois fois, dit-il, et Crosley demanda à Hiss de l'aider à trouver un logement parce qu'il voulait faire venir sa femme et son bébé de New York, pour le reste de l'été. Hiss s'apprêtait justement à s'installer dans une nouvelle maison à Georgetown alors qu'il lui restait trois mois sur le bail de son appartement. Il sous-loua donc l'appartement à Crosley. Comme les meubles de Crosley tardaient à arriver de New York, dit Hiss, il laissa même le journaliste et sa famille habiter quelques jours dans sa nouvelle maison. Il conclut en disant que finalement Crosley n'avait pas payé son loyer et qu'ils s'étaient quittés en termes moins qu'aimables. Depuis 1935, il n'avait plus revu Crosley ni même entendu parler de lui.

Il était difficile de croire que Hiss avait pu oublier et se rappeler brusquement quelqu'un comme ce « Crosley », mais nous acceptâmes son récit et l'interrogeâmes sur ce mystérieux journaliste.

Je lui demandai comment était Mme Crosley et il me répondit que c'était une « brune d'une beauté frappante ». J'étais le seul membre de la commission à avoir vu Mme Chambers et je savais qu'il la décrivait parfaitement. J'étais maintenant certain que Hiss avait connu Chambers. La seule question que l'on devait résoudre, c'était s'il l'avait connu sous ce nom ou sous celui de George Crosley.

En nous guidant sur le témoignage de Chambers, nous fîmes raconter à Hiss sa vie dans les années 30. Nous lui posâmes les mêmes questions qu'à Chambers et nous obtînmes, dans presque chaque cas, les mêmes réponses.

Pour la plupart des membres de la Commission, les quelques répliques qui furent décisives survinrent vers la fin de la journée à propos du sujet le plus anodin. Je demandai à Hiss s'il avait des passe-temps favoris; il répondit qu'il aimait le tennis et s'intéressait à l'ornithologie. McDowell cita l'oiseau d'une espèce rare dont avait parlé Chambers et demanda négligemment : « Vous en avez déjà vu? »

La figure de Hiss s'illumina. « Mais oui, s'exclama-t-il, ici même, sur le Potomac!

— J'en ai vu un à Airlington, dit McDowell.

— Ils reviennent nicher dans ces marais. Une magnifique tête jaune, un oiseau superbe... »

Il y eut un silence révélateur tandis que la signification de ces brèves répliques frappait la Commission.

La première confrontation Hiss-Chambers eut lieu le 17 août à 17 h 35, dans la suite 1400 de l'hôtel Commodore à New York. L'appartement était composé d'une chambre et d'un salon décoré, par une ironie du sort, de gravures d'oiseaux d'Audubon. Nous plaçâmes trois chaises derrière une table près de la fenêtre pour les membres de la Commission et un seul fauteuil en face à trois mètres environ. Il y avait un canapé contre le mur, à droite du fauteuil.

Quand Hiss arriva avec un ami du Fonds Carnegie, il me parut nerveux et irrité. Dès qu'il fut assis dans le fauteuil, je demandai que l'on fasse entrer Chambers.

Hiss ne tourna même pas la tête quand Chambers passa derrière lui et alla s'asseoir sur le canapé. Il continua de regarder droit devant lui, par la fenêtre.

« M. Chambers, dis-je, voulez-vous vous mettre debout? Et vous aussi, Mme Hiss? »

Les deux hommes se levèrent et Hiss se tourna vers Chambers; ils ne pouvaient être à plus d'un mètre cinquante ou soixante l'un de l'autre.

« M. Hiss, l'homme qui se tient devant vous est M. Whittaker Chambers. Je vous demande maintenant si vous avez connu cet homme. »

Je crois bien que jamais je n'ai vu un individu en regarder un autre avec autant de haine qu'Alger Hiss quand il dévisagea Chambers. Nous ouvrîmes les rideaux pour que personne ne puisse prétendre par la suite qu'un mauvais éclairage avait gêné l'identification.

Hiss semblait maintenant sincèrement indécis et dérouté. Il me regarda et me demanda : « Voulez-vous le prier de dire quelque chose? »

Je demandai à Chambers de donner son nom et sa profession et il dit simplement : « Je m'appelle Whittaker Chambers. »

Hiss fit alors un pas vers lui en marmonnant : « Voudriez-vous ouvrir la bouche plus grande? »

Chambers répéta son nom et Hiss s'impatienta. « J'ai dit, voudriez-vous ouvrir la bouche... » Et il fit un geste de la main pour indiquer ce qu'il voulait. Il nous avait dit que Crosley avait de mauvaises dents et je compris qu'il tenait à examiner celles de Chambers. La main de Hiss n'était qu'à quelques centimètres de la bouche de Chambers et sur le moment je me demandai si ce dernier n'était pas tenté de le mordre.

« Puis-je demander si sa voix, quand il a témoigné, était semblable à celle-ci? » reprit Hiss.

Je cherchai autour de moi quelque chose à faire lire à Chambers et ne trouvai qu'un numéro de *Newsweek*. Pendant que Chambers lisait quelques mots au hasard, Hiss lui examina la bouche avec attention, comme un maquignon cherchant à deviner l'âge d'un cheval. Chambers se tut et

Hiss déclara que la voix lui paraissait un peu différente de celle de Crosley et que les dents s'étaient manifestement beaucoup améliorées. Par conséquent, faute de plus amples vérifications, il ne pouvait déclarer sous serment que Chambers était Crosley.

Je demandai à Chambers s'il s'était fait soigner les dents et il me répondit qu'il en avait fait arracher quelques-unes et que son dentiste, le Dr Hitchcock, lui avait placé une prothèse. Cela parut satisfaire Hiss qui dit : « Ce témoignage de M. Chambers, s'il peut être cru, tendrait à confirmer mon impression qu'il s'est fait passer à mes yeux en 1934 ou 1935 pour George Crosley, un journaliste free-lance. J'aimerais interroger le Dr Hitchcock pour savoir si ce qu'il vient de dire est vrai parce que je me fie en partie... un de mes souvenirs les plus vifs de Crosley, c'était le mauvais état de ses dents.

— M. Hiss, dis-je, vous estimez avoir besoin que le dentiste vous dise au juste quels travaux il a effectués, avant de pouvoir reconnaître ou non cet homme? »

Hiss changea de conversation et je commençai à interroger Chambers. Quand il me dit qu'il avait passé environ trois semaines dans l'appartement de Hiss, celui-ci m'interrompit et déclara : « Je n'ai pas besoin de poser d'autres questions à M. Whittaker Chambers. Je suis maintenant tout à fait prêt à identifier cet homme comme George Crosley. »

J'ai étudié avec grand soin le témoignage; je n'ai pourtant jamais très bien compris pourquoi Hiss avait renoncé à ce moment-là à sa comédie. Quelques minutes plus tôt, sa « mémoire visuelle » avait été si mauvaise qu'il tenait à consulter des fiches dentaires avant de pouvoir être certain de l'identité de Chambers. Et voilà qu'à présent il était tellement sûr de lui que lorsque je lui demandai s'il était absolument certain de ne pas se tromper, il me répliqua : « S'il avait perdu les deux yeux et supprimé son nez, j'en serais sûr. » Il continua de prétendre, cependant, qu'il n'avait pas su que Chambers-Crosley était communiste.

On demanda à Chambers s'il pouvait positivement identifier Hiss comme le communiste qu'il avait connu et chez qui il avait habité. Il répondit : « Identification positive ». Hiss bondit soudain de son fauteuil et se précipita vers lui en brandissant le poing. Il gronda d'une voix frémissante de rage : « Permettez-moi de dire devant vous tous que j'aimerais inviter M. Whittaker Chambers à répéter ses déclarations hors de la présence de cette Commission, par conséquent sans immunité contre les poursuites en diffamation. Je vous mets au défi de le faire, et j'espère que vous le ferez bougrement vite! »

Chambers n'avait manifesté aucune crainte quand Hiss s'était rué sur lui, mais Hiss avait maintenant complètement perdu son sang-froid. Je regrettai que nous ayons accepté de le laisser partir de bonne heure pour se rendre à un dîner. Je crois que si nous avions continué à le presser de questions, nous lui aurions soutiré de nouvelles contradictions, sinon des aveux complets. Mais en l'état des choses, nous en avions bien assez.

La confrontation publique entre les deux hommes eut lieu la semaine suivante, le 25 août. La salle était bondée de gens qui se bousculaient pour assister à l'événement et l'on étouffait sous les projecteurs de la télévision.

Hiss eut recours à trois tactiques de base. Au début, il tenta de brouiller et de réfuter les détails des preuves. Il parla encore de l'importance des travaux dentaires pour expliquer son hésitation initiale à identifier Chambers à Crosley.

« Vous avez beaucoup insisté sur les mauvaises dents, lui dis-je. Vous avez même demandé le nom du dentiste que vous vouliez consulter avant de l'identifier formellement. Ma question va peut-être sembler facétieuse, mais ne vous est-il jamais arrivé de voir Crosley la bouche fermée? »

Il répondit : « Ce qui me frappe dans mon souvenir de Crosley, ce n'est pas quand il avait la bouche fermée, mais quand il avait la bouche ouverte. » A cette réplique le public, qui avait d'abord été du côté de Hiss mais que ses réponses évasives commençaient à énerver, éclata de rire. Le président Thomas réclama le silence et dit à Hiss : « Si vous avez d'autres répliques très comiques à nous donner en guise de réponses, appelez-moi plus tard et confiez-les-moi. J'aime bien rire de temps en temps, mais nous n'aurons plus de rires ici si nous pouvons l'éviter. » Hiss commençait à perdre pied. Pourtant, il répliqua avec morgue : « J'ai bien compris que l'on rirait de la question, pas de la réponse, Monsieur le Président. Peut-être M. Nixon et vous aimeriez-vous vous retirer pour vous raconter vos blagues? »

Hiss fut tout aussi ridicule quand on lui montra un document portant sa signature en lui demandant de l'identifier. Il hésita, tergiversa et finit par dire qu'il ne pouvait pas se prononcer sur une photocopie et devrait voir l'original. Cela exaspéra Mundt qui s'écria avec stupéfaction :

« Et vous pourriez être sûr si on vous présentait l'original?

— Je pourrais être plus sûr! » répondit Hiss.

Et de nouveau il y eut des rires dans le public; même ses amis assis au premier rang furent gênés et secouèrent la tête.

Sa deuxième tactique consista à nous rappeler toutes les personnes bien connues et indiscutablement patriotes avec qui il avait travaillé et qui l'estimaient hautement. Il en cita trente-quatre, de John Foster Dulles et Harold Stassen à Cordell Hull et James Byrnes, en nous suggérant de les interroger sur sa loyauté. Cette manœuvre d' « innocence par association » n'impressionna ni la commission ni le public.

En troisième lieu, il tenta de nouveau d'affirmer que les détails des témoignages divergents n'avaient aucune importance parce que la question était de savoir s'il avait été communiste. Une fois de plus, je m'efforçai de démasquer la fausse logique de ce propos et de maintenir les débats fermement sur le sujet, qui était d'établir s'il s'était parjuré quand il avait déclaré n'avoir jamais connu Chambers.

« M. Hiss, vous avez fait vous-même toute une affaire du fait de savoir : 1° si vous aviez connu Chambers — et cette question est maintenant résolue; 2° à quel point vous le connaissiez et si vous saviez qu'il était communiste — c'est maintenant l'objet de cet interrogatoire. »

La partie du témoignage de Hiss qui le discrédita sérieusement aux yeux de beaucoup de gens fut l'histoire de sa voiture. Chambers avait témoigné que Hiss était un communiste si fervent que, lorsqu'il avait acheté une Plymouth neuve en 1936, il avait voulu faire don de sa vieille voiture, un cabriolet Ford 1929, au Parti communiste. Il était strictement contraire aux règles du Parti qu'un membre de la clandestinité fasse quoi que ce soit qui puisse le lier publiquement avec le Parti, mais Chambers disait que Hiss avait tellement insisté qu'on fit exception pour lui et un arrangement fut imaginé pour que la voiture soit transmise par un intermédiaire.

La version de Hiss différait totalement. Dans son témoignage sur George Crosley, il avait dit à un moment donné : « Je lui ai vendu une voiture »; à un autre : « Je lui ai prêté ma voiture »; et finalement : « Je lui ai laissé la voiture avec l'appartement. » Je lui fis observer ces contradictions en disant qu'il était difficile de croire qu'il ne puisse pas se rappeler avec plus de précision ce qu'il avait fait d'un objet aussi important qu'une automobile.

Grâce à un magnifique travail d'investigation et à un gros coup de chance, nous réussîmes la seule chose que Hiss n'avait sûrement jamais crue possible : nous découvrîmes les papiers qu'il avait signés plus de dix ans auparavant pour le transfert de la voiture. La transaction avait été tout à fait insolite. Hiss avait signé un acte de vente au nom d'un marchand de voitures d'occasion, pour la somme de 25 dollars, et elle avait été immédiatement transférée par ce dernier, pour le même prix, au nom d'un homme fiché comme organisateur communiste qui avait donné une fausse adresse sur les papiers. Nulle part le nom de George Crosley n'apparaissait; et nous avions pu établir que la transaction n'avait pas eu lieu en juin 1935, la dernière fois que Hiss avait vu Crosley selon son témoignage, mais en juillet 1936, à la date précise qu'avait donnée Chambers.

Cette transaction était la preuve irréfutable que Hiss avait menti et qu'il avait connu Chambers (ou Crosley) beaucoup mieux, pendant beaucoup plus longtemps et bien plus tard qu'il ne l'avait prétendu. Après sa première comparution devant la commission, Hiss avait été assiégé par des amis qui lui voulaient du bien. A la fin de cette audience, cependant, son avocat et lui sortirent seuls de la salle. James Reston, qui connaissait personnellement Hiss et qui était de ceux qui l'avaient recommandé à Carnegie, rapporta dans le *New York Times* : « Durant tout l'interrogatoire, M. Hiss se montra calme, extrêmement poli, mais il répondait toujours avec une prudence qui irritait les membres de la Commission et qui, de l'avis même de ses amis, fit du tort à sa cause. »

Chambers succéda à Hiss dans le fauteuil des témoins. Quand on lui demanda sa réaction au témoignage de Hiss, il répondit simplement : « M. Hiss ment. » Ses réponses promptes et directes firent paraître celles de Hiss encore plus évasives et trompeuses.

Je demandai à Chambers s'il ne nourrissait pas quelque grief contre Hiss, ce qui eût expliqué son apparente détermination à le démolir. « M. Chambers, voudriez-vous fouiller votre mémoire pour voir quel motif vous pouvez avoir pour accuser maintenant M. Hiss d'être communiste?

— Quel motif pourrais-je avoir? répliqua-t-il.

— Je vous demande si vous lui en voulez, pour une chose qu'il aurait pu vous faire.

— Le bruit a couru qu'en témoignant contre M. Hiss, je cherche à staisfaire une vieille vengeance ou à assouvir une haine. Je ne hais pas M. Hiss. Nous étions très bons amis, mais nous avons été victimes d'un drame de l'histoire. M. Hiss représente l'ennemi dissimulé contre lequel nous luttons tous, contre lequel je lutte. J'ai témoigné contre lui avec remords et compassion, mais, dans un moment de l'histoire comme celui où se trouve aujourd'hui notre pays, Dieu m'est témoin que je ne pouvais pas agir autrement. »

Dès que j'eus l'occasion d'étudier à fond tous les témoignages, j'écrivis une lettre de quatre pages à John Foster Dulles pour résumer mon opinion et mes conclusions : « S'il (Hiss) a été coupable de parjure technique ou s'il a été définitivement établi qu'il était membre du Parti communiste, ce sont des questions qui restent encore à débattre. Mais il n'y a plus aucun doute pour moi que, pour des raisons connues de lui seul, il a cherché à empêcher la commission d'apprendre la vérité sur ses rapports avec Chambers. »

Ainsi se terminait le rôle direct de la commission dans l'affaire Hiss. La suite dépendrait de la réaction de Chambers au défi lancé par Hiss de répéter ses déclarations là où il ne bénéficierait pas de l'immunité parlementaire, afin que Hiss pût entamer une action en diffamation. Deux jours après l'audience publique du 25 août, Chambers parut à l'émission de télévision *Meet the Press*. La première question concerna le défi de Hiss. On lui demanda : « Etes-vous prêt à répéter vos accusations, à répéter qu'Alger Hiss a été communiste? » Chambers répliqua : « Hiss était communiste et l'est peut-être encore. »

Les amis de Hiss pensèrent qu'il allait immédiatement intenter un procès à Chambers. A leur profonde consternation, il n'entama pas la moindre action pendant un mois. Finalement, le *Washington Post,* un de ses plus fidèles défenseurs, le mit au pied du mur dans un éditorial irrité déclarant que Hiss lui-même avait créé « une situation dans laquelle il était obligé de subir ou de se taire ».

Trois semaines plus tard, Hiss attaqua Chambers en diffamation. Juridiquement, sa position semblait solide, puisque, sans preuves corroborantes pour appuyer ses allégations, Chambers ne pourrait jamais les présenter à la satisfaction du tribunal. Hiss devait penser que si Chambers avait détenu ces preuves, il les aurait produites aux audiences de la commission.

L'affaire, déjà fertile en surprises bizarres, en avait encore en réserve.

Chambers fut convoqué par les avocats de Hiss pour une déposition avant le procès, et, au cours d'un interrogatoire de routine, ils lui demandèrent s'il possédait une documentation à l'appui de ses accusations. Sur le moment, il ne répondit pas, mais commença à chercher ce qu'il devrait faire pour défendre sa position.

Les avocats de Hiss interrogèrent aussi Mme Chambers. Son mari ne me dit jamais ce qui s'était passé au juste, simplement qu'ils avaient été très durs avec elle et l'avaient fait pleurer. Chambers déclara que, dès ce moment, il comprit que Hiss et ses amis étaient résolus à le détruire et qu'il lui fallait réagir en conséquence. Il annonça à son avocat qu'il avait décidé de présenter certains documents qu'il avait récemment récupérés chez le neveu de sa femme, à New York.

Le 17 novembre, Chambers remit une enveloppe contenant soixante-cinq feuillets dactylographiés de copies de documents du Département d'Etat et quatre mémorandums de la main même d'Alger Hiss. Il expliqua aux avocats sidérés que, lorsqu'il avait décidé de rompre avec le

Parti, il avait caché ces papiers, pour qu'ils soient en quelque sorte une assurance contre toute tentative communiste de chantage ou d'assassinat.

Le chef de la division criminelle du ministère de la Justice fut immédiatement appelé de Washington. Il saisit les documents et obtint une ordonnance du tribunal imposant le secret à toutes les personnes concernées. Chambers regagna sa ferme, certain que ce ne serait plus qu'une question de jours avant que le ministère de la Justice présente l'affaire devant une chambre des mises en accusation et que Hiss soit inculpé. Mais deux semaines s'écoulèrent et rien ne se passa. Le 1er décembre, une petite dépêche de l'United Press annonça, dans le *Washington Daily News,* que le ministère de la Justice envisageait d'abandonner les poursuites contre Hiss. Un autre article déclarait que selon certaines rumeurs des poursuites contre Chambers pour parjure étaient envisagées. C'était difficile à croire, mais il semblait bien que la Justice allait se servir des documents que Chambers avait remis, non pas pour prouver que Hiss était un espion, mais pour inculper Chambers de parjure parce qu'il avait menti en témoignant que lui-même ne s'était jamais livré à l'espionnage.

Ces événements fracassants survenaient, pour moi, au plus mauvais moment possible. Notre seconde fille, Julie, était née le 5 juillet 1948. Nous avions espéré passer quelques semaines avec Tricia et elle loin de la chaleur étouffante de Washington; mais une fois de plus, nous avions été forcés de remettre des vacances prévues, puisque l'affaire Hiss m'avait retenu pendant tout le mois d'août. J'avais promis à Pat que nous prendrions nos premières vacances depuis trois ans dès la fin de la session parlementaire et j'avais fait des réservations pour une croisière de quinze jours dans les Caraïbes au début de décembre. Nous nous faisions une grande joie de ce voyage.

La veille de notre départ, je lus l'article du *Daily News* et fus choqué que le ministère de la Justice se prête à une manœuvre aussi cynique. Dans l'après-midi, je me rendis avec Stripling à la ferme de Chambers. Je lui montrai l'article et il répondit : « C'est bien ce que je craignais. »

Il nous expliqua qu'il avait présenté une quantité considérable de preuves documentées, que la Justice les avait saisies et qu'une ordonnance du tribunal lui interdisait d'en révéler le contenu. « Je peux simplement vous dire que c'est une véritable bombe », nous confia-t-il.

Nous essayâmes en vain de nous faire une idée de ce que représentaient ces papiers. Finalement, je demandai si nous nous trouvions dans une situation où seul le ministère de la Justice serait à même de décider de poursuivre ou non l'action.

« Non, je ne suis pas fou à ce point, répliqua Chambers. Mon avocat a des photocopies et, de plus, je n'ai pas tout remis. J'ai une autre bombe, au cas où ils supprimeraient celle-ci.

— Gardez précieusement votre deuxième bombe, lui dis-je. Ne la remettez à personne sauf à la Commission. »

En rentrant à Washington, je ne savais trop que faire. Je passai une bonne partie de la nuit à me demander si nous devions signifier une assignation pour obtenir le reste de la documentation de Chambers. Je ne comprenais pas pourquoi Chambers aurait caché des renseignements importants lors des audiences de la Commission et je ne pouvais m'empêcher de penser que le ministère de la Justice pourrait avoir d'excellentes raisons d'agir ainsi.

Pourtant, après avoir soupesé tous les facteurs, je décidai que l'affaire était trop importante pour risquer de la perdre maintenant. Aussi demandai-je à Stripling de faire immédiatement signifier à Chambers une assignation à remettre tout ce qu'il détenait. « Et quand je dis *tout*, c'est *tout !* » précisai-je...

Notre bateau appareilla de New York dans l'après-midi. Pat et moi, nous commençâmes à nous détendre en compagnie d'autres parlementaires et de leurs femmes, qui étaient à bord. Nous nous sentions délivrés de la formidable tension de Washington. Mais le lendemain soir, je reçus un câble de Stripling :

« DEUXIEME BOMBE OBTENUE PAR ASSIGNATION VENDREDI. INFORMATION AHURISSANTE. ACTION IMMEDIATE SEMBLE NECESSAIRE. POUVEZ-VOUS REVENIR ? »

Le lendemain matin, ce fut un câble d'Andrews :

« DOCUMENTS INCROYABLEMENT BRULANTS. LIAISON AVEC HISS PARAIT CERTAINE. LIAISON AVEC D'AUTRES INEVITABLE. RESULTATS DEVRAIENT RENDRE CONFIANCE EN COMMISSION SINON CERTAINS DE SES MEMBRES... CHAMBRE DES MISES SE REUNIT MERCREDI... POUVEZ-VOUS ARRIVER MARDI ? SINON PREVOIR AUDIENCE MERCREDI MATIN TOT. MES AMIS LIBERAUX NE M'AIMENT PLUS. VOUS NON PLUS. MAIS LES FAITS SONT LES FAITS ET CEUX-LA SONT DE LA DYNAMITE. ECRITURE HISS IDENTIFIEE SUR TROIS DOCUMENTS. PAS PREUVE QU'IL LES AIT DONNES A CHAMBERS MAIS TRES SIGNIFICATIF. STRIPLING DIT POUVOIR PROUVER QUI LES A DONNES A CHAMBERS. AMITIES A PAT. BRISEUR DE VACANCES ANDREWS. »

J'avertis Stripling par radio de prendre des dispositions pour mon retour. Le lendemain matin, je fus cueilli à bord par un hydravion des Gardes-Côtes qui me transporta à Miami, où je pris l'avion pour Washington. A l'aéroport de Miami, des journalistes me demandèrent mon avis sur les « papiers potiron ». Je ne compris pas du tout de quoi ils parlaient. Quand j'arrivai à Washington, Stripling me mit au courant des derniers rebondissements de cette affaire extraordinaire.

J'appris que Chambers s'était trouvé à Washington le jour où l'assignation lui avait été signifiée et qu'il s'était arrangé pour rencontrer deux des enquêteurs cette nuit-là et les conduire à sa ferme. Ils arrivèrent très tard. Il les conduisit dans un carré de potirons recouvert de givre. Les investigateurs ahuris le virent soulever la calotte d'un des potirons, y plonger la main et en retirer trois petits cylindres de métal contenant des microfilms. Il expliqua qu'il n'avait rien voulu laisser dans la maison de crainte qu'un mandat de perquisition arrive en son absence. Dans la matinée, il avait donc creusé le potiron pour y cacher les documents.

Quand les microfilms « potiron » furent développés, ils donnèrent des centaines de feuillets de photocopies. Elles représentaient un échantillonnage des documents secrets que Hiss avait donnés à Chambers juste avant que ce dernier rompe avec le Parti. Cela allait de paperasses sans conséquence à des dépêches diplomatiques ultra-secrètes. La défense de Hiss prétendit plus tard que les documents étaient sans importance et ne menaçaient en rien la sécurité nationale. Cette affirmation fut catégoriquement réfutée par le témoignage d'experts devant la Commission et aux deux procès. Certains des documents étaient relativement bénins, mais le Département d'Etat estimait encore en 1948, dix ans après qu'ils aient été soustraits des dossiers du gouvernement, que la publication intégrale des « papiers potiron » serait dangereuse pour la sécurité nationale. Le fait que beaucoup étaient chiffrés était aussi grave que le contenu spécifique, car quiconque en obtiendrait des copies pourrait ainsi découvrir nos codes secrets.

L'émotion fut considérable dans le public et même beaucoup de ceux qui avaient jusque-là défendu Hiss durent avouer qu'ils s'étaient trompés et que la Commission avait eu raison.

Comme la prescription rendait impossible les poursuites pour espionnage, la chambre des mises décida à l'unanimité d'inculper Hiss de double parjure. Le premier pour avoir menti en témoignant qu'il n'avait pas illégalement soustrait de documents au Département d'Etat pour les remettre à Chambers; le second pour avoir menti en témoignant qu'il n'avait plus revu Chambers après le 1er janvier 1937.

Il y eut deux procès. Au premier, le jury resta divisé à 8 contre 4 pour la condamnation. Au second procès, le 21 janvier 1950, le jury déclara Hiss coupable à l'unanimité. Peu après le verdict, je reçus un télégramme de Herbert Hoover :

« LA CONDAMNATION D'ALGER HISS EST UNIQUEMENT DUE A VOTRE PATIENCE ET A VOTRE PERSEVERANCE. ENFIN LE COURANT DE TRAHISON QUI EXISTAIT DANS NOTRE GOUVERNEMENT A ETE EXPOSE D'UNE FAÇON EVIDENTE POUR TOUS. »

Hiss fut condamné à cinq ans de prison. Après avoir purgé quarante-quatre mois de sa peine, il fut libéré sur parole et sombra dans l'anonymat, travaillant comme représentant en papier à lettres et fournitures d'imprimerie, à New York.

Jusqu'à ce jour, Alger Hiss a proclamé bien haut son innocence et tenté périodiquement de se blanchir. En s'alliant au temps qui passe et aux caprices de la mémoire, cette ténacité a été de temps en temps récompensée par une publicité favorable et un regain de créance. En 1975, par exemple, il fut réadmis au barreau du Massachusetts. Cependant, chaque fois que l'affaire Hiss est étudiée sur le fond, les témoignages et les faits, le verdict est le même : les preuves contre lui sont toujours aussi accablantes.

J'ai beaucoup de mal à comprendre le comportement du Président Truman pendant notre enquête sur cette affaire. Je savais alors qu'il avait défié ses conseillers libéraux et ses partisans en proposant une aide aux gouvernements anticommunistes de Grèce et de Turquie; je le prenais pour un homme qui comprenait le danger du communisme et qui reconnaissait le besoin de s'opposer à sa prolifération subversive.

Pourtant, en dépit de toutes les preuves indiquant que Hiss était au mieux un parjure et au pire un espion, Truman s'entêta à condamner nos investigations et, par ses déclarations publiques et ses ordres, à les contrecarrer. Avant l'élection présidentielle de 1948, je pouvais encore comprendre qu'il fasse tout au monde pour étouffer l'enquête afin d'éviter de se trouver dans une position politique embarrassante. Mais je fus surpris de constater que, même après avoir remporté l'élection, il s'entêtait à suivre la même voie.

Bert Andrews, qui avait d'excellentes sources à la Maison Blanche, me dit que lorsqu'un haut fonctionnaire du ministère de la Justice montra à Truman les documents impliquant nettement Hiss dans une affaire d'espionnage, le Président s'était mis à arpenter rageusement le tapis, en marmonnant : « Ce salaud, ce salaud! Il a trahi son pays! Après la condamnation de Hiss, quand, au cours d'une conférence de presse, un journaliste demanda à Truman s'il pensait encore que notre enquête avait été une " diversion ", il lui coupa sèchement la parole et riposta : " J'ai parfaitement exprimé mon point de vue à ce sujet et je n'ai rien à y ajouter. Ma position n'a pas changé. Un point c'est tout. " » Plus tard, alors qu'un de ses assistants l'interrogeait, il bougonna : « Bien sûr, Hiss est coupable. Mais cette foutue Commission s'en moque bien. Tout ce qui l'intéresse, c'est la politique; et tant qu'ils vont faire de la politique avec la question communiste, je continuerai d'appeler leurs activités par leur nom, une " diversion "! »

Truman croyait sincèrement que la commission agissait pour des motifs politiques et, en conséquence, il avait lui-même des mobiles politiques. Il finit par donner son accord à une enquête approfondie de la Justice et du F.B.I.; mais pendant des mois, il profita du pouvoir et du prestige de sa fonction pour entraver les travaux de la Commission. Pourtant je n'ai jamais pensé, ni alors ni maintenant, que son attitude était motivée par autre chose que l'instinct politique.

L'affaire Hiss prouva sans l'ombre d'un doute l'existence d'une subversion communiste dirigée par les Soviétiques dans les plus hautes sphères du gouvernement américain. Mais beaucoup de ceux qui avaient défendu Hiss refusèrent purement et simplement de croire aux preuves écrasantes de sa culpabilité. Certains retournèrent contre moi leur colère et leur dépit, comme si j'étais en quelque sorte responsable de ce qu'ils avaient été abusés par Hiss. Il est certain que mon rôle dans cette affaire m'a lancé sur la voie de la Vice-Présidence, mais elle m'a aussi transformé, d'un jeune parlementaire assez populaire, jouissant d'une presse limitée mais bonne, en une des personnalités les plus controversées de Washington, amèrement contestée par les journalistes libéraux et les manipulateurs d'opinion les plus respectés et les plus influents de l'époque.

Je crois que Foster Dulles a bien exprimé la véritable leçon de l'affaire Hiss quand il a déclaré : « La condamnation d'Alger Hiss est une tragédie humaine. Il est tragique que tant de promesses aient eu une fin si peu glorieuse. Mais le plus grand drame, c'est qu'apparemment nos idéaux nationaux n'inspirent plus la loyauté indispensable à leur défense. »

Là, il touchait, pour moi, au cœur du problème que nous devions affronter, alors et dans les années à venir : comment susciter chez la brillante jeunesse américaine le même dévouement fervent à la cause de la liberté que les communistes parvenaient à inspirer chez des gens comme Hiss.

CANDIDAT AU SÉNAT : 1950

J'assistai en observateur à la Convention nationale républicaine à Philadelphie en 1948. J'éprouvais un profond respect pour les principaux candidats, le sénateur de l'Ohio Robert Taft et le gouverneur de l'Etat de New York Thomas Dewey, mais je pensais que les Républicains avaient besoin de sang neuf et je soutins Harold Stassen du Minnesota — l'ex-« enfant prodige » du Parti Républicain — pour la nomination présidentielle. Dewey remporta la nomination au troisième tour de scrutin et il choisit Earl Warren comme second.

Sans trop pouvoir mettre le doigt dessus, j'étais moins optimiste sur nos chances que la plupart des Républicains. A l'automne, quand je participai à la tournée électorale, les foules auxquelles je m'adressai étaient amicales mais il y manquait l'étincelle qui fait parfois toute la différence entre la victoire et la défaite. J'étais agacé aussi par l'attitude hésitante de Dewey envers Truman et par son refus de repousser ses attaques contre ce qu'il appelait le « 80e Congrès incapable ». Par tempérament, excès de confiance et erreur de jugement, Dewey livra une campagne hautaine et détachée alors que Truman se comportait comme s'il tenait réellement à gagner. Truman remporta une victoire de la onzième heure qui stupéfia les pronostiqueurs. Tout en étant profondément déçu par la défaite de Dewey, je pensais que notre autosatisfaction nous avait coûté cher.

Dewey battu, nous perdions à la fois les deux chambres du Congrès et je devenais du jour au lendemain un jeune membre du parti minoritaire, un « arrivant » qui n'avait plus de destination. Pour la première fois, je commençai à envisager de gravir les échelons tout seul au lieu d'attendre patiemment l'ancienneté ou la faveur du parti à la Chambre des Représentants.

Le mandat de Sheridan Downey, sénateur démocrate de Californie, expirait en 1950. Peu de temps après l'élection de 1948, je commençai à viser son fauteuil. Au premier abord, la perspective n'était guère prometteuse. Downey était populaire, bien en place et rien n'indiquait qu'on pouvait le battre.

Pratiquement tous mes amis et conseillers politiques me dirent qu'en me présentant au Sénat je commettrais un suicide politique. Mais je connaissais la valeur de la publicité dont m'avait fait bénéficier l'affaire Hiss, une publicité dont la plupart des parlementaires ne peuvent que rêver. La seule possibilité que j'avais de gravir les échelons politiques était de me présenter au siège de Dewey alors que mes actions étaient en hausse.

Au début d'octobre, le député Helen Gahagan Douglas annonça qu'elle allait se présenter contre Downey aux primaires démocrates. Sa candidature me servait considérablement. Si Downey gagnait, il serait affaibli par ses attaques. Si Mme Douglas gagnait, elle serait plus facile à battre que lui.

Durant l'automne, j'appris par Kyle Palmer, le brillant rédacteur politique du *Times* de Los Angeles, que si je me présentais au Sénat, son journal me soutiendrait. Je reçus les mêmes assurances du *San Francisco Chronicle* et de l'*Oakland Tribune*. Ces soutiens étaient vitaux parce que non seulement ils affermiraient ma candidature, mais surtout parce qu'ils promettraient que je n'aurais à affronter pratiquement aucune opposition aux primaires républicaines.

Le 3 novembre 1949 — un an jour pour jour avant l'élection —, j'annonçai ma candidature au Sénat à Pomona devant une foule de plus de cinq cents partisans. Je prononçai un discours musclé annonçant le genre de campagne que j'entendais mener. Je déclarai que la question clef de cette campagne serait « simplement le choix entre la liberté et le socialisme d'Etat ». J'accusai « le Parti démocrate d'aujourd'hui, dans toute la nation et chez nous, en Californie, d'être complètement sous l'emprise d'un groupe d'arrivistes cyniques et sans scrupules qui ont contraint ce parti à une politique et des principes totalement étrangers à ceux de ses fondateurs ». Je conclus par quelques mots qui allaient être fréquemment cités dans les années à venir : « C'est le seul moyen que nous ayons de gagner. Nous devons mener une campagne vigoureuse, énergique et battante, et la livrer directement dans chaque canton, ville, village, quartier et foyer de l'Etat de Californie. »

Ainsi débuta une des campagnes les plus échauffées et les plus rudes de ma carrière. J'avais déjà eu bien du mal à convaincre les électeurs d'un district traditionnellement républicain de voter pour moi; maintenant je devais livrer bataille dans le deuxième Etat le plus peuplé de la nation, pour quêter le soutien de millions d'électeurs dont la plupart étaient démocrates.

Je décidai de voyager dans toute la Californie et pour cela j'utilisai un grand break d'occasion avec des panneaux « Nixon au Sénat » cloués de chaque côté. Il était équipé d'un matériel sono portatif. En arrivant dans une petite ville, nous diffusions par les haut-parleurs un disque à la mode. Cela attirait au moins une demi-douzaine de badauds à un carrefour animé. Une fois qu'une petite foule s'était amassée, je parlais pendant quelques minutes puis je répondais aux questions.

Au commencement, je ne m'adressais le plus souvent qu'à une poignée de badauds distraits. Mais quand la campagne commença à prendre son essor, la présence de perturbateurs m'assura à chaque arrêt un public plus important et plus passionné. Ces perturbateurs étaient des bandes bien organisées envoyées par des organisations syndicales et politiques de gauche. Ils essayaient de troubler mes discours par un perpétuel contrepoint de questions acerbes et de commentaires narquois. Une fois, à San Francisco, ils arrivèrent même avec leur propre camion de son et nous livrâmes un débat par amplificateurs!... Quand un petit groupe d'entre eux arriva à un rallye à l'auditorium municipal de Long Beach, mon chauffeur tourna le volume du son au maximum et diffusa une chanson populaire de l'époque : *Si j'avais su que vous veniez, j'aurais fait un gâteau*. Mes partisans hurlèrent de rire et applaudirent.

Alors que je commençais ma tournée californienne, il y eut des étincelles aux primaires démocrates. Le sénateur Downey s'était retiré de la course, pour raisons de santé, disait-il, et Mme Douglas s'opposait à présent à Manchester Boddy, directeur du *Daily News* de Los Angeles. Boddy était bien financé et faisait campagne avec la ferveur sincère d'un Démocrate de toujours qui méprisait les tendances de gauche / de Mme Douglas. Il les appelait, elle et ses partisans, une « petite clique subversive de rouges ardents ». Les partisans de Boddy attaquaient les votes à la Chambre de Mme Douglas en les comparant à ceux de Vito Marcantonio, le seul membre du Congrès ouvertement procommuniste.

Tout le monde pouvait voir que les votes Douglas et Marcantonio étaient d'une similitude frappante et les attaques de son propre parti lui faisaient plus de tort que tout ce que j'aurais pu dire. La « feuille rose », qui fut plus tard si controversée et que mon comité électoral publia, était d'ailleurs inspirée par ces votes. Quelque interprétation qu'on ait pu en donner par la suite, personne ne put jamais contester la véracité des faits. Nous n'avions ajouté que le commentaire de la couleur du papier.

Ce fut le sénateur Downey qui porta le plus grave préjudice à Mme Douglas. Le 22 mai, il déclara publiquement : « A mon avis, Mme Douglas n'est pas qualifiée pour être sénateur des Etats-Unis... Elle n'a fait preuve d'aucun penchant, d'aucune capacité même, pour accomplir le travail pénible et ingrat qu'exige la préparation d'un texte législatif et sa défense devant le Congrès. » Faisant allusion à ses votes à la Chambre, il ajouta : « Mme Douglas a servi la tyrannie soviétique en votant contre l'aide à la Grèce et à la Turquie. Elle a voté contre le Président au cours d'une crise où il avait le plus besoin de son soutien et méritait le plus sa confiance. »

Mme Douglas obtint moins de 50 % des voix aux primaires démocrates. Boddy en eut environ 30 % et, comme le jumelage était encore autorisé, j'en recueillis 20 %. Du côté républicain, je me présentai sans opposition et obtins 740 000 voix, un record pour des primaires. Ainsi le profil de l'élection générale se dessinait déjà nettement. J'avais derrière moi un Parti Républicain parfaitement unifié, alors que les Démocrates étaient divisés et découragés par des primaires fort aigres.

Helen Gahagan avait été une vedette d'opéra-comique et d'opérette fort populaire dans les années 20. En 1931, elle avait épousé Melvyn Douglas, un des jeunes premiers les plus aimés de Hollywood. Quand le représentant démocrate du Quatorzième District de Los Angeles avait pris sa retraite en 1944, Helen Douglas s'était présentée à son siège et avait été élue. Elle était entrée à la Chambre des Représentants en janvier 1945.

C'était une belle femme qui avait beaucoup de présence et le sens du théâtre. Elle avait de nombreux admirateurs dans le grand public, dans la presse et le monde du spectacle; mais le moins qu'on puisse dire, c'est qu'elle n'était pas le membre le plus populaire de la Chambre. En général, quand deux députés se présentent l'un contre l'autre à une autre fonction, leurs confrères conservent une attitude amicale et leur souhaitent à tous deux de réussir. Mais dans notre cas, beaucoup de Démocrates de la Chambre me firent savoir qu'ils espéraient que je battrais Helen Douglas.

Un après-midi de 1950, je travaillais dans mon bureau quand ma secrétaire particulière, Dorothy Cox, vint m'annoncer que le député Kennedy était là et désirait me voir.

Jack Kennedy entra et je le fis asseoir. Il tira une enveloppe de sa poche et me la tendit en disant : « Dick, je sais que votre campagne va être assez rude et mon père voudrait vous aider. »

Nous bavardâmes un moment de la campagne. Comme il se levait pour partir, il me déclara : « Evidemment, je ne peux pas vous soutenir, mais je n'aurais pas le cœur brisé si ce que perdrait le Sénat était gagné par Hollywood. »

Après son départ, j'ouvris l'enveloppe et découvris une contribution de mille dollars. Trois jours après ma victoire en novembre, Kennedy dit à Harvard à un groupe de professeurs et d'étudiants qu'il était personnellement très heureux que j'aie pu battre Mme Douglas.

La victoire de Douglas aux primaires m'obligeait à reviser ma stratégie. J'avais tiré des plans pour me battre contre Downey, un modéré populaire et un homme solidement en place.

Maintenant je m'opposais à un des membres du Congrès les plus à gauche, et une femme par-dessus le marché. Je savais que mes critiques de Mme Douglas ne devraient pas être dénuées de toute galanterie. Par conséquent, je me dis que la meilleure stratégie serait de laisser ses votes travailler pour moi. Elle n'était pas sur la même longueur d'onde que les électeurs de Californie, et, si je pouvais empêcher son redoutable talent dramatique d'embrouiller les questions, j'étais presque certain de gagner.

Durant toute la campagne, je la maintins clouée à ses antécédents extrémistes. Je fis observer qu'elle avait voté contre Truman à propos de l'aide militaire à la Grèce et à la Turquie, l'article clef de la doctrine Truman que j'avais soutenu. Elle avait voté aussi contre des projets de loi exigeant des vérifications de la loyauté des fonctionnaires fédéraux et elle était un des quatorze membres du Congrès qui avaient voté contre la loi de sécurité permettant aux chefs des principales agences de la défense nationale, comme la Commission à l'Energie atomique, de renvoyer des fonctionnaires jugés dangereux pour la sécurité. Dans un discours à la Conférence sur la coopération culturelle américano-soviétique, elle avait prétendu que les obstacles à l'union entre les deux pays étaient « volontairement créés par de sinistres et dangereuses forces de cette nation qui n'ont jamais renoncé à leur allégeance aux idées de Hitler ».

Mme Douglas se produisait fréquemment dans des réunions et s'adressait à des organisations qui avaient été déclarées par le ministère de la Justice du gouvernement Truman « communistes et subversives ». Le *Daily Worker* communiste l'avait désignée comme « un des héros du 80e Congrès ». S'il m'arrivait constamment de douter de sa sagesse et de son jugement, à la lueur d'un tel comportement, je ne doutai cependant jamais de son patriotisme.

Une des plus singulières inepties de la campagne Douglas fut d'essayer de prouver qu'en réalité mes votes étaient plus communistes que les siens. Dans ses discours, elle commençait par déclarer qu'elle était plus anticommuniste que moi, que c'était moi qui avais voté avec Marcantonio contre les motions anticommunistes clefs. Cette forme d'attaque était plus inspirée par le désespoir que par la logique, parce que personne ne pouvait croire que j'étais un sympathisant communiste. Elle commit aussi l'erreur de se documenter avec négligence sur mes votes à la Chambre, en m'accusant d'avoir voté cinq fois avec Marcantonio sur des questions d'importance. Lors de deux des scrutins en question, je ne l'avais pas fait; mais elle, si. Le troisième était inventé de toutes pièces. Dans les deux autres cas, elle s'était servie de la procédure technique pour déformer les faits. Elle m'accusait de m'être opposé à l'aide à la Corée alors que je l'avais défendue, et d'avoir voulu réduire de moitié un programme d'aide à la Corée alors qu'en réalité j'avais voté pour un projet de loi d'un an au lieu de deux.

Je fis un discours à la radio nationale en l'accusant d'user à mon encontre de contre-vérités flagrantes dans un prospectus qu'elle faisait circuler. Je réfutai chaque accusation et la mis au défi de citer un seul cas où j'avais faussement présenté ses votes. Son comité répliqua par un placard publicitaire dans un journal intitulé *Tu ne porteras pas de faux témoignage!*

Suivait une attaque désespérée et parfaitement ridicule :

« L'ISOLATIONNISME NIXON-MARCANTONIO.
La stupidité aveugle de Nixon en politique étrangère a apporté aide et assistance aux communistes. A chaque scrutin clef, Nixon s'est rangé du côté du séide du parti Marcantonio contre l'Amérique dans sa lutte contre le communisme. »

Le 12 octobre, quatre semaines avant l'élection, un sondage californien révéla que j'avais une avance de 12 % sur Mme Douglas, avec encore 34 % d'indécis. La panique dut déferler dans le camp Douglas quand ce sondage fut publié, parce que, tandis que la campagne entrait dans ses dernières semaines, ses attaques devinrent plus acerbes et plus personnelles. Un de ses prospectus imprimé sur papier jaune proclamait : « LE GRAND MENSONGE! Hitler l'a inventé. Staline l'a perfectionné. Nixon l'utilise... VOUS choisirez le député que le Kremlin adore! » Elle déclara dans un discours : « Le succès provisoire du Parti Républicain en 1946, avec son sillage de jeunes gens en chemise noire, a été de courte durée. » Elle raconta à un intervieweur qu'elle haïssait le totalitarisme communiste, le totalitarisme nazi et le totalitarisme Mundt-Nixon. Elle me traita de « petit bonhomme qui cherche à faire peur aux gens pour qu'ils votent pour lui » et prit l'habitude de m'appeler « riquiqui »...

Dans une dépêche sur la campagne, le *San Francisco Chronicle* rapporta que « Nixon a été baptisé " tricky Dick " (Dick le rusé) par Mme Douglas. Elle a averti ses auditeurs que s'ils veulent de nouveau une dépression, ils n'ont qu'à élire Nixon... Elle a accusé Nixon d'avoir voté avec le député Vito Marcantonio sur des questions de politique étrangère alors que le New-Yorkais a toujours suivi la ligne du Parti Communiste. Elle a dit que Nixon tentait de " voler " des voix démocrates en " insistant lourdement " sur ses propres votes ». Le 23 octobre, elle déclara que je la diffamais et dénonça ce qu'elle appelait ma « réaction à l'intérieur et ma retraite à l'étranger ». Elle m'accusa de « déployer un écran de fumée de sous-entendus, d'allusions diffamatoires et de demi-vérités pour tenter d'égarer les électeurs ». Je répliquai aussitôt : « Si ce sont des diffamations, elles sont dans les archives, et c'est Mme Douglas qui a fait ces archives. »

Le *New York Times* saisit bien l'atmosphère de la campagne en rapportant dans une dépêche de Californie que « Mme Douglas dépeint son adversaire comme un ennemi réactionnaire des travailleurs et du peuple... M. Nixon accuse Mme Douglas de flirter avec la gauche et de se faire l'interprète d'un régime qui a échoué ».

Vers la fin de la campagne, nous organisâmes un grand rallye avec retraite aux flambeaux à Los Angeles. Je fus présenté par l'acteur de cinéma Dick Powell. Sa femme, June Allyson, alors enceinte, prononça une émouvante et brève allocution sur l'avenir de son enfant à naître.

Je remportai l'élection avec une marge de 680 000 voix; la plus forte majorité de tous les sénateurs élus cette année-là. Ce fut d'ailleurs une bonne soirée pour les Républicains dans toute la nation, puisque nous remportâmes 30 sièges à la Chambre et 5 au Sénat.

Mme Douglas ne m'envoya aucun message personnel, pas même les félicitations traditionnelles, bien qu'elle publiât un brève déclaration : « Il paraît maintenant certain que Richard Nixon a été élu et que la Californie a deux sénateurs républicains. » Je reçus cependant un télégramme du sénateur Downey :

« *VOUS PRIE D'ACCEPTER MES FELICITATIONS POUR VOTRE REMARQUABLE VICTOIRE AINSI QUE MES MEILLEURS VŒUX.* »

La campagne de 1950 fut par la suite extrêmement controversée à cause de la manière « énergique, battante », avec laquelle j'avais dit l'avoir livrée et gagnée. Mme Douglas, ainsi que beaucoup de ses amis et partisans, prétendit que j'avais contesté sa loyauté et diffamé son caractère, empêchant ainsi les électeurs de faire un choix honnête.

Quiconque voudra bien se donner la peine de relire les journaux et de se documenter à d'autres sources de l'époque pourra cependant constater que les choses se sont passées exactement comme je le décris ici.

Helen Gahagan Douglas livra une campagne qui n'allait pas être égalée, pour la hargne, l'ineptie ou le pharisaïsme, avant la campagne présidentielle de George McGovern vingt-deux ans plus tard. A long terme, cela n'a sans doute pas grande importance. Helen Douglas fut battue parce qu'en 1950 les électeurs de Californie ne tenaient pas à avoir pour sénateur une personne qui avait voté à gauche, ni quelqu'un qu'ils jugeaient coupable de tendresse ou de naïveté à l'égard du communisme. Peut-être était-elle politiquement désavantagée du fait qu'elle était femme. Mais son plus grand désavantage, c'étaient ses opinions.

POLITIQUE PRÉSIDENTIELLE : 1952

Nous étions encore à deux ans de l'élection présidentielle de 1952, mais déjà les Républicains, au Congrès et dans tout le pays, commençaient à se préparer. Nous avions été si près de la victoire, avec Dewey en 1948, que nous étions bien résolus à ne pas échouer cette fois. Après vingt ans d'exil du pouvoir, les Républicains pouvaient presque goûter la victoire qui devait être la nôtre si seulement nous pouvions présenter un parti uni derrière un candidat solide. En qualité de nouveau sénateur du deuxième Etat le plus peuplé, je fus entraîné dans cette activité dès mes premiers jours au Sénat.

A ce moment Truman était un Président extrêmement impopulaire. Après une défaite humiliante aux primaires du New Hampshire en mars 1952, il décida de ne pas se représenter. Même alors, tout candidat que choisiraient les Démocrates aurait à subir le poids de cette impopularité et le dégoût du peuple pour la corruption flagrante qu'Adlai Stevenson lui-même, en réponse à une question de l'*Oregon Journal,* appelait « le gâchis de Washington ».

Truman restait l'œil rivé aux cyclones des scandales tourbillonnant autour de lui et ne faisait rien. Son conseiller militaire présidait à un trafic d'influences aux proportions telles que les agents indépendants traitant les contrats avec le gouvernement furent baptisés, à cause de leur commission habituelle, « Messieurs 5 % ». Des pots-de-vin sous forme de luxueux congélateurs allaient au chef de cabinet de Truman, à son attaché naval et à son secrétaire du budget, entre autres.

Une enquête sénatoriale sur la Reconstruction Finance Corporation (R.F.C.) révéla que les directeurs avaient été manipulés, pour un profit personnel, par d'importants dirigeants du Parti Démocrate et par un membre au moins de la Maison Blanche. Mais le pire, c'étaient les scandales fiscaux. Une enquête parlementaire eut pour résultat une liste d'accusations contre de hauts fonctionnaires des Finances et du recouvrement de l'impôt, accusations comprenant des extorsions de fonds, des fraudes fiscales et des refus de contrôle de déclarations.

Sur les neuf contrôleurs généraux de district révoqués, l'un était un ami personnel de Truman; il avait figuré dans le scandale de la R.F.C.; il fut envoyé en prison et plus tard gracié par le Président Johnson. Le chef de cabinet de Truman fut inculpé de complicité dans une affaire de fraude fiscale, condamné à la prison et gracié plus tard par le Président Kennedy. Le directeur de la Division fiscale du ministère de la Justice fut condamné pour la même affaire et gracié aussi par le Président Johnson.

Rien qu'en 1951, 166 fonctionnaires du fisc furent révoqués ou contraints de démissionner. Je n'exagérais donc pas quand, en donnant le coup d'envoi à ma campagne, à Pomona, j'accusai Truman d'être à la tête d'un gouvernement à « un scandale par jour ».

Les deux principaux candidats républicains étaient le général Dwight Eisenhower et le sénateur Robert Taft de l'Ohio. Taft, fils d'un président des Etats-Unis, siégeait au Sénat depuis 1939. On l'appelait « M. Républicain », et il promettait d'être choisi par les organisateurs et les agents du parti. On le disait généralement conservateur, mais ses opinions étaient bien trop complexes — et il était lui-même un homme bien trop intelligent et compliqué — pour une étiquette aussi simple. Sans aucun doute, c'était un anticommuniste fervent avec un côté isolationniste. A l'intérieur, cependant, il cherchait constamment des solutions novatrices aux problèmes sociaux de l'Amérique sans avoir à recourir à de grands programmes gouvernementaux coûteux. Taft était universellement respecté au Congrès et son partisan le plus ardent était sans doute Bill Knowland, mon collègue de Californie.

Eisenhower avait été le chef suprême des Armées alliées en Europe pendant la Seconde Guerre mondiale. Aussitôt après la guerre, il avait été nommé chef du Haut Etat-Major de l'Armée. Il avait été nommé président de l'Université de Columbia en 1948. En 1950, pourtant, il revint à l'armée comme commandant en chef suprême des forces de l'Organisation du traité de l'Atlantique-Nord.

Au cours de sa carrière militaire, Eisenhower avait été résolument apolitique, mais après la guerre son « image » héroïque le fit rechercher par les deux grands partis. Selon Eisenhower, Truman avait proposé de le soutenir pour la nomination présidentielle démocrate de 1948. Il ne me dit jamais pourquoi il avait refusé cette offre. Je pense qu'il avait plusieurs raisons. Sans doute estimait-il que le moment n'était pas venu pour lui; il répugnait à se présenter comme le protégé de Truman et — dans la mesure limitée où il pouvait penser en termes de parti — il se considérait plutôt comme un Républicain que comme un Démocrate. Contrairement à Taft, Eisenhower ne pouvait prétendre à aucune base rurale parmi les fidèles du parti. Mais sa personnalité sympathique, son sourire éblouissant et ses grands succès militaires avaient fait d'« Ike » un véritable héros populaire qui pouvait presque certainement remporter l'élection s'il parvenait d'abord à obtenir la nomination.

En 1951, plusieurs petits groupes de Républicains influents tentaient de persuader Einsohower de se présenter à la nomination républicaine. Beaucoup des éléments les plus libéraux du parti se coalisèrent pour lui. Son principal supporter au Capitole était le sénateur du Massachusetts Henry Cabot Lodge.

Il y avait deux autres candidats espérant chacun que, si la convention ne parvenait pas à se décider entre Eisenhower et Taft, elle se tournerait vers eux : Harold Stassen et Earl Warren. Les chances de nomination de Stassen étaient, au mieux, infimes. Warren, d'autre part, avait été le second de Dewey en 48; et, comme il avait gagné les primaires présidentielles dans son Etat de Californie, il arriverait à la convention de Chicago avec un bloc solide de soixante-dix délégués qui resteraient sûrement avec lui jusqu'à ce qu'il les libère.

Je vis Dwight Eisenhower pour la première fois lors de son retour triomphal aux Etats-Unis après la victoire en Europe, en 1945. Je travaillais à la conclusion d'un contrat de la marine, à Church Street, dans le bas de Manhattan, et les fenêtres de mon bureau du douzième étage donnaient sur le passage du cortège. Je pus à peine le distinguer dans la tempête de neige de confettis et de bouts de papier, assis à l'arrière de sa voiture découverte, agitant la main et levant la tête vers les milliers d'enthousiastes qui, comme moi, se pressaient à toutes les fenêtres des gratte-ciel. Il levait les deux bras dans ce geste qui allait bientôt devenir sa « marque ».

Je le vis de plus près en 1948, quand il vint expliquer à la Chambre la situation européenne. Pendant l'été de 1950, je pus le voir de plus près encore au Bohemian Grove, la retraite estivale du Bohemian Club de San Francisco où, chaque année, les membres de ce prestigieux club masculin et leurs invités venus de partout se réunissent sous les magnifiques séquoias de Californie. Herbert Hoover invitait certains des plus distingués des 1 400 hommes à se joindre à lui chaque jour pour déjeuner à son « Cave Man Camp ». A cette occasion Eisenhower, alors président de l'Université de Columbia, était l'hôte d'honneur. Hoover présidait la table comme d'habitude, avec Ike à sa droite. Comme candidat nommé par les Républicains pour une rude bataille sénatoriale, j'étais à deux places du bout de la table.

Eisenhower était respectueux avec Hoover mais sans obséquiosité. Il répondit à son toast par quelques mots très aimables. Je suis sûr qu'il devait se sentir en territoire ennemi parmi ces conservateurs. Hoover et la plupart de ses amis étaient pour Taft et espéraient qu'Eisenhower ne serait pas candidat.

Dans l'après-midi, Eisenhower prit la parole dans le splendide amphithéâtre au bord du lac. Ce n'était pas un discours peaufiné, mais il le prononça sans notes et il eut le bon sens d'être assez bref. Le seul moment où il fut assez copieusement applaudi fut quand il déclara qu'il ne voyait pas pourquoi quelqu'un qui refusait de signer un serment de loyauté aurait le droit d'enseigner dans une Université d'Etat.

Après le discours, nous remontâmes à Cave Man Camp et nous nous assîmes autour du feu de camp pour en discuter. Tout le monde aimait bien Eisenhower, mais on estimait qu'il avait encore bien du chemin à faire avant de posséder l'expérience, la profondeur de vue et la compréhension indispensables pour être Président des Etats-Unis. Cependant, je vis bien que sa personnalité et sa mystique personnelle avaient profondément impressionné ce public sceptique et critique.

En mai 1951, il me rendis comme observateur du Sénat à la conférence de l'Organisation mondiale de la santé à Genève. Le sénateur du Kansas Frank Carlson, un des premiers partisans d'Eisenhower, m'organisa un rendez-vous avec lui au siège de l'O.T.A.N. à Paris. Quand je fus introduit dans son bureau, il se leva pour m'accueillir. Il se tenait très droit, plein de vitalité, impeccablement vêtu de son fameux blouson que l'on appelait partout le « blouson Eisenhower ». Il m'indiqua un grand canapé et me mit si parfaitement à l'aise que nous pûmes causer très librement.

Il me parla avec optimisme du redressement et du développement européens et déclara : « Ce qu'il nous faut ici et ce qu'il nous faut aux Etats-Unis, c'est davantage d'optimisme pour combattre l'attitude défaitiste que trop de gens semblent avoir. »

Il évita avec soin la politique américaine mais il était évident qu'il s'était bien documenté. Il me dit qu'il avait lu l'affaire Hiss dans *Seeds of Treason*, de Ralph de Toledano et Victor Lasky. « Ce qui m'a le plus impressionné, me confia-t-il, c'est que non seulement vous avez eu Hiss, mais que de plus vous l'avez eu loyalement. » Il aimait aussi l'accent que je mettais dans certains de mes discours sur la nécessité de tenir compte des facteurs économiques et idéologiques autant que des militaires, pour l'élaboration d'une politique étrangère. « Etre militairement fort ne suffit pas dans le genre de bataille que nous livrons maintenant. » Ces paroles me frappèrent car, alors comme maintenant, il est rare d'entendre un soldat souligner l'importance d'une force non militaire.

Cet après-midi-là, je fus moins impressionné par la substance de la conversation d'Eisenhower que par sa manière d'être. Il était facile de comprendre comment il avait pu unir les chefs de la grande alliance de la guerre en dépit de leurs nombreuses différences. Je dis que pour ce qui était de l'expérience et de la politique étrangère, Eisenhower était de loin le plus qualifié des candidats présidentiels en puissance. Je sentis que j'étais en présence d'un véritable homme d'Etat. Je partis donc convaincu qu'il devait être le prochain Président. Je décidai aussi de faire tout mon possible pour l'aider à obtenir la nomination, si jamais il se présentait.

Je ne connaissais pas très bien Bob Taft, que j'avais pourtant rencontré plusieurs fois à la Chambre, en particulier lors des débats sur le projet de loi Taft-Hartley. Il était très respecté à Washington, mais même ses plus solides partisans reconnaissaient qu'il lui manquait certains traits de personnalité indispensables à un candidat à la Présidence. C'était un patriote intelligent, à l'âme élevée, mais aussi très fier et très timide. Cette combinaison, malheureusement, le faisait passer pour arrogant aux yeux de certains. Manifestement, Taft était mal à l'aise avec la « petite monnaie » personnelle de la politique présidentielle, les poignées de main, les claques dans le dos, les assiduités importunes des petits responsables locaux du parti, et il était d'une franchise qui pouvait être douloureusement cassante.

Je crois qu'après Pat, Martha Taft était la femme d'homme politique la plus exceptionnelle que j'aie jamais connue. Elle était aussi gracieuse et vive que son mari était raide et timide. Elle avait été victime d'une attaque en 1950 et ne pouvait quitter son fauteuil roulant; Taft, qui l'adorait, l'emmenait partout avec lui; et à un dîner, c'était touchant de le voir lui couper sa viande et l'aider à manger. Les gens de Washington qui connaissaient ces détails l'admiraient et avaient de l'indulgence pour lui à cause de cela. Mais quand il s'agirait de nommer un candidat, il faudrait bien reconnaître que sa personnalité abrasive serait un sérieux handicap.

Je pensais que le Président élu en 1952 devrait avant tout être expert à relever les graves défis internationaux qui menaçaient l'Amérique. A cet égard, Taft m'inspirait de sérieuses réserves.

Avant les élections de 1950, j'avais été invité à prendre le premier la parole au 36e dîner annuel de la Journée McKinley à Dayton, dans l'Ohio. Mon sujet était la menace communiste chez nous et à l'étranger. Taft parla après moi, brièvement, et déclara qu'à son avis le grand problème confrontant l'Amérique chez nous et à l'étranger n'était pas le communisme mais le socialisme. Il insistait donc pour que nous conjuguions nos efforts pour combattre et vaincre le socialisme. Je n'aimais pas plus que lui le socialisme. Ce qui m'inquiétait, c'était qu'il ne savait pas reconnaître que beaucoup de socialistes étaient des anti-communistes virulents. Ce qui nous menaçait avant tout, ce n'était pas le socialisme mais la subversion soutenue par le mouvement communiste international; et comme Taft n'avait pas l'air de comprendre cette distinction, j'avais des doutes sur sa compréhension de la situation internationale.

Un jour du début de 1952, Taft vint me voir. Il ne s'intéressait pas plus que moi aux conversations oiseuses. Aussi alla-t-il droit au but. Il me dit que nous avions beaucoup d'amis communs en Californie et que certains l'avaient vivement prié de passer me voir et de me demander simplement de soutenir sa candidature. « Ce n'est pas une chose que j'estimais devoir faire, me dit-il avec une totale sincérité, mais je ne voudrais pas qu'il y ait de malentendu sur mon désir de bénéficier de votre soutien si vous pensez que ma candidature concorde avec votre point de vue. »

Je lui répondis que j'avais énormément de respect pour sa conduite au Sénat et que je ne doutais pas un instant que, pour les affaires intérieures, il était l'homme le plus qualifié pour gouverner le pays. Ce fut avec beaucoup de tristesse que je lui avouai que, personnellement, je pensais que les affaires internationales seraient plus importantes pour le prochain Président et que, dans ce domaine, j'avais déjà conclu qu'Eisenhower était le plus qualifié. Par conséquent, ce serait sa candidature que je soutiendrais. Je lui dis que j'avais déjà informé Knowland et Warren de ma décision et ajoutai que si Taft remportait la nomination, il aurait mon soutien le plus franc et le plus loyal; je lui affirmai qu'en aucun cas je ne me prêterais à la convention à un mouvement anti-Taft.

Il m'avoua qu'il était naturellement déçu mais qu'il appréciait ma franchise. Ses commentaires sur Eisenhower furent aussi généreux que respectueux. Bob Taft était un « monsieur », un homme remarquable, et ce fut une grande perte pour le parti, pour le Congrès et pour la nation quand il mourut d'un cancer quelques mois à peine après l'entrée d'Eisenhower à la Maison Blanche.

Le 1ᵉʳ juillet, je pris l'avion pour Chicago afin de participer aux réunions qui se tiendraient dans la semaine précédant la Convention nationale républicaine.

J'avais commencé à penser que je pourrais être envisagé comme candidat nommé pour la Vice-Présidence quelques mois plus tôt quand divers indices étaient apparus dans la presse et les milieux politiques. Cependant, j'estimais avoir bien peu de chances. Avec le recul, je vois maintenant que cette voie s'était ouverte pour moi le 2 mai 1952 quand, à l'invitation du gouverneur Dewey, j'avais été principal orateur au dîner de participation annuel du Parti Républicain de l'Etat de New York, au Waldorf-Astoria. Comme c'était une année présidentielle, et puisque Dewey était à la fois l'ancien porte-drapeau et l'un des principaux partisans d'Eisenhower, le dîner avait une grande importance. Mon discours allait donc être transmis à la radio. Je passai de longues heures à le préparer pour être sûr de tout dire durant la demi-heure d'antenne qui me serait accordée. Je le prononçai sans notes en vingt-neuf minutes et le public m'honora d'une ovation debout.

Quand je me rassis à côté de Dewey, il me saisit la main et me dit avec une grande sincérité : « C'était un discours formidable. Faites-moi une promesse : ne grossissez pas, ne perdez pas votre zèle et vous pourrez devenir un jour Président des Etats-Unis. » Je ne le pris pas au sérieux, encore moins littéralement, car de tels compliments sont courants en politique. Mais plus tard dans la soirée, au cours d'une petite réception dans sa suite avec quelques-uns de ses amis intimes, il me demanda si je m'opposerais à ce qu'il propose mon nom comme candidat possible à la Vice-Présidence.

Quelques semaines plus tard, je fus invité à rencontrer le cercle intime des conseillers d'Eisenhower dans un appartement du Mayflower Hotel à Washington. Le groupe comprenait Herbert Brownell, l'avocat qu'Eisenhower nommerait plus tard ministre de la Justice, le général Lucius Clay et Harold Talbott, chargé de recueillir des fonds par souscription pour Dewey. La conversation, qui dura presque tout l'après-midi, roula surtout sur des sujets de politique étrangère et intérieure. Il ne fut pas question de Vice-Présidence; mais il était évident qu'ils cherchaient à me connaître mieux et à « prendre ma mesure ».

La nouvelle de cette réunion eut tôt fait de se répandre dans tout Washington et les journaux commencèrent à faire état de rumeurs selon lesquelles je pourrais être le second d'Eisenhower. Un soir, quelques semaines avant la Convention, nous dînâmes, Pat et moi, avec Alice Longworth, la fille acerbe et spirituelle de Theodore Roosevelt. Je lui demandai si elle pensait que je devrais accepter la nomination si Eisenhower me l'offrait. Je savais qu'elle était farouche partisane de Taft. Elle n'aimait pas Eisenhower et je crois bien qu'elle ne l'aima jamais.

Avec sa franchise habituelle, elle me déclara : « Mon père me disait toujours que la Vice-Présidence était l'emploi le plus assommant du monde. Cependant, si Eisenhower obtient la nomination, il faudra qu'il ait un second capable de rassurer les fidèles du parti, et surtout les conservateurs, de leur promettre qu'il ne va pas tout ficher en l'air; et vous êtes le plus qualifié pour ça. »

Comme nous la quittions, Mme Longworth aborda de nouveau ce sujet et me demanda si j'allais y réfléchir sérieusement. Je lui dis que cette perspective me paraissait trop improbable pour être prise au sérieux. Sur quoi elle répliqua sur un ton désapprobateur : « Je m'en doutais. Vous devriez beaucoup y réfléchir, et vous devriez en parler avec Pat, pour que vous ne soyez pas surpris la culotte baissée au cas où ça vous arriverait! Si vous voulez mon opinion, et puisque vous me l'avez demandée, je me répéterai, si vous pensez à votre propre bien et à votre carrière, vous feriez sans doute mieux de rester au Sénat et de ne pas passer à la postérité comme un des anonymes qui ont fait fonction de Vice-Président. Naturellement, l'expérience de mon père était différente : par quelque acte de Dieu, vous pourriez, vous aussi devenir Président, mais je n'y compterais pas, à votre place. Pour le bien du parti, cependant, je pense que vous devriez accepter si cette occasion vous est donnée. »

Jusqu'à cette conversation, je n'avais pas pris suffisamment au sérieux la possibilité d'une nomination pour envisager que je n'en voudrais peut-être pas. La Vice-Présidence était traditionnellement une impasse politique et les Vice-Présidents le plus souvent de vieux chevaux de retour du parti ou des élus locaux que l'on ajoutait pour équilibrer la liste. Theodore Roosevelt comparait la Vice-Présidence à une « prise de voile »; Harry Truman disait de cette fonction qu'elle était aussi utile qu'un cinquième pis à une vache. Jusqu'à ce qu'Eisenhower transforme complètement la conception de la fonction, le Vice-Président était presque exclusivement une potiche qui allait aux réceptions et inaugurait des barrages quand le Président n'en avait pas le temps. Son seul rôle important était de soutenir le Président au Sénat et de se tenir constamment prêt à le remplacer en cas de mort ou d'incapacité. Aujourd'hui, nous considérons la Vice-Présidence comme le marche-pied de la Présidence; mais avant 1952, c'était le plus souvent un pas vers l'oubli politique.

Je n'avais pas besoin de bien connaître Eisenhower pour savoir qu'il attendrait de son Vice-Président le sacrifice de toute ambition personnelle aux programmes et à la politique du Président. C'était une chose pour moi que de considérer Eisenhower comme le meilleur pour la fonction, mais renoncer à ma propre carrière politique au moment même où elle atteignait au Sénat une ampleur nationale était une autre affaire. Si j'avais eu des ambitions présidentielles — que je n'avais pas alors —, je n'aurais probablement jamais envisagé de devenir Vice-Président.

Quand la Convention nationale républicaine s'ouvrit à Chicago le 7 juillet, Bill Knowland, le député du Minnesota Walter Judd, le gouverneur du Colorado Dan Thornton et moi étions présentés comme les seconds d'Eisenhower les plus probables. Deux jours avant la séance de nomination, Jack Knight, directeur et éditorialiste du *Chicago Daily News,* se « mouilla » politiquement et prédit qu'Eisenhower et moi serions nommés. Une manchette à la une proclamait : « *Liste du G.O.P.* [1] : *Ike et Nixon, prédit Knight.* » Pour moi, c'était encore si improbable que j'envoyai quelqu'un acheter six ou sept numéros du journal en disant : « C'est sans doute la dernière fois que nous verrons cette manchette et je veux pouvoir la montrer à mes petits-enfants. »

Quand je rentrai à l'hôtel vers minuit, Pat m'attendait. Pour elle, le pire aspect de la politique était les campagnes, et pendant celles de Californie de 1946 et de 1950, si épuisantes, elle ne m'avait pas quitté : elle avait tout supporté de bonne grâce. Malgré sa réserve innée, elle avait été magnifique. Mais à présent que nous devions envisager la possibilité d'une longue et pénible campagne dans toute la nation, elle avait des doutes et s'inquiétait de ce que cette nomination signifierait pour nous et nos deux petites filles.

Vers quatre heures du matin, après avoir discuté pendant des heures, je proposai d'interroger Murray Chotiner. Professionnel de la politique, il verrait peut-être la question sous un autre jour.

Quand il arriva dans notre chambre, je le mis au courant de notre discussion et lui demandai son opinion. Il me la donna sans détours, à son habitude : « Il y a des moments où il faut monter ou s'en aller. » Il me fit observer que, si je me présentais à la Vice-Présidence et si j'étais battu, il me resterait quand même mon siège au Sénat. Ou bien, si je devenais Vice-Président, et si ça ne me plaisait pas, je pourrais laisser tomber à la fin du premier mandat. « Réfléchissez, Dick, me dit-il. Tout homme qui abandonne la vie politique comme Vice-Président, aussi jeune que vous, n'a certainement rien perdu. »

Après le départ de Murray, nous causâmes encore un moment, Pat et moi, et finîmes par reconnaître qu'il avait raison. « Je suppose que j'arriverai à survivre pendant une autre campagne », me dit-elle.

Eisenhower fut nommé au premier tour. Les forces Taft étaient navrées, non seulement d'avoir été battues mais parce qu'elles estimaient

1. G.O.P. : Grand Old Party, le Parti Républicain.

que les partisans d'Eisenhower, sous la houlette du gouverneur du New Hampshire Sherman Adams, avaient fait pression sur trop de délégués.

Quand la séance fut suspendue pour le déjeuner, je décidai de retourner au Stock Yard Inn et de dormir jusqu'à la séance du soir où Eisenhower et son second prononceraient leurs discours d'acceptation. J'avais passé pratiquement toute la nuit à causer avec Pat et Murray; la matinée avait été fatiguante à cause des manœuvres frénétiques de dernière minute avant le scrutin; ma chambre n'était pas climatisée : il y faisait au moins 35°. Je me déshabillai et m'allongeai en caleçon sur le lit, en essayant d'évoquer des pensées plus rafraîchissantes... Chotiner arriva quelques minutes plus tard, très surexcité. Il me dit qu'Eisenhower avait approuvé une liste finale de seconds acceptables et avait confié le choix définitif à son cercle intime de conseillers. L'un d'eux, Herb Brownell, avait dit à Chotiner que je figurais sur la liste et avait demandé où l'on pourrait me joindre s'il le fallait.

« Ne vendons pas la peau de l'ours, Murray », répondis-je.

Je commençais à m'assoupir quand le téléphone sonna. Je reconnus la voix de Brownell, mais elle me paraissait faible et lointaine. Je pressai l'écouteur contre mon oreille et compris qu'il s'adressait à quelqu'un d'autre. « Oui, mon Général, disait-il, nous sommes d'accord à l'unanimité, c'est Dick Nixon. »

Puis il me parla directement et m'annonça : « C'est vous que nous avons choisi. »

Ce fut un des rares moments où je restai sans voix.

« Le général demande si vous pouvez venir le voir tout de suite dans son appartement du Blackstone Hotel, reprit Brownell. C'est-à-dire, si vous acceptez! »

J'avais chaud, sommeil, je me sentais sale, mais je n'avais même pas le temps de prendre une douche ou de me raser. Je me rhabillai et descendis. Chotiner, toujours plein de ressources, avait déniché une limousine et une escorte de motards qui nous firent traverser la ville à toute allure jusqu'au quartier général d'Eisenhower.

Il m'accueillit avec un large sourire, me serra la main et me fit entrer dans le grand salon de sa suite. Il me présenta à Mme Eisenhower; nous bavardâmes tous les trois pendant quelques minutes, puis elle nous quitta.

Presque aussitôt, Eisenhower changea d'attitude. Il devint très grave et protocolaire. Il me dit qu'il voulait que sa campagne soit une croisade pour toutes les choses auxquelles il croyait et toutes celles que représentait à ses yeux l'Amérique. « Voulez-vous vous joindre à moi pour une telle campagne? » demanda-t-il. J'étais un peu pris de court par son sérieux, mais je répondis : « J'en serais très fier et très heureux. » Il me déclara alors : « Je suis ravi que vous fassiez partie de l'équipe, Dick. Je pense que nous pouvons gagner, et je sais que nous pouvons faire ce qu'il faut pour ce pays. »

Soudain il se frappa le front. « Je viens de me souvenir! Je n'ai pas encore démissionné de l'Armée! » Il appela sa secrétaire et dicta une lettre au ministre des Armées. Elle alla la taper et la rapporta.

En la regardant la relire et la signer, je me demandai ce qui pouvait se passer dans sa tête. Il avait passé toute sa vie dans l'Armée et atteint les sommets de la gloire et de la réussite. Et il y renonçait pour se lancer dans la politique. Je crois que, s'il avait pu se douter de toutes les souffrances qu'il allait subir au cours des huit années suivantes, il se serait ravisé.

Au cours de notre conversation je fus très frappé par le séduisant mélange de savoir-faire personnel et de naïveté politique d'Eisenhower. Il commença par me confier toutes les raisons pour lesquelles il n'avait pas voulu être candidat à la Présidence et comment il avait fini par estimer que c'était son devoir. Puis, abordant brusquement ses projets de gouvernement, il me dit : « Dick, je ne veux pas d'un Vice-Président potiche. Je veux un homme qui fasse partie de l'équipe. Et je veux qu'il soit capable d'assumer la Présidence sans heurts si jamais il m'arrivait quelque chose. Naturellement, ajouta-t-il avec son large sourire, nous devons d'abord remporter l'élection. »

Eisenhower voulait faire de sa campagne une croisade contre la corruption du gouvernement Truman et contre sa politique étrangère qui, à son avis, faisait le jeu des communistes tant en Europe qu'en Asie. Il était évident qu'il entendait se placer au-dessus de la mêlée et que ce serait moi qui devrais me charger de la dure campagne partisane. Il me dit que, puisque j'étais un garçon intègre et un bon orateur, je pourrais non seulement attaquer les Démocrates sur la question de corruption, mais encore incarner le remède. Quant à la menace communiste, il déclara que l'affaire Hiss était un texte que je pourrais prêcher partout dans le pays.

Bien des années plus tard, en 1964, il me dit que mon nom figurait en premier sur la liste qu'il avait remise à ses conseillers, et il ajouta d'un air un peu penaud : « Je dois avouer qu'à ce moment-là je vous croyais plus âgé de deux ou trois ans. »

Je savais que certains des conseillers les plus libéraux d'Eisenhower m'avaient préféré Earl Warren et que certains des plus conservateurs avaient porté leur choix sur Bill Knowland, ou même Bob Taft s'il acceptait. Ce fut sans doute mon attitude anticommuniste dans l'affaire Hiss qui fit pencher la balance en ma faveur — parce qu'il était déjà évident que la menace communiste serait une des plus importantes questions de la campagne.

Finalement Eisenhower consulta sa montre et me dit que nous ferions bien de commencer à nous préparer pour la soirée.

Quand nous nous serrâmes de nouveau la main sur le seuil, deux choses me préoccupaient. D'abord, d'ici quelques heures, je m'adressais à la Convention et à des millions d'Américains à la radio et à la télévision, et je n'avais encore rien préparé du tout. Ensuite, cette possibilité m'avait paru si improbable que le seul costume que j'avais était celui que je portais, gris clair et tout fripé. Pat aussi fut surprise. Elle déjeunait au restaurant quand elle entendit à la radio que j'étais le second d'Eisenhower.

Nous nous rendîmes, Chotiner et moi, directement à la Convention. Nous arrivâmes au moment où les délégués ouvraient le scrutin pour la Vice-Présidence. Je trouvai Bill Knowland et lui demandai s'il me ferait l'honneur de présenter ma nomination. Knowland était non seulement un ami personnel mais aussi celui que Taft aurait probablement choisi comme second. Il me dit qu'il serait très heureux de le faire. J'allai ensuite du côté de la délégation de l'Ohio; j'aperçus immédiatement la crinière blanche du sénateur John Bricker. Quand je lui demandai s'il voulait soutenir ma nomination, il eut les larmes aux yeux. « Dick, me dit-il, il n'y a personne au monde pour qui je serais plus heureux de prononcer un discours, mais, après ce qu'ils ont dit et fait à Bob Taft depuis quelques mois, je ne peux pas m'y résoudre. Je vous serais reconnaissant si vous le demandiez à quelqu'un d'autre. » Je fus surpris par la profondeur de son animosité contre le clan Eisenhower et pour la première fois je compris combien mon rôle allait être difficile et important, comme médiateur entre les deux factions du parti. Je remerciai Bricker de sa franchise et demandai au gouverneur Alfred Driscoll du New Jersey de prononcer la principale allocution à la place.

Comme il n'y avait pas d'opposition à ma désignation, on fit exception au règlement pour que je sois nommé par acclamation. A 18 h 33, je devins le candidat de la Convention à la Vice-Présidence. Joe Martin me pria de monter sur l'estrade. Pat me rejoignit et m'embrassa deux fois, la seconde à la demande des photographes qui avaient manqué le premier baiser.

Cela allait se reproduire bien souvent en vingt ans, mais Pat et moi ne pouvons oublier cette première fois, notre surprise et notre joie dans ce tonnerre d'acclamations, devant ces milliers de gens qui hurlaient et tapaient des pieds et nous applaudissaient. J'étais presque enivré en contemplant la masse fluctuante emplissant la salle et les tribunes. Pat me dit plus tard que, pendant ces quelques minutes, elle oublia la longue campagne que nous aurions à subir.

Joe Martin était radieux. Pat l'embrassa et il rougit comme un gamin. Je lui demandai s'il ne devrait pas essayer de calmer la foule, et il dut hurler à mon oreille pour se faire entendre dans le tumulte : « Vous connaissez le vieux dicton... il faut battre le fer pendant qu'il est chaud. »

Ce soir-là, Eisenhower prononça son discours d'acceptation en donnant les grandes lignes de sa croisades. Puis ce fut mon tour, et cela termina à la fois la soirée et la Convention. Devant les délégués et les caméras de télévision, toujours avec mon costume gris fripé, je m'engageai à « livrer une campagne combattante pour un candidat combattant », à travailler pour une Chambre et un Sénat à majorité républicaine. Pour commencer tout de suite à panser les plaies, je fis l'éloge de Joe Martin et de Styles Bridges — tous deux jugés pro-Taft ou au mieux neutres à l'égard d'Eisenhower — pour leur travail à la Convention. Je déclarai qu'il me semblait important qu'ils soient le président et le leader de la majorité au prochain Congrès.

Le public bruyant se tut soudain, en prévision de ce qui allait suivre : « Je voudrais maintenant dire un mot d'un homme que je considère comme un très grand homme. Je suis relativement jeune en politique... mais je crois savoir reconnaître les capacités des hommes dans la vie législative. Et je pense qu'une des plus grandes tragédies des deux dernières années, des quatre dernières années, a été que l'un des très grands sénateurs, un des plus grands législateurs de l'histoire de l'Amérique, au lieu d'être président du comité de la majorité, est président du comité de la minorité. Alors, faisons en sorte que le sénateur Bob Taft devienne le président du comité politique de la majorité au mois de janvier prochain. »

Le dépit des partisans de Taft après la défaite s'ajouta aux sentiments que l'on portait à « M. Républicain » et la Convention l'acclama follement. Ce fut un délire que certains des conseillers libéraux d'Eisenhower jugèrent exagéré et qui leur semblait plus enthousiaste que l'ovation réservée à Eisenhower. Certains insinuèrent même que je l'avais fait exprès pour rabaisser Ike et me mettre en valeur. Ce fut le premier mais certainement pas le dernier de mes affrontements avec ce groupe, petit mais résolu.

Le lendemain soir, j'allai voir Taft à son hôtel. Il était manifestement très déçu; il n'avait pas cependant la mine d'un homme vaincu. Il acceptait sa défaite de bonne grâce et il m'assura qu'il travaillerait à l'élection d'Eisenhower. Il me dit qu'il était sincèrement enchanté que je sois sur la liste.

A mon avis, ma principale tâche dans la campagne serait de m'efforcer de combler le fossé qui s'était creusé avant la Convention entre les partisans de Taft et d'Eisenhower. Les hommes au sommet ne posaient pas de problème; Taft était un joueur d'équipe et il fit tout pour soutenir la liste. Mais beaucoup de ses partisans ressentaient l'amertume de la défaite et menaçaient de bouder la campagne. Ils n'en voulaient pas à Eisenhower personnellement mais à ceux qui l'entouraient, et plus particulièrement à la faction libérale qui avait orchestré sa nomination, symbolisée par Cabot Lodge, Sherman Adams et Tom Dewey.

Tout en sachant que j'avais été pour Eisenhower, ils reconnaissaient que je n'avais été mêlé à aucune des attaques contre Taft. Ils savaient aussi que je m'élèverais violemment contre le communisme et la corruption et pensaient qu'il était essentiel de développer ces questions si nous voulions attirer les candidats à la Chambre et au Sénat qui nous assureraient la majorité au Congrès.

Tout de suite après la convention, Eisenhower se rendit en vacances à Denver. En ce qui me concerne, je retournai à Washington, encore assez médusé. Parmi les milliers de lettres qui affluaient à mon bureau, il y avait un petit mot à la main d'un de mes collègues de la Chambre, classe 47 :

> « Cher Dick,
> Je suis vraiment très heureux que la convention vous ait choisi comme V.-P. J'ai toujours été convaincu que vous arriveriez au sommet, mais je ne pensais pas que ce serait si rapide. Vous étiez un choix idéal et vous allez apporter une grande force à la liste.
> Je vous souhaite bonne chance et vous prie de présenter mes meilleures amitiés à votre femme.
> Cordialement,
>
> Jack Kennedy. »

Les campagnes de cette époque utilisaient encore les trains omnibus : ce fut donc ainsi que nous commençâmes la nôtre. Le train d'Eisenhower, le *Look Ahead, Neighbor Special,* partit le premier pour une tournée du Middle West. Le mien, plus prosaïquement baptisé *Nixon Special,* quitta le 17 septembre Pomona, la ville proche de Whittier où j'avais donné le coup d'envoi de mes campagnes victorieuses pour la Chambre et le Sénat.

Ce soir-là, presque tous les Nixon et les Milhous étaient à la gare. Earl Waren lui-même se laissa contaminer par la joyeuse ambiance. Il me présenta gentiment et conclut en déclarant : « Je vous présente maintenant le prochain Président des Etats-Unis. » Les rires et les applaudissements qui saluèrent ce lapsus couvrirent sa rectification embarrassée.

De la plate-forme arrière du train, je parlai de la corruption dans le gouvernement de Truman et dénonçai le « gâchis de Washington ». J'assurai qu'Eisenhower allait changer tout ça et promis de porter le message de sa croisade aux quatre coins du pays pendant les deux mois suivants.

LA CRISE DU FINANCEMENT

Quelques jours avant le coup d'envoi de Pomona j'avais participé à Washington à l'émission télévisée *Meet the Press*. Après l'émission, un des reporters, Peter Edson, me prit à part et me demanda : « Monsieur le Sénateur, qu'est-ce que c'est que ce " financement " dont on parle? Le bruit court que vous touchez un traitement supplémentaire de 20 000 dollars par an, fourni par une centaine d'hommes d'affaires de Californie. Qu'avez-vous à en dire? »

Je répondis qu'aussitôt après mon élection au Sénat, je m'étais réuni avec plusieurs de mes partisans californiens pour étudier les meilleurs moyens d'être un sénateur efficace. Le plus gros problème était la distance considérable entre Washington et la Californie. Tout le monde avait reconnu que, pour bien travailler, je devais passer le plus de temps possible à parcourir mon Etat, à faire des discours et à garder avec les électeurs un contact personnel ou, à défaut, par courrier. Mais l'indemnité réglementaire ne prévoyait qu'un seul voyage aller-retour par session parlementaire et, comme la correspondance personnelle ou strictement politique ne bénéficiait pas de la franchise postale, il me faudrait payer de ma poche l'impression et l'expédition du courrier politique — ce qui pouvait représenter des sommes importantes. Rien que pour envoyer une carte de Noël à chacune des 20 000 personnes qui avaient travaillé bénévolement ou contribué à ma campagne sénatoriale, par exemple, j'avais dû débourser 2 000 dollars par an.

Murray Chotiner proposa de mener une « campagne permanente » durant les six années de mon mandat et Dana Smith, un avocat de Pasadena qui s'était occupé du financement de ma campagne sénatoriale, suggéra une souscription publique. Il dit que si nous limitions les contributions à une somme relativement minime et si tout était confié à un administrateur, il ne pourrait être question de trafic d'influence ni de profit personnel pour moi.

Vers la fin de 1950, Smith écrivit à quelques centaines de souscripteurs de la campagne pour leur expliquer le but de ce nouveau fonds. Quelques semaines plus tard, il expédia un courrier plus explicite et plus important, sous forme d'une lettre ouverte à plusieurs milliers de personnes figurant sur nos listes. Finalement, soixante-seize firent des dons se montant à une moyenne de 240 dollars. Aucune contribution personnelle ne dépassait les 500 dollars, la limite imposée par Smith. La somme totale reçue pour ce fonds était de 18 235 dollars. Pendant les deux ans que dura cette souscription, toutes les transactions avaient été menées par Smith et payées par chèque. L'argent ainsi obtenu couvrait les dépenses de courrier, des voyages et autres activités politiques. Pas un centime ne fut employé pour des besoins strictement personnels.

Je dis à Edson de s'adresser à Smith pour tous les renseignements dont il aurait besoin pour son article et je lui donnai son numéro de téléphone à Pasadena.

Edson appela Smith qui s'empressa de lui expliquer le fonctionnement du fonds. Le même jour, trois autres journalistes interrogèrent également Smith à ce sujet. L'un d'eux était Leo Katcher, un scénariste de Hollywood qui était également correspondant du *New York Post* pour la région de Los Angeles.

Le 18 septembre, le lendemain du coup d'envoi de Pomona, l'histoire du fonds fit la une de l'édition de midi du *New York Post,* avec une énorme manchette : *Fonds secrets Nixon!* Un article en page intérieure était intitulé en caractères gras : *Les contributions secrètes d'hommes riches permettent à Nixon de vivre bien au-dessus de son traitement.*

L'article écrit par Katcher ne répondait pas au sensationnel de ces manchettes. A vrai dire, la présentation de l'affaire par le *Post* était si excessive que beaucoup de journaux la considérèrent comme une manœuvre partisane ou reléguèrent leurs rapports dans les pages intérieures. La politique d'extrême-gauche libérale du *Post* et les antécédents de chroniqueur potinier de Hollywood de Katcher donnaient du poids à cette interprétation. Les rédacteurs de *Newsweek* estimèrent qu'il s'agissait d'une machination politique et qu'elle serait ignorée ou se retournerait contre ses auteurs. Le long article objectif d'Edson sur le financement parut dans de nombreux journaux le même jour que l' « exclusivité » de Katcher, mais son exposé sobre des faits paraissait bien pâle à côté des fantaisies emphatiques du *Post.*

Les Démocrates, dont le candidat à la Présidence était le gouverneur de l'Illinois Adlai Stevenson, essayèrent de faire mousser la version du *Post.* Ils réussirent à faire de l'histoire du fonds une affaire nationale quand le président national du Parti Démocrate, Stephen Mitchell, exigea que je sois rayé de la liste, ou du moins que nous ne parlions plus de moralité publique. D'autres Démocrates se hâtèrent d'emboîter le pas en déclarant que toute la croisade Eisenhower était « bidon ».

Le seul endroit sans doute où l'on faisait silence sur cette histoire de fonds, c'était le train d'Eisenhower où son équipe lui avait tout caché jusqu'au vendredi matin, afin qu'il puisse consacrer toute son attention à l'important discours sur sa politique agricole qu'il devait prononcer le jeudi soir à Omaha. Quand ils lui en parlèrent, il fut surpris et troublé. Inquiet parce que ses prochains discours devaient traiter de la corruption, il déclara à ses collaborateurs : « Décrouvrons la vérité avant que je dise des bêtises. »

Après avoir consulté ses principaux conseillers, Eisenhower publia une déclaration :

« Depuis longtemps, j'admire la foi américaine du sénateur Nixon et j'applaudis à sa résolution de chasser les sympathisants communistes des postes de confiance officiels.

On l'a récemment accusé de pratiques immorales. Pour moi, Dick Nixon est un homme honnête. Je suis certain qu'il présentera au peuple américain la véracité des faits avec franchise et droiture.

J'ai l'intention de lui parler dès que nous pourrons nous joindre par téléphone. »

Cependant mon train, le *Nixon Special,* remontait la vallée de la Californie centrale vers l'Oregon. Partout la foule continuait d'affluer tandis que les perturbateurs transformaient mes allocutions en réunions contradictoires.

Nous retardâmes notre départ de Chico, dans le Nord de la Californie, pour joindre par téléphone le train d'Eisenhower qui se trouvait au Nebraska. Le sénateur Fred Seaton, qui servait d'agent de liaison entre les deux trains, me dit qu'il avait reçu un message écrit par Eisenhower le matin même, recommandant que je rende publics tous les documents pouvant défendre et soutenir ma position. Il ajouta que le général se disait prêt à s'entretenir personnellement avec moi dès que ce serait possible, en expliquant que nos horaires avaient apparemment empêché jusqu'à présent une conversation téléphonique. Il était évident, pour moi, qu'Eisenhower ne voulait pas s'engager.

Au début du week-end, la nation tout entière était saturée d'histoires et de rumeurs sur le fonds Nixon et de spéculations sur l'avenir de Nixon. Tard dans la soirée de vendredi, alors que notre train avait été placé sur une voie de garage jusqu'au matin, je rencontrai dans le couloir un journaliste qui me demanda si j'avais quelque chose à dire sur les éditoriaux du *Washington Post* et du *New York Herald Tribune.*

« Quels éditoriaux? demandai-je.

— Demain matin, le *Post* et le *Herald Tribune* vont publier des éditoriaux disant que vous devriez présenter votre démission au général Eisenhower. »

Je fus aussi secoué que si le train s'était soudain ébranlé. Je répliquai que je ne ferais aucun commentaire avant d'avoir lu ces éditoriaux et je retournai dans mon wagon privé. Je demandai à voir Murray Chotiner et Bill Rogers, qui me dirent que c'était vrai. Comme personne n'y pouvait rien, mes collaborateurs avaient préféré ne pas gâcher ma nuit en me l'apprenant. Ils me montèrent une copie de l'éditorial du *Herald Tribune.* Tout en évitant de déclarer que j'étais coupable de quoi que ce fût, l'article concluait : « Dans ces circonstances, l'attitude correcte du sénateur Nixon serait d'offrir officiellement de se retirer de la liste. L'accueil réservé à cette offre sera déterminé par une évaluation des faits selon l'incontestable impartialité du général Eisenhower. »

Pour la première fois, je fus accablé par l'énormité de la crise qui menaçait. Jusque-là, j'avais considéré l'affaire comme une tentative partisane typique des Démocrates pour faire dérailler mes attaques contre la corruption. J'avais été certain d'avancer en terrain sûr quant aux mérites de la cause et de ne pas avoir à m'inquiéter pour l'avenir.

La demande de ma démission par le *Washington Post* n'était ni une surprise ni un souci particulier. Mais le *Herald Tribune,* c'était une autre affaire! On le considérait comme le quotidien le plus influent de l'Est, sinon du pays tout entier. Bert Andrews, qui avait travaillé si étroitement avec moi dans l'affaire Hiss, voyageait avec Eisenhower comme chef du bureau de Washington du *Tribune;* les directeurs et le rédacteur en chef étaient pour moi des amis et je savais qu'ils étaient proches d'Eisenhower. Si le *Herald Tribune* exigeait ma démission, j'étais fichu.

Chotiner était furieux. « Si ces foutus amateurs de l'entourage d'Ike avaient deux sous de bon sens, tempêtait-il, ils reconnaîtraient qu'il s'agit d'une attaque politique caractéristique et ils ne parleraient pas comme ça! » Il pensait comme moi que le *Herald Tribune* n'aurait pas publié un tel éditorial si les gens chargés de la campagne d'Eisenhower n'avaient pas indiqué que tel était leur point de vue.

Il était indispensable que j'obtienne des renseignements précis sur l'entourage d'Eisenhower — et sur lui-même, naturellement — pour connaître leur opinion. Nous convînmes que, dès les premières heures de la matinée, Rogers appellerait Dewey, tandis que Chotiner et moi téléphonerions à Fred Seaton.

Mon équipe avait eu sans doute raison de vouloir protéger mon sommeil parce que la discussion dura jusqu'à plus de deux heures du matin. Quand je regagnai notre compartiment, Pat se réveilla et je lui racontai tout.

J'étais alors très fatigué et découragé. « Je considère peut-être trop cette affaire de mon propre point de vue, dis-je. Si des gens plus objectifs, qui entourent Eisenhower, estiment que ma démission l'aiderait à gagner, alors je devrais sans doute la donner. »

Elle s'y opposa formellement. « Tu ne peux pas envisager de démissionner, » me déclara-t-elle. Et avec son sens pertinent de l'analyse, elle assura que, si Eisenhower me forçait à me retirer, il perdrait l'élection. Elle me dit aussi, avec force, que si je ne défendais pas mon honneur face à une telle attaque, je compromettrais non seulement ma vie mais celle de notre famille et particulièrement de nos filles.

L'éditorial du *Herald Tribune* parut le samedi matin et eut l'effet escompté. On commença à se demander combien de temps j'allais rester sur la liste. Il y eut tout de même un rayon de soleil dans ce jour sombre quand j'appris que Bob Taft, à qui l'on avait posé des questions sur le financement, la veille au cours d'une interview, avait répliqué catégoriquement : « Je ne vois pas pourquoi un sénateur ou un député devrait refuser des cadeaux de membres de sa famille, ou d'amis ou électeurs, pour aider à payer des frais, même personnels, que ne couvre pas l'allocation du gouvernement. Il n'y aurait matière à critique que si les donateurs exigeaient des faveurs en échange ou en recevaient. Je sais que ce n'est pas le mobile inspirant le paiement des frais de Dick Nixon. Ceux qui ont souscrit à ce financement sont probablement entièrement d'accord avec la position de Nixon. » Karl Mundt avait traité l'article du *Post* de « calomnie gauchiste » et de manœuvre « dégoûtante », de la part d'un journal notoirement pro-Stevenson.

Avant la fin de la journée, le sénateur du Vermont George Allen et l'ancien Président Herbert Hoover avaient également pris ma défense.

Le samedi après-midi, le train arriva à Portland dans l'Oregon. La foule massée devant l'hôtel était la plus hostile que nous ayons encore vue. Les gens jetèrent des pièces de monnaie sur notre voiture, et Pat fut bousculée et molestée alors qu'elle marchait à côté de moi. Notre chemin était obstrué par des gens d'une organisation démocrate locale portant des cannes et des lunettes noires et secouant des sébiles sur lesquelles étaient écrits ces mots : « Des sous pour le pauvre Nixon. »

Un message m'attendait à la réception : Sherman Adams, le directeur de la campagne d'Eisenhower, m'avait appelé pour une affaire urgente. Je fis répondre par Chotiner que je ne parlerais à personne, sauf à Eisenhower en personne. Quoi qu'il arrive, je n'allais pas me laisser détourner sur des sous-fifres.

Jim Bassett, mon chargé de presse, m'apprit qu'il y avait eu une réaction officieuse d'Eisenhower. Pendant une conférence de presse impromptue dans son train, les journalistes voyageant avec lui lui avaient annoncé qu'un petit sondage effectué entre eux avait donné un résultat de 40 contre 2 en faveur de ma démission. Eisenhower avait répliqué : « Je me moque que vous soyez à 40 contre 2. J'entends prendre mon temps pour cette affaire. Bien que vous pensiez que nous cherchons à blanchir Nixon, rien n'est décidé. » Et il avait ajouté : « A quoi bon livrer cette croisade contre tout ce qui se passe à Washington si nous ne sommes pas nous-mêmes propres comme un sou neuf ? » Il y eut naturellement des fuites et la comparaison imagée séduisit le public. Il faudrait que Nixon soit propre comme un sou neuf.

Pat ne pouvait supporter l'injustice de toute cette affaire. « Non seulement le financement n'est pas illégal, disait-elle, mais tu sais très bien que tu as tout fait pour que ça reste public et pour t'assurer que chaque dépense avait un justificatif. »

Ma mère se trouvait à Washington et s'occupait de nos filles quand la crise éclata. Le samedi soir, après avoir lu les journaux et écouté la radio, elle expédia deux télégrammes. Je n'aurais pas connaissance du premier avant plusieurs jours. Le second m'était adressé :

« FILLES VONT BIEN. CECI POUR TE DIRE QUE NOUS PENSONS A TOI ET SAVONS QUE TOUT S'ARRANGERA. TENDREMENT. MAMAN. »

Dans notre famille, comme je l'ai dit, la phrase *nous pensons à toi* signifie *nous prions pour toi*. Je fus profondément touché par ce message, car il me rappelait à tous ceux qui m'observaient et qui comptaient sur moi.

Le dimanche matin, je n'avais toujours pas reçu de nouvelles directes d'Eisenhower. La tension devenait telle que je la croyais presque palpable. La veille au soir, Chotiner avait suggéré que, puisque le Comité National Républicain avait accordé un temps d'antenne à la télévision au candidat à la Vice-Présidence, je devrais en réclamer une partie pour parler du fonds de financement et le défendre.

Je passai l'après-midi à causer avec mon équipe des diverses possibilités d'une émission télévisée. Nous étions en pleine discussion quand Tom Dewey téléphona de New York. Il n'avait pas l'habitude de mâcher ses mots et me dit tout de suite qu'il avait été en communication avec le train d'Eisenhower. Il me confirma ce que je soupçonnais déjà : à une ou deux exceptions près, l'entourage d'Eisenhower était contre moi et voulait que je présente ma démission. Dewey était encore de mes partisans, cependant, et il me dit qu'Eisenhower lui-même n'avait pas encore pris de décision. « Je crois que vous devriez passer à la télévision, me dit-il. Je ne pense pas que ce soit à Eisenhower de prendre la décision. Faites-la prendre au peuple américain. A la fin de l'émission, demandez aux gens de télégraphier leur verdict à votre sujet. Vous recevrez peut-être plus d'un million de réponses et cela vous donnera trois ou quatre jours pour réfléchir. Ensuite, si c'est 60 % pour vous et 40 % contre, dites que vous vous retirez parce que la majorité n'est pas suffisante. Si c'est de 90 contre 10, restez. Si vous restez, Ike n'est pas en cause, et si vous vous retirez, on ne peut pas le lui reprocher non plus. Tous les gars, ici à New York, sont d'accord avec moi. »

Je lui répondis que c'était précisément de cela que nous discutions. Il me pressa de commencer à faire des projets tout de suite, car la situation était trop tendue pour que l'on attende plus longtemps une suite favorable.

Dans la soirée, Eisenhower me téléphona enfin. Je pris la communication sans demander aux autres de quitter la pièce. Ils étaient tous si intimement mêlés à cela qu'à mon avis ils avaient le droit d'assister à ce qui serait peut-être la fin de ma candidature à la Vice-Présidence.

Je compris au ton d'Eisenhower que, tout en cherchant à me remonter le moral, il était profondément troublé.

« Vous avez essuyé pas mal de feu ces derniers jours, me dit-il. J'imagine que ça a dû être assez dur. — Cela n'a pas été facile, avouai-je. »

Il me dit qu'il avait beaucoup de mal à décider du meilleur parti à prendre. « J'en ai conclu que c'est vous qui devez décider de ce que l'on doit faire. Après tout, vous avez de nombreux partisans dans ce pays et, si l'on avait l'impression que vous démissionnez parce que je vous y force, ce serait très mauvais. D'autre part, si je fais maintenant une déclaration pour vous soutenir, on m'accusera de fermer les yeux sur une infraction. »

Il s'interrompit comme s'il attendait une réponse, mais je laissai le silence durer. Au bout d'un moment, il me dit qu'il venait de dîner avec des amis. Aucun ne savait que faire mais tous étaient d'accord pour dire que je devrais avoir l'occasion de présenter au pays ma version des faits. « Je ne veux pas être contraint de condamner un innocent, ajouta-t-il. Je crois que vous devriez paraître dans une émission nationale de télévision et dire tout ce qu'il y a à dire, tout ce que vous pouvez vous rappeler depuis le jour où vous vous êtes lancé dans la politique. Parlez de tout l'argent que vous avez reçu.

— Mon général, pensez-vous qu'après l'émission une déclaration pourrait être faite dans un sens ou dans l'autre?

— J'espérais qu'aucune déclaration ne serait nécessaire, répondit-il après une hésitation, mais nous verrons peut-être plus clair après l'émission.

— Mon général, je tiens simplement à vous dire que je ne veux pas que vous teniez compte de mes sentiments personnels. Je sais combien ce problème est pénible pour vous. »

Je l'assurai que, s'il pensait que je lui ferais du tort en restant, je me retirerais et j'encaisserais les coups. Mais je lui dis aussi qu'un moment vient où l'on doit cesser de tergiverser et qu'une fois que je serais passé à la télévision il devrait décider. « Il vient un moment dans les affaires de ce genre où l'on doit chier ou se lever du pot, déclarai-je carrément. Le plus grave là-dedans, c'est l'indécision. »

Le langage que j'avais employé suffoqua ceux qui étaient avec moi dans la pièce et il dut faire à Eisenhower un effet semblable, car il n'avait certainement pas l'habitude qu'on lui parle sur ce ton. Mais, manifestement, il n'était toujours pas convaincu. « Nous devrons attendre trois ou quatre jours après l'émission, pour connaître sa répercussion sur le public. »

Nous n'avions plus rien à discuter. Il me faudrait tout miser sur un bon discours télévisé. La conversation prit fin. Ses derniers mots furent : « Gardez la tête haute! »

Il semblait clair qu'Eisenhower n'aurait pas protesté si je lui avais annoncé que je lui remettais ma démission, qu'il pourrait alors l'accepter ou non selon les circonstances. Comme je le lui avais dit, j'étais tout prêt à le faire mais c'était à lui de prendre la décision. J'estimais que son indécision ou sa répugnance à l'exiger me délivrait de toute obligation à cet égard. C'est bien joli d'offrir de signer sa propre condamnation à mort. Que l'on vous demande de la rédiger, c'est une tout autre histoire.

Je parlai à Pat du coup de fil d'Eisenhower et lui demandai conseil. Toute cette affaire l'avait déjà profondément affectée. La tension était si forte qu'elle avait un torticolis douloureux et devait rester couchée. Elle s'inquiétait des répercussions sur nos filles et téléphonait constamment à ma mère pour s'assurer que tout allait bien.

« Nous savons tous deux ce que tu dois faire, Dick, me dit-elle. Tu dois combattre jusqu'au bout, quoi qu'il arrive. »

Cette nuit-là, seul dans ma chambre, je pris ma décision : je resterais, je tiendrais bon et je me battrais.

Le Comité National Républicain et les Commissions du Sénat et de la Chambre pour la campagne acceptèrent d'avancer 75 000 dollars pour acheter une demi-heure d'antenne pour moi, le mardi 23 septembre au soir. A cette époque, les émissions à l'échelle nationale ne pouvaient être diffusées que de New York, Chicago et Los Angeles. Le lundi donc, nous quittâmes Portland pour retourner à Los Angeles. Dans l'avion, je commençai à noter des idées pour mon discours.

Je me rappelais le scandale Truman à propos d'un manteau de vison de 9 000 dollars offert à une secrétaire de la Maison Blanche et je notai que Pat n'avait pas de vison, rien qu'un manteau de lainage. Je songeai à la réflexion offensante du président du Comité National Démocrate, Mitchell, disant que les gens qui n'ont pas les moyens d'occuper une fonction ne devraient pas s'y présenter, et je pris note d'avoir à vérifier une citation de Lincoln où il disait que Dieu avait dû aimer les gens du commun puisqu'il en avait tant créé. Je pensai aussi au succès éclatant de Franklin Roosevelt pendant sa campagne de 1944, quand il avait ridiculisé ses adversaires en déclarant qu'ils attaquaient même son petit chien Fala; je savais que les miens piqueraient une rage si je pouvais leur renvoyer cette balle-là. J'écrivis rapidement : « Ils vont m'accuser d'avoir accepté des cadeaux. Je dois répliquer que j'ai bien reçu un cadeau après la nomination, une chienne cocker nommée Checkers et que, quoi qu'ils disent, nous allons la garder. »

Au cours du vol, Chotiner passa pour bavarder un moment avec moi et me rapporta une chose qu'il avait observée trois jours plus tôt. Il avait remarqué que tous les Démocrates m'attaquaient, à l'exception de

Stevenson. « Je sens une anguille sous roche. Je parie qu'il a quelque chose à cacher. »

Ce soir-là, une nouvelle arriva qui prouva que Chotiner avait vu juste. Kent Chandler, un industriel de Chicago, avait envoyé un télégramme à Stevenson l'accusant d'avoir, comme gouverneur de l'Illinois, favorisé « une caisse de financement souscrite par des individus privés, qui payait divers de vos fonctionnaires en place afin de compléter le traitement payé par l'Etat ».

En quelques heures, Stevenson avait publié une déclaration reconnaissant l'existence de cette caisse : « Les fonds employés à cet effet étaient un reliquat de la campagne de 1948 à la fonction de gouverneur, auquel s'ajoutèrent par la suite des contributions générales. » Son porte-parole ne s'étendit pas davantage sur le sujet et Stevenson lui-même refusa de recevoir la presse.

La déclaration de Stevenson n'abordait pas le sujet d'une autre révélation de la journée. Un ancien adjudicateur de l'Etat d'Illinois, William J. McKinney, révéla qu'il avait dressé une liste mensuelle d'entreprises et de fournisseurs de l'Etat qui étaient sollicités pour des dépenses que Stevenson ne tenait pas à imputer aux contribuables. Les sommes remises allaient, disait-il, de 100 à 5 000 dollars. « Ils pensaient que ça les aiderait à obtenir des commandes », déclara McKinney. Deux hommes qui s'étaient livrés à cette sollicitation le reconnurent tout en niant d'avoir commis une infraction.

Stevenson se refusa à tout commentaire. Dépités, des journalistes signèrent une pétition réclamant une conférence de presse, mais il répondit que cela ne lui serait pas possible. A la fin de la semaine, Stevenson finit par donner quelques renseignements sur cette caisse, indiquant que 18 744,96 dollars lui avaient été remis comme reliquat de sa campagne de 1948. A cette somme venaient s'ajouter 2 900 dollars offerts par des hommes d'affaires de Chicago, portant le total à 21 644,96 dollars. En réalité, pendant la campagne, le public n'apprit jamais de Stevenson l'importance réelle ou les dispositions de ces fonds; elles ne furent révélées que vingt-quatre ans plus tard par le biographe officiel de Stevenson, John Bartlow Martin, dans son livre *Adlai Stevenson of Illinois,* disant que les déclarations du gouverneur n'avaient pas brillé par la franchise. Il n'avait pas parlé des sommes additionnelles, se montant à près de 65 000 dollars, ajoutées à cette caisse en 1950, 1951 et 1952, pour un total général de 84 026,56 dollars. Le 26 septembre 1952, longtemps après la dissolution du Comité Stevenson-comme-Gouverneur, et quatre jours après l'annonce de l'existence de cette caisse, Stevenson signa un chèque personnel de plus de 10 500 dollars en remboursement au Comité.

Le dernier apurement de ce fonds indiqua que 13 429,37 dollars réceptions de Noël, des cadeaux à des journalistes, et même un orchestre pour un bal donné par les fils de Stevenson. Dans un cas, il s'était servi de cette caisse pour faire un don modeste à l'Association antituberculeuse du canton de Lake et avait ensuite déduit cette contribution de sa déclaration d'impôts personnelle.

La presse traitait Stevenson avec des gants. Son refus de parler aux journalistes était accueilli avec une réprobation indulgente, et l'évidente infraction en cause pratiquement ignorée par les journaux. Johnson Kanady, du *Chicago Tribune*, écrivit plus tard : « Aucun journal n'a jamais pu obtenir de détails sur les fonds Stevenson de 1950 et 1951 et, à ma connaissance, aucun journaliste à part moi ne s'est donné beaucoup de mal pour ça. »

Pour moi, l'un des aspects les plus déprimants et les plus exaspérants de toute cette controverse, c'était la politique des deux poids, deux mesures appliquée par la presse dans l'affaire des fonds Nixon et des fonds Stevenson. Cela n'allait devenir pleinement apparent que bien plus tard; en attendant je devais consacrer tous mes efforts à préparer mon discours et à l'apprendre dans les vingt-quatre heures avant l'émission.

La première partie du discours fut assez facile à écrire. Paul Hoffman, président du Comité des Citoyens pour Eisenhower, avait chargé la firme d'experts-comptables de Price Waterhouse d'effectuer une vérification totale des fonds et avait engagé un cabinet d'avocats réputé, celui de Gibson, Dunn et Crutcher, à se prononcer sur le côté légal. Je comptais présenter des résumés de ces rapports. Puisque les accusations contre moi devenaient si amères, si excessives, je pensais cependant qu'il faudrait ajouter autre chose. Je me rappelai le conseil d'Eisenhower au téléphone : « Dites-leur tout ce que vous pouvez vous rappeler. Parlez-leur de tout l'argent que vous avez jamais reçu. »

J'étais fier d'avoir travaillé dur, avec Pat, pour gagner le peu que nous avions. Sachant que la gauche et ses sympathisants allaient scruter avec attention tous mes faits et gestes, après l'affaire Hiss, j'avais été particulièrement prudent dans mes transactions financières. Je savais que je pouvais prouver, documents à l'appui, tout ce que je dirais. Je doute que jusque-là un seul candidat ait détaillé aussi consciencieusement ses finances personnelles pendant une campagne. En dépit de la répugnance que j'éprouvais à une telle invasion de notre vie privée, je ne pouvais me défendre de penser à l'impact spectaculaire que ferait une telle révélation financière sans précédent.

Je dis à Pat ce que j'envisageais. C'en fut trop pour elle. « Pourquoi faut-il que tu ailles crier sur les toits que nous possédons si peu et avons tant de dettes? » demanda-t-elle.

Je lui répondis qu'en politique les gens doivent vivre dans une maison de verre, mais je savais que c'était une bien piètre explication pour l'humiliation que je lui imposais.

Je ne vis aucun des centaines de télégrammes qui affluèrent à l'hôtel dans l'après-midi, le jour de mon discours, mais je fus ému et réconforté en en lisant beaucoup après.

Le député Jerry Ford m'écrivait : « A la radio et dans les journaux, je suis pour vous à 100 %. Luttez jusqu'au finish tout comme vous avez combattu les calomnies des communistes quand vous prouviez vos accusations contre Alger Hiss. Tous les représentants du Michigan pensent comme moi. Je vous accueillerai personnellement de grand cœur à Grand Rapids ou partout ailleurs dans le Michigan. Bien amicalement. »

Warren Burger du Minnesota, avocat et leader du Parti Républicain, et sa femme Vera me télégraphiaient : « Vos amis du Minnesota ont toute confiance en votre intégrité personnelle et politique. Nous attendons avec impatience votre discours de ce soir. Ne manquez pas de nous appeler si jamais nous pouvons faire quelque chose pour vous. »

Whittaker Chambers me fit parvenir un message éloquent : « Les attaques dont vous êtes l'objet révèlent à quel point l'ennemi vous craint et cherche à détruire tout ce que vous avez d'honnêteté et de courage. Soyez fier d'être attaqué car les assaillants sont nos ennemis à tous. A bien peu d'hommes publics récents la nation doit autant qu'à vous. Dieu nous garde de jamais l'oublier. »

Une heure avant que nous devions partir pour le studio, je reçus un coup de téléphone de New York, de « M. Chapman ». C'était le nom de code que devait employer Tom Dewey pour les conversations très épineuses. Sa voix me parvint dans un crépitement de parasites.

« Dick?

— Oui.

— Nous venons d'avoir une réunion avec tous les principaux conseillers d'Eisenhower et ils me prient de vous dire qu'à leur avis, en conclusion de votre émission de ce soir, vous devriez remettre votre démission à Eisenhower. Comme vous le savez, je n'ai pas partagé ce point de vue, mais on m'a confié la responsabilité de vous transmettre cette recommandation. »

Je fus stupéfait.

« Qu'est-ce qu'Eisenhower veut que je fasse? » demandai-je le plus posément possible.

Dewey ergota, me dit qu'il ne voudrait pas donner l'impression qu'il avait parlé à Eisenhower en personne, ni qu'il avait approuvé cette décision. Mais compte tenu des rapports étroits entre Eisenhower et ceux qui avaient parlé à Dewey, il estimait qu'ils ne lui auraient pas demandé de m'appeler si cela ne reflétait pas également le point de vue d'Eisenhower.

« C'est un peu tard pour me faire cette recommandation, rétorquai-je. J'ai déjà préparé mon discours et il me serait très difficile de le changer à présent. »

Dewet argua que je devrais expliquer le financement comme il l'avait suggéré au début. Mais à la fin, je devrais dire que, tout en estimant n'avoir pas mal agi, je ne voulais pas que ma présence sur la liste gêne la croisade d'Eisenhower. Par conséquent, je devrais lui remettre ma démission et insister pour qu'il l'accepte.

« J'ai une autre suggestion pour la suite, pour faire de vous un héros au lieu d'un bouc émissaire, poursuivit Dewey. Vous pourriez annoncer que non seulement vous démissionnez de la liste mais aussi du Sénat. Alors, dans l'élection partielle qui suivrait, vous vous représenteriez et vous vous justifieriez en remportant la plus forte majorité de l'histoire. »

La conversation devenait irréelle. Le silence était la seule réponse possible à une suggestion aussi démente.

« Alors? insista Dewey. Qu'est-ce que je leur réponds? »

J'avais du mal à maîtriser ma colère :

« Dites-leur simplement que je n'ai pas la moindre idée de ce que je vais faire et que, s'ils veulent le savoir, ils n'ont qu'à regarder l'émission. Et dites-leur que moi aussi, je m'y connais en politique! »

Sur ce, je raccrochai brutalement. Quand je parlai à Chotiner et à Rogers de la suggestion de Dewey, ils furent abasourdis.

« Vous n'allez pas faire ça, au moins? demanda Murray.

— Je ne sais pas. Vous feriez mieux de me laisser tous les deux, il faut que je réfléchisse. »

Quelques minutes plus tard, il fut temps de partir pour le studio. Quand je sortis de notre chambre avec Pat, toute activité cessa. Tout le monde sortit dans le couloir, pour me marquer un soutien, mais personne ne dit un mot.

En chemin, je repassai une dernière fois mes notes. Les chiffres de Price Waterhouse étaient arrivés à la dernière minute et j'avais peur de ne pas bien me les rappeler. Une seule erreur, un seul lapsus, et toute la crédibilité du discours serait compromise.

Ted Rogers nous conduisit sur la scène du cinéma El Capitan, une salle vide de 750 places, qui avait été transformée en studio de télévision par la N.B.C. J'avais demandé que personne ne soit là pendant le discours, à part le réalisateur et les techniciens. Les journalistes regarderaient sur un écran de contrôle dans une autre salle.

Ted me montra le décor, assez minable : un bureau, une chaise et une bibliothèque contre le mur. Je lui demandai d'enlever un petit vase de fleurs que je trouvais déplacé.

Après un bref essai des lumières et du son, on nous fit passer dans une petite pièce en coulisses. Bientôt Ted revint en disant que nous passions à l'antenne dans trois minutes. Je fus soudain accablé par le désespoir. Ma voix faillit se briser quand je murmurai : « Je ne crois pas que je vais pouvoir tenir le coup cette fois. » Pat répliqua tranquillement : « Mais si, voyons!» Puis elle me prit par la main et nous retournâmes ensemble sur la scène.

« Mes chers concitoyens, commençai-je, je me présente devant vous ce soir comme un candidat à la Vice-Présidence et comme un homme dont l'honnêteté et l'intégrité ont été mises en doute. »

En continuant de parler, je commençai à ressentir cette confiance que l'on éprouve quand un bon discours a été bien préparé. Je sentais instinctivement le rythme de ses phrases, la logique de sa composition. J'avais à peine besoin de baisser les yeux sur mes notes. Je me sentais réchauffé par les projecteurs; je me détendis, je m'exprimai librement et avec émotion. Je parlai comme si seule Pat était dans la salle, comme si personne d'autre n'écoutait.

Le discours se divisait en quatre parties. Je commençai par citer les faits précis sur la caisse de financement et sur mes finances personnelles. Je passai ensuite à la contre-attaque contre Stevenson. Le troisième volet faisait l'éloge d'Eisenhower et le quatrième demandait à mes auditeurs d'envoyer des lettres et des télégrammes au Comité National Républicain, à Washington, pour dire s'ils pensaient que je devais rester ou me retirer de la liste.

Je vis Ted Rogers sortir de la régie et s'accroupir à côté de la caméra devant moi. Il leva les mains les doigts écartés : il me restait dix minutes. Puis je le vis lever une main pour les cinq minutes, et finalement trois doigts. A ce moment j'étais tellement absorbé par ce que je disais que mon signal des « dix secondes », « cinq secondes » et « coupez » m'échappa complètement. Quand le temps d'antenne se termina, je parlais encore, debout devant le bureau, les deux bras tendus vers la caméra.

Soudain je vis Ted se lever et je compris que j'avais dépassé l'heure. Je n'arrivais pas à le croire. Je n'avais même pas donné l'adresse du Comité National Républicain où l'on pouvait envoyer les télégrammes. Je me sentais comme étourdi. J'avançai de quelques pas et mon épaule frôla la caméra. Ted Rogers me dit qu'on avait attendu ce qui semblait être la fin d'une phrase, et fait disparaître l'image en fondu alors que je parlais encore. Et puis Pat, Murray Chotiner, Pat Hillings et Bill Rogers m'entourèrent. Pat m'embrassa et je ne sus que dire : « Je regrette d'avoir dû me précipiter à la fin; je n'ai pas donné l'adresse du Comité National. J'aurais dû mieux me chronométrer. » Tout le monde m'assura que j'avais été parfait, que c'était une réussite fantastique, et j'essayai de sourire et de remercier, mais je me sentais vidé et déprimé.

Pendant que je serrais la main des cadreurs, Ted Rogers surgit en courant et s'écria : « Le standard est illuminé comme un arbre de Noël! »

Une fois à l'hôtel, je lus quelques-uns des messages qui affluaient, et je compris enfin que, malgré le problème de la fin, le discours avait été effectivement une grande réussite. Apparemment, les événements des jours précédents m'avaient tellement mis les nerfs à vif que j'avais pu transmettre l'intensité de mes sentiments au public.

Eisenhower devait prendre la parole à Cleveland ce soir-là. Avec Mamie et une trentaine d'amis et de proches collaborateurs, il avait regardé mon émission dans le bureau du directeur de la salle où il devait parler.

On me raconta que, dans la petite pièce de Cleveland, un bref silence était tombé à la fin de l'émission. Mamie sanglotait et plusieurs autres retenaient leurs larmes. Soudain, le public de l'auditorium, qui avait écouté le discours grâce à une retransmission radio, se mit à scander : « Nous voulons Nixon! Nous voulons Nixon! » C'est de la manière la plus formelle que le verdict populaire résonnait dans les oreilles d'Eisenhower. Il se tourna vers le président du Comité National Républicain, Arthur Summerfield, et lui dit : « Eh bien, Arthur, vous en avez certainement eu pour vos 75 000 dollars, ce soir! »

Après avoir passé quelques minutes seul pour mettre de l'ordre dans ses idées, Eisenhower descendit dans la salle et déclara à la foule en délire : « Je suis un de ces hommes qui, lorsqu'ils sont engagés dans un combat, préfèrent avoir auprès d'eux un seul homme courageux et honnête plutôt que toute une charretée de béni-oui-oui. J'ai vu des hommes vaillants dans des situations difficiles. Je n'ai jamais vu personne s'en tirer mieux que ne l'a fait ce soir le sénateur Nixon. » La foule approuva en lui faisant une ovation.

Mais au lieu de déclarer l'affaire close et de réaffirmer ma présence sur la liste, Eisenhower dit qu'un seul discours ne suffisait pas pour régler les importantes questions qui avaient été soulevées et qu'il devrait me voir avant de prendre sa décision finale. Il dit aux auditeurs qu'il m'envoyait un télégramme me priant de venir le rejoindre le lendemain à Wheeling, en Virginie-Occidentale, où l'entraînait sa campagne.

DÉPUTÉ ET SÉNATEUR 1947-1952

Ce télégramme, qui s'était perdu parmi les milliers d'autres, disait :

« VOTRE PRESENTATION ETAIT ADMIRABLE. SI TECHNI-
QUEMENT AUCUNE DECISION NE DEPEND DE MOI, VOUS
ET MOI SAVONS QUE LA SITUATION EXIGE UNE DECLARA-
TION QUE LE PUBLIC JUGE DECISIVE. MA DECISION PERSON-
NELLE SERA FONDEE SUR DES CONCLUSIONS PERSONNELLES.
JE VOUS SERAIS TRES RECONNAISSANT SI VOUS POUVIEZ
VENIR ME VOIR IMMEDIATEMENT. DEMAIN JE SERAI A
WHEELING, VIR. OCC. L'AFFECTION ET L'ADMIRATION PER-
SONNELLES QUE J'AI POUR VOUS — ET ELLES SONT TRES
GRANDES — N'ONT PAS VARIE. »

Tout ce que j'entendis cette nuit-là, ce fut une dépêche d'agence à
la radio, citant Eisenhower qui disait qu'un seul discours ne suffisait pas. Je
fus au désespoir. « Que peut-il encore vouloir de moi? » demandai-je
rageusement à Chotiner. J'avais fait tout ce que je pouvais, et si cela
ne suffisait pas, il ne me restait plus qu'à démissionner. Je n'irais pas
m'humilier davantage en allant à Wheeling. Je déclarai que nous prendrions
l'avion pour ma prochaine étape de la campagne à Missoula, dans le Mon-
tana, et que j'attendrais là-bas qu'Eisenhower accepte et annonce ma
démission.

Je fis venir Rose Mary Woods, lui dictai la démission et lui dis de
l'envoyer immédiatement. Elle la tapa, mais, au lieu de l'expédier, elle la
porta à Murray Chotiner qui la lut et la déchira. Il dit à Rose : « Je
comprends qu'il soit furieux, et ce serait bien fait pour eux s'il démissionnait et si Ike était battu. Mais je pense que nous devrions laisser un
peu les choses se tasser avant de faire quelque chose d'aussi définitif. »

Un peu plus tard, je reçus un coup de téléphone de Bert Andrews qui
était à Cleveland. Il loua mon discours en termes enthousiastes, mais
quand je lui racontai tout ce qui s'était passé, sa voix s'assombrit et il me
répondit sur un ton grave et mesuré : « Richard, vous n'avez pas à vous
inquiéter de ce qui arrivera quand vous verrez Eisenhower. L'émission
en a décidé et Eisenhower le sait comme tout le monde. Mais vous ne
devez pas oublier qui il est. C'est le général qui a mené les armées alliées
à la victoire en Europe. C'est un candidat immensément populaire qui va
remporter cette élection. Il sera le Président et il est le patron de cette
entreprise. Il prendra sa décision et ce sera la bonne. Mais il a le droit
de la prendre à sa façon, et vous devez venir à Wheeling pour le voir et
lui donner l'occasion de faire justement cela. »

Je fus impressionné par le raisonnement d'Andrews et calmé par son
ton. Après un événement terriblement émotionnel, j'avais négligé de
considérer le point de vue d'Eisenhower. D'abord, il me connaissait à
peine. J'aurais dû comprendre aussi qu'il était parfaitement logique qu'Eisenhower, nouveau venu à la politique, attende de voir la suite des événements avant de s'engager. Je changeai d'avis et priai mon équipe de
prendre des dispositions pour qu'un avion nous transporte directement
de Missoula à Wheeling.

Nous venions d'atterrir à Wheeling et j'aidais Pat à enfiler son manteau
quand Chotiner se précipita vers nous.

Ce fut une des rares occasions où il m'arriva d'entendre de la crainte respectueuse dans la voix de Murray Chotiner. « Le général gravit la passerelle! » annonça-t-il. A peine avait-il parlé qu'Eisenhower apparut derrière lui dans la travée, la main tendue, arborant son célèbre sourire.

« Mon général, protestai-je, vous n'aviez pas besoin de venir à l'aéroport.
— Pourquoi donc? répliqua-t-il en riant. Vous êtes mon garçon! »

Il faisait une nuit froide; un lourd brouillard humide recouvrait Wheeling tandis que nous roulions vers le stade pour assister au rallye. Pendant tout le trajet, Eisenhower ne fit pas la moindre allusion à la crise épuisante que nous venions de vivre. En le connaissant mieux, j'appris que c'était caractéristique de sa manière, mais je me rappelle encore le côté irréel de ces vingt minutes de route pendant lesquelles il parla sur un ton léger des mérites comparés des haltes de trains omnibus et des rallyes, comme s'il ne s'était rien passé d'insolite.

En arrivant au stade, on baissa la capote de notre voiture et, tous deux assis à l'arrière et agitant la main à la foule enthousiaste, nous fîmes le tour de la pelouse.

Eisenhower prit la parole le premier. Il me décrivit comme « un homme de courage et d'honneur » qui avait été « soumis à une attaque odieuse et très injuste », et dit qu'avant que je monte sur le podium il tenait à lire deux télégrammes qu'il avait reçus. Je ne savais pas du tout de quoi il s'agissait. Aussi écoutai-je aussi avidement que les autres pendant qu'il lisait :

« CHER GENERAL. JE CROIS FERMEMENT QUE LA VERITE ABSOLUE RESSORTIRA CONCERNANT CETTE ATTAQUE CONTRE RICHARD, ET A CE MOMENT JE SUIS SURE QUE VOUS SEREZ BIEN GUIDE POUR VOTRE DECISION, AFIN D'AVOIR UNE FOI IMPLICITE EN SON INTEGRITE ET SON HONNETETE. MEILLEURS VŒUX D'UNE PERSONNE QUI CONNAIT RICHARD DEPUIS PLUS LONGTEMPS QUE N'IMPORTE QUI. SA MERE. »

Il lut ensuite une dépêche d'Arthur Summerfield lui apprenant que tous les 107 membres que l'on avait pu joindre, sur les 138 composant le Comité National Républicain, tenaient à me garder sur la liste :

« LE COMMENTAIRE ACCOMPAGNANT LEUR REACTION UNANIME ETAIT D'UN ENTHOUSIASME TOTAL... EN QUALITE DE MEMBRE DU COMITE NATIONAL REPUBLICAIN, J'AI LA GRANDE SATISFACTION DE ME JOINDRE A MES COLLEGUES POUR CET EMOUVANT TRIBUT RENDU A UN TRES GRAND AMERICAIN QUI A MARCHE SANS PEUR DANS LA VALLEE DU DESESPOIR ET EN EST SORTI SANS TACHE ET LA TETE HAUTE. QUE NUL N'EN DOUTE : L'AMERIQUE PORTE DICK NIXON DANS SON CŒUR. »

Quand je me levai pour parler, l'ovation me submergea. Tout ce que j'avais à dire pouvait s'exprimer en une seule phrase : « Je tiens à ce que vous sachiez qu'aujourd'hui est le plus grand jour de ma vie. »

Après les discours, j'aperçus la silhouette massive de Bill Knowland dans la cohue. Lorsque je parvins jusqu'à lui, il me saisit la main et me dit avec un large sourire : « C'était un discours formidable, Dick. »

A ce moment, toute l'émotion refoulée de la semaine passée déborda et mes yeux s'emplirent de larmes. Knowland m'enlaça les épaules et je cachai ma figure contre la sienne.

Ensuite Eisenhower nous invita, Pat et moi, à visiter sa voiture particulière, dans le train de la campagne. En réalité, il voulait me parler seul à seul parce qu'il avait entendu des rumeurs de plusieurs autres scandales concernant mes finances personnelles. Je lui répondis par une analogie qui devait lui être familière : « C'est exactement comme la guerre, mon général. Nos adversaires se font battre. Ils ont monté contre moi une attaque massive et ils ont été totalement vaincus. Il leur faudra un peu de temps pour regrouper leurs forces et, quand ils repasseront à l'offensive, ils seront désespérés et ils feront flèche de tout bois. Il y aura d'autres accusations mais aucune ne tiendra. Ce que nous devons éviter à tout prix, c'est de laisser une seule de leurs attaques quitter le sol. Dès l'instant où ils feront courir une de ces rumeurs, nous devrons l'étouffer dans l'œuf. » Héros populaire, Eisenhower avait été extrêmement bien traité par la presse. Je ne crois pas qu'il comprît pleinement ce que je disais ce soir-là, mais il allait le saisir plus tard, en arrivant à la Maison Blanche et quand on commencerait à le traiter en homme politique.

Dans la voiture qui nous ramenait à notre hôtel, Pat me prit la main et la garda dans la sienne, sans dire un mot. Je savais qu'elle était fière que nous ayons surmonté cette crise. Mais je savais aussi combien elle avait été blessée dans sa fierté et dans sa réserve innée. Je comprenais que désormais elle ferait tout ce qui était en son pouvoir pour me soutenir et m'aider dans ma carrière, mais qu'elle détesterait la politique et rêverait du jour où je l'abandonnerais et où nous pourrions retrouver une vie de famille heureuse et normale.

J'étais parti en campagne vigoureux et enthousiaste. Après la crise du fonds de financement, je me sentais vieux et fatigué. On dit que l'on peut vivre un an en une journée. C'était bien ce que j'éprouvais; en une seule semaine, j'avais vieilli de plusieurs années.

J'étais profondément déprimé par certaines des réactions. Je ne m'étonnais pas que l'affaire eût été exploitée par les Démocrates, mais l'attitude de tant de Républicains qui m'avaient jugé avant d'être en possession des faits me décevait et me blessait. J'étais amèrement désillusionné par celle de la presse. Je considérais ce que l'on avait commis contre moi un véritable attentat, une entreprise de destruction morale, et cette douloureuse expérience affecta profondément, et de façon permanente, mon attitude à l'égard des média en général, et de la presse écrite en particulier.

Si l'affaire du fonds fut la plus fieffée campagne de diffamation de la presse, elle fut loin d'être la seule.

Moins d'une semaine avant l'élection, le *Post Dispatch* de Saint-Louis, qui était un quotidien farouchement pro-Stevenson, publia en première page un article m'accusant d'avoir accompagné Dana Smith, l'administrateur du fonds, dans un casino de La Havane six mois plus tôt. C'était un mensonge flagrant. A l'époque où le journal me situait à Cuba, j'étais en vacances à des milliers de kilomètres de là, à Hawaï.

Le 28 octobre, quelques jours avant l'élection, le Comité National Démocrate prétendit que ma famille et moi, nous possédions des biens immobiliers « évalués à plus d'un quart de million de dollars ». Pour parvenir à cette somme, on faisait figurer parmi ces biens un « élégant nouveau restaurant *drive-in* » que mon frère Don aurait possédé, estimé à 175 000 dollars. En réalité, Don n'en était que le locataire. Ce qui m'enragea le plus, dans cette accusation particulière, ce fut que le C.N.D. incluait aussi dans ses calculs une petite ferme en Pennsylvanie et une modeste maison en Floride que mes parents avaient achetées pour y prendre leur retraite. Ces propriétés, qui n'avaient absolument rien de luxueux, représentaient une vie entière de travail pour mon père et ma mère. Je trouvais méprisable que l'on osât attaquer mes parents en insinuant qu'ils avaient acquis frauduleusement des domaines coûteux.

Deux jours plus tard parut une chronique de Drew Pearson, typiquement bourrée d'insinuations et de faits non corroborés parmi lesquels de pseudo-révélations sur mes déclarations de revenus. Il était évident que des partisans travaillant à la Direction des impôts les avaient communiquées à Pearson. Parmi ce fourre-tout d'accusations, il en était une prétendant que nous avions, Pat et moi, faussement déclaré des biens immobiliers communs d'une valeur inférieure à 10 000 dollars afin d'avoir droit à l'exemption de 50 dollars des anciens combattants sur nos impôts de Californie. L'accusation était absolument fausse. Il se révéla qu'une certaine Mme Pat Nixon avait demandé cette exemption pour son mari Richard, mais il s'agissait d'un couple qui, tout à fait par hasard, portait les mêmes prénoms que nous. Pearson ne s'était pas donné la peine de vérifier avant de publier ce mensonge *cinq* jours avant l'élection et il ne se rétracta que trois semaines *après*.

Après l'élection aussi, on apprit un projet criminel destiné à me nuire et à discréditer mon intégrité. Quelqu'un avait forgé une lettre, qui aurait été envoyée par un directeur de compagnie pétrolière à un autre, prétendant que j'aurais été acheté pour plus de 52 000 dollars par an afin de servir des intérêts pétroliers à Washington. La veille de l'élection, ce faux flagrant fut communiqué au Comité National Démocrate qui l'envoya au *New York Post*. Le *Post* lui-même préféra ne pas courir le risque de publier une diffamation aussi évidente.

Après l'élection, Drew Pearson essaya encore de ranimer l'intérêt pour cette histoire. Aussi réclamai-je une enquête approfondie de la sous-commission sénatoriale pour les Privilèges et les Elections. L'enquête prouva sans contestation que la lettre était un faux et on transmit l'affaire au ministère de la Justice.

L'attaque sur la caisse de financement avait fait long feu, les mensonges et les faux manquaient aussi leur cible, mais tout cela nous avait doulou-reusement affectés, ma famille et moi. Ce ne fut que longtemps après que j'appris que mon père si fier et si combatif avait été réduit à des crises de larmes à chaque nouvelle calomnie.

La politique avait un goût amer. Force m'était pourtant de riposter. C'était l'unique recours, et mon instinct me le dictait. J'en vins rapidement à m'identifier avec l'homme de l'arène tel que le décrivait Theodore Roosevelt, « à la figure maculée de poussière, de sueur et de sang ». Des adversaires oublieux se rappelleraient plus tard mes contre-attaques sans se souvenir des mensonges et des déformations qui les avaient souvent suscitées.

Il allait me falloir bien des mois avant que je puisse remettre à sa juste place l'affaire des fonds, tant j'en avais moralement souffert. Je crois qu'Eisenhower fut autant impressionné par ma résistance que par mon entregent politique. Il était sensible au fait que, dès le début, j'aie proposé de démissionner s'il le voulait, et que je n'aie jamais rien fait consciemment pour le mettre dans l'embarras.

J'appris aussi quelques importantes leçons sur la politique et l'amitié. En politique, la plupart des gens sont vos amis tant que l'on peut faire quelque chose pour eux ou contre eux. Il doit en être de même dans tous les domaines, sans doute, mais la nature ouvertement compétitive des élections le fait ressortir davantage. Malgré tout, jamais je n'oublierai ma surprise et ma déception causées par tous ceux qui se retournèrent contre moi du jour au lendemain quand il leur semblait que je devrais me retirer de la liste.

L'ÉLECTION DE 1952

Après la crise des fonds, la campagne de 1952 parut calme. Les études de votes et les sondages d'opinion indiquaient que le désir de changement et le dégoût occasionné par la corruption dans le gouvernement fédéral restaient les questions les plus importantes jouant en notre faveur. Le Président Truman était extrêmement impopulaire en 1952, comme le Président Johnson le serait plus tard lors des jours sombres du Vietnam, et comme j'allais l'être pendant le Watergate. Comme dans le cas de Johnson et le mien, l'impopularité de Truman déteignit sur son parti. Adlai Stevenson lui-même commença à prendre ses distances avec le gouvernement Truman.

En surmontant la crise des fonds, je coupai court à la tentative des Démocrates de court-circuiter la question de la corruption. Grâce à cela, je devins un candidat beaucoup plus efficace et plus recherché. Ma popularité après le discours télévisé sur l'affaire des fonds avait ranimé dans le public un intérêt pour l'affaire Hiss, et je rappelai à mes auditeurs dans tout le pays que Stevenson avait fait une déposition utilisée lors du premier procès en parjure de Hiss, dans laquelle il se portait garant de sa réputation de véracité, d'intégrité et de loyauté. C'était *après* que les audiences de notre commission eurent prouvé que Hiss avait menti sur ses rapports avec Chambers.

Je critiquai aussi le secrétaire d'Etat Dean Acheson, dont la politique à l'égard du communisme international, dis-je, nous avait fait perdre la Chine, une grande partie de l'Europe orientale et avait invité les communistes à entamer la guerre de Corée. J'employai un terme qui capta l'intérêt du public — et provoqua la colère des commentateurs — quand j'accusai Stevenson d'être « diplômé de la Communauté des Peureux d'Acheson »...

Bien des années après, alors que j'étais Président des Etats-Unis, nous devions, Acheson et moi, devenir des amis. Il fut l'un de mes plus précieux conseillers officiers. Durant cette campagne, cependant, sa petite moustache bien taillée, ses costumes de tweed britanniques et ses manières hautaines faisaient de lui une cible parfaite pour mes attaques contre un certain snobisme de mentalité qui caractérisait alors les hauts fonctionnaires des affaires étrangères — ce qui les avait conduit à se laisser ferrer par les communistes. Je regrette aujourd'hui la virulence de ces attaques. Tout en continuant de penser qu'Acheson avait tort pour l'Asie, je suis sûr qu'il avait raison pour l'Europe quand il contribua à faire de l'O.T.A.N. un bastion solide et durable contre l'agression communiste.

Bien qu'il ne se présentât pas lui-même, et en dépit des tentatives d'un Stevenson singulièrement pressé de le tenir à l'écart, le Président Truman fut une des vedettes de la campagne de 1952. Il aimait tellement les escarmouches de la politique que Stevenson se vit dans l'impossibilité de l'écarter de la campagne. Après que Truman eut tenté en vain de persuader Eisenhower de devenir son successeur démocrate à la Maison Blanche (alors que tel n'était pas le désir d'Ike), les rapports entre les deux hommes devinrent tendus. Au cours de la campagne de 52, Truman s'attaqua à Eisenhower avec une singulière véhémence. Contrairement à la plupart des Démocrates, qui ne contestaient pas la stature héroïque d'Ike, Truman se livra à des accusations typiquement spectaculaires — et typiquement irresponsables — sur les talents et même sur les mobiles d'Eisenhower. Ce dernier fut gravement offensé par les insinuations de Truman prétendant qu'il avait été politiquement mêlé aux accords de Yalta et de Postdam qui avaient carrément livré l'Europe orientale aux communistes. L'accusation était fausse, il était facile de le prouver, mais Eisenhower ne se remit jamais de sa colère car il n'imaginait pas que Truman pût concevoir et même répandre une diffamation aussi flagrante.

En raison de cette affaire, Eisenhower refusa de prendre le café traditionnel à la Maison Blanche avec son prédécesseur avant d'aller au Capitole pour l'entrée en fonction. Les deux hommes se rejoignirent simplement sous le portique Nord et, après quelques mots, ils firent le trajet en voiture dans un silence glacial. En dehors d'une brève rencontre aux obsèques du juge suprême Fred Vinson en 1953, ils ne se revirent pas avant 1961, alors qu'Eisenhower avait quitté la Maison Blanche.

Nous avions parcouru, Pat et moi, plus de 74 000 épuisants kilomètres pendant la campagne de 1952. J'avais prononcé 92 discours, visité 214 villes, j'avais fait 143 apparitions à des haltes et tenu plusieurs conférences de presse. A cause de l'affaire des fonds, et aussi parce que j'avais adopté l'atitude partisane qu'Eisenhower avait évitée, j'attirais beaucoup plus l'attention qu'un candidat ordinaire à la Vice-Présidence. A la comparaison, le sénateur de l'Alabama John Sparkman, colistier de Stevenson, faisait plutôt pâle figure. Dans certaines régions, j'attirais même bien plus de monde que Stevenson.

Partout où j'allais, je tirais à boulets rouges sur les Démocrates, je liais Stevenson à Truman et à Acheson, je demandais comment les mêmes personnes responsables du gâchis de Washington pourraient jamais donner un coup de balai. J'appelais Acheson « l'architecte de la confusion au pantalon rayé ». Je dis à mes auditeurs de Boston que si Stevenson était élu « nous pourrions nous attendre à quatre ans encore de cette même politique, parce que M. Stevenson a reçu son éducation du Département d'Etat insipide de Dean Acheson ». Je dis à une autre salle enthousiaste que je préférais « un Président en kaki plutôt qu'un Président portant le rose du Département d'Etat ».

Une semaine avant l'élection, dans un discours prononcé le 27 octobre à Texarkana dans l'Arkansas, j'affirmai que Truman, Stevenson et Acheson trahissaient les « grands principes élevés auxquels croient beaucoup des Démocrates de la nation ». En 1954 et au cours de campagnes suivantes, Truman m'accusa de l'avoir qualifié de traître dans ce discours. Même quand on retrouva un enregistrement et quand on lui montra une transcription exacte de mes paroles, il refusa de reconnaître que ce que j'avais dit n'était pas ce qu'il se rappelait.

Certaines de mes formules oratoires, durant cette campagne, furent très dures. Je réagissais peut-être exagérément et à mon insu contre les attaques dont j'avais été la victime pendant et après la crise des fonds; peut-être me laissais-je simplement emporter par le rôle partisan que me faisait jouer Eisenhower et par la certitude qu'il fallait bien enflammer les fidèles de mon parti et leur faire comprendre qu'une campagne présidentielle se livrait.

Quand le dernier sondage Gallup fut publié quelques jours avant le scrutin, la tendance émergea assez clairement :

Eisenhower-Nixon	47 %
Stevenson-Sparkman	40 %
Indécis	13 %

Eisenhower et moi fîmes campagne jusqu'au bout, cependant — et ce, en terminant par un rallye télévisé de veille d'élection au Boston Garden. Dans la nuit, Pat et moi, nous prîmes l'avion pour la Californie.

Mon expérience de 1946 et de 1950 m'avait appris que le jour le plus long dans la vie d'un homme politique est la Journée des Elections, alors que des millions d'électeurs décident de son sort et qu'il ne peut absolument rien y faire. Après être allé voter de très bonne heure avec Pat, à East Whittier, je demandai à Bill Rogers s'il aimerait faire une promenade en voiture. Nous descendîmes à Laguna Beach, nous garâmes la voiture et nous fîmes plusieurs kilomètres à pied le long de la plage.

Quelques Marines de Camp Pendleton s'amusaient avec un ballon de football sur la plage; nous allâmes nous joindre à eux pour une partie amicale impromptue. Un des Marines me dévisagea pendant plusieurs minutes avant d'aller demander à Rogers : « Dites donc, c'est pas une célébrité, un truc comme ça? » Rogers répondit : « Non, ce n'est que le sénateur Nixon, candidat à la Vice-Présidence. » Dans le courant de la partie, alors que je venais de rater une passe, un des Marines me lança en riant : « La Vice-Présidence vous va mieux que le football! » Et puis il se reprit et ajouta respectueusement « Monsieur ».

Nous rentrâmes à l'Ambassador Hotel de Los Angeles vers quatre heures de l'après-midi; je montai tout droit dans ma chambre, mis un pyjama et essayai de faire une sieste. Je dis à mes collaborateurs que je ne voulais écouter aucun résultat avant au moins six heures, parce que, plus tôt, ils seraient trop fragmentaires et ne serviraient qu'à énerver tout le monde. A six heures précises, on frappa à la porte et une dizaine de personnes firent irruption dans la chambre en parlant toutes à la fois. Les bureaux de vote n'étaient fermés que depuis une heure dans l'Est, mais déjà tout faisait prévoir un raz de marée.

Nous remportâmes la victoire par plus de six millions et demi de voix : 55,1 pour cent contre 44,4. Nous gagnâmes 22 sièges à la Chambre, ce qui nous donnait une majorité de 221 contre 213 et 1 indépendant. Au Sénat, nous obtînmes 1 siège — c'est-à-dire une faible majorité de 1 seulement.

VICE-PRÉSIDENT
1953-1960

Le 20 janvier 1953, jour de ma prise de fonction de Vice-Président, fut doux et ensoleillé. Pour la cérémonie de la prestation de serment, ma mère avait apporté deux bibles qui étaient dans la famille Milhous depuis plusieurs générations.

Le soir, nous dînâmes tranquillement en famille avant d'assister aux bals d'inauguration. Pendant que les autres parlaient des grands événements de la journée, ma mère me prit à part et me glissa dans la main un petit bout de papier sur lequel elle avait écrit un message. Personne ne la vit me le donner et j'attendis d'être seul pour le lire, à la fin de la soirée. Je le mis dans mon portefeuille, et depuis il ne m'a jamais quitté.

To Richard

You have gone far and we are proud of you always — I know that you will keep your relationship with your maker as it should be for after all that, as you must know, is the most important thing in this life

With love mother

La victoire d'Eisenhower mettait fin à vingt ans de règne démocrate à la Maison Blanche. La majorité à la Chambre et au Sénat la rendait doublement satisfaisante. Mais les tâches que nous affrontions étaient monumentales.

Nos problèmes les plus immédiats ressortissaient au domaine des Affaires étrangères. Nous livrions en Corée une guerre impopulaire et Eisenhower s'était engagé au cours de la campagne électorale à l'amener à une conclusion honorable.

L'U.R.S.S. était encore très en retard sur les U.S.A., pour l'armement nucléaire, mais elle faisait des progrès spectaculaires. En Europe orientale, les satellites soviétiques formaient un bloc monolithique contrôlé par Moscou. La Chine communiste, dans sa rigueur idéologique, restait l'amie de la Russie; elle dépendait de son aide économique et technologique. Elle entrait néanmoins dans une phase de politique étrangère expansionniste.

Après la Seconde Guerre mondiale, la grande alliance du monde libre avait été concrétisée par la création de l'O.T.A.N. et par la reconstruction de l'Europe grâce à l'aide américaine. Mais il devenait évident que la France et la Grande-Bretagne avaient été tellement affaiblies par la guerre que bientôt elles ne pourraient aider à maintenir la sécurité au-delà de leurs frontières que dans une mesure limitée. Le conflit avait marqué le commencement de la fin — sinon la fin — du colonialisme européen. La crise qui allait accabler non seulement le gouvernement Eisenhower mais aussi ses successeurs était symptomatique de ce phénomène; je veux parler de la détérioration de l'influence française en Indochine. Quand Eisenhower entra en fonction, la marée de l'anticolonialisme n'avait pas encore déferlé sur l'Afrique; mais huit ans plus tard, lors de notre départ, il allait y avoir plus de vingt nouvelles nations indépendantes sur ce continent.

D'autres problèmes apparurent bientôt. La création de l'Etat d'Israël en 1948 avait semé des graines de haine qui exploseraient un jour en trois guerres sérieuses. L'Iran voisin, avec ses énormes réserves de pétrole, était gouverné par un régime de gauche et la plupart des observateurs craignaient de le voir inévitablement tomber sous la domination soviétique. L'Amérique latine paraissait calme à la surface, mais de longues années de dictature avaient préparé une période d'instabilité et de révolution.

A l'intérieur, la première tâche d'Eisenhower était de nettoyer comme il l'avait promis le « gâchis de Washington » en restaurant la confiance du peuple en l'honnêteté de ses dirigeants et de ses hauts fonctionnaires. Il n'était pas moins important de déloger du gouvernement les personnes présentant des risques pour la sécurité, personnes qui (par déloyauté ou erreurs de jugement) pourraient subvertir la politique des Etats-Unis.

Le nouveau Président devait aussi s'attaquer à un problème ardu en essayant de mettre au point une politique économique capable d'apporter la prospérité sans guerre. Il lui fallait arbitrer le débat classique entre ceux qui le pressaient de réduire les dépenses et les impôts et ceux qui exigeaient des crédits accrus pour le logement, la santé, l'éducation et la qualité de la vie.

Eisenhower allait trouver ces questions de politique étrangère et intérieure moins déroutantes que ses nouveaux devoirs de chef d'un parti divisé. Cette division avait été éclatante à la Convention de Chicago : l'aile Eisenhower contre la Vieille Garde des Républicains dirigée par Bob Taft.

Eisenhower n'avait aucun goût pour certains rites de la politique. Il reconnaissait qu'il devait accomplir une œuvre presque surhumaine en obtenant des Républicains qu'ils pensent positivement après avoir passé vingt ans dans l'opposition. De plus, tout en détenant la majorité dans les deux chambres du Congrès, ces majorités républicaines étaient bien minces et fondées dans une grande mesure sur la popularité personnelle d'Eisenhower plutôt que sur la force du parti. Il comprenait qu'il devait élargir cette base du parti afin qu'elle devienne aussi forte que son chef, mais la plupart des choses nécessaires pour parvenir à cette fin le mettaient mal à l'aise.

LA DIPLOMATIE INTERNATIONALE : 1953

Vers la fin du printemps 1953, Eisenhower me demanda d'entreprendre un important voyage en Asie et en Extrême-Orient. Il suggéra que j'emmène Pat et me conseilla vivement de visiter le plus de pays que nous pourrions.

La guerre lui avait permis de connaître l'Europe et ses dirigeants mieux que presque n'importe quel autre non-Européen du monde, mais il connaissait mal l'Asie et le Moyen-Orient et il n'avait jamais été homme à surestimer son expérience ou son savoir. Il estimait aussi que Truman avait gravement négligé ces deux zones importantes et il tenait à remédier à cet oubli pendant son mandat.

Au début des années 50, la plupart des nations que nous allions visiter ignoraient encore pratiquement tout de l'Amérique et des Américains. Aucune n'avait jamais reçu un Président ou un Vice-Président en visite officielle. Leurs impressions des Etats-Unis étaient généralement formées par de vagues rumeurs et nouvelles, par des contacts avec quelques Américains individuels et par les films de Hollywood racontant des histoires de gangsters, d'Indiens et de cow-boys. Dans ce temps-là, le voyage de « bonne volonté » n'était pas encore devenu un lieu commun diplomatique.

Mon voyage avait quatre buts spécifiques. Il était destiné à honorer et rassurer nos amis et alliés, à me fournir l'occasion d'expliquer la politique américaine dans des pays neutres, à me permettre de constater par moi-même la situation qui se développait rapidement en Indochine et à me faire une idée des attitudes asiatiques à l'égard du nouveau colosse de Chine communiste.

Le 5 octobre, nous faisons, Pat et moi, nos adieux à Tricia et Julie. Nous embarquons à bord d'un quadrimoteur Constellation de l'Air Force au National Airport. C'est une séparation douloureuse, pour Pat surtout qui n'a jamais quitté les filles plus de quinze jours. Maintenant, nous allons rester éloignés d'elles pendant plus de deux mois.

Notre groupe officiel comprend un chef de cabinet, Phill Watts, mon assistant administratif Chris Herter Jr., ma secrétaire Rose Woods, un médecin de la Marine et un attaché militaire pour s'occuper des questions de protocole. Deux agents seulement des Services de sécurité nous accompagnent. A côté de ce qui est prévu aujourd'hui pour les voyages officiels, c'est un personnel pitoyablement réduit, mais la qualité et le dévouement compensent la quantité. La presse s'intéresse relativement peu à cette tournée, et seul un reporter de chacune des trois agences de presse est du voyage.

Nous avons câblé à l'avance à toutes nos ambassades que je tiens à ce que les réceptions strictement mondaines soient réduites au minimum. Je fais savoir que je n'emporte qu'un seul smoking et que je n'aurai ni habit ni jaquette. Comme nous n'aurons pas plus de quatre dîners officiels dans chaque pays, Pat emporte quatre robes longues afin de pouvoir en porter une différente à chaque occasion.

Je demande aussi au Département d'Etat d'organiser mon agenda pour que je puisse rencontrer le plus de gens différents possible, étudiants, ouvriers, hommes d'affaires, intellectuels, hommes politiques en fonction ou non, militaires, paysans. On me réplique que ce sera très inhabituel, pas du tout orthodoxe et fort peu diplomatique. Je réponds que si ces rencontres ne sont pas organisées pour moi, je m'en chargerai moi-même. Nous nous heurtons au même genre de résistance quand Pat réclame son propre itinéraire. Les femmes des personnalités en visite officielle à Washington passent en général leur temps en achats et réceptions mondaines. Pat veut jouer un rôle actif dans cette tournée, visiter des écoles, des hôpitaux, des orphelinats, des musées, des marchés, pour connaître les gens et se faire connaître. Nous écartons résolument toutes les « virées » d'achats, sauf dans les rares cas où nos ambassades nous disent que nos hôtes seront offensés si nous n'achetons pas des objets d'artisanat local.

Pat demande aussi à rencontrer des représentantes d'organisations féminines : ses visites donnent un grand élan au nouveau respect de la femme qui commence à peine à se faire jour dans la plupart des pays que nous visitons.

Phil Watts s'arrange aussi pour que nous soyons accueillis à chaque escale par un haut fonctionnaire de l'ambassade du pays suivant. Pendant le vol, il met à jour ce que j'ai appris avant mon départ des U.S.A. Je peux ainsi avoir des conversations sans me servir de notes : c'est là une habitude que j'ai prise au cours du voyage de la Commission Herter quand j'ai découvert que consulter ou prendre des notes tend à gêner l'interlocuteur. Certaines de mes conversations les plus utiles avec des dirigeants étrangers, au cours de mes voyages, se sont déroulées pendant les trajets en voiture entre la ville et l'aéroport, où nous étions tous deux seuls à l'exception de l'interprète.

Nos premières étapes nous conduisirent en Nouvelle-Zélande et en Australie où nous fûmes chaleureusement reçus. Parmi les nombreux hommes politiques que je rencontrai pendant cette tournée le plus impressionnant fut certainement le Premier Ministre australien Sir Robert Menzies. Son intelligence extraordinaire et sa profonde connaissance des questions intéressant non seulement le Pacifique mais encore le monde entier produisirent sur moi une impression indélébile. S'il était né en Grande-Bretagne plutôt qu'en Australie, je suis convaincu qu'il aurait été un grand Premier Ministre britannique de la carrure d'un Winston Churchill.

Nous plongeâmes dans l'Asie en débarquant en Indonésie, à Djakarta, où nous fûmes accueillis par le président Soekarno dont les goûts étaient aussi riches que son peuple était pauvre. Dans aucun autre pays que nous visitâmes, le contraste ne fut aussi frappant entre le luxe ostentatoire du chef de l'Etat et la misère du peuple. Djakarta n'était qu'un ramassis de huttes et de taudis étouffants. Un égout à ciel ouvert coulait au cœur de la ville, mais le palais de Soekarno était d'un blanc immaculé situé au milieu de plusieurs hectares de jardins exotiques. Un soir, on nous servit dans de la vaisselle d'or à la lumière d'un millier de torches, tandis que des musiciens jouaient sur la berge d'un lac couvert de fleurs de lotus blanches et de bougies flottant sur de petits radeaux.

Soekarno était cultivé. Il avait fortement conscience du pouvoir magnétique qu'il exerçait sur ses sujets. Il avait conduit le pays à l'indépendance en chassant les dirigeants hollandais détestés. Il lui avait donné un cri de guerre qui attisait la fierté du peuple et touchait son cœur : *merdeka*, « liberté ». Mais, détenant un pouvoir presque illimité, Soekarno était devenu un mélange d'astuce politique brillante et de vanité corrosive. Il était très fier de ses prouesses sexuelles, objets d'innombrables rumeurs et histoires, dont beaucoup étaient probablement répandues par lui-même. Quoi qu'il en soit, ses palais étaient remplis des femmes les plus exquises qu'il m'ait été donné de voir. On m'avait averti de cet aspect de son caractère et de sa grande sensibilité à la flatterie dans ce domaine.

Soekarno était l'image même d'un problème commun aux toutes nouvelles nations d'Asie et d'Afrique : un brillant chef révolutionnaire mais totalement inapte à bâtir une nation une fois l'indépendance acquise. Comme Nasser en Egypte et Nkroumah au Ghana, il s'y entendait à merveille à démolir l'ancien système, mais il ne pouvait concentrer son attention sur la création d'un nouvel ordre pour le remplacer. Ces hommes étaient incapables de diriger leur pays aussi efficacement qu'ils avaient mené leur révolution, si bien que leur nation — ainsi que le reste du monde — paye encore très cher le prix de cette défaillance.

Soekarno régnait avec une telle main de fer que les communistes n'avaient pas réussi à s'infiltrer beaucoup en Indonésie. Mais à notre étape suivante, la Malaisie, nous nous trouvâmes face à face avec le nouveau genre de guerre communiste qui menaçait déjà la stabilité de toute une région du globe. Les forces de guérilla communistes défiaient le gouvernement malais encore branlant qui s'apprêtait à peine à secouer le joug colonial anglais. Les Britanniques ne commettaient pas l'erreur des Américains au début de la guerre de Corée, erreur que nous devions de nouveau commettre plus tard au Vietnam, et qui consiste à résister à la guérilla avec des tactiques et une stratégie traditionnelles. Les Britanniques, eux, entraînaient les indigènes et recrutaient leur soutien volontaire dans la lutte contre les insurgés.

A Kuala Lumpur, je rencontrai le Haut-Commissaire, le maréchal Sir Gerald Templer, un homme sec et nerveux, un chef ayant du cœur qui avait servi sous les ordres d'Eisenhower en Afrique du Nord. Il me dit : « Ce que j'essaye de faire, c'est convaincre tous les dirigeants locaux et tous les soldats indigènes que c'est *leur* guerre, qu'ils luttent pour *leur* indépendance, et qu'une fois que les guérilleros seront vaincus, ce sera *leur* pays, ce sera à *eux* de voir s'ils désirent demeurer au sein du Commonwealth britannique. »

Templer et sa femme travaillaient tous deux en liaison étroite avec les dirigeants locaux et les traitaient avec respect et dignité. Cette idée n'était jamais venue aux Hollandais en Indonésie; les Français ne l'apprirent pas au Vietman, et les Américains ne la comprirent là-bas que trop tard. Nous évoquâmes la situation en Indochine et Templer hocha tristement la tête : « Je n'aime pas dire ça parce que l'homme est un

vrai salaud, mais ce qu'il leur faudrait là-bas, c'est un nouveau Rhee. »
Les événements prouvèrent qu'il avait raison. Tant que des dirigeants
forts, capables d'imposer la stabilité, n'apparaissent pas, il n'y a pratiquement pas d'opposition à l'infiltration communiste.

Nous passâmes six jours fascinants et irritants à visiter le Cambodge,
le Laos et le Vietnam, les trois pays de l'Indochine française. A cette
époque, le Vietnam était une monarchie de pure forme gouvernée par
l'empereur Bao Dai, que les Français avaient remis sur le trône comme
souverain purement décoratif en 1949. Il refusait de prêter son soutien
à l'effort militaire français contre les forces communistes du Vietminh
à moins que la France ne garantisse l'indépendance du Vietnam. Les
Français s'y opposaient et il en résultait une impasse démoralisante dont
seuls les communistes pouvaient profiter.

Bao Dai recevait rarement des étrangers; mais alors que j'étais à Saïgon,
il m'invita à lui rendre visite dans sa luxueuse villégiature montagnarde
de Dalat. Il me reçut dans une longue salle dont les fenêtres donnaient
sur la jungle de la montagne. Des serviteurs nu-pieds glissaient sans
bruit, portant des plateaux chargés de fruits frais et de tasses de thé.

Bao Dai s'opposait à toute négociation avec les communistes, disant :
« Il est vain de négocier avec eux. A tout le moins, nous nous retrou-
verions avec une conférence qui diviserait mon pays entre eux et nous.
Et si le Vietnam était divisé, nous finirions par tout perdre. »

De Saïgon, nous nous envolâmes pour Vientiane, la capitale du Laos, où
j'eus un long entretien avec le prince Souvana Phouma, un jeune membre
de la famille régnante laotienne qui avait fait ses études à Paris, alors
Premier Ministre. Seize ans plus tard, alors que j'étais Président, Souvana
Phouma fut de nouveau Premier Ministre, et nous travaillâmes ensemble
pour essayer d'empêcher la mainmise des communistes sur l'Indochine.

Après Vientiane, ce fut Hanoï. Un éblouissant coucher de soleil teignait
d'or le paysage tandis que nous survolions le fleuve Rouge boueux serpen-
tant dans la jungle vers la ville. En allant en voiture à la résidence du
Commissaire général français en Indochine, où nous devions passer la
nuit, je pus me faire une idée de la ville. Contrairement à Saïgon qui était
une vaste métropole cosmopolite où grouillaient les nombreuses races qui
y vivaient et y commerçaient, Hanoï ressemblait à une petite ville prospère
des provinces françaises. Nous longeâmes de larges avenues bordées
d'arbres, et en franchissant les grilles de fer forgé j'aperçus de belles
villas parmi des pelouses et des jardins.

Ce soir-là, le gouverneur du Nord-Vietnam, un Vietnamien élevé
en France, donna un dîner en notre honneur. Avec le recul, l'allocution
que je prononçai à cette occasion paraît triste et ironique :

« Le danger qui menace cette nation, bien qu'il ait pris la forme d'une guerre
civile, tire tout de même sa force d'une source étrangère. Cette source, pour
l'appeler par son nom, est le communisme totalitaire...
La lutte contre le Vietminh dans ce pays a par conséquent une importance
qui dépasse les frontières du Vietnam. Sur le champ de bataille, couvert du
sang des Vietnamiens, des Français et des peuples alliés à la France, sont
défendues les libertés et l'existence nationale des Vietnamiens mais aussi
des Cambodgiens, des Laotiens et de leurs voisins à l'Ouest, au Sud et à l'Est...

Nous savons que vous êtes résolus à résister à l'agression, tout comme nous sommes résolus à y résister. Et nous sommes déterminés, comme nos actes passés l'ont prouvé, à ce que vous ne combattiez pas sans aide. »

Le lendemain matin, j'embarquais à bord d'un avion de transport militaire français. Nous prîmes l'air avant que le soleil se lève pour voler en rase-mottes au-dessus de la jungle enchevêtrée. Nous atterrîmes sur un petit terrain où plusieurs officiers supérieurs français nous accueillirent. Dès que les moteurs de notre appareil se turent, j'entendis un bruit que je n'avais pas entendu depuis neuf ans : les échos tonnant de l'artillerie.

Quand j'eus fait la connaissance des officiers français, l'un d'eux me conduisit au bord du terrain et me présenta à leurs homologues vietnamiens. Je compris immédiatement un des problèmes fondamentaux de la guerre. Les Français ne cachaient pas leur dédain des Vietnamiens. Pendant ma brève visite je mis un point d'honneur, sans offenser inutilement les Français ni embarrasser les Vietnamiens, à passer un temps égal avec les deux groupes.

J'enfilai un treillis, me coiffai d'un casque et un convoi de jeeps nous transporta en première ligne. Là, nous observâmes un tir de barrage d'artillerie contre une division vietminh qui tenait la jungle autour de Lai Cac, un hameau situé à quatre-vingts kilomètres environ de la frontière chinoise. Je parlai aux soldats français et vietnamiens et, dans le fracas des mortiers, je leur dis qu'ils combattaient à l'avant-poste de la liberté, que le peuple américain soutenait leur cause et respectait leur héroïsme. Je vis bien que ces mots émouvaient les soldats vietnamiens et je me dis que les Français avaient perdu leur loyauté en ne leur parlant pas sur ce ton.

De retour au terrain d'aviation, je déjeunai avec les officiers français à leur mess. Là, en plein milieu de la jungle vietnamienne, on nous servit du bœuf bourguignon arrosé d'un excellent vin d'Algérie. Quand je les remerciai d'avoir préparé un aussi bon repas en mon honneur, ils me répondirent que c'était leur ordinaire. Je demandais alors à visiter le mess des soldats vietnamiens. Cela ne plut guère mais j'insistai. Finalement, on me conduisit vers un autre groupe de tentes et, en approchant de celle du mess, je sentis une forte odeur nauséabonde. « Que font-ils cuire? » demandai-je. Un des officiers français renifla avec dégoût et répondit : « Du singe, probablement. » Les soldats vietnamiens furent manifestement touchés de ma visite et je leur répétai ce que j'avais dit aux officiers dans le mess français.

A treize heures, nous étions de retour à Hanoï. Dans l'après-midi, Pat et moi nous nous rendîmes à une quarantaine de kilomètres au Nord-Ouest d'Hanoï pour visiter un vaste camp de réfugiés près de la ville de Sontay. Dans tous les villages que nous traversâmes, la municipalité avait fait sortir les enfants des écoles et les boy-scouts pour nous acclamer. Des banderoles portant des inscriptions de bienvenue en anglais et en vietnamien étaient accrochées en travers de la route.

Sontay était à la fois pathétique et plein d'espoir. Des milliers de réfugiés, chassés de chez eux par les guérilleros communistes, vivaient sous des tentes surpeuplées. Même pendant notre courte visite, nous pûmes voir arriver un flot régulier de gens portant tout ce qu'ils possédaient sur leurs épaules. Ils semblaient tous tellement habitués à leur drame qu'ils donnaient une impression de dignité et même d'optimisme, qui me donna à penser que si les communistes pouvaient être vaincus, le peuple du Vietnam parviendrait à bâtir une nation forte et prospère. Je ne me doutais pas que dix-sept ans plus tard cette guerre durerait encore, mais que les soldats français seraient remplacés par des Américains et que cette ville même que je visitais avec Pat servirait de camp pour les prisonniers américains.

Ce soir-là, notre dernier à Hanoï, le Commissaire général Maurice Dejean donna un dîner officiel en notre honneur à sa résidence. A part les quelques visages vietnamiens et les jardins luxuriants pleins de palmiers et d'orchidées, on aurait pu se croire à un banquet municipal à Dijon ou Toulouse, avec les serviettes blanches amidonnées, les verres de cristal étincelants et les chandeliers d'argent.

Dejean était un diplomate courtois et capable, mais son attitude révélait la même condescendance qui empêchait les Français de traiter les Vietnamiens d'une manière qui eût permis une véritable association. Dans son allocution, il fit allusion au toast porté la veille par le gouverneur au dîner donné en notre honneur et déclara : « Je n'ai pu m'empêcher, en l'entendant, d'éprouver une grande fierté en écoutant un Vietnamien s'exprimer avec tant de clarté dans un français si pur. »

Dans ma réponse, j'essayai de souligner le rôle important que les Vietnamiens auraient à jouer si l'on voulait remporter une victoire contre le communisme. Je conclus sur une note personnelle :

> « Demain matin, nous quittons ce pays. Je ne sais pas quand nous reviendrons, mais j'ai une dernière pensée, et je suis sûr que Mme Nixon l'aura en partant, celle que ce pays pourrait être une grande nation heureuse si seulement ses agresseurs cessaient leur agression. Je comprends qu'il a été question de négociations avec eux. Nous désirons tous la paix, mais je crois que nous comprenons tous aussi que les agresseurs n'ont pas demandé la paix, qu'ils n'ont pas demandé à négocier, et nous devons en outre nous rendre compte qu'en aucun cas des négociations ne peuvent avoir lieu qui asserviraient à perpétuité un peuple qui veut être libre et indépendant. Dans ces circonstances, nous partons assurés que ce combat qui cause tant de malheur et de chagrin se terminera par la victoire finale. »

Au Cambodge, nous visitâmes les majestueuses ruines d'Angkor Vat et je m'entretins avec le roi Sihanouk. Je l'avais rencontré au début de l'année alors qu'il était en visite privée à Washington et ma première impression fut malheureusement confirmée. Il était intelligent mais vaniteux et superficiel. Il semblait plus fier de son talent de musicien que de sa direction politique et me parut considérer sans aucun réalisme les problèmes qu'affrontait son pays.

Je quittai le Vietnam, le Laos et le Cambodge convaincu que les Français avaient échoué principalement parce qu'ils n'avaient pas suffisamment entraîné, et encore moins inspiré, le peuple indochinois à se défendre lui-même. Ils avaient été incapables de bâtir une cause — ou un cadre — à même de résister aux appels nationalistes et anticolonialistes des communistes.

Les soldats vietnamiens vivaient dans des conditions déplorables. Ils n'avaient pas confiance en eux-mêmes, ils n'avaient pas de chef pour les entraîner et les inspirer. Plus important encore, ils n'avaient pas de cri de ralliement, de *merdeka,* pour faire toute la différence entre devoir se battre et vouloir se battre.

Mais, pour cette raison même, si jamais les Français se retiraient, le Vietnam et probablement aussi le Laos et le Cambodge tomberaient comme des fruits mûrs sous la furieuse tornade communiste. Je décidai par conséquent que les Etats-Unis devraient faire tout ce qui était possible pour chercher le moyen de maintenir les Français au Vietnam jusqu'à la défaite du communisme.

Les Chinois communistes entraînaient et ravitaillaient les forces du Vietminh, mais nulle part leur présence ne semblait plus menaçante qu'à Formose, où le généralissime et madame Tchang Kai-chek entretenaient des rêves et traçaient des plans pour chasser les communistes de la Chine continentale. Je rencontrai Tchang dans sa somptueuse résidence de Taipeh. Nous causâmes pendant sept heures, avec madame Tchang comme interprète. Quand il parlait de la « Chine », Tchang faisait un grand geste indiquant clairement qu'il ne voulait pas dire cette petite île où se réduisait sa domination mais tout le pays au-delà de l'horizon. Je ne pouvais guère lui dire qu'il n'avait aucune chance de réunir la Chine sous sa férule, mais je lui fis bien comprendre que la puissance militaire américaine ne serait pas engagée pour soutenir une invasion qu'il pourrait lancer. Je trouvais ses projets de retour sur le continent totalement dépourvus de réalisme, mais je fus tout de même impressionné par son intelligence et son dévouement total à la cause de la libération du peuple chinois de la domination communiste.

J'arrivai en Corée porteur d'une lettre d'Eisenhower au président Syngman Rhee. Rhee n'était pas satisfait de l'armistice coréen conclu en juillet. Il refusait d'accepter la division de son pays et chérissait encore l'espoir de gouverner une nation réunifiée.

Notre ambassadeur à Séoul Ellis Briggs craignait que si l'on ne faisait pas bien comprendre notre position à Rhee, il pourrait provoquer un incident ou même lancer une offensive contre la Corée du Nord dans l'idée erronée que l'Amérique ne le laisserait pas combattre seul. A l'ambassade, je m'entretins avec Arthur Dean, notre négociateur spécial en Corée, qui savait que j'apportais un message pour Rhee. Il me parla de lui avec une grande admiration : « J'espère que vous n'êtes pas ici pour arracher complètement les dents de Rhee et lui éteindre toute sa flamme. C'est un grand homme d'Etat et un grand ami dans une partie du monde où la plupart de nos amis ne le sont que par beau temps. »

Partout à Séoul, je pus voir l'héritage des douleurs et des privations de la guerre. De petits enfants en léger pyjama de coton grelottaient devant des cabanes de carton goudronné n'offrant aucune protection contre le vent glacé. Il était évident que la Corée du Sud, qui a toujours été un pays triste et pauvre, avait payé cher sa survie.

Je rencontrai le président Rhee le lendemain. C'était un petit homme maigre, en costume et cravate bleu marine. Sa solide poignée de main et sa démarche agile faisaient douter de ses soixante-dix-huit ans. Après une brève conversation générale, je lui dis que j'avais à lui parler personnellement de certaines choses. Il hocha la tête et on nous laissa seuls.

Rhee posa sur moi un regard pénétrant quand je lui dis que je n'étais pas seulement un représentant d'Eisenhower mais aussi un homme qui avait toujours été un ami de la Corée. Je tirai de ma poche la lettre d'Eisenhower et la lui tendis. Il la prit délicatement, presque comme s'il la soupesait.

Lentement, il ouvrit l'enveloppe et déplia la lettre. D'une voix mesurée, il la lut tout haut. Dans un langage digne mais ferme, Eisenhower faisait nettement savoir que les Etats-Unis ne toléreraient aucune action risquant de faire repartir les hostilités et demandait à être pleinement et spécifiquement rassuré par Rhee.

Sa lecture finie, Rhee reposa la lettre sur ses genoux et la regarda en silence. Quand il leva ses yeux, ils étaient pleins de larmes. « C'est une très belle lettre », dit-il.

Puis il se mit à parler comme si la lettre n'existait pas. Il parla de son attitude à l'égard du Japon, de l'avenir de l'Asie et du bassin du Pacifique, il critiqua notre administration du programme d'aide économique. Je voulais éviter de faire pression sur lui mais finalement je ramenai la conversation sur la lettre et les assurances que demandait Eisenhower. Je lui dis que je lui parlais franchement parce que j'estimais qu'il était vital qu'il comprenne la position d'Eisenhower et s'engage comme le Président le demandait dans sa lettre.

« Je veux aussi vous parler franchement, répondit-il. J'apprécie l'aide que mon pays a reçue des Etats-Unis et aussi mes rapports personnels avec le Président Eisenhower. A cause de cette amitié, je ne voudrais rien faire qui ne soit en accord avec la politique des Etats-Unis. D'autre part, je dois penser à la Corée et, particulièrement, aux trois millions de Coréens esclaves dans le Nord. Mon devoir de chef du peuple coréen est d'obtenir la réunification de notre pays par des moyens pacifiques si possible, mais par la force s'il le faut. Je comprends pourquoi les Etats-Unis tiennent à la paix et je suis d'accord avec cet objectif. Mais, d'un autre côté, une paix qui laisse la Corée divisée aboutirait inévitablement à une guerre qui détruirait à la fois la Corée et les Etats-Unis et je ne puis souscrire à une telle paix. »

Soudain il se pencha vers moi : « Je vous donne ma parole qu'avant d'entreprendre une action unilatérale à quelque moment que ce soit j'en informerai auparavant le président Eisenhower. »

Ce n'était guère les assurances que réclamait Eisenhower et je dis à Rhee avec fermeté qu'en aucun cas il ne devait entreprendre une action sinon en accord mutuel avec le Président Eisenhower. L'entrevue se termina sur cette note indécise.

En rentrant à l'ambassade, je rédigeai de longues notes sur notre conversation. J'avais été mal à l'aise d'aller aussi loin que je l'avais fait, mais je savais que ma mission serait un échec si, par une réticence ou une incapacité de ma part, Rhee ne comprenait pas que les Etats-Unis ne soutiendraient aucune tentative unilatérale de réunification du pays.

Mon incertitude s'accrut le lendemain quand Rhee déclara dans une interview : « J'espère pouvoir convaincre le Président Eisenhower, par l'intermédiaire du Vice-Président Nixon, que la politique juste est de terminer cette affaire en Corée. »

Quand j'allai lui faire mes adieux, il tira de sa poche deux feuillets de papier mince. En les dépliant, il me dit qu'il les avait dactylographiés lui-même pour assurer une sécurité totale. « Dès l'instant où les communistes seront certains que les Etats-Unis contrôlent Rhee, dit-il, vous aurez perdu un de vos sujets de marchandage les plus efficaces et nous aurons perdu tout espoir. La crainte que je puisse entreprendre une action est un frein constant pour les communistes. Nous sommes très francs en ce moment, vous et moi, alors vous devez savoir que les communistes pensent que l'Amérique veut tellement la paix qu'elle fera n'importe quoi pour l'obtenir. Par moments, j'ai peur qu'ils aient raison. Mais ils ne pensent pas cela de moi, et je crois que vous auriez tort de dissiper leurs doutes à ce sujet. J'enverrai ma réponse à la lettre du Président Eisenhower quand vous serez à Tokyo demain. J'aimerais qu'elle soit remise au Président Eisenhower en mains propres, puis détruite une fois qu'il l'aura lue. »

Il me tendit les notes qu'il venait de me lire et ajouta : « Vous voudrez peut-être vous en servir pour préparer votre rapport sur notre entrevue. » A la fin, il avait écrit de sa main : « Trop de journalistes disent que Rhee a promis de ne pas agir indépendamment. Une telle impression ne concorde pas avec notre idée de propagande. » Quand nous nous serrâmes la main sur le seuil de son bureau, il me dit encore : « Toutes les déclarations que j'ai faites sur une action indépendante de la Corée l'ont été pour aider l'Amérique. Au fond du cœur, je sais que la Corée ne peut absolument pas agir seule. Nous devons agir avec l'Amérique. Nous comprenons que nous obtiendrons tout tant que nous voyagerons ensemble, et que sinon nous perdrons tout. »

Je quittai la Corée impressionné par le courage et l'endurance de son peuple et par la force et l'intelligence de Syngman Rhee. Je réfléchis aussi beaucoup à sa perception de l'importance qu'il y avait à être imprévisible en traitant avec les communistes. Plus je voyageai et plus j'appris dans les années qui suivirent, plus j'appréciai la sagesse de ce vieux monsieur.

Pat et moi étions les premiers visiteurs officiels au Japon depuis la fin de la Seconde Guerre mondiale. Partout où nous allions, nous étions acclamés avec enthousiasme par des centaines de milliers de personnes bordant la route du cortège. Ces gens manifestaient un profond sentiment qui m'animait aussi : la guerre avait été une tragédie et le moment était venu de rétablir la tradition de l'amitié américano-japonaise qui, auparavant, avait existé pendant si longtemps.

A Tokyo, je prononçai un discours qui fit la une de tous les journaux du monde et souleva chez nous une petite controverse. Avant de quitter Washington, j'avais discuté avec Foster Dulles de ce que je devrais dire sur l'épineuse question du réarmement japonais. Le désarmement japonais avait commencé en 1946 et avait été concrétisé, sur l'insistance des Américains, par la Constitution japonaise de 1947. Nous estimions à part nous qu'une certaine force de défense japonaise serait bientôt nécessaire pour résister à la domination communiste dans le Pacifique. Mais en 1953 la guerre était encore un souvenir douloureux et nous savions que la première mention de réarmement japonais soulèverait une tempête de protestations. Dulles pensait qu'en abordant ce sujet au Japon d'abord nous atténuerions peut-être l'impact politique aux Etats-Unis et je décidai qu'une allocution à un déjeuner organisé par l'America-Japan Society et plusieurs autres groupes fournirait le forum idéal. Je déclarai :

« Si le désarmement était bon en 1946, pourquoi est-il mauvais en 1953? Et s'il était bon en 1946 mais mauvais en 1953, pourquoi les Etats-Unis ne reconnaissent-ils pas pour une fois qu'ils se sont trompés? Alors je vais faire une chose qui, à mon avis, devrait être faite plus souvent par les hommes publics. Je vais avouer ici que les Etats-Unis ont bien commis une erreur en 1946.

Nous nous sommes trompés parce que nous avons méjugé les intentions des dirigeants soviétiques... Nous reconnaissons que dans les conditions internationales actuelles, le désarmement des nations libres aboutirait inévitablement à la guerre et, par conséquent, c'est parce que nous voulons la paix et que nous croyons à la paix que nous nous sommes réarmés nous-mêmes depuis 1946, et parce que nous croyons que le Japon et d'autres nations libres doivent assumer leur part de responsabilité dans le réarmement. »

En Amérique, la réaction à ce discours fut précisément celle que nous voulions : certains pensèrent que je lançais un ballon d'essai, mais de nombreux commentateurs supposèrent tout simplement que j'étais allé trop loin, de mon propre chef. Comme nous l'avions espéré aussi, ce discours eut un énorme effet positif sur les dirigeants anticommunistes du Japon. Ce qui impressionna le plus les Japonais, y compris les partis d'opposition, ce fut que les Etats-Unis reconnaissaient qu'ils avaient commis une erreur en imposant des restrictions trop dures au droit des Japonais de développer leur possibilité de défendre leur pays.

L'étape la plus passionnante de notre voyage fut la Birmanie. La Grande-Bretagne venait d'accorder son indépendance à cette nation et son peuple doux et amical avait du mal à combattre une infiltration communiste habile et continue.

Le Jour d'Actions de Grâces (Thanksgiving), nous fîmes quatre-vingts kilomètres dans la jungle entourant Rangoon pour aller voir le fameux Bouddha couché à Pegu. Un déjeuner avait été organisé pour nous à la mairie. Pour faire honneur à notre fête traditionnelle américaine, les Birmans avaient réussi à trouver une dinde. Nous devions aller à pied jusqu'au sanctuaire, mais au dessert le capitaine de la police locale vint dire à notre agent des Services de sécurité que ce ne serait pas prudent parce que les communistes avaient prévu une manifestation. Ils avaient distribué des pancartes antiaméricaines et un camion avec haut-parleur excitait la foule. La police craignait un incident déplaisant, avec des perturbateurs, et des échauffourées. Il y avait même un risque réel de violence.

Nous étions allés de Rangoon à Pegu avec une escorte armée parce qu'une semaine plus tôt une bande de guérilleros s'était embusquée et avait tué plusieurs personnages officiels sur cette même route. Notre agent de la sécurité suggéra qu'on amène notre voiture par-derrière pour que nous puissions éviter la foule en empruntant la porte de service.

Je dis qu'au contraire nous devrions aller à pied au sanctuaire comme prévu. Aucune foule de manifestants communistes ne devrait avoir le pouvoir de modifier l'itinéraire du Vice-Président des Etats-Unis. Comme nos hôtes locaux n'étaient cependant pas enthousiasmés par la perspective de la promenade, je me dirigeai seul avec Pat vers la grande porte de la mairie et vers le temple. Les manifestants emplissaient la rue. Je priai les agents du Service de sécurité et ceux de la sécurité birmane de ne pas passer devant, mais de nous suivre et de ne pas montrer leurs armes. Quand nous avançâmes tous les deux dans la foule, elle recula.

Je m'approchai d'un homme portant une pancarte où l'on pouvait lire, en anglais : « Allez-vous-en, fauteur de guerre! » Je lui souris amicalement : « Je remarque que ces placards s'adressent à M. Nixon, lui dis-je. Je suis Nixon et je suis enchanté de faire votre connaissance. Comment vous appelez-vous? » L'homme recula, choqué et surpris, quand je lui tendis la main. Je mis alors le cap sur celui qui paraissait être le meneur et lui déclarai : « Vos pancartes sont erronées. L'Amérique ne veut pas d'agression. L'Amérique veut la paix. Mais que pensez-vous des pays qui déclenchent les agressions, par exemple en Corée et en Indochine? »

Il haussa vaguement les épaules, l'air gêné, et me répondit en anglais :

« C'est différent.

— Comment ça, différent?

— C'est une lutte pour la libération nationale. »

J'attendis d'être à peu près sûr que la traduction de ces répliques se soit répandue dans la foule et soit bien digérée. Puis je hochai la tête comme si cela expliquait tout à la perfection.

« Ah, je vois, dis-je, celles-là sont des guerres de libération nationale. »

Je souris et ajoutai :

« Eh bien, dites-moi au moins combien d'enfants vous avez. »

Embarrassé, il se mit à bredouiller. La foule rit de sa déconfiture et, une par une, les pancartes s'abaissèrent et les gens commencèrent à se disperser. On m'expliqua plus tard qu'en tenant tête au meneur et en le forçant à reculer, je lui avais fait perdre la face.

Cet incident confirma ma certitude que le seul moyen de traiter avec les communistes, c'était de leur tenir tête. Autrement, ils exploitent votre politesse en la considérant comme une faiblesse. Ils cherchent à faire peur et puis à tirer profit de cette peur. La peur est l'arme principale des communistes.

Le chef d'Etat le moins amical que je rencontrai au cours de ce voyage fut Nehru. J'eus deux entrevues privées avec lui dans son bureau de New Delhi, dont une qui dura deux heures. Tandis que j'écoutais l'anglais doux et mélodieux de Nehru, un serviteur en uniforme nous apporta du jus de mandarine et des cachous. « Nous avons besoin d'une génération de paix afin de consolider notre indépendance », me dit Nehru. Quand je devins Président des Etats-Unis, j'employai ce terme de « génération de paix » dans de nombreux discours pour exprimer les buts de ma propre politique étrangère.

Nehru me parla interminablement, avec obsession, des rapports entre l'Inde et le Pakistan. Il consacra plus de temps à vitupérer contre ce voisin qu'à discuter des relations indo-américaines ou d'autres problèmes asiatiques. Il était vivement opposé à la proposition controversée d'aide américaine au Pakistan et je fus convaincu que ses objections découlaient surtout d'une soif personnelle d'influence, sinon de contrôle sur le Sud de l'Asie, le Moyen-Orient et l'Afrique. Nehru était un grand chef qui avait rassemblé un assortiment disparate de races, d'Etats et de religions comme n'aurait pu le faire aucun autre dirigeant indien. Mais ayant conduit son pays vers l'indépendance contre des forces bien supérieures, il l'avait ensuite contraint à une neutralité officielle et s'était fait le porte-parole de nations désireuses elles aussi de demeurer non engagées. S'il avait consacré tout autant de son talent à résoudre les maux économiques et sociaux de son pays qu'à jouer les représentants des nations sous-développées du Tiers Monde, la démocratie indienne serait plus solide aujourd'hui.

La fille de Nehru, Indira Gandhi, fut son hôtesse officielle pendant notre visite. Elle était intelligente, posée et gracieuse; je sentais en elle de la force et de la résolution. Son père l'adorait visiblement et je dois dire qu'en tout elle était bien sa fille.

Au cours de ce voyage, je rencontrai des dizaines de présidents, de princes et de Premiers Ministres mais pour moi le plus mémorable fut le chef de la province de Madras, Rajagopalachari, un contemporain tout parcheminé de Gandhi. L'après-midi que je passai avec Rajaji, comme on l'appelait, me fit une telle impression que j'utilisai beaucoup de ses pensées dans mes discours pendant les années suivantes et je revois encore devant mes yeux son corps menu, son grand nez busqué, la frange de légers cheveux blancs autour de ses oreilles et ses yeux sombres, perçants, tandis qu'il était assis sur une natte de paille simplement vêtu d'un *dhoti* et de sandales.

Paul Hoffman, qui avait administré le Plan Marshall avant de devenir président de la Fondation Ford, m'avait dit que c'était un des hommes les plus doués du monde. C'était peu dire. Après le nom de Rajaji, dans les trois pages de notes que je pris sur notre conversation, j'écrivis « Infiniment sage ».

Nous parlâmes de la nature et de la séduction du communisme. « Jamais le communisme ne réussira à long terme, me dit-il, parce qu'il est fondé sur une erreur fondamentale. L'intérêt personnel est la force motrice de la plupart des actions humaines. Mais en refusant à l'homme la possibilité de croire en Dieu, les communistes renoncent à la possibilité d'un intérêt altruiste. »

Il tenait beaucoup à savoir comment était Eisenhower :

« Est-il religieux? demanda-t-il.

— C'est un homme très religieux, répondis-je, mais c'est chez lui un sentiment profond qui ne s'extériorise guère. »

Rajaji sourit.

« C'est caractéristique du militaire. Il est également typique que les militaires soient des pacifistes. »

Il parla avec beaucoup de simplicité et d'émotion de l'horreur de la bombe atomique. « Il était mauvais de la découvrir, dit-il. Il était mauvais de chercher à percer le secret de la création de la matière. Elle n'est pas utile pour des besoins civils. C'est une chose maléfique et elle détruira ceux qui l'ont découverte. »

Nous évoquâmes la prédestination et je hasardai que, peut-être, il était fait pour conduire l'Inde et le Sud de l'Asie sur la voie de ses idées. Il sourit tristement et répondit : « Oh non. Je suis heureux ici. Le monde est malheureux, alors pourquoi partirai-je? J'ai soixante-quatorze ans. En Inde, c'est un âge *très* avancé. Mon corps est fatigué. Mon cerveau ne l'est sans doute pas mais on doit trouver des hommes

plus jeunes pour poursuivre la lutte. De jeunes hommes comme vous »,
ajouta-t-il avec un nouveau sourire.

Au Pakistan, je fis la connaissance d'Ayoub Khan, qui comman-
dait alors les forces armées pakistanaises et n'avait pas encore assumé un
pouvoir politique. Notre conversation me plut particulièrement parce que,
contrairement à la plupart de ses compatriotes, il n'était pas obsédé par
le problème indo-pakistanais. Il ne me cacha pas son mépris total
des hindous et sa méfiance des Indiens, mais il était plus anticommuniste qu'anti-indien. La menace communiste l'inquiétait sérieusement,
menace tant idéologique que militaire, ainsi que le danger que les
Russes se servent de l'Inde pour leur tirer les marrons du feu et établir
une présence majeure en Asie méridionale. A ce moment de sa carrière,
il était profondément pro-américain et croyait fermement que le Pakistan
et les Etats-Unis devaient être des alliés et des amis.

Pendant sa tournée au Moyen-Orient, Foster Dulles n'avait pu visiter
l'Iran à cause de l'instabilité qui y régnait. Quelques mois plus tard,
un violent coup d'Etat militaire avait renversé le régime procommuniste
du Premier Ministre Mohammed Mossadegh. Un gouvernement soutenant
le chah Mohammed Reza Pahlevi avait été instauré, dirigé par le Premier
Ministre Fazollah Zahedi. Zahedi, dont le fils allait être plus tard ambassadeur aux Etats-Unis alors que j'étais Président, était un homme
intelligent et sage avec une force de caractère remarquable. Je suis
convaincu que, sans lui, l'Iran ne serait pas aujourd'hui une nation indépendante.
    Le chah n'avait que trente-quatre ans. Il venait à peine de vivre une
expérience traumatisante, une tentative d'assassinat. Lors de nos réunions,
il laissa surtout parler Zahedi; mais il écouta avec une grande attention
et posa des questions pertinentes. Je sentis en lui une force innée et
pensai que, dans les années à venir, il serait un chef habile et solide.

Quand notre avion atterrit au National Airport le 14 décembre,
nous fûmes conduits à la Maison Blanche où Eisenhower nous invita à
monter pour prendre le café avec sa femme et lui.
    Le lendemain, je reçus une lettre de deux pages écrite à la main
que je considérai, pour un homme aussi avare de louanges, comme un
geste personnel extraordinairement chaleureux :

> « Cher Dick,
>   Tout fier que je sois de ce que vous — et Pat — avez accompli au cours
> de votre récente visite dans un certain nombre de pays asiatiques, je dois tout
> de même dire que je suis heureux de vous voir de retour.
>   Vos sages conseils nous ont manqué, et par nous j'entends toutes les per-
> sonnalités du gouvernement, ainsi que votre soutien énergique et votre dévoue-
> ment exemplaire au service de la nation.
>   Sur un plan purement personnel, j'ai eu plaisir à vous voir tous deux en
> aussi bonne forme après les rigueurs d'un voyage qui a dû mettre à l'épreuve
> les forces de personnes même aussi jeunes et vigoureuses que vous. J'attends
> avec impatience un moment de calme où je pourrai entendre le vrai récit de
> vos aventures et de vos accomplissements.
>   Avec mes chaleureuses amitiés.
>   Sincèrement,
>   Dwight D. Eisenhower. »

Le voyage de 1953 eut un effet considérable sur ma façon de penser et sur ma carrière. Ce fut une incontestable réussite en cela qu'il atteignit les objectifs prévus, et bien plus encore. Mais, surtout, il établissait mon expérience de politique étrangère dans ce qui devait devenir la partie du monde la plus critique et la plus sujette à controverse.

Cette tournée fut remarquablement éducative pour moi. J'appris beaucoup de choses sur les peuples asiatiques, grâce aux contacts avec des centaines de dirigeants et des centaines de milliers d'hommes de la rue. Je vis également trois siècles de colonialisme européen à l'agonie, et je pensai pouvoir diagnostiquer la maladie. Je constatai combien les dirigeants et les masses d'Asie aspiraient à l'indépendance — qu'ils soient prêts ou non, qu'ils la comprennent réellement ou non —, car pour eux cela représentait la dignité et le respect. Cela signifiait qu'ils seraient pris au sérieux et traités dignement, comme ils le voulaient.

Je découvris que beaucoup de gens de ces pays ne connaissaient l'Amérique que comme une nation fantastiquement puissante que la propagande communiste et le snobisme européen avaient représentée sous des traits grossiers et rapaces. Je leur assurai que nous n'étions pas une puissance coloniale, que nous n'approuvions pas le colonialisme attardé de nos alliés européens. Pat et moi, nous avions profité de la moindre occasion pour faire savoir au peuple et à ses dirigeants que l'Amérique s'intéressait sincèrement à eux, à leurs opinions, à leurs problèmes et à leur amitié. Pendant de longues années d'oppression et de répression, les gens avaient organisé un réseau clandestin de communication fort efficace, si bien que les nouvelles de nos petits gestes se répandaient rapidement dans une ville entière, et même dans le pays tout entier.

Cette nouvelle forme personnelle de diplomatie faisait les gros titres partout où nous allions et elle fut, je pense, un des aspects les plus importants du voyage. A Singapour, par exemple, une manchette à la une proclamait : *Nixon bavarde avec l'homme de la rue;* et un des articles sur mon arrivée commençait ainsi : « Le Vice-Président américain, M. Richard Nixon, a trouvé hier le temps d'allonger le bras au-dessus d'un grillage d'un mètre soixante pour serrer la main d'un simple citoyen de Malaisie. »

Un chroniqueur d'*Abadi,* quotidien à gros tirage de Djakarta, écrivait : « Vous n'allez peut-être pas croire que le Vice-Président des Etats-Unis Richard Nixon a aidé hier à frire des patates douces dans la maison d'un paysan entre Bogor et Tjipanas. Mais cela s'est réellement passé hier... Nixon est même entré dans un café de village, il s'est assis sur une chaise en bambou avec Soekarno, et il a bavardé avec le patron. »

Le *New York Times* interrogea ses correspondants dans chacun des pays que nous avions visités et présenta leurs observations en première page, le jour de notre retour : « Selon les correspondants du *Times* le long de son parcours, M. Nixon a démontré qu'il avait le chic pour s'avancer dans de délicates situations politiques étrangères et trouver les mots justes. En résumé, les rapports déclarent que l'homme de la rue, en Asie, a aimé ce jeune Américain, grand, amical, simple, démocratique et sérieux, et a eu l'impression de lui plaire. »

Aujourd'hui, ce n'est guère une révélation de dire que les peuples d'Asie veulent être traités avec respect; mais c'était une leçon que les pays européens n'avaient pas assez bien apprise, ni assez tôt, dans les années suivant la Seconde Guerre mondiale. A Hong Kong, la plus prospère et la mieux dirigée des villes asiatiques que j'avais visitées, j'avais demandé à un dirigeant chinois local comment le peuple voterait si on lui proposait l'indépendance. Sans hésiter, il m'avait répondu : « Ils voteraient pour l'indépendance à dix contre un. » Quand je lui demandai pourquoi, puisque la présence britannique profitait matériellement au peuple de façon évidente, il répondit : « On dit chez nous que lorsque les Britanniques fondent une colonie, ils construisent trois choses, dans cet ordre : une église, un hippodrome et un club auquel les Orientaux ne peuvent appartenir. C'est une exagération mais elle est fondée sur une vérité, et c'est pourquoi nous choisirions toujours d'être indépendants. »

Pour le meilleur ou pour le pire, les empires coloniaux se désintégraient. La grande question des années 50, c'était de savoir ce qui comblerait le vide. Le Japon en avait le potentiel, mais les traités d'après-guerre le lui interdisaient. Aucun des autres pays de cette région du globe ne possédait les ressources militaires et économiques nécessaires pour se défendre sans aide contre l'infiltration et la subversion communistes. Il était clair pour moi que si les Etats-Unis n'agissaient pas, les Chinois ou les Soviétiques, avec ou sans les groupes d'insurgés communistes locaux, n'y manqueraient pas. La question, par conséquent, n'était pas *si* mais *comment*.

Ce voyage m'apprit beaucoup sur la théorie et la pratique du communisme. Dans chaque pays, je vis comment les communistes avaient soigneusement envoyé leur propagande et leur aide là où cela les servait le mieux et comment ils se présentaient invariablement comme des amis du peuple contre les classes dirigeantes, tant européennes qu'indigènes. Les Russes étaient des propagandistes habiles et distribuaient leur argent généreusement. Mais, tout comme nous, ils étaient des intrus dans un monde oriental. Le facteur nouveau et insondable, en Asie et dans le Pacifique, était la Chine communiste. C'était un géant menaçant s'étendant au-delà de tous les horizons asiatiques, 475 millions de gens gouvernés par des idéologues disciplinés et sans scrupules. A une époque où les utopistes de Washington et d'autres capitales occidentales disaient que la Chine communiste ne pourrait être une menace pour l'Asie car elle était trop attardée et sous-développée, je fus à même de rapporter pour l'avoir constaté par moi-même que son influence se répandait déjà là-bas.

Avec certains pays, par exemple, les communistes chinois avaient établi des programmes d'échanges d'étudiants et beaucoup étaient envoyés en Chine rouge pour faire des études gratuites. En Indonésie, on comptait un millier de ces étudiants par an et je fus atterré de voir que certaines de nos ambassades ne se souciaient absolument pas de l'effet que cela pourrait avoir sur la prochaine génération de dirigeants.

Je rentrai convaincu que, puisque la grande bataille de l'Asie se livrait entre le communisme et les pays libres, nous ne pouvions nous permettre d'ignorer la puissante propagande communiste. Je pensais que le meilleur moyen de la saper était de les affronter et de démontrer aux observateurs non engagés que les représentants des nations démocratiques n'avaient pas peur des communistes et qu'ils étaient capables de débattre avec eux de n'importe quelle question. La confirmation la plus spectaculaire de cette certitude m'avait été apportée à la pagode de Pegu.

Je fus également fortement impressionné au cours de ce voyage par le formidable esprit d'entreprise et la discipline du Japon d'après-guerre; il me semblait que tout le monde — depuis les paysans dans les champs jusqu'aux travailleurs à la chaîne — s'acharnait fébrilement au travail. En 1953, le pays était encore plutôt sur les genoux; mais, à mon retour, je ne doutais pas un instant qu'il se relèverait beaucoup plus vite que la plupart des Américains ne l'avaient prédit. En revenant à Washington, je devins un farouche avocat de liens américano-japonais étroits.

JOE McCARTHY

Un des plus graves problèmes que nous héritions de Truman était Joe McCarthy. Comme le disait un Démocrate de mes amis : « Joe a été pour nous un serpent dans l'herbe. Si vous n'y prenez garde, il deviendra une vipère dans votre sein. »

McCarthy et moi étions tous deux arrivés à Washington en 1946. Il avait été élu au Sénat comme le « Marine combattant » après une brève carrière dans la politique locale du Wisconsin. Durant ces premières années, je l'avais très peu vu. Il était sénateur, j'étais député et nous évoluions dans des milieux différents.

En février 1950, un mois après la condamnation de Hiss pour parjure, McCarthy prononça, le jour de l'anniversaire de Lincoln, un discours devant un Club féminin républicain à Wheeling, en Virginie-Occidentale. Son sujet était l'infiltration communiste dans le gouvernement et il conclut en brandissant un papier qui, disait-il, contenait la liste d'individus employés par le Département d'Etat, connus du Secrétaire d'Etat comme membres du Parti Communiste. Quand il arriva le lendemain à Salt Lake City, le nombre figurant sur la liste avait changé mais l'accusation restait la même.

Comme tout le monde à Washington, je lus ces articles avec un grand intérêt. Et aussi avec une grande inquiétude. Joe McCarthy ne s'était encore jamais mêlé de la lutte contre les communistes et je me demandais s'il comprenait le besoin impérieux d'une précision, d'une justice et d'une véracité absolues. Il me téléphona peu après son retour de Salt Lake City pour me demander si, à la suite de mes travaux sur l'affaire Hiss, j'avais des dossiers sur les communistes du Département d'Etat.

Je lui répondis que je lui communiquerais volontiers tous les dossiers que je pouvais avoir mis mais je lui conseillai vivement d'être particulièrement prudent. J'avais noté que, dans ses discours, il parlait de « communistes détenteurs de la carte du parti ». Je lui dis qu'il serait sur un terrain plus solide s'il parlait des problèmes de menace contre la m'assura que j'avais soulevé là un point important. Cependant, au fil sécurité nationale. Il me remercia chaleureusement de ces conseils et des mois, il continua de frapper à tort et à travers.

Il se produisit un incident singulier avec McCarthy en décembre 1950, à un petit dîner dansant organisé à l'élégant Sulgrave Club à Washington. Parmi les invités se trouvait Drew Pearson qui attaquait McCarthy presque tous les jours dans sa chronique. Les deux hommes étaient assis loin l'un de l'autre à table, mais il était évident que McCarthy cherchait la bagarre. Pearson semblant prêt à la lui fournir.

On dansait entre les plats; et, au cours d'un des entractes, McCarthy, alla trouver Pearson et lui dit : « Vous savez, je m'en vais vous démolir dans un discours demain au Sénat. Quand j'en aurai fini avec vous, il ne restera plus rien de vous, ni professionnellement ni personnellement. » Pearson resta impassible, leva les yeux et demanda à voix basse : « Vous avez payé vos impôts, Joe? » Pearson avait écrit des articles sur ses finances personnelles et cette réflexion fit enrager McCarthy. Il pria Pearson de venir s'expliquer dehors; mais quelques invités s'interposèrent et lui firent regagner sa place.

A la fin de la soirée, je descendis au vestiaire. J'y trouvai Joe McCarthy, ses grosses mains autour du cou de Pearson qui se débattait comme un beau diable. En m'apercevant, McCarthy libéra l'un de ses bras et gifla Pearson si violemment qu'il lui renversa la tête en arrière.

« Celle-là, c'est pour vous, Dick », gronda-t-il.

Je les séparai en disant : « Permettez à un bon quaker de mettre fin à cette bagarre. » Pearson s'empara de son pardessus et s'éclipsa. McCarthy bougonna : « Vous n'auriez pas dû m'arrêter, Dick. » Puis il monta faire ses adieux à son hôtesse.

Les rapports entre Eisenhower et McCarthy étaient tendus depuis longtemps à cause des attaques de ce dernier contre George Marshall.

Après l'élection, je me dis que je devrais essayer d'arranger les choses. Je tentai donc de faire l'intermédiaire entre McCarthy et le Gouvernement. Je ne tardai pas à apprendre que les intermédiaires sont rarement appréciés d'un côté comme de l'autre.

Presque aussitôt, je fus obligé d'éteindre des feux de brousse allumés par McCarthy.

Deux des premières nominations qu'Eisenhower proposait au Sénat étaient celles de James Bryant Conant, président de l'Université Harvard, comme haut-commissaire américain en Allemagne, et du diplomate vétéran Charles « Chip » Bohlen comme ambassadeur en U.R.S.S. Conant s'était attiré la colère de bon nombre d'anticommunistes quelques mois plus tôt en déclarant carrément qu'il était inconcevable qu'un membre de Harvard pût être communiste. McCarthy s'apprêta à protester au Sénat contre sa nomination. Ayant eu vent de son projet, je parvins à l'en dissuader. Il accepta d'envoyer simplement une lettre à Eisenhower pour exprimer son opinion. J'eus cependant moins de succès quelques semaines plus tard quand il fallut débattre de la nomination de Bohlen.

Pendant l'été de 1953, McCarthy découvrit que William Bundy, un des plus brillants jeunes gens d'Allen Dulles à la Central Intelligence Agency, avait apporté sa contribution au fonds d'assistance judiciaire d'Alger Hiss. McCarthy décida d'enquêter non seulement sur Bundy mais sur toute la C.I.A. Allen Dulles me demanda si je pouvais faire quelque chose pour éviter une confrontation, en me disant qu'il avait entière confiance en Bundy et qu'il tenait avant tout à ce que les journaux ne parlent pas de la C.I.A. J'allai dire à McCarthy que j'avais été témoin de l'attitude de Bundy lors de différentes réunions du Conseil national de Sécurité et qu'il me semblait être un Américain loyal qui rendait des services réels à son pays.

« Mais sa contribution à la défense de Hiss? insista-t-il.

— Joe, dis-je, vous devez comprendre la façon de penser de ces universitaires. Bundy a fait ses études à la faculté de droit de Harvard et Hiss était un de ses diplômés les plus célèbres. Il s'est probablement embarqué dans cette affaire sans savoir où elle le mènerait. »

Le lendemain, je déjeunai avec McCarthy et les autres Républicains de sa sous-commission, Everett Dirksen, Karl Mundt et Charles Potter. J'obtins leur soutien et, avec une mauvaise grâce évidente, McCarthy accepta de renoncer à son enquête sur Bundy et la C.I.A.

En cherchant de nouvelles zones d'infiltration communiste possible, McCarthy entama des investigations dans l'Armée. L'espion atomique Julius Rosenberg avait travaillé dans une base militaire et McCarthy pensait que là où il y avait eu un communiste, il devait y en avoir d'autres. A la fin de décembre 1953, je l'invitai à Key Biscayne où Bill Rogers, à présent ministre adjoint de la Justice, et moi, nous nous liguâmes pour l'avertir du danger de trop enquêter sur l'Armée.

Je lui dis qu'il devrait continuer de débusquer les communistes dans le gouvernement : « Peu importe s'ils sont dans celui-ci ou ont fait partie des précédents. S'ils sont là, il faut les chasser. Mais n'oubliez pas que ce gouvernement est celui de votre parti et que les gens en place sont tout aussi résolus que vous à se débarrasser de la subversion. » Je lui conseillai de s'entretenir avec Robert Stevens, le ministre de l'Armée. Nous le pressâmes, Rogers et moi, de s'intéresser à d'autres domaines avant d'être traité de sénateur « à un coup ».

McCarthy parut comprendre nos bons conseils et, avant de quitter la Floride, il dit à des journalistes qu'il avait l'intention d'élargir ses investigations pour englober les arrangements fiscaux douteux qui avaient été faits sous le gouvernement Truman. Mais, à peine arrivé à Washington, il reprit sa furieuse chasse aux communistes et aux gros titres.

En janvier 1954, McCarthy fit la découverte d'Irving Peress, le dentiste militaire qui devait causer sa chute.

Peress avait fait l'objet d'une promotion de routine alors même qu'il avait refusé de répondre à un questionnaire de loyauté. Une enquête de l'Armée révéla qu'en fait Peress, maintenant commandant, ne s'était pas conformé au règlement et on décida de le rayer des cadres.

Quand McCarthy eut vent de l'incident et apprit que Peress appartenait au Parti travailliste américain d'extrême gauche, il crut avoir trouvé un filon d'or. Il convoqua Peress en audience à huis clos de sa sous-commission où le dentiste invoqua le Cinquième Amendement [1]. Quelques jours plus tard, Peress demanda et obtint sa mise à la retraite honorable. McCarthy sauta au plafond.

Il assigna à comparaître le général Ralph Zwicker, commandant en

1. Article de la Constitution américaine permettant à tout accusé de ne pas répondre aux questions risquant de l'incriminer.

chef, et trois autres officiers. A huis clos, Zwicker s'efforça d'expliquer comment Peress avait pu se glisser par une lacune des règlements administratifs de l'armée. En sa qualité de commandant en chef, il accepta d'endosser toute la responsabilité, mais il refusa de nommer ceux qui s'étaient occupés du cas de Peress. McCarthy accusa Zwicker de couvrir des communistes et lui déclara qu'il n'était pas digne de porter l'uniforme d'officier supérieur. Il menaça de l'humilier en audience publique la semaine suivante s'il ne changeait pas d'avis et acceptait de coopérer.

Quand le ministre de l'Armée Stevens apprit l'incident, il donna l'ordre à Zwicker de ne pas se présenter à l'audience publique et annonça qu'il témoignerait lui-même.

Une fois de plus, je semblais être la seule personne possédant assez de crédibilité dans les deux camps pour suggérer un compromis. Eisenhower était en vacances et je voulais éviter que la situation dégénère en bagarre publique. Tout inconsidérée qu'ait pu être l'attitude de McCarthy à l'égard de Peress, il n'en restait pas moins que l'armée était sur un terrain très peu solide en ce qui concernait cette affaire. La faute était compréhensible, mais c'était tout de même une faute.

Travaillant en étroite collaboration avec Jerry Persons, l'agent de liaison entre la Maison Blanche et le Congrès, j'organisai une réunion dans mon bureau du Capitole. Stevens arriva avec l'avocat de l'Armée John Adams. Il y avait aussi Persons, Bill Rogers, Bill Knowland, Everett Dirksen et Jack Martin qui avait été l'assistant administratif du sénateur Taft et faisait maintenant partie du personnel de la Maison Blanche.

Stevens et Adams semblaient croire naïvement qu'ils pourraient aller finasser sur le cas Peress en avouant au départ les erreurs de l'Armée et passer tout de suite à l'incident Zwicker en protestant contre la conduite de McCarthy. Je leur dis qu'ils pouvaient certainement essayer mais leur rappelai que c'était McCarthy, président de la sous-commission, et non Stevens comme témoin qui dirigerait l'audience.

Nous nous mîmes tous d'accord pour que Dirksen essaie d'organiser un déjeuner avec Stevens et McCarthy le lendemain.

Le déjeuner eut lieu dans le bureau de Dirksen, à côté du mien au Capitole. Le repas se composait de poulet rôti, de petits pois, de frites et de cœurs de laitues. En quelques heures, la presse le baptisa le « déjeuner poulet », et ce menu bien anodin devint un des festins les plus sujets à controverses des années 50.

Dès le début, la réunion fut orageuse. En plus de Stevens et McCarthy, seuls les trois sénateurs républicains de la sous-commission — Dirksen, Potter et Mundy — étaient invités. Dès la fin du déjeuner, Mundt vint me raconter ce qui s'était passé. Au début, tout compromis avait paru impossible, mais finalement Mundt avait négocié un accord écrit selon lequel les témoins de l'armée comparaîtraient et répondraient aux questions quand ils seraient convoqués. Il était entendu, mais pas stipulé dans l'accord, que McCarthy traiterait ces témoins avec respect.

Stevens me téléphona dès qu'il fut de retour au Pentagone et il me parut assez satisfait de la tournure des événements. Dans l'heure qui suivit, cependant, McCarthy déclara négligemment à un journaliste que Stevens n'aurait pas pu capituler « plus abjectement s'il s'était mis à genoux ».

Comme le texte de l'accord Mundt ne précisait pas explicitement que McCarthy traiterait respectueusement les témoins, sa réflexion faisait paraître cet accord comme une capitulation totale. Vers 23 h 30, Stevens me rappela. Il était extrêmement agité. Il me dit qu'il avait décidé de publier une déclaration le lendemain et de donner ensuite sa démission. Je répliquai qu'il n'était pas question de démission et suggérai que nous nous rencontrions dans la matinée pour voir quel genre de déclaration on pourrait faire.

A ce moment, Eisenhower rentra à Washington. Il essaya immédiatement de persuader les invités du déjeuner de publier une autre déclaration qui pourrait résoudre le problème. McCarthy resta sur ses positions. Le Président me demanda alors de travailler avec Stevens, Sherman Adams et Jerry Persons pour rédiger une déclaration que Stevens prononcerait à la Maison Blanche. Nous travaillâmes tout l'après-midi dans le bureau de Persons pendant qu'Eisenhower, sans doute pour calmer sa formidable colère, s'entraînait au golf sur la pelouse Sud.

Nous lui apportâmes le brouillon dans ses appartements privés et il l'approuva. Dans cette déclaration, Stevens disait qu'il avait reçu l'assurance des membres de la sous-commission qu'il n'y aurait ni harcèlement ni humiliation de ses officiers et qu'il « ne tolérerait jamais que l'on insulte le personnel de l'Armée en quelque circonstance que ce soit, y compris dans les audiences de commissions ».

Quelques jours plus tard, Eisenhower décida de publier sa propre déclaration à propos de l'affaire Peress. Il mentionna sa décision lors d'une réunion de la majorité parlementaire le 1er mars, et je le notai dans mon Journal :

> A l'issue de la réunion, le Président a abordé de sa propre initiative l'affaire Stevens. Il a dit qu'il était prêt à faire une déclaration à ce sujet lors de sa conférence de presse et qu'une des choses qu'il tenait à dire, c'était qu'en luttant contre le communisme, nous ne pouvions pas détruire l'américanisme.
> Le sénateur du Massachusetts Leverett Saltonsall a jugé qu'à son avis, l'Armée avait commis une erreur en n'avouant pas sa responsabilité dans l'affaire Peress. Le Président a vivement réagi et répliqué que l'Armée l'avait avoué dans une lettre à McCarthy et dans une déclaration publique.
> A cela Saltonsall a riposté qu'elle ne l'avait pas avoué assez clairement. Knowland a alors défendu très vigoureusement les sénateurs pour la décision qu'ils ont prise au déjeuner avec Stevens. Il a déclaré que la conduite de l'Armée dans cette affaire éait inexcusable et qu'une telle audience à la télévision aurait été encore plus néfaste que la situation où nous nous trouvions. Dans sa colère, il déchirait des feuillets de son bloc-notes. Je crois bien que je ne l'avais jamais vu dans un tel état.
> Finalement, le Président a dit qu'il allait discuter de la question avec moi et tenter d'y voir plus clair.

La réaction d'Eisenhower à l'incident était extrêmement émotionnelle. Militaire, il était embarrassé par la gaffe de l'Armée et irrité qu'elle ait été révélée par les journaux. Chef de parti, il s'inquiétait du tort que cette question pouvait causer aux Républicains et de l'aide et du réconfort qu'elle apporterait aux Démocrates alors qu'approcheraient les élections parlementaires. Président, il était offensé par la tactique, les techniques et la personnalité de McCarthy. Il voulait dire dans sa déclaration que ceux qui enquêtaient sur le communisme étaient un danger aussi grave que les communistes eux-mêmes et que leurs méthodes d'investigation ne valaient pas mieux que celles des communistes.

Je pensais qu'une telle déclaration, à ce moment, causerait bien plus d'ennuis à Eisenhower et au parti que ne l'imaginaient ses collaborateurs de la Maison Blanche et ses amis libéraux que l'y poussaient, et qu'il ne le croyait lui-même. Un sondage effectué en janvier 1954 avait révélé que 50 pour cent des personnes interrogées avaient une opinion favorable de McCarthy et seulement 29 pour cent une opinion défavorable.

Je parvins une fois de plus à un compromis; le 3 mars, Eisenhower ouvrit sa conférence de presse en lisant un long texte où il adoptait la plupart de mes suggestions et même un peu de mon langage : « En nous opposant au communisme, nous nous vaincrons nous-mêmes si à dessein ou par négligence nous employons des méthodes qui ne sont pas conformes au sens américain de la justice et du fair-play. »

Pendant près de trois ans, les dirigeants du Parti Démocrate étaient restés sur la touche et avaient regardé les Républicains se débattre avec McCarthy. Mais à mesure que les deux partis se préparaient aux élections de 1954, il devint évident que l'amère et sensationnelle affaire Peress-Zwicker-Stevens avait créé une cible opportune : maintenant McCarthy et le maccarthisme pouvaient être exploités sans risque par les Démocrates.

Le 6 mars, Adlai Stevenson, chef titulaire du Parti Démocrate, donna le coup d'envoi de la campagne électorale dans un discours télévisé où il mettait en pièces le leadership d'Eisenhower et raillait ce qu'il appelait sa faiblesse en refusant de confronter et de freiner McCarthy.

Le 8 mars, au cours d'une réunion à la Maison Blanche, on discuta longuement du problème immédiat, à savoir qu'il allait répondre à Stevenson. Finalement, le Président me regarda bien en face. « Je vais suggérer, bien qu'il soit présent, que nous devrions probablement nous servir mieux de Dick que nous ne l'avons fait, dit-il. Il peut parfois prendre des positions plus politiques que ce que l'on attendrait de moi. La difficuté, avec le problème McCarthy, c'est que quiconque s'y attaque risque d'être traité de sympathisant communiste. Dick a suffisamment d'expérience dans le domaine du communisme, et par conséquent il ne pourrait être critiqué. »

Après la réunion, Eisenhower m'emmena dans son petit bureau privé à côté du Bureau Ovale. Il voulait me recommander de traiter McCarthy et Stevenson avec de légers coups de revers plutôt que d'en faire le sujet de tout le discours. Une des raisons pour lesquelles il n'aimait pas McCarthy, c'était qu'il avait l'impression qu'il détournait trop l'attention des programmes positifs du gouvernement.

Je ne me faisais aucune joie d'écrire et de prononcer ce discours. De quelque manière qu'on s'y prenne, on devait fatalement s'aliéner une grande partie du public et du parti. Ce qui était en cause, c'était justement ce qu'Eisenhower lui-même s'était efforcé d'éviter depuis deux ans : déterminer la politique du gouvernement à l'égard de McCarthy. Mais à présent, avec la date des élections qui approchait et les Démocrates qui commençaient à s'agiter, il était évident que nous ne pouvions plus nous permettre le luxe d'essayer de résoudre en coulisses et par petits bouts chaque nouvelle crise que provoquait McCarthy.

L'émission était prévue pour le samedi 13 mars au soir, et je n'aurais donc que cinq jours pour me préparer. J'écrivis des dizaines de plans et de brouillons; le vendredi matin, j'estimai avoir tout condensé dans une allocution qui était ce que l'on pouvait faire de mieux dans ces circonstances.

J'avais projeté de passer le vendredi dans la solitude pour réviser mes notes. Je pris une chambre au Statler Hotel et fis savoir que je ne devais être dérangé qu'en cas d'urgence.

Vers dix heures, je reçus un coup de téléphone de Tom Stephens, le secrétaire chargé des rendez-vous d'Eisenhower, pour me dire que le Président venait de demander si je pouvais passer le voir avant qu'il parte pour le week-end à Camp David. Je traversai Lafayette Square et à mon arrivée à la Maison Blanche je fus immédiatement introduit dans le Bureau Ovale. Quelques jours plus tard, je rapportai la conversation dans mon Journal :

> Il m'a dit que, premièrement, il ne pensait pas que j'avais besoin de conseils pour un discours politique et qu'il avait entière confiance en mon habileté.
>
> Cependant, il pensait savoir ce qui touche les gens et il était convaincu qu'il était indispensable de leur faire comprendre que nous avions un programme progressiste et dynamique dont tout le peuple profiterait.
>
> Il m'a tout de même conseillé d'introduire un sourire ou deux dans le programme. Je lui ai avoué que c'était une de mes difficultés et que plusieurs personnes m'avaient conseillé d'essayer. Il m'a suggéré que je pourrais amener un sourire avec mes commentaires sur Stevenson. Je lui ai répondu que j'avais l'intention de lui planter quelques banderilles; il m'a indiqué qu'il n'y voyait aucun inconvénient, mais qu'à son avis il valait mieux se moquer de lui que de le frapper trop méchamment.
>
> Au sujet des attaques de Stevenson contre son programme de Défense nationale, il s'est exclamé : « En quoi Stevenson est-il qualifié à ce sujet? Qui est-il? »
>
> Il m'a fait observer que Lincoln et Washington, nos deux plus grands présidents, étaient des hommes qui avaient été soumis à des attaques considérables et qui n'avaient jamais fait d'allusions blessantes. Il m'a dit : « Faites bien attention de ne pas me placer sur le même plan, mais il serait bon de faire savoir cela subtilement en répondant à Stevenson. »
>
> Il m'a conseillé de parler de Hiss et de mon rôle dans cette affaire en expliquant : « Après tout, il y a beaucoup de gens qui croient que c'est McCarthy qui a eu Hiss... Je veux que vous sachiez que je vous ai mis en tête de ma liste à Chicago parce que vous aviez eu Hiss et que vous l'aviez fait correctement. » Il m'a avoué aussi que c'était pour cette raison qu'il m'avait choisi pour cette émission.
>
> Il m'a dit : « Essayez de bien faire comprendre que nous travaillons à un programme pour l'Amérique et que les chiens qui aboient ne vont pas nous en détourner. » Il a suggéré que je pourrais rappeler qu'il avait eu cinq millions d'hommes sous ses ordres en Europe.

Le discours de Stevenson avait été prononcé à un banquet de souscription démocrate devant un public enthousiaste et partisan; manifestement, il avait fait un grand numéro. Je décidai de donner l'impression opposée et de parler d'une voix calme, sans emphase, devant une toile de fond très simple. Je choisis volontairement des mots simples et des exemples imagés. En préparant mon discours, je m'étais bien répété que mon principal public était l'immense majorité de l'opinion qui estimait que, quelles que soient les tactiques de McCarthy, il n'y avait pas de moyen modéré et doux pour traiter avec les communistes. Je m'efforçai donc de trouver des idées, des tournures de phrases qui rendraient ma position mémorable et indiscutable.

Après l'émission, Eisenhower me téléphona de Camp David pour me féliciter. « Comme vous le savez, Dick, je n'aime guère employer la flatterie, mais je tiens à vous dire que je pense que vous avez fait un boulot magnifique, le meilleur qui pouvait être fait dans ces circonstances. » Je lui dis que ce discours ne satisferait aucun des deux extrêmes de l'opinion et il me répliqua qu'à son avis, il satisferait 85 pour cent de la population, et que c'était cela l'important. « Les gens qui sont violemment pour ou contre McCarthy, dit-il, ne seront jamais satisfait de rien à part la guerre totale. » Il me parut très heureux parce que j'avais souri deux ou trois fois et me confia qu'à un moment donné, il s'était tourné vers les autres, qui regardaient l'émission, et leur avait dit : « C'est le sourire que j'ai conseillé à Dick. »

Le discours du 13 mars marqua le début d'une nouvelle phase de l'épisode McCarthy, phase qui devait être le commencement de la fin. Quand les audiences Armée-McCarthy débutèrent cinq semaines plus tard, ceux qui le connaissaient dirent qu'il semblait s'être effondré. Je rapportai dans mon Journal, à la date du 22 mars, une conversation avec Len Hall :

> Len semblait penser que Joe était sur le point d'exploser et qu'il n'était absolument pas en état de présider une audience et d'y participer.
> Karl Mundt m'a exprimé le même point de vue quand je lui ai parlé au téléphone. Il avait causé avec Joe la veille jusqu'à deux heures du matin et m'a dit que c'était assez pénible, avec Jean (la femme de McCarthy) en larmes et lui-même sans grande influence parce que Joe disait qu'il savait que sa vie politique était en jeu et qu'il n'allait donner son accord à rien qui risquait de l'empêcher de se défendre.
> Len Hall m'a dit que lorsqu'il était allé voir Joe deux ou trois jours plus tôt, Joe lui avait ouvert pistolet au poing. Apparemment, il en porte un constamment à cause des menaces dont il a été l'objet.

On constata alors d'importantes fluctuations de l'opinion. A la fin de mars, un sondage Gallup révéla que 46 pour cent étaient favorables à McCarthy et que 36 pour cent le désapprouvaient. Au mois d'août, ce fut un renversement spectaculaire : 36 pour cent approuvaient toujours, mais 51 pour cent étaient contre. Dès que les premières fissures apparurent dans le soutien du public, ce fut le début de l'érosion. Quelques mois plus tôt à peine, le Comité National Républicain avait considéré McCarthy comme un capital pour le parti. Maintenant, on s'efforçait de se débarrasser de lui le plus vite possible.

Pendant près de deux mois, du 2 avril au 17 juin, le grotesque mélodrame des audiences Armée-McCarthy se déroula quotidiennement. Eisenhower les appelait en privé « un foutu spectacle honteux » et pressait d'en finir le plus vite possible. Mais nous ne pouvions rien y faire. Les audiences devinrent une obsession nationale. Les gens n'allaient pas à leur travail, restaient chez eux pour regarder à la télévision les confrontations clefs. Le cabotinage de part et d'autre me répugnait, et après le premier jour je ne regardai plus. Comme je le dis à un journaliste : « Je préfère les acteurs professionnels aux amateurs. »

Tout se termina au Sénat le soir du 2 décembre après un dernier débat. Joe McCarthy fut condamné par 67 voix contre 22. Tous les Démocrates avaient voté contre lui et les Républicains étaient partagés à égalité, 22 et 22. Ainsi Joseph R. McCarthy, sénateur du Wisconsin, devint le troisième sénateur des Etats-Unis à être censuré par ses pairs. Il resta assis à sa place, silencieux, les yeux fixés sur son pupitre nu, entouré de quelques partisans. Pour lui, tout était fini.

CRISE EN INDOCHINE : 1954

Les noms de Vietnam et d'Indochine ne signifiaient pas grand-chose pour la plupart des Américains quand, en mars 1954, les premiers articles parurent sur le siège par les communistes d'un lointain avant-poste français appelé Dien Bien Phu. Mais rapidement, au fil des semaines, nous partageâmes les souffrances et le courage de ses défenseurs et nous vîmes la menace d'une mainmise communiste sur le Vietnam amener l'Amérique au bord de la guerre. Après sept ans de combats et 50 000 morts, on commençait à douter sérieusement, en France, qu'il faille poursuivre la lutte contre les guérilleros communistes d'Hô Chi Minh.

Un retrait français du Vietnam nous aurait placé dans une situation très difficile parce que la politique américaine était fondée sur l'importance vitale d'un Vietnam indépendant. Au début de 1952, le Conseil National de Sécurité du Truman avait préparé une étude du Sud-Est asiatique qui démontrait ce qu'Eisenhower appela plus tard le principe du « domino qui tombe » : à savoir que « la perte d'une seule nation aboutirait sans doute à une soumission relativement rapide ou un alignement sur le communisme par les autres pays de ce groupe ». L'étude évoquait les intérêts vitaux de l'Amérique pour les ressources naturelles de cette région — le caoutchouc et l'étain — et concluait que l'effort de guerre français pour vaincre le Vietminh communiste d'Hô Chi Minh était « essentiel à la sécurité du monde libre, non seulement en Extrême-Orient mais aussi au Moyen-Orient et en Europe ».

En février 1954, Eisenhower avait envoyé deux cents mécaniciens de l'Armée comme conseillers aux forces françaises et vietnamiennes. Il n'y avait pas eu d'opposition sérieuse au Congrès parce que ces hommes ne seraient au Vietnam qu'en qualité de conseillers techniques et Eisenhower promettait qu'ils ne resteraient que jusqu'en juin.

Alors que les Français et le Vietminh s'installaient pour un siège prolongé, la presse américaine commença à présenter Dien Bien Phu comme la première mise à l'épreuve, depuis la Corée, de la capacité du monde libre à résister à l'agression communiste. A Washington, l'Etat-Major interarmes, présidé par l'amiral Arthur Radford, conçut un plan appelé *Opération Vautour* pour employer trois petites bombes atomiques afin de détruire les positions du Vietminh et délivrer la garnison assiégée. Eisenhower et Dulles, cependant, estimèrent que seule une agression flagrante de la Chine communiste pourrait être considérée comme une provocation suffisante pour justifier notre intervention au Vietnam d'une manière aussi directe et unilatérale.

Les communistes chinois étaient les protecteurs du Vietminh et son principal fournisseur de matériel militaire. Lors d'une réunion de la majorité parlementaire à la fin de mars, Eisenhower déclara que si la situation militaire devenait désespérée à Dien Bien Phu, il envisagerait d'user de tactiques de diversion, peut-être un débarquement des forces nationalistes de Tchang Kai-chek sur l'île chinoise d'Hainan, ou un blocus naval de la Chine continentale. Très simplement, mais avec une grande émotion, il dit : « J'aborde ce sujet en ce moment parce qu'à tout instant, d'ici quarante-huit heures, il pourrait être nécessaire de participer à la bataille de Dien Bien Phu afin de l'empêcher de se retourner contre nous; dans ce cas, je convoquerai les leaders démocrates aussi bien que nos Républicains pour les informer de l'action que nous entreprenons. »

Les rapports sur la situation à Dien Bien Phu changeaient constamment et notre attitude au jour le jour reflétai fréquemment les fluctuations du combat. Le 6 avril, après une réunion du C.N.S., je notai dans mon Journal :

> A cette réunion, le Président était d'une humeur très grave. Dulles a présenté son plan pour tenter d'obtenir une unité d'action chez les alliés. J'ai dit que nous devions adopter le principe de l'union pour résister ensemble à l'agression subversive du type de la guerre d'Indochine et de la guerre civile chinoise. J'ai fait observer que nous n'avions pas encore trouvé une formule pour résister à ce type d'agression sur une base unie.
>
> Le Président a demandé : « Et la Corée? » Je lui ai répondu que la Corée, c'était un cas où les communistes avaient franchi une frontière même si, techniquement, c'était le même pays et que par conséquent le principe de l'unité d'action s'appliquait parce que nous étions confrontés à une agression flagrante.
>
> J'ai dit aussi qu'à mon avis, le Président ne devrait pas sous-estimer sa capacité de se faire suivre par le Congrès et par la nation. J'ai suggéré que l'on envoie davantage de techniciens en Indochine si le Président le demandait. Il a demandé à Wilson de se renseigner immédiatement.
>
> D'après la conversation, cependant, il était tout à fait évident que le Président a considérablement battu en retraite depuis la position ferme qu'il avait prise sur l'Indochine à la fin de la semaine passée. Il semblait résigné à ne rien faire du tout à moins que nous puissions obtenir que les alliés et la nation acceptent ce que nous pourrions suggérer et il ne semblait pas enclin à faire fortement pression sur eux pour qu'ils se joignent à nous.

Le défi que nous avions à relever en 1954, c'était de convaincre le peuple américain de l'importance de Dien Bien Phu, le persuader qu'il y avait bien plus de choses en jeu que la défense de quelques soldats français assiégés dans un avant-poste colonial. Personne, à part sans doute l'amiral Radford, ne voulait d'intervention militaire américaine. Nous étions tous certains, cependant, qu'à moins que les communistes ne sachent pertinemment que leurs prétendues guerres de libération seraient opposées si nécessaire par des moyens militaires, ils ne s'arrêteraient pas avant d'avoir conquis tout le Sud-Est asiatique comme ils s'étaient emparés de l'Europe orientale.

Dulles passa plusieurs semaines à essayer d'obtenir que les Britanniques et les Français se joignent à nous dans une opposition concertée au communisme. Le gouvernement français, toutefois, se tenait bien trop sur la défensive psychologique pour être capable de monter ou de soutenir le genre d'offensive militaire et diplomatique exigée.

L'admiral Radford se rendit à Londres pour conférer avec Churchill, qui lui déclara carrément que si son peuple n'avait pas voulu se battre pour garder l'Inde, il ne pensait pas qu'il voudrait se battre pour conserver l'Indochine aux Français. Churchill reconnut que tout le reste de l'Indochine risquait de tomber si le Vietnam était perdu, mais il ne prévoyait aucune menace contre le reste du Sud-Est asiatique, le Japon ou l'Australie. Nous fûmes stupéfaits, Radford et moi, que Churchill qui avait si bien compris le problème communiste dès 1946 puisse faire une telle déclaration.

Il était visible que nous ne pouvions pas compter sur la Grande-Bretagne ou la France pour un soutien dans la résistance au communisme en Indochine. Si nous décidions d'agir, nous devrions le faire seuls.

Au début d'avril, la crise connut un répit; il apparut que les soldats français pourraient tenir à Dien Bien Phu. Eisenhower décida d'aller passer quelques jours à Augusta et Dulles, épuisé et découragé par ses vaines tentatives pour obtenir une union alliée, se rendit au Canada. Les nouvelles du Vietnam continuaient d'être encourageantes et afin de prolonger son séjour en Georgie, Eisenhower me demanda de le remplacer au congrès annuel de l'Association américaine des directeurs de journaux à Washington, le 16 avril.

Ce congrès est un forum prestigieux et sérieux : je demandai que mes réflexions ne soient pas pour la publication, ce qui me permettrait de parler franchement. Après avoir prononcé le discours préparé, j'acceptai de répondre aux questions. On me demanda si je pensais que nous devrions envoyer un contingent américain en Indochine si les Français décidaient de se retirer et si c'était le seul moyen d'empêcher le Vietnam de tomber aux mains des communistes. Je répondis que je ne croyais pas que « la présomption ou la supposition émise par l'interrogateur se produirait » et que je reconnaissais qu'il posait « une question hypothétique ». Ayant fait ces réserves importantes, cependant, je répondis que si l'envoi de forces américaines était le seul moyen d'éviter une plus ample expansion communiste en Asie, particulièrement en Indochine, je pensais que « la branche exécutive du gouvernement devra adopter la position politiquement impopulaire de l'affronter et de le faire et, personnellement, je soutiendrai une telle décision ».

Deux journalistes étrangers qui n'étaient pas présents à la réunion entendirent parler de ma réponse et envoyèrent l'histoire à leurs journaux. Le lendemain matin, elle fit l'objet de gros titres dans toute l'Amérique. On l'interpréta généralement comme un ballon d'essai visant à un renversement de la politique du gouvernement qui, jusque-là, avait été opposé à l'intervention américaine directe au Vietnam.

J'avais peur qu'Eisenhower soit fâché de cet incident, mais il me dit que s'il avait dû répondre à une question hypothétique dans des circonstances semblables, il l'aurait probablement fait de la même façon.

Une semaine plus tard, au cours d'une réunion avec les leaders parlementaires républicains, il me soutint lorsque la question fut abordée. Je notai à propos de cette réunion :

Charlie Halleck, au cours de la discussion, a avoué que la suggestion que l'on pourrait envoyer des garçons américains en Indochine « lui avait fait vraiment mal » et qu'il espérait qu'on ne parlerait plus de cette façon. Le Président, toutefois, est aussitôt intervenu et il a dit qu'il estimait qu'il était important de ne pas faire preuve de faiblesse en un moment critique et ne pas laisser penser aux Russes que nous pourrions ne pas résister au cas où les communistes tenteraient d'accélérer leurs tactiques actuelles en Indochine et ailleurs. Il a déclaré que nous devions réfléchir pour savoir s'il valait mieux prendre une attitude ferme maintenant que nous le pouvions ou attendre trop tard quand nous ne le pourrions plus. Il a également fait observer qu'il n'était pas bon de raconter aux Russes tout ce que nous ferions ou ne ferions pas.

A la fin d'avril, la situation de Dien Bien Phu s'aggrava. On eut l'impression que les forces françaises ne pourraient plus tenir bien long-temps. J'écrivis dans mon journal à la date du 29 :

> La réunion du C.N.S. a commencé à dix heures et ne s'est pas terminée avant treize heures. La dernière heure trois quarts s'est passée à discuter de l'Indochine.
> Radford a fait un rapport sur la situation militaire et ses conversations avec les Français et les Britanniques. Bedell Smith nous a lu un message de Dulles révélant un pessimisme considérable mais indiquant que Dulles allait défendre fermement la position américaine.
> Le Président était extrêmement grave et semblait beaucoup s'inquiéter de la bonne décision à prendre.
> Après les rapports, Harold Stassen a dit qu'il pensait que l'on devrait décider d'envoyer un contingent de l'Armée de Terre si besoin était, pour sauver l'Indo-chine, et de le faire sur une base unilatérale si c'était le seul moyen.
> Le Président lui-même a dit qu'il ne pouvait imaginer une opération de l'Armée de Terre en Indochine qui serait soutenue par le peuple des Etats-Unis et qui, à long terme, ne déséquilibrerait pas exagérément notre Défense natio-nale. Il a fait observer que nous ne pouvions tout simplement pas nous engager unilatéralement parce que ce serait une infraction contre tout notre principe de défense collective contre le communisme dans tous les pays du monde.

Après une discussion sur la proposition de Stassen, je dis qu'à mon avis, la victoire au Vietnam n'était pas nécessairement une question d'engagement d'un grand nombre de soldats de l'Armée de Terre. L'envoi d'un contingent aérien représentant une alliance unifiée aurait pour double effet de faire savoir aux communistes que nous allions résister à une plus ample expansion dans cette région et de remonter le moral des soldats français et vietnamiens. Je suggérai d'étudier les possibilités de former une coalition du Pacifique sans les Britanniques, une alliance avec la Thaïlande, les Philippines, l'Indochine, l'Australie, la Nouvelle-Zélande et toutes les nations qui voudraient bien s'y joindre.

Le lendemain matin, je m'entretiens avec Eisenhower et le général Robert Cutler, son assistant spécial pour les affaires de Sécurité nationale. Cutler rapporta que le bureau d'études du Conseil National de Sécurité avait envisagé la possibilité de dire à nos alliés que, si nous allions en Indochine, nous pourrions employer la bombe atomique. Eisenhower me demanda ce que j'en pensais; je répondis que quoi que l'on décide au sujet de la bombe, je ne pensais pas que ce serait nécessaire de le révéler à nos alliés avant d'avoir obtenu leur accord pour une action unifiée. Je soulignai, comme je l'avais fait à la réunion du C.N.S., qu'il ne serait peut-être pas nécessaire d'effectuer plus de quelques bombardements aériens aux armes traditionnelles par des forces unifiées pour faire comprendre aux communistes que nous étions décidés à résister. Eisenhower se tourna vers Cutler : « Premièrement, je ne pense certainement pas que la bombe atomique puisse être utilisée unilatéra-lement par les Etats-Unis et, deuxièmement, je suis d'accord avec Dick, nous n'avons pas besoin d'en parler avant d'avoir obtenu un accord sur l'action unifiée. »

Le 7 mai, après une défense vaillante mais totalement désespérée d'un territoire réduit à la taille d'un terrain de base-ball, la garnison française de Dien Bien Phu fut envahie par le Vietminh. La réaction presque universelle fut le soulagement de voir la crise se terminer sans avoir déclenché une nouvelle grande guerre. Mais tout en nous efforçant de faire publiquement bonne figure, nous savions que la défaite de Dien Bien Phu aboutirait probablement au retrait des Français du Vietnam et que l'Amérique devrait alors assumer le fardeau de la résistance à l'agression communiste en Indochine ou abandonner toute cette région du globe.

Le 20 mai, le C.N.S. discuta de la possibilité de laisser les deux cents techniciens américains au Vietnam après le mois de juin, mais Eisenhower repoussa cette suggestion. Tout d'abord, dit-il, les Français revenaient déjà sur leur parole de poursuivre le combat. Ensuite une telle extension rendrait nos rapports futurs avec le Congrès très difficiles, parce qu'Eisenhower avait solennellement promis que les mécaniciens reviendraient avant le 15 juin et qu'il devait respecter sa promesse.

Après la chute de Dien Bien Phu, les Français perdirent leur volonté de gagner et, les quelques semaines suivantes, il n'y eut que des combats décousus, qui ne furent qu'une action de retardement. On attendait qu'un règlement puisse être négocié à la Conférence de Genève qui avait débuté onze jours avant la chute de la forteresse. Dulles était furieux et découragé par le projet d'abandonner la moitié du Vietnam aux communistes. Quand le règlement de la question indochinoise fut établi le 21 juillet, les Etats-Unis ne le signèrent pas. Je fus d'accord avec cette décision. Un mois plus tôt, en fait, j'avais pressé Dulles de ne pas participer à un arrangement qui aurait pour résultat la reddition d'une partie de l'Indochine aux communistes.

La presse vit en Dulles, Radford et moi les faucons de la crise indochinoise. Dans une certaine mesure, Radford croyait réellement que l'emploi rapide d'armes nucléaires tactiques convaincrait les communistes que nous ne plaisantions pas. Dulles et moi pensions tous deux que si les communistes exagéraient, nous devrions faire ce qu'il fallait pour les arrêter. Eisenhower était pleinement d'accord, encore que je pense que Dulles et moi étions sans doute préparés à nous manifester fermement plus tôt que lui. Nous espérions tous qu'en nous préparant à nous battre, nous n'aurions jamais à le faire vraiment.

Bien des années après, alors que Dulles était mort et que l'Amérique était profondément engagée dans une guerre au Vietnam sous un autre Président, on demanda, en privé, à Eisenhower si Dulles et lui avaient été d'accord pour se préparer à envoyer des troupes au Vietnam. « Jusqu'au bout », répondit Eisenhower.

RENCONTRE AVEC CHURCHILL

En juin 1954, le Premier Ministre Winston Churchill et le ministre des Affaires étrangères Anthony Eden vinrent aux Etats-Unis pour des entretiens avec Eisenhower et Dulles. Je dictai une longue note pour mon journal, décrivant cette visite, en commençant par ma première rencontre du grand homme :

J'ai accueilli Churchill et Eden à l'aéroport ce matin. En sortant de l'avion il est descendu tout seul, mais il hésitait beaucoup à chaque pas, en arrivant en bas de la passerelle. Nous nous sommes serré la main et il m'a dit qu'il était très heureux de faire ma connaissance. Plus tard dans la voiture, il m'a confié que si c'était la première fois qu'il me voyait il avait lu certaines de mes déclarations et les admirait.

Je devais faire un discours de présentation et j'avais passé plus d'une heure à le préparer hier soir, même s'il ne devait durer qu'une minute et demie. Mais quand Churchill a vu les microphones, il s'est immédiatement avancé et il a tiré de sa poche une feuille de papier pour lire son propre discours aux personnes présentes à l'aéroport.

Nous sommes ensuite montés dans la voiture découverte. Churchill était assez lent à réagir aux questions ou aux déclarations, mais après un moment de conversation, ses réactions sont devenues beaucoup plus vives.

Il m'a dit qu'il y avait eu une période de quatre mois, pendant les derniers de Roosevelt, où il y avait eu très peu de communication entre le gouvernement américain et lui. Cela, alors que je lui disais que je venais de lire le quatrième tome de ses Mémoires. Il m'a confié que Roosevelt n'était plus lui-même à cette époque et que Truman ne savait pas ce qui se passait. Il m'a même dit qu'il était cerain que Truman n'avait pas été mis au courant des grandes décisions qui se prenaient. Il estimait que Roosevelt avait commis une grave erreur en n'instruisant pas son second alors qu'il savait qu'il était malade et ne serait bientôt plus là. Je lui ai avoué que je me suis souvent demandé ce qui serait arrivé si les Alliés avaient accepté son jugement sur la conduite de la Seconde Guerre mondiale, surtout en ce qui concernait l'offensive par le sud plutôt que la traversée de la Manche. Sa seule réflexion a été que, ma foi, il aurait été très « commode d'avoir Vienne »...

Je fis aussi dans mon journal un compte rendu du dîner officiel offert ce soir-là par les Eisenhower :

Je crois bien que c'est la réception la plus agréable à laquelle nous ayons jamais assisté à la Maison Blanche. L'assistance était relativement réduite — une trentaine de personnes — et le Président, Churchill, etc., étaient tous détendus et de bonne humeur.

Le Président a proposé un toast au général Marshall après celui qu'il avait porté à la Reine auquel Churchill avait répondu. Il a fait observer que Churchill et Marshall avaient été tous deux ses supérieurs immédiats pendant la guerre et qu'il savait qu'ils lui pardonneraient cette entorse au protocole, en proposant un toast pour Marshall. J'ai regardé Marshall à ce moment et j'ai bien vu qu'il était très touché par ce geste.

Ensuite les invités qui ne demeuraient pas à la Maison Blanche se sont réunis en bas dans un des salons de réception et nous avons tous été invités à monter.

Eden était particulièrement impressionné par le récit de notre visite en Malaisie. Il a dit que l'incident, quand nous sommes sortis pour aller voir les soldats, avait produit une forte impression en Grande-Bretagne.

Pendant le dîner, Pat était assise à la droite de Churchill et elle m'a dit avoir passé une excellente soirée à tous les points de vue. Mme Eisenhower veillait sur lui alors qu'on passait les plats et quand il a voulu couper en deux une tranche de viande avant de la mettre sur son assiette, elle lui a dit que les couteaux ne coupaient pas bien, qu'ils faisaient tous partie du service de la Maison Blanche, le service d'or qui avait été acheté à Paris. Pat a observé que Mamie s'occupait de tout comme s'il s'agissait d'un jeune homme en visite ou d'un ami proche.

Foster Dulles a bu son whisky-soda habituel plutôt que les vins pendant le repas. Pat a demandé à Churchill s'il n'en préférerait pas un. Il a dit non, qu'en général il buvait son whiky à 8 h 30 du matin, et que dans la soirée il aimait bien un verre de champagne. J'ai remarqué que Churchill avait l'esprit beaucoup plus vif que dans la matinée et qu'il semblait ragaillardi d'avoir participé à ces conférences. A ce dîner, il était tout aussi rapide que les autres et pourtant, je l'ai appris plus tard, il n'avait pas fait la sieste dans l'après-midi mais joué aux cartes une fois la conférence terminée.

Le dernier soir de la visite de Churchill, un dîner d'hommes fut donné à l'ambassade britannique. J'y assistai en tant que représentant d'Eisenhower et fus par conséquent assis à côté de Churchill à table :

Je lui ai demandé si ces trois jours de conférence l'avaient fatigué. Il m'a répondu qu'à part quelques passages à vide — et j'ai pensé qu'il entendait par là les moments où il sommeillait —, il s'était senti beaucoup mieux à cette conférence que depuis quelque temps. Il m'a dit : « J'ai l'impression de trouver de l'inspiration et un renouveau de vitalité quand je suis en contact avec votre grand pays neuf qui surgit de l'Atlantique. »

Au cours de la soirée la conversation a roulé sur le général Lee et je lui ai demandé ce qu'il en pensait. Il m'a dit qu'à son avis, c'était un des plus grands hommes de l'histoire américaine et un des plus grands généraux de tous les temps. Il m'a dit que quelqu'un devrait « rappeler dans une tapisserie ou une peinture la scène mémorable où Lee retraverse le Potomac après avoir remis son commandement aux armées de l'Union afin de rester avec le Sud ». Il m'a dit aussi qu'un des plus grands moments de la guerre de Sécession se situait à Appomattox quand Lee avait fait observer à Grant que les officiers possédaient leurs chevaux en propre et avait demandé qu'ils puissent les garder. Grant leur avait dit d'emmener tous les chevaux, ceux des officiers et aussi les simples soldats : « Ils en auront besoin pour labourer leurs champs. » Churchill a remarqué : « Dans la sordide misère de la vie et de la guerre, quel geste magnifique ! »

Il a réitéré sa déclaration au club de la presse disant que nous devrions suivre une politique de patience et de vigilance. Il a dit que nous ne pouvions pas traiter avec les communistes sur une base de faiblesse, que ce devait être une politique de force. Il n'aimait pas l'appeler une politique prudente parce que ce n'était pas une juste appréciation de celle qu'il préconisait. Il a rappelé ses états de service après la Seconde Guerre mondiale et aussi son discours de Fulton, dans le Missouri, en évaluant correctement la menace communiste et en conseillant les moyens de l'affronter. Il a dit : « Je crois avoir fait autant contre les communistes que McCarthy a fait pour eux. » Et puis il a souri et ajouté : « Naturellement, c'est entre nous. Je n'ai jamais été partisan de l'ingérence dans les affaires intérieures d'un autre pays. » Il m'a confié qu'en Angleterre, Bevan était un problème pour lui et pour les Britanniques tout autant que McCarthy l'avait été pour nous. Je lui ai demandé ce que le peuple britannique n'aimait pas chez McCarthy et il m'a répondu qu'une des choses que l'on ne comprenait pas, c'était pourquoi le Sénat n'avait pas enquêté sur toutes les accusations concernant ses finances et autres irrégularités lors de son élection et quand il était sénateur. Je lui ai fait remarquer que fort probablement, les sénateurs ne voulaient pas établir le précédent d'une enquête sur un de leurs pairs de crainte que ça ne puisse un jour se retourner contre eux.

Je les accompagnai à l'aéroport et Churchill prit soin de me laisser prononcer quelques réflexions d'adieu. Je voyais bien que sa santé chancelante allait bientôt lui faire abandonner les rênes du pouvoir qu'il avait tenues si longtemps. Alors qu'il n'était manifestement pas au mieux de sa forme, il était quand même mieux que la plupart des dirigeants bien plus jeunes que lui. Il possédait une intelligence et une expérience fantastiques, il comprenait les forces qui régissent le monde. En lui disant au revoir, mes émotions étaient mitigées. Je me sentais honoré d'avoir rencontré un des plus grands chefs d'Etat du monde, mais j'étais attristé à la pensée que bientôt il allait quitter la scène.

ÉLECTIONS DE 1954

Le gouvernement Eisenhower venait à peine de s'installer, semblait-il, que déjà il était temps de se préparer à livrer bataille dans la campagne électorale de 1954. L'unique siège de majorité des Républicains au Sénat était évidemment la principale cible des Démocrates, mais ils visaient aussi la Chambre pour y reprendre la majorité.

Il était clair qu'Eisenhower entendait se tenir au-dessus de la mêlée. Il disait qu'il ne voulait pas d'un lourd agenda de campagne parce qu'il estimait qu'il ne serait pas sage qu'un Président se lançât dans une campagne cabotine et aussi parce qu'à soixante-trois ans, il avait maintenant besoin de plus de repos.

Si Eisenhower avait peu de goût pour cette campagne, je n'en avais pas davantage. Durant ses dix-huit mois à la tête du gouvernement, Eisenhower avait conservé sa popularité personnelle, mais le parti était toujours aussi divisé qu'avant son élection. La disparition de Bob Taft et les positions extrémistes de Joe McCarthy avaient même approfondi les fossés dans les rangs des Républicains. Les Démocrates tiraient parti le plus possible de nos problèmes. Adlai Stevenson menait la charge, disant à ses auditeurs que le Parti Républicain avait « autant d'ailes qu'un poulet de pension de famille », et que, « pris entre les contradictions, l'apathie et McCarthy, il agissait d'une façon aussi égarée qu'un chien aveugle dans une boucherie ». Je dirigeais ma contre-attaque, mais le cœur n'y était pas. Une fois de plus, je m'apercevais que les souffrances de la crise des fonds avaient dépouillé pour moi les campagnes de tout l'amusement et de toute la passion souhaitables.

En effectuant mes premières tournées électorales dans le pays, je fus surpris par l'optimisme béat des organisateurs républicains. Le 19 septembre, au cours d'un relais téléphonique de conférence avec Brownell, Summerfield et Jerry Persons, je leur dis : « Ne donnez pas au Président l'impression que tout va bien. Ce n'est pas vrai. Si nous ne nous remuons pas et si nous ne forçons pas les questions en cours à travailler pour nous au lieu de nous tuer, nous allons perdre cinquante sièges. »

Après quelques semaines de campagne, je me dis qu'il me fallait éliminer quelques-unes des idées simplistes de beaucoup d'amateurs politiques du gouvernement et même de professionnels du Comité National Républicain.

J'écrivis une note au président du C.N.R. Len Hall pour lui faire part de certaines de mes idées. En ce qui concernait les questions clefs, je pensais que nous devions nous concentrer sur celles où nous étions forts, et les Démocrates faibles : « Ce sont la paix, le communisme, la corruption, les impôts. Ce ne sont ni le chômage ni les prix agricoles. Si, le jour du scrutin, les électeurs pensent au chômage ou aux prix agricoles, nous perdrons l'élection sans l'ombre d'un doute. Ce n'est pas parce que notre position sur ces questions est mauvaise ni parce qu'elle n'est pas défendable pour peu que nous ayons assez de temps pour parler à chacun personnellement, mais parce que ces deux questions sont *défensives* de notre point de vue alors que les autres sont *offensives* pour nous et *défensives* pour l'adversaire. »

Traitant au cours de la campagne des questions de McCarthy et du communisme, je soulignai avec force, comme je l'avais fait en 1950 et 1952, que le communisme, en ce qui concernait nos adversaires, était une affaire de jugement et non de loyauté. A plusieurs reprises, je dissociai catégoriquement le gouvernement des accusations insensées de McCarthy qui répétait que le Parti Démocrate était le parti de la trahison. Je déclarais : « Il n'y a qu'un seul parti de la trahison aux Etats-Unis : le Parti Communiste. »

Eisenhower passa le premier mois de la campagne à la « Maison Blanche » de Denver. Il travaillait quelques heures dans la matinée et jouait au golf l'après-midi. Il suivait attentivement mes activités et mes voyages; et vers la fin de septembre, il m'écrivit une lettre très chaleureuse : « De bons rapports me parviennent du pays tout entier à la suite de votre tournée électorale intensive et, j'en suis sûr, exhaustive... N'allez pas croire, je vous en prie, que je n'aie pas conscience d'avoir bien peu fait pour alléger votre fardeau. Au contraire, je ne cesse de vous suggérer d'autres endroits à visiter. Vous devrez considérer que ces fardeaux que je vous impose sont le prix que vous devrez payer pour être un orateur aussi excellent et persuasif. Il ressort de tout cela que vous devenez de plus en plus favorablement connu du peuple américain. Cela ne peut faire que du bien. »

A mesure que le jour du scrutin se rapprochait, les sondages indiquaient que les Démocrates et les Républicains étaient presque à égalité. La campagne devint plus amère. Comme ma tournée semblait être particulièrement efficace, Stevenson et d'autres Démocrates conduits par le président du C.N.D. Stephen Mitchell m'attaquaient de plus belle. Dans une allusion moqueuse à mon voyage de bonne volonté en Extrême-Orient de 1953, Stevenson appelait ma campagne une « tournée de mauvaise volonté ». Mitchell, moins élégant que Stevenson, me traitait de menteur. Le *Washington Post* et une demi-douzaine d'autres journaux démocrates m'accusèrent d'avoir repris les tactiques de McCarthy et Stevenson qualifia ma campagne de « maccarthisme en col blanc ». Je contre-attaquais durement, accusant Stevenson d'essayer de répondre à de graves accusations par des boutades et d'avoir fait par dérision « une allusion typiquement offensante et snob à propos des millions d'Américains travaillant dans nos ateliers et nos usines ».

Je poursuivis la lutte jusqu'au dernier jour. Durant sept semaines, entre le 15 septembre et le 2 novembre, je fis plus de 40 000 kilomètres en avion pour visiter 95 villes dans 30 Etats, faisant campagne pour 186 candidats à la Chambre, au Sénat et à des fauteuils de gouverneur. Pendant les trois dernières semaines, je ne dormis que cinq heures par nuit.

Quelques jours avant les élections, Eisenhower eut un de ces gestes gracieux qui lui étaient propres, et qui le faisaient tant aimer du peuple. Alors que j'étais épuisé et plus que dépité de voir que très peu de leaders républicains semblaient se donner autant de mal que moi pour gagner, une lettre arriva de la Maison Blanche :

Cher Dick,

Chaque fois que mes fardeaux me semblent particulièrement lourds, je n'en admire que plus le formidable travail que vous avez accompli depuis l'ouverture de la campagne actuelle. Vous avez personnellement assumé une tâche harassante, difficile, de jour en jour et d'Etat en Etat, sans vous laisser abattre par des problèmes de temps, de distance ou d'effort physique.

Je sais que nous espérons tous deux de tout cœur que le Congrès retrouve une majorité républicaine qui travaillera avec l'exécutif à compléter le programme que nous jugeons le meilleur pour les intérêts de l'Amérique. Aucun homme n'aurait pu travailler plus efficacement que vous pour soutenir cet espoir. Quels que soient les résultats mardi prochain, je ne trouve pas de mots pour exprimer ma profonde satisfaction de ce que vous avez fait pour atteindre ce but.

Soyez aimable de transmettre à Pat aussi toute mon admiration pour sa propre campagne; il ne fait aucun doute qu'elle est la plus charmante de toutes.

Chaleureusement vôtre,

D. E.

Le 2 novembre, au soir de l'élection, je restai à la maison avec Pat. Nous étions assis tous les deux devant la cheminée et, pendant un moment, je me levais toutes les cinq minutes pour répondre à des appels du Quartier Général de la campagne, au Comité National Républicain. Les nouvelles étaient confuses; elles correspondaient à peu près à ce que j'avais prévu. Nous perdions 16 sièges à la Chambre et 2 au Sénat. C'était bien moins que les pertes habituelles en cours de mandat pour le parti au pouvoir; au cours des 50 dernières années, elles avaient été en moyenne de 40 à la Chambre et de 4 au Sénat. Mais les comparaisons historiques n'étaient qu'un piètre réconfort. Les Démocrates regagnaient le contrôle du Congrès et Eisenhower, en dépit de son immense popularité personnelle, allait devoir traiter pendant les six dernières années de sa présidence avec un parlement démocrate.

Au premier Conseil des ministres suivant l'élection, la plupart des membres nouveau venus à la politique paraissaient accablés. Je leur dis que le plus important était de tirer une leçon des événements afin de ne pas répéter nos erreurs.

Puis je tirai de ma poche un petit jouet mécanique, un soldat jouant du tambour, le remontai et le posai sur la table de conférence. Tout le monde regarda avec perplexité le petit bonhomme avancer en zigzag par saccades sur la surface polie tandis que le crépitement sec de son tambour résonnait dans la pièce. « Messieurs, dis-je, que cela nous serve de leçon : ce n'est pas le moment d'être déprimés et nous devons continuer à battre le tambour pour proclamer nos réussites. » Eisenhower sourit d'un air radieux.

Les élections de 1954 me posaient des questions troublantes. Il était évident qu'Eisenhower allait continuer de maintenir son attitude de Président-de-tout-le-peuple et que, tant que nous ferions équipe, mon rôle serait de faire durement campagne. La perspective d'avoir à subir de nouveau tout cela dans deux ans m'angoissait. Il était clair aussi que j'allais continuer d'être la principale cible des attaques des Démocrates. La popularité d'Ike était trop grande et sa stratégie au-dessus de la mêlée réussissait trop bien pour qu'il fût rentable de l'attaquer.

Mais moi, j'étais en première ligne, et plus mes campagnes étaient efficaces, plus la plupart des Démocrates et leurs partisans de la presse étaient résolus à m'abattre.

Bien que la crise des fonds m'eût endurci, j'étais encore irrité d'être représenté comme un démagogue, un menteur ou l'habitant des égouts des caricatures de Herblock dans le *Washington Post*. Les attaques devenant plus raisonnables, je me demandais parfois où finissait la loyauté au parti et où commençait le masochisme. Mes filles étaient un âge où l'on est impressionnable et ni Pat ni moi ne voulions que leur père devienne l'éternel « méchant » de la politique américaine.

Pendant la dernière semaine de la campagne de 1954, alors que j'étais si fatigué que je ne me souvenais même plus de ce qu'était le repos, je décidai que ce serait la dernière. Je songeais de plus en plus à ce que Murray Chotiner m'avait dit deux ans et demi plus tôt à la convention de Chicago; je devrais sûrement pouvoir choisir ma voie après m'être retiré de la Vice-Présidence à quarante-quatre ans seulement. Quand je participai à une émission nationale télévisée la veille du scrutin, j'étais déjà résolu à ne pas me représenter en 1956 à moins que des circonstances exceptionnelles ne me fassent changer d'avis.

Le jour de l'élection, dans l'avion qui nous ramenait à Washington, je pris dans ma serviette un dossier contenant plusieurs feuillets de notes manuscrites que j'avais prises pour l'émission de la veille. Chotiner était assis à côté de moi et je les lui tendis en disant : « Voilà mon dernier discours électoral, Murray, si vous voulez le garder en souvenir. C'est le dernier parce qu'après ça j'en ai fini avec la politique. »

LA CRISE CARDIAQUE

Le 24 septembre 1955 il faisait à Washington un temps d'été étouffant. Vers 17 h 30, je m'assis pour parcourir l'*Evening Star* et je remarquai en première page une brève dépêche de Denver annonçant que le Président souffrait d'une légère indigestion. Ce n'était pas inhabituel chez lui et je me tournai vers les rubriques sportives sans y penser davantage. J'étais en train de parcourir les résultats des rencontres de base-ball quand le téléphone sonna.

« Dick, c'est Jim Hagerty. Mauvaise nouvelle. Le Président a eu un infarctus.

— Vous en êtes sûr?

— Nous en sommes absolument sûrs », affirma Hagerty.

Il n'avait pas d'autres détails et nous convînmes qu'il me rappellerait dès qu'il en saurait davantage. A la fin de la conversation, il me dit : « Dick, faites-moi savoir où l'on pourra vous joindre à tout moment. »

Pendant plusieurs minutes je restai pétrifié, absorbant le choc de cette nouvelle. Non seulement je m'inquiétais de la santé d'Eisenhower mais il allait me falloir songer à ma propre conduite dans une crise nationale sans précédent.

Je téléphonai à Bill Rogers, ministre de la Justice en exercice pendant le voyage d'Herb Brownell en Espagne, et lui demandai s'il pouvait venir. Rogers arriva juste avant les journalistes et les photographes qui s'étaient précipités chez nous dès que la crise cardiaque d'Eisenhower avait été annoncée à Denver. Nous décidâmes de ne pas leur dire que j'étais là. Je pensais qu'il était important que je ne sois ni vu ni cité avant d'avoir reçu de plus amples nouvelles du Colorado.

Rogers me proposa de passer la nuit chez lui. Il téléphona à sa femme de venir nous chercher et lui demanda de se garer dans une petite rue derrière ma maison. Un quart d'heure plus tard, Adele Rogers arriva au volant de sa Pontiac décapotable : Bill et moi, nous nous esquivâmes par la porte de service. Nous traversâmes rapidement le jardin de mes voisins et montâmes dans la voiture.

La maison des Rogers était située bien à l'écart de la route principale, à Bethesda dans le Maryland. Dès notre arrivée, je demandai Denver au téléphone.

J'appris alors que le diagnostic officiel était une thrombose coronaire « bénigne ». Les chances de guérison étaient bonnes, mais il était encore trop tôt pour être certain de quoi que ce soit. Après de longues discussions avec Rogers et Jerry Persons, et des conversations téléphoniques avec divers ministres, il fut décidé que nous continuerions d'expédier les affaires courantes en équipe unie, jusqu'à ce qu'Eisenhower puisse assumer de nouveau ses tâches.

Ce soir-là, incapable de dormir, j'envisageai mon avenir. Au mieux, si Eisenhower reprenait le travail d'ici quelques semaines, je serais fou de faire quoi que ce soit que la presse pourrait interpréter comme des agissements destinés à servir mes propres intérêts. Au pire, si Eisenhower mourait ou restait complètement invalide, ma succession à la présidence ne ferait pas de doute, et dans ce cas il serait encore plus important que ma conduite ait été au-dessus de tout soupçon. Dans la situation la plus probable, à savoir qu'Eisenhower ne pourrait pas revenir avant de longues semaines et même des mois et qu'il faille prendre des dispositions pour que je le soulage d'une partie de ses responsabilités, il était également essentiel que rien de ce que je ferais ne semble indiquer que je cherchais le pouvoir.

Je savais qu'il y aurait beaucoup de tentatives pour enfoncer un coin entre Sherman Adams et moi. Adams, le puissant assistant du Président et son chef de cabinet, était connu comme le collaborateur le plus dévoué et le plus désintéressé d'Eisenhower. Le bruit s'était même répandu à Washington que les premiers mots d'Adams à son retour à la Maison Blanche avaient été : « C'est vraiment une surprise de revenir ici et de vous trouver soudain Président. »

Le dimanche matin, je compris que je ne pouvais éviter plus longtemps la presse. Mais une conférence de presse pourrait paraître intéressée. Aussi décidai-je de laisser les journalistes nous accompagner à l'église, Pat et moi, et d'en inviter quelques-uns à la maison ensuite pour une conversation à bâtons rompus.

Tout le monde s'assit dans le living-room et je leur dis ce que je savais de l'état d'Eisenhower. Je décrivis le système d'équipes qu'il avait créé et dis que j'étais certain qu'il fonctionnerait sans heurts jusqu'à son retour.

Les reporters, naturellement, cherchaient des nouvelles à sensation et pas des histoires d'esprit d'équipe. Ils voulaient une déclaration sur les implications politiques de la maladie du Président. Déjà, on spéculait pour savoir si Eisenhower se représenterait en 1956. Au début de septembre, un sondage Gallup avait indiqué qu'il serait préféré à 61 pour cent s'il se présentait contre Stevenson. Un autre sondage, à peu près à la même date, révélait que si Eisenhower ne se présentait pas, je serais le premier choix des Républicains pour la nomination à la candidature présidentielle. Je refusai poliment mais fermement de répondre à toutes les questions sur la signification politique de la maladie du Président.

Le lundi soir, Sherman Adams, Len Hall, Jerry Persons, l'attaché de presse de Hall Lou Guylay, Rogers et moi, nous nous réunîmes tous chez Rogers pour parler des aspects politiques de la situation. Adams était assis un peu à l'écart. Chaque fois qu'une question lui était adressée, il se lançait dans une description de la pêche en Ecosse. Finalement, il devint évident qu'il était résolu à ne pas participer à une discussion positive avant d'être allé à Denver et d'avoir constaté par lui-même l'état d'Eisenhower. A moins qu'il ne fût — ce qui était vraisemblable — encore plus ou moins en état de choc.
Je dis que notre tâche primordiale était d'empêcher toute course à la nomination présidentielle, tout au moins jusqu'à ce qu'Eisenhower se remette et puisse dire s'il se représenterait. Plus tôt dans la journée, Len Hall avait carrément dit aux journalistes qui le mettaient au pied du mur que la liste républicaine de 1956 serait la même qui avait gagné en 1952 : Ike et Dick. Malgré cette démonstration nécessaire d'optimisme, cependant, aucun de nous, je crois, ne croyait qu'Eisenhower se représenterait, même s'il se remettait complètement.

Pendant les deux semaines suivantes, je présidai diverses réunions à la Maison Blanche, y compris les réunions régulières du Conseil des ministres et du Conseil National de Sécurité. Je m'asseyais dans le fauteuil du Vice-Président, en face de celui du Président et prenais soin d'agir plutôt comme animateur que comme directeur des débats. Je signai plusieurs documents officiels « au nom du Président »; mais je continuai de travailler dans mon bureau du Capitole plutôt qu'à la Maison Blanche. Durant ces quinze jours, je me fis un devoir d'aller voir les ministres dans leurs bureaux quand j'avais à leur parler plutôt que de les convoquer dans le mien. Malgré toutes ces précautions, malgré ma résolution de voir la presse le moins possible, un ou deux membres du Cabinet semblèrent penser que je recherchais la publicité.

Le 8 octobre, deux semaines exactement après la crise cardiaque d'Eisenhower, j'allai le voir à Denver. J'étais le premier visiteur officiel; après cela, les ministres le virent selon leur rang. Je fus atterré de le trouver aussi pâle et amaigri. Mais il était clair que son esprit était plus aigu que jamais et qu'il pouvait parler de son infarctus avec un grand détachement, bien que l'épreuve eût manifestement été très dure pour lui. « Ça m'a fait un mal de chien, Dick, me dit-il. Je n'ai jamais laissé voir à Mamie combien j'avais mal. »
Quarante-huit jours après sa crise, Eisenhower prit l'avion et revint à Washington. Des milliers de gens se pressaient sous le soleil d'automne

pour l'acclamer le long du parcours quand il rentra à la Maison Blanche. Le pays tout entier semblait pousser un soupir de soulagement. Il n'y avait plus de souci à se faire... Ike était de retour.

LA CAMPAGNE DE RÉÉLECTION : 1956

Depuis la campagne de 1954, j'envisageais de renoncer à la politique. Je savais que Pat voulait retourner en Californie. La seule chose qui me faisait hésiter, c'était la situation inattendue créée par l'infarctus d'Eisenhower. Alors qu'auparavant, j'avais été presque certain qu'il se représenterait en 56, maintenant je n'en étais plus si sûr. S'il ne se présentait pas, je serais le suivant pour la nomination présidentielle. Un sondage Gallup effectué après la crise cardiaque d'Eisenhower, fondé sur la supposition qu'il ne serait pas candidat, me présentait menant devant Earl Warren, 28 pour cent contre 24, suivi par Dewey et Stassen avec 10 pour cent chacun.

Le 26 décembre 1955, Eisenhower me convoqua dans le Bureau Ovale. Il me dit qu'il avait beaucoup réfléchi à la prochaine élection et qu'il s'était demandé si je devais me représenter à la Vice-Présidence ou si je ne ferais pas mieux d'accepter un portefeuille de ministre. Il me dit qu'un poste dans le Cabinet, comme ministre de la Défense, par exemple, me donnerait le genre d'expérience gouvernementale si importante pour un Président que la Vice-Présidence n'offrait pas. Il me fit observer que Herbert Hoover avait été à même de se servir de sa position de ministre du Commerce pour se tailler une réputation nationale et préparer la réussite de sa canditature.

Cette suggestion me prit de court, bien qu'elle me parût proposée dans un esprit amical et sincère. Il m'avoua qu'il était déçu que d'autres candidats adéquats à la présidence n'aient pas émergé du parti ces dernières années et il fit allusion à certains sondages d'essai Gallup qui me donnaient battu par Stevenson par une assez forte majorité. Il me dit aussi qu'il était dommage que ma popularité ne se soit pas plus affermie depuis trois ans.

Je commençai à comprendre ce qui avait inspiré cette conversation. Les collaborateurs ou les amis d'Eisenhower avaient de toute évidence semé des doutes dans son esprit, insinuant que non seulement je risquais d'être battu si je me présentais seul, mais que je serais de surcroît un boulet pour la liste si j'étais de nouveau son second. Il était difficile de ne pas sentir le coup monté, d'autant que des sondages plus récents que ceux dont il parlait indiquaient que j'avais beaucoup plus de chances.

Quelques semaines plus tard, nous eûmes une nouvelle conversation sur le même sujet. Une nouvelle fois, Eisenhower me dit qu'à son avis, mon propre avenir politique serait mieux servi si j'étais ministre plutôt que si je me représentais à la Vice-Présidence. Il semblait attendre une réponse et pendant un moment j'eus l'impression que la pendule était revenue en arrière, au temps de la crise des fonds, quand il avait pris un temps au téléphone afin que je puisse lui proposer ma démission de la liste. J'eus à présent la même réaction : en qualité de Vice-Président, je reconnais pleinement que c'était à lui de me choisir ou de m'écarter. Mais je ne pensais pas que ma démission de la liste serait la meilleure chose pour lui ou pour le parti, et certes, je n'entendais pas l'offrir.

Comme en 1952, mon silence renvoya la balle dans le camp d'Eisenhower. Finalement, je lui dis : « Si vous croyez que votre propre candidature ou votre gouvernement serait mieux servi sans moi, dites-moi ce que vous voulez que je fasse et je le ferai. Je ne veux que ce qui est meilleur pour vous.

— Non, je pense que nous devons faire ce qui est meilleur pour vous », répliqua-t-il.

Tous les doutes que je pouvais avoir sur les mobiles d'Eisenhower furent dissipés quand Foster Dulles engagea de son côté la même discussion et suggéra que je me fasse nommer ministre de la Défense ou que je lui succède au Département d'Etat quand il prendrait sa retraite. J'étais sûr que Dulles avait mes meilleurs intérêts à cœur.

Du point de vue de l'expérience historique, la suggestion d'Eisenhower et de Dulles avait un mérite considérable. Mais ni l'un ni l'autre ne tenait compte de l'interprétation péjorative que la presse réserverait à une telle mesure, ni qu'elle bouleverserait les nombreux Républicains qui me considéraient encore comme le principal lien d'Eisenhower avec l'orthodoxie du parti.

Physiquement, Eisenhower s'était remarquablement remis, et peu de temps après son retour à Washington il reprit son horaire habituel. Mais, comme beaucoup d'hommes qui ont souffert de crises cadiaques, après avoir frôlé la mort, il était sujet à des crises de dépression débilitantes. Il restait immobile pendant de longs moments à réfléchir sombrement à l'avenir. Mamie Eisenhower insistait beaucoup pour qu'il ne se représente pas. Ses arguments s'inspiraient tantôt de l'émotion profonde, tantôt de la froide logique.

A la fin de janvier, toutefois, Eisenhower avait presque décidé de se représenter, décision qui fut renforcée par un excellent rapport médical le 14 février. Je crois qu'il avait plusieurs raisons pour poser sa candidature. Comme en 1952, il pensait que c'était son devoir envers son pays. De plus, il ne pouvait supporter l'idée qu'Adlai Stevenson lui succéderait et il ne croyait pas à l'élection d'un autre Républicain. Je pense aussi qu'il désirait finir ce qu'il avait commencé. Il avait des idées arrêtées sur ce que devait être le Parti Républicain et il savait qu'il n'avait pas pu accomplir beaucoup dans ce domaine au cours de son premier mandat. Il lui fallait quatre ans de plus pour laisser une marque durable sur le parti et sur la nation.

Eisenhower annonça son intention de se représenter le 29 février à une conférence de presse. Il invita un petit groupe à se joindre à lui dans le Bureau Ovale, ce soir-là, pour un discours télévisé faisant part de sa décision. Jim Hagerty, Len Hall, Jerry Persons, Milton Eisenhower et moi, nous étions assis sur les canapés devant la cheminée tandis qu'Eisenhower, à son bureau, faisait face à la caméra. Quand il eut fini, tout le monde se serra la main et il nous invita à prendre un verre dans les appartements privés. « J'ai besoin du soutien moral de Mme Ike », dit-il avec un sourire penaud.

Dans le salon au fond du couloir Ouest, il fut d'une humeur singulièrement taciturne. Il était heureux d'avoir finalement pris et annoncé sa décision, mais il redoutait la campagne qui allait commencer et même aussi quatre ans encore chargé des fardeaux de la Présidence. « Au moins, dit-il, je pourrai dire que j'ai fait mon devoir. »

Eisenhower avait passé par des moments difficiles pour prendre sa décision, et il avait savouré le côté un peu spectaculaire de son annonce. Mais je crois que la réaction des journalistes le prit par surprise. Il dut immédiatement répondre à un tir de barrage de questions, et la première me concernait.

> Q. — Monsieur le Président, puisque votre réponse est affirmative, voudriez-vous encore le Vice-Président Nixon comme second?
> R. — A vrai dire, je ne voudrais pas mentionner la Vice-Présidence en dépit de ma très grande admiration pour M. Nixon, pour la raison suivante : je crois qu'il est de tradition de ne pas nommer le Vice-Président avant la nomination d'un candidat présidentiel; je pense donc que nous devrons attendre de voir qui la Convention républicaine nommera, et alors il sera correct de s'exprimer sur ce point.

Comme on insistait, il ajouta : « Je ne dirai rien de plus à ce sujet. J'ai dit que mon admiration et mon respect pour le Vice-Président Nixon sont sans limites. Il a été pour moi un collaborateur loyal et dévoué et tout lui a réussi. Je l'aime beaucoup, mais je ne veux rien dire de plus. »

Je crois qu'une fois la question posée, Eisenhower eut trois réactions fondamentales à la possibilité de m'avoir comme second en 1956.

Premièrement, sa règle d'or pour tout jugement politique était, ce qui est compréhensible, de ne jamais rien faire qui puisse affecter ses propres chances de victoire.

Deuxièmement, tout en pensant qu'il me devait la loyauté que mérite un subordonné fidèle, dur à la tâche, et tout en sachant que je l'avais soutenu dans des situations qui avaient été clairement contre mes propres intérêts politiques, il n'estimait pas que cette loyauté exigeait un engagement futur particulier quant à la Vice-Présidence.

Troisièmement, il avait l'habitude du système militaire dans lequel les hommes sont promus en assumant le plus dur travail et en l'exécutant bien. L'idée ne lui venait pas de préparer un dauphin ou d'avoir un protégé; c'était contraire au concept de l'état-major selon lequel tout le monde doit servir le commandant en chef avec une fervente (et égale) abnégation. Quand Eisenhower disait que d'autres candidats lui seraient également agréables, il entendait précisément cela.

Une nouvelle preuve des intrigues du personnel de la Maison Blanche fut apportée quand *Newsweek* rapporta la suggestion qu'Eisenhower m'avait faite d'accepter un portefeuille ministériel. Je ne pus jamais découvrir avec certitude la source de cet article mais c'était indiscutablement quelqu'un de la Maison Blanche. Il était difficile de croire qu'une chose aussi délicate ait pu être communiquée à la presse sans l'accord d'Eisenhower. Et s'il approuvait la fuite, peut-être l'avais-je mal compris, peut-être était-il bien décidé à me retirer de la liste et se demandait-il pourquoi je n'avais pas saisi l'allusion.

A la prochaine conférence de presse d'Eisenhower, le 7 mars, la première question concerna l'article de *Newsweek*.

> Q. — Monsieur le Président, on a publié des rapports disant que certains de vos conseillers vous pressaient de rayer le Vice-Président Nixon de la liste républicaine cette année, et deuxièmement, que vous aviez vous-même suggéré à M. Nixon qu'il pouvait s'écarter cette fois et, peut-être, accepter un portefeuille ministériel. Pouvez-vous nous dire s'il y a du vrai dans ces rapports?
>
> R. — Eh bien, pour ce qui est du premier, je puis vous promettre ceci : si jamais quelqu'un a l'effronterie de venir me presser de me débarrasser d'un homme que je respecte autant que le Vice-Président Nixon, il y aura plus d'agitation autour de ce bureau que vous n'en avez constaté jusqu'à présent.
>
> Deuxièmement, je ne me suis pas permis de dire au Vice-Président Nixon ce qu'il devrait faire de son avenir...
>
> La seule chose à laquelle je lui ai demandé de songer, c'est de tracer sa propre voie et de me dire ce qu'il aimerait faire. Je ne suis jamais allé plus loin.

« Tracer sa propre voie » devint immédiatement une scie pour les chroniqueurs, dans les semaines suivantes. Tout le monde l'interprétait à sa façon, mais en général, on pensait qu'elle indiquait une certaine indifférence à mon égard, ou même une tentative pour prendre ses distances.

A ce moment, ma désillusion de voir Eisenhower traiter l'affaire ainsi et mon peu de passion pour la Vice-Présidence commencèrent à affecter ma propre attitude. Après la conférence de presse d'Eisenhower, je préparai immédiatement une déclaration annonçant que je ne serais pas candidat en 1956. J'en parlai à Vic Johnson, le rapporteur de la Commission sénatoriale électorale, quand il passa à mon bureau plus tard dans l'après-midi. Une heure après, il était de retour avec Len Hall et Jerry Persons. Ils me dirent que si j'annonçais que je me retirais, le Parti Républicain serait scindé en deux.

Je répondis qu'en politique, il n'était pas possible qu'un Vice-Président « trace sa propre voie » et que si Eisenhower ne voulait pas de moi sur la liste, du diable si j'allais me battre pour y rester. « C'était à lui de voir s'il me veut, dis-je. Je ne puis que supposer que, s'il s'exprime de cette façon, ce doit être sa manière de dire qu'il préférait quelqu'un d'autre. »

Len Hall s'efforça de me calmer : « Ce n'est pas du tout ce qu'il a voulu dire, voyons! Enfin bon Dieu, Dick, vous et moi nous en avons parlé cent fois. Nous savons tous que s'il s'agissait de quelqu'un d'autre, ce serait différent. Mais c'est Ike et on ne peut pas lui appliquer les normes politiques sophistiquées que l'on appliquerait à d'autres. »

J'acceptai de ne faire aucune déclaration pendant quelques semaines au moins. J'appris plus tard qu'à peu près au même moment Eisenhower lui-même commençait à être agacé par le développement de cette histoire et qu'il avait tenu plusieurs réunions pour chercher ce qu'il devrait faire. Charlie Jones, président de Richfield Oil, me parla d'un petit dîner d'hommes à la Maison Blanche au cours duquel Eisenhower souleva la question de la Vice-Présidence. Certains des invités dirent qu'à leur avis, il devrait changer. Ils arguèrent que s'il y avait la moindre possibilité que je fasse perdre des voix à Eisenhower, il devrait me laisser tomber comme une vieille chaussette. Jones était du même âge qu'Eisenhower, et son ami depuis de longues années; il était un des rares qui continuaient de l'appeler Ike. Lorsque mes adversaires eurent tous dit leur mot, Jones se tourna vers le haut de la table et déclara : « Ike, que diable doit faire un homme pour obtenir votre soutien? Dick Nixon a fait tout ce que vous lui avez demandé. Il a assumé le sale boulot qui faisait fuir beaucoup de vos autres collaborateurs. Le priver de votre soutien maintenant serait la chose la plus ingrate que je puisse imaginer. »

Le 13 mars, la première élection primaire de la campagne de 1956 eut lieu dans le New Hampshire.

Ce soir-là, Pat et moi dînions chez Alice Longworth. Quand nous arrivâmes dans la grande maison victorienne de Massachusetts Avenue, elle nous accueillit en haut de l'escalier par ces mots : « Vous avez écouté la radio? Il y a une inscription pour vous dans le New Hampshire. »

Mme Longworth était incapable de résister à tout ce qui touchait la politique et le dîner fut servi à toute vitesse. Puis, tandis que nous prenions le café en écoutant la radio dans son salon plein de peaux de bêtes et de souvenirs de son père Theodore Roosevelt, j'appris que mon inscription était la grosse affaire de la primaire du New Hampshire.

Eisenhower pouvait être bien satisfait des 56 464 électeurs qui avaient coché son nom sur la liste. Mais la grande surprise, c'était que près de 23 000 votants avaient inscrit mon nom sur leur bulletin. J'en fus enchanté et me demandai quel effet cette nouvelle ferait au Président.

Quand on interrogea Eisenhower au sujet des résultats du New Hampshire à sa conférence de presse suivante, il se rapprocha le plus qu'il le pouvait d'une approbation pure et simple :

> « Ma foi, je ferai ce commentaire : apparemment, il y a un tas de gens dans le New Hampshire qui sont d'accord avec ce que je vous ai dit de Dick Nixon...
> Quiconque tente d'enfoncer un coin de quelque nature que ce soit entre Dick Nixon et moi a autant de chances que s'il essayait de l'enfoncer entre mon frère et moi...
> Je tiens à répéter ce que j'ai dit la semaine dernière ou l'autre; je le dirai exactement tel que je le pense : je suis très heureux d'avoir Dick Nixon pour ami. Je suis très heureux de l'avoir pour collaborateur au gouvernement. Je serais très heureux de figurer sur une liste où je serais candidat avec lui.
> Alors, si ces mots ne sont pas clairs et simples c'est tout simplement que les gens ne peuvent comprendre la simple vérité toute nue.
> Je n'ai rien à ajouter. »

Et puis le 25 avril, en pleine conférence de presse, on demanda à Eisenhower : « Il y a quelque temps, Monsieur le Président, vous nous avez dit que vous aviez demandé au Vice-Président Nixon de tracer sa propre voie et de venir ensuite vous en rendre compte. L'a-t-il fait? » Eisenhower répondit : « Eh bien, il ne m'en a pas rendu compte aux termes dans lesquels j'avais employé cette expression ce matin-là, non. »

En apprenant cela, je compris que le moment était venu d'agir. Plus j'y songeais plus j'étais convaincu que je pourrais me retirer de la liste sans faire du tort à Eisenhower plutôt que de lui rendre service. Je savais qu'il n'y aurait aucun moyen d'expliquer mon retrait de manière à persuader un très grande nombre de nos partisans que je n'avais pas été largué. Ces gens représentaient plus mon électorat que celui d'Eisenhower et s'ils sentaient que j'étais maltraité, ils risquaient de s'abstenir.

Depuis 1952, Eisenhower avait appris énormément de choses sur la politique, mais il n'aimait toujours pas et comprenait mal ceux qu'il appelait les « vieux chevaux conservateurs du parti », au Congrès et dans les organisations républicaines locales. Il pensait qu'ils ne pouvaient aller nulle part ailleurs. Mais il avait besoin d'autre chose que de leurs suffrages. Il lui fallait leur soutien sincère et leur organisation.

Je n'étais pas d'accord avec ceux qui prétendaient qu'Eisenhower pourrait récolter des voix substantielles chez les Démocrates et les indépendants en se débarrassant de moi. Eisenhower pouvait maintenant se présenter avec un mandat de quatre ans derrière lui et, particulièrement sur les questions économiques, de politique étrangère et de sécurité intérieure, ce mandat avait été fondamentalement conservateur. Stevenson serait le choix des libéraux qui préféraient une politique plus coulante.

Le lendemain 26 avril, au début de la matinée, je téléphonai à la Maison Blanche pour demander à voir le Président. Dans l'après-midi, je me retrouvai assis en face de lui dans le Bureau Ovale. Je lui dis que je serais très honoré de rester son Vice-Président et j'expliquai : « La seule raison que j'ai eue d'attendre si longtemps avant de vous le dire, c'était que je ne voulais rien faire qui puisse vous donner à penser que j'essayais de m'imposer de force si vous ne me vouliez pas sur votre liste. »

Il me répondit qu'il était heureux d'apprendre mon sentiment et qu'il s'était demandé pourquoi je tardais tant. Il décrocha son téléphone et demanda Jim Hagerty.

« Dick vient de m'annoncer qu'il reste sur la liste, lui dit-il. Emmenez-le donc tout de suite pour qu'il le dise lui-même aux journalistes. Et vous pourrez aussi leur dire que cette nouvelle me ravit. »

L'imprimatur d'Eisenhower suffit à réduire au silence mes adversaires en puissance et à remettre au pas le personnel de la Maison Blanche, tout au moins pour le moment. Trois semaines plus tard, je reçus un nouvel encouragement quand 32 878 électeurs écrivirent mon nom sur leurs bulletins de vote à l'élection primaire de l'Oregon.

Pendant l'été de 1956, Harold Stassen était au sommet de sa gloire comme « ministre de la Paix » d'Eisenhower. Conseiller du Président, au niveau ministériel, sur le désarmement, Stassen était célèbre et populaire à cause de son habileté à conduire les délicats pourparlers de Genève sur le désarmement avec les Soviétiques.

Il avait été un des premiers à m'appeler dans les jours suivant la crise cardiaque d'Eisenhower, en septembre de l'année précédente, pour m'assurer de son soutien pour la nomination présidentielle. Mais le 20 juillet 1956, il dit à Eisenhower qu'il avait commandé un sondage privé, lequel indiquait que je lui ferais perdre plus de voix que bien d'autres seconds possibles, en particulier le gouverneur du Massachusetts Christian Herter. Stassen pensait que Herter devrait être le second d'Eisenhower. Le Président déclara plus tard qu'il avait trouvé cette proposition « ahurissante », d'autant plus qu'il n'ignorait pas qu'une semaine plus tôt Len Hall et Jim Hagerty avaient obtenu l'accord provisoire de Herter de proposer mon propre nom à la nomination lors de la convention.

Eisenhower répliqua à Stassen qu'il n'allait pas donner d'ordres à la convention. Stassen lui demanda si cela l'ennuierait qu'il essaye lui-même de me persuader de me retirer. « Vous êtes un citoyen américain, Harold, dit Eisenhower, et vous êtes libre d'obéir à votre propre jugement en cette affaire. »

Stassen le remercia et quitta la Maison Blanche. Il téléphona à certains de ses partisans et leur annonça qu'Eisenhower avait dit qu'il était pour une convention ouverte. Puis il appela Herter et lui déclara que le Président avait été très intéressé par ce qu'il avait à dire et l'avait autorisé à parler à Len Hall et à moi pour nous faire part de ses conclusions au sujet de la Vice-Présidence. Il était évident que Stassen faisait tout pour nous pousser tous à une confrontation, Eisenhower, Herter et moi. Trois jours plus tard, le lundi 23, je reçus une lettre de lui dans laquelle il me disait : « J'ai conclu que je dois faire tout ce que je peux pour faire nommer le gouverneur Chris Herter comme candidat à la Vice-Présidence lors de la prochaine convention. J'espère sincèrement qu'après mûre réflexion pendant les semaines qui viennent vous déciderez de vous joindre à nous pour soutenir Chris Herter. »

Ce même après-midi Stassen donna une conférence de presse et annonça son soutien à la candidature de Herter. De nombreux amis et partisans me pressèrent de traiter par le mépris les efforts de Stassen qui n'étaient qu'une manœuvre ridicule et évidente de prise de pouvoir. Mais je savais que Stassen était un homme habile et, quand l'ambition ne l'aveuglait pas, extrêmement capable. Mon seul souci, c'était qu'il parvienne à créer des doutes chez les délégués de la convention sur ce qu'Eisenhower désirait réellement et puisse ainsi provoquer le genre de situation dangereusement fluide où la convention risquait d'être débordée avant que les délégués comprennent ce qui se passait. Il y avait plusieurs candidats en puissance à la Vice-Présidence attendant impatiemment en coulisses une telle situation.

Eisenhower était parti en visite officielle à Panama immédiatement après la visite de Stassen. Il fut absolument furieux quand la conférence de Stassen chassa son voyage de la première page et il autorisa la publication d'une brève déclaration : « Le Président a fait observer à M. Stassen que, tout en ayant parfaitement le droit, en tant qu'individu, de faire toutes les déclarations qu'il voulait, il était tout aussi évident qu'il ne pouvait faire de telles déclarations en tant que membre de la famille officielle du Président. » Quelques jours plus tard, Sherman Adams annonça à Stassen que s'il entendait poursuivre dans cette voie, il lui faudrait se faire mettre en congé de la Maison Blanche.

Quand Eisenhower rentra à Washington, tout alla très vite. Herter téléphona à Sherman Adams pour connaître l'opinion réelle du Président sur ce qui s'était passé. Adams lui répondit qu'Eisenhower avait pour lui une grande estime. S'il désirait se porter candidat à la Vice-Présidence, cela ne regardait que lui, mais qu'Eisenhower espérait que pendant un second mandat, il pourrait rendre service sur le plan international et avait déjà parlé à Dulles de cette possibilité. Ce ne serait pas possible, cependant, si Herter choisissait de se présenter à la Vice-Présidence. Herter déclara alors qu'il pensait s'en tenir à ses projets d'avant la conférence de presse de Stassen et s'arranger pour proposer mon nom à la nomination. Il jugeait que cela couperait court à toute nouvelle tentative pour faire de lui un Vice-Président.

Adams répliqua : « Très bien, considérons donc la chose réglée ainsi. »

Et la bulle Stassen éclata moins de vingt-quatre heures après avoir fait surface.

Herter téléphona à Hall pour lui dire qu'il me nommerait et Hall m'en informa. Stassen ne se laissa pas abattre. Il déclara sans broncher à une conférence de presse que le fait même que l'on ait demandé à Herter de me nommer confirmait en soi sa très haute stature au sein du parti. Le lendemain matin, Herter tint à son tour une conférence de presse à Boston et annonça officiellemet qu'il soutenait ma nomination.

Le 22 août, le jour même où la convention de San Francisco devait choisir le candidat à la Vice-Présidence, Stassen se présenta à la suite d'Eisenhower à l'hôtel Saint Francis pour un rendez-vous avec le Président. Il se trouva nez à nez avec Len Hall et Sherman Adams. Stassen exhiba une lettre qu'il comptait discuter avec Eisenhower. C'était un ultimatum adressé à Hall, en sa qualité de président du Comité National Républicain, demandant que la nomination du Vice-Président soit retardée d'un jour.

Adams lui dit qu'il ne pourrait pas voir Eisenhower avant de s'être engagé à soutenir ma nomination et qu'il devait limiter sa conversation à informer le Président de cet accord. Stassen finit apparemment par comprendre et accepta ces termes. Aussitôt après la réunion, Eisenhower tint une conférence de presse télévisée et annonça : « M. Stassen est venu me voir il y a quelques minutes... Il m'a dit ce matin qu'après avoir passé plusieurs jours ici, il était tout à fait convaincu que la majorité des délégués voulaient M. Nixon... Il pensait qu'afin de faire clairement connaître sa position devant la convention et le public américain, il demanderait au président de la convention l'autorisation, cet après-midi, de soutenir... la nomination du Vice-Président, M. Nixon, pour une renomination. »

Alors qu'Eisenhower faisait cette déclaration à San Francisco, j'étais à près de 650 kilomètres de là, à Whittier. Au début de la matinée, j'avais appris que mon père avait souffert de la rupture d'une artère abdominale et que l'on avait peu d'espoir de le sauver. Quand nous arrivâmes à Whittier, il semblait aller un peu mieux et je pus même causer avec lui, bien qu'il souffrît beaucoup et fût sous une tente à oxygène. Il me dit qu'il se sentait beaucoup mieux et insista pour que je retourne à San Francisco. Malgré la douleur et les sédatifs, il retrouva un peu de son tempérament emporté en bougonnant : « Retourne là-bas, Dick, et ne laisse pas ce Stassen te jouer encore un de ses sales tours de dernière minute. »

Dans l'après-midi je regardai la convention à la télévision dans le salon de mes parents et je vis Chris Herter proposer mon nom à la nomination. Une demi-heure plus tard, le rideau tomba enfin sur le mouvement « Nixon dehors » quand je fus nommé par 1 323 voix contre 1.

Le lendemain matin, le médecin annonça que mon père allait beaucoup mieux; il était certain que la joie que lui avait causée ma nomination était pour beaucoup dans son amélioration. Quand je proposai d'annuler mon discours d'acceptation à San Francisco pour rester auprès de lui, mon père faillit sauter au plafond. Pat et moi, nous retournâmes donc à San Francisco; et dans l'après-midi, avec l'aide précieuse de mon vieil ami le Père John Cronin, je terminai mon discours d'acceptation, quelques minutes à peine avant de devoir partir pour la convention.

Nous rentrâmes ensuite à Washington mais quelques jours plus tard je fus rappelé en Californie à cause de la maladie de mon père. Le médecin me confia que c'était uniquement sa détermination à me voir vaincre Stassen et être renommé qui l'avait maintenu en vie si longtemps. Maintenant son état empirait rapidement. Il savait sa fin proche. Aussi donna-t-il à ma mère des instructions pour ses obsèques; il demanda à ce qu'on lui permette de mourir chez lui plutôt qu'à l'hôpital. Il rendit le dernier soupir le 4 septembre 1956 à 20 h 25.

Après la surexcitation des préliminaires, la campagne de 56 fut relativement calme. Eisenhower invita plusieurs centaines de leaders du parti à un pique-nique dans sa propriété de Gettysburg pour donner le coup d'envoi à la campagne. Stevenson l'avait déjà ouverte avec une attaque cinglante contre le gouvernement d'Eisenhower, qu'il prétendait « sans scrupules », avec une « fausse façade ». Eisenhower, toujours sensible aux critiques et que Stevenson irritait particulièrement, se mit en rage et voulut riposter. Il me téléphona le matin du pique-nique et notre conversation, que je rapportai dans mon journal, montre comment il s'y prenait quand il voulait faire entreprendre une action politique :

> Le Président m'a téléphoné ce matin et m'a déclaré : « Ecoutez, vous allez prendre la parole à Gettysburg aujourd'hui. »
> Il a ajouté : « Naturellement, tout le monde comprend que vous parliez à présent sur un plan élevé. Cependant, je pense qu'aujourd'hui vous devriez tenir compte de certaines de ces attaques portées contre le gouvernement et contre moi. Je pense que lorsque Stevenson appelle ce gouvernement des racketteurs et des coquins, quand ils disent que nous traitons sans cœur les problèmes du peuple et les problèmes des cultivateurs, quand ils racontent que nous n'avons ni paix ni prospérité, il faut leur riposter. J'aimerais que vous le fassiez et si vous devez chanter mes louanges, je veux bien. Je serai naturellement un peu gêné, mais je sais que vous devez le faire pour répliquer. Je suggère quelque chose comme : « Voulez-vous une nouvelle guerre afin d'avoir la prospérité avec les Démocrates? Après tout, il y avait neuf millions de chômeurs en 1939 avant la Seconde Guerre mondiale, et aussi un grand nombre avant la guerre de Corée. »
> Je lui ai dit que j'étais d'accord pour penser que Stevenson frappait vraiment à tort et à travers. Il m'a répondu : « Naturellement, il n'est pas nécessaire de l'attaquer personnellement, mais vous devriez faire observer qu'il a tort. »
> Je me suis ensuite entretenu avec Brownell qui m'a dit : « Je ne crois pas que nous pourrions gagner avec ce que l'on appelle une campagne d'un niveau élevé. Elle doit être juste mais vous devez accepter les défis de l'opposition. Il faut frapper fort. »

Il faisait un chaud soleil cet après-midi-là, tandis qu'Eisenhower recevait ses invités. Tout le monde se réunit sous une grande tente dressée sur la pelouse, pour les discours. Je suivis les instructions du Président et enfonçai quelques solides banderilles dans Stevenson et les Démocrates. Puis il se leva à son tour et commença son allocution en me complimentant, disant : « Il n'y a aucun homme dans l'histoire de l'Amérique qui ait eu une préparation aussi soignée que le Vice-Président Nixon pour assumer les devoirs de la Présidence, si jamais cette tâche devait lui incomber. »

La question sous-jacente de la campagne restait la santé d'Eisenhower et le fait que si jamais il lui arrivait quelque chose, je deviendrais Président. Dès le début, je fus soumis à un feu intense et amer. Décrivant la Convention nationale démocrate à Chicago, en août, *Newsweek* écrivit :

> « Depuis l'ouverture à Chicago jusqu'à ce que se taisent les échos des dernières acclamations, Nixon a été la cible. Les orateurs prononçaient son nom en ricanant comme si c'était un qualificatif obscène. Il fut traité de " vice-troisième couteau " de " nain favori de la Maison Blanche ", de voyageur de la " route basse "... En attaquant Nixon les Démocrates demandaient en fait : " Voulez-vous un homme comme ça à la Maison Blanche? N'oubliez pas qu'il sera Président si vous réélisez M. Eisenhower et si Ike meurt. " »

Stevenson avait dit aux délégués : « Le peuple américain a l'obligation solennelle de considérer avec le plus grand soin qui sera son Président au cas où le Président élu serait empêché par une volonté supérieure d'aller au bout de son mandat. »

Il rappela que sept de nos Présidents étaient entrés en fonction « à la suite d'une sélection aussi indirecte ». Dans un discours prononcé à Flint, dans le Michigan, le 17 octobre, il ne recula devant rien :

> « Aucun homme ne peut dire avec certitude qu'il sait ce que pense le Vice-Président. C'est un homme aux masques nombreux. Qui peut dire qu'il a vu son vrai visage?...
> En ces temps critiques, l'Amérique ne peut pas se permettre le risque d'avoir un Président ou un Vice-Président qui traite une guerre tragique comme un prétexte à démagogie politique et qui répand à l'étranger la mauvaise volonté au lieu de la bonne volonté. »

Il compara la Vice-Présidence à « la police d'assurance sur la vie de cette nation » et conclut que la victoire de la liste Eisenhower-Nixon signifierait que la nation serait « sans assurance pendant quatre ans ».

Le 4 octobre, j'avais fait une émission télévisée sur les antennes nationales, répondant à des questions de journalistes transmises en direct de huit grandes villes. Cette expérience fut une telle réussite que j'allais employer la formule télévisée questions-réponses dans toutes les campagnes électorales jusqu'en 1972.

La télévision commençait à se révéler une arme électorale — en 1956, 73 % des foyers américains avaient un téléviseur —, mais nous livrâmes malgré tout une campagne traditionnelle « au finish » aussi épuisante, physiquement, que toutes les autres l'avaient été. Avec Pat, je fis trois tournées de tout le pays en avion charter. Comme je portais presque tout le fardeau de la campagne pour le Gouvernement et comme j'étais moi-même une des controverses de cette campagne, j'étais accompagné par le plus fort contingent de presse jamais assigné à un candidat à la Vice-Présidence. Je tenais au moins une et parfois deux conférences de presse tous les jours ouvrables. Le *New York Times* rapporta que je « menais adroitement une campagne qui devait être vue pour être crue ».

Dès l'ouverture de la campagne électorale, les sondages donnèrent perpétuellement Eisenhower et moi en tête. Dans les derniers jours, et même les dernières heures, trois crises étrangères éclatèrent qui anéantirent le peu d'espoirs que pouvait avoir Stevenson. Le peuple américain se rallie à son Président en temps de crise internationale et n'y fit pas exception cette fois. Le 19 octobre, une brève révolte éclata en Pologne communiste, et le 23 commença l'insurrection hongroise à Budapest qui se répandit rapidement dans tout le pays avant que les chars soviétiques viennent l'écraser. J'appelai Nikita Khrouchtchev le « boucher de Budapest », surnom qui lui resta et fut répété dans le monde entier. Et puis le 29 octobre, Israël envahit l'Egypte après plusieurs mois de dispute à propos de l'accès au canal de Suez. Le 5 novembre, la veille de notre élection, des parachutistes britanniques et français atterrirent en Egypte pour prêter main-forte à l'invasion israélienne et pour protéger les droits de la France et de la Grande-Bretagne dans cette zone.

Eisenhower et Dulles firent fortement pression sur la Grande-Bretagne, la France et Israël pour que ces nations retirent leurs forces de Suez. Avec le recul, je pense que nos actions furent une grave erreur. Nasser devint encore plus téméraire et agressif; les graines furent semées d'une nouvelle guerre au Moyen-Orient. Le résultat le plus dramatique, ce fut que la Grande-Bretagne et la France se trouvèrent si humiliées et découragées par la crise de Suez qu'elles perdirent toute volonté de jouer un rôle majeur sur la scène internationale. Dès ce moment, les Etats-Unis allaient être forcés de faire « cavalier seul » dans la politique étrangère du monde libre. J'ai souvent pensé que si la crise de Suez n'était pas survenue dans l'atmosphère survoltée d'une campagne électorale présidentielle, une tout autre décision aurait été prise.

Stevenson prononça un discours désespéré de veille de scrutin, allant plus loin que jamais en rappelant brutalement aux électeurs que, à cause de l'état de santé d'Eisenhower, voter pour lui équivaudrait à m'envoyer à la Maison Blanche :

> « Aussi déplaisante que soit cette question, je dois dire carrément que toutes les preuves scientifiques que nous avons, toutes les leçons de l'histoire et de l'expérience indiquent qu'une victoire des Républicains demain signifierait que Richard M. Nixon serait probablement Président de ce pays dans les quatre prochaines années...
>
> Aussi déplaisant que ce soit, c'est la vérité, la vérité centrale, sur la décision la plus fatidique que le peuple américain devra prendre demain.
>
> J'ai confiance en cette décision. »

Beaucoup jugèrent cet appel grossier et de mauvais goût, et il fit perdre probablement plus de voix à Stevenson qu'il ne lui en apporta. Le lendemain soir, le dépouillement révéla que la liste Eisenhower-Nixon était élue par 57 % des voix, l'emportant dans quarante et un Etats sur quarante-huit.

Le soir de l'élection, nous rejoignîmes, Pat et moi, les Eisenhower au Sheraton-Park Hotel pour célébrer la victoire. J'avais rarement vu Eisenhower d'aussi excellente humeur; il était sincèrement heureux de ce qui était apparu comme un raz de marée dès les premiers résultats fragmentaires. Toutefois, quand on examina les résultats du Middle West, il fut évident que la victoire personnelle d'Eisenhower ne déteindrait pas sur les scrutins des Etats et du Congrès. Malgré une des plus fortes majorités de l'histoire présidentielle, Eisenhower fut le premier Président en cent huit ans qui ne pouvait remporter au moins une des deux chambres du Congrès pour son parti.

Il ne comprenait absolument pas comment cela pouvait se passer, tout comme j'eus du mal à le comprendre quand cela m'arriva en 1972. Il devint de plus en plus taciturne, tandis que nous regardions les derniers résultats à la télévision. « Vous savez pourquoi cela arrive, Dick? me dit-il. Ce sont tous ces fichus vieux chevaux et Conservateurs rassis que nous avons dans le parti. Je crois que ce qu'il nous faut, c'est un nouveau parti. »

Ce n'était pas la première fois qu'Eisenhower rendait les Conservateurs responsables des problèmes du parti. Dans bien des cas, il avait raison d'être exaspéré par ses divisions; dans d'autres, il lui manquait la tolérance pour la diversité qu'aurait eue un homme politique plus entraîné. Il songea ensuite à la foule qui nous attendait en bas dans la salle de bal et me dit : « Vous savez, je crois que je vais leur parler du Républicanisme moderne. » Le « Républicanisme moderne » était un terme à la mode à l'époque, surtout dans la presse, pour désigner le genre de libéralisme que les commentateurs appelaient l'antithèse du conservatisme à la Taft.

Je pensai que le Président commettrait une erreur en parlant d'une question de parti aussi sujette à controverses que le Républicanisme moderne, en pareille occasion, et risquerait d'offenser les fidèles du parti qui nous attendaient en bas et ceux de toute la nation. Mais je savais aussi qu'Eisenhower dirait ce qu'il voulait.

Stevenson s'avoua battu vers une heure et demie du matin. Eisenhower descendit et déclara que sa victoire était celle du Républicanisme moderne. Comme je l'avais craint, beaucoup d'anciens du parti pensèrent qu'il se vantait d'avoir remporté la victoire tout seul, ou que ces mots étaient une menace indiquant que ceux du parti qui ne partageaient pas ses opinions seraient remplacés peu à peu par ceux qui les partageaient. Il y avait juste assez de vrai dans les deux interprétations pour faire démarrer le second mandat sur une note un peu aigre, dans certains milieux républicains.

Quelques jours avant la fin de l'année, je reçus une lettre de la Maison Blanche qui me fut infiniment précieuse et me dédommagea de tout le travail harassant de la campagne électorale.

« Cher Dick,
Alors que l'année et notre premier gouvernement touchent à leur fin je tiens à vous dire, dans une lettre personnelle, ce que j'ai si souvent exprimé publiquement. Pendant ces quatre dernières années, vous avez conféré à la fonction de Vice-Président une stature réelle qu'elle n'avait pas connue auparavant : vous vous êtes révélé un " ambassadeur " capable et populaire auprès de nos amis dans de nombreuses autres parties du monde; vous avez travaillé inlassablement et efficacement à interpréter pour le peuple d'Amérique — et à présenter — la politique du gouvernement. Pour tout cela, je vous suis personnellement reconnaissant et heureux que vous ayez pu répondre avec tant de compétence à toutes mes espérances.
Je découvre aussi — avec un certain chagrin — que si j'ai remercié des milliers de personnes, semble-t-il, du Maine à la Californie pour leur aide dans la campagne politique, je ne vous ai jamais exprimé ma satisfaction pour avoir assumé le gros du fardeau de l'effort Etat par Etat. Je sais que vous êtes récompensé, comme je ne pourrais naturellement manquer de l'être, par le verdict des électeurs. Mais je tiens à exprimer, à vous et à votre loyale équipe surmenée, mon immense reconnaissance pour tout ce que vous avez fait pour aboutir au résultat final.
Avec mes amitiés affectueuses pour Pat et les enfants, et, comme toujours, mes meilleurs sentiments pour vous,
Sincèrement,

Dwight Eisenhower. »

L'OPÉRATION MISÉRICORDE

La politique est fertile en péripéties et en événements de toutes sortes. Elle nous oblige souvent à faire face à des situations imprévues. Le soulèvement qui eut lieu en Hongrie en 1956 devait nous causer bien des problèmes, et cela alors même que nous comprenions parfaitement les raisons de ceux qui s'insurgent contre le régime en place. Il en résulta quelque difficulté dans nos relations avec les pays de l'Est.

Les Soviétiques et leurs marionnettes hongroises accusèrent les Etats-Unis d'avoir provoqué l'insurrection en assurant les rebelles hongrois qu'ils les aideraient s'ils se révoltaient contre le gouvernement. A notre grande consternation et à notre grande gêne, certains des combattants de la liberté semblaient partager cette interprétation. Ils nous reprochaient de les avoir d'abord encouragés à se révolter, puis de n'avoir rien fait pendant que les Soviétiques les massacraient.

Le 13 décembre, Eisenhower me rappela à Washington alors que j'étais avec Pat à New York pour de courtes vacances de Noël. Je devais voir Dulles pour examiner quelques idées qui leur étaient venues à ce sujet. Eisenhower avait offert un asile à 21 500 personnes qui appartenaient à ces cent et quelques milliers de Hongrois qui s'étaient réfugiés en Autriche. Et tous les jours, il en arrivait en foule à la frontière.

Cette décision n'avait pas été très populaire. Une opposition considérable se manifestait au Congrès contre l'immigration de réfugiés à un moment où il y avait du chômage, et l'opinion publique n'était pas encore sensibilisée par les aspects humanitaires de la situation. Eisenhower avait agi en vertu des pouvoirs provisoires que la loi en vigueur lui attribuait. Il voulait qu'une législation permanente lui permît de faire face au problème des réfugiés et espérait obtenir que l'entrée des Etats-Unis fût permise à un plus grand nombre de « sans-patrie ».

Dulles me dit qu'Eisenhower me confiait une mission d'urgence en Autriche afin d'appeler l'attention de la population sur les souffrances des réfugiés. Et à mon retour, je préparerais un rapport que l'on pourrait utiliser pour fortifier le projet de législation. Ce serait « l'opération miséricorde ».

Redoutant quelque désagréable incident diplomatique et fidèles à leur traditionnel amour de l'ordre, les Autrichiens stérilisèrent soigneusement la visite prévue que je devais faire au camp de réfugiés de la ville frontière d'Andau. Je rencontrai quelques réfugiés, mais surtout des fonctionnaires autrichiens et des cadres de la Croix-Rouge.

Ce soir-là, le Gouvernement autrichien donnait un dîner en mon honneur. A mon retour à notre ambassade, je dis à l'ambassadeur Llewellyn Thompson, surnommé « Tommy », que je voulais aller à la frontière et voir de près ce qui s'y passait. Thompson me procura une voiture, et en compagnie de Bill Rogers, du représentant Bob Wilson de Californie, et de mon adjoint Bob King, je retournai à Andau.

Dans un morne centre de réfugiés, à la frontière, nous fûmes témoins des véritables angoisses et de l'héroïsme des combattants hongrois pour la liberté.

Quelques-uns de ceux qui s'étaient évadés ce soir-là étaient des étudiants d'Université qui parlaient anglais et nous dirent les épreuves des habitants de Budapest et de toute la Hongrie.

« Pensez-vous que la voix de l'Amérique et la Radio de l'Europe libre aient contribué à encourager la révolution? » demandai-je. Une expression de surprise parut sur leurs visages tandis qu'on leur traduisait ma question si peu diplomatique. L'un d'eux laissa échapper sa réponse : « Oui. »

L'on m'affirma par la suite que cette simple question aurait brisé la glace et convaincu les réfugiés que je n'étais pas venu seulement pour faire disparaître la poussière sous un tapis...

Je rentrai à Washington le jour de Noël et, travaillant pendant ces jours de fête, je fus en mesure de soumettre mon rapport à Eisenhower pour le Jour de l'An.

Je proposais un amendement à l'acte McCarran Walter de manière à ce que nous puissions réagir de manière souple à la situation. Il n'était ni sage, ni réaliste, dis-je, de nous lier, soit à un nombre fixe de réfugiés, soit à un pourcentage déterminé de leur nombre total : « Je crois que les pays qui acceptent ces réfugiés constateront qu'au lieu d'avoir accru leurs charges ils ont acquis un actif national de valeur. » J'étais déçu par l'insensibilité que manifestaient beaucoup d'Américains à l'égard des réfugiés hongrois. J'eus la même impression quand les réfugiés cubains en 1959, et vietnamiens en 1975, se heurtèrent aux mêmes résistances.

En réfléchissant au soulèvement hongrois de 1956, et à la rébellion tchécoslovaque de 1968, je ressens toujours un grand sentiment d'impuissance à l'égard de ce que nous pourrions faire pour aider les peuples des pays communistes d'Europe centrale et orientale. Il faut l'avouer franchement : leur situation géographique et la difficulté de mettre au point, avec l'aide de nos alliés européens, la sorte d'opération militaire commune qui serait nécessaire en la circonstance, se heurtent à des réticences, à des impossibilités, à des inopportunités qui font que nous ne pouvons, ni ne voulons utiliser nos forces armées au cas où ils s'engageraient dans une rébellion ouverte contre leurs dictateurs communistes. C'est pourquoi il est d'un comportement irresponsable de les pousser à la rébellion armée, de susciter leurs espoirs et de les encourager à risquer leurs vies, sans aucune perspective d'assistance de notre part. Mais je ne crois pas non plus que d'abaisser complètement le rideau de fer et de se faire à l'idée qu'ils sont voués à vivre pour toujours sous la férule communiste constitue une alternative acceptable.

Les transformations pacifiques sont la seule réponse possible. Sans doute elle n'est pas très satisfaisante, parce qu'une telle transformation pourrait prendre le temps de toute une génération, peut-être même tout un siècle. Nous devons, en attendant, saisir toute occasion qui pourrait survenir pour multiplier les contacts avec les peuples de ces pays, de sorte qu'ils sachent que nous partageons leurs espoirs en une vie meilleure et plus libre.

L'ATTAQUE DU PRÉSIDENT EISENHOWER

Le 25 novembre 1957, le Président Eisenhower fut victime d'une attaque qui se révéla finalement assez légère. Le Président était plus atteint dans sa confiance en soi que dans ses capacités. Il ne lui restait qu'une petite difficulté à trouver ses mots, peu perceptible à ses interlocuteurs, mais dont il était « douloureusement conscient ».

Avec cette brutalité qui leur est coutumière, certains éditorialistes suggérèrent qu'il démissionnât ou me déléguât des pouvoirs intérimaires. Bien qu'ils répugnassent à la perspective de me voir lui succéder.

Un jour qu'il paraissait particulièrement découragé par ces attaques, je lui dis qu'il devait considérer d'où elles venaient et les traiter par le mépris. Ce qui était important, lui dis-je, c'est que son cerveau était indemne. « L'ennui avec beaucoup d'hommes politiques c'est qu'ils parlent plus vite qu'ils ne pensent. Avec vous, c'est le contraire. »

Cela mit fin à son inquiétude, et il se mit à rire de bon cœur — ce qui ne lui était pas arrivé depuis des semaines...

Un important résultat de cet événement fut la procédure qu'Eisenhower établit pour le cas où il souffrirait encore, avant la fin de son mandat, d'une affection affaiblissant ses capacités. Comme le Congrès ne prenait aucune initiative pour combler le vide constitutionnel en ce qui concerne les cas d'incapacité présidentielle, un plan fut étudié par Bill Rogers, Foster Dulles, moi et le Président pour couvrir au moins la période du mandat restant à couvrir. Eisenhower le rédigea lui-même et m'adressa une lettre fixant la procédure à suivre. La capacité du Président serait déterminée par lui et le Vice-Président. Si, au cours d'une maladie future, Eisenhower en arrivait à conclure qu'il ne pouvait plus accomplir ses fonctions, il me le dirait, et je deviendrais alors Président suppléant avec pleine autorité, jusqu'à ce qu'il eût décidé qu'il était capable de reprendre ses fonctions. S'il était incapable de former ou d'exprimer une décision, je devais agir en qualité de Président suppléant, après avoir réuni les avis appropriés, jusqu'à ce qu'il décidât qu'il était suffisamment rétabli pour reprendre ses fonctions. Ce plan n'avait nullement la valeur d'une solution constitutionnelle permanente, mais c'était un arrangement qui pouvait fonctionner. Fort heureusement, on n'eut jamais l'occasion de le mettre à l'épreuve. Kennedy écrivit une lettre semblable à Lyndon Johnson avant de prendre ses fonctions.

Ce problème fut définitivement réglé en 1967 par l'adoption du vingt-cinquième amendement à la Constitution.

L'AMÉRIQUE DU SUD EN 1958

Malgré les perspectives, désastreuses pour le Parti Républicain, des élections législatives qui devaient avoir lieu en novembre 1958, Dulles et Eisenhower décidèrent, au printemps, de nous envoyer, Pat et moi, en Argentine pour une visite officielle. Ce projet se transforma en une tournée diplomatique dans tous les pays d'Amérique du Sud, à l'exception du Brésil.

La C.I.A. (bureau du contre-espionnage) nous avait avertis que bien que les partis communistes fussent interdits dans la plupart des pays d'Amérique du Sud, je pourrais avoir à faire face à des manifestants occasionnels. Mais je pensais que le voyage serait si peu fécond en événements que je détournai plusieurs journalistes de nous accompagner.

A Montevideo, notre première étape, la foule se montre cordiale et amicale; seuls, quelques manifestants déploient des pancartes quand nous passons le long de l'Université de la République d'Uruguay. Plus tard, je m'arrange, au cours de la visite, pour faire un arrêt non prévu à l'Université. Je traverse le campus, serre des mains et réponds à des questions. Lorsque quelques étudiants communistes essaient de m'interrompre, les autres leur imposent le silence et je pars sous les acclamations.

L'ambassadeur Robert Woodward m'assure que cette courte visite a remporté un énorme succès. Les Américains du Sud méprisent par-dessus tout la peur ou la timidité et admirent le courage et les beaux gestes.

Nous sommes cordialement accueillis par le public en Argentine, au Paraguay et en Bolivie. Au moment où nous arrivons au Pérou, il est clair que les communistes devront avoir recours à une tactique plus violente s'ils veulent atteindre leur but : gâcher notre voyage.

Ils le font. En rentrant à notre hôtel de Lima après avoir déjeuné chez le Président Manuel Prado, nous nous trouvons face à une foule énorme, certainement moins qu'amicale et plus que curieuse. Les sifflets et les injures sont plus que menaçants. Il est évident que les manifestations prennent un tour dangereux.

Le programme du jour suivant comporte la visite de l'ancienne et célèbre Université de San Marcos. Les communistes se sont ouvertement vantés de m'en interdire l'accès. Je sais de source sûre que le Recteur et le chef de la police voudraient que j'annule cette visite. La plupart des membres de notre ambassade pensent que je dois y renoncer plutôt que de risquer un incident qui pourrait avoir des conséquences sérieuses sur nos relations avec le Pérou.

« Je ne décommanderai ma visite, dis-je, que si le Recteur ou le chef de la police me le demandent par écrit. » Un fonctionnaire de l'ambassade donne quelques coups de téléphone et revient nous dire que le Recteur craint que les étudiants communistes puissent lui reprocher de les priver de l'incident qu'ils espèrent provoquer, et que le chef de la police ne veut pas courir le risque d'être accusé d'être incapable de maintenir l'ordre. Nous prenons l'avis de plusieurs dirigeants péruviens. Chacun souhaite que la visite n'ait pas lieu, mais personne n'entend prendre la responsabilité de l'annulation.

Mon adjoint, Bill Key, propose une autre solution : au lieu de San Marcos, je n'ai qu'à visiter l'Université catholique de Lima, dont les étudiants sont plus réfléchis et disciplinés, et dont le Recteur affirme qu'il serait heureux de nous recevoir.

Je demande son avis à l'ambassadeur Ted Achilles. « A titre personnel, dit-il finalement, vous devriez décider de ne pas y aller. Mais du point de vue des Etats-Unis, la vérité est que votre renonciation pourrait provoquer des réactions très défavorables dans tout le continent sud-américain. »

Je dormis très peu cette nuit-là. La foule, en face de notre hôtel, avait grossi et paraissait menaçante. A partir de minuit, elle commença à hurler des slogans antiaméricains et anti-Nixon.

Le matin, chacun désirait savoir ce que j'avais décidé. Je dis que je n'avais pas encore pris de décision.

Je demandai à Pat de rester à l'hôtel pendant que j'accomplirais la première obligation prévue au programme, le dépôt d'une gerbe devant la statue de José de San Martin, le libérateur du Pérou. D'habitude, on dépose la gerbe, puis l'on reste trente secondes au garde-à-vous en silence. Ce matin-là, je restai au moins deux minutes. Je savais qu'en reprenant ma voiture je devrais donner l'ordre d'aller soit à San Marcos, soit à l'Université catholique.

Après la cérémonie, j'allai à l'un de mes trois agents du Service de sécurité, Jack Sherwood. Je lui indiquai : « San Marcos ». Et je rejoignis rapidement ma voiture.

A une centaine de mètres des portes de l'Université, nous pouvons entendre les manifestants hurler « *Fuera Nixon! Fuera Nixon!* » (« Dehors Nixon! ») Fait plus inquiétant, on entend aussi : « *Muera Nixon! Muera Nixon!* » (« Mort à Nixon! ») Une trop nombreuse suite de fonctionnaires de l'ambassade ou la présence de policiers seraient ressentis comme une provocation. Je décide donc de n'être accompagné que par mon interprète, le colonel Vernon Walters, et Jack Sherwood, sur le campus. Mais un mur solide de manifestants bloquent la porte. Je leur crie : « Je veux parler avec vous. Pourquoi avez-vous peur de la vérité? » Walters traduit mes paroles en espagnol.

Je crie quelques autres phrases, espérant les amener à écouter. Soudain, une pierre vient fraper Sherwood à la face et lui brise une dent. Une pluie de pierres s'abat sur nous. Je comprends qu'il ne nous reste plus qu'à partir. Comme la voiture démarre, je me lève dans ma décapotable, et leur crie : « Vous êtes des lâches, vous avez peur de la vérité. » Sherwood me tient par les jambes, tandis que la voiture vire sur les chapeaux de roue pour rejoindre la rue.

Nous allons directement à l'Université catholique, et comme j'entre dans l'amphithéâtre, chacun se lève pour me faire une extraordinaire ovation. Une demi-heure plus tard, je suis en train de répondre à une question, lorsque Sherwood vient à moi et murmure : « Il vaut mieux s'en aller; le gang de San Marcos est en marche. »

Nous partons juste à temps. Mais en arrivant près de notre hôtel, nous voyons qu'une grande partie de la populace de San Marcos nous y a précédés. Je suppose que les agitateurs nous attendent à la porte, et je dis au chauffeur de nous laisser à courte distance de l'hôtel. Nous marchons aussi vite que nous le pouvons, et nous sommes environ à quinze mètres de l'entrée quand la foule découvre qui nous sommes. Un cri sauvage et perçant s'élève. Mais l'effet de surprise est tel que nous parvenons, en formation serrée, à couvrir la distance en un instant.

Je suis à la porte de l'hôtel quand un manifestant me barre le passage. Je crois qu'il va me parler ou crier; mais il me crache à la figure. Quand j'arrive à notre appartement, Pat se précipite pour m'embrasser. Elle a observé la foule, de notre chambre : « Ce n'est pas de la haine que ces gens avaient dans les yeux, me dit-elle. C'était une sorte d'effrayante frénésie. »

Tout le reste du jour, partout où j'allai, je fus acclamé comme un héros par les habitants de Lima. L'incident de San Marcos avait choqué les patriotes péruviens et leur avaient fait honte. Les foules qui applaudissaient tentaient de me faire oublier des insultes des étudiants. A la fin de l'après-midi, je tins une conférence de presse.

Je dis aux journalistes que le plus grand danger que courait une nation non communiste venait d'une poignée d'activistes et d'agitateurs qui pouvaient imposer leur volonté à la société tout entière. L'incident de San

Marcos montrait comment deux cents agitateurs bien entraînés avaient organisé une manifestation de deux mille étudiants, à la honte de tout le Pérou.

En volant de Lima à Quito, en Equateur, nous essayâmes de téléphoner à Tricia et à Julie par la radio du bord, afin de les rassurer, mais il fut impossible d'établir la communication. Un message vint d'Eisenhower : « Cher Dick, votre courage, votre patience, votre calme au cours des manifestations dirigées contre vous par des agitateurs extrémistes vous ont valu un nouveau respect et l'admiration de notre pays. » Et Claire Boothe Luce me télégraphia un seul mot : « Epatant ».

A Bogota, en Colombie, nous avions reçu un inquiétant message du chef du Service de sécurité à Washington. « La C.I.A. avise le Service de sécurité qu'elle a été informée que, selon certaines rumeurs, il y aurait un complot pour assassiner le Vice-Président au Venezuela. » Je télégraphiai à notre ambassadeur de dire au gouvernement vénézuélien que, s'il voulait annuler la visite, je le comprendrais fort bien. Juste avant notre arrivée, cependant, les officiels vénézuéliens firent savoir qu'ils avaient la situation bien en main.

Nous atterrissons à l'aéroport de Maiquetia, tout près de Caracas, le matin du 13 mai. Avant même que l'avion ait coupé les gaz, nous pouvons entendre les cris et les sifflets. Pat et moi, nous restons au garde-à-vous en haut de la rampe d'accès de l'avion, tandis que la garde d'honneur tire dix-neuf coups de canon et qu'un orchestre joue les hymnes nationaux des deux pays. La zone d'atterrissage est vide, à l'exception du groupe de réception officiel. La grande foule des manifestants est retenue par des barrières à la limite des pistes. Il y en a aussi sur la terrasse d'observation et sur le toit de la gare aérienne. Un tapis rouge s'étale de l'avion à la gare, où le cortège automobile est réuni pour nous escorter sur les vingt kilomètres qui nous séparent de Caracas.

Comme nous descendons les marches, Walters me glisse à l'oreille : « Ils ne sont pas très amicaux. » Mise en garde bien inutile au demeurant : cela ressort clairement des sifflets et des injures qui avaient accompagné, en un rauque contrepoint, la musique des hymnes nationaux. Lorsque je leur serre la main, les officiels semblent déterminés à ignorer les cris de la foule. Le chef de la sécurité vénézuélienne se fait rassurant : « Ce ne sont que des gosses. Ils sont inoffensifs. »

Je prends le bras de Pat, et nous commençons à marcher sur le tapis rouge vers la gare aérienne. Les autres nous suivent rapidement. Nous avons presque atteint la porte de la gare lorsque le chef d'orchestre commence à jouer de nouveau l'hymne vénézuélien. Nous nous arrêtons, au garde-à-vous. Une seconde, il nous semble qu'il commence à pleuvoir. Mais je comprends vite que la foule qui se trouve sur la terrasse nous couvre de crachats. Cela nous tombe sur la figure et sur les cheveux. Je vois l'ensemble rouge de Pat se consteller de grosses taches de jus de tabac.

Après être sortis de la gare, nous sommes entourés par les manifestants. Tandis que nous attendons que Sherwood et nos autres agents de sécurité nous aient frayé un chemin jusqu'à la voiture, ils continuent à nous harceler. Pat se penche au-dessus d'une barrière vers une jeune fille qui vient de lui cracher au visage. La haine se lit sur les traits de la fille. Pat met la main sur son épaule et lui sourit. C'est comme si quelque chose s'était brusquement déclenché à l'intérieur de la jeune fille : elle se détourne et éclate en sanglots.

Finalement, nos agents réussissent à nous frayer un chemin. Je monte dans la première voiture avec le Ministre des Affaires étrangères. Pat et la femme du Ministre sont dans la deuxième voiture. Très gêné, le Ministre m'offre son mouchoir pour essuyer les crachats de mon costume. Finalement, je le rembarre : « Laissez cela! Je vais faire brûler ces vêtements aussitôt que possible... »

Il essaie d'expliquer ce qui vient d'arriver. « Le peuple du Venezuela a été si longtemps privé de liberté qu'il a maintenant tendance à s'exprimer peut-être plus vigoureusement qu'il ne le devrait, dit-il. Notre nouveau gouvernement ne veut rien faire qui puisse être interprété comme une suppression de la liberté.

— Si votre gouvernement n'a ni le cran ni le bon sens de maîtriser une populace du genre de celle de l'aéroport, il n'y aura bientôt plus de liberté pour personne au Venezuela! »

A l'entrée de Caracas, une volée de pierres s'abat sur nous, la populace se précipite des rues et des avenues latérales. Notre chauffeur accélère à fond. Nous passons de justesse.

A quatre blocs du Panthéon national, un mur épais de véhicules bloque la voie, depuis le trottoir jusqu'à un refuge au milieu de la rue. Le flot continu des voitures allant dans la direction opposée ne permet pas de dépasser le refuge sur la gauche. Il faut s'arrêter. Des centaines de gens apparaissent soudain; ils se ruent sur notre voiture. Notre escorte de motocyclistes vénézuéliens se volatilise. Notre seule protection est assurée par les agents de notre Service de sécurité, qui a été renforcé pour la circonstance. Par un effort surhumain, ils parviennent à détourner la foule.

Nous comprenons que nous sommes complètement isolés lorsque la première pierre frappe le pare-brise et s'y encastre, en nous couvrant de petits éclats de verre. L'un d'entre eux atteint à l'œil le Ministre des Affaires étrangères, qui saigne abondamment. Tout en essayant d'arrêter l'hémorragie, il gémit : « Ceci est terrible. Ceci est terrible... »

Je vois une espèce de tueur, armé d'un tuyau de fer, qui se dirige vers la voiture. Il me regarde en essayant de briser la glace de la portière. Le verre résiste mal, et des éclats de verre frappent Walters à la bouche. Sherwood et moi, nous en attrapons à la figure. Tout à coup, la voiture se met à bouger, et l'idée que, d'une manière ou d'une autre, nous nous sommes libérés me donne un moment de soulagement. Mais je comprends que la foule secoue la voiture d'avant en arrière, en allant chaque fois plus lentement et plus haut. Je me souviens que c'est la tactique habituelle de la populace pour renverser une voiture et y mettre le feu.

Chacun d'entre nous comprend pour la première fois que nous pourrions vraiment être tués. Ma première pensée est pour Pat. Je regarde par la vitre arrière, et je suis soulagé de voir que la populace se concentre sur nous et ne s'occupe pas de sa voiture.

Tout d'un coup, Sherwood tire son revolver : « Descendons quelques-uns de ces salauds! » Je lui conseille de ranger son arme. Une fois un coup parti, la foule deviendrait folle furieuse, et c'en serait fait de nous.

Finalement, le camion de la presse qui nous précède réussit à sortir de l'encombrement, et à tourner le refuge sur sa gauche en empruntant la voie réservée au trafic venant de la direction opposée. Comme aurait fait un agent bloquant la circulation pour permettre une marche arrière, le camion nous ouvre la voie. Notre chauffeur met le pied au plancher et dépasse le camion à toute vitesse. Je suis très soulagé de voir la voiture de Pat coller à la nôtre.

Tout cela n'avait pris que douze minutes, mais nous avait paru durer une vie entière. Notre escorte motocycliste réapparut soudainement, et commença à faire signe à notre chauffeur de la suivre. Le Ministre des Affaires étrangères se mit à parler de reprendre le programme des visites et des cérémonies, et j'eus l'intuition que l'escorte nous conduisait au Panthéon pour la cérémonie de dépôt d'une gerbe. Au premier croisement, je dis au chauffeur de tourner vivement, et les motocyclistes continuèrent dans leur direction. Le Ministre était paniqué. Il cria : « Nous ne pouvons cesser de vous protéger. Il faut que nous suivions l'escorte de police. » Je le regardai et lui dis : « Si c'est cela le genre de protection que nous devons recevoir, nous nous trouverons mieux de nous en passer. »

Je dis au chauffeur que ce qui importait c'était d'éviter tous les endroits où l'on pensait que nous irions. Il y aurait certainement une autre populace au Panthéon, et une autre encore à la maison des hôtes du Gouvernement où nous devions loger. Comme par miracle, la voiture de Pat et le camion des reporters et des photographes étaient juste derrière nous. Je fis arrêter la voiture pour voir si tout allait bien. Quelques reporters accoururent. Je résumai brièvement la situation en leur annonçant que je ne respecterais pas le programme prévu.

Ce fut avec un immense soulagement que nous franchîmes les portes de l'ambassade et que nous vîmes le drapeau américain qui flottait sur le toit. Nous prîmes une douche, Pat et moi, et nous nous changeâmes. Lorsque je descendis, la nouvelle était arrivée qu'une populace sanguinaire de plusieurs milliers de manifestants nous avait attendus au Panthéon et une enquête découvrit plus tard une réserve cachée de cocktails Molotov prêts à être jetés sur nous au cours de la cérémonie. J'appris aussi que les membres de la Junte militaire au complet étaient en chemin vers l'ambassade pour présenter des excuses officielles. L'un des adjoints de l'ambassadeur voulait faire ranger notre limousine à moitié démolie derrière le bâtiment, afin qu'ils ne fussent pas embarrassés en la voyant. « Laissez-la où elle est, dis-je. Il est temps qu'ils aient quelque exemple visible de ce qu'est réellement le communisme. »

Je tins une conférence de presse à la fin de l'après-midi, et repris le même thème qu'à Lima : les hommes et les femmes qui avaient conduit les troubles ne pouvaient être des citoyens loyaux à l'égard de leur pays, parce que leur première loyauté était en faveur de la conspiration communiste internationale. Il serait très dangereux d'attribuer ces troubles au fait qu'après dix ans de dictature répressive le peuple ne connaissait aucune retenue dans la manière de jouir de sa liberté. Cette populace était composée de communistes conduits par des communistes et elle n'avait aucun amour de la liberté.

Le soir, nous étions en train de dîner seuls dans notre chambre. Vers neuf heures, on frappa, et Robottom ainsi que l'ambassadeur demandèrent à me parler. Je ne voyais pas comment je pourrais à cette heure avoir encore un entretien, et je commençais à le leur signifier, lorsque Robottom dit qu'une nouvelle crise se préparait, à cause d'une nouvelle d'agence en provenance de Washington. Eisenhower avait envoyé deux compagnies d'infanterie portée et deux compagnies d'infanterie de marine dans les Caraïbes pour être « en mesure de coopérer avec le gouvernement du Venezuela si celui-ci demandait leur assistance ». La radio vénézuélienne était, semblait-il, en train de présenter cette mesure de précaution comme une invasion en force.

Je pouvais à peine en croire mes oreilles. Pourquoi la Maison Blanche ne nous avait-elle pas consultés avant de faire une telle chose? C'est seulement plus tard que nous sûmes que les communications entre Caracas et Washington avaient été coupées pendant une période critique, juste après le début des troubles cet après-midi. Le dernier message reçu par le Département d'Etat avant la coupure était un flash indiquant que le système local de sécurité s'était complètement effondré, que des foules antiaméricaines s'étaient déchaînées, et que l'on m'avait attaqué. Eisenhower avait réagi vigoureusement à cette nouvelle. Nous essayâmes immédiatement de redresser la situation, en déclarant que les autorités vénézuéliennes avaient la situation bien en main, et que nous ne voyions aucun besoin d'un secours extérieur.

Le matin suivant, je pensais qu'il nous fallait quitter le Venezuela aussitôt que possible. Les membres de la Junte me suppliaient pour que je prenne part au déjeuner qu'ils avaient organisé en mon honneur. Ils m'assuraient qu'ils me conduiraient en toute sécurité à l'aéroport immédiatement après. J'acceptai leur invitation, malgré les doutes que m'inspiraient leurs aptitudes à assurer la sécurité.

Mais au moment où ils arrivèrent à l'ambassade pour m'escorter, je compris combien mes craintes étaient vaines. Il semblait qu'ils fussent venus pour déclarer la guerre, plutôt que pour me faire déjeuner. La cour de l'ambassade était pleine de chars d'assaut, de jeeps, de voitures blindées. Il y avait douze camions de soldats autour de notre limousine. La surveillance s'était étendue même jusqu'à la nourriture. Ils avaient changé de traiteur, de peur que l'on n'eût pris à la cuisine certaines « libertés ».

Après le déjeuner, on nous escorta jusqu'aux voitures. La limousine où je me trouvais avec le Président provisoire était un véritable arsenal ambulant. Le plancher était jonché de mitraillettes, de revolvers, de fusils, de réservoirs de gaz lacrymogènes et de chargeurs... C'est tout juste s'il y avait de la place pour mettre les pieds. Je vis que la Junte s'était fait un point d'honneur de me reconduire par la route même que nous avions empruntée la veille. Mais, cette fois-ci, les rues étaient presque vides, et les patrouilles de soldats en armes pullulaient. Les rares civils que je vis tenaient leurs mouchoirs sur la figure. Je crus d'abord qu'il s'agissait d'une manifestation de protestation, mais quand je vis que la police portait des masques à gaz, je compris que toute la zone avait été passée aux gaz lacrymogènes.

L'aéroport était fantomatique, la gare déserte et étrangement silencieuse. Après avoir serré la main de nos hôtes, nous montâmes les marches vers notre avion. Au sommet, nous nous retournâmes pour un bref salut adressé de la main au petit groupe qui était en bas.

Une foule immense vint nous accueillir au National Airport de Washington. Eisenhower était là, avec les membres du Cabinet, les leaders du Congrès et le corps diplomatique. Tricia et Julie nous attendaient en bas des marches et purent à peine contenir leurs larmes de joie.

Pendant les semaines qui suivirent, chaque fois que Pat ou moi nous apparaissions en public, les gens se levaient pour nous applaudir. Pour la première fois, les sondages me donnaient à égalité avec Kennedy pour l'élection présidentielle. La réaction positive engendrée par l'incident de Caracas était très satisfaisante. Mais je n'ai jamais oublié la chance que nous avons eue de sortir vivants de ce qui aurait dû être le plus monotone de nos voyages.

LA DÉMISSION DE SHERMAN ADAMS EN 1958

Chef de cabinet et principal collaborateur du Président Eisenhower, Sherman Adams fut compromis par une accusation de corruption d'abord légère, qui, peu à peu, prit des proportions de plus en plus sérieuses. Adams fut l'objet de critiques non seulement de la part des Démocrates, mais aussi d'une grande partie des Républicains. Après l'avoir soutenu, le Président Eisenhower, aux prises avec la crise au Moyen-Orient, en Irak et au Liban, se sentait de plus en plus gêné par cette affaire, à la veille d'élections législatives qui se présentaient assez mal pour le Parti Républicain.

Juste avant la fin de la session du Congrès fin août, Eisenhower et moi parlions de l'affaire Adams. « Des gens m'ont affirmé que cette affaire fait beaucoup moins de bruit depuis quelques semaines », me dit-il.

Je pensai qu'il me fallait être d'une franchise absolue concernant les conséquences politiques possibles; je lui dis que les Démocrates en feraient certainement le cheval de bataille de leur campagne électorale et que les candidats républicains seraient obligés de prendre position. La plupart de ces derniers se prononceraient probablement contre Adams.

Il réfléchit un moment; après quoi : « Eh bien, Sherm pourrait en tirer argument pour donner sa démission. Il déclarerait qu'il ne veut pas que sa présence au gouvernement constitue une gêne pour le Parti Républicain ou pour moi-même. » Et il suggéra : « Pourquoi n'auriez-vous pas un entretien avec Sherm après la clôture de la session? Voyez ce qu'il en pense, et faites-lui comprendre ce qui l'attend dès le début de la campagne électorale. »

Après la clôture, le 24 août, je voulus accomplir une promesse que j'avais faite depuis longtemps à Pat et à nos filles, et je les emmenai en Virginie-Occidentale. Toutes les vacances que nous avions projetées depuis mon entrée au Congrès en 1967 avaient dû être abrégées; cette fois-ci, je croyais vraiment qu'il en irait autrement. Mais le matin de notre arrivée, Eisenhower m'appela au téléphone, de la Maison Blanche : « Je me demande si vous ne pourriez pas parler à Sherm maintenant que le Congrès ne siège plus. » On lui avait dit que l'affaire Adams pourrait être évoquée à la réunion du Comité national du Parti Républicain, qui devait se tenir à Chicago quelques jours plus tard. Il avait demandé au président du Comité, Meade Alcorn, d'essayer d'éviter toute discussion publique à ce sujet. « J'avais vraiment espéré, me confia Eisenhower, que nous aurions pu régler cette question auparavant. »

J'eus une brève conversation avec Eisenhower le 26 août. Il me demanda de parler ouvertement à Adams des réalités politiques de la situation. Il ne m'autorisait pas à dire à Adams qu'il désirait sa démission, mais il était clair qu'il désirait que celle-ci fût le résultat de notre conversation.

J'expliquai à Adams comment je voyais, en toute franchise, la situation du moment du point de vue politique. La plupart des candidats et des chefs du parti, dans tout le pays, s'attendaient à ce qu'il démissionnât.

« Qui me remplacera? Je n'ai jamais entendu citer un nom », dit carrément Adams.

Je répondis que seul Eisenhower pouvait répondre à cette question et que je n'en avais pas parlé avec lui. Il me sonda pour essayer de déterminer si j'exprimais mes vues propres, si je rapportais les vues d'autres personnes, ou si réellement, je ne faisais que refléter l'opinion du Président.

Avant mon départ, Adams m'épingla d'une question directe : « Quel est, d'après vous, l'avis du Président? » Je rétorquai : « Il ne m'a pas chargé de vous le dire, Sherm. Aussi n'ai-je exprimé qu'une opinion personnelle. Mais je pense que le Président croit que vous êtes devenu un risque et que vous devriez démissionner. »

Plutôt brusquement, Adams mit fin à la conversation : « Eh bien, il me faudra parler moi-même au patron. » De la façon dont il parlait de « voir le patron », il semblait évident qu'il n'avait pas retenu mes suggestions et qu'il avait l'intention de se cramponner aussi longtemps qu'il le pourrait.

Sherman Adams s'était fait la réputation de demeurer de glace en face de n'importe quelle situation. Cette fois-ci, pourtant, je pouvais m'apercevoir que l'épreuve commençait à faire sentir ses effets. Pendant que j'étais dans son bureau, il sortit un flacon de pilules de l'un de ses tiroirs, en mit quelques-unes dans le creux de la main et les avala avec un verre d'eau. J'eus de la peine pour lui.

Je retournai voir Eisenhower au Bureau Ovale et lui dis que je venais de parler à Adams comme il l'avait demandé, mais qu'il était clair qu'Adams n'allait pas bouger avant de lui avoir parlé personnellement.

Adams s'entretint avec Eisenhower dans l'après-midi. Cette entrevue se solda par un échec — comme d'ailleurs, après une partie de golf, Eisenhower, d'assez mauvaise humeur, s'en plaignit à moi.

C'est au retour, dans la voiture, que le Président m'expliqua la situation : « Sherm se refuse à prendre ses responsabilités. C'est à moi qu'il remet la décision. Mais je ne peux pas renvoyer un homme, qui est loyal, pour des raisons purement politiques. Il doit donner sa démission de telle façon que je ne puisse la refuser. » Il ajouta : « Je crois que Sherman n'a pas compris ce que vous lui avez dit. Envoyez-moi un mémorandum de votre conversation. »

Quand je mentionnai qu'Adams avait soulevé la question de son remplacement, Eisenhower s'empourpra, et il dit, brièvement et froidement : « Cela, c'est mon affaire, pas la sienne! » Il regarda le paysage un instant et ajouta : « Il a le cœur malade. Il pourrait en tirer argument pour justifier sa démission. » Puis il me dit de charger Meade Alcorn d'exposer la situation à Adams : « Je veux qu'Alcorn y aille réellement à fond. » Il ne porta aucun jugement personnel sur Adams, sauf pour s'exclamer : « C'est incroyable! Parce que toutes ces choses sont venues dans la presse peu à peu, l'une après l'autre, Sherm ne voit pas en quoi on peut lui faire le moindre reproche. »

Meade Alcorn fut capable d'empêcher toute action publique de la part des cadres du Parti Républicain lors de leur réunion à Chicago. Mais il se livra à un sondage confidentiel, d'où il résultait qu'une écrasante majorité se prononçait soit pour la révocation d'Adams par Eisenhower, soit pour la démission volontaire. Le 4 septembre, Eisenhower téléphona à Alcorn de Newport. Il avait reçu des messages inquiétants de chefs du parti et de souscripteurs de fonds pour la campagne concernant « la question dont nous avons discuté l'autre jour ». Il semble qu'ils lui aient dit qu'un lien établi entre un homme tel que Golfine et son adjoint principal portait sur la Maison Blanche une ombre que le Président devait supprimer.

Eisenhower était bouleversé. Il proposa à Alcorn de collaborer avec moi pour mettre fin à cette affaire au plus vite. « Je veux qu'elle soit résolue aussitôt que possible après l'élection du Maine, dit-il, de manière qu'elle ne nous hante pas pendant la campagne. Voici ce que je pense : il ne semble pas que Sherm soit disposé à faire quoi que ce soit, et je remets toute l'affaire entre vos mains. »

Adams fut rappelé le 15 du Canada, où il passait ses vacances. A onze heures du matin, Alcorn vint à mon bureau au Capitole pour mettre au point notre stratégie commune. Les couloirs étaient pleins de journalistes qui flairaient la crise. C'est pourquoi je suggérai à Alcorn qu'il vît Adams tout seul. Si nous quittions tous deux mon bureau pour nous rendre à la Maison Blanche ensemble, les journalistes nous suivraient et il deviendrait impossible d'atteindre notre but, qui était de donner à Adams une occasion honorable de démissionner.

Alcorn vit Adams à deux heures de l'après-midi, dans le bureau de ce dernier. Ce fut une conversation longue et difficile. Adams s'était cramponné, têtu jusqu'à la fin. Finalement, Alcorn réussit à le convaincre que nous agissions à la requête expresse du Président.

Le 22 septembre, Adams vit Eisenhower à Newport et l'informa officiellement qu'il avait décidé de démissionner. Eisenhower lui répondit qu'il accepterait cette démission, mais seulement avec le plus vif regret. Adams retourna à Washington; et le soir même, il annonça sa démission par une allocution radiotélévisée.

Pourquoi Eisenhower n'avait-il pas parlé lui-même à Adams, son collaborateur intime et le chef de toute son équipe? Pourquoi s'est-il servi d'Alcorn et de moi pour cette pénible tâche? Le général Walter Bedell Smith, qui avait été le chef d'état-major d'Eisenhower pendant la Deuxième Guerre mondiale, me procura un pénétrant aperçu de la personnalité d'Eisenhower et de ses techniques de commandement une nuit où il égrenait ses souvenirs des années passées sous ses ordres. Il était très fatigué et, d'une manière inattendue, son émotion s'extériorisa. Des larmes coulèrent sur ses joues et, de but en blanc, il révéla ses sentiments refoulés : « Pour Ike, je n'étais qu'un homme taillable et corvéable à merci. Ike a toujours eu besoin de quelqu'un pour faire les corvées, pour se charger du sale travail à sa place. Il lui fallait toujours quelqu'un qui soit là pour révoquer, réprimander ou donner des ordres désagréables. Ike tenait à ne pas ternir son image de marque : celle du " brave type ", en quelque sorte. C'est de cette façon que marche la Maison Blanche, et il en sera toujours ainsi dans toute organisation dirigée par Ike. »

Au cours des années, le bruit se répandit qu'Adams et moi étions brouillés à mort, en raison de notre rivalité pour le pouvoir dans la Maison Blanche d'Eisenhower. En fait, nous n'étions ni amis, ni ennemis. Nous étions attelés ensemble au même harnais, pour le Président. Je n'avais certainement pas été le premier choix d'Adams pour le poste de Vice-Président. Il était tout aussi certain qu'Adams voulu maintenir jalousement ses prérogatives pendant le temps que dura la maladie du Président. Mais Adams n'était pas contre moi : il était pour Eisenhower.

Qu'avait donc vu Eisenhower en Sherman Adams pour qu'il fût conduit à le choisir?

Je demandai une fois à Eisenhower quelle était la qualité qu'il mettait au-dessus de toutes les autres, lorsqu'il s'agissait de choisir son principal collaborateur. Il réfléchit longtemps, si longtemps que je crus qu'il avait oublié ma question. Puis il me regarda et dit : « L'oubli de soi-même. L'abnégation est la qualité la plus importante que puisse avoir un membre de n'importe quelle organisation. Il doit toujours considérer que son premier devoir est de faire son métier, sans considérer s'il sert son intérêt propre ou non. »

Adams avait cette qualité. Il n'avait aucune ambition politique, il n'était à la recherche d'aucune autre situation; à la différence de beaucoup de fonctionnaires de la Maison Blanche, il n'essayait pas de promouvoir sa propre carrière. Tout ce qui l'intéressait, c'était de servir le « patron » aussi bien que possible. Et par une cruelle ironie du sort, ce fut cet intérêt qui lui fit tant d'ennemis. En permettant au Président de paraître bon, il s'est donné l'apparence d'être méchant. Mais ce fut aussi cette qualité d'abnégation qui — à part son manque total de perspicacité dans ses relations avec Golfine — en avait fait un chef de cabinet présidentiel remarquable, dont les succès étaient quasi constants.

LES ÉLECTIONS DE 1958

Deux ans avant les élections présidentielles, auxquelles j'avais déjà l'intention de me présenter, le moment était venu des élections à la Chambre des représentants, au Sénat et aux assemblées législatives des Etats. La cote du Parti Républicain, celle même d'Eisenhower, était en baisse sensible. Et le 4 novembre 1958, ce fut le désastre... La majorité démocrate progressait au Sénat de treize sièges, à la Chambre de quarante-sept sièges; trente-quatre Etats sur quarante-huit avaient une majorité démocrate. Grande fut l'injustice qui m'attribua, à moi personnellement, cette défaite, tandis que Rockefeller se taillait la part du lion dans l'Etat de New York. J'en souffris quelque peu; et lorsque Eisenhower m'annonça qu'il m'envoyait à Londres pour le représenter à l'inauguration de la Chapelle américaine dans la cathédrale Saint-Paul, ce fut presque pour moi un soulagement : non seulement ce voyage me permettait de prendre quelque distance avec les tracas de la politique intérieure, mais il m'offrait aussi l'occasion de rencontrer les chefs politiques les plus importants de la Grande-Bretagne et de connaître leurs points de vue sur les problèmes de la politique extérieure. Je fus particulièrement impressionné par la haute intelligence et le bon sens dont témoigna le Premier Ministre Harold MacMillan dans une longue discussion sur la politique que nous devions suivre à l'égard de l'Union Soviétique.

Pendant mon séjour, je rencontre Winston Churchill chez lui, à Hyde Park Gate. Je suis surpris de constater combien il a vieilli et s'est affaibli. En parlant des affaires mondiales, toutefois, il s'anime. A la fin de la conversation, l'esprit brillant qu'il avait eu autrefois réapparaît encore par éclairs.

Au bout d'une heure, je dis que je ne veux pas le déranger plus longtemps. Il tient absolument à m'accompagner jusqu'à la porte. Je souffre de voir qu'il ne peut marcher sans l'aide d'un infirmier, qui soutient son pas hésitant. Lorsque la porte s'ouvre, nous apercevons les projecteurs des cameramen, la foule des journalistes et des photographes postés sur les marches. Avec une force soudaine et surprenante, par un miracle de volonté, Churchill écarte son infirmier et semble presque littéralement se gonfler, debout à côté de moi. Les caméras tournent, les lampes-éclairs sautent, et l'image qui en résulte montre un Churchill fier, fort, tout droit, celui du souvenir des peuples, plutôt que la triste réalité de l'âge et du temps que je venais de voir en privé dans son salon.

CASTRO : 1959

Après son arrivée au pouvoir (1er janvier 1959), Castro se rend à Washington le 17 avril. Eisenhower m'avait enjoint de le recevoir et de lui remettre ensuite un mémorandum, qui me permet du reste aujourd'hui de me souvenir des propos du chef cubain dans leurs moindres détails.

Castro argumente, comme il l'avait déjà fait en public, sur la question des élections. Il souligne que « le peuple ne désire pas d'élections, parce que, dans le passé, celles-ci ont eu pour résultat un mauvais gouvernement ». Oiseuse argutie, on en conviendra; mais il se croit réellement l'émanation de la volonté populaire, et il use de cet argument pour justifier les exécutions de « criminels de guerre ». C'est de la même façon qu'il motive sa décision de casser l'arrêt acquittant les aviateurs de Batista. Il semble réellement obsédé par l'idée que c'est à lui qu'il appartient de réaliser la volonté du peuple, quelle qu'elle soit...

Je notai alors :

« Ce fut cette soumission presque servile à l'opinion de la majorité dominante — c'est-à-dire à la voix de la populace —, plutôt que son attitude naïve à l'égard du communisme et son évidente ignorance des principes les plus élémentaires de l'économie, qui m'inquiéta le plus lorsque je tentai d'apprécier la sorte de dirigeant qu'il pourrait devenir. Pour cette raison, je consacrai autant de temps que je pus à souligner qu'il avait de grands dons pour le commandement, mais que le devoir d'un chef était, non pas de toujours suivre l'opinion publique, mais de la canaliser dans les directions convenables, non pas de donner aux gens ce qu'ils croyaient vouloir dans un moment de tension nerveuse, mais de les faire désirer ce qu'ils devraient avoir. J'indiquai qu'il était très possible que le peuple cubain eût été déçu en ce qui concernait les élections et le gouvernement représentatif, mais que cela lui imposait d'autant plus strictement l'obligation de veiller à ce que des élections eussent lieu le plus tôt possible. Sinon, le résultat inévitable serait la même dictature, contre laquelle lui et ses partisans s'étaient battus si bravement. J'utilisai le même argument touchant la liberté de la presse, le droit à un juste procès devant un tribunal, un juge, un jury impartial et d'autres questions qui se présentèrent dans la conversation. Dans chaque cas, il justifia ses déviations des principes démocratiques par la raison qu'il suivait la volonté du peuple. Pour ma part, je tentai de le convaincre du fait que tout en croyant au principe du règne de la majorité, il fallait reconnaître que le règne de la majorité peut être tyrannique, et qu'il existe des droits individuels que la majorité ne devrait jamais avoir le pouvoir de détruire.

Quoi que nous puissions penser de lui, Castro est destiné à devenir un facteur important dans l'évolution de Cuba et très probablement dans les affaires de l'Amérique latine. Il semble sincère. Ou il est incroyablement naïf au sujet du communisme, ou il y est déjà soumis. Je pencherais pour la première interprétation, et, comme je l'ai déjà exprimé, ses idées sur la façon dont on dirige un gouvernement ou une économie sont moins élaborées que celles d'aucune personnalité mondiale que j'aie jamais rencontrée au cours des cinquante dernières années.

Mais comme il détient le pouvoir de commandement que j'ai indiqué, nous n'avons rien d'autre à faire que de tenter de l'orienter dans la bonne direction. »

Les actes de Castro quand il rentra à Cuba me convainquirent qu'il était, en fait, un communiste et je me rangeai aux côtés d'Allan Dulles en défendant ce point de vue au Conseil de la sécurité nationale et dans d'autres cercles. Au début de 1960, Eisenhower se convainquit que nous avions raison et qu'il fallait prendre des mesures pour soutenir les forces anticastristes à l'intérieur comme à l'extérieur de Cuba. J'assistai à la réunion où Eisenhower autorisa la C.I.A. à organiser et entraîner les exilés cubains dans l'éventualité d'une tentative de libération de leur patrie du joug communiste.

L'ironie ou plutôt la tragédie de l'arrivée au pouvoir de Castro fut que le peuple cubain ne se débarrassa d'un dictateur de droite qu'en acceptant un dictateur de gauche, qui se montra bien pire encore. A l'égard des Etats-Unis, au moins, Batista était amical; Castro devint en revanche un ennemi implacable et dangereux.

KHROUCHTCHEV ET LA « DISCUSSION DANS LA CUISINE »

Eisenhower me chargea de représenter les Etats-Unis à l'inauguration de l'Exposition nationale américaine qui devait s'ouvrir à Moscou en juillet 1959. Avant de partir, force me fut bien de rassembler une nombreuse documentation sur la Russie soviétique et de consulter les personnalités, peu nombreuses à cette époque, qui avaient une certaine expérience de l'Union Soviétique ou qui avaient rencontré Khrouchtchev. C'est la raison pour laquelle, malgré ma répugnance à déranger quelqu'un qui était si gravement atteint, je décidai, le 20 mai, d'aller voir Foster Dulles, qui n'avait plus que quatre jours à vivre.

Il se trouvait à l'hôpital Walter Reed, où on le soignait du cancer qui lui fut fatal. Quand j'arrivai, il était sur une chaise roulante, couvert d'un peignoir rouge à carreaux qui cachait son corps émacié. Sa voix était faible, et, entre les phrases, il suçait un cube de glace pour diminuer l'irritation de sa gorge.

« Que devrais-je essayer avant tout de faire comprendre à Khrouchtchev? » lui demandai-je.

Comme toujours, il prit le temps de réfléchir, et il exprima sa pensée avec sa fermeté et sa logique habituelles.

« Khrouchtchev n'a pas besoin d'être persuadé par vous de nos bonnes intentions, dit-il. Il sait que nous ne sommes pas des agresseurs et que nous ne menaçons pas la sécurité de l'Union Soviétique. Il nous comprend. Mais ce qu'il a besoin de savoir, c'est que nous le comprenons aussi. En se disant partisan d'une compétition pacifique, il veut dire en réalité une compétition entre son système et nous à l'intérieur de notre système, pas à l'intérieur du sien. Il faut lui faire comprendre qu'il ne peut pas avoir en même temps le drap et l'argent. Faites-lui bien remarquer que nous avons des preuves concrètes des activités du Kremlin dans le monde entier. Il faut lui dire qu'à moins de mettre fin à ces activités ses appels à la diminution des tensions et en faveur d'une coexistence pacifique sonneront tout à fait creux et faux. »

Peu avant mon départ pour Moscou, le Congrès adopta la résolution sur les nations captives, comme il l'avait fait tous les ans depuis 1950. Eisenhower fit publier la déclaration, proposée par la résolution, recommandant aux Américains « d'étudier les souffrances des nations soumises par les Soviétiques et de demeurer attachés au soutien des justes aspirations des nations captives ». Cette déclaration avait été publiée une semaine seulement avant mon départ pour Moscou; elle était purement accidentelle, mais je savais que Khrouchtchev pourrait l'interpréter comme un acte intentionnel d'hostilité.

Nous quittâmes l'aéroport de l'Amitié à bord d'un avion à réaction des forces aériennes le 22 juillet. La réception qui nous attendait à Moscou fut froide et mesurée. Le Vice-Président du Conseil Frol Kozlov nous fit un long discours d'accueil tandis que les drapeaux américain et soviétique pendaient immobiles, dans la chaleur de l'après-midi. Mais il n'y eut ni orchestre, ni hymnes, ni aucune affluence de spectateurs.

Llewellyn « Tommy » Thompson, que j'avais déjà rencontré en Autriche en 1956, était maintenant notre ambassadeur à Moscou. Nous nous entretînmes longuement dans le bureau « étanche » du second étage de Spaso House, la résidence officielle de l'ambassadeur; dans tous les pays, chacune de nos ambassades dispose d'une pièce qui est gardée en permanence et qui est soigneusement nettoyée de tout dispositif d'écoute. Thompson me dit que les dirigeants soviétiques étaient furieux de la résolution sur les nations captives. La réception de l'aéroport n'était probablement que le premier signe de leur désapprobation. Ils étaient particulièrement sensibles à ce genre de critiques parce que leurs relations avec certains de leurs satellites étaient tendues.

A cause du décalage horaire, je pus à peine dormir cette nuit-là et, vers 5 h 30, j'éveillai mon agent du Service de sécurité, Jack Sherwood, pour lui dire je désirais aller voir le fameux marché Danilevsky, où les fermiers kolkhoziens apportent leurs légumes et leur viande. Ce serait un bon moyen d'avoir un aperçu de la ville et de sa population, avant d'entamer le programme officiel. Un agent de la police de Sécurité russe se joignit à nous en tant que chauffeur et interprète.

Comme je me glissais entre les étals dans la halle remplie de monde, la nouvelle de mon arrivée se répandit rapidement. Bientôt, une foule se rassembla.

Pendant presque une heure, je me mélangeai à la foule en posant des questions, conquis par cet échange de propos amical et spontané. Comme j'allais partir, plusieurs personnes me demandèrent si je n'avais pas de tickets pour l'Exposition américaine. Je dis que je n'en avais pas, mais que je serais heureux d'en payer le montant pour mes nouveaux amis du marché, de sorte qu'ils puissent être mes hôtes. Sur mes instructions, Sherwood tendit à celui qui avait parlé pour le groupe un billet de cent roubles, assez pour acheter cent tickets. Mais l'homme le lui rendit, expliquant que le problème n'était pas le prix du ticket, mais le fait que le Gouvernement n'en donnait qu'à des personnes choisies. Nous rîmes tous, je serrai des mains, et je m'en allai. Le lendemain, les trois principaux journaux soviétiques, la *Pravda,* les *Izvestia* et le *Trud* mirent l'incident en gros titres, m'accusant d'avoir tenté de « corrompre » et « dégrader » des citoyens soviétiques en leur offrant de l'argent.

Plus tard, ce matin, j'allai au Kremlin pour mon premier entretien avec Khrouchtchev. Il se tenait dans le coin le plus reculé de son grand bureau, examinant le modèle réduit d'une fusée soviétique qui avait été récemment lancée dans l'espace extra-terrestre. Nous nous serrâmes la main devant les photographes. Il était plus petit que je ne le pensais, mais, autrement, il ressemblait exactement à ses photographies : le tour de taille, l'insolent sourire, la verrue proéminente sur la joue.

Tant que les journalistes et les photographes furent présents, Khrouchtchev parla aimablement du beau temps qu'il faisait à Moscou. Il loua un discours que j'avais fait au Guildhall de Londres et dit que, lui aussi, ferait bon accueil à l'espèce de coexistence pacifique que j'y avais décrite. Puis, d'un geste, il renvoya les photographes et me désigna une longue table de conférence, avec des chaises de chaque côté.

L'atmosphère changea tout d'un coup, et Khrouchtchev se lança dans une tirade contre la résolution sur les nations captives. Il l'appela une décision stupide et effrayante, et demanda si la démarche qui suivrait serait une déclaration de guerre. « Jusqu'ici, le Gouvernement soviétique pensait que le Congrès ne pourrait jamais accepter une décision pareille, dit-il, mais maintenant, il est clair que, bien que le sénateur McCarthy soit mort, son esprit est toujours vivant. Pour cette raison, l'Union Soviétique doit garder sa poudre sèche. »

J'essayai d'expliquer comment cette résolution avait été formée et je suggérai de passer à autre chose. Mais Khrouchtchev ne se laissait pas détourner du sujet. Parlant haut, il essaya d'en tirer une justification des armements soviétiques. Je dis finalement : « A la Maison Blanche, nous avons un procédé pour mettre fin aux longues discussions qui ne mènent à rien. Le Président nous dit : " Nous avons suffisamment battu ce cheval à mort; passons à un autre. " Peut-être est-ce que vous et moi devrions faire maintenant. »

La figure de Khrouchtchev resta impassible pendant que l'interprète traduisait mes paroles. « Je suis d'accord avec le Président quand il dit que nous ne devrions pas battre un cheval trop longtemps, concéda-t-il; mais je ne peux pas comprendre que votre Congrès ait adopté une telle résolution à la veille d'une visite officielle aussi importante. Cela me fait penser à un proverbe de nos paysans russes selon lequel " il ne faut pas aller aux toilettes là où on mange ". » Il était maintenant rouge de colère. Il s'écria : « Cette résolution pue. Elle pue comme de la merde de cheval, et rien ne pue plus que cela. » Khrouchtchev me regardait avec attention pendant que l'on me faisait la traduction. Je décidai de répondre à son défi, et dans ses propres termes. De la documentation que j'avais compulsée, je me souviens que Khrouchtchev avait, dans sa jeunesse, gardé les cochons. Je me rappelais aussi, de mon enfance, que le fumier de cheval était couramment employé comme engrais. Mais une fois, un voisin avait utilisé du fumier de porc, et la puanteur avait été insoutenable.

Regardant Khrouchtchev droit dans les yeux, mais parlant du ton de la conversation, je répliquai : « Je crains que le Président ne soit dans l'erreur. Il y a quelque chose qui pue bien plus que la merde de cheval, c'est la merde de porc. »

Pendant un quart de seconde, après la traduction, Khrouchtchev parut sur le point d'éclater. Puis, tout d'un coup, un large sourire s'épanouit sur son visage : « Vous avez raison sur ce point, dit-il, et peut-être aussi avez-vous raison de vouloir que nous parlions d'autre chose. Mais je dois vous prévenir que vous entendrez encore parler de cette résolution pendant votre séjour ici. » A ce sujet, à défaut de beaucoup d'autres, Khrouchtchev tint parole.

Du Kremlin, nous allons jeter un coup d'œil à l'Exposition américaine avant l'inauguration qui doit avoir lieu dans la soirée. L'un des premiers ensembles exposés est un modèle de studio de télévision, et l'un des jeunes ingénieurs nous demande si nous voulons essayer un nouveau système sur ruban qui enregistrera nos compliments et pourra être diffusé au cours de l'Exposition. Khrouchtchev paraît d'abord méfiant, mais quand il voit, à proximité, un groupe d'ouvriers soviétiques, son instinct de comédien prend le dessus. Avant que je sache ce qu'il fait, il a grimpé sur une estrade, il parle devant les caméras et joue pour la galerie.

« Depuis combien de temps les Etats-Unis existent-ils? me demande-t-il. Trois cents ans?

— Cent quatre-vingts ans. »

Devant ma réponse, Khrouchtchev reste imperturbable : « Eh bien alors, nous dirons que l'Amérique existe depuis cent quatre-vingts ans, et voici le niveau qu'elle a atteint... » Il montre toute l'exposition d'un large mouvement du bras. « Il n'y a que quarante-deux ans que nous existons, nous. Et dans sept ans, nous serons au même niveau que l'Amérique. » L'auditoire semble visiblement prendre plaisir à ses vantardises. Il continue donc : « Quand nous vous rattraperons, quand nous vous dépasserons, nous vous ferons signe! » A cet instant il regarde par-dessus son épaule et agite la main, comme pour dire adieu à quelque Américain imaginaire. Et désignant du doigt un corpulent ouvrier russe au premier rang de la foule, il demande : « Est-ce que cet homme a l'air d'un travailleur esclave? Avec des hommes d'un tel esprit, comment pourrions-nous perdre? »

Je montre à mon tour un ouvrier américain, et je dis : « Avec des hommes de ce genre, nous aussi, nous sommes forts. Mais ces hommes, le Soviétique et l'Américain, travaillent bien pour la paix, de même qu'ils ont travaillé ensemble pour construire cette Exposition. C'est ainsi que les choses devraient se passer. Si cette compétition au cours de laquelle vous avez le projet de nous dépasser est de faire ce qu'il y a de mieux pour nos deux peuples et pour les peuples où qu'ils soient, il faut qu'il y ait un libre-échange des idées. Vous ne devez pas avoir peur des idées. Après tout, vous n'êtes pas omniscients. »

Furieux, Khrouchtchev crie : « Si je ne sais pas tout, vous, en tout cas, vous ne savez rien du communisme — excepté la trouille que vous en avez! »

En traversant l'Exposition, nous arrivâmes à son attraction la plus controversée par la presse soviétique. C'était un modèle grandeur nature d'une maison américaine pour classes moyennes, coûtant 14 000 dollars et pleine de commodités qui éblouissaient les Soviétiques. La *Pravda* l'avait surnommée *Taj Mahal* et affirmait qu'elle n'était nullement représentative du niveau de vie d'une famille américaine moyenne. Je dis à Khrouchtchev que c'était le genre de maison que pouvait posséder un métallurgiste américain, mais, ou il ne me crut pas, ou il refusa d'admettre que c'était vrai. Nous nous arrêtâmes dans la cuisine modèle, et c'est là que notre conversation devint un débat qui fit du bruit dans le monde entier.

A la différence de notre escarmouche dans le studio modèle de télévision, notre « discussion dans la cuisine » ne fut pas télévisée, mais elle fit l'objet de reportages largement diffusés, avec une photo spectaculaire me montrant en train d'enfoncer l'index dans la poitrine de Khrouchtchev dans un geste d'insistance. Il se tint sur la défensive, affirmant que les maisons russes, elles aussi, disposeraient de tout l'équipement moderne exposé par nous; il passa à l'offensive, soutenant qu'il valait mieux qu'il n'y eût qu'un seul type de machines à laver, plutôt que plusieurs. Et quand je demandai s'il ne valait pas mieux discuter des mérites relatifs des machines à laver que de la force relative des fusées, il se remit à vociférer : « Pour vos généraux, la compétition, c'est celle des fusées. Ils disent qu'ils sont si puissants qu'ils peuvent nous détruire. Nous pouvons aussi vous montrer des choses qui vous feront savoir ce qu'est l'esprit russe. Nous sommes forts, nous pouvons vous battre. »

Je répliquai : « Personne ne devrait utiliser sa force pour mettre l'autre dans une position où il est, en fait, confronté à un ultimatum. Pour nous, discuter qui est le plus fort, c'est être à côté de la question. Si la guerre survient, nous serons tous deux les perdants. »

Khrouchtchev essaya de renverser les rôles, en m'accusant de poser un ultimatum. « Nous aussi, nous sommes des géants, déclara-t-il. Vous voulez nous menacer. Nous répondrons aux menaces par des menaces. »

Je lui dis que jamais nous ne nous engagerions dans une politique de menaces. « Vous avez voulu indirectement me menacer, cria-t-il. Mais nous avons aussi les moyens de menacer. »

Finalement, il accepta de passer à des thèmes moins belliqueux. « Nous voulons la paix et l'amitié avec toutes les nations, spécialement avec l'Amérique », admit-il. A quoi je répondis que nous aussi, bien sûr, nous voulions la paix et que c'était là notre souhait le plus cher...

A côté de Khrouchtchev se tenait, pendant cet échange de vues animé, l'un de ses principaux collaborateurs, un « jeune » cadre du parti, nommé Léonide Brejnev.

Nous retournâmes au Kremlin, où Pat et Mme Khrouchtchev se joignirent à nous pour un somptueux déjeuner. Nous levâmes nos coupes de champagne à notre santé à tous; puis, prenant exemple sur notre hôte, nous lançâmes nos verres dans le foyer de l'âtre, à la manière russe. On nous servit ensuite du caviar sur des plats d'argent.

Le soir, nous offrîmes un dîner à l'ambassade en l'honneur de Khrouchtchev. Au milieu de la soirée, il commença à décrire les beautés de la campagne russe. Soudain, il dit que nous ne devrions pas attendre davantage pour les voir, et insista pour que Pat et moi allions passer la nuit dans sa datcha aux environs de Moscou; il nous y rejoindrait le jour suivant pour les entretiens prévus à l'ordre du jour. Une demi-heure plus tard, nous roulions dans une limousine sur les routes désertes. Bientôt nous fûmes dans la forêt. L'air y était plus frais, et l'obscurité, profonde et silencieuse. La datcha de Khrouchtchev, une ancienne maison de campagne du temps des tsars, était presque aussi grande que la Maison Blanche. Elle était entourée d'hectares de terrains et de jardins, et, d'un côté, la forêt dévalait jusqu'aux rives de la Moskva.

Khrouchtchev et sa femme arrivèrent tard dans la matinée. Avec le brio d'un organisateur de réceptions, il prit immédiatement tout en main : « Tout d'abord, laissons-nous prendre en photo devant la maison, dit-il, puis nous ferons un tour sur la Moskva, de façon à ce que vous puissiez voir comment vivent les esclaves.

— Ah oui! les captifs! » répondis-je, résolu à ne plus le laisser me provoquer sur ce point.

Des bateaux nous attendaient à l'embarcadère, et, pendant plus d'une heure, nous remontâmes le cours sinueux de la Moskva. A plusieurs reprises, des groupes de baigneurs nagèrent jusqu'à nous et entourèrent le bateau, en acclamant Khrouchtchev et réclamant de nous serrer la main. La première fois que cela arriva, je fus amusé par Khrouchtchev qui demandait aux nageurs : « Avez-vous l'impression d'être un peuple captif? » Mais je compris bientôt que tout cela était arrangé d'avance. « Vous ne perdez pas une occasion de faire de la propagande! » lui susurrai-je...

— Non, non! insista-t-il. Je ne fais pas de propagande, je dis la vérité. »

Nous déjeunâmes sur la prairie, à l'abri de magnifiques bouleaux; ç'aurait pu être une scène de Tchekhov. Quand nous fûmes assis, Khrouchtchev s'amusa à lancer quelques pointes. Quand Anastase Mikoyan commença de parler anglais à Pat, Khrouchtchev l'accusa d'essayer de jouer les Roméos, alors qu'il était trop vieux pour en tenir le rôle. Puis il lui dit : « Et maintenant, prenez garde, vous, l'Arménien rusé! C'est à moi qu'appartient Mme Nixon. Restez de l'autre côté de la table. » Et du doigt, il traça au milieu de la nappe amidonnée une ligne imaginaire entre Pat et Mikoyan. « Voilà le rideau de fer, dit-il. Et n'allez pas le traverser! »

L'un des premiers plats était une spécialité sibérienne : du poisson cru en tranches très fines, assaisonné au sel, au poivre et à l'ail. Khrouchtchev se servit largement, et m'approuva en souriant lorsque je fis de même.

« C'était le plat favori de Staline, dit-il en prenant une énorme bouchée. Il disait que cela lui mettait de l'acier dans l'épine dorsale. »

Lorsque les assiettes furent vides, je m'attendais à ce que Khrouchtchev et moi nous nous excusions pour passer à des conversations sérieuses. Mais nous restâmes tous assis, et il commença à vanter le pouvoir et la précision des fusées et des missiles soviétiques. Il jeta un froid en admettant qu'il pouvait y avoir des accidents. Quelques mois plus tôt, par exemple, un missile intercontinental soviétique l'avait inquiété : il avait dépassé de deux mille kilomètres sa course prévue, et l'on avait craint qu'il n'allât s'écraser en Alaska; mais, heureusement, il était tombé dans l'Océan.

Je lui demandai pourquoi les Soviétiques s'obstinaient à construire des bombardiers, puisqu'ils étaient tellement avancés dans la production de missiles. Khrouchtchev répondit : « Nous avons presque arrêté la construction des bombardiers, parce que les missiles sont beaucoup plus précis et ne sont pas soumis aux risques d'une erreur ou d'une émotion humaine. Les êtres humains sont fréquemment incapables de lancer une bombe sur les objectifs qui leur sont assignés à cause d'une réaction émotive. Vous n'avez pas ce souci avec des missiles. »

Quand je lui parlai de sous-marins, Khrouchtchev dit : « Nous en construisons autant que nous pouvons. » Mikoyan lui adressa un regard rapide et rattrapa ce qui lui paraissait être une bévue : « Monsieur le Président veut dire que nous en construisons autant qu'il est nécessaire pour notre défense. »

Je posai une question sur les progrès accomplis dans le domaine des combustibles solides pour les fusées. Khrouchtchev répliqua : « Eh bien, c'est un sujet technique que je ne suis pas capable de discuter. »

L'atmosphère était devenue assez tendue, Pat sourit à Khrouchtchev et lui dit : « Je suis surprise qu'il y ait un sujet dont vous ne soyez pas prêt à discuter, Monsieur le Président. Je croyais qu'avec votre gouvernement d'un seul homme vous deviez tout connaître, et tout tenir fermement dans vos mains. »

Mikoyan vint avec suavité au secours de son chef : « Même le Président Khrouchtchev n'a pas assez de ses mains pour tout ce qu'il a à faire; c'est pourquoi nous sommes là pour l'aider. »

Finalement, je dis très tranquillement que c'était largement à cause des propos belliqueux des dirigeants soviétiques que le monde vivait dans la crainte de la guerre. « J'espère que vous ne vous imaginez pas que vous pouvez réunir les communistes de cinquante et un pays à Moscou sans que nous sachions ce dont ils sont capables et quelle sorte de directives ils reçoivent. Tout dernièrement encore, en Pologne, vous avez déclaré que l'Union Soviétique soutenait partout les révolutions communistes...

— Nous sommes opposés à la terreur contre les individus, répliqua-t-il. Mais quant à soutenir un soulèvement communiste dans n'importe quel pays, c'est une autre question. Si la bourgeoisie ne cède pas le pouvoir pacifiquement, alors il est vrai que la force peut être nécessaire.

— En d'autres termes, dis-je très calmement, vous estimez que les ouvriers des pays capitalistes sont des captifs dont la libération est justifiée? »

Khrouchtchev tempêta et dit que, si les Soviétiques appuyaient un véritable soulèvement intérieur, cela ne constituait pas une ingérence.

Je lui demandai pourquoi la presse et la radio soviétiques avaient ouvertement approuvé les attentats terroristes dont Pat et moi nous avions été l'objet au Venezuela. La presse soviétique avait exprimé sa complète sympathie pour la populace qui avait tenté de nous tuer.

Khrouchtchev réfléchit un moment. Il se pencha vers moi à travers la table. Et d'une voix basse, pleine d'émotion : « Nous avons un proverbe : " Tu es mon hôte, mais la vérité est ma mère. " Aussi vais-je répondre à votre très sérieuse question. Vous avez été la cible de l'indignation justifiée de la population de ce pays. Leurs actes n'étaient pas dirigés contre vous personnellement, mais contre la politique américaine, contre l'échec de votre politique américaine.

— Je reconnais votre droit d'avoir votre propre opinion et d'avoir de la sympathie pour ces actes de violence, dis-je. Mais je veux faire remarquer que, quand une grande puissance militaire comme celle de l'Union Soviétique est associée à des opinions et des sympathies révolutionnaires, il existe un grave danger, celui de ne plus pouvoir demeurer maître des événements. C'est pourquoi des hommes énergiques, tels que Eisenhower et vous, devraient se rencontrer. Mais de telles rencontres devraient avoir lieu sur la base du *donnant, donnant*. Vous êtes l'un des porte-parole les plus efficaces de vos vues que j'aie jamais rencontré, Monsieur le Président. Mais vous n'avez qu'une chanson : vous dites que les Etats-Unis ont toujours tort et que l'Union Soviétique a toujours raison. Ce n'est pas de cette façon que l'on fait la paix. »

Cela le fit repartir de nouveau, et il se lança dans une autre longue harangue qui dura près d'une heure. Ce ne fut que lorsqu'il fut à bout de souffle que je pus prendre la parole : « Toute la question est de savoir s'il y a une place quelconque pour des négociations si vous persistez à maintenir votre position. Supposez que je sois le Président des Etats-Unis assis en face de vous à cette table. Votre position serait-elle si arrêtée que vous n'écouteriez même pas ce que le Président aurait à vous dire? » Peut-être était-il fatigué par son long monologue. Visiblement il n'était nullement intéressé par la poursuite de cette discussion, car il me répondit par une vague allusion à Berlin et, bientôt, il se leva pour indiquer que le déjeuner était terminé.

Nous avions commencé à trois heures et demie, il était presque neuf heures en quittant la table. Chacun paraissait un peu étourdi. Nous avions parlé pendant cinq heures.

L'intention de Khrouchtchev avait été de nous intimider, de nous terroriser avec toute la puissance militaire soviétique et sa détermination à en faire emploi. Comme la plupart des tyrans, il considérait qu'un public pris au piège et un monologue interminable étaient des armes importantes de son arsenal personnel. Mais je l'avais empêché d'en faire usage cet après-midi-là. Tommy Thompson me confirma ce que j'avais déjà deviné : d'instinct, la plupart des Américains qui rencontraient Khrouchtchev voulaient se montrer aimables et lui être agréables, et il prenait leur courtoisie pour un signe de faiblesse. Après le long déjeuner à la datcha, je savais que mon intuition était la bonne. Khrouchtchev ne respecterait que ceux qui lui tiendraient tête, qui lui résisteraient et qui croiraient en leur cause aussi fermement qu'il croyait en la sienne.

A la fin de mon séjour, cas sans précédent, j'adressai une allocution au peuple soviétique à la radio et à la télévision. Tommy Thompson et William Y. Elliott, professeur à l'Université Harvard, qui étaient venus à ma demande se joindre à mon équipe, m'aidèrent à la préparer. Thompson suggéra que je fisse allusion à l'incident du marché. La presse soviétique en avait tant parlé qu'il était certainement encore présent à l'esprit de beaucoup d'auditeurs. Dans mon discours, je relatai simplement ce qui s'était passé, mais ce fut la première fois, de mémoire d'homme, que la *Pravda* fut critiquée en public, et l'incident fut débattu dans la population russe bien longtemps après mon départ.

Tourné vers l'avenir, je dis : « Pour moi, le concept de coexistence est tout à fait inadéquat et négatif. » Je m'expliquai plus à fond : « La coexistence implique que le monde doit demeurer divisé entre deux camps hostiles, avec un mur de haine et de crainte entre eux. Ce dont nous avons besoin aujourd'hui, ce n'est pas de deux mondes, mais d'un seul dont les différents peuples choisiraient les systèmes économiques ou politiques qu'ils désirent, mais où il existerait une libre communication entre tous les peuples de la terre. »

J'essayai d'expliquer clairement ce qui était au cœur de nos différends avec les dirigeants soviétiques : la question n'était pas de décider quel était le meilleur système, mais de savoir si une nation devait chercher à imposer son système à d'autres nations. J'en profitai pour rappeler la fameuse prédiction de Khrouchtchev selon laquelle nos petits-enfants vivraient sous le régime du communisme : « Permettez-moi de dire que nous n'avons aucune objection à ce qui doit, selon lui, arriver. Nous nous opposons seulement à ce qu'il essaie de nous l'imposer... Nous préférons notre système. Mais l'essence même de ce que nous croyons est que nous n'essayons pas et n'essaierons jamais d'imposer notre sytème à qui que ce soit. Nous croyons que vous et tous les peuples de la terre vous devriez avoir le droit de choisir la sorte de système politique et économique qui répond à vos besoins particuliers sans aucune intervention étrangère. »

Après avoir quitté l'Union Soviétique, nous fîmes une brève visite à l'une des nations captives, la Pologne.

Le Gouvernement polonais était très conscient du fait que Khrouchtchev avait été reçu d'une manière remarquablement froide lorsqu'il était venu récemment en visite à Varsovie, et c'est pourquoi aucune annonce publique n'avait été faite de l'heure de notre arrivée et de l'itinéraire que suivrait notre cortège motorisé. Mais les gens savaient, grâce à la Radio de l'Europe libre et au réseau souterrain d'information qui survit, même dans les sociétés communistes si étroitement surveillées.

C'était un dimanche, et la plupart des gens n'avaient pas à aller au travail. Dès le départ de l'aéroport, nous fûmes salués d'abord par de petits groupes, puis par des masses énormes de gens qui nous faisaient des signes, applaudissaient, criaient, acclamaient; beaucoup pleuraient. Par centaines, ils nous jetaient des fleurs, dans ma voiture, dans celle de Pat et même aux cars de la presse qui nous suivaient. Les forces de sécurité du gouvernement étaient débordées. A plusieurs reprises, le cortège fut arrêté par la foule qui surgissait et se poussait en avant. « *Niech zyje Ameryka!* (Vive l'Amérique!) criait-elle. *Niech zyje Eisenhower! Niech zyje Nixon!* » Quelque deux cent cinquante mille habitants étaient dans la rue ce dimanche. Malgré la présence de troupes soviétiques et la frontière commune aux deux pays, le peuple polonais manifestait de façon spectaculaire, ce dimanche-là, non seulement son amitié pour les Etats-Unis, mais aussi sa haine pour ses maîtres communistes et ses voisins soviétiques.

Quand nous arrivâmes à Washington le 5 août, nous fûmes accueillis par une foule enthousiaste. Le voyage chez les Soviets avait fait une impression considérable en Amérique. Le film de ma première rencontre avec Khrouchtchev à l'Exposition avait été montré à la télévision, et les correspondances sur nos autres entretiens m'avaient présenté comme l'homme qui avait tenu tête à Khrouchtchev. Il y avait cependant une contrepartie négative. Quelques observateurs de la presse insinuaient que, si je devenais Président, je ne serais pas capable de m'entendre avec Khrouchtchev. Ce dernier fit, par la suite, tout ce qu'il put pour accréditer cette opinion.

LA CAMPAGNE ÉLECTORALE DE 1960

A l'ouverture de la campagne électorale présidentielle de 1960, nous paraissions, John Kennedy et moi-même, avoir des chances à peu près égales. La désignation des deux candidats par les congrès de leurs partis respectifs se fit sans difficulté. Tandis que Kennedy s'adjoignait Lyndon Johnson comme candidat à la Vice-Présidence, je choisis Henry Cabot Lodge sur la recommandation d'Eisenhower. Pour la première fois dans l'histoire se posait la question d'un débat télévisé entre deux candidats. C'était en quelque sorte une grande « première » mondiale...

Il est rare qu'un titulaire de fonctions officielles accepte volontiers un débat public avec un candidat concurrent, et je savais que Kennedy en tirerait plus de profit que moi, puisque cela lui donnerait, pour exposer ses vues à tout le pays, une occasion dont il avait plus besoin que moi. Il aurait, de plus, l'avantage de l'offensive.

En tant que membre du Gouvernement Eisenhower, il me faudrait prendre la défense de ce qu'il avait fait, tout en essayant d'amener la discussion sur mes propres projets et mon programme. Mais il n'y avait pas moyen de refuser le débat sans que Kennedy et les mass média fassent de mon refus leur cheval de bataille. La question n'était pas de savoir s'il y aurait ou non un débat, mais simplement de le mener de façon à donner à Kennedy le moindre avantage possible.

Nous nous mîmes d'accord sur quatre passages à la télévision. Le second et le troisième devaient prendre la forme de conférences de presse conjointes. Le premier et le quatrième ressembleraient davantage à une discussion : chaque candidat ferait une déclaration au début, une autre à la fin, et un groupe de journalistes poseraient des questions. L'un de ces deux programmes serait réservé exclusivement aux problèmes d'ordre intérieur, l'autre à la politique extérieure. Il arriva que le choix à faire entre ces deux sujets pour la première séance fut l'une de mes décisions les plus importantes au cours de la campagne, et l'une de mes plus graves erreurs.

Comme ce genre de débat télévisé était sans précédent, nous ne pouvions que faire des conjectures sur le programme qui attirerait le plus les auditeurs. Les Affaires étrangères étaient mon point fort, et je voulais m'assurer, pour en traiter, le plus large auditoire possible. Je pensais que les auditeurs seraient plus nombreux pour la première séance, et que l'intérêt diminuerait à mesure que l'attrait de la nouveauté irait en diminuant. La plupart de mes conseillers pensaient au contraire que l'intérêt s'accroîtrait au cours de la campagne, et que le dernier programme, qui serait le plus proche du jour du vote, serait le plus important. Je me rangeai à leur avis, et j'acceptai qu'au cours des négociations on donnât mon accord pour mettre en première ligne le débat sur la politique intérieure, en réservant pour la fin la politique extérieure.

C'était ne pas compter avec les fatigues d'une campagne électorale particulièrement épuisante. Pour comble de malchance, un accident au genou me retint quinze jours à l'hôpital. Le rythme de mes voyages de propagande dans les cinquante Etats s'en trouva dangereusement précipité. Dès le départ, j'avais donc un sérieux handicap.

Le premier débat public avec Kennedy avait été fixé au soir du 26 septembre à Chicago. Le matin, je devais parler devant le congrès du Syndicat des Charpentiers, de sorte que je n'eus que l'après-midi pour revoir sans être dérangé les notes que j'avais préparées pour le débat. Quand j'arrivai au centre émetteur, j'avais l'esprit à l'aise, mais j'étais physiquement épuisé, et cela se voyait. Les fatigues de la campagne et de la maladie m'avaient fait perdre cinq kilos. Mon col avait maintenant une pointure de trop, et il flottait autour de mon cou.

Kennedy arriva quelques minutes plus tard, bronzé, reposé, dispos. Mon conseiller pour la télévision, Ted Rogers, me recommanda de mettre à profit le maquillage de la télévision, mais je refusai, n'acceptant qu'un petit coup sur le menton et les joues pour cacher l'ombre de ma barbe visible dès cinq heures.

Kennedy fut, pendant le débat, continuellement sur l'offensive, attaquant la politique d'Eisenhower qu'il qualifiait d'inefficace. Il préconisait un gouvernement fédéral plus actif et interventionniste. J'étais d'accord avec lui sur bien des objectifs qu'il énumérait, mais je l'attaquai vivement sur les mesures qu'il proposait pour les atteindre.

Bien que la plupart des questions en jeu traitassent de problèmes importants, ce fut un fait sans aucune importance qui me porta un mauvais coup. L'un des journalistes cita la réponse qu'Eisenhower avait faite un mois plus tôt à la fin d'une conférence de presse, lorsqu'on lui demanda quelles étaient les idées essentielles dont on m'était redevable en tant que Vice-Président : « Si vous me donnez une semaine, je pourrai en trouver une. » Eisenhower avait voulu dire : « Nous en parlerons à la prochaine conférence. » Immédiatement, il avait compris sa gaffe, et l'après-midi il me téléphona pour s'excuser. Les Démocrates sautèrent sur l'occasion offerte par le lapsus d'Eisenhower, et en profitèrent pour mettre en doute mon expérience et insinuer qu'Eisenhower était rien moins qu'enthousiaste au sujet de ma candidature.

La plupart des éditorialistes, qui jugeaient les débats d'après le fond plutôt que d'après l'image, même ceux des journaux favorables à Kennedy (le *Washington Post* et le *Post Dispatch* de Saint Louis, par exemple), prononcèrent match nul, mais des sondages faits parmi les auditeurs donnèrent l'avantage à Kennedy. Ralph McGill, du journal d'Atlanta (le *Constitution*), qui était partisan de Kennedy, observa que ceux qui avaient suivi la discussion à la radio pensaient que j'avais été le meilleur. C'était une maigre consolation, car les spectateurs de la télévision avaient été cinq à six fois plus nombreux.

Le fait que ce qui me désavantagea le plus au cours de ce premier débat fut non le fond de notre discussion, mais le contraste de nos images physiques, en dit long sur le peu de valeur de la télévision comme moyen d'éducation politique. Après la fin du programme, des appels téléphoniques, dont un provenant de ma mère, demandèrent si je n'étais pas malade, parce que j'avais semblé avoir mauvaise mine.

Le second débat était prévu pour le 7 octobre, à Washington, onze jours plus tard. Je savais qu'il me fallait rectifier l'impression donnée par les images du premier. Un traitement de quatre jours au lait enrichi m'aida à reprendre du poids, et cette fois-ci j'acceptai le maquillage.

Je pris immédiatement l'offensive, attaquant Kennedy sur ses points faibles. En mai, il avait fait une déclaration inconsidérée après que les Soviétiques eurent abattu l'un de nos avions-espions U2, préconisant qu'Eisenhower fît des excuses à Khrouchtchev. Je soutins qu'un Président américain ne devrait jamais s'excuser d'une action entreprise pour défendre la sécurité de son pays. Je tapai dur également sur la tiédeur manifestée par Kennedy pour la défense des îles côtières de Quemoy et Matsu occupées par les forces de Tchang Kaï-chek.

Après ce second débat, on tomba d'accord : j'avais eu le dessus. Le *New York Times* écrivit que j'avais fait un net rétablissement, j'étais arrivé en tête. Un éditorialiste du *Herald Tribune* de New York déclara que j'avais nettement gagné le second round. Mais l'émission avait été suivie par vingt millions de spectateurs de moins que la première.

La troisième fois, le 13 octobre, j'apparus dans un studio de Los Angeles, tandis que Kennedy parlait de New York. Je poussai tout à fait mon offensive. Une fois de plus, j'enfonçai le clou de Quemoy et Matsu, déclarant que la disposition montrée par Kennedy à abandonner les îles aux communistes sous la menace de la guerre ne différait en rien d'une capitulation devant un chantage. J'appris peu de temps après qu'un des conseillers de politique extérieure de Kennedy avait téléphoné au Secrétaire d'Etat Herter, pour lui dire que Kennedy ne voulait pas donner aux communistes l'impression que l'Amérique ne resterait pas unie pour résister à une agression, et qu'en conséquence il était disposé à revoir sa position pour ne pas paraître s'opposer au Gouvernement sur cette question. Je vis que c'était là pour Kennedy un moyen de se distancer d'une prise de position impopulaire, et mon premier mouvement fut de ne pas le laisser s'en tirer à si bon compte. Mais la situation était très tendue à Quemoy et Matsu, et l'importance du rôle des Etats-Unis pour décourager l'agression communiste était tellement grande que je décidai de ne plus insister si Kennedy modifiait sa position. Je fis remarquer combien son changement d'attitude révélait son manque d'expérience et m'en tins là.

C'est à New York, le 21 octobre, qu'eut lieu le quatrième et dernier débat. C'était celui de politique extérieure, dont j'avais espéré qu'il réunirait l'auditoire maximum. Mais au contraire, le nombre de spectateurs resta obstinément inférieur de vingt millions à celui du premier débat.

La veille, les gros titres des journaux du soir avaient annoncé : « Kennedy est partisan d'une intervention à Cuba; il recommande un appui aux rebelles cubains. » Je savais que Kennedy avait été mis au courant par la C.I.A. de la politique du Gouvernement Eisenhower à Cuba, et je pensais qu'il savait, comme je le savais moi-même, qu'un plan d'aide aux exilés cubains était déjà en cours de préparation, dans un secret absolu. Sa déclaration compromettait le succès du projet, qui ne pouvait réussir que s'il était appuyé et réalisé secrètement.

Je savais que ce sujet allait être soulevé au cours du débat. Pour protéger le secret du projet et la sécurité des milliers d'hommes et de femmes qui y étaient impliqués, je n'avais pas le choix : il me fallait prendre une position diamétralement opposée et m'en prendre au plaidoyer de Kennedy en faveur d'une intervention ouverte. Ce fut là le devoir le plus désagréable et le plus paradoxal que j'eus à accomplir au cours de n'importe quelle campagne électorale. Je choquai et je déçus beaucoup de mes partisans, et je reçus l'approbation des gens qu'il ne fallait pas pour des raisons qui n'en étaient pas. Je reçus les louanges du *Washington Post* pour ma modération. Quelques jours plus tard, Kennedy modifia sa position : mais il n'y eut qu'une fraction des auditeurs à s'en rendre compte. Au cours du débat, Kennedy donna l'impression, à soixante millions de gens, qu'il était plus énergique que moi au sujet de Castro et du communisme.

Ceux qui prétendent que les « grands débats » furent le point décisif dans la campagne de 1960 exagèrent beaucoup. Attribuer la défaite ou la victoire, dans une contestation aussi serrée, à un facteur unique constitue, au mieux, de la divination ou une simplification excessive.

Les sondages semblèrent indiquer que les débats n'avaient eu que peu d'influence sur le résultat de l'élection... Je doute qu'en général les débats à la télévision puissent jamais contribuer sérieusement à définir les problèmes à traiter au cours d'une campagne électorale. Par la nature même de ce moyen de communication, l'art de la mise en scène aura toujours l'avantage sur les qualités de l'homme d'Etat.

Très désireux de soutenir ma candidature, et irrité par les attaques lancées par Kennedy contre sa politique, le Président Eisenhower avait préparé un plan de tournée à travers les Etats-Unis. Mais, alerté par Mme Eisenhower et par son médecin personnel, je m'inquiétais sérieusement de la santé du Président, dont le cœur était faible. Je lui demandai instamment d'y renoncer, sans lui donner toutefois la véritable explication. Eisenhower en fut quelque peu froissé. Les choses se présentaient mal. Et c'est non sans quelque appréhension qu'à Los Angeles, Pat, mes enfants et moi, nous attendions les résultats de l'élection présidentielle.

Le lendemain matin, Julie me réveilla à six heures. L'avance de Kennedy s'était réduite à 500 000 voix, et l'on parlait de fraudes massives à Chicago et au Texas. Everett Dirksen me pressait de demander un décompte des voix et de ne pas accepter le résultat de l'élection. Il m'avertit que, sitôt que j'aurais reconnu la validité du scrutin, les bulletins seraient détruits et qu'il serait alors impossible de les recompter. Je pris quelques instants, après son appel, pour examiner la situation.

Nous avions fait la grave erreur de n'avoir pas pris de précautions contre une telle situation, mais il était trop tard. Un nouveau décompte des voix pour une élection présidentielle exigerait près de six mois, pendant lesquels la régularité de l'élection de Kennedy serait mise en question. L'effet pourrait en être désastreux pour la politique extérieure des Etats-Unis. Je ne pouvais pas mettre le pays dans une telle situation. Et que dirait-on si je demandais un décompte, et qu'il arrivât que, malgré les fraudes, Kennedy fût tout de même le vainqueur? Je serais accusé d'être un mauvais joueur, et cette réputation me priverait de toute possibilité d'une nouvelle carrière politique.

J'avais eu le dessein de me reposer dans l'avion qui me menait à Washington, mais je ne pus m'endormir. Je pensais au contraire combien nous avions été près du succès et comment nous aurions dû agir différemment.

Les élections de 1960 furent l'élection présidentielle la plus serrée depuis celle qui, en 1888, avait opposé Harrison à Cleveland. Kennedy avait obtenu 34 221 000 voix et moi 34 108 000 : la différence n'était que de 113 000. Le déplacement d'une demi-voix par bureau de vote aurait suffi à changer le résultat.

A Washington, il n'était question que des fraudes électorales. De nombreux chefs du Parti Républicain me poussaient à contester les résultats et à demander un décompte. Eisenhower lui-même était de cet avis, offrant d'aider à réunir les fonds nécessaires pour recompter les voix en Illinois et au Texas.

Sans aucun doute, il y eut des fraudes électorales importantes lors de l'élection de 1960. Les exemples les plus flagrants, et qui furent à mon détriment, se produisirent dans ces deux Etats. Dans une circonscription du Texas, par exemple, on enregistra 6 138 votes pour 4 895 électeurs inscrits. A Chicago, une machine à voter enregistrait 123 votes après le passage de seulement 43 électeurs. Je perdis ce bureau de vote par 408 voix contre 79. Un journaliste de Washington, Benjamin Bradlee, ami intime de Kennedy, raconte dans son livre *Conversations avec Kennedy* que ce dernier appela au téléphone, la nuit de son élection, le maire de Chicago, Daley, pour savoir la tournure que prenaient les événements; Daley lui aurait répondu : « Monsieur le Président, avec un petit peu de chance et l'aide de quelques bons amis, vous aurez l'Illinois pour vous. »

Quelques années après la mort de Kennedy, Tom Wicker, chef de rubrique au *New York Times,* écrivait dans sa préface au livre de Neal Peirce, *Le Président du peuple,* ce que voici : « Personne ne sait encore à ce jour qui a été réellement élu Président par le peuple en 1960. Sous le système en vigueur, John F. Kennedy a été proclamé Président, mais il n'est pas du tout évident que telle ait été la volonté du peuple ou, si elle fut telle, par quels moyens et selon quelle marge d'avance cette volonté fut exprimée. »

Si expérimenté en politique que je fus en 1960, je me heurtai à plusieurs facteurs nouveaux et inattendus, dont chacun a influencé fortement le résultat de cette élection.

Ce fut d'abord le pouvoir considérable et déterminant que l'apparition de la télévision comme principal moyen d'information donna aux correspondants de presse, aux commentateurs et aux producteurs. Ce sont eux qui décidèrent en grande partie de ce que le public verrait et entendrait de la campagne électorale.

Un autre phénomène politique nouveau fut la façon dont tant de correspondants de presse en 1960 se laissèrent prendre par l'excitation de la campagne de Kennedy et furent contaminés par le sens qu'il avait personnellement de sa mission. Theodore H. White le décrit dans son ouvrage *Comment on fait un Président* :

« Pendant les dernières semaines, cette quarantaine ou cinquantaine de correspondants nationaux qui avaient suivi Kennedy depuis le début de ses performances électorales jusqu'en novembre étaient devenus beaucoup plus qu'un groupe de journalistes. Ils étaient devenus ses amis et, certains, ses admirateurs les plus dévoués. Quand leur autocar ou l'avion roulait ou volait dans la nuit, ils chantaient des chansons de leur propre composition sur M. Nixon et les Républicains en chœur avec les membres de l'équipe Kennedy, et ils avaient le sentiment qu'eux aussi marchaient, comme les soldats du Seigneur, vers la Nouvelle Frontière. »

M'écrivant après l'élection, Willard Edwards, l'analyste politique expérimenté de la *Tribune* de Chicago, s'exprimait plus brutalement : il considérait « l'effrayante quantité de... reportages tendancieux » comme « l'un des chapitres les plus honteux, ou peut-être le chapitre le plus honteux, de la presse américaine dans l'histoire ».

L'autre aspect unique de cette campagne fut l'organisation et la technique de Kennedy. J'avais pris part à pas mal de dures campagnes dans le passé, mais en comparaison, aborder la campagne de 1960, c'était passer d'une équipe de football locale à une équipe nationale. Je disposais d'une organisation efficace, tout à fait dévouée, bien financée et hautement motivée. Mais nous avions affaire, en face, à une organisation aussi dévouée, qui disposait de ressources sans limites, et qui était dirigée par le groupe le plus brutal d'agents politiques qui eût jamais été mobilisé pour une campagne présidentielle.

L'organisation de la campagne électorale Kennedy éprouvait pour les coups bas une sorte de plaisir pervers, et les exécutait avec une désinvolture qui séduisait beaucoup d'hommes politiques et triomphait des difficultés critiques de beaucoup de journalistes. J'aurais dû m'en douter quand j'observai la façon brillante mais froidement mécanique dont Kennedy assura la défaite d'Hubert Humphrey lors des primaires. Dans son autobiographie *L'Education d'un homme politique,* publiée seize ans plus tard, Humphrey écrit que l'organisation Kennedy avait été sans doute impressionnante et efficace. « Mais sous les belles apparences, ajoute-t-il, il y avait un élément de brutalité et de dureté qu'il me fut difficile d'accepter ou d'oublier. »

Enfin, je n'étais pas préparé à la façon vulgaire dont les Kennedy utilisèrent la religion comme argument électoral, alors même qu'ils professaient qu'elle ne devait pas être traitée comme tel. Sous la conduite de

Robert Kennedy, ils parvinrent à transformer l'élection en une sorte de référendum pour la tolérance et contre le fanatisme.

A partir de cette époque, j'ai acquis la sagesse et la vigilance de quelqu'un qui s'était brûlé au feu de la puissance des Kennedy, de leur argent, et des privilèges que les moyens d'information leur avaient réservés. Je me promis que, jamais plus, je n'entrerais dans une élection en me trouvant en position d'infériorité par rapport à eux ou à tout autre sur le plan de la tactique politique.

Le 20 janvier 1961, il me fallut faire mes adieux au Capitole, où, en tant que le président du Sénat, j'avais mes bureaux. En les quittant, il me sembla que j'y laissais toute une part de moi-même. J'ouvris une porte et je passai sur le balcon qui donne sur les pelouses à l'Ouest, je Capitole. Bien des fois auparavant, j'étais resté debout sur ce balcon. C'est l'une des vues les plus magnifiques qui soient au monde, et jamais elle ne m'apparut plus splendide qu'à ce moment-là. Le mail était recouvert de neige fraîche. Le monument élevé à la mémoire de Washington se détachait nettement contre le ciel gris et lumineux; et dans le lointain, je pouvais apercevoir le Mémorial de Lincoln. Je contemplai cette scène au moins cinq minutes. Je me remémorai les grands événements des quatorze dernières années. Maintenant, c'était fini, et j'allais quitter Washington, où j'avais vécu depuis mon arrivée comme jeune député en 1947.

En me retournant pour partir, je m'arrêtai tout d'un coup, frappé par la pensée que ce n'était pas la fin. Quelque jour, je reviendrais ici. Je marchai aussi vite que possible pour rejoindre la voiture.

SIMPLE CITOYEN
1961-1967

Après mon échec à l'élection présidentielle, je me retirai à Los Angeles où j'entrai dans le cabinet juridique Adams, Duque et Hazeltine. Mes occupations professionnelles ne suffisaient pas à remplir ma vie.

LA BAIE DES COCHONS

Je m'intéressais de plus en plus à mon rôle de chef du Parti Républicain. Quelques-unes des premières initiatives de Kennedy en matière de politique extérieure m'inquiétèrent. Pendant les premières semaines de sa présidence, il eut à faire face à une crise impliquant une agression communiste au Laos. Après un étalage de force initial au cours de sa première conférence de presse, il fit marche arrière et accepta un gouvernement prétendu neutre, qui devait être, tout le monde le savait, fortement influencé par les communistes. Je décidai qu'il était temps de mettre fin à la lune de miel du Gouvernement, et j'acceptai de faire un discours à Chicago, le 5 mai 1961, devant l'Executives Club.

Comme je devais parler de politique extérieure, je demandai à la Maison Blanche de permettre à Allen Dulles de me mettre au courant des informations de la C.I.A. Ma demande fut acceptée et nous convînmes de nous voir chez moi à Washington le 19 avril à six heures.

Deux jours plus tôt, quand j'étais encore en Californie, j'avais entendu les nouvelles selon lesquelles les forces rebelles anticastristes avaient débarqué à Cuba en un endroit inopportunément connu comme « la Baie des cochons ». Les jours suivants, les articles de la presse furent désespérément sommaires et incomplets, mais il était clair que les envahisseurs s'étaient heurtés à une résistance considérable et n'avaient pas été en mesure d'obtenir un succès initial.

En attendant Dulles, le 19 avril, je pris le journal du soir *Star,* de Washington, et je lus des informations plus pessimistes encore, mais cependant sans conclusion définitive, sur l'invasion. Dulles me fit dire qu'il serait en retard et quand il arriva, seulement à 7 h 30, il paraissait nerveux et agité.

Je lui demandai s'il aimerait boire quelque chose :

« Certainement, me répondit-il, j'ai grand besoin d'un verre. Je viens de passer la pire journée de mon existence.

— Qu'est-ce qui ne va pas? demandai-je.

— Tout est perdu! »

Il secouait la tête, l'air abattu, et ajouta :

« L'invasion cubaine est un échec complet. »

Dulles expliqua qu'après son élection, Kennedy avait donné le feu vert pour la poursuite des plans d'invasion mis au point sous le Gouvernement Eisenhower, et que la C.I.A. avait continué l'entraînement des réfugiés cubains. Cependant, quelques-uns des conseillers de Kennedy l'avaient incité à décommander cette opération pour la raison que, si notre appui venait à être connu, le prestige de l'Amérique dans le monde en souffrirait gravement. Ils évoquèrent le spectre d'une Troisième Guerre mondiale, au cas où l'Union Soviétique déciderait d'intervenir, et ils tracèrent un sombre tableau des conséquences, au cas où l'invasion échouerait.

Cette invasion avait été prévue pour février, mais Kennedy la suspendit tandis que l'on discutait ferme à l'intérieur de son gouvernement. Finalement, le 15 avril, Kennedy décida d'y aller. Il y eut une nuance de triste admiration dans la voix de Dulles lorsqu'il me dit : « Il a fallu un grand courage au Président pour passer outre à l'avis de certains de ses conseillers et donner l'ordre de lancer l'invasion. » Mais ses adjoints inquiets firent une dernière tentative pour dissuader Kennedy et il essaya de satisfaire les deux côtés par un compromis de dernière minute. Il annula deux des trois vols aériens qui avaient été prévus pour neutraliser les forces aériennes de Castro et donner une couverture aérienne aux forces d'invasion. Les forces libres cubaines se trouvèrent donc livrées sans défense aux bombardiers soviétiques de Castro. En décommandant l'appui aérien, Kennedy avait condamné l'opération à l'échec.

Tout d'abord, la Maison Blanche et Adlai Stevenson, notre ambassadeur auprès des Nations Unies, nièrent catégoriquement toute participation américaine à l'invasion. Puis il fallut que Kennedy démentît le démenti. Notre prestige international souffrait doublement, d'abord d'avoir monté une invasion et de l'avoir ratée, puis d'avoir tenté de la nier.

Dulles regardait le parquet : « Il aurait fallu lui dire que nous ne devions à aucun prix échouer. J'ai été sur le point de le lui dire, mais je ne l'ai pas fait. Ça a été la plus grande erreur de ma vie. »

Je passai le matin du 20 avril au Capitole en conférence avec les chefs du Parti Républicain. Nous fûmes d'accord pour juger que la situation était trop sérieuse pour nous permettre de manifester un esprit partisan. Nous devions tous épauler le Président jusqu'à ce que la crise fût terminée. En rentrant chez moi au début de l'après-midi, je trouvai un mot de Tricia auprès du téléphone : « J.F.K. a téléphoné. Je le savais. Je savais que cela ne durerait pas longtemps avant qu'il soit dans le pétrin et qu'il ait à te demander ton aide. » Je fis le numéro familier de la Maison Blanche. Le standardiste me mit immédiatement en communication avec le Président. Sa voix paraissait tendue et lasse. Il ne perdit pas de temps en propos de politesse : « Dick, pourriez-vous passer me voir? »

Kennedy se tenait debout dans le Bureau Ovale et parlait avec Lyndon Johnson. Nous échangeâmes de solennelles poignées de main. L'atmosphère était tendue.

Après que Johnson eut quitté la pièce, Kennedy me désigna l'un des petits sofas près de la cheminée. Il s'assit dans son rocking-chair. « J'ai reçu les membres du Conseil révolutionnaire cubain, dit-il. Plusieurs de ceux qui étaient présents avaient perdu dans l'affaire un fils, un frère, un parent proche, ou un ami. Leur parler, et voir la tragique expression de leurs visages, ç'a été pour moi la pire expérience de ma vie. »

Je m'enquis du moral des Cubains réfugiés. Il me dit : « Hier, ils étaient fous de colère contre nous, mais aujourd'hui, ils sont beaucoup plus calmes, et croyez-moi, ou ne me croyez pas, ils sont prêts à repartir et à lutter de nouveau si nous leur donnons le mot et le soutien. »

A ce point, il sauta de son fauteuil et se mit à marcher de long en large. Sa colère, sa déception débordèrent en une rafale de jurons. Il ne cessait de maudire tous ceux qui l'avaient conseillé : la C.I.A., le président du Comité des chefs d'état-major, les membres de son équipe de la Maison Blanche. « Chaque fils de putain avec lequel j'ai examiné la chose — tous les experts militaires et la C.I.A. — m'ont donné l'assurance que le plan réussirait! »

Tout avait marché si bien jusqu'alors. Quelques jours plus tôt, il figurait en très bonne position dans les sondages, et sa presse était irrésistiblement favorable. Et maintenant, il était dans les plus graves difficultés; il se sentait la victime innocente des avis pernicieux qui lui avaient été donnés par des hommes en qui il avait eu confiance. Il continuait à marcher de long en large, les poings serrés.

Après s'être quelque peu calmé, il revint à son rocking-chair. Un moment, le silence régna. Je fus frappé soudain par l'idée de sa solitude : comme il devait se sentir seul, victime d'une injustice, mais cependant responsable!

Il me regarda et dit : « Que feriez-vous maintenant à Cuba si vous étiez à ma place? » Sans hésitation, je répliquai : « Je trouverais un prétexte légal convenable et j'envahirais. Il y a plusieurs justifications que l'on pourrait utiliser, telles que la protection des citoyens américains vivant à Cuba, et la défense de notre base de Guantanamo. Je crois que ce qui importe le plus pour l'instant, c'est de tout faire pour chasser Castro et le communisme hors de Cuba.

Il sembla réfléchir à ce que je venais de dire, puis secoua la tête : « Walter Lippmann et Chip Bohlen ont tous deux fait savoir que Khrouchtchev est actuellement d'une humeur outrecuidante. Ce qui veut dire qu'il y a de bonnes chances pour que, si nous bougeons à Cuba, Khrouchtchev bouge à Berlin. Je ne pense pas que nous puissions prendre ce risque si Lippman et Bohlen ont raison. »

J'expliquai que je ne considérais Cuba que dans l'ensemble des ambitions communistes à travers le monde. Khrouchtchev ferait des sondages et des tentatives en plusieurs endroits au même moment et, sitôt que nous montrerions quelque faiblesse, il provoquerait une crise pour en prendre avantage. Je dis que nous devrions agir aussi bien à Cuba qu'au Laos, y compris, si nécessaire, par un engagement des forces aériennes américaines.

« Je ne pense pas que nous devions nous laisser engager au Laos, repartit Kennedy. Surtout à un endroit où nous pourrions avoir à nous battre contre des millions de Chinois dans la jungle. » C'était exactement le contraire de ce qu'il avait dit à la télévision en mars sur l'importance vitale d'une défense au Laos. « En tout cas, poursuivit-il, je ne vois pas comment nous pouvons agir au Laos, à des milliers de kilomètres de nos côtes, si nous ne pouvons le faire à Cuba qui est à moins de cent cinquante kilomètres. »

J'étais surpris et déçu qu'il n'ait pas fait le rapprochement entre ses deux déclarations : que la menace communiste était indivisible et qu'il n'y avait aucune raison de s'y opposer nulle part, si l'on ne s'y opposait partout. Mais ce n'était pas le moment d'essayer de l'en convaincre. La crise était là : il désirait mon appui, et il en avait besoin.

Je lui dis : « Je vous appuierai à fond si vous prenez une décision de ce genre, soit à Cuba soit au Laos, et j'inciterai tous les Républicains à faire de même. Certains observateurs politiques prétendent, je le sais, que vous pourriez risquer une défaite politique si une crise à Cuba ou en Extrême-Orient entraînait un engagement des forces armées américaines. Je veux que vous sachiez que je ne suis pas homme à exploiter sur le plan politique une initiative de ce genre, si elle devenait nécessaire. »

Il sembla un moment perdu dans ses pensées, pesant en son esprit ce que je venais de déclarer. Puis, avec un léger haussement d'épaules, il me dit : « De la façon dont vont les choses, et avec tous les problèmes que nous avons, si je fais le travail comme il le faut, je ne sais pas si je serai encore ici dans quatre ans. »

Nous avions parlé pendant presque une heure, et il me semblait que j'avais au moins allégé son fardeau en l'écoutant et en lui donnant l'assurance que je n'exploiterais pas cette crise sur le plan des partis.

« N'est-il pas vrai, ajouta-t-il, que les affaires étrangères soient le seul problème important qu'un Président ait à traiter? Qui se soucie que le salaire minimum soit de 1 dollar ou 1,25, en comparaison de quelque chose de ce genre? »

Nous passâmes dans le porche couvert près du Bureau Ovale. Les fleurs de printemps de la roseraie étaient en pleine éclosion. Une voiture de la Maison Blanche m'attendait sur la route d'accès.

En m'accompagnant à la voiture, il me dit que Pat Brown s'inquiétait parce qu'un sondage le plaçait derrière moi pour le poste de Gouverneur de la Californie. Bien que des amis politiques m'aient suggéré de me présenter, je n'avais pas la moindre intention de le faire, et je fus très surpris que Kennedy et Brown aient discuté de cette éventualité.

Nous nous serrâmes la main, et il s'en retourna, remontant le chemin vers son bureau. Il avait les mains dans les poches de son veston mais il marchait la tête basse, plus lentement que d'habitude. Je me sentis à cet instant en sympathie avec cet homme : il devait faire face à une amère tragédie qui n'était pas entièrement de sa faute, mais dont il portait l'inévitable responsabilité.

Je partis pour Chicago le 5 mai pour parler à l'Executives Club.

A mon avis, toute critique du Gouvernement devrait s'inspirer du sens des responsabilités et porter uniquement sur des sujets d'importance, dis-je avec insistance. Cependant j'étais inquiet de la façon dont Kennedy avait traité l'affaire de la Baie des cochons, et je voulais que mes inquiétudes fussent connues. « Ceux qui parlent tout le temps de notre prestige semblent croire que nous sommes engagés dans un concours de popularité avec les autres nations pour savoir qui est le plus aimé et le

La famille Nixon à Yorba Linda en 1916. De gauche à droite : Harold, Frank, Donald, Hannah, Richard.

Les frères Nixon à Yorba Linda en 1922. De gauche à droite : dans le pneu, Donald, 7 ans ; Richard, 9 ans ; Harold, 13 ans, déjà tuberculeux, et Arthur, 4 ans.

A l'orchestre du collège de Fullerton, étudiant de seconde année, 1928.

R.N. à Whittier en 1927.

La dernière photographie de Harold, qui mourut en 1933, et R.N.

Numéro 23 de l'équipe de football du collège de Whittier, octobre 1933.

R. N. devant le stand « Nick's Hamburger » à Bougainville dans le Pacifique Sud en 1944.

La photographie de Pat que R. N. portait sur lui pendant la guerre.

Tricia et ses parents dans la cour de leur maison à Whittier en 1946.

La première campagne politique : adversaire de Jerry Voorhis à la Chambre des Représentants du 12e district de Californie.

R. N. et John F. Kennedy (à droite au second plan) au cours d'une interview à la radio, avec d'autres nouveaux élus au 18e Congrès de janvier 1947.

L'affaire Hiss : examen du microfilm des « papiers du potiron » avec Robert Stripling.

Campagne pour le Sénat, San Joaquin Valley, Californie, 1950.

Poster qui a servi à la campagne
d'élection au Sénat en 1950.

Rose Mary Woods devient la secrétaire de R. N. en 1951.

Désignation pour le poste de Vice-Président, à la Convention nationale
républicaine de Chicago, 1952.

Lettre de John F. Kennedy, après la désignation pour le poste de Vice-Président républicain.

Le « discours du Financement », le 23 septembre 1952.

EISENHOWER CALLS NIXON VINDICATED; COMMITTEE VOTES TO RETAIN NOMINEE; STEVENSON BARS DATA ON ILLINOIS FUND

Révélations de R. N., refus de Stevenson. La première page du *New York Times* après la rencontre avec Eisenhower à Wheeling, Virginie-Occidentale, qui suivit le « discours du Financement ».

GIFT PLAN BACKED

Governor Says Program Lessened Sacrifice of Low-Paid Key Aides

RECIPIENTS' NAMES SECRET

Nominee Undecided on Listing the Identities of Donors. He Tells Baltimore Backers

Text of the Stevenson speech in Baltimore, Page 23.

By W. H. LAWRENCE
Special to The New York Times.

SPRINGFIELD, Ill., Sept. 24— Gov. Adlai E. Stevenson of Illinois declared today that he had no intention of making public any details of the fund from which he gave secret extra compensation to some appointive Illinois state officials.

The Democratic Presidential nominee asserted he did not believe any useful purpose would be served by publicizing the names of the officials helped or the amounts they received. He also said that he did not know whether he would make public a list of the contributors who made possible these gifts "around Christmas time

Associated Press Wirephoto

THEY "STAND TOGETHER": Gen. Dwight D. Eisenhower and his running mate, Senator Richard M. Nixon, left, respond to cheers of crowd that greeted them after they met last night in Senator Nixon's plane at airport in Wheeling, W. Va.

CANDIDATES MEET

Airport Greeting Warm— General Calls Senator a 'Man of Honor'

TICKET HARMONY ASSURED

Californian Now Stands Higher Than Ever,' Eisenhower Says of His Explanation

Texts of Eisenhower and Nixon speeches in Wheeling, Page 23.

By JAMES RESTON
Special to The New York Times.

WHEELING, W. Va., Sept. 24— Gen. Dwight D. Eisenhower said tonight that his Vice Presidential running mate, Senator Richard M. Nixon of California, had been "completely vindicated" of charges in connection with a privately raised expense fund.

Speaking before a cheering and enthusiastic crowd here, the Republican Presidential nominee announced that the 107 members of the Republican National Committee who could be reached had all voted for retaining Mr. Nixon on the ticket. There are 138 members on the full committee.

General Eisenhower declared he believed Senator Nixon "had been

Le Jour de l'Inauguration, en 1953. A partir de la gauche : les Présidents Truman, Eisenhower avec Hoover.

Le voyage de 1953 : première page du *Standard* de Singapour, le 25 octobre 1953.

THIS wire fence was no barrier as the U.S. Vice-President, Mr. Richard M. Nixon reached over it to shake hands with peons, clerks and people of all walks of life, as they crowded round to meet him while he was leaving the V.I.P. room at Kallang airport yesterday. — Standard photo.

NIXON CHATS WITH COMMON MAN

Standard Staff Reporter

WITHIN 15 minutes of his arrival in Singapore yesterday Mr. Richard Nixon, America's youngest Vice-President and President Eisenhower's personal ambassador, got down to meeting the ordinary people of Singapore's varied communities.

The Vice-President turned away from the pomp and ceremony of an official reception at Kallang Airport to shake hands with 20 or more of the hundreds of ordinary Singapore working men and boys who had stood for several hours under a broiling sun to see America's second most important man.

To the chagrin of hundreds of security men and high police officers who guarded the disembarkation apron, Mr. Nixon leaned over a wire fence and shook hands with a tiny Malay boy.

Broad grins of approval spread over the faces of the crowd and they surged forward to shake the hand of one of America's most popular politicians.

Le voyage de 1953 : avec le généralissime et Mme Tchang Kai-chek à
Taïpei.

Le voyage de 1953 : avec le Président Syngman Rhee à Séoul.

Le voyage de 1953 : pendant mes
entretiens, Pat voulut avoir son
propre programme d'activités.
Ici, elle visite la pagode de
Shwedagon en Birmanie. Son
guide (à gauche) est U Thant,
plus tard secrétaire général des
Nations Unies.

Le voyage de 1953 : avec le Premier ministre Nehru et sa fille Indira Gandhi.

Lettre du Président Eisenhower après le voyage de 1953.

THE WHITE HOUSE
WASHINGTON

Dear Dick:

Proud as I am of the record you —and Pat— established on your recent visit to a number of Asian countries, yet I must say I'm glad to have you home.

We, by which I mean all the principal figures in the Administration, have missed your wise counsel, your energetic support and your exemplary dedication to the service of the country. On the purely personal side it

THE WHITE HOUSE
WASHINGTON

was fine to see you both looking so well after the rigors of a trip that must have taxed the strength of even such young and vigorous people as yourselves. I look forward to some quiet opportunity when I can hear a real recital of your adventures and accomplishments.

With warm personal regard

Sincerely

Dwight D. Eisenhower

The Vice-President
Dec. 14, 1953.

Le Jour de l'Inauguration, en 1957. Le Président Eisenhower est présent avec deux de ses petits-enfants, Anne et David Eisenhower; R. N. est avec Tricia et Julie. Ce fut la première rencontre de David et Julie, qui se marieront douze ans plus tard.

La première et unique conférence de presse de R. N. comme Vice-Président, à la Maison Blanche, en novembre 1957, après l'attaque du Président Eisenhower.

Frank Nixon à Whittier en 1952.

R. N. avec Hannah Nixon en 1952.

Caracas : la limousine de R. N. après l'émeute du 13 mai 1958.

Avec la reine Elisabeth II, à Londres, en novembre 1958.

Sir Winston Churchill éloigne son aide pour se tenir seul en face des photographes, sur le seuil de son domicile à Hyde Park Gate, Londres, novembre 1958.

Remarque à Khrouchtchev au cours de la « discussion dans la cuisine », durant l'Exposition américaine à Moscou en 1959. Leonid Brejnev est à droite.

Avec Fidel Castro dans le bureau de R. N., au Capitole, le 19 avril 1959.

Avec le Président Eisenhower au stade Griffith à Washington, au cours de la première partie de baseball de la saison, le 18 avril 1960.

plus admiré. Ce dont nous devons nous souvenir, c'est que nous luttons pour notre vie. »

Ce que je craignais le plus, c'était que Kennedy, échaudé à Cuba, hésite à faire front aux communistes en d'autres endroits, tels que le Laos, le Vietnam ou Berlin. Je dis que « la pire chose qui pourrait découler de notre fiasco à Cuba n'est pas la chute temporaire de prestige qui semble obséder tant d'observateurs, mais que notre insuccès détourne les hommes politiques américains de prendre à l'avenir des mesures décisives à cause d'un risque d'échec ».

Je fus très applaudi lorsque je dis qu'il nous fallait tirer au moins une leçon de l'invasion manquée de Cuba : « Chaque fois que le prestige américain est engagé de manière sensible, nous devons être prêts à engager assez de forces pour atteindre nos objectifs. Pour le dire crûment, nous ne devrions pas déclencher des événements dans le monde à moins d'être préparés à aller jusqu'au bout. »

LA CANDIDATURE AU POSTE DE GOUVERNEUR DE CALIFORNIE

Surmené par les occupations cumulées de ma vie professionnelle et de mon activité politique, je fus l'objet de pressions amicales, m'engageant à présenter ma candidature au poste de Gouverneur de l'Etat de Californie. J'y répugnais mais, peu à peu, je me laissais convaincre.

J'eus une longue conversation avec Eisenhower au Country Club El Dorado près de Palm Springs. Il pensait que je devais poser ma candidature au Gouvernorat en 1962 et à la Présidence en 1964. Il me dit : « Je sais d'expérience que lorsqu'un homme est sollicité par une majorité des chefs de son parti de prendre un poste déterminé, il doit le faire; sinon il risque de perdre leur soutien dans l'avenir. Si vous n'êtes pas candidat et que le candidat républicain soit le perdant, c'est à vous qu'on le reprochera, et vous serez fini en tant que leader politique national. »

La grande majorité de mes amis me conseillaient de me présenter. Mais si les sondages me furent d'abord favorables, un échec me paraissait possible en raison des oppositions coalisées auxquelles je devais me heurter.

Il y aurait d'abord l'opposition radicale du Gouvernement Kennedy. Ils feraient tout pour m'empêcher de prendre un nouveau bail politique en obtenant le poste de Gouverneur. Je ne pouvais pas non plus compter sur les nombreux Républicains de Californie qui soutenaient Rockefeller ou Goldwater comme candidat pour les élections présidentielles en 1964. Les deux hommes s'opposeraient l'un à l'autre lorsque la date de la Convention approcherait, mais d'ici là ils se réuniraient contre moi.

Joe Shell, chef du groupe parlementaire républicain à l'Assemblée, avait déjà commencé sa campagne et s'était assuré un appui considérable — sans oublier l'argent — chez les conservateurs. Et finalement, il y avait Pat Brown lui-même. Bien que considéré généralement comme une espèce de bourdon, il avait l'énorme avantage politique d'être un homme que personne ne détestait particulièrement.

J'étais donc plus que jamais convaincu que ma première intuition était la bonne : je ne devais pas présenter ma candidature.

Mais de nouvelles interventions m'amenèrent à le faire quand même. Le 25 septembre, j'annonçai ma décision à ma famille.

Comme je m'y attendais, Pat prit très fermement position contre ma candidature. Beaucoup de femmes donneraient n'importe quoi pour devenir célèbres, mais Pat a toujours été un de ces rares individus dont la personnalité ne dépend pas de l'attention qu'elle reçoit du public. Ses sentiments les plus profonds ont toujours été réservés à l'intimité, et elle ne les partage qu'avec sa famille et les êtres aimés. Elle avait été à mes côtés tout au long des invectives et des controverses des élections législatives, et pendant la Vice-Présidence elle avait constamment tenu la balance entre les exigences de ma fonction officielle et la nécessité de préserver, pour Tricia et Julie, un foyer normal et affectueux. Mais il y avait eu tant de campagnes, de dîners et de voyages qu'après l'échec de 1960 elle avait espéré pouvoir enfin bâtir en Californie une nouvelle vie, une vie privée, pour nous et nos filles. Elle me prévint : « Si tu es candidat, cette fois-ci, je ne ferai pas la campagne avec toi comme je l'ai fait dans le passé. »

Agées de 15 et 13 ans, Tricia et Julie étaient encore trop jeunes pour influer sur ma décision, mais je voulais connaître leur avis. Quand Julie vit que l'opinion de Pat était tellement différente de la mienne, elle dit qu'elle approuverait tout ce que je déciderais. Tricia fut la seule à se prononcer en faveur de la candidature : « Je ne suis pas sûre que tu doives poser ta candidature, avança-t-elle; mais j'ai vaguement l'impression que tu devrais leur montrer que tu n'es pas fini parce que l'on nous a volé l'élection de 1960. »

Nous en parlâmes pendant près d'une heure. Puis je remontai dans mon bureau. Je m'assis et je commençai à prendre des notes pour la conférence de presse où je voulais annoncer que je ne serais pas candidat.

Une demi-heure plus tard, Pat entra. Elle s'assit sur le divan, hors de la lumière de la lampe de mon bureau. Son visage était dans l'ombre, mais je sentais, à sa voix, qu'elle luttait pour ne pas montrer sa terrible déception.

« J'ai réfléchi davantage à la question, murmura-t-elle; et plus que jamais je pense que ta candidature serait une terrible erreur. Mais si après avoir bien tout pesé, tu décides de te présenter, j'appuierai ta décision. Je ferai la campagne avec toi comme je l'ai toujours fait.

— J'étais en train de préparer l'annonce de ma renonciation, dis-je en montrant le bloc de papier sur mon bureau.

— Non, fit-elle. Tu dois agir comme bon te semble. Si tu penses que c'est bien, tu dois le faire. »

Nous restâmes un moment silencieux. Puis elle vint vers moi, mit sa main sur mon épaule, m'embrassa et sortit. Je jetai au panier la première feuille du bloc. Sur la feuille vierge, je préparai l'annonce de ma candidature.

Au cours de la préparation des primaires, c'est-à-dire de ma désignation comme candidat officiel du Parti Républicain, je me heurtai aux extrémistes de droite de la John Birch Society, dont certains membres avaient été jusqu'à traiter Eisenhower et Dulles d'agents du communisme. Néanmoins, j'obtins assez facilement ma désignation. Un débat public avec mon concurrent Pat Brown fut organisé.

Les sondages donnaient Brown en tête, c'est pourquoi je pensais que je tirerais avantage d'un débat public. Brown essaya de l'éviter pour la même raison, et tout ce que nous pûmes réaliser fut d'apparaître ensemble devant un groupe d'éditeurs et de rédacteurs de journaux à San Francisco le 1er octobre. Le *Times* de Los Angeles en rendit compte en première page sous le gros titre : « Brown et Nixon en violent conflit ».

Après nos déclarations préliminaires, l'un des premiers à poser une question fut Tom Braden, éditeur de la *Blade Tribune,* un journal de la côte. C'était un libéral, que Pat Brown avait nommé au département de l'Education de l'Etat.

« Je voulais vous demander si vous pensez, en tant que Vice-Président ou candidat au poste de Gouverneur, qu'il soit admissible pour un candidat, au point de vue de la morale ou de l'éthique politique, de permettre que sa famille bénéficie d'un prêt clandestin de la part d'un des principaux adjudicataires du Département de la Défense nationale des Etats-Unis? »

Le président de l'Assemblée intervint immédiatement :

« Monsieur Nixon, vous n'avez pas besoin de répondre à cette question si vous ne le désirez pas. Je l'écarterai, pour la raison qu'elle n'a rien à voir avec cette élection.

— En fait, docteur Robinson, j'insiste pour y répondre, répliquai-je. Je suis heureux de cette occasion de le faire. Il y a six ans, mon frère connaissait des difficultés financières. Il emprunta 205 000 dollars à la Hugues Tool Company. Ma mère a donné comme garantie pour ce prêt pratiquement tout ce qu'elle avait — une propriété qui, pour elle, était sans prix et qui maintenant rapporte 10 000 dollars par an au créancier.

« Mon frère fit faillite peu après. Ma mère abandonna sa propriété au créancier. Il y a deux ans, lors des présidentielles, le Président Kennedy s'est refusé à tirer un argument électoral des difficultés de mon frère et des problèmes de ma mère, de même que j'ai refusé de me servir des attaques que l'on faisait contre les membres de sa famille.

. « Je n'avais aucune part ou intérêt dans les affaires de mon frère. Je n'ai pris aucune part dans la négociation du prêt. Je n'ai jamais demandé quoi que ce soit à la Hugues Tool Company, et je n'ai jamais fait quoi que ce soit pour eux.

« Et malgré cela, malgré le refus du Président Kennedy de se servir de ces moyens, M. Brown, en privé, parlant à certains journalistes ici présents dans cet auditoire, et ses hommes de main n'ont cessé de dire que j'avais reçu une partie de cet argent — que j'avais fait quelque chose de mal.

« Maintenant, c'est le moment de tirer l'affaire au clair. J'ai participé pendant quatorze ans à la vie politique, en tant que Représentant, en tant que Sénateur, en tant que Vice-Président. Je suis parti à Washington avec une voiture, une maison et une hypothèque. J'en reviens avec une voiture, une maison et une plus lourde hypothèque.

« J'ai fait des erreurs, mais je suis un honnête homme. Et si le Gouverneur de cet Etat a quelque indice d'une irrégularité en cette affaire, montrant que j'ai fait quelque chose pour la Hugues Tool Company, que je lui ai demandé ce prêt, alors, au lieu de le dire en privé, à la dérobée, comme il l'a fait jusqu'ici — et il ne peut le nier, parce qu'il a dit à des journalistes ici présents qui me l'ont répété : " Nous allons faire un grand scandale au sujet du prêt de la Hugues Tool Company " —, qu'il le dise ouvertement, maintenant qu'il en a l'occasion. Le peuple de Californie tout entier est à l'écoute. L'auditoire ici présent est à l'écoute. Le Gouverneur Brown a l'occasion de prendre ouvertement position, comme un homme, et de m'accuser de mauvaise gestion. Faites-le, Monsieur! »

Brown fut complètement décontenancé par la façon dont j'avais retourné la discussion et essaya maladroitement de nier que lui ou ses partisans aient jamais utilisé cet argument au cours de la campagne. En fait, ils continuèrent à le faire jusqu'à la fin. Les moyens d'information aimaient cette histoire et ils la montèrent en épingle : cela faisait de l'excellente copie et me nuisait tellement!...

Je sortis tout à fait à mon avantage de cette confrontation avec Brown; il était sans doute du même avis, puisqu'il refusa d'accepter d'autres conférences communes quand je l'y provoquai.

A part le prêt Hugues et mon attitude de refus à l'égard de la John Birch Society, mon plus gros problème était la question de l'intérêt réel que je portais aux fonctions de Gouverneur de Californie. Malgré les démentis continuels que j'apportais au projet que l'on m'attribuait de me porter candidat aux élections présidentielles de 1964, je ne parvenais pas à convaincre beaucoup de gens. Un sondage révéla toute l'étendue de la difficulté : 36 % pensaient que j'étais réellement intéressé par le poste de Gouverneur, 64 % croyaient que j'étais intéressé par la Présidence.

Rétrospectivement, je reconnais qu'il y avait une part de vérité dans le sentiment populaire. Je pensais que Kennedy était imbattable. Aussi mon désintéressement à l'égard de la Présidence était-il tout à fait sincère. Mais vraiment, je n'étais pas si désireux que cela de devenir Gouverneur de Californie.

La crise de Cuba qui s'annonça le 22 octobre retenait l'attention de tous. Je sentis que j'avais perdu la partie. Harcelé par la presse, j'allais perdre patience.

J'allai au lit à trois heures du matin et quand je me levai, quatre heures plus tard, mes pires prévisions s'étaient réalisées : j'avais perdu par 297 000 voix sur presque 6 millions.

Herb Klein descendit pour aller lire mon acceptation des résultats. Je vis à la télévision de ma chambre la façon dont les journalistes le harcelaient, exigeant que je vienne et que je me montre. Ils insistèrent tellement que Klein remonta me voir et me demanda si j'accepterais de les rencontrer. La colère, la frustration, la déception et la fatigue qui me déchiraient éclatèrent : « Qu'ils aillent au diable. Je ne le ferai pas. Je n'ai pas à le faire et je ne le ferai pas. Lisez-leur mon message d'acceptation à Brown, et s'ils veulent savoir où je suis, dites que je suis chez moi en famille. » Klein redescendit. Comme j'allais m'en aller, je regardai la télévision un instant et j'entendis le ton insultant d'un journaliste qui demandait encore : « Où est Nixon? » Comme si j'avais l'obligation de paraître devant eux...

Je me dis : « Je vais y aller »; et je pris l'ascenseur. J'entrai dans la salle de presse et je montai sur l'estrade où Herb parlait dans un microphone. Je n'étais pas rasé, je me sentais dans un état épouvantable, et j'en avais l'air.

Je commençai : « Bonjour, Messieurs. Maintenant que M. Klein a fait sa déclaration et que tous les membres de la presse sont si heureux que j'aie perdu, j'aimerais faire une déclaration de mon cru. »

Plusieurs reporters échangèrent des coups d'œil : cela n'allait pas être la honteuse parade qu'ils espéraient.

Je remerciai mes collaborateurs et les nombreux volontaires qui m'avaient aidé dans ma campagne, je rappelai les succès des Républicains à New York, en Pennsylvanie, dans l'Ohio et le Michigan. Je félicitai Brown de sa victoire.

Je repris alors mon thème principal :

« En prenant la parole, j'ai dit sur la presse quelques mots qui m'ont paru irriter quelques-uns d'entre vous. Et ce que je pense de la presse, je ne l'ai jamais exprimé. C'est ce que je veux faire maintenant.

« Je crois qu'on ne peut dire ceci d'aucune personnalité politique américaine d'aujourd'hui : jamais, depuis seize ans que je participe à des campagnes électorales, je ne me suis plaint à un propriétaire de journaux ou à un chef de rédaction des articles d'aucun reporter. Je crois qu'un reporter a le droit d'écrire ce qu'il sent. Si un reporter pense, que ce soit à la télévision, à la radio, ou ailleurs, qu'un homme doit gagner plutôt qu'un autre, il doit le dire. Je dirai aux reporters que je pense parfois que je voudrais que vous donniez à mon adversaire le même traitement que celui que vous me réservez.

« Et en disant adieu à la presse, tout ce que je peux dire, c'est que pendant seize ans, toujours, depuis l'affaire Hiss, vous avez pris plaisir — un grand plaisir — à saisir toute occasion de m'attaquer, et je pense que j'ai donné autant que j'ai pris.

« Vous n'aurez plus de Nixon à rosser parce que, Messieurs, ceci est ma dernière conférence de presse, et c'en sera une dans laquelle j'aurai eu la joie d'échanger mes pensées avec vous. J'ai toujours respecté vos droits. J'ai quelquefois été en désaccord avec vous. Mais jamais je n'ai annulé un abonnement, comme le font certaines gens et je ne le ferai jamais.

« Je crois qu'il faut lire tout ce que disent nos adversaires, et j'espère que ce que je dis aujourd'hui donnera à la télévision, à la radio et à la presse l'occasion de prendre conscience du devoir qu'elles ont de donner toutes les informations, de reconnaître qu'elles ont le droit et le devoir, si elles sont opposées à un candidat, de lui porter un mauvais coup, mais aussi, si elles le font, de charger un reporter solitaire de suivre la campagne pour qu'il rapporte de temps à autre ce que dit le candidat.

« Merci, Messieurs, et bien le bonjour! »

Les gens s'étaient tus, abasourdis. Herb Klein, je le savais, était choqué et déçu. Je me tournai vers lui et lui dis « Herb, j'ai fait cela à votre place. Ils l'avaient mérité et je suis heureux de l'avoir fait. »

Cet éclat fut exploité contre moi par mes adversaires, qui me présentèrent sous les traits d'un mauvais perdant et qui crurent à la fin de ma carrière politique. La chaîne de télévision A.B.C. diffusa « l'oraison funèbre de Richard Nixon », une séquence d'une demi-heure à laquelle Alger Hiss prit part, ce qui provoqua de nombreuses protestations en ma faveur. Le Gouvernement Kennedy fit examiner mes déclarations fiscales, mais n'y trouva rien de répréhensible. Il en fut de même des recherches faites par le Département de la Justice sur l'affaire du prêt de la Hugues Tool Company.

HOMME DE LOI A NEW YORK : 1963

Je décidai de quitter la Californie et de m'établir à New York où j'entrai dans un cabinet juridique qui devint Nixon, Mudge, Rose, Guthrie et Alexander. Nos bureaux étaient dans l'immeuble même où vivait Nelson Rockefeller, l'un de mes adversaires dans le Parti Républicain. Avant de prendre mes fonctions, je partis, le 12 juin, en Europe pour un voyage de six semaines avec ma famille et un ménage ami et leur fille. Partout, je fus reçu comme si j'étais encore Vice-Président.

Notre programme était complet. En plus des visites aux monuments qu'impliquait la présence des trois adolescentes, je fus reçu par des chefs d'Etat étrangers. Le généralissime Francisco Franco me reçut à sa résidence d'été de Barcelone. Je ne l'avais jamais vu, et je m'attendais à trouver le dictateur rigide et désagréable que la presse dépeignait. Mais je me trouvai en présence d'un dirigeant subtil et réaliste, dont le principal souci était de maintenir la stabilité intérieure indispensable aux progrès de l'Espagne.

Le Président de Gaulle nous invita, Pat et moi, à déjeuner à Paris. Le repas, simple, préparé et servi avec élégance, eut lieu en plein air, dans un patio derrière le palais de l'Elysée. Après déjeuner, de Gaulle se leva et prononça un toast cordial, d'une éloquence caractéristique. Il savait que j'avais subi quelques échecs difficiles, mais il prédit qu'il viendrait un temps où je servirais de nouveau mon pays dans de très hautes fonctions.

Le mur de Berlin constitue sans doute le souvenir le plus inoubliable que j'aie gardé de ce voyage. On nous conduisit à Berlin-Est pour faire un tour dans cette ville si terne, mais l'affluence oppressante des policiers communistes qui nous accompagnaient ouvertement me fit comprendre que je n'aurais pas l'occasion de parler à qui que ce soit. Le soir même, je décidai d'y retourner. Nous passâmes à pied le Checkpoint Charlie, et nous attendîmes un taxi. Un homme en vêtements de travail s'approcha et murmura à mon oreille : « Nous sommes heureux que vous soyez venu à Berlin-Est. Ne nous laissez pas tomber. Les Américains sont notre seul espoir. » Et il s'éloigna à grands pas.

Nous trouvâmes un taxi et nous allâmes dans un restaurant où un excellent orchestre hongrois jouait de la musique tzigane. On me reconnut. Après le dîner, j'allai à l'orchestre et j'y jouai très fort la *Missouri Waltz* au piano.

Pendant notre séjour au Caire, le Président Nasser arrangea pour nous un voyage particulier au barrage d'Assouan. Quand nous arrivâmes vers minuit, la température atteignait encore plus de 38 degrés. D'énormes grues et bulldozers soviétiques travaillaient vingt-quatre heures sur vingt-quatre. Nos hôtes égyptiens nous montrèrent les plans, assurant qu'il y avait très peu de Russes travaillant sur le chantier. Mais d'après l'aspect des chauffeurs, je pouvais me rendre compte qu'un nombre important d'entre eux étaient russes.

Nasser nous invita dans sa maison du Caire, d'une étonnante simplicité. C'était un homme d'une grande intelligence et d'un grand rayonnement. Malgré l'exagération de ses déclarations publiques, je fus frappé par sa dignité et par la discrétion de ses manières en privé. Il était très désireux de connaître mon jugement sur les attitudes et les intentions des dirigeants soviétiques. Il se hasarda à quelques critiques de la politique du Président Kennedy à l'égard d'Israël, mais je ne lui donnai aucun encouragement en cette direction. Il comprit rapidement et changea de conversation. Il exprima à plusieurs reprises ses sentiments cordiaux pour Eisenhower.

Aussi poliment que je le pus, j'insistai sur l'idée que la priorité n° 1 était le bien-être et le progrès de son peuple. C'était là une voie que Nasser ne put jamais se résoudre à suivre. Comme Sœkarno et Nkrumah, Nasser avait voué le meilleur de lui-même à la révolution. Il s'intéressait pour le moment à une croisade grandiose pour l'unité arabe, bien davantage qu'à la tâche vitale, mais moins exaltante, de diriger et d'améliorer la structure économique, politique et sociale de l'Egypte. Son attitude à l'égard d'Israël servait cette vue politique, en dehors de son aveugle intolérance à l'égard des Juifs. Si Israël n'avait pas existé, Nasser aurait dû inventer quelque chose d'autre pour le remplacer. L'unité arabe nécessitait une cause commune et la destruction d'Israël répondait à cette exigence.

Nous fûmes impressionnés par les Pyramides et la vallée des Rois de Louksor, mais je le fus aussi par ce que j'appris de l'Egypte moderne et de son maître. Je pouvais voir que, malgré sa terrible pauvreté, le pays progressait et exercerait une énorme influence dans tout le Moyen-Orient. Je pouvais constater aussi que, malgré la supériorité technique et l'entraînement des Israéliens, les Egyptiens et les Arabes finiraient par les écraser par le seul poids de leur nombre à moins qu'un arrangement ne soit obtenu. Des relations plus étroites entre les Etats-Unis et les ennemis d'Israël au Moyen-Orient allaient être de la plus grande importance, non seulement pour Israël, mais aussi pour empêcher un conflit des grandes puissance au Moyen-Orient.

Le Président Kennedy se trouvait à Rome en visite officielle pendant que nous y étions. Un après-midi, le téléphone sonna dans notre chambre d'hôtel, et le téléphoniste me dit que le Président m'appelait. Heureux et détendu, il me dit qu'il croyait savoir que nous étions là, et qu'il voulait seulement me saluer. Nous échangeâmes quelques plaisanteries. Ce fut la dernière fois que je lui parlai. Cinq mois plus tard, il était mort.

Satisfait de mon activité professionnelle et de mon installation à New York, je ne désirais pas me présenter aux présidentielles de 1964. Les candidatures républicaines de Goldwater et de Rockefeller commençaient à se dessiner. Ce dernier essaya d'obtenir mon appui. Mais j'évitais de m'engager.

C'est en rentrant à New York, venant de Dallas que j'avais quitté le matin juste avant l'arrivée du Président Kennedy, que j'appris son assassinat.

Des mois plus tard, Hoover me dit que la femme d'Oswald avait révélé que son mari avait eu le projet de me tuer lors d'une de mes visites à Dallas, et que c'était à grand-peine qu'elle avait réussi à le garder à la maison pour l'en empêcher.

Je n'ai jamais eu la réaction : « Eh bien voilà, quant à moi, grâce à Dieu, je suis toujours là! » que bien des gens ont imaginé que j'aurais. Après huit ans de Vice-Présidence, j'étais devenu quelque peu fataliste en ce qui concerne le danger d'être assassiné. Je savais qu'étant donné le nombre de gens qui, pour une raison quelconque, voulait tuer le Président, sa survie ne dépendait que d'une combinaison de la chance et de la loi des grands nombres. Je n'ai jamais pensé que Kennedy et moi fussions interchangeables. Je n'ai jamais pensé que, si j'avais remporté l'élection de 1960, c'eût été moi qui me serais trouvé en train de traverser la place Dealey à Dallas, ce jour-là, à la même heure.

Le soir du 23 novembre, j'écrivis une lettre à Jacqueline Kennedy.

Richard M. Nixon
810, Fifth Avenue
New York, N.Y. 10021

Ma chère Jackie,

En ces moments tragiques, Pat et moi voulons vous assurer de nos prières et de nos pensées.

Bien que le destin ait fait de Jack et de moi des adversaires politiques, j'ai toujours hautement apprécié le fait que sur le plan personnel nous fussions amis depuis l'époque où nous sommes arrivés en même temps au Congrès en 1947. Cette amitié s'est manifestée en de nombreuses occasions et notamment lorsque vous nous avez invités à votre mariage.

Rien de ce que je pourrais dire aujourd'hui n'ajoutera aux hommages extraordinaires qui sont arrivés du monde entier.

Mais je veux que vous-même sachiez que la nation vous sera à jamais reconnaissante du service que vous lui avez rendu en tant que Première Dame des Etats-Unis. Vous avez apporté à la Maison Blanche charme, beauté et élégance en votre qualité d'Hôtesse officielle des Etats-Unis; et cette jeunesse de cœur qui n'appartenait qu'à vous seule laissera dans la conscience américaine une impression qui ne s'effacera jamais.

Si dans les jours qui viennent nous pouvions vous aider de quelque manière que ce soit, ce serait pour nous un honneur.

Croyez en notre affectueux souvenir.

Dick Nixon.

Réponse de Jackie Kennedy

Dear Mr. Vice President –
   I do thank you for your
most thoughtful letter –
   You two young men – colleagues in Congress –
adversaries in 1960 – and now look
what has happened – Whoever thought such a
hideous thing could happen in this country –
   I know how you must feel – so long on the
path – so closely missing the greatest prize –
and now for you, all the question comes up again –
and you must commit all you and your family's
hopes and efforts again – Just one thing I

would say to you — if it does not work out
as you have hoped for so long — please be
consoled by what you already have — your life
and your family —

  We never value life enough when we have it —
    and I would not have had Jack live his
  life any other way —   though I know his death
could have been prevented, and I will never cease
to torture myself with that —
    But if you do not win — please think of all that
you have — With my appreciation — and my
regards to your family — I hope your daughters love
Chapin School as much as I did — Sincerely
                              Jacqueline Kennedy

Les trois événements politiques les plus significatifs qui suivirent la mort de Kennedy furent l'appui considérable dont Goldwater commença à bénéficier de la part des cadres et des organisateurs du Parti Républicain dans tout le pays, l'habileté consommée dont Lydon Johnson fit preuve au cours de ses premiers mois à la Maison Blanche, et la percée de Henry Cabot Lodge comme prétendant sérieux pour la désignation du Parti Républicain.

Johnson sut capitaliser la douleur que le pays avait ressentie à la mort de Kennedy, et au début de 1964 la plupart des observateurs objectifs des deux partis croyaient que personne ne pourrait le battre en novembre. Les primaires présidentielles du 10 mars dans l'Etat du New Hampshire surprirent la plupart des professionnels de la politique en donnant la première place à Lodge, à la suite d'une habile campagne d'insertions.

Un avantage de mes activités professionnelles à New York était de me permettre de voyager souvent à l'étranger pour voir les clients internationaux de notre cabinet. J'avais aussi, de cette façon, la possibilité de revoir des vieux amis du temps de ma Vice-Présidence et d'en faire de nouveaux. En tant que simple citoyen, il m'était permis de rencontrer tout aussi bien les chefs de l'opposition que les dirigeants officiels. Mes affaires et mes contacts juridiques me donnaient des vues beaucoup plus complètes sur les problèmes locaux que lorsque j'étais un personnage officiel en visite.

Je fis le premier de ces voyages aussitôt après les primaires du New Hampshire et je me rendis au Liban, au Pakistan, en Malaisie, en Thaïlande, au Vietnam, aux Philippines, à Hong Kong à Taïwan et au Japon. Partout où j'allai, on me parla du prestige déclinant de l'Amérique. On était consterné de constater que le pays le plus puissant du monde témoignait de si peu d'activité directrice. Mais ce qui m'inquiéta peut-être le plus fut de voir combien dangereusement différait la situation réelle du Vietnam de celle que la version officielle présentait au peuple américain.

Les dirigeants asiatiques avec lesquels je m'entretins regardaient vers le Laos, où nous avions souffert un désastre inqualifiable à cause de la naïveté de Kennedy qui accepta un régime de coalition « neutraliste » que l'on savait fort bien n'être qu'une couverture commode pour les guérillas du Pathet Lao. Ils regardaient vers Cuba, où notre indécision lors de l'affaire de la Baie des cochons avait donné aux communistes leur plus grand succès de propagande en beaucoup d'années. Et maintenant, ils regardaient vers le Vietnam où, après avoir pendant des années encouragé et soutenu le gouvernement anticommuniste de Saïgon, nous paraissions hésiter à appuyer les mesures nécessaires pour vaincre les communistes. Pour nos amis et alliés d'Asie, il semblait qu'une combinaison d'expédients, d'apathie, de distorsions dans les moyens d'information et de politique partisane était en train de miner la volonté de l'Amérique de lutter contre le communisme en Asie.

Au Pakistan, je vis mon vieil ami, le Président Ayub Khan. Il parla avec tristesse de ce qu'il croyait avoir été une collusion américaine dans l'assassinat du Président Ngo Dinh Diem, le 1ᵉʳ novembre 1963, trois semaines avant l'assassinat de Kennedy. « Je ne peux pas savoir — peut-être n'auriez-vous pas dû soutenir Diem au début. Mais vous l'avez fait, et vous l'avez soutenu longtemps, et chacun en Asie le sait. Qu'ils l'approuvent ou le désapprouvent, tous le savent. Et puis, tout d'un coup, vous cessez de le soutenir — et Diem est tué. » Il secoua la tête et continua : « L'assassinat de Diem a appris trois choses aux dirigeants asiatiques : qu'il est dangereux d'être un ami des Etats-Unis; qu'il est payant d'être un neutre; et que parfois il est profitable d'être un ennemi. La confiance est comme un fil ténu : quand il est brisé, c'est très difficile de le renouer. »

A Bangkok, le Premier Ministre Thanom Kittikachorn me mit en garde contre tout relâchement de la guerre contre les Vietcongs. Si le Vietnam tombait, dit-il, l'influence communiste aurait le feu vert en Asie du Sud-Est. Pote Sarasin, le distingué diplomate érudit qui avait été ambassadeur de Thaïlande à Washington quand j'étais Vice-Président, me dit que le vif désir que Johnson montrait d'engager des pourparlers avec le Vietcong ne ferait qu'encourager celui-ci à tenir plus longtemps afin d'obtenir de meilleures conditions. « Ce que l'Amérique doit faire, dit-il, c'est de convaincre le Vietcong qu'il ne peut remporter la victoire, ni au Vietnam du Sud, ni à Washington. C'est alors que vous devriez leur présenter une offre à prendre ou à laisser. S'ils la rejettent, vous devriez alors poursuivre la guerre sans relâche. »

J'arrivai à l'aéroport de Saïgon par un après-midi pluvieux et étouffant. Des sacs de sable étaient empilés autour des hangars, et des soldats armés patrouillaient sur les pistes.

Les chefs militaires vietnamiens que je vis comprenaient fort bien la nature de leurs ennemis. L'un d'entre eux me dit : « C'est la même chose que quand ils étaient le Vietminh. Rien ne les arrête, et ils ne régleront rien tant qu'ils n'auront pas tout. Nous ne pouvons faire de compromis avec eux, et nous ne pouvons négocier avec eux. C'est un combat à mort. Avec votre aide et votre soutien, nous sommes prêts à les combattre et à les vaincre. »

Les chefs militaires tant américains que vietnamiens se désolaient des instructions de Washington qui les empêchaient de lancer des raids aériens au Vietnam du Nord, tout aussi bien que des incursions terrestres au Laos pour couper la ligne de ravitaillement du Vietcong, appelée la piste Hô Chi Minh. Beaucoup d'officiers américains à qui je parlai pensaient qu'on les bridait ainsi à cause des élections de l'année aux Etats-Unis et quelques-uns blâmaient les distorsions considérables des nouvelles données par les moyens d'information américains.

Pendant une longue conversation dans un dîner avec Cabot Lodge, alors ambassadeur à Saïgon, je lui exposai mes inquiétudes. Il m'écouta attentivement et prit son temps avant de me répondre. « Je sais, dit-il, que beaucoup de gens sont impatients de ce qui se passe ici, et que les militaires n'aiment pas qu'on les retienne. Mais il y a un problème beaucoup plus considérable que l'on ne peut résoudre par des combats. Le problème du Vietnam du Sud est moins militaire qu'économique. Le Vietcong tire sa force des paysans affamés, et si nous voulons les détourner du communisme, ce n'est pas en tirant sur eux qu'on y parviendra, mais en leur donnant à manger. »

Lodge était opposé à une poursuite des forces du Vietcong au Laos et au Cambodge. A ma plus grande surprise encore, il me dit que les soldats américains devraient éviter de combattre les Vietcongs, sauf par représailles, si des Américains avaient été tués. Je pouvais à peine croire que ce que j'entendais venait de Cabot Lodge, d'une personne aussi instruite des tactiques et des techniques du communisme international. Je me demandais s'il considérait de son devoir de défendre la politique du Gouvernement quel que soit son sentiment personnel, ou s'il avait été vraiment converti par les théoriciens universitaires de l'entourage de Johnson qui croyaient que les problèmes du communisme en Asie du Sud-Est pouvaient être résolus par le développement économique.

Ce que je vis et entendis lors de ce voyage me convainquit que la politique de Johnson au Vietnam ne pouvait réussir...

A Taïwan, je fus l'hôte de Tchang Kai-chek qui, comme je m'y attendais, critiqua notre politique au Vietnam. Il dit que nous ne pourrions jamais vaincre sans envahir le Vietnam du Nord, et il se moqua du « programme des hameaux stratégiques » alors en cours de réalisation. « C'est l'erreur habituelle de croire que le développement économique peut vaincre les communistes », dit-il. Et, se penchant vers moi, il ajouta : « Seules les balles peuvent vraiment les vaincre. »

Je retrouvai les Etats-Unis en pleine compétition électorale. Après un succès sur Lodge en Oregon, Rockefeller fut surclassé par Goldwater aux primaires de Californie le 2 juin. Ce dernier reçut l'investiture du Parti Républicain à San Francisco.

LA CAMPAGNE DE GOLDWATER EN 1964

Dès le premier scrutin, la Convention républicaine avait désigné Goldwater comme candidat. Par un appel à l'unité du Parti Républicain, je m'efforçai de panser les plaies laissées par la compétition et de faire vraiment de Goldwater un candidat d'union. C'est pourquoi je m'exprimai en ces termes :

« Avant cette Convention, nous étions des Républicains Goldwater, des Républicains Rockefeller, des Républicains Scranton, des Républicains Lodge. Mais maintenant, cette Convention s'est réunie et elle a pris sa décision : et nous sommes des Républicains tout court, qui œuvrent pour Barry Goldwater, Président des Etats-Unis. Et s'il en est parmi nous qui disent qu'ils resteront chez eux, ou qu'ils vont aller se promener, ou même faire une traversée, pour ceux-là, peu nombreux, j'ai une réponse : les paroles prononcées par Barry Goldwater en 1960 : " Croissons, Républicains, mettons-nous au travail, et nous vaincrons en novembre ". »

J'essayai d'insister sur le républicanisme de Goldwater, et de le placer dans la tradition de ses prédécesseurs. Et pour créer une atmosphère théâtrale avant sa première apparition devant la Convention en tant que candidat désigné, et afin d'atteindre, au-delà des journalistes, le peuple américain pour lui demander de voir et juger par lui-même, je conclus : « Je vous le demande ce soir, regardez cet homme. Ecoutez-le pendant les trente minutes qui viennent. Oubliez les critiques excessives de ses adversaires et peut-être aussi les compliments trop flatteurs de ses partisans. Rappelez-vous que c'est le moment de la vérité. Jugez-le tel qu'il est. Prenez votre décision, de vous-mêmes, et non pas comme quelqu'un d'autre vous dira de la prendre. »

J'avais travaillé dur à écrire la phrase qu'il fallait pour bien terminer mon discours et, finalement, j'en avais trouvé une qui me donnait satisfaction. « Il est l'homme qui s'est acquis et qui porte avec fierté le titre de Monsieur Conservateur. Il est l'homme qui, par la décision de cette Convention, est Monsieur Républicain. Et il est l'homme qui, après la plus grande campagne de l'histoire, sera Monsieur le Président Barry Goldwater. »

Le discours sembla atteindre son but : il plut aux différentes fractions du parti. En montant à la tribune, Goldwater fut salué d'une longue ovation. Il avait maintenant la plus belle occasion pour panser les plaies du parti et l'unir derrière lui à la veille de la campagne électorale.

Mais Goldwater ne saisit pas la perche tendue. Son discours d'acceptation réveilla les polémiques internes, et par une phrase ambiguë, qui semblait un éloge de l'extrémisme conservateur, il fournit un argument facile à Lyndon Johnson. Je joignis mes efforts à ceux d'Eisenhower pour obtenir du candidat qu'il prenne une attitude plus habile. Une réunion de chefs de parti, des candidats, des gouverneurs et de leurs adjoints fut organisée dans ce but à Hershey en Pennsylvanie le 12 août.

La séance principale eut lieu à portes fermées. Goldwater, dans son discours, adoucit considérablement certaines de ses positions les plus extrêmes. Puis Goldwater, Rockefeller, Romney, Scranton, Eisenhower et moi, nous nous engageâmes dans une discussion désordonnée et faussement optimiste sur la façon de conduire la campagne. Naturellement, le but de cet exercice était d'exploiter efficacement la conférence de presse qui devait se tenir à la fin. C'était, pour Goldwater une chance d'apparaître comme le chef et le porte-parole d'un parti uni.

La salle où se tenait la conférence de presse était bourrée de journalistes et de caméras de télévision. Eisenhower, Scranton et moi, nous flanquions Goldwater et son coéquipier à la Vice-Présidence, le député de New York, Bill Miller, tandis que crépitaient les flashes et que tournaient les caméras. A ma stupéfaction et à ma grande déception, malgré tout ce que nous avions projeté, Goldwater ne saisit pas l'occasion que lui offrait cette conférence. Bien au contraire, il déclara qu'il ne considérait pas que le discours qu'il avait fait précédemment était d'une nature conciliante et, selon lui, il n'avait fait aucune concession sur les points importants. Le reste de la conférence de presse dégénéra en un spectacle Goldwater typique. Lui-même, il rappela sa déclaration, qui avait suscité tant de controverses, selon laquelle il prendrait en considération la possibilité de donner aux généraux commandant sur le champ de bataille la disposition des armes nucléaires; et, sous une pluie de questions, il refusa d'en démordre. Je vis Eisenhower tressaillir quand Goldwater répondit à un journaliste : « Je crois que c'est en Allemagne qu'est né le concept moderne de la paix par la force. »

Le spectacle donné par Goldwater rendit Eisenhower furieux. J'appris par la suite qu'il dit, sur la route du retour à Gettysburg : « Avant ce meeting, je pensais que Goldwater était entêté. Maintenant je suis convaincu que ce n'est qu'un imbécile! »

Johnson remporta l'élection avec une majorité écrasante. Malgré ce que je pensais de l'ineptie Goldwater, c'est contre Rockefeller que se tourna ma colère. En effet, le lendemain de l'élection, celui-ci avait publiquement attaqué Goldwater et ceux qui, comme moi, l'avaient soutenu.

Le 5 novembre, je tins une conférence de presse. Je félicitai Goldwater, disant qu'il avait lutté avec courage dans une situation très inégale. Je dis que l'on ne pouvait espérer que ceux qui, dans le passé, avaient divisé le Parti puissent l'unir à l'avenir. A la fin, je mis le paquet. Je dis que Rockefeller était un gâcheur et un diviseur et qu'il y avait maintenant partout dans le Parti Républicain tant d'antipathie à son égard que l'on ne pouvait plus le considérer comme un de nos leaders, sauf à New York.

Naturellement, cette conférence de presse suscita la fureur. Mais j'avais dit ce qu'il fallait pour éviter une cassure irrémédiable entre les conservateurs et les libéraux du parti. Timidement tout d'abord, puis en grand nombre, d'autres personnalités du Parti se joignirent à moi pour préconiser une période de trêve et l'arrêt des polémiques; il fallait que le Parti s'unisse afin de revenir en force aux élections législatives de 1964.

LA SITUATION EN 1965

Sans doute n'avais-je aucune illusion sur l'état d'extrême désarroi dans lequel l'échec de 1964 avait laissé le Parti Républicain. Mais je ne partageais pas complètement le pessimisme général qu'inspirait son avenir. Peu de mois après l'élection, je pus voir naître dans le Parti Démocrate le climat politique qui allait abattre Lyndon Johnson du pinacle de sa popularité, et le contraindre à renoncer à une deuxième candidature présidentielle en 1968. Déjà Johnson avait fort à faire avec son aile gauche, qui était tout aussi extrémiste et pharisaïque que les Républicains de l'aile droite. Le prestige de Johnson commençait à s'évanouir alors même qu'il était à l'apogée de son pouvoir. Les moyens d'information de la côte Est s'étaient déjà montrés méprisants à l'égard de ses manières de Texan quand il était Vice-Président. Et maintenant qu'il n'était plus l'exécuteur testamentaire de Kennedy, un ton nouveau de critique commençait à apparaître dans les articles qui lui étaient consacrés.

Je ne voyais aucune raison pour que le Parti Républicain n'eût pas sa revanche en 1966 si seulement nous pouvions l'empêcher de se diviser d'ici là.

Je pensais que deux choses étaient nécessaires pour maintenir le parti dans l'unité. Il fallait être constamment en garde contre toute tentative des chefs de la gauche ou de la droite pour s'emparer de la direction du parti; et il fallait convaincre nos adhérents que nous allions vers de meilleurs temps. Je savais par expérience que ce serait un travail difficile, fastidieux et parfois ingrat. Mais de plus en plus, je voyais que cette tâche m'incombait. C'est le réalisme, plus que l'altruisme, qui me conduisit à l'assumer, parce que je pensais que celui qui l'accomplirait s'assurerait, en 1968, un avantage significatif dans la compétition pour la désignation du parti. Ce raisonnement fit que je me réconciliai avec l'idée d'avoir à aider mes concurrents républicains Rockefeller, Romney et Reagan. Je pensais que si l'on n'étendait pas la base du parti, la désignation de 1968 n'aurait aucune valeur pratique. Si le parti croissait grâce aux succès des autres, je pensais que j'avais une bonne chance de tirer profit de sa force accrue.

S'il restait indispensable d'avoir d'abord obtenu un succès aux élections législatives en 1966 pour lancer la machine du Parti sur les élections présidentielles en 1968, je commençais à peser le pour et le contre de ma candidature éventuelle.

On ne pouvait nier que les arguments « contre » fussent redoutables. Après 1960 et 1968, j'avais la réputation qu'un homme politique doit le plus redouter, celle d'un « perdant ». Et après « la dernière conférence de presse », mon image de marque était celle d'un « mauvais perdant ».

Très grave aussi était le manque de ressources financières. Pour la première fois de ma vie, les revenus que je tirais de ma profession juridique et de mes droits d'auteur atteignaient un confortable nombre à six chiffres. Mais nous avions un appartement coûteux, une fille dans un collège privé et l'autre à l'Université. Après les frugales années de Washington, je sentais que Pat et nos filles méritaient tout ce qu'il y a de mieux, et je ne voulais pas qu'elles aient à se restreindre pour financer une nouvelle candidature.

L'absence de base politique était un autre handicap. En quittant la Californie, j'étais devenu un apatride politique. Il n'y avait presque aucun précédent d'un candidat important qui eût mené une campagne électorale présidentielle sérieuse sans avoir derrière lui la machine du parti de l'Etat qui était le sien. Mais New York était le territoire réservé de Rockefeller, et l'organisation locale du parti travaillerait en fait contre moi. Rockefeller, dès le début, l'avait fait comprendre clairement, et je fus effectivement tenu à l'écart de tout rôle important dans la politique républicaine de New York.

Si les facteurs défavorables étaient nombreux, il y avait aussi quelques points en ma faveur. L'un était ma position dans les sondages exécutés parmi les électeurs républicains : ils me mettaient en tête des candidats possibles. L'été de 1966, par exemple, un sondage Gallup me donnait l'avantage presque à deux contre un sur le plus proche de mes concurrents, Henry Cabot Lodge. Mes nombreuses années de travail dans la vigne républicaine étaient récompensées par l'appui de l'organisation du parti dans la plus grande part du pays.

Un autre avantage était que la presse, qu'elle m'aime ou ne m'aime pas, semblait me considérer comme celui des candidats présidentiels possibles qui était le plus digne de retenir son attention. Bien que je n'eusse aucune fonction officielle, je pouvais compter sur un auditoire débordant, chaque fois que j'annonçais une conférence de presse, et où que j'aille, la télévision locale diffusait habituellement mes discours et mes apparitions en public.

A mon avis, cependant, la chose la plus importante en ma faveur était moins tangible, moins matérielle que les sondages ou la presse. J'avais confiance parce qu'en raison de ma formation et de mon expérience, surtout en ce qui concerne la politique étrangère, j'avais une meilleure connaissance des problèmes et des tendances qui détermineraient la campagne et l'élection. Etait-ce vrai ou non, je ne sais. Mais je croyais que c'était vrai, et cette confiance en moi me donnait un énorme avantage. La première urgence était donc de progresser lors des législatives de 1966. En mai 1964, le Président Johnson avait lancé l'idée de « la Grande Société » et entrepris un programme d'aide sociale très coûteux. J'étais certain qu'il serait déçu par l'ingratitude des bénéficiaires autant que par l'incapacité des universitaires et bureaucrates libéraux qui l'inspiraient.

Jamais le contraste des philosophies des deux partis n'apparut plus clairement qu'au milieu de cette décennie. C'était donc, pour les Républicains, le moment rêvé pour mener une opposition active. Mais j'étais parfaitement conscient de l'essentiel de nos problèmes : l'image publique de notre parti était une image négative. Les discours de Goldwater portaient à cet égard une lourde responsabilité. Les Républicains avaient toujours été étiquetés comme réactionnaires, mais, après sa campagne, on nous représentait comme téméraires et racistes.

Il fallait que les Républicains parvinssent à sauter par-dessus les Démocrates et à les distancer sur le plan de « la Grande Société ». Les Démocrates étaient le parti de la majorité, mais il me semblait que la grande force des Républicains résidait dans notre capacité à diriger au niveau local, tandis que la grande force des Démocrates résidait dans leur art à mobiliser les ressources de Washington.

Dans beaucoup de mes discours de 1965, j'adjurai mes auditeurs d'être des Républicains à la Lincoln : libéraux par leur souci du peuple et conservateurs par leur respect pour le règne de la loi. J'utilisai délibérément les mots libéraux et conservateurs, qui en 1964 avaient été le désastre du parti, pour montrer l'abus que l'on en avait fait et combien on les avait déformés, jusqu'à ne plus pouvoir les reconnaître. Je dis : « Si être libéral veut dire que tout doit être décidé au centre de la Fédération, alors je ne suis pas un libéral. Si être conservateur veut dire retarder la pendule et nier l'existence des problèmes, alors je ne suis pas conservateur. »

Je soulignai qu'il n'y avait pas de place pour le racisme dans le Parti Républicain. Je montrai clairement que, contrairement à ce que certains conservateurs pouvaient avoir pensé, George Wallace n'appartenait pas au Parti Républicain. Je fus également critique à l'égard des activistes noirs et des extrémistes du Mouvement pour les droits civiques. Quand le district de Watts de Los Angeles fut en proie aux émeutiers incendiaires et pillards noirs pendant l'été de 1965, je refusai d'accepter l'idée que de tels excès fussent l'inévitable résultat d'un prétendu racisme systématique de la société américaine. A mon avis, les coupables réels des troubles raciaux de 1960 n'étaient ni la société, ni la police, mais les extrémistes des deux races qui propagent l'idée que les gens n'ont à obéir qu'aux lois qui leur plaisent.

Un autre souci très répandu à cette époque était l'allure générale de la société américaine et le relâchement des disciplines traditionnelles. Les psychologues, les membres des clergés, les parents se lamentaient de voir violer ou abandonner les règles habituelles de comportement social ou sexuel. Je pense que ces excès reflétaient, en grande partie, un malaise dû à la prospérité. Dans certains cas, cependant, ils représentaient un changement réel qui s'était produit dans la culture américaine, et je pensais qu'au lieu de se contenter de les déplorer, les Républicains devaient essayer de les comprendre.

La guerre au Vietnam passait de plus en plus au premier plan de l'actualité en 1965. J'avais été très inquiet du contraste que j'avais constaté lors de mon voyage de 1964 au Vietnam entre la situation réelle et ce que le Gouvernement Johnson racontait au peuple américain. J'en concluais que Johnson essayait de parvenir à un règlement rapide, avant que la dissidence anti-guerre à l'intérieur du Parti Démocrate et les critiques des moyens d'information ne commencent à miner la législation de « la Grande Société ».

Johnson ne s'était pas mis au niveau du peuple américain pour lui expliquer pourquoi nous luttions au Vietnam ou à quel point les soldats américains étaient engagés réellement. Il était dans une certaine mesure pris au piège de ses propres déclarations, faites au cours de la campagne électorale. Il avait dit : « Nous n'allons pas envoyer nos garçons à 15 000 ou 20 000 kilomètres pour faire le travail que peuvent faire des garçons d'Asie pour eux-mêmes. » Il était en train d'étendre la guerre, et il serait difficile d'expliquer pourquoi il en avait senti la nécessité, sans susciter l'ire des forces opposées à la guerre et le scepticisme du citoyen moyen.

Le prix à payer pour le tour de passe-passe de Johnson était élevé et je devais hériter de ce passif : la « lacune de crédibilité ». Le Gouvernement avait perdu la confiance du peuple, qu'il aurait pu conserver, à mon avis, si Johnson avait accepté les risques, s'il avait expliqué complètement les causes de la guerre et entrepris de faire à ce sujet l'éducation du peuple.

Ce fut l'erreur stratégique de Johnson et c'était une lourde erreur. Elle fut combinée à une erreur tactique non moins lourde.

En limitant l'effort militaire à des représailles et à des opérations mineures, il abandonna aux communistes l'initiative militaire. Johnson semblait croire que la modération qu'il montrait (c'était, pour une part, dans le dessein de se concilier l'aile gauche de son parti) serait interprétée par les communistes comme une preuve de la sincérité des efforts qu'il faisait pour rechercher une solution négociée. Il ne voyait pas comment ceux-ci pourraient refuser de s'asseoir à la table de conférence en face de la personne si raisonnable qu'il voulait être.

Une heureuse négociation exige l'établissement de conditions qui persuadent l'autre partie qu'elle aurait avantage à faire ce que vous désirez. Pour une issue favorable au Vietnam, il aurait été nécessaire que les Etats-Unis fissent usage de leur grande puissance économique et militaire pour convaincre les communistes que l'agression ne paie pas et qu'il serait préférable pour eux de négocier un règlement. Mais le Gouvernement Johnson suivait la politique d'escalade la plus graduelle possible de la guerre aérienne et terrestre. Le résultat en fut de convaincre les communistes que les Etats-Unis n'avaient pas la volonté de gagner la guerre et qu'il était possible de nous user peu à peu au moyen d'une propagande dirigée vers notre front intérieur, tout aussi bien que vers nos alliés à travers le monde.

A mon avis, Johnson aurait dû parler au peuple américain de notre rôle au Vietnam, franchement et sans faire de prédictions optimistes.

Le pays aurait dû être informé des difficultés et du coût de ce combat. Johnson aurait dû aussi définir les enjeux de manière plus convaincante. Les Etats-Unis ne luttaient pas dans le seul but de maintenir l'indépendance du Vietnam du Sud, mais aussi pour faire échec à une agression indirecte de la Chine et de l'Union Soviétique dissimulée sous les apparences d'une « guerre de libération nationale ». Le général Vo Nguyen Giap, le commandant en chef du Vietnam du Nord, avait déclaré que la guerre menée contre le Vietnam du Sud constituait un modèle pour le mouvement communiste dans le monde entier : si ce genre d'agression pouvait y réussir, il pourrait fonctionner ailleurs.

Après la conférence de Munich en 1937, Winston Churchill avertit la Chambre des Communes que « l'idée que l'on peut acheter la sécurité en jetant au loup un petit Etat était une fatale illusion ». Ce qui avait été vrai de la trahison commise en 1938 au détriment de la Tchécoslovaquie et au profit d'Hitler n'était pas moins vrai de la livraison du Vietnam du Sud aux communistes préconisée par beaucoup en 1965. La chute du Vietnam libre devant l'agression extérieure devait déclencher des ondes de choc dans toute l'Asie. Comme je le répétais dans beaucoup de mes discours : « Si l'Amérique abandonne le Vietnam, l'Asie abandonnera l'Amérique. »

Pour moi, nous n'avions pas à choisir, comme le pensaient les « colombes », entre la guerre et la non-guerre, mais entre la guerre et une plus grande guerre à l'avenir, qui surviendrait quand les communistes seraient plus forts et plus confiants.

Dans mes discours de 1965, j'essayai de justifier et d'expliquer les engagements pris par les Etats-Unis en Asie du Sud-Est. Je soulignai que nous n'étions pas comme les colonialistes français, qui avaient combattu pour rester au Vietnam. Nous luttions pour en sortir aussitôt que l'agression aurait été vaincue.

Le 26 janvier 1965, devant le Club des directeurs commerciaux de New York, je déclarai brutalement que nous étions en train de perdre la guerre du Vietnam. Je demandai que l'on portât la guerre au Vietnam du Nord en bombardant par air et par mer les routes de ravitaillement des communistes au Vietnam du Sud et en détruisant l'infrastructure du Vietcong au Vietnam du Nord et au Laos. « Il est dangereux et téméraire de farder la vérité au sujet de ce qu'exige la guerre du Vietnam, dis-je. La guerre au Vietnam n'est pas menée pour le Vietnam, mais pour l'Asie du Sud-Est. Nous ne devons pas nous laisser tromper par des gouvernements de coalition ou par la neutralisation. La neutralité, pour les communistes, signifie trois choses : nous nous en allons; ils restent; ils prennent le pouvoir. Tout accord négocié conduirait inévitablement à de nouvelles exigences communistes. Finalement, nous sommes ramenés à la très difficile décision qu'il nous faut prendre : ou nous partons; ou nous capitulons sur la base d'un plan progressif de neutralisation; ou nous trouvons le moyen de gagner. »

A la différence de certains « faucons » extrémistes, je ne pensais pas qu'il fallût employer au Vietnam les armes nucléaires. Je ne pensais pas non plus qu'il fût nécessaire d'engager des effectifs américains de plus en plus nombreux dans des batailles terrestres. Je dis qu'il nous fallait plutôt « mettre en quarantaine » la guerre au Vietnam en utilisant nos forces aériennes et navales de manière à exclure les interventions extérieures venant du Vietnam du Nord et du Laos, qui permettaient au

Vietcong de se livrer à une guérilla terroriste. « Si cela était fait, dis-je, les Vietnamiens du Sud auraient vraiment une chance de vaincre le Vietcong. »

Je comprenais que cette politique risquait d'amener la Chine rouge à intervenir; c'est pourquoi j'ajoutai : « Il y a des risques, certes. Mais le risque d'attendre est plus grand. Cela apparaît nettement si nous regardons vers l'avenir et comprenons que si le Vietnam du Sud est perdu, si l'Asie du Sud-Est est perdue, et si le Pacifique devient une mer rouge, nous devrons faire face à une guerre mondiale où les chances contre nous seront beaucoup plus grandes. »

A la fin de mon allocution, je reconnus que la ligne de conduite que je préconisais n'était pas de nature à être populaire en Amérique, et que ni le Congrès, ni un sondage Gallup ou Harris ne lui accorderaient la confiance. Mais ce que j'avais proposé était la vraie façon, en fait la seule façon, de traiter le problème du Vietnam.

Deux semaines plus tard, le 6 février, le Vietcong gravit un nouveau degré dans l'escalade de la guerre en bombardant les casernes de notre base aérienne, près de Pleiku. Johnson répondit en déclarant que, puisque Hanoï s'était lancé dans une conduite de la guerre plus agressive, « nous n'avons maintenant plus d'autre choix que de prendre les dispositions de combat, et rendre absolument claire notre détermination constante de soutenir le Vietnam du Sud dans sa lutte pour l'indépendance ». Il ordonna des raids de représailles sur le Vietnam du Nord.

En septembre 1965, je passai de nouveau à Saïgon quatre jours. La situation s'était quelque peu améliorée depuis dix-huit mois, en particulier en ce qui concernait le moral des Vietnamiens du Sud. Mais les officiels américains et vietnamiens semblaient encore déçus. Ils avaient le sentiment d'être retenus, parce que Washington pensait que cela encourageait les négociations, tandis que l'ennemi progressait. Quand je parus à la télévision après mon retour du Vietnam, je déclarai : « Je ne sais pas ce que pense actuellement le Président Johnson au sujet des négociations, mais je pense certainement que les propos qu'il tient constamment... suggérant que nous ne désirons que la paix, que nous voulons négocier, ont pour effet plutôt de prolonger la guerre que de nous rapprocher de sa fin. Je crois que le Président Johnson devrait expliquer clairement au monde et au peuple du Vietnam du Sud que notre objectif est d'assurer la liberté et l'indépendance du Vietnam du Sud, en refusant toute récompense ou toute mesure d'apaisement aux agresseurs. » Je répétai mon appel en faveur d'un emploi accru de nos forces aériennes et navales contre le Vietnam du Nord.

LES ÉLECTIONS DE 1966

Comme les élections de 1966 approchaient, je commençais à peser soigneusement les possibilités qu'elles m'offraient et les risques qu'elles comportaient pour moi. Les risques étaient évidents. Si mon parti était battu, mes adversaires dans la presse et mes adversaires politiques diraient que Nixon, l'éternel perdant, avait une fois de plus mené le pays à la défaite. Mais les Républicains avaient de bonnes raisons d'être optimistes, et si j'avais contribué à un net succès du parti, cela n'échapperait pas aux cadres républicains.

Le 12 mars, après un dîner de presse où Johnson m'aperçoit, il me demande de passer prendre le café avec lui le lendemain matin.

Au second étage de la Maison Blanche, je suis accueilli par un maître d'hôtel qui m'accompagne jusqu'à la chambre de Johnson. Celui-ci est au lit, en pyjama. « Hello, Dick! » Sa voix est rauque. Il semble fatigué, presque épuisé.

Nous parlons du Vietnam. Je lui dis mes vues concernant la nécessité de prendre de plus fortes initiatives de manière à amener le Vietnam du Nord à la table de conférence. J'ai, lui dis-je, défendu la politique de son Gouvernement dans les pays étrangers où je suis allé. Il acquiesce : « Je suis en train de recevoir le bénéfice de l'appui que je vous ai donné, à Ike et à vous, en ce qui concerne la politique étrangère, au cours des huit années que vous avez passées ici. »

Il en vient à mes recommandations en faveur d'une attitude plus dure au Vietnam. « C'est la Chine qui pose un problème, dit-il. Nous pouvons bombarder à mort Hanoï et le reste de ce maudit pays, mais ils ont la Chine juste derrière eux, et c'est là une autre histoire. »

Quelques instants plus tard, la porte s'ouvre et Madame Johnson entre, en robe de chambre. Elle me salue cordialement, se met au lit et prend part à la conversation.

J'ai alors l'impression qu'il « change de vitesse ». Il parle en sourdine, plutôt comme un homme qui arrive à la fin de son mandat que comme un Président en pleine maîtrise des événements. « Quand je quitterai ces fonctions, Bobby, Hubert ou vous, vous aurez le problème chinois sur les bras. » Je lui recommande d'établir aussitôt que possible un lien diplomatique avec la Chine. « Monsieur le Président, dis-je, le temps est de leur côté. C'est maintenant le moment de leur faire face sur le front diplomatique. » Johnson ne répond pas, mais j'ai l'intuition qu'il est d'accord avec moi.

Comme c'est une année à élections, dis-je, je ferai campagne et je prononcerai des discours en faveur de candidats de mon parti, comme lui-même l'a fait en 1954 et 1958, quand les Républicains étaient au pouvoir. « Je pense que vous serez compréhensif, et que vous ne prendrez pas les critiques que je serai amené à faire comme dirigées personnellement contre vous.

— Je sais, Dick, me répond-il. Nous autres, hommes politiques, nous sommes comme les avocats qui prennent un verre ensemble après s'être battus à mort au tribunal. »

Je pris beaucoup de plaisir à la campagne de 1966. Les sondages indiquaient que les Démocrates allaient prendre une raclée. Mais des bruits commencèrent à circuler : Johnson projetait, pour la dernière minute, une grande mise en scène qui rétablirait la confiance juste avant l'élection. Je le connaissais assez pour savoir qu'une manœuvre de ce genre était tout à fait de son caractère, et je décidai d'être très attentif.

Fin septembre, Johnson annonça soudain qu'il allait rencontrer à Manille fin octobre, juste deux semaines avant les élections, le Président Nguyen

Van Thieu du Vietnam du Sud, et d'autres Vietnamiens et dirigeants alliés. Dans un article de journal que j'écrivis à ce moment-là, je signalai ouvertement le scepticisme général qui avait accueilli cette nouvelle : « Les diplomates de Tokyo comme les membres du parti du Président se posent la même question : " S'agit-il d'un voyage en quête de la paix ou en quête de bulletins de vote? " »

A la fin de leur conférence, le 25 octobre, Johnson, Thieu et les dirigeants de l'Australie, de la Corée, de la Nouvelle-Zélande, des Philippines et de la Thaïlande publièrent un communiqué commun. Ils offraient le retrait des troupes américaines et alliées dans les six mois, en échange d'un retrait des troupes du Vietnam du Nord, de l'arrêt de l'appui qu'il accordait au Vietcong, et d'une diminution générale du niveau de violence dans la guerre.

J'étais en tournée pour les élections quand je reçus un exemplaire du communiquée de Manille et je passai une bonne partie de la nuit à l'étudier. En rentrant à New York, j'avais une analyse détaillée point par point de ce que Johnson avait accepté à Manille. Je la publiai dans la presse le 3 novembre, cinq jours avant les élections. L'offre en apparence prometteuse, dont le communiqué faisait état, d'un retrait mutuel des forces des Etats-Unis et du Vietnam du Nord était beaucoup plus illusoire que réelle.

« L'effet de ce retrait mutuel serait d'abandonner le destin du Vietnam du Sud au Vietcong et à l'armée du Vietnam du Sud. Cette armée ne pourrait pas à la longue l'emporter sur les guérillas communistes sans les conseillers, l'appui aérien et logistique des Américains. Une victoire communiste serait le résultat certain d'un retrait mutuel, si les Vietnamiens du Nord continuaient leur appui logistique aux guérillas communistes. » La situation en 1966, alors que les Vietnamiens du Sud n'avaient pas été entraînés et préparés à se défendre eux-mêmes, était très différente de celle de 1969, quand, lors de ma présidence, nous fûmes en mesure de proposer un retrait mutuel avec l'assurance que notre politique de vietnamisation préparait le Vietnam du Sud à se défendre lui-même. Je dis que si j'avais bien compris le communiqué de Manille, il offrait de lier les retraits américains au niveau de combativité montré par le Vietcong. « Si cette interprétation est exacte, continuai-je, alors nous avons offert de renoncer à un avantage militaire décisif à la conférence de Manille. »

Mon article parut dans le *New York Times* et fit l'objet de nombreux commentaires et de discussions. Si la conférence de Manille avait été organisée pour aider le Parti Démocrate lors des élections, le retour de flamme fut complet. La presse interpréta les motifs de Johnson avec un cynisme révoltant. Les « colombes » attaquèrent le communiqué parce qu'il était belliqueux, et les « faucons » en dirent que c'était une capitulation à échéances.

Ma critique du communiqué de Manille toucha la Maison Blanche à un point particulièrement sensible. La conférence de presse de Johnson s'ouvrit le 4 novembre sur des questions qui révélèrent l'attitude cynique de la presse à son égard. Johnson était fatigué et irascible, et lorsqu'un journaliste lui demanda de commenter mon article, quelque chose sembla se déchaîner en lui.

« Je ne veux pas entrer dans un débat de politique extérieure avec le vétéran des campagnes électorales qu'est M. Nixon, dit-il. C'est son métier de trouver son pays et son gouvernement en faute en octobre tous les deux ans. Si vous examinez sa carrière, vous verrez que c'est vrai. Il n'a jamais reconnu ni compris ce qui se passait lorsqu'il avait des fonctions officielles au gouvernement. Vous vous souvenez de ce que le Président Eisenhower a dit, que si on lui donnait une semaine, il pourrait donner une idée de ce qu'il faisait.

« Depuis ce temps-là, il s'est temporairement accroché au sol de la Californie, et vous avez vu ce que le peuple californien en a fait. Puis il a traversé le pays pour venir à New York. Puis il est retourné à San Francisco, espérant y retrouver des ailes, disponible pour remplacer Goldwater si celui-ci faisait un faux pas. Mais Goldwater n'a pas trébuché. Et maintenant, il parle d'une conférence dont il n'a visiblement pas été bien informé. »

Les journalistes échangeaient des regards, comme s'ils n'en croyaient pas leurs oreilles. Lady Bird Johnson était assise derrière son mari. Elle essayait de sourire, mais hochait légèrement la tête.

Johnson commença à défendre le communiqué de Manille contre les accusations que j'avais formulées. Les communistes ne pouvaient avoir aucun doute sur notre volonté de quitter le Vietnam aussitôt que les conditions du retrait mutuel, de la suspension des infiltrations et d'un apaisement progressif des combats seraient remplies. « Ils le savent, dit-il, et nous ne devrions pas ici tout embrouiller et essayer de mêler ces problèmes à une campagne électorale. Les gens qui le feront perdront des bulletins de vote au lieu d'en gagner. Si l'agression, l'infiltration et la violence prennent fin, aucun pays ne souhaitera le maintien de troupes d'occupation au Vietnam. Monsieur Nixon ne rend pas service à son pays en donnant cette sorte d'impression, dans l'espoir de gagner un ou deux bureaux de vote, une ou deux circonscriptions. »

Pendant que Johnson donnait cette conférence de presse à Washington, j'étais à New York, à l'aéroport La Guardia, en train de prendre l'avion pour Waterville, dans le Maine, où j'allais participer à la campagne électorale. Aussitôt que nous fûmes attachés à nos sièges, Pat Buchanan me mit au courant. Je compris alors pour la première fois combien Johnson était tourmenté sous son aspect florissant. Il avait parlé sous l'effet du désespoir, et non par mauvais vouloir. Je savais que si je traitais l'incident habilement, ce serait une aubaine pour le Parti Républicain comme pour moi-même. Sur le chemin du retour à l'aéroport de Waterville, un journaliste me demanda ce que je pensais de l'attaque personnelle du Président des Etats-Unis. Je répondis : « Le Président Johnson et moi, nous pouvons n'être pas d'accord, mais nous différons dans nos avis comme des gentlemen, comme des hommes qui essaient de trouver la bonne voie. Permettez-moi de dire que la meilleure voie n'est pas celle d'un seul homme, celle du seul L.B.J., mais la voie bipartisane. Nous avons besoin d'un programme des deux partis pour le Vietnam, auquel tous deux participeraient, plutôt que du programme d'un seul parti, dans lequel il dit : " Je sais tout et mieux que vous tous, et si vous vous en prenez à moi, alors je vous attaquerai personnellement. " C'est tout ce que je lui demande de faire. Agissons en gentlemen dans cette affaire et discutons raisonnablement. »

Quelques jours avant les élections, j'étais au centre de l'attention du pays. Les éditorialistes et les chefs de rubriques qui, dans le passé, avaient eu si peu de ménagements pour moi défendaient mon honneur contre l'attaque excessive de Johnson. Eisenhower m'appela de Gettysburg et me dit : « Dick, je pourrais me donner des coups de pied, chaque fois que l'un de ces chacals ressuscite ce fameux *Donnez-moi une semaine*... Johnson est allé trop loin sur ce point, et il y aura une forte réaction en votre faveur. Je voulais seulement vous dire que je vais publier une déclaration. » Celle-ci, qui fut largement diffusée, disait que j'avais été « l'un des Vice-Présidents les mieux informés, les plus capables et les plus actifs de l'histoire des Etats-Unis ».

Le Comité Républicain de la campagne électorale mit à ma disposition une demi-heure du temps qui lui avait été alloué par la chaîne de télévision N.B.C. Je dis :

> « Comme vous l'avez sans aucun doute compris, j'ai été soumis, la semaine dernière, à l'une des attaques personnelles les plus sauvages qui aient été jamais lancées par un Président des Etats-Unis contre l'un de ses adversaires politiques...
> « J'y répondrai, non pour moi-même mais pour la défense d'un grand principe qui est en jeu. C'est le principe du droit de n'être pas d'accord, le droit de différer d'avis. Cela signifie le droit de n'être pas d'accord avec n'importe quelle personnalité publique, même avec le Président des Etats-Unis. »

Après avoir consacré mon discours à l'éloge du Parti Républicain, je revins finalement à l'attaque de Johnson.

> « Il se peut que le Président écoute ce programme ce soir. Je veux lui adresser, à lui personnellemenit, ces réflexions : Monsieur le Président, pendant quatorze ans, j'ai eu le privilège de servir avec vous à Washington. Je vous ai respecté, je vous respecte aujourd'hui. Je vous respecte à cause des hautes fonctions que vous occupez, des fonctions que tous deux nous avons recherchées et que vous avez obtenues. Je vous respecte pour l'énergie que vous consacrez à ces fonctions, et mon respect n'a pas changé malgré votre attaque personnelle. Voyez-vous, je crois que je peux comprendre qu'un homme soit fatigué, très fatigué, et qu'il puisse perdre son sang-froid. Et si un Vice-Président ou un ancien Vice-Président peut être fatigué et à bout de force, combien plus fatigué peut être un Président après un voyage comme le vôtre. »

Je terminai mon émission en offrant à Johnson mon appui constant dans sa recherche de la paix et de la liberté à l'étranger et du progrès aux Etats-Unis.

Le discours fut un succès, il renouvela mes titres de porte-parole de la nation et de vétéran des luttes électorales. Il servit aussi à m'identifier à la victoire républicaine.

J'eus plaisir à entendre les résultats électoraux de 1966. Les Républicains avaient gagné 47 sièges à la Chambre, 3 au Sénat, 8 postes au Gouvernement et 540 sièges dans les Assemblées législatives des Etats.

EN VACANCES DE LA POLITIQUE

A travers toute la campagne, beaucoup de mes amis conseillers ou partisans m'avaient recommandé de mettre sur pied mon organisation pour être prêt à annoncer une candidature présidentielle aussitôt après les élections. Un tel conseil était parfaitement raisonnable selon la tradition, mais j'avais déjà décidé d'adopter une méthode tout à fait hérétique : au lieu de me précipiter dans l'arène, j'allais prendre mon temps. Dans une émission, *Problèmes et Réponses,* deux jours avant les élections, j'annonçai : « Je vais prendre congé de la politique pendant au moins six mois, pendant lesquels je n'aurai aucun discours au programme. Ce que me réserve l'avenir, je l'ignore. »

Je voulais poser ma candidature à la Présidence en 1968, mais je voulais me laisser ouverte, jusqu'au dernier moment, la possibilité de décider de ne pas le faire.

Peu après mon retour de vacances à New York, Peter Flanigan et Maury Stans vinrent me voir. Ils voulaient créer un Club « Nixon for President » et commencer un travail de base d'organisation et de collecte de fonds. Quelques mois plus tard, à peu près au moment où je rencontrai Willy Brandt à Bonn, la formation de premier Club « Nixon for President » fut annoncée à Washington.

Je décidai de commencer à me former une équipe politique personnelle, de sorte que je puisse être prêt à me précipiter dans la mêlée aussitôt que mon « congé de la politique » serait terminé. J'engageai Raymond K. Price, ancien éditorialiste du *New York Herald Tribune,* qui serait mon principal homme à idées et préparerait mes discours; il travaillerait aussi à un livre que je voyais à peu près sur le modèle de l'ouvrage de Wendell Willkie, *One World.* De plus Dwight Chapin, un jeune directeur de publicité, se joignit à notre équipe comme aide personnel.

Le 1er janvier 1967, mon cabinet juridique fusionna avec Caldwell, Trimble et Mitchell. Cette firme était spécialisée dans les emprunts des municipalités. Je formai une amitié immédiate avec une espèce de costaud, parfois bourru, John Mitchell, le principal associé. Bien qu'il n'eût jamais pris part à ma campagne électorale, je compris, par notre conversation, qu'il avait un talent naturel pour la politique. A la suite de son expérience considérable des gouvernements des Etats et des autorités locales, qu'il conseillait, au point de vue juridique, pour leurs émissions de titres, il disposait d'un réseau exceptionnel de contacts politiques. En peu de mois, je fus amené à avoir de plus en plus recours à son avis en matière politique.

Je décidai d'utiliser mon congé à faire des voyages à l'étranger. Je fis les projets de quatre voyages : en mars, l'Europe et l'Union Soviétique; en avril, l'Asie; en mai, l'Amérique latine; en juin, l'Afrique et le Moyen-Orient. A cette époque, Robert Ellsworth, qui avait été un parlementaire très capable du Kansas, était alors homme de loi à Washington. Il s'était arrangé pour travailler à mi-temps à ma campagne électorale, qui n'était pas encore une campagne. Il s'intéressait particulièrement aux Affaires étrangères et à la Défense nationale, et il m'aida à organiser mon voyage avec le Département d'Etat et les ambassades des pays que je voulais visiter. Il m'accompagna pour le premier voyage et une partie d'un autre; Ray Price fut du second; mon ami Bebe Rebozo m'accompagna en Amérique latine; et Pat Buchanan fut du quatrième.

Le voyage en Europe et en Union Soviétique devait commencer le 5 mars. Comme d'habitude, je demandai une mise au courant par la C.I.A. avant de partir; et pour la première fois depuis que j'avais quitté le Gouvernement, on me la refusa. Comme ce genre d'entretien est un privilège, et non un droit donné à chaque citoyen, aucune explication officielle ne fut donnée. Officiellement, je sus que Johnson était encore furieux de l'incident du communiqué de Manille et qu'il avait interdit expressément à la C.I.A. de me donner aucune aide ou aucune indication.

Ce voyage me donna beaucoup à réfléchir. Je n'avais pas fait de tour complet des pays de l'O.T.A.N. depuis 1963, et je fus surpris de voir combien nos relations s'étaient dégradées. Les Européens étaient profondément offensés du fait que nous nous abstenions de les consulter ou même de les informer après décision prise, au sujet d'affaires intéressant leur Défense nationale ou même leur sort. Partout, j'entendis la même histoire : sous Kennedy et Johnson, nous avions montré, de toutes sortes de façons, le peu d'estime que nous avions de nos alliés et de l'importance de l'O.T.A.N.

Je rencontrai Konrad Adenauer pour la dernière fois. Quand j'entrai, il m'embrassa avec une affection presque embarrassante. Puis, les mains sur mes épaules, il me dit : « Grâce à Dieu, vous voilà! Votre visite est une manne du ciel. » Ce grand architecte de l'Europe voyait en moi l'avenir de l'Europe. « Je suis très soucieux, mon ami », me dit-il. Il prédit que lorsque de Gaulle aurait quitté la scène, le Parti Communiste se renforcerait en France, puis en Italie. Il ne croyait ni à un prétendu intérêt de l'Union Soviétique à faciliter la paix avec le Vietnam, ni à l'idée, alors populaire, que les Soviétiques se tourneraient vers l'Ouest par crainte de la Chine. « Ne vous y trompez pas, dit-il, c'est le monde qu'ils veulent. Le monde entier. Et par-dessus tout, ils veulent l'Europe, et pour l'avoir, il leur faut détruire l'Allemagne. Nous avons besoin de vous pour assurer notre force et notre liberté. Mais vous avez aussi besoin de nous. » Comme de Gaulle quatre ans plus tôt, Adenauer nous encourageait à incliner notre politique vers la Chine communiste, afin de contrebalancer la menace soviétique croissante.

Je fus surpris de constater la même inquiétude, à l'égard de la stratégie communiste, exprimée par tous ceux que je rencontrai au cours de ce voyage. A Rome, le Président Saragat et le Ministre des Affaires étrangères Fanfani étaient d'accord pour estimer que les Soviétiques étaient décidé à maintenir la guerre au Vietnam. Mais comme Adenauer, ils estimaient que la menace pesait en premier lieu sur l'Europe plutôt qu'en Asie. Fanfani me dit : « L'O.T.A.N. est ce qui compte réellement, mais beaucoup d'Américains sont persuadés que le Vietnam est ce qui importe le plus parce que c'est là que vous luttez contre les communistes. L'Amérique est comme un homme qui a un petit incendie dans sa grange, alors que sa propre maison tombe en ruine faute de réparations. »

Mon vieil ami Manlio Brosio, le diplomate italien qui était alors le secrétaire général de l'O.T.A.N. après avoir servi six ans à Washington et cinq ans à Moscou, exprima avec émotion et insistance ses doutes sur les intentions soviétiques. « Je connais les Russes, me confia-t-il. Ce sont de grands menteurs, d'habiles tricheurs, de magnifiques comédiens. On ne peut leur faire confiance. Ils considèrent comme un devoir de mentir et de tricher. » Un Belge à qui je parlais exprima avec concision ses vues sceptiques de la détente : « C'est comme l'Immaculée Conception. Je l'accepte, mais je n'y crois pas. »

On m'avait refusé un visa pour la Pologne, et je fus surpris de recevoir un visa pour la Roumanie. Je pensais, en dépit du visa, que nous y trouverions l'accueil glacial que les gouvernements communistes savent si bien organiser. Mais dès le moment où Ellsworth et moi sortîmes de l'avion à Bucarest, il apparut clairement que cette visite serait remarquable. Partout, les gens nous accueillirent par des manifestations d'amitié.

Je fis visite au secrétaire général du Parti Communiste roumain, Nicolas Ceaucescu. Nous eûmes une longue conversation couvrant tout le spectre des rapports Est-Ouest. J'exprimai mon doute qu'une détente réelle pût être obtenue avec les Soviétiques avant que quelque sorte de rapprochement eût été réalisé avec la Chine communiste. Si ses 800 millions d'habitants demeuraient isolés, la Chine serait, dans vingt ans, une grave menace pour la paix du monde. Je pensais que les Etats-Unis ne pouvaient pas grand-chose pour établir une communication efficace avec la Chine avant la fin de la guerre au Vietnam. Après cela, je pensais que nous pourrions prendre des mesures pour normaliser nos relations avec Pékin. Ceaucescu fut prudent dans ses réactions, mais j'aurais pu jurer qu'il était intéressé de m'entendre parler en ce sens et qu'il était d'accord avec ce que je disais.

Par mon voyage en Asie, je voulais juger de la situation au Vietnam et de l'importance du conflit pour les voisins de ce pays. Je voulais aussi apprendre quelles étaient les vues des dirigeants asiatiques sur la Chine et comment ils envisageaient ses rapports futurs avec le reste de l'Asie et le monde.

Je vis le Premier Ministre Sato, l'ancien Premier Ministre Kishi, et nombre d'autres personnalités politiques japonaises. Les leaders japonais avaient un vif sentiment de la nécessité de maintenir une présence américaine en Asie, et pensaient qu'il était vital d'aider le Vietnam du Sud à se défendre. En raison des souvenirs de la Seconde Guerre mondiale, ils étaient conscients des limites qui s'opposaient à un leadership japonais. Ils reconnaissaient, néanmoins, le besoin d'une coopération régionale pour contenir le danger communiste.

Je rencontrai Tchang Kaï-chek au bord d'un lac à Taïwan. Il rêvait encore à un débarquement sur le continent, et il demandait un appui américain pour ce faire. Selon lui, les Chinois du continent étaient désillusionnés par leurs chefs, et ils étaient prêts à se rallier à une autre force. Une invasion nationaliste du continent, dit-il, mettrait fin à la menace d'une bombe atomique chinoise, à l'appui donné par la Chine au Vietnam et à toute chance d'un rapprochement sino-soviétique.

Tchang était un ami, et incontestablement une des grandes figures du XXᵉ siècle. Je me demandai s'il avait raison, mais une analyse réaliste me montra qu'il avait tort. Son désir brûlant de retour sur le continent était compréhensible et admirable. Mais il était tout à fait irréaliste, en raison de la puissance massive que les communistes avaient développée.

Au Vietnam, malgré les prévisions optimistes des militaires, je me convainquis que la continuation de la politique du gouvernement, consistant à livrer une bataille défensive d'usure, conduirait inévitablement à la défaite. C'était une faible consolation d'entendre dire que l'ennemi perdait plus d'hommes que nous. C'était devenu une guerre américaine, et les Vietnamiens du Sud n'étaient pas efficacement entraînés ni équipés pour se défendre eux-mêmes. Les communistes étaient prêts à continuer à se battre sans égard pour les pertes. Ils s'étaient totalement engagés à vaincre. Nous avions, au mieux, pris une option partielle pour éviter la défaite. Si cela continuait, ils finiraient par gagner.

Chacun des dirigeants d'Asie auxquels je parlai exprima son appui pour une position américaine ferme au Vietnam. Mais je constatai aussi un intérêt croissant pour la Chine communiste. Quelques-uns qui s'étaient autrefois obstinément opposés à tout changement de la position américaine sur la Chine étaient maintenant d'avis que quelque rapport nouveau et direct entre les deux nations était essentiel, si l'on voulait qu'il y eût une chance de construire en Asie, après la fin de la guerre du Vietnam, une paix durable, et que les nations libres aient la possibilité de survivre.

En Amérique latine, je constatai que l'Alliance pour le progrès de Kennedy avait suscité des espoirs excessifs. Les dirigeants exprimaient leur déception, et demandaient que les Etats-Unis reconsidèrent les moyens d'attirer, des Etats-Unis comme d'Europe, les investissements privés dont les économies d'Amérique latine avaient un besoin désespéré pour pouvoir faire le moindre progrès.

En Afrique, les dirigeants soulignaient leur désir de recevoir plus d'aide de la part des Etats-Unis, plutôt que d'avoir à dépendre encore des anciens colonisateurs. Mais j'étais découragé par le fait qu'à part quelques exceptions les nouveaux pays d'Afrique noire ne disposaient pas des cadres expérimentés qui leur auraient permis d'atteindre leurs buts dans un avenir prévisible.

Je me rendis en Israël juste après la victoire de ce pays dans la guerre de juin. Dans une longue conversation avec le général Itzhak, je soulignai qu'Israël était impliqué dans le résultat de la guerre au Vietnam. Il était visiblement intéressé par ma thèse selon laquelle, si les Etats-Unis subissaient une défaite ou une humiliation au Vietnam, le peuple américain pourrait devenir isolationniste et se refuser à venir à l'aide des autres petites nations, telles qu'Israël, qui dépendaient de nous pour leur survie.

J'étais impressionné par le courage et la résolution des dirigeants et du peuple israéliens. Mais j'étais troublé par le fait que leur victoire rapide et écrasante sur les Arabes avait engendré un sentiment excessif de confiance dans leurs possibilités de gagner n'importe quelle guerre future, et une attitude de complète intransigeance à l'égard de toute négociation de paix qui impliquerait la restitution d'aucun des territoires qu'ils avaient occupés. Leur victoire avait été trop grande. Elle laissait chez leurs voisins des ferments de haine qui ne pouvaient, à mon avis, que provoquer une nouvelle guerre, surtout si les Russes accroissaient leur aide militaire à leurs clients arabes vaincus.

Je résumai mes impressions dans un discours prononcé à Bohemian Grove, et dans un article publié par la revue *Foreign Affairs*.

Dans mon discours, je fis devant l'auditoire un tour d'horizon complet, retraçant les changements et examinant les conflits, découvrant à la fois les dangers et les possibilités offerts aux Etats-Unis au seuil du dernier tiers du XXe siècle. J'insistai sur le besoin d'alliances fortes et d'une aide continue aux nations en voie de développement. Mais je recommandai aussi une distribution plus sélective de notre aide, qui récompensât nos amis et décourageât nos ennemis, et qui aidât plutôt les entreprises privées que celles des gouvernements.

Passant à l'Union Soviétique, je remarquai que les chefs soviétiques, tout en parlant de paix, continuaient à fomenter des troubles, à encourager l'agression, à construire des missiles. Nous devions encourager le commerce avec les Soviétiques et l'Europe de l'Est. Sur le plan diplomatique, il fallait discuter avec les chefs soviétiques sur tous les plans, pour réduire la possibilité d'erreur de calcul et explorer les domaines où des accords bilatéraux pourraient amoindrir la tension. Mais il fallait exiger une réciprocité : « Je crois utile de construire des ponts, mais nous ne devons bâtir que notre moitié du pont. » Et en négociant, nous devons toujours nous rappeler que « notre but est différent du leur. Nous cherchons la paix comme une fin en elle-même. Ils cherchent la victoire, la paix n'étant qu'un moyen conduisant à ce but. »

Le sujet de mon article d'octobre 1967 publié par *Foreign Affairs* était « l'Asie après le Vietnam ». Je soulignais l'importance de l'Asie pour les Etats-Unis et le monde, et concluais par un passage traitant de la politique des Etats-Unis envers la Chine.

> « Certains conseillent de céder à la Chine une zone d'influence embrassant une grande partie du continent asiatique et s'étendant même aux Etats insulaires voisins. D'autres poussent à éliminer la menace par une guerre préventive. Il est clair qu'aucune de ces politiques ne peut être acceptée par les Etats-Unis ou leurs alliés asiatiques. D'autres encore soutiennent que nous devrions rechercher une alliance antichinoise avec les puissances européennes, y compris l'Union Soviétique. A part les problèmes évidents que poserait une participations soviétique, une telle politique créerait une association d'idées " Europe contre Asie ", " Blancs contre non-Blancs ", qui aurait des répercussions catastrophiques sur le reste du monde de couleur en Asie en particulier... C'est seulement dans la mesure où les pays d'Asie non communistes deviendront forts, économiquement, politiquement et militairement, qu'ils n'offriront plus d'objectifs tentants à une agression chinoise. C'est seulement en ce cas que les dirigeants de Pékin seront persuadés de détourner leur énergie de l'extérieur vers l'intérieur. Ce sera alors le moment du dialogue avec la Chine continentale.
>
> A courte vue, cela signifie donc une politique de réserve et de fermeté, de contre-mesures constructives calculées pour persuader Pékin que ses intérêts ne peuvent être servis que par l'acceptation des règles fondamentales du droit international. A longue portée, cela signifie la réintégration de la Chine dans la communauté mondiale — en tant que nation, puissante et progressive, non pas en tant qu'épicentre de la révolution mondiale. »

Peu après mon retour à New York, le 24 juin, j'examinai l'évolution de la situation politique. Ronald Reagan, candidat présidentiel possible, que j'avais vu à Bohemian Grove en juillet m'avait dit qu'il ne comptait pas se présenter aux primaires. Je voulus rencontrer Eisenhower, d'autant plus que nous avions maintenant un nouveau sujet d'intérêt mutuel. Julie et son petit-fils David s'étaient rencontrés très souvent à l'Université. Leurs familles respectives n'en savaient encore rien, mais ils avaient décidé de se marier. Le 17 juillet, je déjeunai à Gettysburg.

Eisenhower avait été très animé pendant le déjeuner, mais il parut ensuite fatigué et il cherchait ses mots. Une courte promenade vers la grange voisine l'épuisa, mais sa fermeté resta entière dans les conseils qu'il me donna. Il me déconseilla de faire du Vietnam un problème politique, car beaucoup de Républicains appuyaient les objectifs de Johnson tout en s'interrogeant sur les moyens qu'il prenait pour les atteindre. Comme moi, il pensait que la plus grande erreur de Johnson dans la conduite de la guerre avait été de ne pas y être allé plus fort dès le début. Il savait, d'après sa propre expérience militaire, qu'une escalade graduelle ne marchait pas. « Si un bataillon ennemi défend une colline, me dit-il, et si vous me donnez deux bataillons, je prendrai la colline, mais au prix de terribles pertes. Donnez-moi une division, et je la prends sans tirer un seul coup de fusil. »

J'étais dans mon bureau à New York le samedi 30 septembre 1967 quand Rose, ma secrétaire, entra pour me dire que mon frère Don m'appelait au téléphone. J'étais en conférence, je dis à Rose que je le rappellerais. Elle se mit à pleurer : « Non, vous devez lui parler. Votre mère vient de mourir. »

Ma mère avait eu une attaque deux ans auparavant, et nous avions dû, à notre grand regret, la mettre dans une clinique à Whittier. A chacun de mes passages dans la région de Los Angeles, j'allais la voir. Elle ne donnait jamais aucun signe montrant qu'elle m'avait reconnu, mais j'étais sûr qu'au fond d'elle-même elle savait que j'étais là.

Ma mère avait été une grande admiratrice de Bill Graham, avant même qu'il ne devînt célèbre. Elle avait assisté à l'une de ses premières croisades en Californie du Sud, elle lui avait parlé ensuite, et jamais il ne l'avait oubliée dans les années qui suivirent. Dès qu'il apprit sa mort, il m'appela de chez lui, en Caroline du Nord, et dit qu'il désirait assister aux obsèques. La cérémonie se tint dans la même église des Amis où, enfant, j'avais joué au piano pour l'école du dimanche et chanté dans le chœur. C'était dans cette église que le service funèbre de mon père avait été célébré onze ans plus tôt.

La dernière fois que j'avais parlé à ma mère avant qu'elle n'eût son attaque, elle relevait d'une opération. Bien qu'elle souffrît beaucoup, elle ne se plaignait jamais.

Je savais que ses chances de rétablissement étaient très faibles. Les mots me manquaient, tant j'étais malheureux pour elle, et tout ce que je pus trouver fut : « Mère, accroche-toi! »

Soudain, elle se redressa alors dans son lit. Et, avec une force soudaine dans la voix : « Accroche-toi, Richard! Tiens bon! Ne permets à personne de dire que tu es fini. »

Ce n'est que plus tard que je sus que, juste avant son opération, elle avait lu un article du *Times* de Los Angeles affirmant que ma carrière était terminée quant à la possibilité que j'aurais d'occuper des fonctions nationales.

Avant la période des primaires, le favori était George Romney. Il avait fait un bon départ, mais je me doutais que son manque d'expérience l'exposerait à des accidents, et c'est ce qui arriva. Le problème le plus intéressant le concernant était de savoir si Nelson Rockefeller s'en servait pour brouiller les pistes au profit de sa propre candidature.

Avec Eisenhower, de nouveau, le 17 octobre, je passai en revue les principales personnalités qui pourraient jouer un rôle en 1968.

Je lui dis la grande estime que j'avais pour Jerry Ford. Il était d'accord, mais il pensait que Ford n'avait pas assez d'allant. « Nous avons besoin de quelqu'un, observa-t-il, qui puisse mener les troupes à l'attaque. » Il considérait Mel Laird comme « le plus malin de tous » — encore qu'il fût, à son avis, « tortueux ». En décembre 1968, quand j'ai choisi Laird comme secrétaire à la Défense nationale, Eisenhower a exprimé la même réserve. Mais après l'avoir rencontré en janvier 1969, Eisenhower a pensé que j'avais fait le bon choix. Après avoir souri (de ce sourire qui était si célèbre) : « C'est vrai, admit-il, Laird est tortueux; mais pour toute personne qui doit diriger le Pentagone et s'accorder avec le Congrès, c'est un grand avantage. »

Nous avons parlé des intentions et des chances de Rockefeller. Eisenhower me dit : « Son point faible essentiel est qu'en posant sa candidature, il ressuscitera toutes les rancunes de 1964 à un moment où il importe de maintenir l'unité du parti. »

Comme d'habitude, nous avons abordé la situation au Vietnam. Je pensais qu'il fallait bloquer le Vietnam du Nord en minant ses ports. Eisenhower pensait qu'une telle opération nécessiterait une déclaration de guerre pour qu'elle pût être justifiée au point de vue du droit international. Mais il prit une position dure en ce qui concernait la proposition d'arrêter les bombardements au Vietnam du Nord. « Qui désire les arrêter? Les communistes le veulent parce qu'ils en souffrent. Il faut donc les continuer. »

Selon lui, les hésitations de Johnson à des moments aussi cruciaux avaient été préjudiciables. Il avait commis une grave erreur en limitant le bombardement au Vietnam du Nord. A chaque occasion, il avait été en retard de dix-huit mois : pour engager les troupes américaines, pour commencer les bombardements, pour s'assurer de l'appui de l'opinion.

Que pensait-il, demandai-je, de l'idée de retourner à une armée de volontaires après la fin de la guerre? Il y était tout à fait opposé, et il dit qu'il avait traité du sujet dans une thèse lorsqu'il était à l'Ecole de guerre. Il avait examiné toutes les possibilités et conclu que le service militaire obligatoire était une bonne chose. « De plus, ajouta-t-il, ce serait excellent pour la génération hippie. »

Il leva les yeux et dit soudain : « Regardez le magnifique geai! » Nous avons regardé l'oiseau quelques instants. Le front d'Eisenhower se plissait tandis qu'il essayait de retrouver le fil de ses pensées, et l'effort qu'il faisait pour se concentrer m'était pénible à voir.

A la fin de 1967, je savais qu'il me fallait prendre une décision finale concernant la candidature présidentielle. L'organisation « Nixon for President » était prête à fonctionner en plein, dès que je lui donnerais le signal. J'étais en tête du choix des Républicains dans presque tous les sondages. Enfin en octobre 1967, le sondage présidentiel Gallup m'avait pour la première fois placé devant Johnson par 49 contre 45 pour cent. Même s'il reprit la première place en novembre, ce sondage fit beaucoup pour accroître mes chances.

Le jour de Noël, j'ai eu une longue conversation avec Pat, Tricia et

Julie. Pat me dit qu'elle était tout à fait heureuse de sa vie à New York, mais que, quoi que je décide, elle était résignée à m'aider. Tricia et Julie étaient maintenant des adultes, et j'attachais un grand poids à leur opinion. Julie n'avait jamais accepté l'échec de 1960. D'où, sans doute, sa vive réaction : « Tu dois le faire pour le pays. » Tricia a considéré le problème sous son aspect psychologique : « Si tu ne te présentes pas, Papa, tu n'auras plus de raison de vivre. »

Je me suis décidé à partir quelques jours en Floride pour me détendre, me concentrer et prendre ma décision. Bebe Rebozo est venu m'attendre à l'aéroport et m'a conduit à une villa de l'hôtel de Key Biscayne. J'avais téléphoné à Bill Graham pour lui demander de venir nous rejoindre.

Les trois jours suivants, je me suis promené sur la plage en pensant à la plus importante décision de ma vie. Le premier soir, nous sommes restés longtemps après dîner à parler théologie, politique et sports. Puis Billy m'a lu à voix haute la première et la seconde Epître aux Romains. Le soir du Nouvel An, nous avons dîné à l'Auberge de la Jamaïque où j'avais retenu ma table favorite.

Comme Billy préparait ses bagages le lendemain, j'entrai dans sa chambre et je regardai l'océan pendant qu'il fermait ses valises : « Quelle est votre conclusion? lui demandai-je à brûle-pourpoint. Que dois-je faire? » Bill se tourna vers moi : « Dick, je pense que vous devez vous présenter! Si vous ne le faites pas, vous passerez votre vie à vous demander pourquoi vous ne l'avez pas fait, et si vous auriez gagné ou non, au cas où vous l'auriez fait. Vous êtes l'homme le mieux préparé des Etats-Unis pour devenir le Président. » Il parla des problèmes auxquels l'Amérique était confrontée; combien plus grands et plus sérieux étaient-ils devenus depuis 1960! Je n'avais pas eu, en 1960, la possibilité d'y faire face en assumant la direction, mais maintenant, d'une manière providentielle, une chance nouvelle m'était offerte : « En bref, je pense que votre destinée est d'être Président. »

Je restai en Floride encore une semaine. J'étais à New York le 9 janvier pour mon cinquante-cinquième anniversaire. J'avais pris ma décision, mais je voulais attendre que Julie pût venir à la maison en week-end pour l'annoncer à toute la famille ensemble.

Le 15 janvier, nous étions tous réunis pour le dîner. Rose Woods, ma secrétaire, s'était à ma demande jointe à nous, et après le dîner j'ai demandé à Manolo et Fina, le ménage qui nous servait, de faire de même.

Je leur ai dit que, comme ils l'avaient probablement deviné, j'avais pris ma décision. Je savais que Pat n'y était pas très favorable et c'était l'objection qui m'avait paru la plus importante. Mais de plus en plus, j'avais compris que la politique ne pouvait être simplement une de mes occupations : elle était toute ma vie. Ce serait une route longue, une route difficile, mais je sentais que cette fois-ci, je pouvais gagner; et je conclus en ces termes : « J'ai décidé d'y aller. J'ai décidé de poser de nouveau ma candidature. »

L'ÉLECTION
1968

J'ai commencé ma seconde campagne pour la Présidence par une conférence de presse l'après-midi du 2 février 1968, à l'Holiday Inn à Manchester, dans le New Hampshire. Je pris le microphone, en déclarant : « Messieurs, ceci n'est pas ma dernière conférence de presse. » J'abordai d'emblée la principale question, qui consistait en ce qu'on prétendait que je ne pouvais que perdre... Je dis que si j'avais décidé de me présenter à toutes les élections primaires, c'est que j'entendais prouver le contraire. Que je gagnerais à coup sûr une sorte de défi à Nelson Rockefeller, qui était, j'en étais sûr, derrière George Romney, et qui le soutenait par tous les moyens possibles; j'ajoutai que le candidat qui serait désigné par le Parti Républicain devait être choisi, non pas dans les fumées des bureaux, mais dans « le feu des élections primaires ».

La guerre du Vietnam était la question qui déterminerait le vote aux primaires du New Hampshire comme elle le ferait tout au long de ma campagne. Je désirais la fin de la guerre, mais d'une manière qui sauverait le peuple du Vietnam du Sud de la défaite militaire et de la soumission au régime communiste du Nord-Vietnam.

Je pense qu'il existe encore un certain nombre de voies inexplorées à reconnaître pour trouver le moyen de terminer la guerre. Il faut augmenter nos programmes d'entraînement et d'équipement des forces du Sud de manière à améliorer leur capacité de défense. Nous pouvons mieux utiliser notre force militaire pour convaincre les Vietnamiens du Nord de l'impossibilité d'une victoire militaire. Enfin, plus important encore : je crois que nous n'utilisons pas convenablement les ressources et les vastes possibilités de notre diplomatie. Le cœur du problème est à Pékin et Moscou plutôt qu'à Hanoï.

En tant que candidat, il eût été téméraire, et comme Président éventuel, indécent, de présenter des plans précis et détaillés : je ne disposais pas de toutes les informations et de tous les renseignements auxquels Johnson avait accès. Et même si j'avais été en mesure de le faire, il aurait été stupide de les révéler en public. Dans le domaine de la diplomatie, les révélations prématurées anéantissent souvent les plans les mieux préparés.

Jusqu'à un certain point, je demandais aux électeurs de me croire sur parole quand j'affirmais que j'étais capable de mettre fin à la guerre. Le thème régulier de mes discours a été : « Une direction nouvelle terminera la guerre et gagnera la paix dans le Pacifique. »

Bien que Romney eût mené une campagne vigoureuse et dépensé beaucoup d'argent — dont on disait qu'il provenait en grande partie de Rockefeller —, les sondages continuaient à lui être défavorables.

J'étais au milieu d'une tournée de petites villes lorsque Pat Buchanan s'est approché, à la fin d'un de mes discours, et a demandé à me parler seul à seul. Il m'a conduit aux toilettes voisines pour me confier qu'un journaliste lui avait assuré que Romney allait annoncer son désistement au cours d'une conférence de presse. J'ai été extrêmement étonné et j'ai demandé à mon équipe de suivre la conférence de presse de Romney et de m'informer. Avant même d'entendre leur compte rendu, j'en ai compris la substance dans les grands sourires qu'ils arboraient en entrant dans mon bureau après mon discours.

Le soir du 12 mars, nous avons pris part, Pat et moi, à la célébration de ma victoire au Quartier Général national Nixon à New York. Je fus agréablement surpris par les résultats qui m'accordaient 78 pour cent des votes. Même compte tenu du fait que Romney s'était retiré de la course, ma victoire était significative, et réduisait à peu de chose la poignée d'électeurs contestataires qui avaient été sollicités par des agents clandestins de Rockefeller.

Les résultats du New Hampshire transformèrent le paysage politique pour les deux partis. Du côté démocrate, Johnson l'avait emporté avec 49,5 pour cent des voix, mais la candidature peu orthodoxe contre la guerre du sénateur Eugene McCarthy avait réuni le pourcentage phénoménal de 42,4 pour cent. L'attention et les analyses des moyens d'information se concentrèrent tellement sur McCarthy que beaucoup de gens ont cru qu'il avait réellement gagné. En fait, c'était vrai. Quatre jours après que McCarthy eut démontré que Johnson pouvait être battu, Robert Kennedy annonça de New York qu'il était candidat à la désignation de son parti.

Du côté républicain, le retrait de Romney et ma victoire avaient déterminé Rockefeller à convoquer une conférence de presse pour le 21 mars. Je m'attendais à ce qu'il déclarât sa candidature. Mais il annonça au contraire : « J'ai décidé aujourd'hui de répéter sans équivoque possible que je n'étais pas candidat directement ou indirectement à la Présidence des Etats-Unis. » Il insista sur le besoin d'unité du parti et ajouta : « Très franchement, je constate qu'il est clair aujourd'hui qu'une majorité considérable des chefs du parti souhaitent la candidature de l'ancien Vice-Président Richard Nixon, et il paraît aussi clairement qu'ils sont très soucieux et anxieux d'éviter le genre de division à l'intérieur du parti qui a marqué les élections de 1964. »

Le gouverneur du Maryland Spiro T. Agnew qui patronnait le Comité Rockefeller dit aux journalistes qu'il avait été terriblement surpris et déçu par la décision de Rockefeller. La semaine suivante, je lui ai parlé deux heures durant, et j'ai été impressionné par son intelligence et son équilibre. Après notre entretien, il annonça aux journalistes qu'il aimait

Rockefeller et qu'il n'était pas encore en mesure d'annoncer son soutien pour ma candidature. Mais en parlant de moi, il dit : « J'ai une grande estime pour lui. C'est lui qui est favori. »

Comme je préparais, le samedi 30 mars, une allocution télévisée pour le lendemain sur la guerre du Vietnam, je fus avisé que Johnson avait demandé un temps d'antenne pour le jour suivant. Je n'avais pas d'autre choix que de remettre mon allocution.

Je devais passer le dimanche en tournée électorale à Milwaukee. Comme je serai en avion lorsque Johnson parlerait, j'avais demandé à Pat Buchanan de l'écouter et de me faire un rapport dès mon arrivée à l'aéroport de La Guardia.

Je fus stupéfié par ce qu'il me dit. Johnson avait décrit les dernières tentatives qu'il avait faites pour réduire la violence des hostilités et souligné son dévouement à la cause de la paix. Puis il avait fait l'une des plus extraordinaires déclarations de l'histoire politique américaine. Il ne croyait pas qu'il dût consacrer ne fût-ce qu'une heure par jour à une cause personnelle partisane quelconque : « C'est pourquoi, continua-t-il, je ne demanderai pas et je n'accepterai pas la désignation de mon parti pour un nouveau mandat présidentiel. »

Lorsque les journalistes réclamèrent à grands cris mon commentaire, je fus désinvolte : c'est l'année des laissés-pour-compte, dis-je : Romney, Rockefeller, et maintenant Johnson! Si l'étiquette de laissé-pour-compte convenait aux deux premiers, c'est à juste titre que je fus critiqué pour en avoir caractérisé le geste de Johnson.

Deux jours après les primaires du New Hampshire, que je remportais avec 79,4 % des voix, Martin Luther King est assassiné à Memphis, dans le Tennessee. Une heure plus tard, le pillage et le vandalisme se donnent libre cours à Washington, à moins de six blocs de la Maison Blanche. Le même soir des bagarres et des pillages sporadiques se produisent à New York; bientôt les désordres se multiplient dans tout le pays. Le lendemain, les émeutiers et les vandales cèdent la place aux incendiaires et aux tueurs. Sept personnes sont tuées et plus de trois cent cinquante arrêtées à Chicago, tandis que les émeutiers pillent une longue file de magasins du centre. La Garde Nationale fut mobilisée à Chicago comme à Detroit, Boston et en d'autres endroits.

Je me rendis à Atlanta le 7 avril, pour présenter mes condoléances à la famille King. J'y retournai deux jours plus tard pour les funérailles.

L'idéalisme de Martin Luther King, qu'il exprimait dans ses paroles comme dans ses actes, a été sa contribution unique à la cause des droits civiques. Il s'était efforcé de résister aux extrémistes du mouvement qui souhaitaient avoir recours à la violence pour atteindre leurs buts. Peut-être, sous leur pression, s'était-il montré parfois plus extrême dans l'exposé public de ses vues qu'il ne l'aurait été dans d'autres conditions. Mais on pouvait discuter avec lui. Comme ses collègues, il n'aimait pas qu'on lui dise que la patience était nécessaire pour atteindre ses objectifs. Mais, en réaliste, il comprenait qu'il en était bien ainsi. Sa mort priva les Noirs d'Amérique d'un chef reconnu par tout le pays, qui associait le sens des responsabilités à son magnétisme personnel. D'autres obtinrent des résultats, mais aucun ne put rivaliser avec sa mystique et les dons qui lui permettaient d'être, pour les Blancs comme pour les Noirs, une source d'inspiration, et de les mettre en mouvement.

Le 30 avril, Rockefeller rentra dans la course. Il convoqua une conférence de presse à Albany, pour expliquer que « les événements tragiques et sans précédent des dernières semaines avaient révélé dans les conditions les plus sérieuses la gravité de la crise à laquelle nous devions faire face. » Et, tout aussi vite, de déclarer sa candidature.

Il fit cette annonce le jour des primaires au Massachusetts. Le gouverneur Volpe, l'un de mes partisans dès l'origine, avait insisté pour se présenter comme « enfant du pays ». Rockefeller lui arracha la victoire par un demi-point. Ce succès était embarrassant pour Volpe, irritant pour moi, et très encourageant pour Rockefeller. Les trente-quatre délégués du Massachusetts lui étaient assurés, et sa campagne démarrait bien.

Avec Rockefeller dans la course, je commençai à veiller au grain : un autre candidat s'approchait à pas de loup. Ronald Reagan ne pouvait gagner dans un duel à deux avec moi, devant la Convention républicaine; mais avec Rockefeller pour me grignoter sur ma gauche, Reagan commencerait très probablement à caresser les visions d'un rôle plus important que celui d'« enfant du pays » de la Californie.

Aussi n'ai-je pas été surpris lorsque Reagan accepta que son nom fût inscrit par des personnalités officielles de l'Etat du Nebraska pour les primaires du 14 mai. Malgré les efforts de ses partisans et de ceux de Rockefeller, je battis Reagan par 70 pour cent contre 22 pour cent, tandis que Rockefeller parvenait difficilement à 5 pour cent. Il en fut de même en Oregon. Je ne voulais pas me présenter le 4 juin en Californie sur les brisées de Reagan, « l'enfant du pays », pour ne pas risquer de diviser le parti. Aussi, je redoublai d'efforts en Oregon, et à la différence de Reagan et Rockefeller, je m'y rendis pour faire campagne en personne. Reagan ne pouvait venir, puisqu'il affectait de n'être pas candidat. Rockefeller avait compris, semble-t-il, qu'il ne pouvait se montrer parce qu'un échec paraîtrait encore pire, s'il avait fait campagne. Ma stratégie a été payante : j'ai récolté 73 pour cent des voix, Reagan me suivant avec 23 pour cent et Rockefeller 4.

En juin 1967, Bob Haldeman m'avait remis un mémoire sur l'utilisation des mass média dans une campagne présidentielle moderne. Il soulignait qu'il fallait accorder quelque réflexion créatrice aux méthodes d'utilisation de la télévision. « Le temps est venu, écrivait-il, pour que la technique et la stratégie de la campagne électorale sortent de l'âge de l'obscurantisme pour pénétrer dans le brave nouveau monde de l'œil omniprésent. »

Un groupe de mes conseillers passa un après-midi à New York à examiner de vieilles bandes d'actualités de la télévision qui me montraient dans des situations extrêmement variées, officielles ou non. Le but était d'adapter le candidat au moyen d'information, de déterminer exactement quel serait le mode de présentation le plus efficace. Ils analysèrent chaque épisode et leur conclusion fut que plus la situation était spontanée, meilleur j'étais. Cet aperçu m'a conduit à employer abondamment la technique des « questions et réponses », non seulement dans les conférences de presse et les séances publiques de questions avec des auditoires d'étudiants, mais aussi dans les temps d'antenne que j'achetais à la télévision.

Au cours de la campagne, ce système a donné naissance à l'idée de « l'homme dans l'arène ». J'apparaissais seul, debout, sans aucune estrade, au centre d'une scène entourée de gradins à ciel ouvert où se tenait l'auditoire. Dans cette mise en scène, je répondais aux questions posées par des électeurs, auxquels se joignaient parfois les journalistes de l'endroit.

En 1968, le Sud devait être une des régions les plus importantes pour obtenir tant la désignation du parti que l'élection elle-même. En 1964, le gouverneur de l'Alabama George Wallace avait monté une campagne essentiellement raciste. En 1968, il décida de faire un appel plus large à des principes plus spécifiquement conservateurs, et de se présenter en tiers parti.

Du côté républicain, Ronald Reagan conquérait les cœurs de nombreux Républicains du Sud. Il parlait leur langage conservateur avec force et passion, et il y avait toujours une possibilité que les délégués du Sud fussent à la dernière minute complètement séduits par son chant de sirène. Jusqu'à la désignation, il me fallait me méfier d'une possible résurgence de la droite.

Le 31 mai, j'étais parti pour l'Alabama où se réunissaient les présidents des Partis Républicains de tous les Etats du Sud. Je passais plusieurs heures pendant deux jours avec des personnalités, soit en tête à tête, soit en groupe.

J'avais invité le sénateur Strom Thurmond, ancien Démocrate, passé aux Républicains en 1964, et aujourd'hui l'un des plus importants chef républicain du Sud. J'étais convaincu qu'il m'appuierait s'il recevait satisfaction sur deux points qui lui tenaient à cœur. Le plus important était la Défense nationale et le maintien de notre primauté militaire : sur ce point, j'étais tout à fait d'accord avec lui. L'autre était d'intérêt local : il voulait une protection douanière contre les importations de textile, en faveur de l'industrie locale. A regret, je lui donnai mon accord, mais je lui dis que nous devrions d'abord tenter d'obtenir du Japon et des autres pays qu'ils réduisent leurs exportations vers les Etats-Unis, avant de prendre la voie protectionniste. Sur les droits civiques, il savait que nous différions, mais il respectait ma sincérité et ma bonne foi. Il savait que je ferais respecter la loi, mais que je ne ferais pas du Sud une tête de Turc.

Je suivis les premiers résultats des primaires de Californie à la télévision dans notre appartement de New York avec Pat, Tricia, Julie et David Eisenhower. A cause du décalage horaire, je n'étais resté que juste assez pour voir quelle était la tendance. En allant au lit, je dis : « Il semble bien que c'est avec Bobby Kennedy qu'il faudra en découdre! »

Peu après, je perçus vaguement la voix de David qui m'appelait : « M. Nixon, excusez-moi, M. Nixon! » Je finis par ouvrir les yeux et je vis David au milieu de la chambre.. « Qu'y a-t-il? demandai-je. — Ils ont tenté de tuer Kennedy, dit-il. Il est encore vivant mais inconscient. On l'a agressé juste après son discours de victoire. »

Avec des millions d'autres Américains, je pensais : comment est-il possible qu'une si horrible tragédie vienne de nouveau accabler la famille Kennedy? Qui l'avait fait, et pourquoi! Quand cette folie prendrait-elle fin?

Le matin suivant, je travaillais dans mon bureau quand Pat entra, les larmes aux yeux : « Dick, le pauvre garçon est mort. La radio l'annonce. »

Tous les candidats suspendirent leur campagne au cours des semaines qui suivirent. Le Président Johnson donna l'ordre au Service de sécurité d'assurer la protection des candidats et de leurs familles vingt-quatre heures sur vingt-quatre.

La date de la Convention se rapprochait, mais je gardais mon avance, malgré les efforts redoutables que faisaient les amis de Rockefeller et de Reagan pour me déloger et attirer les délégués. Pour démontrer qu'il aurait une meilleure chance de gagner en novembre, Rockefeller imagina « la bataille des sondages ». Il me proposa d'organiser avec lui des sondages dont les résultats seraient présentés aux délégués. Je refusai. Il fit ses sondages tout seul, et il dépensa des millions de dollars dans une campagne d'insertions dans la presse pour en influencer les résultats. Juste avant la Convention, il commença à publier les résultats des sondages qui le montraient gagnant dans les Etats les plus importants.

Ma stratégie fut d'attendre sans réagir. Mes propres sondages me donnaient l'égalité ou l'avantage dans ces mêmes Etats. Pendant que Rockefeller continuait son petit jeu des sondages, je m'en tins à mon emploi du temps chargé. Je cherchais à confirmer l'appui que je m'étais déjà assuré, et à l'accroître auprès d'autres délégués afin de m'assurer la victoire au premier scrutin. Pour cela, j'avais besoin d'être ouvertement soutenu par Eisenhower.

Ce dernier hésitait à intervenir avant la Convention, mais je savais qu'il souhaitait ma désignation, et je demandai à Bryce Harlow, l'un de ses anciens adjoints, qui m'appuyait maintenant, de lui écrire pour le décider à me donner son soutien avant la Convention. Il accepta de publier le 18 juillet une déclaration vigoureuse et sans réserve, qui signifiait beaucoup pour moi :

> « Les problèmes sont si grands, les temps sont si difficiles que j'ai décidé de rompre avec ma politique habituelle, et de soutenir publiquement un candidat à l'élection présidentielle avant que la Convention Nationale du Parti ne l'ait désigné.
> Je soutiens Richard Nixon en tant que candidat désigné par mon parti pour la Présidence des Etats-Unis. Je ne le fais pas seulement en raison de l'estime que m'inspirent les services distingués qu'il a rendus à la Nation sous mon Gouvernement, mais aussi, et plus encore, à cause de l'admiration que je porte à ses qualités personnelles : son intelligence, l'acuité de son jugement, son esprit de décision, sa chaleur humaine, et par-dessus tout son intégrité. Je pense que l'entrée de Dick Nixon à la Maison Blanche en janvier 1969 assurera le mieux la sécurité, la prospérité, l'équilibre financier des Etats-Unis et la cause de la paix mondiale. »

Après la publication de cette déclaration, il m'en envoya une copie avec une note manuscrite : « Cher Dick, voilà une chose que j'ai eu réellement du plaisir à faire. D. E. »

Le 26 juillet, je me rendis à Washington pour la séance d'information confidentielle que le Président Johnson avait offerte à tous les candidats. Il avait reçu George Wallace un peu plus tôt; et quand j'arrivai, Johnson, le secrétaire d'Etat Dean Rusk et Walt Rostow, le conseiller du Président pour la Sécurité nationale, m'attendaient.

Le sujet principal en est le Vietnam. Sur la question de savoir si nous devons arrêter unilatéralement le bombardement du Vietnam du Nord, Johnson parle avec émotion des hommes qui servent au Vietnam du Sud et des lettres qu'il a à écrire aux parents de ceux qui y meurent. « Dirai-je à un de ces garçons que nous allons arrêter les bombardements et laisser 30 pour cent de plus de camions remplis de munitions et de fusils descendre vers le Sud afin que l'ennemi ait de meilleures chances de le tuer? »

Rusk, un des hommes les plus capables et les plus honorables qui ait servi comme Secrétaire d'Etat, explique que le reste de l'Asie serait saisi de panique si les Etats-Unis se retiraient du Vietnam sans avoir obtenu un règlement de paix convenable. Son point de vue, admet-il, n'a rien à voir avec la théorie des dominos, qu'il juge simpliste. Le retrait des Américains ferait des communistes chinois la seule grande puissance sur le continent asiatique, ce qui engendrerait la panique.

Le point critique de la séance concerne l'arrêt des bombardements. Johnson revient à plusieurs reprises sur le sujet. Il a, en fait, offert de les suspendre, ce que l'Union Soviétique et le Vietnam du Nord prennent sérieusement en considération. Il ajouta avec amertume que les suspensions précédentes n'ont été d'aucun effet. Il est très ferme sur sa volonté d'obtenir une contrepartie : « Nous devons tirer d'eux quelque chose si nous arrêtons le bombardement », argue-t-il. Aucune suspension n'était donc prévue pour le moment. Il était préparé à attendre aussi longtemps que les Vietnamiens du Nord et leurs patrons soviétiques n'en seront pas venus à accepter des conditions convenables. Je réponds que je continuerai à soutenir la poursuite de nos objectifs au Vietnam, même si je critiquais certaines des tactiques utilisées. Je m'engage aussi à ne pas affaiblir notre position de négociation au cas où les communistes se décideraient à parler et à accepter les conditions auxquelles Johnson voulait subordonner l'arrêt des bombardements.

Quand la séance a pris fin, et que les autres se sont retirés, Johnson a semblé littéralement se tasser sous mes yeux. Il a paru vieilli et terriblement fatigué. Sa voix sonnait creux, tandis qu'il m'expliquait en détail et très longuement sa décision de ne plus se représenter. Il en donna beaucoup de raisons et indiqua les nombreux avertissements voilés qu'il disait en avoir donné depuis 1967. A aucun moment, cependant, il ne fit mention des candidatures de McCarthy ou de Robert Kennedy, ou des pressions que ces candidatures avaient exercé sur sa décision.

En me raccompagnant jusqu'à la porte, il avait repris sa personnalité d'autrefois : il dominait pleinement la situation. Et me serrant la main, il dit : « Vous savez, Dick, toutes ces histoires sur mon obsession du pouvoir, c'est de la bêtise. Je ne me suis jamais soucié d'exercer quelque maudit pouvoir. La seule chose qui me séduise dans le fait d'être Président, c'est la possiblité que cela m'offre de faire quelque chose de bon pour le pays. C'est tout. »

Pendant ce temps, Rockefeller continuait ses sondages. Reagan se montrait réservé sur sa candidature. Mais en arrivant à la Convention, à Miami, il commença à apparaître aux réunions de délégués qu'il charmait par sa personnalité et ses talents de conversation. Finalement, le lundi 5, il agit ouvertement. Bill Know Land sortit d'une réunion de la délégation de Californie pour annoncer que celle-ci avait pris une résolution reconnaissant que « le gouverneur Reagan était en fait un candidat sérieux à la Présidence ».

Bientôt un nouveau slogan se mit à circuler à Miami : l'érosion. Rockefeller et Reagan avaient tous deux intérêt à convaincre les délégués que ma désignation n'était pas chose faite, que ma position « s'érodait », et que je perdais des délégués. Mais les mois de travail ardu commençaient à payer. Strom Thurmond et le sénateur John Tower du Texas se mirent au travail, rendant visite ou téléphonant personnellement à chaque délégation. Inlassablement, ils fortifiaient la digue du Sud contre les eaux montantes de Reagan. Tower l'appelait, cette digue : « la mince ligne grise qui ne se brise jamais. »

Le soir du mercredi 7 août, j'étais assuré d'emporter les votes. Après comptes et décomptes, je ne voyais pas que Reagan ou Rockefeller puissent rien y changer. Leur histoire d'« érosion » n'était qu'un parti politique, et rien, à moins d'un miracle, ne pouvait leur donner la victoire.

C'est Ted Agnew qui a proposé ma nomination. Mitchell lui avait demandé s'il aimerait le faire, laissant entendre que, s'il s'en tirait bien, son nom pourrait être pris en considération pour la seconde place sur le ticket. Sous cet aspect, au moins, le discours d'Agnew fut une sorte d'audition d'essai.

Le décompte final me donna 692 voix, 25 de plus qu'il n'était nécessaire. Ronald Reagan, dans un grand geste d'unité qui correspondait à sa prétention d'être un influent membre du parti, a alors proposé que la désignation soit votée à l'unanimité par acclamation.

Nous étions arrivés à mi-route sur le flanc de la montagne. Mes expériences de 1960 et 1962 me disaient que la deuxième partie du chemin serait de beaucoup la plus difficile.

J'avais maintenant à choisir mon coéquipier. Quinze jours plus tôt, John Mitchell et moi avions conclu provisoirement et tout à fait entre nous que ce serait Agnew. Mais comme beaucoup de décisions importantes, celle-ci ne serait définitive que lorsqu'elle serait annoncée. Je voulais encore l'éprouver, peser les alternatives, entendre d'autres avis. C'était un choix provisoire et encore révocable.

Agnew m'avait fait l'impression, dans nos entretiens, d'être un homme qui disposait d'une grande force intérieure. Bien que sans expérience de la politique extérieure, ses instincts en ce domaine semblaient parallèles aux miens. Il avait derrière lui une bonne carrière de gouverneur modéré, ami du progrès et efficace. Il avait pris sur la question des droits civiques une position ouverte sur l'avenir, mais il s'était fermement opposé à ceux qui avaient eu recours à la violence pour soutenir leur cause. En tant qu'ancien membre des autorités du canton de Baltimore, il s'intéressait vivement au gouvernement local, tout aussi bien qu'à celui des Etats.

Il était très soucieux des difficultés des zones urbaines de la nation. Il avait de la présence, de l'équilibre, de la dignité, ce qui contribuerait beaucoup à son efficacité, d'abord comme candidat, puis, si nous gagnions, comme Vice-Président.

Du point de vue strictement politique, Agnew entrait parfaitement dans la stratégie que nous avions prévue pour l'élection de novembre. George Wallace étant dans la course, je ne pouvais espérer entraîner le Sud. Il était donc absolument nécessaire de s'assurer tout le pays bordant le Sud proprement dit, les Etats frontières, aussi bien que les importants Etats du Centre-Ouest et de l'Ouest. Agnew faisait l'affaire au point de vue de la géographie, et en tant que modéré, au point de vue de la philosophie politique.

Lors de nos conversations, je n'avais fait aucune allusion à la possibilité de le prendre pour Vice-Président. Dans la série de réunions au cours de la nuit qui suivit ma désignation, je n'ai donné aucune indication sur mon choix provisoire. Une douzaine de noms ont été prononcés, dont une fois celui d'Agnew. Aucun accord déterminé ne s'est formé sur aucune des personnalités nommées, mais peu à peu tous les noms furent éliminés, sauf celui d'Agnew. Avant de m'y arrêter, je demandai à deux de mes vieux amis s'ils accepteraient de devenir mon coéquipier : Bill Finch et Rogers Morton. Le premier refusa comme je m'y attendais : Vice-Gouverneur de Californie, il pensait que le saut jusqu'à la Vice-Présidence était trop grand. Morton me dit qu'en tant que député, il ne disposait pas des états de service nécessaires. « Si vous voulez la vérité, dit-il, si le choix est entre moi et Agnew, ce dernier sera le candidat le meilleur. »

Cette phrase fut décisive pour moi. Si Morton avait accepté, je me serais peut-être décidé pour lui. Politiquement, il présentait les mêmes avantages géographiques que Ted Agnew. Je le connaissais beaucoup mieux qu'Agnew, et je pensais qu'il était, parmi les membres du parti, l'un des plus aptes à mener une campagne électorale, l'une des personnalités les plus capables, l'un des hommes politiques les plus fins.

Finalement, après un dernier passage en revue avec Mitchell, je décidai : « Ce sera Agnew. » Morton lui téléphona.

Une heure plus tard, je descendis pour avertir la presse. Mon annonce produisit un effet de choc et une surprise considérable. Peu après, Agnew affronta la presse et se tira très bien d'un tir de barrage à cadence rapide de questions subtilement hostiles.

Je me mis à peaufiner mon discours d'acceptation. Aucun autre de mes discours au cours de la campagne n'aurait autant d'importance, parce qu'aucun n'aurait un auditoire plus étendu ni plus attentif. Pendant ce temps, cependant, la rébellion couvait dans l'aile libérale du parti, dirigée contre le choix que j'avais fait d'Agnew pour coéquipier. Les dissidents présentèrent la candidature de Romney. J'en fus irrité. Rien n'était plus important en cette année que l'unité du Parti Républicain. Je dis à Mitchell, qui ne prenait pas la chose au tragique, que j'attendais de lui qu'il impose la plus grande discipline aux délégués, parce que je voulais perdre le moins de voix possible dans cette contestation.

La rébellion prit fin avec le scrutin : Agnew reçut 1 128 voix contre 186 à Romney.

Lorsque nous nous sommes approchés du podium, Pat et moi, le bruit était assourdissant. A part le succès à l'élection, il y a peu de chose qui donne plus de satisfaction à un candidat que le moment où il va accepter la désignation de son parti.

En 1960, j'avais dû défendre le bilan du gouvernement Eisenhower. En 1968, je combattais un gouvernement en place, et je sentais qu'il fallait y aller dur. Je décrivis les problèmes de l'Amérique exactement comme je les voyais :

> « L'Amérique est en difficulté aujourd'hui, non pas parce que son peuple a failli, mais parce que ses dirigeants ont failli.
>
> Quand la plus grande nation du monde peut être immobilisée quatre ans durant dans une guerre au Vietnam et n'en voit pas encore la fin;
>
> Quand la nation la plus riche du monde n'arrive pas à mener sa propre économie;
>
> Quand la nation qui a la plus grande tradition du respect de la Loi est aux prises avec un désordre sans précédent;
>
> Quand une nation qui a été réputée depuis un siècle pour l'égalité des chances qu'elle offrait est déchirée par une violence raciale sans précédent;
>
> Et quand le Président des Etats-Unis ne peut se rendre à l'étranger ou dans aucune grande ville aux Etats-Unis sans avoir à redouter une manifestation hostile,
>
> alors c'est le moment pour les Etats-Unis d'Amérique d'avoir un nouveau gouvernement.
>
> Mes chers compatriotes, j'accepte ce soir cet appel, et je m'engage à assurer ce nouveau gouvernement pour l'Amérique. »

Dans l'ensemble, la Convention avait bien réussi. Elle avait fait bon effet à la télévision et le premier sondage Gallup qui suivit la Convention me donnait 45 pour cent des voix, contre 16 pour cent à Humphrey.

Pendant que les Démocrates réunissaient leur Convention à Chicago, j'étais à Key Biscayne pour me reposer et réfléchir. Après le décès de Kennedy, je savais qu'Humphrey serait désigné. Le Don Quichotte Eugene McCarthy maintenait néanmoins sa candidature. Bien que l'issue de la contestation fût connue d'avance, la plupart des moyens d'information sympathisaient avec McCarthy et la place qu'ils lui accordaient donnait à sa candidature une importance nationale, sans proportion avec son influence réelle sur la Convention démocrate.

Des milliers de jeunes s'étaient rassemblés à Chicago. Beaucoup étaient venus pour manifester sincèrement contre la guerre du Vietnam. Mais certains étaient quelque chose de plus que des agitateurs semi-professionnels ou des voyous à diplômes. Une série d'escarmouches avec la police de Chicago se termina par une bataille rangée la nuit de la désignation de Humphrey.

Comme des millions d'autres Américains qui suivaient la télévision, je n'en croyais pas mes yeux — et je ne désirais pas y croire. La télévision élevait l'angoisse de Chicago à la hauteur d'une débâcle nationale. Je savais, naturellement, que la portée de la désignation d'Humphrey était dès maintenant gravement atteinte. Il lui fallait consacrer sa campagne tout entière à essayer de couvrir les divisions de son parti. Avant même les chocs avec la police, McCarthy et ses partisans avaient été irrités par la Convention, car leurs efforts pour introduire dans le programme du candidat un article sur la paix avaient échoué.

Humphrey choisit Edmund S. Muskie, de l'Etat du Maine, comme coéquipier. Muskie avait fourni la preuve de son talent en se faisant réélire gouverneur dans un Etat traditionnellement républicain. Il était donc, pour Humphrey, une recrue de grande valeur.

Si, à mon passage à Chicago, je reçus un accueil enthousiaste, je savais qu'Humphrey sortirait du creux de la vague. La majorité de son parti lui était acquise; et comme l'écrivit Tom Wicker, du *New York Times,* non sans quelque ironie : « Aucun Républicain n'unifie les Démocrates comme Nixon. »

Le premier sondage Gallup qui suivit la Convention démocrate avait montré que je conservais une avance substantielle. Mais le problème, lorsqu'on est en tête, c'est que l'on devient la cible de tous ceux qui vous suivent.

Humphrey n'était pas seul dans la bataille. Lâché temporairement par les intellectuels et les libéraux, il conservait le ferme appui des patrons des syndicats. Sous le commandement de George Meany, les syndicats de tout le pays assuraient à Humphrey des millions de dollars, des dizaines de milliers de manifestants, des moyens perfectionnés d'exploitation des correspondances et des statistiques, et d'autres coûteuses commodités.

Humphrey commençait à tirer avantage de la propagande dirigée contre moi et contre Wallace. Mais les suites de Chicago continuaient à se faire sentir. Lyndon Johnson était toujours à la Maison Blanche, et Humphrey était devenu la tête de Turc de tous ceux qui, à gauche, haïssaient le gouvernement Johnson et la guerre du Vietnam. Pendant les premières semaines de sa campagne, Humphrey avait été l'objet d'un harcèlement continu; le chant de *Dump the Hump* le suivait à la trace. Un jour, devant les caméras de la télévision, un auditoire ironique le conduisit au bord des larmes.

Dans un effort pour séparer sa cause de celle de Johnson sur la guerre du Vietnam, Humphrey fit, à Salt Lake City le 30 septembre, un discours télévisé dans tous les Etats-Unis. En toute première priorité, assura-t-il, il chercherait, une fois Président, à terminer la guerre du Vietnam et à obtenir une paix honorable. Bien qu'opposé à un retrait unilatéral de nos forces, il mettrait fin aux bombardements au Vietnam du Nord : « Voici un risque honorable pour créer les conditions de la paix, parce que je crois qu'un tel risque peut mener à des négociations et abréger ainsi la durée de la guerre. » Le discours était adroit. Bien que peu différent de la position de Johnson, il avait l'air d'annoncer une nouvelle approche du problème.

Aussi l'appui moral et financier des milieux libéraux commençait-il à revenir en masse au secours d'Humphrey. Ses difficultés avec les contra-dicteurs diminuaient, ils concentraient leurs efforts contre moi. Ce n'était pas les contradicteurs des campagnes électorales traditionnelles améri-caines ou anglaises qui posent au candidat des questions épineuses. C'était une foule anarchique. A peine ouvrais-je la bouche qu'ils com-mençaient à crier, à hurler des slogans simplistes ou obscènes, moins pour se faire entendre que pour m'empêcher d'être entendu. Ce n'était pas un débat, mais une descente dans la haine.

N'étant pas parvenu à entamer sérieusement mon avance, Humphrey et les moyens d'information se concentrèrent sur Agnew. En raison de son inexpérience totale d'une campagne nationale, on ne tarda pas à le prendre en flagrant délit; et de faux pas, on fit des « causes célèbres »... Personne ne souffrait plus qu'Agnew de ses embarrassantes erreurs de jugement; j'admirais la façon dont il résistait à l'assaut sans scrupule de ce qu'il y a de ridicule dans la politique : les caricatures cruelles, les attaques dévastatrices, les commentaires blessants. J'essayais de le réconforter en lui disant que les efforts que l'on dirigeait contre lui n'étaient qu'un moyen de se servir de lui contre moi.

Par contraste, les moyens d'information réservaient à Muskie des éloges semblables à ceux que lui adressait James Reston : « La figure la plus réconfortante de toute la campagne. » Muskie sortit de la campagne comme favori des mass média : il était clair qu'il était du bois dont on pourrait faire un Président en 1972.

Quelques semaines après la Convention démocrate, je menais encore par 46 contre 31 pour cent. Mais pendant les dernières semaines de la campagne, mon avantage se réduisit dramatiquement, et l'élection parut ne tenir qu'à un fil. La tendance s'était renversée, lorsque les Démocrates traditionnels étaient retournés au bercail et que les effets de la campagne de Wallace, qui gâchait ma partie, avaient commencé à se faire sentir. Puis, vers la fin, les libéraux opposés à la guerre décidèrent de voter pour Humphrey. Moins de deux semaines avant le jour de l'élection, Eugene McCarthy finit même par le soutenir.

Mais avant tout, c'était Lyndon Johnson qu'Humphrey devait remercier pour le coup de maître qui faillit lui assurer le succès à l'élection.

Le 31 octobre, je devais parler devant un grand rassemblement national télévisé au Madison Garden à New York. Le téléphone sonna. C'était le central de la Maison Blanche. Le Président m'appelait au téléphone avec Humphrey et Wallace. Un moment plus tard, Johnson était en ligne.

Il alla droit au cœur de la question. Il y avait eu une percée à Paris, dit-il; et après avoir consulté ses adjoints, il avait décidé l'arrêt complet des bombardements sur le Vietnam du Nord. Comme il continuait, je pensai en moi-même que quoi qu'il en fût pour le Vietnam, il venait de lancer une belle et bonne bombe dans la campagne électorale.

Johnson était plutôt sur la défensive : « Je ne m'occupe pas des élections. Ce n'est pas mon affaire. Et d'ailleurs, je ne pense pas que cette affaire concerne les élections. La paix au Vietnam, je crois que c'est ce que vous désirez tous. C'est pourquoi j'ai pensé que si je vous appelais au téléphone, et vous l'exposais franchement, vous auriez au moins un tableau complet de tous les faits. »

Johnson expliqua qu'il n'avait pas convaincu Saïgon de donner son accord à l'arrêt des bombardements, de sorte que le Vietnam du Sud n'était pas engagé dans sa déclaration.

Quand Johnson eut fini, et après quelques questions sans importance, George Wallace lui dit : « Je prie pour vous »; Humphrey : « Nous vous soutiendrons, Monsieur le Président. » Quant à moi, je remerciai Johnson de m'avoir appelé et me joignis à Humphrey pour lui signifier mon soutien.

Après avoir raccroché, je sentais ma colère et la déception monter en moi. Johnson faisait exactement le geste qui pouvait enlever l'élection. Avais-je tant travaillé et fait tant de chemin pour être finalement renversé par la mine souterraine d'un homme au pouvoir qui avait décidé de ne pas se représenter?

A notre conférence du début de l'été, Johnson avait été très catégorique. Comme il avait été méprisant pour ceux qui voulaient arrêter les bombardements! Et, d'un grand geste des bras, il avait souligné qu'il ne laisserait pas pénétrer au Vietnam un seul camion portant des armes qui puissent tuer de jeunes Américains.

En fait, l'arrêt des bombardements n'avait pas été une véritable surprise pour moi. Je savais depuis plusieurs semaines que l'on faisait des projets en ce sens : l'annonce n'était en fait que le deuxième soulier dont j'attendais qu'il tombât. Ce que je trouvais difficile à accepter, c'était le moment choisi pour faire cette annonce si près des élections. C'était un geste brutal s'il était politique, naïf s'il était sincère.

J'avais été mis au courant d'une manière très inhabituelle. Le 12 septembre, Haldeman m'apporta un rapport de John Mitchell, selon lequel le conseiller de Rockefeller pour la politique extérieure, Henry Kissinger, était à notre disposition. En 1967, Kissinger avait été l'émissaire secret de Johnson. Il avait transmis ses offres d'arrêt des bombardements aux Vietnamiens du Nord par l'entremise des Français. A un moment, Johnson recommanda même une rencontre directe, mais les Vietnamiens du Nord n'en voulurent pas, et le « canal Kissinger » cessa de fonctionner en octobre 1967. Mais Kissinger avait conservé l'estime de Johnson et des conseillers pour la Sécurité nationale, et il avait ses grandes entrées dans les cercles diplomatiques du Gouvernement.

Rockefeller m'avait recommandé l'aide de Kissinger depuis la fin de la Convention républicaine. Je dis à Haldeman que Mitchell devait garder le contact avec Kissinger, et que conformément à son désir, on ne ferait aucune publicité autour de son nom, que son rôle en l'affaire resterait tout à fait confidentiel.

Quinze jours après son premier entretien avec Mitchell, Kissinger avait appelé. Il revenait de Paris, où il avait surpris des propos montrant que quelque chose d'important se préparait au sujet du Vietnam. Il me conseillait, si j'avais à dire quoi que ce soit sur le Vietnam pendant la semaine suivante, d'éviter toute idée ou toute proposition nouvelle. Kissinger a été très prudent dans les avis qu'il nous donna pendant la campagne. S'il avait eu accès aux détails de la négociation, il n'en montra rien. Mais il avait considéré comme convenable et justifié de me mettre en garde contre des prises de position qui auraient pu être contredites par des négociations que j'ignorais.

Je fis dire au chef de la minorité républicaine du Sénat, Everett Dirksen : « Dites à Lyndon que j'ai reçu un message de Paris. Laissez entendre que je sais ce qui se passe, et insistez dur pour savoir ce qu'il en est. » Agnew fut chargé de demander à Rusk s'il y avait quelque chose de vrai dans les bruits qui couraient.

Le même jour, je chargeai les intellectuels et les écrivains de mon équipe de mettre sur le dos de Humphrey, et non pas sur celui de Johnson, l'affaire du Vietnam. Je voulais exprimer clairement que c'était Humphrey, plutôt que le Président, qui faisait de la politique avec la guerre.

Quelques jours plus tard, Haldeman me transmit de nouveaux renseignements venant de Kissinger via Mitchell :

« Notre informateur pense qu'il y a de bonnes chances pour que Johnson ordonne l'arrêt des bombardements vers la mi-octobre. Ce sera accompagné d'un grand déploiement d'activité diplomatique à Paris qui n'aura aucune importance, mais que l'on s'efforcera de faire passer pour tel...

Notre informateur ne croit pas qu'il soit efficace de combattre un arrêt des bombardements, mais qu'il faut garder présent à l'esprit le fait qu'il peut se produire, que nous pouvons avoir besoin de le devancer, et qu'il nous faut être prêts au moment où il arrivera.

Notre informateur est extrêmement inquiet des mesures que Johnson peut prendre, et il s'attend à ce qu'il agisse avant l'élection. »

Le même jour, je sus que Rusk avait réassuré Agnew : il n'y avait rien de nouveau, et le Gouvernement n'allait pas nous « couper les pattes » avec une annonce sensationnelle en octobre. Si un changement venait à se produire, dit-il, Johnson m'appellerait aussitôt. Mais il ajouta que si rien, en fait, n'avait été projeté, la situation « évoluait vite ».

Le 9 octobre, les Vietnamiens du Nord lancèrent de Paris un appel à Johnson, pour lui demander d'arrêter les bombardements avant de quitter le pouvoir. Johnson savait évidemment ce que le public ignorait : des négociations à ce sujet étaient déjà en cours.

Trois jours plus tard, un nouveau rapport confidentiel de Kissinger nous dit que, selon toute probabilité, le Gouvernement ferait un geste avant le 23 octobre. Kissinger me recommandait fortement d'éviter d'accuser publiquement Humphrey de compromettre les possibilités de paix. D'une façon plutôt mystérieuse, Kissinger ajoutait qu'il y avait dans tout cela « plus qu'il n'y paraissait ». Je trouvais que ce rapport de Kissinger était presque vague. Pourquoi essayait-il de me détourner de faire des déclarations sur le Vietnam, et pourquoi cette insistance sur la nécessité de « la boucler » sur Humphrey? L'un des facteurs qui m'avait le plus convaincu de la crédibilité de Kissinger était le soin qu'il prenait à protéger son secret. Mais si, par hasard, l'équipe de Johnson savait qu'il me passait des informations et le fournissait en balivernes? Dans une atmosphère politique et diplomatique aussi tendue, je n'étais plus sûr de rien.

Les jours suivants, des bruits commencèrent à courir : il allait se passer quelque chose d'important à Paris. Des journalistes s'enquérirent, et le bureau de presse de la Maison Blanche publia un communiqué affirmant qu'il n'y avait eu aucun événement nouveau à Paris, et que rien n'était changé à la situation.

J'étais dans le Missouri pour ma campagne, le 16 octobre, quand je fus avisé que le Président voulait tirer l'affaire au clair avec les trois candidats en leur lançant un appel téléphonique collectif.

La communication était mauvaise, et il fallait que je fisse effort pour saisir les paroles de Johnson. Il nous dit de lire le communiqué de son bureau de presse. Il n'y avait pas d'événement nouveau à Paris. Les rumeurs n'étaient pas fondées. Il nous demanda de ne rien dire. En fait, Hanoï avait fait un geste, mais n'importe quoi pourrait tout mettre en péril. Je demandai l'assurance qu'il exigeait toujours la réciprocité de la part des communistes, pour toute concession de notre part. Johnson répondit qu'il maintenait son exigence sur les trois points suivants : 1. Des négociations sérieuses devaient suivre rapidement l'arrêt des bombardements. — 2. Hanoï ne devait pas violer la zone démilitarisée. — 3. Ni le Vietcong, ni le Vietnam du Nord n'entreprendraient d'attaques par fusées ou par l'artillerie contre les grandes villes du Vietnam du Sud. Si ces conditions étaient remplies, naturellement, je donnerais mon appui à tout arrangement que Johnson pourrait établir.

Quand je vis Johnson, le soir même, au dîner annuel Al Smith à New York, il me donna de nouveau l'assurance qu'il n'accepterait aucun accord sans réciprocité et me demanda encore d'être prudent sur ce que j'aurais à dire sur le Vietnam. Après dîner, je donnai instruction à Haldeman de passer le mot : en raison de la demande de Johnson, je ne ferais aucun discours important critiquant la conduite de la guerre.

Le Vietnam devenait le problème le plus brûlant de la campagne, malgré les efforts que faisaient les candidats pour le minimiser.

Le 22 octobre, Bryce Harlow reçut un renseignement d'une source indiscutable, en provenance du cercle intime de Johnson. Comme les événements le montrèrent, cette information était tout à fait exacte :

> « Le Président pousse très énergiquement à un accord avec le Vietnam du Nord. Il semble être presque maladivement désireux de trouver une excuse pour ordonner l'arrêt des bombardements et il acceptera n'importe quel arrangement...
> Des plans sont soigneusement préparés pour aider Humphrey à exploiter l'événement, quoi qu'il arrive. L'équipe de la Maison Blanche est en étroite liaison avec Humphrey. Selon le plan, L.B.J. fera une annonce à la nation par télévision aussi tôt que possible : l'objectif est de diffuser autant que faire se peut avant le 5 novembre.
> Les gens de la Maison Blanche pensent qu'ils peuvent encore arracher l'élection de Humphrey avec ce truc; c'est à quoi ils s'emploient. »

Les démentis qui furent opposés aux démarches que j'entrepris me firent presque croire que ce renseignement n'était pas fondé. Mais, le lendemain 24 octobre, Harlow sut qu'un accord avait été réalisé la veille avec les Vietnamiens du Nord et qu'il serait bientôt publié. J'eus de la peine à le croire, mais Harlow insista : sa source était telle qu'il ne pouvait y avoir le moindre doute sur l'exactitude du rapport.

Rétrospectivement, je ne peux pas reprocher à Johnson d'avoir gardé le secret, mais j'étais irrité par son manque de sincérité. Il aurait dû ne pas me promettre de me tenir au courant. Je n'aurais pas fait usage de mes renseignements si notre informateur avait été opposé à la politique de Johnson et essayait de la torpiller en nous la révélant. Ce n'était pas le cas. Mais il avait compris que Johnson utilisait la guerre pour aider Humphrey. C'était là le geste d'un politicard, et non celui d'un homme politique.

Je décidai immédiatement que le seul moyen d'empêcher Johnson de saboter complètement ma candidature de la onzième heure était de faire savoir au public qu'un arrêt des bombardements était imminent. Je voulais aussi faire comprendre que les raisons et la date de cet événement n'étaient pas dictées par les seuls besoins de la diplomatie. Le 26 octobre, je publiai par conséquent une déclaration sur les conversations de paix.

> « Depuis trente-six heures, je suis avisé de tout un déploiement de conférences à la Maison Blanche et ailleurs au sujet du Vietnam. On me dit que de hautes personnalités officielles du Gouvernement poussent très énergiquement à la conclusion d'un arrêt des bombardements, accompagné peut-être d'un cessez-le-feu, dans un avenir immédiat. Ces indications m'ont été confirmées.
>
> On me dit que le moteur de cette activité serait une tentative cynique, de dernière minute, entreprise par le Président Johnson pour sauver la candidature de M. Humphrey. Mais je ne le crois pas.
>
> A aucun moment de cette campagne, je n'ai trouvé le Président autrement qu'impartial et sincère dans ses rapports avec les candidats au sujet du Vietnam.
>
> Dans chacune des conversations que j'ai eues avec lui, il a dit clairement qu'il ne voulait pas faire de politique avec la guerre. »

Lors du grand rassemblement du Madison Square Garden, le 31 octobre, je répondis à l'annonce de l'arrêt des bombardements en homme conscient de ses reponsabilités : « En tant que candidats à la Présidence et à la Vice-Présidence, ni moi ni mon coéquipier ne dirons rien qui puisse détruire une possibilité de paix. » L'arrêt des bombardements a créé, sans aucun doute, au dernier moment une lame de fond en faveur de Humphrey. Les brebis libérales revinrent à la bergerie. Même les zélotes de McCarthy, qui avaient juré de ne jamais élire Humphrey, avaient maintenant une excuse pour voter pour lui.

Mais l'euphorie démocrate fut quelque peu tempérée, le 2 novembre, quand le Président Thieu fit savoir que son gouvernement ne participerait pas aux négociations proposées par Johnson. Cette réaction était tout à fait prévisible. Thieu surveillait la politique américaine aussi attentivement que les dirigeants de Hanoï. Thieu n'avait aucun intérêt à accepter un mauvais marché. En refusant son approbation, Thieu fit naître l'impression que le plan de Johnson avait été conçu dans la hâte et exécuté dans la faiblesse.

Le jour où Thieu fit cette annonce, je dis devant des électeurs du Texas : « D'après les nouvelles de ce matin, les perspectives de paix ne sont pas aussi brillantes qu'elles ne le paraissaient il y a quelques jours. » C'était le samedi 2 novembre, trois jours avant le scrutin. Arrêt des bombardements ou non, la campagne continuait. Plutôt que de taxer l'annonce de Johnson de simple astuce électorale, je décidai de la présenter comme une initiative diplomatique qui aurait pu être bénéfique, mais qui avait été brouillée par manque de préparation.

Bien que je l'aie senti instinctivement pendant ma campagne, je n'avais eu aucune idée exacte du favoritisme dont Humphrey bénéficia de la part des moyens de communication, jusqu'à la publication en 1971 du livre d'Edith Efron, *Les Nouvelles dénaturées*. Cet ouvrage, fondé sur une recherche sérieuse, relevait le nombre de mots dits « contre » et « pour » moi par les reporters des trois chaînes de télévision. Les rapports étaient de 11 à 1, 67 à 1 et 65 à 1. L'auteur fit le même travail pour Humphrey : une seule chaîne montrait un plus grand nombre de « contre » que de « pour », mais dans le rapport beaucoup plus faible de 6 à 1. L'auteur concluait :

« Si Richard Nixon est aujourd'hui le Président des Etats-Unis, c'est en dépit des chaînes de télévision A.B.C., C.B.S. et N.B.C. Ensemble, elles ont diffusé contre lui chaque jour l'équivalent d'un éditorial du *New York Times,* cinq jours sur sept, pendant les sept semaines de la campagne électorale. »

Pat et moi, nous votâmes par correspondance, ce qui nous évita de nous lever de bonne heure pour être photographiés au bureau de vote. Avant 10 heures, nous étions à l'aéroport, à bord de l'avion qui avait servi à ma campagne, le *Tricia.* Je me sentais confiant. Je savais bien que ma considérable avance du début s'était amenuisée, et que tous les sondages faisaient prévoir une contestation serrée. Mais je ne sais pourquoi, je croyais que cette année-là, ce ne serait pas comme en 1960.

Malgré ma confiance, je préparais ma famille au pire. Il était presque impossible, disais-je, que je perde cette élection par le vote populaire. Mais cela pouvait arriver, et il fallait s'y préparer. Ce que je vivais particulièrement, c'était le cas où aucun candidat n'aurait la majorité. « Dans une telle éventualité, dis-je, l'élection passera à la Chambre des Représentants, et en ce cas, je ne peux pas deviner comment nous pourrons faire face à la situation. »

C'est à New York, au trente-cinquième étage du Waldorf Towers, que nous attendîmes les résultats. Les premiers qui furent significatifs, nous parvinrent à 8 h 45 : je menais par 41 contre 36 pour cent. Puis la cote d'Humphrey remonta. Les premiers chiffres partiels provenant de l'Illinois qui accordaient 56 pour cent à Humphrey m'inquiétèrent. A 10 h 30, nous étions à peu près à égalité, et à minuit et demi Humphrey était en tête avec 600 000 voix d'avance. Comme en 1960 l'élection allait être déterminée par les mêmes Etats clefs : l'Illinois, la Californie, l'Ohio, le Missouri et le Texas. L'Ohio et la Californie se prononçaient pour moi, tout dépendait de l'Illinois. Vers 3 heures du matin, j'étais sûr de l'avoir pour moi et d'avoir gagné l'élection. Mais ce ne fut que le lendemain matin, après une nuit sans sommeil, que la chaîne A.B.C. déclara que j'avais gagné, après la proclamation des résultats complets de l'Illinois.

Nous nous sommes alors précipités dans le salon, devant la télévision qui donnait le décompte des voix. Après quelques instants, je pris Mitchell par l'épaule et lui dis : « Eh bien, John, nous ferions mieux d'aller en Floride pour réfléchir à nos plans futurs! » Avant même que Mitchell pût répondre, il avait les yeux pleins de larmes : « Monsieur le Président, je pense que je ferais mieux d'aller voir Martha. » C'était doublement émouvant : c'était la première fois que l'on me donnait le titre que je venais de gagner; c'était aussi la première fois que Mitchell faisait allusion au problème de sa femme, qui pendant les dernières semaines de la campagne était entrée dans une maison de repos.

Je descendis à l'appartement où Pat et les filles attendaient. Elles étaient si fatiguées, physiquement et nerveusement, qu'elles ne manifestaient pas la joie à laquelle on aurait pu s'attendre. Nous nous embrassâmes tous. Quand je fus seul avec Pat, elle me dit que sa nuit avait été terriblement pénible. Les commentaires de la télévision sur l'Illinois l'avaient mise en larmes. Elle avait été prise de nausées en pensant que nous aurions peut-être à assister à la répétition des fraudes indignes de 1960. Quand je lui dis que c'était terminé, elle me demanda encore : « Mais Dick, es-tu sûr de l'Illinois? Es-tu complètement sûr? » Je lui répondis fermement : « Absolument sûr! Le scrutin est terminé, et il n'y a maintenant plus aucun moyen d'y changer quoi que ce soit. » Je la pris dans mes bras, et elle éclata en larmes de soulagement et de joie.

Vers 11 h 30, Hubert Humphrey me téléphona. Sa voix, généralement si réconfortante et pleine de confiance, reflétait sa lassitude et sa déception. Mais il fut aussi élégant dans la défaite qu'il avait été tenace dans le combat.

LE PRÉSIDENT ÉLU

Après cinq jours de vacances en Floride, où, rencontrant Humphrey, je lui avais offert le poste d'ambassadeur auprès des Nations Unies, nous étions rentrés à New York. Il s'agissait de constituer mon Gouvernement.

Une fois de plus, nous allâmes à Washington, cette fois-ci pour un déjeuner à la Maison Blanche avec le Président et Mme Johnson. Après un agréable repas, Lady Bird et Pat commencèrent une inspection pièce par pièce de la maison. Johnson avait préparé pour moi toute une série d'entretiens d'information. Le Secrétaire d'Etat Dean Rusk, le Secrétaire à la Défense Clark Clifford, les Présidents des Chefs d'états-majors, le général Earle Wheeler, le directeur du Renseignement Richard Helm et le Conseiller pour la Sécurité nationale Walt Rostow.
Le sujet principal fut le Vietnam. Le dur labeur de cette longue guerre avait buriné les visages que j'avais devant moi. Tous étaient des gens capables et intelligents. Ils avaient désiré désespérément terminer la guerre avant de s'en aller, mais ils n'avaient pu y parvenir. Ils semblaient à bout de ressources. Ils n'avaient aucune nouvelle méthode à me recommander. Je perçus que, malgré la déception de la défaite, ils se sentaient soulagés de pouvoir passer ce bourbier à quelqu'un d'autre.
Tous soulignaient que les Etats-Unis devaient mener la guerre à une heureuse conclusion, par des négociations si possible, mais en continuant la lutte si nécessaire. Si les Américains déguerpissaient, ou si le règlement négocié pouvait être interprété comme une défaite, ils étaient tous d'accord pour penser que l'effet produit sur nos alliés en Asie et dans le monde serait désastreux. Clark Clifford qui, pendant mon Gouvernement, fut un des critiques les plus décidés de la guerre, défendit avec ardeur, ce jour-là, la politique de Johnson.
Quand nous nous retrouvâmes dans le Bureau Ovale après la conférence, Johnson me dit avec une certaine insistance : « Peut-être arrivera-t-il que je ne sois pas d'accord avec vous. En ce cas je vous le ferai savoir par une lettre personnelle. Vous pouvez être sûr que je ne vous critiquerai pas en public. Eisenhower a fait la même chose pour moi. Je connais tout le poids du fardeau que vous allez porter. » Il m'avertit qu'il voulait faire tout ce qui lui serait possible pour m'aider. « Les problèmes qui se posent à l'intérieur comme à l'extérieur sont

probablement plus graves qu'ils ne le furent jamais pour aucun Président depuis Lincoln. » Nous avions été des adversaires pendant des années, Johnson et moi, mais ce jour-là, nos différends politiques fondirent et disparurent. Alors que nous parlions dans le Bureau Ovale, il m'accueillait dans un club très exclusif dont la règle principale est de se tenir derrière celui qui vous succède.

La première nomination que je fis dans mon personnel fut Rose Mary Woods comme secrétaire particulière. Elle avait pris part à ma vie politique depuis 1951. Elle m'était totalement dévouée. Sa foi dans mon avenir n'avait jamais vacillé, même quand la mienne s'éteignait.

Je demandai à Bob Haldeman d'être le chef de mon Cabinet. A ce titre, il aurait à examiner les dossiers, de façon à vérifier que les avis opposés y figuraient bien, et à les soumettre à ma décision. Il serait aussi le portier du Bureau Ovale, tâche peu enviable puisqu'elle allait l'obliger à en interdire l'accès à beaucoup de gens et à se faire ainsi des ennemis.

J'avais des vues très personnelles, la plupart tirées d'expériences et d'observations faites sous le Gouvernement Eisenhower sur la façon dont un Président doit travailler. Pour moi, la clef du succès réside dans le processus de formation des décisions. Les affaires que l'on présente au Président pour décision devraient se limiter à celles qui n'ont pu être tranchées par le personnel de son équipe ou par le ministre compétent. J'avais appris cette leçon directement d'Eisenhower, dont les collaborateurs encombraient trop souvent son emploi du temps par des événements secondaires et le persécutaient de problèmes mineurs qui sapaient son énergie et lui prenaient son temps.

J'avais assisté à des centaines de conseils de Cabinet lorsque j'étais Vice-Président, et je savais que la plupart d'entre eux étaient superflus et ennuyeux. C'est pourquoi je voulus en réduire le nombre au minimum. J'avais constaté aussi les hasards auxquels certains exposent le Gouvernement, notamment les ministres têtus et individualistes, incapables de jouer leur partie dans une équipe solidaire. Je voulais des gens qui, en privé, se battraient à mort pour défendre ce qu'ils croyaient juste, mais qui appuieraient ma décision une fois celle-ci prise.

J'étais conscient d'avoir obtenu la Présidence avec une faible majorité. Pour unifier le pays, j'aurais voulu quelques Démocrates au Gouvernement. Mais Humphrey n'accepta pas l'ambassade auprès des Nations Unies et le sénateur Henry Jackson, de l'Etat de Washington, refusa la Défense nationale. Pressenti pour l'ambassade auprès des Nations Unies, le beau-frère de Kennedy Sargent Shriver posa des conditions, parmi lesquelles l'engagement de ne pas réduire le programme fédéral d'aide sociale. Cet engagement qu'on me demandait portait sur la politique intérieure, ce qui était intolérable. Rogers lui dit de ma part que j'avais décidé de renoncer à sa nomination, et pourquoi. Shriver tenta de minimiser la chose; il allégua qu'il s'agissait d'une suggestion, non d'une condition. Mais ma décision était définitive.

J'avais aussi espéré amener au Gouvernement quelques personnalités noires, mais je n'y parvins pas. A cet égard, je récoltais ce que Goldwater avait semé au cours de sa campagne. En 1960, j'avais obtenu 32 pour cent du vote noir. En 1964, Goldwater en avait reçu à peine

6 pour cent. En 1968, je réussis à élever à 12 pour cent la part républicaine du vote noir, mais la fausse impression donnée par Goldwater d'être raciste était encore trop générale pour qu'il y eût des rapports faciles entre les Noirs et un Gouvernement républicain.

Mon Gouvernement commençait à prendre forme. Il était moins conservateur que celui d'Eisenhower, et, en fait, un peu à gauche de mes positions centristes. Mais chacun connaissait ses affaires et menait son travail avec compétence et imagination.

A Bill Rogers, administrateur énergique, incombait la tâche redoutable de diriger la bureaucratie récalcitrante du Département d'Etat. C'était un négociateur plein de ressources. Il avait montré, sous Eisenhower, qu'il savait s'entendre avec les milieux parlementaires.

Pour la Défense, je choisis Melvin Laird, du Wisconsin, et comme Attorney General, je demandai à John Mitchell de prendre le poste, au moment même où il me soumettait une liste de candidats possibles.

J'avais voulu confier à Ted Agnew des responsabilités politiques, et je lui fis donner un bureau à la Maison Blanche. C'était la première fois dans l'histoire qu'un Vice-Président y serait installé. Je lui demandai de mettre à profit son expérience de gouverneur pour prendre en charge les relations entre la Fédération et les Etats. Et je l'encourageai à mettre à profit dès maintenant ses fonctions de Président du Sénat pour se mettre à connaître le Congrès et ses membres, à travailler avec eux et devenir leur moyen de liaison essentiel avec la Maison Blanche.

Dès le début de mon Gouvernement, j'avais eu le projet de diriger, de la Maison Blanche, la politique extérieure. C'est pourquoi je considérais comme essentiel le choix d'un conseiller pour la Sécurité nationale. Malgré l'importance que j'attribuais à ce poste, je fis mon choix d'une manière tout à fait impulsive.

Kissinger nous avait aidé pendant la campagne. Pendant les derniers jours, j'avais pu me rendre compte de l'étendue de ses connaissances et de son influence.

John Mitchell arrangea une rencontre qui eut lieu le 25 novembre dans mes bureaux de l'hôtel Pierre. Nous n'avions, ni l'un ni l'autre, de temps à perdre en politesses. Aussi, j'abordai d'emblée quelques-uns des projets que j'avais conçus pour notre politique extérieure. J'avais lu son livre *Les Armes nucléaires et la politique extérieure* dès sa parution, en 1957; je savais que nous avions en général des vues semblables : tous deux, nous pensions qu'il était important d'isoler et d'influencer les facteurs qui affectent l'équilibre des puissances dans le monde. Quelle que soit une politique extérieure, elle se doit d'être forte pour être crédible, et elle se doit d'être crédible pour être couronnée de succès. Je n'espérais pas grand-chose des conversations de Paris pour régler les affaires du Vietnam. Nous avions besoin, à mon avis, de repenser entièrement notre politique diplomatique et militaire au Vietnam. J'étais déterminé à éviter le piège dans lequel Johnson était tombé, en consacrant pratiquement tout l'effort et le temps de sa politique étrangère au Vietnam, qui n'était réellement qu'un problème à court terme. L'inaction en ce qui concerne les problèmes à plus long terme risquait d'être désastreuse pour la politique et la survie de l'Amérique. C'est pourquoi je parlai de ranimer l'alliance de l'O.T.A.N., les questions du Moyen-

Orient, de l'Union Soviétique et de l'Extrême-Orient. Finalement je mentionnai le besoin de revoir notre politique à l'égard de la Chine communiste. Je lui conseillai de lire l'article de *Foreign Affairs* où, pour la première fois, j'avais exposé cette idée comme possible et nécessaire. d'empêcher Hanoï de passer du côté de Pékin qui dictait à Moscou sa politique d'aide aux Nord-Vietnamiens : rien d'autre... D'ailleurs, les Soviétiques étaient conscients du fait que cette guerre agissait toujours davantage contre leurs propres intérêts vis-à-vis des Etats-Unis. Je comprenais bien que les Soviétiques n'étaient pas entièrement maîtres de leurs mouvements au sujet de l'appui qu'ils accordaient au Vietnam du Nord. J'avais néanmoins le projet d'exercer sur eux le maximum de pression en ce domaine.

Kissinger se dit enchanté de mes vues exprimées en ces termes. Si je voulais opérer sur un domaine aussi vaste, il me faudrait être conseillé par le meilleur système possible. Kennedy avait remplacé la planification stratégique du Conseil de la Sécurité nationale par le traitement tactique des crises. Et Johnson, dans sa terreur des fuites, avait réduit la formation des décisions par le Conseil à des déjeuners hebdomadaires, auxquels quelques conseillers seulement étaient invités. Kissinger me recommanda de former à l'intérieur de la Maison Blanche un organisme chargé de la Sécurité nationale qui non seulement coordonnerait la défense et la politique extérieure, mais pourrait aussi formuler les options possibles que j'aurais à prendre en considération avant de prendre mes décisions.

Une intuition décisive s'imposa à moi, et sur-le-champ je décidai de faire de Kissinger mon conseiller pour la Sécurité nationale. Je ne lui fis pas encore d'offre précise, mais j'indiquai clairement que je serais intéressé à ce qu'il entrât dans mon Gouvernement. Je supposais qu'il voudrait réfléchir un peu à notre conversation, et qu'il se sentirait aussi obligé d'en parler à Rockfeller.

Deux jours plus tard, je lui demandai s'il aimerait diriger le Conseil de la Sécurité nationale. Il répondit qu'il se sentirait honoré de l'accepter. Immédiatement, il commença à rassembler une équipe et à analyser les choix politiques que j'aurais à traiter dès mon entrée en fonction. Dès le début, il travailla avec l'intensité et l'énergie qui l'ont caractérisé au cours des années.

Daniel Patrick Moynihan avait servi dans les Gouvernements Kennedy et Johnson comme secrétaire adjoint au Travail. Son esprit inventif avait aidé à formuler le programme d'aide social de la Grande Société et avait tiré les leçons des échecs de ce programme. Comme il était dépourvu de toute déformation idéologique, il accepta de devenir le chef d'un Conseil des Affaires urbaines.

Je créai un nouveau poste, celui de conseiller du Président, pour mon vieil ami Arthur Burns dont l'esprit conservateur formait un contrepoids utile et fécond au libéralisme de Moynihan.

Comme Eisenhower, j'avais à jouer quatre rôles différents : comme chef d'Etat, je devais diriger les Affaires étrangères; en tant que chef de Gouvernement, j'avais à conduire les affaires intérieures et l'activité législative; comme commandant en chef, j'aurais l'autorité suprême sur les forces armées de l'Amérique et en assumerais la responsabilité; et comme chef du Parti Républicain, il me fallait lui insuffler une nouvelle vie.

Pendant les années 1960, nous avions été en quelque sorte les otages, sous Kennedy, de la guerre froide, et sous Johnson, de la guerre du Vietnam. Notre tendance à ne nous préoccuper que d'un ou deux problèmes à la fois avait conduit à une détérioration de notre politique sur tous les fronts. Je ne pensais pas qu'il y eût aucune priorité unique en politique extérieure. Dans la mesure où il fallait bien commencer par quelque chose, je mettais l'Europe au premier rang. Ce n'est qu'après avoir resserré notre alliance occidentale que nous aurions une base assez solide pour commencer à parler avec les communistes. L'O.T.A.N. était en désarroi, surtout à cause des Etats-Unis qui s'étaient dispensés de consulter régulièrement leurs alliés.

En Extrême-Orient, le Japon, devenu maintenant la seconde des nations productives du monde libre, commençait à douter de la valeur des engagements de défense de l'Amérique. Notre présence à Okinawa était une source de constante irritation.

Au Moyen-Orient, la trêve qui avait mis fin à la guerre de juin 1967 était sans cesse interrompue par des combats intermittents. Les Etats-Unis semblaient incapables de faire autre chose que d'armer Israël en prévision de la prochaine agression arabe. L'Egypte et la Syrie, les deux ennemis potentiels d'Israël, recevaient des armes soviétiques; ainsi, une zone déjà explosive devenait un baril de poudre international dont l'explosion risquait d'amener une confrontation directe entre l'Union Soviétique et les Etats-Unis.

De la Chine communiste ne parvenait qu'un silence menaçant. A part les conversations rares et stériles des ambassadeurs des deux pays à Varsovie, un gouffre de vingt années de non-communication séparait le pays le plus peuplé du pays le plus puissant du monde.

En considérant la position de l'Amérique dans le monde et nos relations avec les autres nations, je m'apercevais que le facteur essentiel en 1968 était le même qu'en 1947, quand pour la première fois, j'étais allé en Europe avec le Comité Herter : l'Amérique, maintenant comme alors, était le principal défenseur du monde libre contre les usurpations et les agressions du monde communiste.

Depuis vingt-cinq ans, j'avais suivi les transformations du communisme. Jamais je n'avais mis en doute la sincérité des communistes quand ils disaient que leur but était de soumettre le monde entier à leur contrôle. Mais à la différence de certains anticommunistes qui pensent que nous devrions refuser de reconnaître les communistes ou de traiter avec eux, de peur de prêter, en le faisant, une dignité idéologique à leur philosophie et à leur système, j'avais toujours cru que nous pouvions et que nous devions négocier avec les nations communistes. Elles sont trop puissantes pour que l'on puisse feindre de les ignorer. Il faut toujours se rappeler qu'elles n'agissent jamais par altruisme, mais seulement dans leur propre intérêt. Une fois que cela est bien compris, il est plus raisonnable et plus sûr de communiquer avec les communiste que de vivre dans l'isolement glacial de la guerre froide ou la confrontation. En janvier 1969, je pensais que des rapports entre l'Union Soviétique et les Etats-Unis dépendait la paix du monde pendant et après mon mandat présidentiel.

Nous nous étions laissé mettre dans une position désavantageuse vis-à-vis des Soviétiques. Ils étaient largement présents au Moyen-Orient. Nous n'y étions pas. Ils avaient Castro à Cuba. Depuis 1965 environ, ils avaient remplacé la Chine au Vietnam comme fournisseurs d'armes; et, mise à part la Yougoslavie de Tito, non seulement ils étaient les maîtres de l'Europe orientale, mais encore ils menaçaient la stabilité et la sécurité de l'Europe occidentale.

Certains éléments, cependant, jouaient en notre faveur. Le plus important, le plus intéressant, était le conflit des Soviétiques et de la Chine. Il y avait aussi des indices d'une indépendance croissante, mais limitée, de quelques pays satellites. Les chefs de l'Union Soviétique s'intéressaient, semblait-il, à la conclusion d'un accord sur la limitation des armes stratégiques. Ils paraissaient prêts aussi à des conversations sérieuses sur la situation anormale de Berlin, qui, vingt-cinq ans après la fin de la guerre, était encore une ville divisée et une source constante de tension, non seulement entre l'Union Soviétique et les Etats-Unis, mais aussi entre l'Union Soviétique et l'Europe occidentale. Nous sentions qu'ils recherchaient une formule qui, tout en sauvant la face, diminuerait le risque de confrontation au Moyen-Orient. Et nous avions des preuves solides qu'ils désiraient vivement une expansion du commerce.

L'on disait souvent que la clef d'un règlement au Vietnam se trouvait à Moscou et Pékin plutôt qu'à Hanoï. Sans l'aide continuelle et massive de l'un ou l'autre des géants communistes, les chefs du Vietnam du Nord n'auraient pas été capables de mener la guerre au-delà de quelques mois. Grâce aux dissenssions sino-soviétiques cependant, les Vietnamiens du Nord avaient été fort habiles à jouer l'une contre l'autre l'Union Soviétique et la Chine. Ils avaient fait, de leur effort de guerre, la pierre de touche de l'orthodoxie communiste et la condition nécessaire d'un non-alignement du Vietnam du Nord avec l'un ou l'autre des deux pays en lutte pour la domination du monde communiste. Cette situation commençait à être pesante, surtout pour les Soviétiques. C'était le désir d'empêcher Hanoï de passer du côté de Pékin qui dictait à Moscou sa politique d'aide aux Nord-Vietnamiens : rien d'autre... D'ailleurs, les Soviétiques étaient conscients du fait que cette guerre agissait toujours davantage contre leurs propres intérêts vis-à-vis des Etats-Unis. Je comprenais bien que les Soviétiques n'étaient pas entièrement maîtres de leurs mouvements au sujet de l'appui qu'ils accordaient au Vietnam du Nord. J'avais néanmoins le projet d'exercer sur eux le maximum de pressions en ce domaine.

J'étais sûr que Brejnev et Kossyguine n'avaient pas été désireux de me voir gagner en 1968, pas plus que Khrouchtchev en 1960. La perspective d'avoir à traiter avec un gouvernement républicain — et de plus, un gouvernement Nixon — causait sans aucun doute de l'anxiété à Moscou. Plus même : je soupçonnais que les Soviétiques avaient pu conseiller aux Vietnamiens du Nord d'offrir l'ouverture de négociations à Paris dans l'espoir que l'arrêt des bombardements ferait peser la balance en faveur d'Humphrey à l'élection. Si telle fut leur stratégie, elle faillit réussir.

Après mon élection, Johnson proposa qu'ensemble nous assistions à une rencontre au sommet avec les Soviétiques dans la période précédant l'inauguration de mes fonctions. Je comprenais bien son désir de manifester une dernière fois son dévouement à la paix, mais je ne voyais aucune base qui permît de conclure à une volonté sérieuse de négociation de la part des Soviétiques. Et je ne voulais pas être contraint à je ne sais quelle décision qui serait prise avant mon entrée en fonction.

Tout ce qui serait sorti, au mieux, d'une telle rencontre aurait été « un esprit », tel « l'esprit de Glasboro » qui suivit la rencontre de Johnson et Kossyguine en 1967, ou « l'esprit de camp David » lors de la visite de Khrouchtchev en 1959. Pour moi, ces « esprits » n'avaient été que des apparences et ils avaient largement profité aux Soviétiques. L'opinion publique ne jouant aucun rôle dans le système soviétique, « l'esprit » était une rue à sens unique dans la direction qu'ils avaient choisie : car l'optimisme qui caractérisait l'opinion publique américaine après chaque sommet nous rendait plus difficile l'adoption d'une attitude ferme dans nos négociations ultérieures avec les Soviétiques.

Durant la période de transition, j'étudiai avec Kissinger une nouvelle politique à l'égard des Soviétiques. Puisque les intérêts des deux pays, en tant que superpuissances nucléaires concurrentes, étaient si étendus et imbriqués les uns dans les autres, il n'était pas réaliste de séparer ou de compartimenter les zones d'intérêts. C'est pourquoi nous décidâmes de lier les progrès souhaités par les Soviétiques dans la limitation des armes stratégiques et le commerce aux progrès qui étaient importants pour nous : le Vietnam, le Moyen-Orient et Berlin. C'était « le jumelage ».

Afin qu'il n'y ait aucun doute sur le sérieux de mon dessein politique, j'en fis l'annonce à ma première conférence de presse, en réponse à une question sur la mise en route de conversations S.A.L.T. « Ce que je veux, déclarai-je, c'est que nous ayons des conversations sur les armes straté-giques d'une façon et à un moment qui permettront de réaliser en même temps des progrès sur d'autres problèmes d'importance où l'Union Sovié-tique et les Etats-Unis peuvent, en agissant ensemble, servir la cause de la paix. »

Nous avons pris nos premiers contacts avec les Soviétiques au cours de la période de transition. A la mi-décembre, Kissinger rencontra un diplo-mate soviétique aux Nations Unies qui appartenait, comme nous le savions, aux Services de renseignement. Je voulais montrer clairement que je n'étais pas le dupe de la phraséologie optimiste qui avait été typique des récentes relations américano-soviétique. C'est pourquoi Kissinger déclara qu'alors que la tendance avait été jusqu'ici d'insister sur ce que nos nations auraient eu de commun, le Gouvernement Nixon pensait qu'il y avait entre nous des différends réels et substantiels : un effort tenté pour réduire ces diffé-rends serait le foyer central de nos rapports. Kissinger dit aussi que je ne voulais pas de sommet avant mon entrée en fonction, et que s'ils en tenaient un avec Johnson, je me verrais obligé de déclarer publiquement que je ne me sentirais pas lié par ce qui y serait conclu. L'on n'en entendit plus parler.

Une prompte réponse vint de Moscou. Notre contact des Nations Unies fit savoir que les dirigeants soviétiques n'étaient pas « pessimistes » à cause de l'élection d'un Président républicain. Ils avaient exprimé le désir de savoir si je voulais « ouvrir des canaux de communication ». J'avais cette phrase dans l'esprit lorsque je dis, dans mon discours d'entrée en fonction :

« Après une période de confrontation, nous entrons dans une ère de négociations. Que toutes les nations sachent que pendant ce Gouvernement nos lignes de communication seront ouvertes. »

Le problème extérieur, le plus urgent, quand je devins Président, était la guerre du Vietnam. Pendant la période de transition, Kissinger avait passé en revue toutes les politiques possibles au Vietnam, les répartissant dans une gamme allant d'une escalade massive militaire jusqu'à un immédiat retrait unilatéral. Il y avait, pour chaque solution, de bons arguments.

De bonne heure, nous avions éliminé l'escalade. Les sondages montraient qu'une fraction importante des gens était en faveur d'une victoire militaire. Mais pour la plupart, ils comprenaient par victoire militaire un knock-out qui terminerait la guerre et assurerait la victoire. Le problème était qu'il n'y avait que deux moyens pour assurer un coup de ce genre. L'un était de bombarder le réseau compliqué des barrages assurant l'irrigation du Vietnam du Nord. Les inondations qui en auraient été la conséquence auraient tué des centaines de milliers de civils. L'autre aurait impliqué l'emploi d'armes nucléaires. A part ces deux méthodes, une escalade aurait exigé six mois de combats intenses et une augmentation importante de nos pertes avant que les communistes eussent été forcés d'abandonner la lutte et d'accepter un règlement pacifique. L'indignation dans le pays et dans le monde entier qui aurait accompagné l'un ou l'autre des knock-out possibles aurait donné à mon gouvernement le pire des départs. Et en ce qui concernait l'escalade par la bataille, je n'aurais pu en aucune façon maintenir l'unité de la nation en face des pertes que nous aurions à subir. Et tout recours à l'escalade aurait retardé, ou même supprimé, toute chance de créer de nouveaux rapports avec l'Union Soviétique et la Chine communiste.

A l'autre extrême, il y avait l'option consistant à terminer la guerre en annonçant le retrait rapide et ordonné de toutes les forces américaines. Si on agissait ainsi, disait-on, les communistes répondraient probablement en rendant les prisonniers de guerre après le départ du dernier Américain.

Il y avait quelques arguments convaincants en faveur de cette solution. Comme me le dit un parlementaire de mes amis : « Ce n'est pas vous qui nous avez amenés dans cette guerre. Même si vous la terminez avec une mauvaise paix, vous pourrez en rejeter la responsabilité sur Kennedy, Johnson et les Démocrates. Vous n'avez qu'à aller à la télévision, et rappeler que c'est Kennedy qui a envoyé là-bas 16 000 Américains, et que c'est Johnson qui en a fait monter le nombre à 540 000. Vous annoncez alors que vous les ramenez tous ici, et vous êtes un héros. »

Mais il y avait longtemps que je considérais cette option comme exclue. Un retrait précipité abandonnerait aux atrocités et à la domination des communistes dix-sept millions de Vietnamiens du Sud, dont beaucoup avaient travaillé pour nous, et nous avaient appuyés. Quand les communistes avaient pris le pouvoir au Vietnam du Nord en 1954, 54 000 personnes avaient été massacrées, des centaines de milliers étaient mortes dans les camps de concentration. En 1968, lorsqu'ils s'étaient emparés, pendant quelques jours, de Hué, ils avaient fusillé, tué à coups de bâton ou enterré vivants plus de 3 000 personnes dont le seul crime était d'avoir aidé le gouvernement du Vietnam du Sud. Nous ne pouvions sacrifier un allié de cette façon. En reniant nos engagements, parce qu'ils étaient devenus trop lourds ou trop coûteux, ou parce qu'ils étaient maintenant impopulaires chez nous, nous ne serions pas dignes de la confiance des autres nations, et certainement nous cesserions d'en jouir,

En ce qui me concernait, tout pour moi était négociable, excepté deux choses. Je n'accepterais aucun règlement qui ne comporterait pas le retour de tous nos prisonniers et un compte rendu des disparus; et je ne voulais d'aucune condition qui exigerait ou aboutirait au renversement, par nous-mêmes, du Président Thieu.

Je savais que beaucoup d'Américains considéraient ce dernier comme un petit dictateur corrompu, indigne de notre appui. Je n'étais pas personnellement attaché à Thieu, mais je voyais la situation en termes pratiques. L'alternative était d'avoir, à la place de Thieu, non pas un esprit éclairé, tolérant, démocrate, mais quelqu'un qui aurait été plus faible, et incapable de contenir les factions opposées du Vietnam du Sud. Ma détermination de tenir mes engagements envers Thieu était un engagement envers la stabilité, et c'était exactement la raison pour laquelle les communistes insistaient tellement pour inscrire sa chute dans les conditions du règlement de paix. Trois ans et demi durant, jusqu'à l'automne de 1972, les Vietnamiens du Nord insistèrent sur cette exigence. Quand ils y renoncèrent, les négociations sérieuses purent commencer.

J'inaugurai ma présidence avec trois idées fondamentales concernant le Vietnam. Tout d'abord, je devais préparer l'opinion à l'idée qu'une victoire militaire n'était pas possible. Deuxièmement, je devais agir selon ce que ma conscience, mon expérience et l'analyse des faits me disaient être vrai sur la nécessité de tenir nos engagements. L'abandon du Vietnam du Sud nous coûterait un prix inestimable dans notre quête pour une paix stable, solide et durable. Enfin, je devais mettre un terme à la guerre le plus vite et le plus honorablement possible.

Puisque j'avais exclu la victoire militaire rapide, la seule solution était de rechercher un règlement négocié honorable, qui préserverait l'indépendance du Vietnam du Sud. En théorie, la guerre pourrait prendre fin en quelques mois si les Vietnamiens du Nord désiraient vraiment la paix. Mais en réalité, j'étais préparé à ce que ce règlement prît la plus grosse partie de la première année de mon mandat.

A la mi-décembre, je dis à Kissinger que je voulais faire parvenir un message aux Vietnamiens du Nord. Nous voulions passer par l'entremise de Jean Sainteny, un homme d'affaires français qui avait passé de longues années en Indochine et qui connaissait personnellement beaucoup de dirigeants du Nord et du Sud du Vietnam, y compris Hô Chi Minh. J'avais déjà rencontré Sainteny dans le Midi de la France en 1956, et Kissinger le connaissait bien aussi.

Mon premier message, que Sainteny remit aux Vietnamiens à Paris, exposait de façon conciliante nos propositions pour un règlement négocié. Onze jours plus tard, une réponse nous parvint, accusant le Gouvernement de Saïgon de rendre impossible l'ouverture des conversations de Paris et nous reprochant de soutenir « les demandes absurdes » des dirigeants au Vietnam du Sud. « Si les Etats-Unis le souhaitent, pouvait-on y lire en conclusion, ils peuvent communiquer leurs idées générales et leurs idées plus détaillées afin de déterminer des points plus précis que ceux qui sont déjà connus, et nous les examinerons sérieusement. »

Je n'attendis que deux jours pour répondre, faisant savoir par Sainteny que « le Gouvernement Nixon est désireux de négocier sérieusement et de bonne foi ».

La réponse du Vietnam du Nord fut encore rude, mais je n'étais ni surpris, ni découragé : je n'avais jamais espéré que cette longue guerre se terminerait vite ou si facilement. Dans mon discours d'entrée en fonction, je réaffirmai mon désir d'un règlement pacifique, mais je ne laissai aucun doute sur ma détermination de remplir, par une conclusion honorable, les engagements que nous avions pris. « A tous ceux qui seraient tentés par la faiblesse, avais-je fermement déclaré, ne laissons aucun doute : nous serons aussi forts qu'il faudra aussi longtemps qu'il le faudra. »

La guerre du Vietnam fut compliquée par des phénomènes qui ne s'étaient jamais produits auparavant dans la conduite d'une guerre par l'Amérique. Beaucoup, parmi les libéraux les plus connus des deux partis au Congrès qui avaient soutenu notre participation à la guerre du Vietnam sous Kennedy et Johnson, cherchaient maintenant à revenir sur leur engagement. Des sénateurs, des députés, des membres du Cabinet et des journalistes qui avaient autrefois été partisans de la guerre grossissaient maintenant les rangs de ceux qui y étaient opposés. En 1969, j'avais encore au Congrès une majorité pour les scrutins et les questions portant sur la guerre, mais c'était au mieux une majorité de justesse, et je ne pouvais être sûr qu'elle tiendrait longtemps. Un autre aspect inhabituel de cette guerre fut que les moyens d'information américains imposaient à l'opinion publique leurs conceptions des buts et de la conduite de cette guerre et de la nature de l'ennemi. Les Vietnamiens du Nord étaient un ennemi particulièrement cruel et brutal, mais les média américains concentraient leur attention avant tout sur les péchés des Vietnamiens du Sud ou de nos forces. Chaque soir à la télévision, chaque matin dans la presse, la guerre était décrite bataille par bataille, mais jamais ou très rarement n'étaient expliqués les motifs qui justifiaient ce combat. Ce fait contribua réellement à donner l'impression que nous combattions, aux points de vue tant moral que militaire, sans raisons valables, plutôt qu'en vue d'un objectif important et digne de nos efforts.

Plus que jamais auparavant, la télévision montrait les terribles souffrances humaines et les sacrifices de la guerre. Quelle qu'ait été l'intention vraie d'une telle description de la guerre, continuelle et réaliste, le résultat en fut une démoralisation profonde du front intérieur, qui faisait se demander si l'Amérique serait jamais en mesure de lutter contre un ennemi à l'extérieur avec l'unité et la fermeté de propos nécessaires à l'intérieur. Kenneth Crawford écrivit dans *Newsweek* que c'était la première guerre de notre histoire où les moyens d'information étaient plus amicaux pour nos ennemis que pour nos alliés. Au moment où je devins Président, je sentais que la façon dont la guerre avait été conduite et présentée au public avait usé l'âme des Américains et leur confiance en eux-mêmes. La propagande pacifiste battait son plein. Je considérais les manifestants contre la guerre avec des sentiments alternés de compréhension pour leurs inquiétudes, de colère pour leurs excès, et surtout de déception, parce qu'ils se refusaient à me créditer du moindre désir sincère de paix. Mais quel que fût mon jugement des motifs des manifestants, et quel que fût le leur des miens, je pense que l'effet principal de leur activité fut d'encourager l'ennemi et de prolonger ainsi la guerre du Vietnam. Ils voulaient terminer la guerre. Moi aussi. Mais ils voulaient la terminer immédiatement, et pour ce faire ils étaient prêts à abandonner le Vietnam du Sud. C'était là quelque chose que je ne pouvais pas permettre.

Le résultat final de l'élection de 1968 montrait que j'avais vaincu Humphrey par 500 000 voix seulement : 43,3 contre 42,6 pour cent. Mais George Wallace avait reçu 13,5 pour cent des voix, presque 10 millions. Mes voix et celles de Wallace atteignaient 56,8 pour cent; et ensemble, elles représentaient un mandat tout à fait clair : l'électeur américain souhaitait un changement de direction, il désirait abolir le paternalisme de Washington.

Je fus le premier Président depuis Zachaire Taylor, cent vingt ans plus tôt, à entrer en fonction avec les deux chambres du Congrès dominées par l'Opposition. Pour faire passer les lois, j'avais besoin d'une coalition bipartisane.

Tout au long de ma présidence, le plus fort et plus fidèle appui pour ma politique étrangère vint des conservateurs des deux partis. Mais il n'y avait malheureusement pas de coalition semblable en ce qui concernait la politique intérieure. Pour faire passer mon programme au Congrès, il me fallait monter, dans chaque cas particulier, une stratégie complexe. Et pour éviter que les choses dont je ne voulais pas prennent force de loi, je devais opposer fréquemment mon veto et en supporter les conséquences au Parlement et dans la presse.

J'avais gagné l'élection de 1968 en tant qu'habitué de Washington, mais avec les idées d'un étranger à cette ville. La structure du pouvoir derrière la scène à Washington est souvent dénommée « le triangle de fer » : un réseau triangulaire de rapports entre les lobbyistes professionnels, les commissions et sous-commissions du Congrès et leur personnel, et enfin les bureaucraties dans les divers départements ministériels et leurs agences. Ces gens travaillent les uns avec les autres d'année en année, indépendamment de tout changement de gouvernement : ils forment des sortes d'associations personnelles ou professionnelles, et ils agissent de concert.

Je sentais qu'une des raisons de mon élection avait été ma promesse de desserrer la prise par laquelle Washington tient l'argent et les décisions qui affectent la vie des Américains. Washington est une ville dirigée en premier lieu par des Démocrates et des libéraux, dominée par des journaux et d'autres média inspirés du même esprit, tous convaincus de leur supériorité sur les autres villes et les autres opinions. Dès le début, je savais que mes chances de parvenir aux réformes intérieures que j'avais à l'esprit seraient minces.

Je demandai aux membres du Cabinet de remplacer les bureaucrates des temps passés par des gens croyant à ce qu'ils faisaient.

S'ils n'agissaient pas vite, ils deviendraient les prisonniers de leur bureaucratie. « Nous ne pouvons pas compter que des gens qui croient à une autre philosophie de gouvernement vont nous offrir leur loyauté et leur meilleur travail, dis-je. Je ne sais pourquoi règne l'idée qu'il vaut mieux promouvoir le Démocrate prétendu idéaliste que le Républicain prétendu affreux. Si nous ne nous débarrassons pas de ces gens-là, ou ils nous saboteront de l'intérieur, ou ils resteront assis sur leurs derrières bien payés, en attendant que les élections leur ramènent leurs anciens patrons. »

Depuis que la télévision est devenue le principal moyen de communication et la première source d'information, il faut aux Présidents des talents spéciaux qui sont à la fois plus superficiels et plus difficiles que ceux de leurs prédécesseurs. Ils doivent s'efforcer de maîtriser l'art de manipuler les mass média seulement pour vaincre personnellement, mais afin d'assurer le succès du programme ou des causes qu'ils défendent; et en même temps ils doivent éviter à tout prix d'être accusés de le faire. Dans la présidence d'aujourd'hui, le souci que l'on a de son image doit aller de pair avec le souci que l'on a de l'essentiel. Il n'y a aucune garantie que de bons programmes vont automatiquement triompher. « Les élections ne sont pas gagnées ou perdues par les programmes, écrivais-je un jour à Haldeman, elles se gagnent ou se perdent par la façon dont ces programmes sont présentés au pays et la manière dont les rapports avec les milieux politiques et l'opinion publique sont pris en considération. » Je n'aime pas cette situation. Je peux me souvenir d'une époque où il n'en allait pas ainsi dans la politique américaine. Mais c'est aujourd'hui une réalité et toute personne qui cherche à s'assurer une position d'influence dans la politique doit y faire face, toute personne qui cherche à s'assurer une position de direction doit la maîtriser.

Je savais qu'en tant que Président, mes relations avec les moyens d'information seraient au mieux une trêve malaisée. Quelques-uns des problèmes étaient d'ordre structurel. Les moyens d'information se voient comme les adversaires du Gouvernement; ils considèrent de leur devoir d'être sceptiques. Le Gouvernement sait qu'il n'est pas au monde de programme parfait, et il tente d'adoucir les critiques aussi longtemps et aussi adroitement qu'il le peut, afin de parvenir à réaliser quelque chose. Souvent les tensions qui existent entre les deux n'ont pas d'autres raisons. Mais, dans mon cas, il y avait quelque chose de plus. La majorité des reporters des journaux de la télévision, les chefs de rubrique, les rédacteurs et les faiseurs d'opinion à New York et Washington sont des libéraux. Je ne le suis pas, et pendant de nombreuses années nous nous étions regardés de loin, séparés par un abîme idéologique que la guerre du Vietnam n'avait fait qu'approfondir. Après le traitement que j'avais reçu de la presse lors de l'affaire Alger Hiss, après l'épisode des fonds, et après l'évidente partialité de la presse en faveur de Kennedy en 1960, je considérais qu'une majorité influente des moyens d'information était le domaine de l'opposition politique contre moi. Quelles qu'en fussent les raisons — structurelles, idéologiques, ou simplement personnelles —, mes rapports avec eux étaient différents, même de ceux d'autres personnalités politiques qu'ils n'aimaient pas, ou avec lesquelles ils n'étaient pas d'accord. Je n'avais à attendre aucune générosité, même pour de simples erreurs. Je savais que ma conduite et celle de ma famille seraient soumises au plus sévère examen, et que si jamais quelque chose se détraquait sérieusement, les moyens d'information s'y engouffreraient et me livreraient un combat à mort.

J'étais préparé à lutter avec les moyens d'information pour faire connaître mes vues et mon programme au peuple américain, et malgré les pouvoirs dont je bénéficiais aux yeux du public en tant que Président, je ne croyais pas pouvoir lutter à armes égales. Les moyens d'information sont beaucoup plus puissants que le Président pour susciter la vigilance publique ou former l'opinion, pour la simple raison qu'ils ont toujours le dernier mot.

Je pensais aussi qu'il importait d'établir des rapports plus directs avec les moyens d'information hors de New York et de Washington. Je ne voulais pas que tous les points de vue et toutes les opinions m'arrivassent filtrées par le *Times*, le *Post* et les trois chaînes de télévision. C'est pourquoi je demandai une revue quotidienne des principales idées et opinions exprimées dans tout le pays par cinquante journaux, trente revues et deux services télégraphiques d'agences.

Au poste de Directeur des communications créé à la Maison Blanche, je nommai Herb Klein, qui avait été en 1960 et 1962 mon porte-parole auprès de la presse. L'une de ses tâches était de rester en contact avec les moyens d'information dans le reste du pays, de m'apporter leurs articles et de leur faire parvenir mes idées. Ron Ziegler qui avait été pendant vingt-neuf ans mon adjoint pour la presse devint le chef de mon Service de presse.

A mon avis, nous devions apposer notre marque sur la bureaucratie fédérale. Depuis le mot d'Andrew Jackson : « Au vainqueur les dépouilles », les Démocrates ont excellé dans l'art d'appliquer ce mot d'ordre. C'est pourquoi je poussais, j'exhortais et finalement implorais les membres de mon Gouvernement de remplacer les Démocrates d'autrefois par des Républicains qui seraient loyaux au Gouvernement et appuiraient mon programme.

Semaine après semaine, je vis et j'entendis mes ministres, même ceux qui avaient été dans la politique assez longtemps pour savoir à quoi s'en tenir, exposer les raisons pour lesquelles ils gardaient des Démocrates dans d'importantes positions : c'était tantôt « la morale », tantôt pour éviter des controverses, ou une publicité défavorable. Une fois l'occasion passée, il était trop tard pour rattraper cet échec pendant mon premier mandat. Je me consolai en pensant que si j'étais réélu en 1972, je ne commettrais plus l'erreur de m'en remettre à l'initiative individuelle des membres du Cabinet.

Je devenais le Commandant en chef des forces armées à un des moments les plus difficiles de leur histoire. Les effets de la propagande contre la guerre se faisaient sentir sur le moral et la discipline des forces, aux Etats-Unis comme sur le champ de bataille. Lorsque la guerre du Vietnam serait terminée, pensais-je, il serait possible de mettre fin à la conscription et de créer une armée de volontaires. Dès 1969 je commençais à en faire le plan et, en 1973, le service militaire obligatoire était supprimé.

Le Parti Républicain n'était pas sorti très renforcé de l'élection de 1968, malgré notre succès à la Présidence. Le fait était que les Démocrates dominaient les deux Chambres du Congrès, comme ils l'avaient fait vingt-six ans sur les trente-quatre dernières années. J'espérais que le parti pourrait maintenir ses positions aux élections de 1970. Et j'espérais qu'en 1972 sa vitalité serait suffisamment rétablie pour qu'il connût une nouvelle génération de candidats victorieux.

Entre-temps, je devais soigneusement surveiller ma position politique. La victoire sur Humphrey avait été trop serrée pour être confortable. Sans la débâcle de Chicago et l'impopularité de Johnson, Humphrey aurait pu gagner. Il n'y avait aucune raison de croire que les Démocrates auraient l'obligeance de m'offrir les mêmes avantages en 1972. S'ils pouvaient s'unir autour de Teddy Kennedy, de Muskie ou même, encore, autour de Humphrey, il serait très difficile de les battre. C'est pourquoi je décidai que nous devions commencer immédiatement à suivre de très près tout ce que les chefs du Parti Démocrate entreprenaient. L'information serait notre première ligne de défense.

Ma fille Julie avait rencontré David Eisenhower pour la première fois au début du deuxième mandat du général Eisenhower en 1957. Ils avaient alors tous deux huit ans. Ils ne se rencontrèrent pas dans les premières années 1960. C'est une circonstance géographique qui les rapprocha. En 1966, David entrait à l'Université Amherst et Julie à l'Université Smith, à quelques kilomètres de là. Un jour, il lui fit une visite et demanda s'il pourrait venir la voir de temps en temps. Ils se virent, ils se plurent, et avant le début de leur deuxième année, ils nous dirent qu'ils voulaient se marier.

Le mariage était prévu pour le 22 décembre. Je dis à Julie qu'elle devrait réfléchir sérieusement à la possibilité d'attendre un peu plus longtemps pour se marier à la Maison Blanche. Mais elle et David désiraient que leur mariage fût une cérémonie aussi personnelle et aussi peu politique que possible.

La fin de 1968 s'approchait. Je me sentais heureux. A Key Biscayne, il y avait une couronne de feuillage sur la porte et un magnifique arbre de Noël dans le salon. David et Julie vinrent nous rejoindre pour Noël, de Palm Beach où ils passaient leur lune de miel. Loin dans l'espace, *Apollo VIII* tournait autour de la lune, tandis que Frank Borman lisait l'histoire de la création du livre de la Genèse. C'étaient des jours riches de bonheur, d'attente et d'espoir.

Le dimanche 19 janvier, nous assistâmes au service religieux du matin, et dans l'après-midi nous prenions l'avion que Johnson nous avait envoyé pour nous mener à Washington. Je passai mon dernier soir de vie privée à mettre les dernières touches à mon discours de prise de fonction. Vers huit heures Eisenhower m'appela de l'hôpital Walter Reed.

« Eh, Dick, me dit-il. Je veux vous faire mes meilleurs vœux pour ce qui sera demain, j'en suis sûr, un grand jour. » Il s'arrêta un instant : « Je n'ai qu'un regret, c'est la dernière fois que je vous appelle Dick. A partir de maintenant ce sera toujours Monsieur le Président. »

RICHARD M. NIXON

November 22, 1967

Dear Julie -

I suppose no father believes any boy is good enough for his daughter.

But I believe both David and you are lucky to have found each other -

Fina often says - "Miss Julie always brings life into the home"

In the many years ahead you will have ups and downs but I know you will always "bring life into your home" is it is - Love

D

LA PRÉSIDENCE
1969-1972

Le 20 janvier 1969, jour de mon entrée en fonction, je me réveillai à 7 h 45 et pris le petit déjeuner avec Pat dans notre suite. Puis nous assistâmes à un office de prières dans l'auditorium du Département d'Etat avant de nous rendre à la Maison Blanche. Comme notre voiture s'engageait lentement dans l'allée, je pus voir les Johnson qui nous attendaient sur le perron du Portique Nord.

Nous entrâmes pour le café traditionnel dans le Salon Rouge. « Je pense que vous devriez peut-être prononcer mon allocution aujourd'hui, Hubert », dis-je à Humphrey pour essayer d'alléger l'atmosphère. Il me répondit avec un sourire : « C'était bien mon intention, Dick. »

Je me rappelais, depuis 1961, combien cette cérémonie pouvait être douloureuse pour un homme qui vient de perdre une élection serrée et je fus touché par la bonne humeur gracieuse de Humphrey.

Pendant le bref trajet jusqu'au Capitole, Johnson salua de la main la foule bordant les trottoirs et maintint une conversation animée. Ce soir-là, je dictai une note sur ce qu'il avait dit :

> En allant au Capitole, Johnson a parlé en termes fortement sentis de Muskie et d'Agnew.
> Il a dit que la veille, à un dîner, un groupe de gens parlaient de tout ce que Muskie avait fait pour la campagne. Il — Johnson — avait répliqué que toute la presse s'était apitoyée sur Muskie; mais pour ce qui était des voix, Muskie avait apporté le Maine avec quatre voix, alors qu'Agnew pouvait être crédité, tout au moins pour une large part, de la Caroline du Sud, de la Caroline du Nord, de la Virginie, du Tennessee et du Kentucky. Il m'a paru évident qu'il aimait bien Agnew mais n'avait que faire de Muskie.

Pour la prestation de serment, Pat tenait les deux mêmes bibles de la famille Milhous qu'elle avait tenues en 1953 et 1957. J'avais demandé qu'elles soient ouvertes à Isaïe II, 4 : « Alors ils forgeront de leurs épées des socs de charrues, et de leurs lances ils feront des serpes. Une nation ne lèvera plus l'épée contre l'autre et on ne s'exercera plus à faire la guerre. »

Après avoir prêté serment au juge à la Cour suprême Earl Warren, je prononçai mon allocution inaugurale.

Mon thème principal était la paix : « Le plus grand honneur que puisse conférer l'histoire est le titre de pacificateur. Cet honneur est maintenant à la portée de l'Amérique... Si nous réussissons, les générations à venir diront de nous, qui sommes vivants aujourd'hui, que nous avons été les maîtres de notre moment, que nous avons aidé à rendre le monde sûr pour l'humanité. C'est notre appel à la grandeur. »

Quand le cortège inaugural fut prêt à défiler du Capitole à la Maison Blanche, je vis que les Services de sécurité avaient installé le toit de la limousine présidentielle. L'agent responsable m'expliqua qu'il y avait plusieurs centaines de manifestants le long de notre parcours et qu'il y avait déjà eu des échauffourées avec la police et d'autres spectateurs. Pendant les premières centaines de mètres, la foule fut amicale et nous acclama. Du côté de la 12ᵉ Rue, j'aperçus des pancartes hostiles vacillant au-dessus d'une double rangée d'agents de police s'efforçant de contenir la foule. Soudain, un tir de barrage de bâtons, de pierres, de boîtes de bière et, apparemment, de pétards se mit à pleuvoir vers nous. Certains projectiles frappèrent la carrosserie et roulèrent sur la chaussée. Je pouvais entendre les voix aiguës des manifestants scandant : « Hô Hô Hô Chi Minh, le F.L.N. va gagner. » Un drapeau vietcong fut brandi et il y eut une courte bagarre quand quelques spectateurs voulurent le déchirer. Quelques secondes plus tard, nous tournâmes le coin de la 15ᵉ Rue et l'atmosphère changea du tout au tout. Une grande ovation monta de la foule massée sur les trottoirs devant le Washington Hotel et le bâtiment du Trésor. J'étais furieux qu'un groupe de manifestants brandissant le drapeau du Vietcong ait pu nous garder prisonniers dans la voiture. Je dis au chauffeur de faire glisser le toit ouvrant et de faire savoir aux autres agents que Pat et moi nous allions nous mettre debout pour que le peuple puisse nous voir.

Ce soir-là nous assistâmes à chacun des quatre bals. Il devait être une heure et demie quand nous rentrâmes à la Maison Blanche. Tricia et Julie trouvèrent le réfrigérateur bourré de crèmes glacées et de boissons gazeuses laissées par les petites Johnson.
Je m'assis au piano à queue dans le grand salon des appartements privés et jouai Le Souffle du Printemps, puis une chanson que j'avais composée pour Pat avant notre mariage.
Quand nous fûmes tous réunis sur les canapés du Salon Ouest, Pat dit avec un soupir heureux : « C'est bon d'être à la maison. » Tout le monde sursauta. La Maison Blanche était maintenant notre maison.

La Maison Blanche est à la fois un musée national et un logement. Les grandes salles historiques se trouvent principalement au rez-de-chaussée et au premier étage : le Salon Est, les Salons Vert, Bleu et Rouge, et la grande salle à manger officielle. Les appartements privés du deuxième et troisième étages sont appelés la Résidence ou les Appartements Familiaux. Leur personnalité change selon les Présidents.
Pour décorer nos appartement, Pat choisit des jaunes, des bleus, des or, des couleurs ensoleillées de Californie. Tricia, qui vécut avec nous jusqu'à son mariage en 1971, prit l'ancienne chambre de Lady Bird Johnson donnant sur Pennsylvania Avenue et le parc Lafayette. Le grand solarium clair et aéré, qui avait été une salle d'étude pour les

enfants Kennedy et un salon de réceptions-interdites-aux-adultes pour Luci et Lynda Johnson, devint notre living-room.

Cependant, même dans les appartements privés, l'histoire vous environne. Quand je demandai un lit normal, à la place du grand lit à colonnes et à baldaquin de Johnson, celui que l'on m'apporta du mobilier national avait servi d'abord à Truman puis à Eisenhower. Je ne pus m'empêcher de penser que, dans ce cas-là, la politique unissait de bien singuliers camarades de lit...

De John Adams à Theodore Roosevelt, le Président et ses collaborateurs avaient travaillé dans la Maison Blanche proprement dite. Mais les six enfants de Teddy Roosevelt et leur ménagerie de chiens, de chats, d'opossums, de serpents, sans parler d'un poney et d'un ours, se trouvèrent à l'étroit et il demanda qu'on ajoute une aile, l'Aile Ouest, qui est en réalité un petit immeuble de bureaux de trois étages. Au rez-de-chaussée il y a le Bureau Ovale, la salle du Conseil et une autre salle de conférences que nous appelions le Salon Roosevelt. Pendant la Seconde Guerre mondiale, une Aile Est fut ajoutée pour fournir des bureaux supplémentaires au personnel du Président et de la Première Dame.

Pat avait eu beau réchauffer le Bureau Ovale avec un somptueux tapis bleu et or, des canapés et des rideaux d'un jaune vibrant, il restait indiscutablement imposant. Je décidai donc d'en avoir un second, plus confortable, dans l'ancien Executive Office Building, l'immeuble des bureaux de l'exécutif, tout à côté de la Maison Blanche dont il est séparé par une étroite voie privée. Les journalistes appelaient généralement mon bureau de l'E.O.B. mon « petit cagibi caché »; mais en réalité, il était presque aussi grand que le Bureau Ovale. Pat emplit les étagères de mes livres préférés et le décora de souvenirs. Il y avait beaucoup de photos de famille, mais celle qui me tenait le plus à cœur était une photographie de Pat, Tricia, Julie et moi prise le jour où nous étions revenus en Californie après ma défaite dans l'élection présidentielle de 1960. Julie m'écrivit un jour : « J'aime penser que la raison pour laquelle tu la gardes sur ton bureau, c'est qu'elle symbolise le bonheur que nous éprouvions en tant que famille unie au moment d'une défaite et d'un nouveau départ difficile pour toi dans la vie privée après avoir servi si longtemps comme député, sénateur et Vice-Président. » Je préférais travailler et réfléchir entouré de ces objets personnels plutôt que dans l'atmosphère protocolaire du Bureau Ovale.

Au-dessus de la cheminée, dans le Bureau Ovale, Johnson avait un portrait de Kennedy tenant à la main la Charte de l'Atlantique. Je le remplaçai par un portrait de George Washington par Gilbert Stuart. Selon la tradition de la Maison Blanche, je choisis moi-même les portraits de trois prédécesseurs pour la salle du Conseil; ce furent Eisenhower, Woodrow Wilson et Theodore Roosevelt.

Lyndon Johnson avait été passionné par les gadgets et le matériel électroniques; il éprouvait le besoin constant de savoir ce que l'on disait de lui dans la presse et à la télévision. Contre le mur du Bureau Ovale, à gauche de son bureau, se dressait un grand cabinet spécialement fabriqué, aux parois isolantes, et recouvert d'un verre épais, abritant deux téléscripteurs d'agence de presse qui cliquetaient sans arrêt. A côté, un long meuble bas dissimulait trois postes de télévision couleur à écran géant, disposés côte à côte. Grâce à un appareil de télécommande, Johnson pouvait regarder simultanément les trois chaînes principales en passant de l'une à l'autre pour le son. Il y avait un meuble semblable à trois téléviseurs dans le petit bureau contigu, et encore un dans la chambre du Président. Je dis à Haldeman que je ne voulais qu'un seul poste dans le petit bureau et que tous les autres devaient être enlevés, ainsi que les téléscripteurs.

Je découvris sous le lit de Johnson une masse de fils et de câbles. On me dit que certains étaient pour ses téléphones, d'autres des fils de télécommande pour ses téléviseurs et d'autres encore pour du matériel d'enregistrement relié aux téléphones. Je fis tout démonter.

Je trouvai un autre exemple de l'attirail Johnson dans la salle de bains privée du Président. C'était une douche avec une bonne demi-douzaine de lances, de pommes et de jets différents, contrôlés par un tableau de bord de boutons compliqués. Les premières fois où je tentai de m'en servir je faillis être projeté hors de la douche; alors je demandai qu'on remplace tout ce système par une pomme toute simple au plafond.

Ma première nuit à la Maison Blanche, je ne dormis que quatre heures et me levai à 6 h 45. En me rasant, je me rappelai le coffre-fort secret que Johnson m'avait montré pendant notre visite en novembre. Quand je l'ouvris, il me parut vide. Et puis je vis un mince dossier sur l'étagère du haut. Il contenait le rapport quotidien sur la situation au Vietnam des services de renseignements pour la veille, dernier jour de fonction de Johnson.

Je le parcourus rapidement. La dernière page comportait le dernier chiffre des pertes. Pendant la semaine se terminant le 18 janvier, 185 Américains avaient été tués et 1 237 blessés. Entre le 1er janvier 1968 et le 18 janvier 1969, il y avait eu 14 958 morts et 95 798 blessés. Je refermai le dossier et le remis dans le coffre où je le laissai jusqu'à la fin de la guerre, comme un rappel constant de son prix tragique.

Le 17 février, l'ambassadeur soviétique Anatoly Dobrynine vint faire à la Maison Blanche sa première visite officielle.

Je lui dis que je voulais avoir des communications complètement ouvertes avec lui et les chefs de son gouvernement.

« Vous et moi, Monsieur l'Ambassadeur, il faut que reconnaissions les différences fondamentales qui existent entre nous, lui dis-je. Peut-être pourrons-nous les résoudre. Je l'espère. Mais vous et moi, nous devons au moins nous assurer qu'aucun différend ne sera créé entre nous faute de communication. »

Kissinger avait suggéré que nous mettions au point un réseau privé entre Dobrynine et lui. Je reconnus que l'ambassadeur soviétique serait sans doute plus ouvert dans des rencontres strictement privées et je m'arrangeai pour qu'il arrive par une porte de l'Aile Est rarement utilisée afin que personne ne sache qu'il avait vu Kissinger. Bientôt, nous nous rencontrâmes toutes les semaines, souvent pour déjeuner.

Quand Dobrynine me dit que son gouvernement voulait entamer des pourparlers pour la limitation de l'armement, je lui répondis que les progrès dans un domaine devaient logiquement être liés à des progrès dans d'autres domaines.

« L'histoire prouve bien que les guerres ne résultent pas tant des armes, ni même de la course aux armements, que des différends et des problèmes politiques sous-jacents, dis-je. Je pense donc qu'il nous incombera, quand nous entamerons les pourparlers sur les armes stratégiques, de faire parallèlement tout ce que nous pourrons pour désamorcer les situations politiques critiques comme celles du Moyen-Orient, du Vietnam et de Berlin, où le danger d'utilisation des armes est très réel. »

Avant de partir Dobrynine me remit une note officielle de sept feuillets de Moscou, indiquant que les Soviétiques étaient prêts à progresser sur toute une gamme de sujets, y compris le Moyen-Orient, l'Europe centrale, le Vietnam et le contrôle des armements.

Cela me parut de bon augure pour notre politique de bons rapports. La grosse question, bien entendu, c'était de savoir si les Russes joindraient le geste à la parole.

L'EUROPE ET DE GAULLE

Le 23 février, je quittai Washington pour une visite de travail de huit jours en Europe. Je tenais à ce que ce voyage, mon premier à l'étranger comme Président, établisse le principe d'une consultation avec nos alliés avant de négocier avec nos adversaires en puissance. Je voulais aussi montrer au monde que le nouveau Président américain n'était pas totalement obsédé par le Vietnam et souligner aux yeux des Américains de chez nous que, malgré l'opposition à la guerre, leur Président pouvait encore être reçu à l'étranger avec respect et même avec enthousiasme.

Plus important encore, j'estimais que la coopération du Président de Gaulle serait essentielle pour mettre fin à la guerre du Vietnam et pour mon projet de nouvelle ouverture vers la Chine communiste. La France entretenait des relations diplomatiques avec Hanoï et Pékin, et Paris serait le meilleur endroit pour créer un réseau de communication secret entre eux et nous. Mais de Gaulle s'était gravement éloigné de l'Amérique depuis quelques années. En 1966, il avait chassé de France le siège de l'O.T.A.N. Notre utilisation de Paris comme site de nos ouvertures diplomatiques allait dépendre de ma capacité de surmonter les discordes qui s'étaient développées entre nous et d'établir des rapports de confiance avec de Gaulle.

Le premier arrêt fut Bruxelles où je donnai le ton de la tournée en disant au Conseil de l'Atlantique-Nord : « Je suis venu pour travailler, par pour des cérémonies, pour m'instruire et non pour insister, pour consulter et non pour convaincre, pour écouter et apprendre et pour inaugurer ce qui sera, je l'espère, un échange continu d'idées et de prévisions. »

A Londres, je déjeunai avec la reine Elisabeth et j'eus une longue conversation privée avec dix-neuf citoyens britanniques influents. J'eus une entrevue privée avec le Premier Ministre Wilson, dans un confortable salon du 10 Downing Street. Un bon feu de cheminée allumait de chauds reflets dans la pièce, et, au bout d'un moment, Wilson se renversa dans son fauteuil et posa les pieds sur la table. Il portait des pantoufles de tapisserie. Notre conversation alla de la position américaine au Vietnam au rôle de la Grande-Bretagne en Europe. Wilson avait rencontré les dirigeants soviétiques à l'occasion de sa visite à Moscou et il me fit part de ses impressions sur leurs diverses personnalités. Il me dit que si Brejnev était né en Grande-Bretagne, il serait sans doute devenu secrétaire général du Conseil des Syndicats, et que si Kossyguine avait été anglais, il aurait probablement fini par être président des Imperial Chemical Industries.

Un moment qui aurait pu être gênant survint quand Wilson donna un petit dîner en mon honneur à Downing Street. En 1962, le magazine britannique *New Statesman* [1] avait qualifié ma défaite contre Pat Brown de « victoire de la bienséance dans la vie publique ». John Freeman, alors rédacteur en chef du magazine, avait été récemment nommé ambassadeur de Grande-Bretagne à Washington. Ce soir-là, à Downing Street, serait la première fois où nous nous trouverions tous deux dans la même pièce, dans une atmosphère intime.

Je décidai de soulager la tension en l'affrontant carrément. Dans mon toast d'après dîner, je dis que les journalistes américains avaient écrit sur mon compte des choses beaucoup plus désagréables que celles que le magazine de Freeman avait publiées. Cela faisait partie d'un passé qu'il valait mieux oublier et je conclus : « Après tout, il est le nouveau diplomate et je suis le nouvel homme d'Etat. »

Les convives applaudirent. Quand je me rassis, Wilson glissa son menu vers moi. Il avait écrit au dos : « Voilà un des gestes les plus généreux et les plus charitables que j'aie connus en un quart de siècle de politique. Il prouve ce que je dis toujours. On ne peut pas toujours naître lord. Il est possible — vous l'avez démontré — de naître gentleman. »

Nous avions craint des manifestations contre la guerre du Vietnam; il y en eut quelques-unes au cours de ce voyage, mais aucune ne put gâcher l'irrésistible réaction amicale des foules nombreuses qui nous accueillirent partout, à Londres, à Paris, à Bonn, à Bruxelles, à Berlin et à Rome. Chaque fois que c'était possible, je faisais des promenades impromptues et plongeais dans la foule pour serrer des mains et rencontrer l'homme de la rue.

Le point culminant de cette tournée, ce fut ma suite d'entretiens avec de Gaulle. Quand *Air Force One* se posa et roula sur la piste à Orly, j'aperçus sa haute silhouette debout au pied de la passerelle, sans manteau. On m'avait dit que la température était de quelques degrés à peine au-dessus de zéro, mais j'ôtai immédiatement mon pardessus. En me serrant la main, de Gaulle me salua en anglais, un geste personnel pratiquement sans précédent pour lui.

Quand nous nous rencontrâmes en privé dans l'après-midi, à l'Elysée, le premier sujet de discussion fut l'Union Soviétique.

1. New Statesman : Nouvel homme d'Etat. N.d.T.

DINNER

in honour of

The President of the

United States of America

10 Downing Street,
25th February, 1969

The Rt. Hon.
The Prime Minister

That was one of the kindest and most generous acts I have known in a quarter of a century in politics.

Just proves my point.

You can't guarantee being born a lord. It is possible — you in shown it — to be born a gentleman.

H.

Invitation à dîner du Premier ministre Harold Wilson

Il me dit qu'un des principaux aspects de l'Europe d'après-guerre était la menace soviétique, mais il pensait que les Russes eux-mêmes commençaient à se préoccuper de la Chine. Il me déclara : « Ils songent à un affrontement possible avec la Chine et savent qu'ils ne peuvent pas combattre l'Ouest en même temps. Je crois donc qu'ils finiront par opter pour une politique de rapprochement avec l'Ouest. » Il estimait que la peur traditionnelle que les Russes avaient des armées allemandes donnerait un élan supplémentaire à l'inclination qu'ils pouvaient avoir déjà pour la détente.

« Quant à l'Ouest, poursuivit-il, quel choix avons-nous? A moins que vous ne soyez prêts à faire la guerre ou à abattre le Mur de Berlin, aucune autre politique n'est acceptable. Travailler pour la détente est une question de bon sens; si l'on n'est pas prêt à faire la guerre, on fait la paix. »

Je lui demandai : « Si les Russes entreprennent une action, pensez-vous qu'ils croiront que les Etats-Unis réagiront avec des armes stratégiques? Et les Européens se sentent-ils assurés que nous riposterons à une attaque ou menace d'attaque soviétique par un déploiement massif de forces terrestres conventionnelles?

— Je ne puis répondre que pour les Français, dit-il. Nous croyons que les Russes savent que les Etats-Unis ne peuvent leur permettre de conquérir l'Europe. Mais nous croyons aussi que, si les Russes entament un mouvement, vous n'emploierez pas tout de suite des armes nucléaires, puisque cela impliquerait un effort total pour tuer tout le monde dans le camp adverse. Si les Russes et les Etats-Unis avaient recours à des armes tactiques nucléaires, l'Europe serait détruite. L'Europe occidentale et le Royaume-Uni seraient détruits par les armes tactiques soviétiques, tandis que l'Allemagne de l'Est, la Pologne, la Tchécoslovaquie et la Hongrie seraient détruites par les armes tactiques américaines. Pendant ce temps, ni les Etats-Unis ni l'Union Soviétique ne seraient touchés. »

Ce soir-là, il y eut un dîner officiel à l'Elysée. Je m'entretins avec Mme de Gaulle, une femme d'une grande force de caractère. Ses principaux soucis étaient son mari et sa famille. « La Présidence est temporaire, observa-t-elle, mais la famille est permanente. »

Le lendemain, de Gaulle et moi, nous nous retrouvâmes au Grand Trianon, à Versailles. « Louis XIV a gouverné l'Europe de cette pièce », me dit-il, alors que devant une des hautes fenêtres nous contemplions les vastes jardins à la française.

Nous parlâmes des effets tragiques de la Seconde Guerre mondiale sur les grandes nations européennes. Il résuma en une seule phrase des volumes d'histoire, en déclarant : « Dans la Seconde Guerre mondiale, toutes les nations d'Europe ont perdu. Deux ont été vaincues. »

J'amenai notre conversation sur la Chine. Alors que nous parlions, je vis que sa pensée était parallèle à la mienne. « Je ne me fais aucune illusion sur leur idéologie, me confia-t-il, mais je pense que nous aurions tort de les laisser isolés dans leur rage. L'Occident devrait chercher à connaître la Chine, à avoir des contacts, à la pénétrer.

— En contemplant ma route tout en poursuivant mes conversations avec les Soviétiques, je voudrai peut-être aussi garder une ancre flottante dans le lit du vent, à l'égard de la Chine. Dans dix ans, quand la Chine aura fait d'importants progrès nucléaires, nous n'aurons plus le choix. Il est vital que nous ayons davantage de communication avec les Chinois que nous n'en avons aujourd'hui.

— Il vaudrait mieux que vous reconnaissiez la Chine, en effet, avant d'être obligés de le faire à cause de son expansion. »

Nous rentrâmes à Paris en fin d'après-midi et, cette fois, ce fut moi qui donnai un dîner en l'honneur de de Gaulle. Il me confirma qu'il acceptait mon invitation à visiter les Etats-Unis et nous fûmes d'accord pour penser qu'une visite de travail semblable à la mienne serait la plus utile. Nous décidâmes que la date la plus propice serait janvier ou février 1970.

Dans son toast, ce soir-là, de Gaulle déclara : « En apprenant à mieux vous connaître — et par cette visite, vous m'avez donné cette occasion que je juge historique —, j'apprécie davantage l'homme d'Etat et l'homme que vous êtes. »

Je me dis qu'à elle seule la nouvelle entente cordiale entre les Présidents de la République française et des Etats-Unis exprimée par ses paroles, justifiait ce voyage européen.

Au cours de notre dernier entretien avant mon départ, nous parlâmes du Vietnam. L'Amérique s'était profondément engagée au Vietnam en dépit des avertissements de de Gaulle — et sans lui demander son avis. J'entamai la conversation en demandant : « Monsieur le Président, que feriez-vous à propos du Vietnam? »

Il réfléchit longuement avant de me répondre : « Que voudriez-vous que je fasse, Monsieur le Président? Vous voulez que je vous dise ce que je ferais si j'étais à votre place? Mais je ne suis pas à votre place! »

Il me dit qu'à son avis le seul moyen de mettre fin à la guerre était de conduire simultanément les négociations sur les plans politique et militaire en établissant un calendrier pour le départ de nos troupes. « Je ne crois pas que vous devriez partir précipitamment », estima-t-il.

Puis il se pencha en avant et posa ses grandes mains à plat sur la table en disant : « Je reconnais que la France a une certaine responsabilité dans cette affaire puisqu'elle n'a pas accordé assez tôt leur liberté aux Vietnamiens et a permis ainsi aux communistes de se poser en champions de l'indépendance nationale, d'abord contre nous puis contre vous. Mais vous autres, Américains, vous pouvez obtenir ce genre de règlement parce que votre puissance et votre richesse sont si grandes que vous pouvez le faire avec dignité. »

Quand il suggéra que des conversations directes avec les Nord-Vietnamiens seraient le meilleur moyen de progresser, je lui exprimai mon grand intérêt pour cela. De Gaulle ne dit rien de plus et nos entretiens se terminèrent, mais j'étais assez certain que le message serait transmis à l'ambassade du Nord-Vietnam.

Notre dernière étape fut le Vatican où je rencontrai le pape Paul VI. Nous évoquâmes une gamme étendue de questions et de problèmes internationaux, mais il s'intéressa tout particulièrement à mes projets concernant le Vietnam. Il parla de l'importance de résister à l'expansion du communisme dans le Sud-Est asiatique. Il rappela que les communistes avaient assassiné des chrétiens et supprimé la religion après s'être emparé du Nord-Vietnam en 1954 et, d'une voix émue, reconnut que les Américains devaient continuer d'être le bastion contre les communistes dans le Sud-Vietnam.

Je sentais que la tournée européenne avait atteint tous les buts que nous nous étions fixés. Elle démontrait aux membres de l'O.T.A.N. qu'un nouveau gouvernement respectant leurs points de vue était arrivé au pouvoir à Washington. Elle servait d'avertissement aux Soviétiques et leur faisait comprendre qu'ils ne pourraient plus compter sur la désunion occidentale ni en profiter. Et l'ensemble des informations dans la presse écrite et télévisée avait produit chez nous un impact positif en restituant, ne fût-ce que brièvement, un peu d'une fierté dont notre moral national (au plus bas) avait le plus grand besoin.

EISENHOWER

La santé rapidement déclinante du Président Eisenhower assombrit tristement les premiers jours de ma présidence. Il était à l'hôpital Walter Reed depuis avril 1968 et il y avait peu d'espoirs qu'il le quitte jamais.

Quand j'étais allé le voir avant mon voyage, il m'avait prié de présenter ses amitiés à certains de ses vieux amis, de Gaulle en particulier. « Je pense que nous n'avons pas su le prendre, maintenant que j'y réfléchis, me dit-il. Roosevelt et Churchill avaient trop peu de considération pour lui. Ils considéraient sa fierté comme de la simple vanité, et jamais ils n'ont compris que quelques petits gestes d'estime auraient pu apaiser son antagonisme à notre égard. »

Lorsque j'allai lui rendre visite à mon retour d'Europe, je fus si douloureusement frappé par la détérioration de son état que j'écrivis plus tard dans mon journal : « On aurait dit un cadavre... visage cireux. » Dès qu'il me vit, cependant, il s'anima, me sourit et leva une main.

Cela le fatiguait de parler, visiblement, mais il insista pour que nous poursuivions la conversation. « Vous savez, me dit-il, les médecins disent que je vais de mieux en mieux. » Toujours optimiste, peut-être le croyait-il.

Je lui dis que les dirigeants européens lui envoyaient leurs meilleurs vœux et ajoutai : « Vous aviez absolument raison à propos de de Gaulle. » Je lui annonçai que le pape avait promis de prier pour lui en espérant qu'un miracle lui rendrait la santé.

Peu après midi, le vendredi 28 mars, je me trouvais dans le Bureau Ovale, après une réunion du C.N.S., en compagnie de Haldeman, Kissinger et Mel Laird quand le médecin de la Maison Blanche, le Dr Walter Tkach, entra et s'arrêta sur le seuil. « Monsieur le Président, annonça-t-il, le Président Eisenhower vient de mourir. » Je savais qu'il s'éteindrait vite, mais la nouvelle me porta un coup si fort que je ne pus parler. Une onde de tristesse m'envahit et je fus incapable de retenir mes larmes.

Mamie nous accueillit à la porte de la suite présidentielle quand nous arrivâmes à Walter Reed. Je l'embrassai et lui dis combien nous partagions tous son deuil. Julie et David avaient été là quand il était mort. David était pâle, très secoué, et je vis que Julie avait pleuré.

En rentrant à la Maison Blanche, je décidai d'aller à Camp David pour écrire l'éloge funèbre que je prononcerais dans la Rotonde du Capitole le dimanche. Je m'entretins brièvement avec Mamie, au téléphone, au sujet des obsèques; et puis elle me révéla : « Vous aimerez sans doute connaître la dernière chose qu'Ike m'a dite avant de mourir. Vous savez comme il était faible mais il avait toute sa lucidité. Il savait que j'étais assise là et il a murmuré : " J'ai toujours aimé ma femme. J'ai toujours aimé mes enfants. J'ai toujours aimé mes petits-enfants. Et j'ai toujours aimé mon pays. " » Je notai aussitôt ces mots parce que je savais que je devrais les utiliser dans l'éloge funèbre.

Je crois que la meilleure description que je puisse donner de Dwight Eisenhower, c'est qu'il avait un sourire chaud et des yeux glacés. Ce n'était pas qu'il fût extérieurement chaleureux, et froid à l'intérieur, mais plutôt que sous sa personnalité captivante il y avait beaucoup de bon acier bien trempé. Il possédait une chaleur exceptionnelle, mais il y avait toujours de la réserve, même une certaine hauteur, pour l'équilibrer. Des centaines de milliers de gens de par le monde croyaient le connaître. Ses proches, ses amis et ses collaborateurs qui l'aimaient et l'admiraient comprenaient pourtant que même eux ne le connaissaient pas très bien.

Alors que la plupart des gens se souviennent de lui pour sa personnalité engageante, ouverte, je garde au cœur le souvenir de sa conduite décisive des affaires. Le meilleur de lui-même ressortait en temps de crise et quand il avait à résoudre de graves questions. On aime se rappeler aujourd'hui les années 50 en termes nostalgiques, comme d'une époque d'apathie intérieure et de stabilité internationale. Mais à la vérité, Eisenhower devint Président au moment précis où l'Amérique et le monde atteignaient un tournant de l'histoire, alors que la prolifération des armes nucléaires et la montée de la puissance militaire soviétique changeaient à jamais la nature des relations internationales.

Eisenhower n'avait pas l'habitude d'être critiqué et le supportait mal. Il ne pardonna jamais à Truman ses réflexions largement citées et répétées sur son manque d'expérience politique, pendant la campagne présidentielle de 1952. « Voyons, voyons, avait dit une fois Truman, ce type ne connaît pas plus la politique qu'un cochon ne connaît le dimanche. »

A un moment donné, au cours de son mandat, nous avions projeté un grand rallye bipartite pour lancer et soutenir le programme mutuel de sécurité. Je suggérai que Truman, qui défendait le programme, pourrait être invité à monter sur la plate-forme. La figure d'Eisenhower se ferma, son regard devint glacé et il déclara que jamais il n'apparaîtrait sur la même plate-forme que Truman, quoi qu'il puisse y avoir en jeu.

Leader politique, Eisenhower savait qu'il était beaucoup plus fort que son parti. Il sentait qu'en faisant du bon travail il pourrait rehausser son parti; mais il ne voulait pas que ce parti le rabaisse. La sérieuse érosion de la puissance républicaine pendant ses années à la présidence fut en quelque sorte le résultat de cette attitude et de ces distances. Cependant, il savait mieux que la plupart des hommes politiques comment émouvoir les gens, comment rallier la nation sous sa bannière, comment lui inspirer de la foi et gagner sa confiance... et cela est l'essence même de la politique.

Contrairement à l'opinion générale qui le considérait comme un conservateur endurci, il accueillait et encourageait les idées nouvelles, et même peu orthodoxes.

Au début de 1954, je pris note dans mon journal d'une conversation que j'avais eue avec Persons, et qui m'avait surtout frappé par sa description du style d'Eisenhower :

Il m'a dit que la difficulté, dans l'entourage du Président, c'était que pour certains le moindre mot qu'il prononçait était parole d'évangile. Jerry disait que ceux qui avaient travaillé avec lui avant savaient que c'était un tort et que bien souvent le Président adoptait une attitude très avancée et se décidait ensuite pour une position beaucoup plus en retrait.

Beaucoup de gens considéraient Dwight Eisenhower comme un bon grand-père bienveillant. Il avait toutefois de lui-même et de sa conception de la présidence un point de vue tout à fait différent. Il se voyait, en termes très actifs, comme l'homme responsable d'agir pour le bien de l'Amérique.

Je vis Eisenhower pour la dernière fois deux jours avant sa mort. Son médecin m'accueillit devant la porte de la suite présidentielle et je lui demandai comment allait son malade. Il me répondit : « Je crains qu'il n'y ait guère d'espoir, Monsieur le Président. »

Je causai avec Eisenhower pendant un quart d'heure environ, avant que le médecin vienne m'indiquer que je devrais partir. Manifestement, Eisenhower ne voulait pas que je m'en aille. Mais je voyais qu'il se fatiguait vite. Alors je lui serrai la main et me dirigeai rapidement vers la porte.

Je me dis que c'était sans doute la dernière fois que je le voyais en vie. Impulsivement, je revins sur mes pas et dis en m'efforçant de maîtriser mon émotion : « Mon général, je tiens simplement à ce que vous sachiez que tous les peuples libres d'Europe et des millions d'êtres dans le monde resteront à jamais vos débiteurs pour la position de commandement que vous avez assumée dans la guerre et dans la paix. Vous pourrez vous dire avec fierté qu'aucun homme dans notre histoire n'a plus accompli pour faire de l'Amérique et du monde un lieu meilleur pour y vivre en sécurité. »

Ses yeux s'étaient fermés pendant que je parlais, mais au bout de quelques instants il les rouvrit et souleva sa tête de l'oreiller. Sur un ton inhabituellement protocolaire, il me répondit : « Monsieur le Président, vous me faites un grand honneur en me parlant ainsi. »

Et puis, lentement, il porta une main à son front pour un dernier salut militaire.

OPÉRATION « PETIT DÉJEUNER »

Nous nous étions demandé si un nouveau Président et une nouvelle ouverture de paix sérieuse produiraient la percée qui mettrait fin à la guerre du Viêtnam. Les Nord-Vietnamiens nous répondirent en février quand ils lancèrent une offensive, sur une petite échelle mais sauvage, sur le Sud-Vietnam. C'était manifestement un ballon d'essai destiné à prendre dès les premiers temps ma mesure et celle de mon gouvernement.

Mon instinct immédiat fut de riposter. Kissinger et moi reconnûmes tous deux que, si nous nous laissions manipuler dès le début par les communistes, jamais nous ne pourrions négocier avec eux sur un plan d'égalité, et encore moins, de force. Johnson avait commis cette erreur et n'avait jamais pu reprendre l'initiative.

Ce point de vue était partagé par le général Creighton Abrams, commandant en chef U.S. au Viêtnam, et par l'ambassadeur à Saïgon Ellsworth Bunker. Quand les communistes renforcèrent leur offensive, Abrams et

Bunker recommandèrent des missions de bombardement des B-52 contre les lignes de ravitaillement des refuges cambodgiens.

Bill Rogers et Mel Laird y étaient opposés. Ils craignaient la fureur du Congrès et de la presse si je portais la guerre au Cambodge. Mais Kissinger argua : « Qu'est-ce que ça peut nous faire que le *New York Times* nous éreinte maintenant si ça peut nous aider à mettre fin plus tôt à la guerre? » J'étais d'accord avec lui mais je décidai de remettre ma décision au sujet du bombardement à mon retour de la tournée européenne, parce que des fuites sur un projet de bombardement du Cambodge auraient risqué de provoquer de violentes manifestations pacifistes à l'étranger. Je fis envoyer un câble à Bunker par les voies normales, lui disant que toutes discussions au sujet du bombardement devaient être interrompues. En même temps, j'expédiai un message top-secret à Abrams, par un autre réseau que les voies officielles, lui disant d'ignorer l'ordre donné à Bunker et de continuer à projeter les missions des B-52 pour parer à toute éventualité, même si je devais attendre mon retour de voyage pour donner mon accord.

Pendant que j'étais en Europe, l'offensive communiste s'intensifia. Lors d'une conférence de presse, deux jours après mon retour, on me demanda ce qu'allait être notre réaction. « Nous n'avons pas agi de façon précipitée, répondis-je, mais le fait que nous ayons fait preuve de patience et de longanimité ne doit pas être considéré comme un signe de faiblesse... Une riposte appropriée sera faite à ces attaques si elles continuent. »

Dix jours plus tard, le matin de ma conférence de presse suivante, les Nord-Vietnamiens montèrent une nouvelle attaque dans la zone démilitarisée. En réponse à une question demandant si ce genre de provocation n'allait pas user ma patience, je répliquai : « Vous vous souvenez sans doute que le 4 mars, quand on m'a posé une question semblable au début de ces assauts, j'ai prononcé ce qui a été généralement interprété comme un avertissement. Ma politique de Président sera de ne donner qu'un seul avertissement, et je ne le répéterai pas aujourd'hui. Tout ce qui doit être fait à l'avenir sera fait. »

Le dimanche 16 mars, j'eus un entretien de deux heures avec Rogers, Laird, Kissinger et le général Earle Wheeler, chef de l'Etat-Major interarmes, pour passer en revue la situation politique et militaire au Vietnam.

Je demandai le chiffre des pertes le plus récent. A cause de l'offensive communiste, elles étaient élevées. 351 Américains avaient été tués pendant la semaine passée, 453 la semaine précédente et 336 au cours de celle d'avant.

Les rapports de nos services de renseignements indiquaient que plus de 40 000 combattants communistes avaient été secrètement massés dans une zone de seize kilomètres sur vingt-quatre juste à l'intérieur de la frontière cambodgienne. Nous respections la neutralité du Cambodge, mais les communistes la violaient de façon flagrante en lançant des raids sur le Sud-Vietnam depuis la frontière pour se retirer ensuite dans leurs refuges de la jungle.

« Messieurs, dis-je, nous avons atteint le point où une décision s'impose : bombarder ou ne pas bombarder. »

J'assurai à tout le monde que je comprenais les problèmes et reconnaissais les risques d'un bombardement des sanctuaires, même s'il se justifiait pleinement.

« Mais nous devons examiner ce que nous affrontons, ajoutai-je. La partie qui se joue à Paris est complètement stérile. Je suis convaincu que le seul moyen de sortir les négociations de l'impasse est d'entreprendre quelque chose sur le plan militaire. Ça, c'est une chose qu'ils comprendront. »

Je dis qu'en dehors de la reprise des bombardements sur le Nord-Vietnam, c'était la seule action militaire que nous puissions entreprendre pour réussir à sauver des vies américaines et à faire avancer les négociations. Et je conclus : « J'ai décidé de donner l'ordre de commencer les bombardements dès que possible. Demain, si le temps le permet. »

Le temps était beau. Et le 17 mars, des bombardiers B-52 frappèrent les sanctuaires communistes à l'intérieur des frontières du Cambodge. Le Pentagone donna au bombardement secret le nom de code de *Menu,* tandis que les diverses zones cibles étaient désignées par différents noms de repas. L'attaque contre la première zone fut appelée *Opération Petit Déjeuner.* Ce fut le premier tournant dans la conduite de la guerre du Vietnam par mon gouvernement.

Un maximum de précautions avaient été prises pour garder le bombardement secret, pour plusieurs raisons. Nous savions que le prince Sihanouk, chef du gouvernement cambodgien, s'opposait fortement à la présence d'une armée nord-vietnamienne sur son territoire. Dès 1968, il avait demandé aux Nations Unies d'user de représailles contre les Nord-Vietnamiens soit en les « traquant » au sol, soit en bombardant les sanctuaires. Nous savions aussi qu'à cause de la neutralité du Cambodge, Sihanouk ne pouvait se permettre d'approuver officiellement nos actions. Par conséquent, tant que nous bombarderions en secret, Sihanouk ne dirait rien; toutefois, si le bombardement était notoirement connu, il serait obligé de protester publiquement.

Nous prévoyions aussi que tant que le bombardement resterait secret, les Nord-Vietnamiens pourraient difficilement protester puisque, officiellement, ils niaient qu'ils avaient des soldats au Cambodge.

Le problème des manifestations anti-Vietnamien chez nous était une autre raison du secret. Mon gouvernement n'avait que deux mois et je tenais à provoquer le moins d'agitation possible au départ.

Afin de préserver ce secret, nous prévînmes uniquement Richard Russell et John Stennis, président et membre principal de la Commission sénatoriale des Armées. Russell commençait à avoir des doutes sur la guerre en général, mais les deux hommes pensaient que le bombardement était une bonne décision et tous deux m'assurèrent qu'ils me soutiendraient au cas où le secret serait éventé.

Bientôt après l'Opération Petit Déjeuner, le nombre des pertes américaines au Sud-Vietnam se mit à baisser régulièrement.

L'EC-121

Moins d'un mois après le commencement des bombardements secrets des refuges communistes au Cambodge, nous dûmes subitement faire face à une crise majeure dans une zone tout à fait inattendue du monde communiste.

Le 15 avril, juste avant sept heures du matin, le téléphone sonna dans ma chambre. C'était Kissinger, qui m'informa d'après des rapports de source sûre (mais encore non confirmés) que des appareils à réaction nord-coréens venaient d'abattre un de nos avions de reconnaissance de la Marine avec trente et un hommes à bord.

Dès mon arrivée dans le Bureau Ovale, je parcourus les rapports fragmentaires de nos services de renseignements. Les Nord-Coréens avaient abattu un quadrimoteur à hélices EC-121 de la Marine, en mission régulière de reconnaissance au large des côtes de Corée du Nord. De tels vols s'effectuaient depuis près de vingt ans et les pilotes avaient l'ordre de ne pas s'approcher à moins de quarante milles nautiques de la côte de Corée du Nord, bien au-delà de la limite territoriale internationale.

Il n'était guère possible que les hommes à bord de l'EC-2 aient été faits prisonniers en Corée du Nord comme l'équipage du *Pueblo* quinze mois plus tôt. Pendant toute la journée, nous supposâmes le pire — la mort de nos hommes — tout en espérant le mieux.

Je réagis de la même façon et suivant le même instinct qu'au début de l'offensive nord-vietnamienne : on nous mettait à l'épreuve, et par conséquent, la force devait répondre à la force.

Le lendemain matin à dix heures, heure de Washington, je réunis le C.N.S. dans la salle du Conseil pour considérer notre réaction à la première crise internationale que nous provoquions.

Rogers et Laird conseillaient tous deux la retenue. Selon leur raisonnement, il pouvait s'agir d'un incident tout à fait isolé, et ils pensaient que nous devions ne rien faire avant d'être absolument sûrs de ce qui était arrivé et pourquoi. Ted Agnew n'était pas d'accord et il grogna : « Mais pourquoi est-ce qu'ils se mettent toujours à la place de l'adversaire? »

Rien ne fut décidé ce matin-là, mais deux options sérieuses se précisèrent. L'Option Un envisageait des représailles en entreprenant une attaque militaire contre un terrain d'aviation de Corée du Nord. L'Option Deux supposait la poursuite des vols de reconnaissance des EC-121, mais en les faisant escorter par des chasseurs pour éviter de futurs incidents.

Aucune n'était idéale. Les Nord-Coréens étaient bien armés : si nous choisissions l'Option Un, nous devrions nous préparer à subir de nouvelles pertes et prévoir la reprise des hostilités en Corée. Et l'Option Deux, qui établirait clairement le principe de notre droit d'effectuer des reconnaissances dans l'espace aérien international, serait une très faible protestation contre ce qui semblait être le meurtre de trente et un hommes et un affront délibéré à l'honneur américain. Les Américains se demanderaient à juste titre quelle était la valeur de nos coûteux engagements à l'étranger si nous n'étions pas capables de protéger comme il convenait nos hommes et notre honneur dans une situation aussi flagrante que celle-là.

Dans l'après-midi, nous apprîmes que deux corps avaient été repêchés ainsi que des débris de l'appareil à quatre-vingt-dix milles de la côte. Nous ne pouvions plus espérer qu'il y ait des survivants, pas plus qu'il n'était permis de douter que l'incident fût un défi calculé et commis de sang-froid.

Les rapports des S.R. indiquaient que l'attaque contre l'EC-121 était une provocation isolée, comme la prise du *Pueblo*. L'un d'eux rappelait que le 14 avril était l'anniversaire du président de la Corée du Nord, Kim Il Sung et qu'il était même possible que ce fût le macabre cadeau qu'il se faisait à lui-même. Le point de vue d'opposition aux représailles fut fortement défendu par un câble urgent de notre ambassadeur à Séoul

William Porter, avertissant que toute action militaire que nous entreprendrions finirait par faire le jeu des dirigeants extrémistes de la Corée du Nord.

D'un autre côté, Kissinger et moi pensions toujours que des représailles s'imposaient. Comme il le dit, une forte réaction serait le premier signe, depuis des années, que les Etats-Unis étaient sûrs d'eux. Cela remonterait le moral de nos alliés et ferait réfléchir nos ennemis. Nous discutâmes de la possibilité que les Nord-Coréens ripostent par une attaque contre la Corée du Sud. Kissinger déclara qu'il n'y croyait pas mais que, dans ce cas, nous devions être prêts à prendre toutes les mesures nécessaires pour mettre la Corée du Nord à genoux.

Je dis que des plans devaient être préparés en vue de l'Option Un. Et comme l'Option Deux, la reprise immédiate des vols de reconnaissance avec des escortes de chasseurs, n'excluait pas l'utilisation subséquente de l'Option Un, je décidai d'aller de l'avant et de l'annoncer à une conférence de presse le lendemain matin.

Le 18 avril, j'appris donc aux journalistes : « J'ai ordonné aujourd'hui la poursuite des vols. Ils seront protégés. Ce n'est pas une menace. C'est un simple exposé des faits. »

Cependant, nous envisageâmes une troisième possibilité : l'Option Deux soutenue par une deuxième tournée de bombardements des sanctuaires communistes au Cambodge. Cela éviterait les risques de représailles directes contre la Corée du Nord et serait tout de même un moyen efficace de prouver aux dirigeants communistes de la Corée du Nord et serait tout de même un moyen efficace de prouver aux dirigeants communistes de la Corée du Nord et du Nord-Vietnam que nous étions résolus à soutenir nos alliés et à résister à l'agression.

Avant de donner le feu vert du plan de bombardement de l'Option Un, je décidai de l'annuler et d'adopter cette combinaison de l'Option Deux et d'une reprise du bombardement secret *Menu* au Cambodge. Cette seconde tournée visant la zone cible suivante serait appelée *Opération Déjeuner*.

Kissinger persistait à penser que, dans notre réaction à ce défi flagrant, notre crédibilité vis-à-vis du monde communiste était en jeu. Les Soviétiques, les Nord-Vietnamiens et les Chinois seraient tous à leur poste d'observation. « Si nous ripostons, dit-il, même si c'est risqué, ils vont dire : " Ce gars devient irrationnel, nous ferions bien de nous arranger avec lui. " Mais si nous reculons, ils diront : " Ce gars est pareil à son prédécesseur et, si nous attendons, il finira de la même façon. " »

J'étais toujours d'accord pour agir hardiment. Mais je ne savais pas si c'était bien le moment. C'était un risque calculé fondé sur la supposition que les Nord-Coréens ne feraient pas d'escalade si nous usions de représailles une seule fois contre une de leurs bases aériennes. Mais s'ils le faisaient et si nous portions de nouveau la guerre en Corée? Tant que nous étions engagés au Vietnam, nous n'avions absolument pas les ressources ni le soutien populaire pour livrer ailleurs une autre guerre.

Je devais aussi considérer le fait qu'à part Agnew et Mitchell la plupart de mes conseillers pour la Sécurité nationale, en particulier Rogers et Laird, étaient fortement opposés à l'Option Un. Kissinger reconnaissait que nous ne pouvions guère nous permettre la plus légère insoumission au sein du Cabinet tout au début de notre mandat. Il reconnaissait aussi que l'opinion publique et parlementaire n'était pas prête pour le choc de fortes représailles contre les communistes en Corée du Nord.

Ma décision en faveur de l'Option Deux se révéla plus facile à prendre qu'à mettre à exécution. Malgré ma directive du 18 avril — et son annonce publique —, nous dûmes affronter une suite de retards, de délais, de prétextes du Pentagone... Bref, il fallut attendre près de trois semaines avant que mon ordre soit exécuté. Pis encore : nous découvrîmes que, sans en informer la Maison Blanche, le Pentagone avait également annulé les vols de reconnaissance en Méditerranée. Ainsi, du 14 avril au 8 mai, les Etats-Unis n'avaient effectué aucune reconnaissance aérienne en Méditerranée et dans le Pacifique Nord, deux des zones les plus sensibles du globe.

Cette situation me surprit et m'exaspéra. Les Nord-Coréens allaient sûrement penser qu'ils avaient réussi à nous contraindre à renoncer aux vols de reconnaissance. Grâce à cet incident, j'appris dès le commencement de mon mandat qu'un Président doit constamment vérifier par lui-même non seulement comment ses ordres sont exécutés mais encore s'ils le sont.

Bientôt cependant, d'autres questions nous absorbèrent et l'affaire de l'EC-121 fut pratiquement oubliée. Cependant, je restais troublé par notre réaction ou, plutôt, par notre manque de réaction. Je dis à Kissinger : « Ils s'en sont tirés cette fois-ci, mais c'est bien la dernière fois. »

Le 28 avril, de Gaulle démissionna de la présidence de la République française. Il avait engagé son avenir politique sur les résultats de son référendum sur le Sénat et la réforme régionale.

En plus de la déclaration officielle offrant nos meilleurs vœux à de Gaulle, je lui écrivis une lettre personnelle : « Le message que je vous ai envoyé par la voie officielle exprime mal mon profond sentiment d'une perte personnelle quand vous avez annoncé votre départ », lui disais-je. Et encore : « Je crois que l'histoire révélera que votre démission est une grande perte pour la France ainsi que pour la cause de la liberté et de la dignité dans le monde. »

Je l'invitai à visiter quand il le voudrait les Etats-Unis, avec Madame de Gaulle; et je terminai : « Pour parler carrément, en cette ère de médiocres dirigeants dans la plus grande partie du monde, l'esprit américain a besoin de votre présence. »

Quand cette lettre lui fut remise en main propre à Colombey-les-Deux-Eglises, de Gaulle la lut et dit : « C'est un vrai camarade. » Puis il s'assit à son bureau pour écrire une réponse qui partit le jour même.

« Cher Monsieur le Président,

Votre gracieux message officiel et votre lettre personnelle très chaleureuse m'ont profondément touché. Non seulement parce que vous occupez la haute fonction de Président des Etats-Unis, mais aussi parce qu'ils viennent de vous, Richard Nixon, et que j'éprouve pour vous — avec de bonnes raisons — une estime, une confiance et une amitié aussi grandes et sincères qu'il soit possible.

Peut-être un jour aurai-je l'occasion et l'honneur de vous revoir; en attendant, je vous envoie du fond du cœur tous mes meilleurs vœux pour le bon accomplissement de votre immense tâche nationale et internationale.

Voudriez-vous avoir l'amabilité de transmettre à Mme Nixon mes égards les plus respectueux auxquels ma femme ajoute ses souhaits chaleureux? Pour vous, mon cher Monsieur le Président, l'assurance de mon sentiment d'amitié fidèle et dévouée,

Charles de Gaulle. »

De Gaulle mourut un an et demi plus tard. Je me rendis à Paris pour les obsèques à Notre-Dame et allai ensuite présenter mes respects à Georges Pompidou, naguère l'adjoint de de Gaulle, et maintenant son successeur.

Pompidou avait à juste titre la réputation d'un homme qui n'extériorise pas ses émotions et il avait eu ses différends avec de Gaulle au fil des ans. Mais après avoir attendu un moment qu'il engage la conversation, je levai les yeux et vis que le chagrin l'étouffait et qu'il ne pouvait parler.

Me rappelant mon émotion à la mort d'Eisenhower, j'attendis en silence qu'il se maîtrise. Nous avions tous deux vécu et travaillé durant des années dans l'ombre de deux géants, Eisenhower et de Gaulle. Maintenant ils étaient morts tous les deux.

Pompidou soupira et, en me regardant, murmura : « Enfin seuls... » Lui aussi devait songer à ce lien que nous avions partagé; désormais, nous étions seuls.

ÉCOUTES ET FUITES

Les fuites sur la guerre du Vietnam avaient été le fléau de Lyndon Johnson dans les dernières années de son mandat. Au début, il en avait été mécontent, puis furieux, et finalement presque obsédé par la nécessité d'y mettre fin. Il essaya de parer aux fuites en travaillant avec de moins en moins de personnes, jusqu'à ce qu'il en arrive à traiter des affaires de Sécurité nationale en privé, au cours des déjeuners du mardi avec un cercle très restreint de conseillers de confiance. J'ai déjà raconté comment, quand il avait appris que je décidais d'en revenir au système du Conseil National de Sécurité, il m'avait parlé de son expérience des fuites et prédit que je regretterais cette décision.

J'appris bientôt que son inquiétude était pleinement justifiée. Les fuites commencèrent presque dès le début de mon mandat; et avant peu, j'éprouvai à mon tour la colère, le souci et la frustration que Johnson m'avait décrits. Durant les cinq premiers mois de ma présidence, vingt et un articles importants au moins, basés sur des fuites provenant de dossiers du C.N.S., parurent dans des journaux de New York et de Washington. Un rapport de la C.I.A. compta en 1969 quarante-cinq articles contenant de sérieuses violations du secret.

Quelques jours après la première réunion du C.N.S. sur le Moyen-Orient, le 1er février, les détails de la discussion parurent dans la presse. Eisenhower, que j'avais personnellement mis au courant de cette réunion, considérait toute fuite d'informations secrètes de politique étrangère, en temps de guerre ou de paix, comme une trahison. Quand il lut l'article, il téléphona à Kissinger et l'avertit sans mâcher ses mots : « Verrouillez votre boutique. Débarrassez-vous de certaines gens s'il le faut, mais ne laissez pas cela continuer. »

Le 4 avril, le *New York Times* publia un papier sur le déploiement des missiles soviétiques, qui était basé sur une documentation ultra-secrète rassemblée grâce à des missions secrètes de renseignements.

Le 1er avril, une directive du C.N.S. avait été publiée, exigeant une nouvelle étude de diverses politiques pour le Vietnam comprenant, pour qu'elle soit complète, l'option radicale du retrait unilatéral. Le 6 avril, cinq jours après que cette étude eut été soumise, le *New York Times* annonça que les Etats-Unis envisageaient le retrait unilatéral des troupes. Cela fut un choc pour nos alliés et encouragea incontestablement nos ennemis.

Le 22 avril, le *Times* publia un article sur nos projets évoqués en réunion concernant les prochains pourparlers de désarmement avec les Soviétiques. Deux jours plus tard, le *Times* avait un rapport détaillé de nos délibérations sur le bien-fondé de la présence permanente d'un navire de renseignements au large de la Corée du Nord. Le lendemain le *Times*, toujours lui, rapporta une fuite de « sources dignes de foi » sur nos négociations pour la vente d'armes au roi Hussein de Jordanie.

Je parlai de ce problème à Edgar Hoover et à John Mitchell. Les trois suggestions de Hoover étaient d'opérer des vérifications des antécédents de ceux que l'on soupçonnait des fuites, de les faire suivre ou de mettre leur téléphone à l'écoute. Les écoutes téléphoniques, disait-il, étaient le seul moyen vraiment efficace de découvrir les sources des fuites. Il me dit qu'elles avaient été autorisées par tous les Présidents à partir de Franklin Roosevelt.

Il fut décidé que lorsqu'il y aurait des fuites, Kissinger fournirait à Hoover les noms des individus qui avaient accès à la documentation transmise et qu'il avait de quelconques raisons de soupçonner. J'autorisai Hoover à prendre les mesures nécessaires — y compris la mise sur écoute — pour enquêter sur la nature de ces fuites et découvrir les coupables.

Le 1ᵉʳ mai, le *New York Times* publia une fuite d'une étude gouvernementale sur l'état de la force stratégique U.S., comprenant des options pour son amélioration allant des missiles antibalistiques à des systèmes offensifs et aux estimations du coût de chacune de ces opérations. Le 6 mai, le même journaliste connaissait tout de nos délibérations pendant la crise de l'EC-121.

J'étais à Key Biscayne le 9 mai quand la première édition du *New York Times* publia à la une une révélation que nous redoutions depuis des mois. Le bombardement secret n'était plus secret. La manchette proclamait : *Pas de protestations contre les raids U.S. sur le Cambodge.* L'article était daté de Washington et le journaliste attribuait son information à des sources du gouvernement Nixon.

La politique du bombardement du Cambodge avait donné de bons résultats. Elle avait sauvé des vies américaines, l'ennemi souffrait et la pression montait pour les négociations. La fuite du *Times* menaçait tout.

Kissinger était fou de rage et moi aussi. Il supposa immédiatement que la fuite devait venir du Département d'Etat ou de la Défense. Nous savions que les fonctionnaires du Département d'Etat, par routine, avaient la spécialité des fuites. Mais dans ce cas particulier, Rogers était la seule personne de ce ministère à avoir été mise au courant du bombardement et j'étais certain que jamais il ne révélerait d'informations secrètes.

Nous n'avions pas non plus la naïveté d'ignorer la tendance du Pentagone à « faire fuir » tout ce qui pouvait lui servir ou avancer ses positions. Mais cette fuite-là allait embarrasser Mel Laird et lui causerait des moments inconfortables aux prochaines audiences sur la colline du Capitole.

Comme je l'avais fait quand plusieurs des premières fuites étaient apparues, je suggérai à Kissinger d'examiner objectivement et sans pitié sa propre équipe : s'il y avait des fauteurs de fuites dans le C.N.S., mieux valait le savoir tout de suite. Il accepta; et dans la journée, il téléphona à Hoover.

D'après le mémorandum de Hoover sur ces conversations, Kissinger exprima notre sentiment mutuel que les fuites était plus que simplement gênantes : elles étaient dangereuses aussi pour la Sécurité nationale. Kissinger envoya à Hoover les noms de quatre individus qui avaient accès aux documents révélés. Le F.B.I. installa immédiatement quatre écoutes téléphoniques.

J'exigeai le maximum de secret sur cette affaire d'écoutes et donnai aussi l'ordre qu'elles soient supprimées dès que possible. Je savais qu'une fuite à leur sujet porterait un coup au moral du personnel de la Maison Blanche, fournirait un argument puissant aux groupes anti-Vietnam de chez nous et une arme de propagande aux Nord-Vietnamiens. A dire vrai, le nombre annuel moyen de mises sur écoute sans acte juridique fut plus bas durant ma présidence que sous aucun autre gouvernement depuis Franklin D. Roosevelt. Mais je sentais bien que ce que mes prédécesseurs avaient fait dans ce domaine importerait peu si la presse et les activistes anti-Vietnam découvraient ce que faisait Nixon.

Cependant les fuites continuaient. Le 20 mai, le *Washington Post* en publia une sur mon projet de rencontre avec le président Thieu. Le 22 mai, le *New York Times* rapporta des détails délicats sur un débat du gouvernement concernant les essais d'une nouvelle ogive de missile avant l'ouverture des pourparlers S.A.L.T. Le 3 juin, le *Times* passa un article fondé sur un mémorandum du C.N.S. datant d'une semaine à peine, qui détaillait notre position de repli dans les négociations avec les Japonais sur Okinawa. Sa révélation prématurée sapait considérablement notre base de discussion; avant même l'ouverture des négociations, les Japonais savaient jusqu'où nous étions prêts à aller dans le compromis.

Le même jour le *Washington Star* publia un papier sur la décision du gouvernement de commencer à retirer des troupes du Vietnam. Cette fuite coupait l'herbe sous le pied de Thieu à qui nous avions assuré que nous ferions cette annonce conjointement, de crainte que les communistes ne l'interprètent comme un signe que nous commencions à abandonner le Sud-Vietnam.

Entre 1969 et le début de 1971, dix-sept individus furent mis sur écoute par le F.B.I. afin de chercher la source des fuites concernant la Sécurité nationale. Ce groupe comprenait quatre journalistes et treize fonctionnaires de la Maison Blanche et des Départements d'Etat et de la Défense. On ne me demanda que d'approuver le programme en soi et non chaque écoute individuelle. Aujourd'hui, neuf ans après, je ne puis reconstituer les événements particuliers qui les suscitèrent.

Il y eut une dix-huitième mise sur écoute pour raisons de Sécurité nationale, celle du chroniqueur Joseph Kraft. Je me souviens d'avoir été troublé de ce que Kraft, qui avait d'excellentes sources à la Maison Blanche, au C.N.S., au Département d'Etat et à la Défense, pût être en contact direct avec les Nord-Vietnamiens. Je sais que j'ai dit au moins une fois à Ehrlichman que les contacts de Kraft avec les Nord-Vietnamiens étaient tout ce qui nous intéressait.

Je ne me souviens cependant pas avec précision de ce qui me décida à agir. J'autorisai une écoute téléphonique au domicile de Kraft à Washington mais le F.B.I. y répugnait. En conséquence, j'autorisai l'installation d'un système d'écoute sans employer le F.B.I., mais nous y renonçâmes lorsque le F.B.I. s'arrangea pour mettre Kraft sur écoute pendant un des voyages du journaliste à Paris pour y voir les Nord-Vietnamiens.

Malheureusement, aucune de ces écoutes ne nous apporta de preuve permettant d'associer une personne du gouvernement avec une fuite spécifique compromettant la Sécurité nationale.

Pendant vingt-cinq ans au moins, tous les Présidents et ministres de la Justice autorisèrent des écoutes pour obtenir des renseignements concernant la sécurité tant intérieure qu'extérieure. Ce ne fut qu'en 1972 — plus d'un an après la suppression de la dernière de nos écoutes de Sécurité nationale — que la Cour Suprême décréta que les mises sur écoute de citoyens américains pour des raisons de Sécurité nationale devaient être autorisées par une ordonnance du tribunal si le sujet n'avait pas de « rapports significatifs avec une puissance étrangère, ses agents ou agences ».

Dans les premières années de mon mandat, je vis saper l'efficacité du gouvernement dans les affaires internationales par des fuites qui à mon avis violaient tout autant la loi que le code de conduite honorable. Surtout en ce qui concernait les fuites sur le Vietnam, alors que tant d'Américains y combattaient et y mouraient, j'étais exaspéré par ceux qui prétendaient transmettre des renseignements parce qu'ils étaient moralement opposés à la guerre. Alors, tout en réprouvant les écoutes, qui à mon avis n'avaient qu'une utilité limitée, j'y avais recours parce que cela semblait être notre unique chance de découvrir les responsables des fuites et de les empêcher de sévir.

Quand tous nos efforts pour découvrir ces sources échouèrent, nous commençâmes à restreindre nos discussions de politique étrangère à de petits groupes. Ainsi, par une ironie du sort, le principe de la fuite contraint inévitablement un gouvernement à opérer de manière plus sournoise et plus secrète au lieu de le forcer à agir au grand jour. Ce fut ce qui provoqua l'impression de « paranoïa » du secret du gouvernement Nixon. Indiscutablement, le secret empêche le libre-échange d'idées créatrices au sein d'un gouvernement, mais je puis dire sans équivoque que, sans le secret, il n'y aurait pas eu d'ouverture avec la Chine, pas d'accords S.A.L.T. avec l'Union Soviétique, et pas de transactions de paix pour mettre fin à la guerre du Vietnam.

VIETNAM :
OFFRES PUBLIQUES ET OUVERTURES SECRÈTES

Durant les premiers mois, en dépit de l'offensive communiste de février et de l'impasse des pourparlers de Paris, je demeurai convaincu que l'effet combiné de la pression militaire effectuée par les bombardements secrets et de la pression publique de mes invitations répétées à la négociation allait forcer les communistes à réagir. En mars, j'avais annoncé avec confiance au Cabinet que je m'attendais à ce que la guerre finisse avant un an. Nous avions pris l'initiative à Paris, proposé la restauration de la zone démilitarisée comme frontière entre le Nord et le Sud-Vietnam, et hasardé la possibilité d'un retrait simultané des troupes américaines et nord-vietnamiennes du Sud. Pour sa part, le président Thieu offrait d'entamer des négociations avec les Nord-Vietnamiens en vue d'un accord politique et d'élections libres.

Mais les Nord-Vietnamiens ne cédaient sur rien. Ils répétaient avec insistance que les questions politiques et militaires étaient inséparables, que les troupes américaines devaient se retirer unilatéralement et que Thieu devait être renversé, exigeant ces préalables à toute conversation sérieuse.

A la mi-avril, nous accrûmes la pression diplomatique. Kissinger montra à Dobrynine une page de trois points que j'avais paraphée. Selon les usages diplomatiques, cela signifiait que je les jugeais extrêmement importants. Leur message était on ne peut plus clair :

THE PRESIDENCY 1969

In mid-April we increased the diplomatic pressure. Kissinger showed Dobrynin a page of three points that I had initialed. In diplomatic usage, this was a sign that I considered them to be extremely important. Their message was unmistakable:

1. The President wishes to reiterate his conviction that a just peace is achievable.

2. The President is willing to explore avenues other than the existing negotiating framework. For example, it might be desirable for American and North Vietnamese negotiators to meet separately from the Paris framework to discuss general principles of a settlement If the special US and DRV negotiators can achieve an agreement in principle, the final technical negotiations can shift back to Paris.

3. The USG is convinced that all parties are at a crossroads and that extraordinary measures are called for to reverse the tide of war.

Kissinger dit à l'ambassadeur que les relations américano-soviétiques étaient en cause parce que, si nous pouvions parler de progrès dans d'autres domaines, l'accord sur le Vietnam était la clef de tout.

Dobrynine répondit que nous devions comprendre les limites de l'influence soviétique sur Hanoï et ajouta que jamais l'U.R.S.S. ne menacerait de supprimer tout ravitaillement à ses alliés du Nord-Vietnam. Il promit cependant que nos propositions seraient transmises à Hanoï dans les vingt-quatre heures.

Après avoir attendu une réponse pendant des semaines, nous décidâmes de reprendre l'initiative. Dans un discours télévisé, le 14 mars, je présentai notre premier plan de paix pour le Vietnam. Je proposai que la plus grande partie des troupes étrangères — tant américaines que nord-vietnamiennes — se retire du Sud-Vietnam dans l'année suivant la signature d'un accord. Une organisation internationale surveillerait le retrait ainsi que les élections libres au Sud-Vietnam. J'avertis l'ennemi de ne pas confondre notre souplesse avec de la faiblesse, et je déclarai : « Des rapports de Hanoï indiquent que l'ennemi a renoncé à tout espoir de victoire militaire au Sud-Vietnam mais compte sur l'effondrement de la volonté des Etats-Unis. On ne saurait commettre plus grave erreur de jugement. »

Mes propositions du 14 mai ne reçurent aucune réponse sérieuse des Nord-Vietnamiens, ni à Hanoï ni à Paris. Jamais je n'avais pensé qu'il serait facile de faire la paix au Vietnam mais, pour la première fois, je devais envisager la possibilité qu'elle serait impossible.

Je décidai néanmoins de poursuivre dans la voie par où nous avions commencé, dans l'espoir que l'ennemi finirait par étudier nos propositions et se joindre à nous pour chercher les termes d'un accord.

Dès le début de mon mandat, nous avions pensé que le retrait d'un grand nombre de combattants américains du Vietnam démontrerait à Hanoï que nous cherchions réellement un règlement diplomatique et que cela calmerait aussi l'opinion publique américaine en prouvant que nous étions résolus à mettre fin à la guerre.

Mel Laird estimait depuis longtemps que les Etats-Unis pourraient « vietnamiser » la guerre, en entraînant, équipant et inspirant les Sud-Vietnamiens pour qu'ils comblent les brèches provoquées par le départ des forces américaines. En mars, il revint du Sud-Vietnam avec un rapport optimiste sur la possiblité d'entraîner les Sud-Vietnamiens à se défendre eux-mêmes. Ce fut surtout sur la base de ce rapport enthousiaste de Laird que nous adoptâmes la politique de la vietnamisation. Cette décision fut un autre tournant de ma stratégie vietnamienne.

Le président Thieu était de ceux qui s'opposaient au projet de retrait des Américains de son pays. Je l'assurai, en privé et par l'intermédiaire de l'ambassadeur Bunker, que nous entendions fermement le soutenir. Afin de concrétiser ce serment, je proposai que nous nous rencontrions dans l'île de Midway en plein Pacifique. Thieu accepta de bon cœur et rendez-vous fut pris pour le 8 juin.

Après cette réunion, nous fîmes tous deux de brèves déclarations à la presse. J'annonçai que, sur la recommandation de Thieu et après avoir étudié les rapports de nos commandants sur le terrain, j'avais décidé d'ordonner le retrait immédiat du Vietnam d'environ 25 000 hommes.

Cela impliquait quelque exagération diplomatique parce que Thieu et Abrams s'étaient tous deux opposés en privé à ce retrait.

Je dis que dans les mois à venir j'envisagerais de nouveaux rapatriements en me basant sur trois critères : les progrès de l'entraînement et de l'équipement des forces armées sud-vietnamiennes, la progression des pourparlers de Paris et le niveau de l'activité ennemie.

Thieu était quelque peu apaisé par la réunion de Midway mais restait profondément troublé. Il savait que les premiers retraits de troupes américaines entameraient un processus irréversible qui aboutirait au départ de tous les Américains du Vietnam.

Pour m'assurer que le message de Midway serait compris à Hanoï, je le répétai à notre retour à la Maison Blanche. Je dis aux personnes réunies pour nous accueillir que la combinaison de mon plan de paix du 14 mai et de la décision du retrait des troupes prise à Midway ouvrait toute grande la porte à la paix. « Et maintenant, dis-je, nous invitons les dirigeants du Nord-Vietnam à franchir cette porte avec nous. »

A la fin de juin, il sembla que nous allions obtenir une vague réaction de Hanoï. Les combats paraissaient se calmer et nos services de renseignements indiquaient que certaines unités nord-vietnamiennes étaient retirées du Sud-Vietnam. Le Duc Tho, membre du Politburo et conseiller spécial de la délégation nord-vietnamienne aux conversations de Paris, retourna brusquement à Hanoï et l'on supposa qu'il avait été rappelé pour recevoir de nouvelles instructions concernant les négociations.

L'accalmie militaire dura jusqu'au début de juillet. Tout en n'étant sûr de rien, je décidai d'essayer encore une fois de dissiper tous les doutes et les malentendus qui pouvaient encore retenir Hanoï et de « jouer le tout pour le tout », en ce sens que je tenterais de mettre fin à la guerre d'une façon ou d'une autre, soit par un accord négocié, soit par l'emploi accru de la force.

Une des raisons pour lesquelles je pris cette décision à ce moment-là, ce fut la pensée que si je ne parvenais pas à donner de l'élan à nos efforts de paix dans les prochaines semaines, ils seraient voués à l'échec par le calendrier. A la fin de l'été, quand le Congrès rentrerait de vacances en septembre, une marée anti-guerre déferlerait sur le pays. Alors, avec l'approche de la saison sèche au Vietnam, l'offensive communiste reprendrait certainement pendant les fêtes du Têt, en février. Au début du printemps, la pression des élections de novembre 1970 rendrait impossibles à arrêter et difficiles à ignorer les exigences parlementaires de retraits de troupes.

Après avoir envoyé pendant six mois des signaux de paix aux communistes, j'étais prêt à utiliser toute la pression militaire nécessaire pour les empêcher de s'emparer par la force du Sud-Vietnam. Au cours de plusieurs longues séances, Kissinger et moi préparâmes une orchestration soigneuse des pressions diplomatiques, militaires et publicitaires que nous ferions peser sur Hanoï.

Je décidai de fixer le 1er novembre 1969 — premier anniversaire de l'interruption des bombardements de Johnson — comme date limite à ce qui serait en fait un ultimatum lancé au Nord-Vietnam.

Comme le 1ᵉʳ novembre n'était qu'à trois mois et demi, il n'y avait pas de temps à perdre. Le 15 juillet, j'écrivis une lettre personnelle à Hô Chi Minh. Une fois de plus, Jean Sainteny fut notre courrier. Je le reçus à la Maison Blanche pour qu'il puisse parler en connaissance de cause de mon ferme désir de paix. Mais je le priai aussi de dire que si aucune percée sérieuse ne s'était faite avant la date limite du 1ᵉʳ novembre, je serais au regret de me trouver contraint d'avoir recours « à des mesures de grandes conséquences et de force ».

Ma lettre à Hô Chi Minh fut envoyée à Sainteny par courrier secret et, le 16 juillet, il la remit à Xuan Thuy, chef de la délégation nord-vietnamienne à Paris, pour qu'il la transmette à Hanoï. Je m'étais efforcé de souligner à la fois la sincérité et l'urgence de notre désir de règlement :

> « Je comprends qu'il soit difficile de communiquer utilement de part et d'autre du fossé de quatre ans de guerre. Mais précisément à cause de ce fossé, je tiens à saisir cette occasion pour réaffirmer solennellement mon désir de travailler en vue d'une juste paix...
>
> Comme je l'ai souvent répété, rien ne saurait être gagné par l'attente...
>
> Vous nous trouverez ouverts et sincères dans un effort commun pour apporter les bienfaits de la paix au vaillant peuple du Vietnam. Que l'histoire enregistre qu'en cet instant critique, les deux camps se sont tournés vers la paix plutôt que vers le conflit et la guerre. »

Je pensais qu'avec cette lettre, j'étais allé aussi loin que possible, en attendant que le Nord-Vietnam indique qu'il s'intéressait aussi à un accord. Il nous fallait maintenant attendre la réponse d'Hô Chi Minh. Pour moi, ma lettre mettait entre ses mains le choix entre la paix et la guerre.

Quelques jours plus tard, nous apprîmes que les Nord-Vietnamiens proposaient une rencontre secrète entre Kissinger et Xuan Thuy.

Le 23 juillet, je me rendis dans le Pacifique Sud pour l'amerrissage d'Apollo XI. Ce devait être la première étape d'un voyage autour du monde avec des arrêts à Guam, aux Philippines, en Indonésie, en Thaïlande, au Sud-Vietnam, en Inde, au Pakistan, en Roumanie et en Grande-Bretagne. En l'honneur de la réussite d'Apollo, nous donnâmes à la tournée le nom de code de *Clair de Lune*.

Le voyage fournissait le camouflage idéal à la première rencontre entre Kissinger et les Nord-Vietnamiens. Il fut convenu qu'il irait à Paris, en principe pour mettre les Français au courant des résultats de mes entretiens. Et pendant son séjour, il rencontrerait secrètement Thuy.

La première étape après l'amerrissage d'Apollo fut l'île de Guam. Peu après notre arrivée, je donnai une conférence de presse impromptue aux journalistes couvrant la tournée. Ce fut là que j'énonçai ce qui fut d'abord appelé la doctrine de Guam et devint par la suite la doctrine Nixon.

Je déclarai que les Etats-Unis étaient une puissance pacifique et devaient le rester. Mais je sentais qu'une fois la guerre du Vietnam réglée, nous aurions besoin d'une nouvelle politique asiatique pour assurer qu'il n'y aurait plus jamais de Vietnam. Je commençai par proposer que nous conservions tous nos engagements existant déjà par traités, mais que nous ne nous engagions plus à l'avenir à moins que nos propres intérêts vitaux ne l'exigent.

Dans le passé, notre politique avait été de fournir des armes, des hommes et du matériel pour aider d'autres nations à se défendre contre l'agression. C'était ce que nous avions fait en Corée, c'était ainsi que nous avions commencé au Vietnam. Mais désormais, dis-je, nous ne fournirions que le matériel et l'aide économique et militaire à ces nations désireuses d'assumer la responsabilité de fournir les hommes pour se défendre elles-mêmes. Je ne fis qu'une exception : au cas où une grande puissance nucléaire attaquerait un de nos alliés ou amis, nous riposterions par des armes nucléaires.

La Doctrine Nixon de Guam fut mal interprétée par certains, qui crurent y voir un changement de politique aboutissant à un retrait américain total de l'Asie et aussi des autres parties du monde. Après mon retour, lors d'une de nos réunions régulières du petit déjeuner, le leader de la majorité au Sénat, Mike Mansfield, exprima cette fausse interprétation. Je lui fis clairement comprendre, tout comme je l'avais fait à nos amis des pays asiatiques, que la Doctrine Nixon n'était pas une formule pour faire *sortir* l'Amérique de l'Asie, mais qu'elle fournissait la seule base solide pour que l'Amérique y *reste* et continue de jouer un rôle de responsabilité en aidant les nations neutres et non communistes ainsi que nos alliés d'Asie à défendre leur indépendance.

En atterrissant à Bucarest le 2 août, je devins le premier Président américain à venir en visite officielle dans un pays satellite de l'U.R.S.S.

Le président roumain Nicolas Ceaucescu est un chef fort, indépendant, qui a maintenu de bonnes relations avec les Chinois tout en étant obligé d'avancer sur la corde raide de crainte que les Soviétiques ne décident d'intervenir en Roumanie comme ils l'ont fait en Hongrie en 1956 et en Tchécoslovaquie en 68. Jusque-là, il avait gardé l'équilibre avec une habileté consommée.

J'avais été prévenu que je pouvais m'attendre à une réception courtoise mais l'ampleur et l'enthousiasme spontané de la foule dépassèrent toutes mes espérances. A un moment donné, Ceaucescu et moi, nous fûmes littéralement emportés par le peuple dansant dans les rues.

La Roumanie maintenait de bonnes relations diplomatiques avec le Nord-Vietnam et je savais que tout ce que je dirais serait répété là-bas. Aussi profitai-je de mes conversations avec Ceaucescu pour renforcer mon message à Hanoï : « Nous ne pouvons pas continuer indéfiniment à avoir deux cents morts par semaine au Vietnam et aucun progrès à Paris. Le 1er novembre de cette année — un an après la cessation des bombardements, après le retrait de certaines de nos troupes et plusieurs offres raisonnables de négociation pacifique—, s'il n'y a pas de progrès, nous devrons revoir notre politique. »

Je lui dis qu'afin de faire la paix nous devrions avoir à ouvrir un autre réseau de communication entre les deux camps. Ceaucescu me répondit qu'il ferait tout ce qu'il pourrait pour aider à faire avancer les négociations.

L'histoire des rencontres secrètes entre Kissinger et les Nord-Vietnamiens, qui commencèrent le 4 août 1969 et durèrent près de trois ans, est extraordinaire, pleine d'épisodes de cape et d'épée, de séquences de cinéma où Kissinger se déplaçait couché sur la banquette arrière d'une DS roulant à toute vitesse, échappait aux journalistes et dépistait les attachés d'ambassade trop curieux.

La première conversation eut lieu rue de Rivoli dans l'appartement de Jean Sainteny, entre Kissinger, Xuan Thuy et Maï Van Bo.

Kissinger ouvrit le débat en déclarant qu'il voulait transmettre un message personnel de ma part. Il leur rappela que le 1er novembre serait le premier anniversaire de l'arrêt des bombardements. Depuis ce temps, les Etats-Unis avaient fait ce qu'ils considéraient comme des avances sérieuses : nous avions mis fin aux envois de renforts, nous avions observé une halte partielle puis totale des bombardements, et nous avions rappelé 25 000 combattants et offert d'accepter le résultat d'élections libres. A notre connaissance, il n'y avait pas eu de réaction significative. Maintenant, afin de hâter les négociations, j'étais prêt à ouvrir une nouvelle voie de contact avec eux. « Mais en même temps, ajouta Kissinger, on m'a prié de vous dire en toute solennité que si, le 1er novembre, aucun progrès majeur n'a été accompli en vue d'une solution du conflit, nous serons contraints — à notre très grand regret — de prendre des mesures aux plus graves conséquences. » Il fit observer que dans leur propagande et dans les discussions de Paris, les Nord-Vietnamiens tentaient de faire de ce conflit « la guerre de M. Nixon », et il les avertit : « Nous ne pensons pas que ce soit votre intérêt parce que si c'est la guerre de M. Nixon, il ne peut pas se permettre de la perdre. »

Xuan Thuy répliqua avec une retenue relative en réitérant la position la plus extrême d'Hanoï : il exigea le retrait complet de toutes les forces américaines et l'application des dix points du Front de Libération Nationale qui, en fait, prévoyaient la domination communiste totale sur le Sud-Vietnam. Il insista pour maintenir la fiction d'aucune présence de troupes nord-vietnamiennes dans le Sud-Vietnam. Il persista aussi à exiger le renversement du président Thieu avant que l'on puisse aboutir à un quelconque accord.

Finalement, Kissinger jugea qu'il avait dit tout ce qu'il pouvait à des représentants qui n'avaient pas réellement le pouvoir de négocier. Avec son extraordinaire habileté, il ramena la conversation sur un plan aimable en disant : « Nous préférerions avoir les Vietnamiens pour amis que pour ennemis. Je crois que nous devons faire un effort pour parvenir à une solution avant le 1er novembre. »

Les trois hommes se serrèrent la main et partirent séparément pour éviter d'attirer l'attention.

La réponse d'Hô Chi Minh à ma lettre de juillet arriva, datée du 25 août. Il y faisait allusion à « la guerre d'agression des Etats-Unis contre notre peuple » et disait qu'il était « profondément touché par le nombre croissant de jeunes Américains qui mouraient au Vietnam par la faute de la politique des milieux gouvernementaux américains ».

Répondant à ma déclaration disant que nous étions prêts à discuter de n'importe quel programme ou proposition tendant à un règlement négocié, il disait que le programme en dix points du F.L.N. avait « gagné la sympathie et le soutien des peuples du monde ». Il concluait :

> « Dans votre lettre, vous exprimez le désir de travailler en vue d'une juste paix. Pour cela, les Etats-Unis doivent cesser leur guerre d'agression, retirer leurs troupes du Sud-Vietnam et respecter le droit des nations du Nord et du Sud-Vietnam à disposer d'elles-mêmes, sans influence étrangère. »

En considérant le ton de ma propre lettre et même en tenant compte de la rigueur du jargon communiste, c'était indiscutablement une froide rebuffade.

Après avoir reçu cette réponse peu prometteuse, je compris que je devais me préparer aux formidables critiques et pressions que susciterait la vigueur renouvelée de la guerre.

Le 3 septembre, Hô Chi Minh mourut. Il y eut des rumeurs de conflit pour sa succession, pendant plusieurs jours, avant que le Premier ministre Pham Van Dong émerge comme la première personnalité du Politburo de Hanoï. Les vieux observateurs du Vietnam se demandèrent quel effet cela aurait sur l'issue de la guerre.

Vers la mi-septembre j'annonçai le retrait de 35 000 autres combattants avant le 15 décembre. Dans ma déclaration, je fis observer que le retrait de 60 000 hommes était un pas important et que « par conséquent le moment était venu pour des négociations efficaces ». Cette annonce était destinée à faire savoir aux nouveaux dirigeants du Nord-Vietnam que je supposais qu'ils n'étaient pas liés par la réponse de Hô à ma lettre.

Deux jours plus tard, dans un discours à l'ouverture de l'assemblée générale de l'O.N.U., je dis que « l'heure de la paix avait sonné. Et au nom de la paix, je vous conjure, vous tous qui êtes ici, représentant 126 nations, de faire vos meilleurs efforts diplomatiques pour persuader Hanoï de progresser sérieusement dans les négociations qui peuvent mettre fin à cette guerre ».

Le 20 septembre, Kissinger reçut une lettre de Sainteny qui était allé à Hanoï pour les obsèques d'Hô Chi Minh et avait eu pendant son séjour une longue conversation avec Pham Van Dong. Le nouveau Premier ministre fut remarquablement mesuré dans ses allusions aux Etats-Unis. Quand Sainteny lui répéta qu'il savait combien je désirais avidement la paix, Dong répondit : « Je vois qu'ils vous ont convaincu. Mais nous, nous ne pouvons les croire sur parole; seuls des actes nous convaincront. »

Comme cette conversation s'était déroulée avant que j'annonce à la mi-septembre le nouveau retrait de troupes, je pensai avoir accompli l'acte prouvant nos paroles. Une fois de plus, c'était à Hanoï de choisir.

Nous poursuivîmes nos pressions diplomatiques sur les Soviétiques. Le 27 septembre, Kissinger dit à Dobrynine que l'échec apparent de toutes nos demandes d'aide soviétique pour mettre fin à la guerre nous mettaient pratiquement dans l'impossibilité de poursuivre plus que des relations diplomatiques de base entre nos deux pays.

Je téléphonai à Kissinger au milieu de cette discussion et nous causâmes pendant quelques minutes. Lorsqu'il reprit sa conversation, Kissinger déclara : « Le Président vient de me dire au téléphone que, pour ce qui concerne le Vietnam, le train vient de quitter la gare et roule maintenant sur les rails. »

Dobrynine essaya de détendre l'atmosphère avec une tournure de phrase diplomatique : « J'espère que c'est un avion plutôt qu'un train, parce qu'un avion peut encore changer de cap en vol. »

Kissinger répliqua : « Le Président choisit ses mots avec grand soin et je suis sûr qu'il voulait dire ce qu'il a dit. Il a dit " train ". »

Pour tenter encore de faire pression sur Hanoï, j'ordonnai une étude sur les nations non communistes se livrant au commerce maritime avec le Nord-Vietnam. Nous découvrîmes que Chypre, Malte, Singapour et la Somalie figuraient parmi les pays ayant sous leur pavillon des navires se rendant à Hanoï. Quand les deux premiers gouvernements refusèrent de coopérer avec nous, j'ordonnai la suppression de leurs programmes d'aide étrangère. Singapour et la Somalie acceptèrent d'arrêter les expéditions sous leur pavillon.

Je rencontrai les leaders républicains du Congrès et leur dis que les soixante jours suivants allaient être d'une importance capitale pour la cessation des hostilités : « Nous allons avoir plus que jamais besoin d'union. Je ne peux pas vous dire tout ce que nous allons faire parce que si nous avons une chance de réussir ce doit être fait en secret. Je puis simplement vous dire ceci : je vais faire tout au monde pour mettre fin à la guerre. J'aborde toute la question avec deux principes seulement : je ne ferai pas de difficultés aux Nord-Vietnamiens s'ils désirent sincèrement un règlement; mais je ne serai pas le premier Président des Etats-Unis à perdre une guerre. »

Le même jour, je fis monter d'un cran la pression sur Hanoï quand je réunis neuf sénateurs républicains et leur racontai une histoire qui, j'en étais sûr, ferait l'objet d'une fuite. Je n'eus pas à attendre longtemps. Avant huit jours, Rowland Evans et Robert Novak publièrent un article disant que j'envisageais le blocus de Hanoï et l'invasion du Nord-Vietnam. Je voulais que cette rumeur attire l'attention à Hanoï. Je ne pus jamais savoir si elle l'avait fait mais il est certain qu'elle attira celle de Mel Laird. Bill Rogers et lui me supplièrent immédiatement de considérer, avant de prendre des mesures rigoureuses, le chiffre très bas de nos pertes depuis ces derniers mois et l'amélioration de l'action des Sud-Vietnamiens à la suite de notre programme accéléré de vietnamisation.

VIETNAM : LE MORATOIRE

Les forces anti-Vietnam, dans les Universités, au Congrès et dans la presse se concentraient sur le moratoire du Vietnam prévu pour le 15 octobre à Washington. Le projet était d'organiser des manifestations semblables dans différentes grandes villes le quinze de chaque mois, jusqu'à la fin de la guerre.

Dans la première semaine d'octobre, la fureur atteignit son point culminant. Il y eut des discours anti-guerre, des conférences, des rallyes. La controverse au sujet de ma nomination à la Cour Suprême du juge Clement Haynsworth, le débat sur la réforme sociale, la défaite d'un élu républicain devant un Démocrate adversaire de la guerre au cours d'une élection partielle dans le Massachusetts, l'impatience exprimée par certains leaders des droits civiques sur l'allure de notre politique d'intégration — tout cela à la une des journaux — créaient l'impression d'un gouvernement chancelant et assiégé. Ces facteurs étaient tous confondus par la presse et présentés comme une crise de l'autorité. *Newsweek* titrait « *Mr Nixon dans l'ennui* », et *Time* consacrait sa rubrique sur les affaires nationales à la description de « *La pire semaine de Mr Nixon* » : « Il n'est pas besoin d'être un alarmiste de l'envergure de Chicken Little pour discerner que le ciel tombe en morceaux sur le gouvernement Nixon. »

Les déclarations de retrait de confiance et les prédictions de paralysie politique proliféraient. Le 7 octobre, David Broder écrivit dans le *Washington Post* qu'il « devient de plus en plus évident que les hommes et le mouvement qui ont brisé l'autorité de Lyndon Johnson en 1968 s'appliquent à briser Richard Nixon en 1969. Tout porte à croire qu'ils réussiront encore. » Quelques jours plus tard, Dean Acheson mit en garde contre « les tentatives de nombreuses sources de détruire Nixon ». Dans une interview exclusive publiée par le *New York Times,* il déclarait : « Je crois que nous allons devoir affronter une crise constitutionnelle majeure si nous prenons l'habitude de démolir les Présidents. »

Mon refus volontaire de prendre en considération ces sombres prédictions devint, en soi, un élément de la crise supposée. *Time* rapporta : « Nixon semble indifférent et au-dessus de tout cela », et le chef du bureau de Washington de ce magazine, Hugh Sidey, trouva mon attitude « aussi alarmante, peut-être, que les événements eux-mêmes dans les moments les plus difficiles que connaît Mr Nixon depuis son entrée en fonction. »

Mon plus grand souci, c'était que ces efforts à grand tapage visant à me contraindre à mettre fin à la guerre sapaient sérieusement ceux que je faisais en coulisses, précisément dans le même but. Quelques semaines plus tard, lors d'un entretien avec Cabot Lodge, l'ambassadeur nord-vietnamien cita des déclarations d'importantes « colombes » du Sénat, Le *New York Times* raconta que Le Duc Tho avait parlé « avec un large sourire » à un visiteur américain de l'accusation du sénateur Fulbright prétendant que je cherchais à prolonger la guerre avec la vietnamisation. Tout en continuant d'ignorer publiquement la rageuse controverse pacifiste, je devais bien reconnaître qu'elle avait probablement détruit la crédibilité de mon ultimatum à Hanoï.

Le 13 octobre, Ron Ziegler annonça que je m'adresserai à la nation le lundi 3 novembre, pour faire une importante déclaration concernant le Vietnam.

Cette annonce fut généralement interprétée comme une tentative de sape du moratoire du 15 octobre, fixé à deux jours seulement de là, ou comme un signe que le moratoire avait déjà réussi à me forcer à reconsidérer ma politique vietnamienne. En fait, j'espérais que l'annonce d'un important discours deux jours après la date limite du 1er novembre ferait réfléchir Hanoï sur les dangers de la pêche en eaux troubles chez nous.

Le 14 octobre, je fus certain que mon ultimatum avait échoué quand Kissinger m'informa que Radio-Hanoï venait de diffuser une lettre du Premier Ministre Pham Van Dong au peuple américain. Il déclarait entre autres :

« Cet automne, d'importants secteurs de la population américaine, encouragés et soutenus par de nombreuses personnalités américaines désireuses de paix et de justice, lancent une grande et puissante offensive dans tous les Etats-Unis pour exiger du gouvernement Nixon qu'il mette fin à la guerre d'agression au Vietnam et rappelle immédiatement toutes les troupes américaines...

Nous sommes fermement convaincus que grâce à la solidarité et au courage des populations de nos deux pays et avec l'approbation et le soutien de tous les pacifistes du monde, la lutte du peuple vietnamien et du peuple américain progressiste contre l'agression U.S. se terminera par la victoire totale.

Que votre offensive d'automne réussisse parfaitement. »

Pour montrer combien je prenais au sérieux cette flagrante ingérence dans nos affaires intérieures, je demandai à Agnew de donner une conférence de presse à la Maison Blanche. Il appela la lettre de Dong un « message incroyable » et en lut des extraits devant les caméras : « Les directeurs et les défenseurs du moratoire de demain, les personnalités officielles et d'autres qui conduisent ces manifestations devraient répudier ouvertement le soutien du gouvernement totalitaire qui a sur les mains le sang de 40 000 Américains. »

Je considérai les questions suivant l'allocution d'Agnew comme une performance honteuse de la part de la presse accréditée à la Maison Blanche. Comme si nous étions responsables de la lettre de Dong, un journaliste demanda : « Monsieur le Vice-Président, prenons le taureau par les cornes. Est-ce que la mise en question de cette lettre n'est pas une tentative de dernière minute du gouvernement pour étouffer le moratoire? »

Dans l'ensemble, la presse minimisa la lettre de Dong ou laissa entendre que le gouvernement s'en était déraisonnablement servi comme prétexte à la répression d'une opposition légitime.

Il me fallait prendre une décision au sujet de l'ultimatum. Je savais que si je n'avais pas une incontestable bonne raison de ne pas mettre à exécution ma menace d'employer une force accrue, quand l'ultimatum expirerait le 1er novembre, les communistes nous mépriseraient et il serait encore plus difficile de traiter avec eux. Je savais cependant qu'après toutes les protestations et après le moratoire, l'opinion publique américaine serait sérieusement divisée par toute escalade militaire de la guerre.

250 000 personnes vinrent à Washington pour le moratoire du 15 octobre. En dépit de rumeurs largement répandues, selon lesquelles les organisations de gauche provoqueraient de violents affrontements avec la police, les manifestations furent généralement paisibles.

L'opinion au sein du gouvernement était divisée aussi, sur notre réaction. Kissinger me pressait de ne rien faire du tout et de laisser les manifestations suivre leur cours, de crainte de bouleverser la stratégie de politique étrangère. John Ehrlichman, de son côté, était navré de notre indifférence apparente à la ferveur sincère de nombreux manifestants et me conseillait vivement de décréter une Journée Nationale de Prière le 15 octobre, indiquant un soutien tacite de l'effort de paix.

Le *Washington Post* félicita les manifestants et déclara que le moratoire était « une indication profondément significative » de l'angoisse que leur causait la guerre. Ailleurs, cependant, on exprimait des réserves. Le *Washington Star,* par exemple, s'interrogeait : « Est-ce que la manifestation, quelles que soient les intentions, n'encourage pas plutôt Hanoï et ne risque pas ainsi de prolonger la guerre? » Comme pour répondre à cela, la radio du Vietcong annonça que les communistes avaient été « fortement encouragés » par le moratoire.

Ce moratoire sur le Vietnam soulevait pour la pemière fois, mais certainement pas pour la dernière, une question importante et fondamentale sur la nature du gouvernement dans une démocratie : le Président, le Congrès ou toute autre personnalité élue et responsable devaient-ils laisser des manifestations publiques influencer leurs décisions?

J'avais des opinions bien arrêtées à ce sujet et je décidai de répondre sans ambages à la question. Je demandai qu'une lettre soit choisie parmi toutes celles que nous recevions critiquant ma déclaration dans une conférence de presse — déclaration selon laquelle je ne me laissais pas influencer par les manifestations.

La lettre sélectionnée fut celle d'un étudiant de l'Université de Georgetown qui disait : « J'ai l'impression qu'il ne serait pas sage que le Président des Etats-Unis ne tienne pas compte de la volonté du peuple; après tout, ce peuple vous a élu, vous êtes son Président et votre fonction entraîne certaines obligations. Puis-je me permettre de suggérer respectueusement que le Président reconsidère son jugement. »

Je répondis : « Si un Président, n'importe lequel, se laissait tracer sa voie par ceux qui manifestent, il trahirait la confiance de tous les autres. Quelle que soit la question en cause, permettre à la politique du gouvernement de se faire dans la rue serait une destruction du processus démocratique. Cela donnerait la décision non à la majorité, ni à ceux dont les arguments sont les plus forts, mais à ceux qui hurlent le plus fort... Cela permettrait à chaque groupe d'éprouver sa force, non aux urnes, mais au cours d'affrontements de rues. »

Le soir du 15 octobre, je songeai à l'ironique paradoxe que constituait cette manifestation pour la paix. Je pensais qu'elle avait détruit la mince possibilité qui pouvait encore exister de mettre fin à la guerre en 1969. Mais je n'y pouvais plus rien. Il me faudrait modifier mes plans en conséquence et poursuivre ma tâche de mon mieux. Au sommet de la page contenant mes notes préliminaires pour mon discours du 3 novembre, j'écrivis : « Ne nous énervons pas — n'hésitons pas — ne réagissons pas. »

LA MAJORITÉ SILENCIEUSE

Après le moratoire, l'attention se concentra immédiatement sur mon discours. La plupart des « colombes » de la presse et du Congrès supposèrent que j'avais été si impressionné — ou si effrayé — que j'avais décidé d'annoncer de nouveaux retraits de troupes importants afin d'émousser l'effet du moratoire suivant, fixé au 15 novembre. Selon une dépêche de l'A.P. datée du 20 octobre, je pourrais proposer un cessez-le-feu et certains journaux la publièrent en première page avec de gros titres. Dans le *Boston Globe*, Flora Lewis déclara catégoriquement que j'allais annoncer le retrait de 300 000 hommes en 1970 et que j'avais donné l'ordre au Pentagone de prévoir le calendrier nécessaire. Dan Rather, dans une émission spéciale d'information de la C.B.S. sur le moratoire, prétendit que j'envisageais d'accélérer les retraits de troupes, la réduction des raids de B-52, la diminution des combats et peut-être même un cessez-le-feu avant la fin de l'année. Au Sénat, Hugh Scott réclama un cessez-le-feu unilatéral. Comme il était leader de la minorité, sa déclaration fut généralement interprétée comme un ballon d'essai de la Maison Blanche. Hubert Humphrey prédit que j'annoncerais un programme majeur pour « le retrait systématique et accéléré des forces U.S. » du Vietnam.

Ces attentes et prédictions étaient loin du compte comme on peut le constater par les notes que je pris pour le discours du 3 novembre, dans la matinée du 22 octobre :

> « Ils ne peuvent pas nous vaincre militairement au Vietnam.
> Ils ne peuvent pas briser le Sud-Vietnam.
> Inclure un paragraphe disant *pourquoi* nous sommes là.
> Ils ne peuvent pas nous briser. »

A mesure que la date limite du 1er novembre approchait, trois facteurs influèrent sur ma façon d'envisager l'ultimatum. Le premier, c'était que les pertes américaines au Vietnam baissaient de plus en plus. Je savais que ces réductions pouvaient être une manœuvre des communistes pour rendre une escalade beaucoup plus difficile pour moi.

Le deuxième facteur était la possibilité que la mort d'Hô Chi Minh pouvait créer de nouvelles occasions de parvenir à un règlement qui méritait d'être développé.

Le troisième était une conversation que j'avais eue le 1er octobre avec Sir Robert Thompson, expert britannique sur la guérilla.

« Que pensez-vous de l'« option à droite »? lui demandai-je. Que penseriez-vous si nous nous décidions pour l'escalade? »

Thompson n'était pas du tout partisan de l'escalade parce que cela risquait de provoquer en Amérique et dans le monde une fureur épouvantable, sans pour autant régler le principal problème qui était de savoir si les Sud-Vietnamiens avaient suffisamment confiance en eux et s'ils étaient prêts à se défendre contre une nouvelle offensive communiste.

Il estimait qu'en poursuivant la politique U.S. actuelle et en assurant aux Sud-Vietnamiens que nous ne nous retirerions pas, nous pourrions espérer la victoire dans les deux ans à venir. Il pensait que notre seule chance de négocier un accord entre-temps serait de bien faire comprendre à Hanoï que nous resterions jusqu'au bout. Je lui demandai s'il consentirait à aller au Vietnam et à effectuer pour moi une étude personnelle de la situation, pour venir ensuite me faire un rapport le plus tôt possible.

En considérant ces trois facteurs et en reconnaissant que le moratoire avait affaibli la crédibilité de l'ultimatum, je commençai à songer davantage à accélérer la vietnamisation tout en poursuivant les combats au niveau actuel plutôt que d'essayer une escalade. Par bien des côtés, la vietnamisation ferait beaucoup plus de tort aux communistes qu'une escalade qui, comme le disait Thompson, ne résoudrait pas le problème de la préparation du Sud-Vietnam et entraînerait de sérieuses difficultés chez nous.

Il importait que les communistes ne confondent pas avec de la faiblesse, le fait que je ne prendrais pas de mesures spectaculaires à la suite de l'ultimatum. Nous pourrions continuer de donner la preuve de notre résolution sur les champs de bataille, mais je pensais qu'il était indispensable de rafraîchir la mémoire des Soviétiques. Aussi, quand l'ambassadeur Dobrynine vint à la Maison Blanche pour une conversation privée dans l'après-midi du 20 octobre, je décidai de profiter de cet entretien pour bien préciser notre position aux dirigeants soviétiques.

Kissinger accompagna Dobrynine au Bureau Ovale et, après les politesses d'usage, l'ambassadeur dit qu'il avait reçu un aide-mémoire de son gouvernement avec l'ordre de me le lire.

« Je vous écoute, Monsieur l'Ambassadeur, lui dis-je.

— J'ai l'instruction d'informer franchement le Président que Moscou n'est pas satisfait de l'état actuel des relations entre l'U.R.S.S. et les U.S.A. Moscou estime que le Président devrait être franchement informé que la méthode consistant à résoudre la question vietnamienne par l'emploi de la force militaire n'est pas seulement sans perspective mais extrêmement dangereuse.... Si quelqu'un aux Etats-Unis est tenté de profiter des rapports sino-soviétiques aux dépens de l'U.R.S.S., et certains signes l'indiquent, alors nous aimerions mettre franchement en garde, à l'avance, contre cette ligne de conduite qui, si elle était poursuivie, pourrait aboutir à une erreur de calcul très grave, contraire au but recherché de meilleures relations entre les U.S.A. et l'U.R.S.S. »

Quand il eut fini de lire son papier, Dobrynine parut un peu gêné par mon silence. Au bout d'un moment, j'ouvris le tiroir central de mon bureau, y pris un bloc-notes et le fis glisser vers lui, en disant : « Vous feriez bien de prendre des notes. »

Il mit le bloc sur ses genoux et je poursuivis : « Vous avez été très franc, Monsieur l'Ambassadeur, et je le serai aussi. Moi aussi, je suis déçu par les relations américano-soviétiques. Voilà neuf mois aujourd'hui que j'occupe ce Bureau. Les bébés devraient être nés. Mais il y a eu plusieurs fausses couches. »

Prenant quelques questions clefs — le Moyen-Orient, le commerce, la sécurité européenne, Berlin —, j'analysai point par point les problèmes de chacune. La plupart de ces problèmes étaient causés par l'intransigeance soviétique ou par les manœuvres des Russes pour asseoir leur position.

Abordant la Chine, je déclarai : « Tout ce que nous avons fait ou faisons, en ce qui concerne la Chine, n'est en aucune façon destiné à embarrasser l'Union Soviétique. Au contraire, la Chine et les Etats-Unis ne peuvent tolérer que se développe une situation où nous serions ennemis, pas plus que nous ne voulons être les ennemis permanents de l'Union Soviétique. Par conséquent, nous espérons progresser dans les domaines du commerce, des échanges de personnes et, éventuellement, de la diplomatie. Je tiens à répéter que cela ne vise pas l'Union Soviétique. D'ici dix ans, la Chine sera une puissance nucléaire capable de terroriser bien d'autres pays. Le temps se fait court où l'Union Soviétique et les Etats-Unis pourront construire un monde différent. »

Ayant ainsi enfoncé le clou, je continuai de taper : « Le seul bénéficiaire d'un désaccord U.S.A.-U.R.S.S. à propos du Vietnam est la Chine. Par conséquent, ceci est notre dernière occasion de régler ces disputes. »

Avant que Dobrynine puisse m'interrompre, je passai au Vietnam : « Avant l'arrêt des bombardements, il y aura un an le 1er novembre comme vous le savez, l'ambassadeur Bohlen, l'ambassadeur Thompson et l'ambassadeur Harriman avaient dit au Président Johnson que l'Union Soviétique ne pourrait rien faire tant que nous bombarderions une nation socialiste amie. Ils assuraient que l'Union Soviétique serait très active et nous aiderait si nous nous arrêtions. L'arrêt des bombardements a été décidé, mais l'Union Soviétique n'a rien fait pour nous aider. »

A cela Dobrynine leva la main, mais je l'écartai d'un geste. « Naturellement, nous avons maintenant une longue table de conférence à Paris et je crois que l'Union Soviétique y est pour quelque chose; nous ne considérons pas cependant cela comme une grande réalisation. Depuis un an, c'est nous qui avons toujours fait œuvre de conciliation. »

Je lui dis que j'en avais conclu que, peut-être, l'Union Soviétique ne voulait pas mettre fin à la guerre au Vietnam, et ajoutai : « Peut-être pensez-vous que vous pouvez me briser. Peut-être croyez-vous que la situation intérieure américaine est impossible à régler. Ou que la guerre du Vietnam ne coûte à l'Union Soviétique qu'une faible somme d'argent alors qu'elle nous coûte un grand nombre de vies humaines. Je n'ai nulle intention de discuter ces points de vue. D'autre part, Monsieur l'Ambassadeur, je veux que vous compreniez que l'Union Soviétique va m'avoir sur les bras pendant encore trois ans et trois mois et, pendant tout ce temps, je garderai en mémoire ce qui est fait ici, aujourd'hui. Si l'Union Soviétique ne veut pas nous aider à obtenir la paix, alors nous devrons poursuivre selon nos propres méthodes pour mettre fin à la guerre. Nous ne pouvons pas laisser continuer une stratégie de discours et de combats sans entreprendre une action... Parlons franchement, Monsieur l'Ambassadeur. Vous n'avez fait que répéter les vieux slogans éculés que les Nord-Vietnamiens employaient il y a six mois. Vous savez très bien qu'ils ne peuvent mener nulle part. Il est temps d'entamer des discussions, parce que, je puis vous l'assurer, l'humiliation d'une défaite est absolument inacceptable pour mon pays. Je reconnais que les dirigeants soviétiques sont durs et courageux. Mais nous aussi. »

Je ne m'interrompis qu'un instant et poursuivis : « J'espère que cette conversation sérieuse ne vous fâchera pas. Si l'Union Soviétique juge possible de faire quelque chose au Vietnam et si la guerre se termine là-bas, alors nous pourrions faire quelque chose de spectaculaire pour améliorer nos relations. Mais, jusqu'alors, je dois dire que des progrès réels seront très difficiles. »

Dobrynine attendit de voir si j'allais continuer, mais cette fois je me tus.

« Est-ce que cela signifie qu'il ne peut y avoir de progrès? demanda-t-il.

— Le progrès est possible, mais il devra se limiter essentiellement à ce qui peut être atteint par les voies diplomatiques. La guerre peut traîner en longueur, auquel cas nous trouverons notre propre solution pour y mettre fin. Il est vain de répéter simplement les propositions de ces six derniers mois. »

Comme je ne voulais pas de réponse à cela, je mis fin à l'entretien en disant : « Le monde entier veut que nous nous unissions. Moi aussi, je ne désire rien tant que mon gouvernement passe à la postérité comme la source des relations américano-soviétiques. Mais je me permets de répéter que nous ne nous laisserons pas duper à mort au Vietnam. »

Sur ce je me levai, lui serrai la main et l'accompagnai jusqu'à la porte.

Kissinger revint après avoir escorté Dobrynine jusqu'à sa voiture. « Je parie que personne ne lui a jamais parlé comme ça dans toute sa carrière! s'exclama-t-il. C'était extraordinaire! Aucun Président ne les a jamais mis ainsi au pied du mur.

— Nous ne devons pas nous illusionner en pensant que ça donnera de bons résultats ou même que ça changera quelque chose, répondis-je, mais il est bon de leur faire savoir que nous ne sommes pas aussi stupides que les exigences de la diplomatie peuvent parfois le faire paraître. »

Je reçus beaucoup de conseils contradictoires sur ce que je devrais dire le 3 novembre. Rogers et Laird me pressaient de me concentrer sur les espoirs de paix. Rogers mettait l'accent sur les entretiens de Paris et Laird sur l'avenir de la vietnamisation. La majorité du personnel de la Maison Blanche, les ministres et les leaders parlementaires que je consultai me conseillèrent de profiter du discours pour établir sans l'ombre d'un doute mon sincère désir de paix.

Kissinger était partisan d'une ligne très dure. Il estimait que si nous battions en retraite, les communistes seraient totalement convaincus qu'ils pourraient dicter notre politique étrangère par l'intermédiaire de l'opinion publique. Et Dean Acheson me fit dire que toute annonce de calendrier de retrait de troupes nous désavantagerait dans les négociations.

Les spéculations sur le discours devenaient de plus en plus fiévreuses à mesure que la date approchait. J'en étais enchanté parce que je savais que plus on en parlerait, plus mon auditoire serait important.

Je gardais mes idées pour moi et très peu de personnes connaissaient ma façon réelle de penser ou la surprise que je réservais aux agitateurs pacifistes qui s'imaginaient que leurs manifestations pourraient me contraindre à adopter la politique étrangère qu'ils voulaient.

J'allai passer un long week-end à Camp David, le 24 octobre, et travaillai douze à quatorze heures par jour à écrire et récrire les différentes parties du discours. Haldeman me dégagea de presque tous mes rendez-vous pour la semaine suivante afin que je puisse poursuivre ma tâche sans être interrompu.

Le vendredi, j'avais fait douze projets et j'étais prêt à les emporter à Camp David pour les passer en revue une dernière fois. Le leader de la majorité au Sénat, Mike Mansfield, avait noté ses pensées dans un mémorandum et m'avait demandé de le lire avant de prendre une décision définitive sur ce que j'allais dire.

Je le lus dans la nuit même. Il commençait par déclarer : « La poursuite de la guerre au Vietnam compromet à mon avis l'avenir de cette nation. » Il disait que ce n'était pas seulement les pertes de vies humaines et le gaspillage d'argent et de ressources qui l'inquiétaient. « Le plus grave, écrivait-il, ce sont les profondes divisions au sein de notre société que provoque ce conflit d'origine et de but douteux. »

Il promettait de soutenir publiquement « les décisions suivantes, en totalité ou en partie, si en toute responsabilité vous décidez qu'elles sont nécessaires, comme elles peuvent fort bien l'être, pour terminer rapidement la guerre au Vienam. » Puis il donnait une liste d'actions équivalant à un cessez-le-feu et à un retrait unilatéraux. « Je sais qu'un règlement obtenu de cette façon n'est pas plaisant à considérer, ajoutait-il, surtout si l'on tient compte des positions diplomatique et militaire retranchées que nous avons malheureusement prises depuis quelques années. » Il signiait : « Avec le plus grand respect. »

Je compris qu'avec ce mémorandum Mansfield offrait ce qui serait ma dernière chance de mettre fin à la « guerre de Johnson et de Kennedy ». J'interprétai ses allusions au « conflit d'origine douteuse » et aux positions militaires « malheureusement » prises dans les années passées comme un signal qu'il me pemettrait même de proclamer que je mettais fin le mieux possible à une mauvaise guerre que mes prédécesseurs démocrates avaient commencée. Je savais que les adversaires de la guerre deviendraient irrévocablement mes adversaires si mon discours adoptait une ligne dure. Mais je ne pouvais me défaire du sentiment qu'il serait mal de mettre fin à la guerre du Vietnam selon des termes que je jugeais moins qu'honorables.

Je travaillai toute la nuit. Vers quatre heures du matin, j'écrivis un paragraphe réclamant le soutien de la « grande majorité silencieuse des Américains ». J'allai me coucher, mais après deux heures d'un sommeil agité, j'étais de nouveau tout éveillé, alors je me levai et me remis au travail. A huit heures, le discours fut terminé. Je téléphonai à Haldeman et lui annonçai : « Le bébé vient de naître! »

Voici la teneur de mon discours du 3 novembre : nous allions continuer de respecter notre engagement au Vietnam. Nous allions continuer de nous battre jusqu'à ce que les communistes acceptent de négocier une paix juste et honorable ou jusqu'à ce que les Sud-Vietnamiens soient capables de se défendre eux-mêmes. En même temps nous poursuivions notre désengagement basé sur les principes de la doctrine Nixon : l'allure du retrait serait liée aux progrès de la vietnamisation, au niveau de l'activité ennemie et aux développements sur le front des négociations. Je soulignai que notre politique ne serait pas influencée par des manifestations dans les rues.

A cause, en partie, de toutes les hypothèses très différentes émises à propos de ce discours, ma résolution fermement exprimée de résister et de nous battre fut une surprise pour beaucoup et causa donc un impact considérable. Je fis appel au peuple américain pour demander son soutien :

> « J'ai choisi un plan de paix. Je crois qu'il réussira.
> S'il réussit, ce que les critiques disent maintenant n'aura aucune importance. S'il ne réussit pas, tout ce que je peux dire n'aura aucune importance...
> Aussi ce soir, m'adressant à vous, la grande majorité silencieuse de mes compatriotes américains, je vous demande votre soutien.
> J'ai fait le serment au cours de ma campagne présidentielle de mettre fin à la guerre d'une façon qui nous permette de gagner la paix. J'ai préparé un plan d'action qui me permettra de respecter ce serment.
> Plus je bénéficierai du soutien du peuple américain, plus vite je serai dégagé de mon serment; car plus nous sommes divisés chez nous, moins l'ennemi voudra négocier à Paris.
> Soyons unis pour la paix. Soyons unis aussi contre la défaite. Parce que, comprenons-nous bien, le Nord-Vietnam ne peut pas vaincre ou humilier les Etats-Unis. Seuls les Américains peuvent le faire. »

Très peu de discours influencent réellement le cours de l'histoire. Celui du 3 novembre fut de ceux-là. Son impact fut une surprise pour moi; c'était une chose de faire appel à la majorité silencieuse, c'en était une autre de recevoir sa réponse.

Après le discours, je dînai seul dans le Salon Lincoln. Je n'écoutai pas les commentateurs de la télévision, mais ma famille regarda les émissions et fut livide de rage. On me rapporta que les commentaires et les analyses des journalistes de la télévision critiquaient à la fois mes paroles et mes mobiles. Au lieu de présenter des résumés impartiaux de ce que j'avais dit et un condensé des réactions politiques et publiques, la plupart parlaient du discours qu'à leur avis j'aurais dû prononcer. Tricia entra et me déclara : « Ils parlaient comme s'ils avaient écouté un discours différent. »

Mais certains signes indiquaient que les commentateurs et les critiques ne représentaient pas l'opinion publique. Le standard de la Maison Blanche s'était allumé dès l'instant où j'avais quitté l'antenne. Les appels se poursuivirent pendant des heures et bientôt arrivèrent les premières vagues de télégrammes. Après avoir répondu à des coups de téléphone de ministres, de collaborateurs et d'autres personnes — parmi lesquelles Dean Acheson —, je commençai à comprendre que la réaction au discours dépassait mes espoirs les plus optimistes.

J'étais bien trop énervé pour dormir cette nuit-là. Les divers rapports sur la réaction du public me surexcitaient, ceux sur les commentaires de la télévision m'exaspéraient. Plus tard je notai : « Avant le 3 novembre, la majorité de la presse s'attendait à ce que R. N. s'effondre, et ceux qui ne s'y attendaient pas pensaient qu'il aurait une violente réaction aux manifestations. Il les surprit en ne faisant ni l'un ni l'autre. La politique R. N. est de parler doucement et de porter un gros bâton. C'était le thème du 3 novembre. »

Au matin, la réaction du public se confirma. La salle de tri de la Maison Blanche annonça la plus forte réplique à un discours présidentiel, depuis toujours. Plus de 50 000 télégrammes et plus de 30 000 lettres avaient afflué et le pourcentage de critiques était très bas. Un sondage

Gallup téléphonique effectué immédiatement après le discours avait indiqué 77 pour cent d'approbations.

Indiscutablement, l'appel à la majorité silencieuse avait été entendu dans tout le pays. Et, pour la première fois, elle faisait entendre sa voix.

Le soutien populaire eut une influence directe sur l'opinion parlementaire. Le 12 novembre, 300 membres de la Chambre des Représentants — 119 Démocrates et 181 Républicains — votèrent une résolution soutenant ma politique au Vietnam. 58 sénateurs — 21 Démocrates et 37 Républicains — signèrent des lettres exprimant les mêmes sentiments.

Le discours du 3 novembre fut à la fois une borne et un tournant pour mon gouvernement. Maintenant, pour un temps au moins, l'ennemi ne pourrait plus compter sur les dissensions en Amérique pour lui donner une victoire qu'il ne pouvait remporter sur le champ de bataille. Je bénéficiais du soutien populaire dont j'avais besoin afin de poursuivre la guerre au Vietnam et les négociations de paix à Paris jusqu'à ce que nous puissions donner au conflit une solution honorable et victorieuse.

Pendant les semaines qui suivirent, ma cote monta dans les sondages jusqu'à 68 pour cent, la plus haute depuis mon entrée en fonction. La réaction parlementaire était si positive que j'entrepris une démarche sans précédent : je me présentai personnellement devant la Chambre et devant le Sénat, séparément, pour les remercier de leur soutien.

Cependant, je ne me faisais pas d'illusions et ne m'imaginais pas que ce soutien de la majorité silencieuse pourrait durer longtemps. Mon discours n'avait proposé aucune initiative nouvelle; son but avait été simplement de faire approuver la politique que nous suivions déjà. Je savais que sous le harcèlement constant de la presse et de nos adversaires au Congrès, le peuple exigerait bientôt de nouvelles mesures pour progresser et mettre fin à la guerre.

Un des résultats du succès inattendu du discours du 3 novembre fut la décision d'attaquer les rédactions des journaux télévisés pour leur reportage et leur « analyse instantanée » déformés et de parti pris. Si l'on ne réagissait pas contre cette pratique, il deviendrait impossible pour un Président de faire directement appel au peuple, une chose que je considérais comme l'essence même de la démocratie.

Quelques jours après le discours, Pat Buchanan me communiqua un mémorandum conseillant vivement une attaque directe contre les commentateurs des chaînes de télévision et me soumit ensuite une ébauche de discours sur ce thème, en termes sans équivoque. Les fortes harangues de Ted Agnew avaient beaucoup attiré l'attention cet automne et je décidai qu'il serait l'homme rêvé pour prononcer celle-ci. J'émoussai un peu le style de Buchanan et remis le brouillon à Agnew. Nous modifiâmes encore certaines parties qu'il jugeait trop virulentes et puis il récrivit lui-même le discours si bien que la version finale fut bien la sienne. Il m'annonça qu'il prononcerait ce discours le 13 novembre à Des Moines, dans l'Iowa.

Quand la copie du texte arriva aux chaînes de télévision, ce fut le chaos; toutes trois décidèrent de diffuser le discours en direct. Pendant une demi-heure, Agnew tempêta contre l'inexplicable pouvoir détenu par l' « élite non élue » des journalistes de la télévision, disant : « Un petit groupe d'hommes, ne comptant guère plus d'une douzaine de rédacteurs en chef, de commentateurs et de producteurs, s'entend sur le film et le commentaire qui seront présentés au public. Il décide de ce que 40 à 50 millions d'Américains apprendront des événements de la journée chez nous et dans le monde. » Se reportant à mon discours du 3 novembre, il déclara que mes paroles avaient été injustement soumise à « une analyse instantanée et une critique hargneuse ».

L'impact national du discours de Des Moines fut à peine moins grand que celui du 3 novembre. En quelques heures, les télégrammes commencèrent à arriver à la Maison Blanche; les standards furent bloqués toute la nuit par des gens appelant pour exprimer leur soulagement en constatant qu'on se décidait enfin à protester, et en quelques jours des milliers de lettres affluèrent de la nation tout entière.

Les chaînes de télévision ignorèrent volontairement le vaste soutien populaire reçu par les déclarations d'Agnew et voulurent faire passer le discours pour une tentative de « répression » gouvernementale. Le président de la C.B.S., Frank Stanton, le traita de « tentative sans précédent du Vice-Président des Etats-Unis pour menacer une presse dont l'existence dépend de licences gouvernementales ». Le président de la N.B.C., Julian Goodman, affirma que « l'attaque (d'Agnew) contre les journaux télévisés était un appel à la partialité ». George McGovern exprima la réaction parlementaire libérale et de gauche : « J'estime que ce discours est sans doute la déclaration la plus effrayante jamais formulée au cours de ma carrière publique par un haut fonctionnaire du Gouvernement. »

Certaines voix s'élevèrent pour défendre Agnew. Jerry Ford dit que si la presse déformait les nouvelles elle devrait rendre des comptes : « Je ne sais pas pourquoi ils devraient avoir une auréole autour de la tête », dit-il. George Christian, le dernier attaché de presse du Président Johnson, déclara que L. B. J. s'était inquiété des questions mêmes qu'Agnew avait soulevées, mais qu'il n'avait jamais osé faire un discours à ce sujet parce qu'il savait que ce serait interprété comme une attaque contre la liberté de la presse.

Au début de 1970, j'envisageais pour le Vietnam une année de combats limités, allant même en diminuant. Je voyais aussi la poursuite de l'activité secrète de Kissinger. J'étais un peu moins optimiste que lui, en ce qui concernait la perspective d'une percée dans les négociations secrètes mais j'étais d'accord pour continuer dans ce sens tant qu'il y avait la moindre possibilité de réussite. Kissinger et moi convenions qu'à tout le moins elles fourniraient la preuve indiscutable de notre désir de paix et des efforts que nous faisions pour y parvenir.

Je fus déçu mais pas surpris par l'apparente inefficacité de nos tentatives, en 1969, pour amener les Soviétiques à faire pression sur le Nord-Vietnam. Je comprenais la tension qu'exerçait sur Moscou la rivalité avec la Chine pour la prépondérance dans le monde communiste et je sentais que l'essentiel était de rendre les Soviétiques conscients que si nous étions prêts à reconnaître leur incapacité à limiter leur soutien à Hanoï ou à faire pression sur les Nord-Vietnamiens pour qu'ils négocient un accord, nous ne tolérerions aucun accroissement de leur aide ou de leurs encouragements belliqueux. Assez naturellement, le plus grand stimulant à la coopération soviétique, c'était nos nouveaux rapports avec la Chine, mais cela ne deviendrait un facteur majeur qu'en 1971.

Je ne sais pas si j'aurais agi autrement si, à la fin de 1969, j'avais su que dans moins de quatre mois je serais forcé d'ordonner le bombardement des refuges communistes au Cambodge ou que les deux années suivantes allaient de nouveau amener l'Amérique au bord de la dislocation interne à propos du Vietnam. Il me faudrait en même temps marcher sur une corde raide de plus en plus haute pour essayer de soutenir nos alliés et nos combattants tout en ne poussant pas les forces anti-guerre de plus en plus puissantes au Congrès à voter des mesures qui supprimeraient nos crédits militaires ou exigeraient notre retrait.

Tout cela, c'était l'avenir. Dans mon bureau de San Clemente en ce Jour de l'An, réfléchissant à ces problèmes, je me permis un certain optimisme prudent et pensai que nous avions résisté au pire, pour ce qui était du Vietnam, et qu'il nous suffirait de tenir fermement jusqu'à ce que le temps joue en notre faveur. Je suppose que, par certains côtés, l'histoire du Vietnam est une erreur de calcul mutuelle. Mais si je sous-estimais la volonté des Nord-Vietnamiens de tenir bon et de résister à tout règlement négocié autrement que sur leurs propres termes, de leur côté ils sous-estimaient ma volonté de rester ferme en dépit des pressions américaines et internationales qui s'exerceraient contre moi.

1969 : LE PRÉSIDENT ET LE CONGRÈS

J'étais résolu à être un Président actif dans les affaires intérieures. J'avais un calendrier bien défini et j'étais prêt à employer la première année de la Présidence à travailler utilement. « Le pays reconnaît le besoin de changement, dis-je à la première réunion de mon nouveau Conseil des Affaires Urbaines, et nous ne voulons pas être accusés d'un excès de prudence. »

Mais je ne fus pas long à découvrir que l'enthousiasme et la résolution ne pouvaient surmonter le fait que j'étais quand même le premier Président en cent vingt ans à entamer son mandat avec les deux chambres du Parlement aux mains de l'opposition. Cette année-là, je présentai au Congrès quarante propositions de politique intérieure, parmi lesquelles le plus important projet de réforme fiscale depuis le premier mandat d'Eisenhower, une proposition pour la réorganisation de l'aide étrangère, un message sur la réforme électorale, le premier message présidentiel de notre histoire traitant des problèmes explosifs de la démographie galopante et une vingtaine de résolutions concernant la lutte contre le crime, la drogue et la pornographie. Deux seulement passèrent : la réforme de la conscription et notre proposition de loi fiscale. La législation dépolitisant le ministère des Postes suivit bientôt. Nous remportâmes encore quelques victoires législatives tactiques sur l'opposition démocrate, mais il devint bientôt évident que tout ce que je ferais pour obtenir du Congrès qu'il approuve des réalisations créatrices allait se heurter à sa résistance.

Cette année-là, trois grandes batailles parlementaires illustrèrent le genre de problèmes que je devrais affronter en traitant avec le Congrès durant tout mon premier mandat. Il y eut la mince victoire à une voix de majorité de ma demande d'un système de missile antibalistique (A.B.M.), soulignant la coalition bipartite inconfortablement étroite sur laquelle je pourrais compter pour tout ce qui touchait aux questions de politique étrangère et de défense nationale. Puis ce furent les conflits à propos des nominatoins à la Cour Suprême, celle de Haynsworth à la fin de 1969 et celle de Carswell au début de 1970, que le Congrès, faisant preuve d'un esprit partisan sans précédent, refusa de confirmer. Finalement notre audacieuse tentative de réforme du système fédéral de Sécurité Sociale — le Plan d'assistance familiale — illustra la tendance du Sénat à se fractionner en groupes d'intérêt spécifiques, ce qui fit dire plus tard à George Shultz : « Celui qui marche au milieu de la chaussée se fait frapper des deux côtés. »

Dès 1969 je compris qu'il ne pourrait jamais y avoir de parité absolue entre les U.S.A. et l'U.R.S.S. dans le domaine de l'armement nucléaire et traditionnel. D'abord, l'U.R.S.S. est une puissance terrestre et nous sommes une puissance maritime. Ensuite, alors que nos armes nucléaires étaient meilleures, les leurs étaient plus grosses. De plus, la supériorité absolue dans tous les domaines de l'armement n'aurait aucun sens parce qu'un développement de l'armement par lequel chaque nation a le pouvoir de détruire l'autre ne peut servir à rien. Au-delà de ce point, l'essentiel n'est pas de poursuivre l'escalade en augmentant le nombre des armes, mais de maintenir un équilibre stratégique tout en faisant comprendre à l'adversaire qu'une attaque nucléaire, même réussie, serait un suicide.

En conséquence, au commencement de mon mandat, je me mis à parler en termes de *suffisance* et non de *supériorité* pour décrire les buts que je fixais à notre arsenal nucléaire. Pour mettre fin à la course aux armements, il fallait parvenir à des tractations avec les Soviétiques et je voulais nous donner, dès le début, une bonne monnaie d'échange afin d'obtenir le meilleur accord possible. Je déclarai au Congrès qu'il ne devait pas m'envoyer à la table de négociations comme le chef de la deuxième puissance du monde.

C'est ici que l'A.B.M. entre en scène. Les Soviétiques avaient indiqué qu'ils étaient prêts à parvenir à un accord sur la limitation des armes défensives. La plupart des libéraux du Congrès, la presse et les universitaires avaient tendance à les croire sur parole et craignaient qu'un vote parlementaire en faveur du système A.B.M. compromettrait l'équilibre actuel de l'armement et contraindrait les Soviétiques à accroître leurs propres programmes de fabrication, ce qui ferait perdre une occasion précieuse et accélérerait encore la course aux armements.

Je pensais qu'ils avaient tort. L'intérêt primordial des Soviétiques, en ouvrant alors les discussions, c'était que sans A.B.M. nous nous trouverions désavantagés pour négocier. Nos services de renseignements révélaient qu'en 1969 les Soviétiques avaient dépensé l'équivalent de 25 milliards de dollars pour leur armement nucléaire. Ils déployaient plus de cent missiles balistiques intercontinentaux (I.C.B.M.) alors que nous n'en déployions aucun; ils ajoutaient plusieurs sous-marins nucléaires lanceurs de missiles à leur Marine alors que nous n'en ajoutions aucun;

ils déployaient quarante nouveaux A.B.M. autour de Moscou. Nous savions que, alors même que le débat sur l'A.B.M. américain faisait rage au Congrès, les Soviétiques avaient commencé la fabrication de plus d'I.C.B.M. et d'A.B.M., ainsi que de nouveaux systèmes radar importants en conjonction avec leur déploiement; ils construisaient aussi davantage de missiles sous-marins. Je pensais que, tactiquement, nous avions besoin de l'A.B.M. comme base de marchandage avec les Soviétiques; ils avaient déjà ce système, alors si nous allions négocier sans en avoir un, nous serions obligés de renoncer à autre chose de plus vital encore, peut-être. Nous devions donc le posséder pour accepter d'y renoncer. J'essayai de persuader le Congrès que le vote sur l'A.B.M. représentait en réalité un tournant philosophique de la crédibilité stratégique américaine.

Je savais que ce vote donnerait au monde entier la mesure de la résolution américaine. Dès que les Européens ou les Japonais comprendraient que l'on ne pouvait compter sur nous pour respecter nos engagements et tenir tête à l'U.R.S.S., la position américaine en Europe et en Extrême-Orient serait gravement compromise. Mais à mes yeux, ce vote soulevait la question bien plus importante de savoir si les Américains croyaient encore que nous représentions quelque chose dans le monde et que nous étions prêts à assumer le fardeau de la résistance à l'agression contre nos alliés et nos amis. Je croyais fermement que la majorité des Américains étaient de cet avis; mais tant qu'il existerait un doute chez nos ennemis, la tentation de nous mettre à l'épreuve serait d'autant plus forte. Le vote sur l'A.B.M. serait le premier vote parlementaire significatif sur les mesures de défense de mon gouvernement et je tenais à proclamer que nous n'avions pas perdu notre sens national de volonté et de résolution... parce que j'étais sûr que nous ne l'avions pas perdu.

Malheureusement, le Vietnam aigrit le débat. Les libéraux étaient convaincus que l'Amérique avait souffert d'une attitude trop belliqueuse et ils étaient par conséquent déterminés à réduire nos dépenses militaires. Stewart Alsop écrivit dans sa chronique : « Il y a, naturellement, des arguments parfaitement raisonnables contre l'A.B.M. Mais l'opposition à l'A.B.M. est en grande partie essentiellement émotionnelle; c'est une manœuvre des libéraux pour se venger du Vietnam sur les généraux. » Les libéraux haïssaient la guerre et jugeaient que notre meilleure solution était tout simplement de nous en aller. Moi aussi, je détestais la guerre mais j'estimais que nous devions y mettre fin d'une manière qui respecterait notre engagement envers le Sud-Vietnam. Je pensais que les libéraux s'illusionnaient : l'Amérique ne rendrait pas le monde plus sûr en agissant sans honneur.

Il y avait un seul bon argument contre l'A.B.M. : beaucoup de gens — parmi lesquels Eisenhower — doutaient de l'efficacité d'un armement défensif et préféraient consacrer les crédits à des armes offensives. Il y avait aussi des objections techniques à propos du prix de revient du système comparé aux niveaux accrus de défense qu'il permettrait en réalité. Ces arguments me firent perdre le soutien de certains conservateurs et modérés qui auraient pu, autrement, m'accorder leurs voix et fit monter encore plus la tension alors que nous en arrivions au scrutin décisif.

A vrai dire, le vote sur l'A.B.M. concernait une demande de crédits additionnels pour mener à bien un programme de fabrication commencé sous le Président Johnson. Le système de couverture A.B.M. étendue qu'il avait proposé en 1967 s'appelait *Sentinelle*. La version réduite que je présentais en 1969 était nommée *Sauvegarde*.

Une fois ma décision prise, nous affrontâmes la plus grande bataille parlementaire de mon premier mandat. Nous étions à peu près certains d'avoir la Chambre pour nous; mais au Sénat, où les puissantes forces libérales étaient commandées par Teddy Kennedy, il était clair que ce serait très serré. Le sénateur démocrate Henry Jackson, grand partisan de la défense nationale, mena le combat pour nous. Il disait que c'était exactement comme la guerre et que nous devrions lutter comme à la guerre si nous voulions gagner.

Nous couvrîmes la colline du Capitole de membres de la Maison Blanche. Ce fut notre première tentative majeure d'employer la délicate technique de la persuasion sans pression et nous devions constamment réajuster notre stratégie à mesure que les rapports quotidiens indiquaient que nous n'insistions pas assez auprès d'un député ou que nous en faisions trop avec un autre. Je commençai avec un lourd calendrier de visites et de réunions avec des parlementaires; mais après les contacts initiaux et la présentation des arguments, je jugeai que je gaspillais le prestige présidentiel dont j'aurais sans doute grand besoin plus tard. Certains législateurs essayèrent de faire du vote sur l'A.B.M. une monnaie d'échange à eux. Un puissant président de commission insinua même que je pourrais avoir son soutien si j'approuvais une importante installation fédérale dans sa circonscription.

J'avais l'impression que nous combattions avec une main attachée dans le dos parce que nous ne pouvions pas expliquer publiquement la valeur de marchandage de l'A.B.M. ni révéler les rapports des S.R. sur l'armement soviétique. Kissinger et moi utilisions ces arguments dans nos réunions parlementaires, mais les libéraux étaient bien organisés et pouvaient aisément contrôler le débat public.

Le Sénat devait voter en premier et dès le début, il fut clair que le scrutin serait serré. Une des personnalités clefs était le sénateur républicain indépendant Margaret Chase Smith; les deux camps rivalisaient pour obtenir son soutien. Mike Mansfield dit qu'il n'avait jamais vu autant d'hommes faire publiquement leur cour à une femme. Des questions et des événements apparemment sans aucun rapport étaient soupesés pour l'influence qu'ils pourraient avoir sur le vote A.B.M. Ainsi, un des arguments présentés contre les représailles quand les Nord-Coréens abattirent en avril notre EC-121 fut que la fureur qui en résulterait renforcerait les anti-A.B.M. Et quand la voiture de Teddy Kennedy plongea d'un pont à Chappaquidick en juillet, l'efficacité du sénateur contre l'A.B.M. fut considérablement réduite. Alors que la date du scrutin approchait, je dis à Bryce Harlow : « Assurez-vous que tous nos gars sont là en permanence. Ne permettez à personne de tomber malade. Ne les laissez même pas aller aux toilettes avant que tout soit terminé. »

Quand on passa au vote le 6 août, la loi fut présentée avec trois amendements qui, s'ils avaient été adoptés, auraient arrêté la fabrication de l'A.B.M. Tous furent repoussés. Sur le premier et le plus important, qui aurait interdit tous crédits pour le déploiement de *Sauvegarde,* le

Sénat se partageait les voix : 50 contre 50. Selon le règlement sénatorial, un vote à égalité aurait quand même fait repousser l'amendement, mais la voix d'Agnew comptant double, le résultat final fut de 51-50.

La marge était bien mince, mais le vote établissait que l'Amérique était encore disposée à maintenir sa force militaire. Je suis absolument convaincu que si nous avions perdu la bataille de l'A.B.M. au Sénat, jamais nous n'aurions pu négocier le premier accord sur le contrôle des armes nucléaires à Moscou en 1972. Mais la majorité d'une seule voix usait les nerfs et m'ancrait dans ma résolution de consacrer toutes les ressources possibles, en hommes et en argent, aux élections législatives de 1970 afin de mieux asseoir notre position au Congrès et de rendre notre majorité plus sûre.

Dès les premiers jours de mon mandat, je voulus me débarrasser des coûteux échecs de la Grande Société, et immédiatement. Je voulais montrer à mes électeurs que j'entendais tenir les promesses de ma campagne. Le plus grand coupable était le système de Sécurité Sociale, et la réforme de la Sécurité Sociale eut la priorité.

Ce fut Pat Moynihan qui, contrairement à son habitude, me supplia d'être prudent. Au cours de plusieurs longs entretiens dans le Bureau Ovale, il marcha de long en large en agitant les bras pour ponctuer ses arguments : « Tout l'électorat activiste de la Grande Société est là qui vous guette au tournant, prêt à vous sauter dessus si vous essayez de les attaquer : les professionnels du bien-être, les urbanistes, les assistantes sociales, les organisations. Franchement, je suis terrifié à la pensée de couper trop vite les crédits. Prenez simplement les villes modèles. Les ghettos urbains vont flamber si vous supprimez ça. »

Moynihan voulait attendre un an pour consolider notre situation intérieure avant de proposer une législation intérieure. Mais un an, c'était trop, alors je poussai les ministres et le personnel de la Maison Blanche à développer le plus vite possible un programme de législation sociale novateur et créatif.

A cette époque, le système de Sécurité Sociale était un chaos, inefficace, illogique. Les allocations familiales, à budget équivalent, pouvaient passer de 263 dollars par mois dans un Etat à 39 dollars dans un autre. Dans la plupart des Etats, les plus fortes allocations étaient attribuées aux familles sans père; assez naturellement, beaucoup de foyers se désunirent pour toucher davantage. Entre 1961 et 1967, 93 pour cent des familles supplémentaires bénéficiant des allocations étaient celles dont le père était absent. L'illégitimité fit un bond; en 1969, plus de 69 pour cent des allocations de naissance à New York étaient pour des enfants de parents non mariés. Il y avait des échappatoires qui permettaient par exemple à un individu de gagner davantage avec les allocations qu'en travaillant au salaire minimum et à une femme gagnant plus de 12 000 dollars par an [1] d'avoir quand même droit aux allocations. Il y avait aussi les problèmes de fraude flagrants qui, avec la « gratte », sont la plaie de tout grand système possédant une multitude de règlements différents et disposant de grosses sommes d'argent.

Bouillonnant sous la surface de ce problème de Sécurité Sociale, il y

1. Environ 4 500 F par mois.

avait de dangereux courants de friction raciale. Moynihan me résuma la chose dans un mémorandum daté du 17 mai 1969 : « A l'époque actuelle, les groupes dispensant les services — instituteurs, assistants sociaux, urbanistes, diététicien, etc. — sont préoccupés par le problème noir et semblent parfois presque fâchés d'apprendre qu'il y a des Blancs qui sont en difficulté. » Il faisait observer que la stratégie actuelle des services sociaux tendait non seulement à exclure les travailleurs blancs — et 60 pour cent des travailleurs à bas salaire étaient blancs —, mais à créer un groupe de Blancs et de Noirs de la classe moyenne qui faisaient comme il disait « profession de ressentiment » :

> « Ils gagnent très bien leur vie en persuadant les Noirs pauvres qu'ils sont opprimés quand ils le sont, ce qui est souvent le cas, et aussi quand ils ne le sont pas... »

Le résultat de cette situation, c'était que nous étions, comme l'écrivit un magazine, au bord de la « révolte des petites gens de race blanche ».

Après plusieurs mois d'étude et de discussions de tous les aspects du problème, nous mîmes au point le Plan d'Assistance familiale, que j'annonçai dans une allocution télévisée sur la législation intérieure, le 8 août 1969.

Le programme de la Grande Société avait consacré des milliards de dollars à une gamme fantastique de services sociaux pour les pauvres; si l'on pouvait prouver que l'on avait des revenus au-dessous d'un certain plafond, on bénéficiait d'un nombre incalculable de secours et de services gratuits ou subventionnés. J'estimais que ce système provoquait un sentiment de dépendance et décourageait toute volonté de redressement. Je pensais que les gens devaient être responsables d'eux-mêmes, de leur santé et de leurs dépenses. J'abhorrais la surveillance sournoise et condescendante des assistants sociaux qui donnaient aux enfants et aux adultes assistés l'impression d'être stigmatisés et isolés. Le principe de base du Plan d'Assistance familiale (P.A.F.) était simple : ce qu'il faut aux pauvres pour les aider à s'élever et à sortir de la pauvreté, c'est de l'argent.

Notre solution était tout aussi simple mais révolutionnaire : une aide financière fédérale non seulement aux pauvres sans emploi, mais aux travailleurs pauvres. Les allocations ne seraient pas uniquement consenties aux enfants sans père, mais aux familles dont le père était à la maison. En fournissant un plafond de revenu fédéral, nous allégerions le fardeau financier des Etats; en établissant des normes nationales et des procédures automatiques de règlement, nous espérions réduire la paperasserie, et éliminer bientôt les services sociaux, les assistants sociaux et le stigmate de l'assistance.

Mais le P.A.F. avait un autre aspect révolutionnaire : ce ne serait pas simplement un revenu garanti. Le plan exigeait que tous ceux qui accepteraient les bienfaits devraient accepter aussi de travailler ou de s'entraîner pour occuper certains emplois s'il y en avait de disponibles à une distance raisonnable. La conclusion était : pas de travail, pas d'assistance. Les seules exceptions seraient les personnes âgées, les infirmes et les mères d'enfants d'âge préscolaire.

Le P.A.F. était un risque. Je le savais. Nous ferions accéder à l'aide fédérale treize millions de personnes de plus qu'auparavant, afin de récompenser le travail et ne pas punir les pauvres d'occuper un emploi. Nous nous exposerions à une augmentation du coût, pour la première année, de 4 milliards de dollars, sur l'hypothèse qu'une fois que les gens ne seraient plus pénalisés pour leur travail — une fois qu'ils seraient certains de pouvoir gagner davantage en travaillant qu'en touchant uniquement des allocations —, ils préféreraient travailler. Nous espérions que la stabilité fournie par l'augmentation de revenu serait une stimulation pour trouver des emplois de plus en plus rémunérateurs et rayer finalement les gens des rôles de l'assistance. Personne n'était certain que cela marcherait. Pour ces raisons, le P.A.F. fit une traversée houleuse dans ma propre équipe et en conseil de cabinet où Moynihan, Finch, Ehrlichman et le ministre du Travail George Shultz le défendirent contre les critiques de la faction conservatrice dirigée par Arthur Burns, Ted Agnew et le directeur du budget Robert Mayo.

Je savais que nous prenions des risques avec le P.A.F. Mais je savais aussi que le système actuel était désastreux et se détériorait de plus en plus vite. Le P.A.F. était le seul plan qui avait une chance de changer tout ça.

Par bien des côtés, j'étais dans une situation tout à fait singulière : moins de huit mois après mon entrée en fonction comme premier Président républicain depuis huit ans, je proposais une législation intérieure presque révolutionnaire qui me forçait à rechercher une alliance avec les Démocrates et les libéraux; mes propres amis et alliés conservateurs allaient fatalement s'y opposer. Je pensais que le plus grand danger serait une attaque par la droite. J'allais avoir une surprise.

Comme prévu, les conservateurs dénoncèrent le plan, le traitant de « méga-aumône » et de projet gauchiste. Mais ensuite, après une brève salve de louanges de la part des chroniqueurs, des éditorialistes et des universitaires, les libéraux se retournèrent contre le plan et le mirent pratiquement en pièces. Ils se plaignirent que les sommes n'étaient pas suffisantes et que les exigences de travail étaient répressives. En réalité, le P.A.F. aurait immédiatement offert à 60 pour cent des personnes vivant dans la pauvreté des revenus supérieurs à leur niveau de vie actuel. C'était une véritable guerre à la pauvreté, mais les libéraux ne pouvaient l'accepter. Les sénateurs libéraux firent immédiatement d'extravagantes propositions de lois qui n'avaient aucune chance de passer. Moynihan observa que c'était comme s'ils ne pouvaient tolérer qu'un Président républicain conservateur réussisse ce que ses prédécesseurs démocrates-libéraux n'avaient pas osé faire.

Les groupes d'intérêts réagirent non moins admirablement. La National Welfare Rights Organisation, Organisation nationale des droits à l'assistance, représentant en principe les intérêts des bénéficiaires d'allocations, s'allièrent avec les assistants sociaux menacé de disparition et dénoncèrent le projet. La N.W.R.O. l'appelait un « acte de répression politique » et accusait le Gouvernement de conspirer pour affamer les enfants. Le plan fut même appelé « raciste » alors que, immédiatement après son vote, il aurait augmenté approximativement de 40 pour cent le revenu des Noirs vivant dans quatorze Etats du Sud. (Et en 1969 un peu plus de la moitié de la population noire habitait dans le Sud.) La N.W.R.O.

organisa de bruyantes audiences où des bénéficiaires d'allocations témoignèrent : « Nous ne voulons que le genre d'emplois qui rapporteront
10 000 ou 20 000 dollars »; et encore : « Vous feriez bien de me donner
un peu plus que ce que je touche avec l'assistance. » La N.W.R.O. proposa son propre plan, qui fut présenté au Sénat par George McGovern,
garantissant un revenu annuel de 6 500 dollars à toute famille de quatre
personnes. Un tel projet aurait fait bénéficier de l'assistance la moitié
de l'Amérique.

Nous nous battîmes âprement. Le 16 avril 1970, grâce en grande
partie à Jerry Ford avec l'aide de Wilbur Mills, le P.A.F. passa à la
Chambre. Mais la Commission des finances du Sénat, avec des conservateurs du Sud aux positions clefs et aucune approbation coordonnée des
libéraux, mit le plan au frigidaire. Le 1er juillet, Moynihan m'écrivit :
« Je crains que les chances que l'Assistance familiale passe cette année
soient maintenant plus minces que jamais, et si ça ne passe pas cette
année, ce ne sera pas dans cette décennie. » Il disait qu'aucun Républicain
ne résistait aux efforts d'étouffer cette mesure et que « les Démocrates
y voient de plus en plus une occasion de vous priver de cette victoire
épique et en même temps de vous reprocher la défaite ».

Durant l'automne je fis pression sur la Commission des finances du
Sénat mais tous mes efforts furent vains. Le 20 novembre, la Commission
vota contre la mesure, 10 contre 6. En 1971, la Chambre vota de nouveau
la loi et, encore une fois, la Commission sénatoriale des finances l'étouffa.
Finalement, seuls les articles du P.A.F. prévoyant des revenus garantis
pour les personnes âgées et les infirmes furent votés par le Congrès.

En 1971, le P.A.F. avait perdu son élan et je le savais. Je croyais
encore à la validité de l'idée mais plus à son opportunité politique. En
1969, le peuple américain était prêt pour le changement; en 1971, il
pensait à autre chose, au Vietnam et à l'économie. Il y avait aussi la
perspective de l'élection présidentielle de 1972; je ne voulais pas perdre
une bataille — à cause des conservateurs — à propos du P.A.F. pendant
une année électorale. Si bien que lorsque, pendant l'été de 1972, j'eus
à choisir entre approuver une version plus coûteuse de la loi proposée
par le sénateur Ribicoff ou m'en tenir à notre P.A.F. original (alors
qu'il allait sûrement échouer), je choisis la seconde solution. Le P.A.F.
mourut finalement à la Commission des finances du Sénat en 1972...
C'était une idée en avance sur son temps.

APOLLO XI

L'événement le plus passionnant de la première année de ma présidence se produisit en juillet 1969, quand un Américain devint le premier
homme à marcher sur la lune. L' « alunissage » était l'aboutissement d'un
programme commencé douze ans plus tôt après le lancement par les
Soviétiques de Spoutnik, le premier satellite artificiel du monde. L'opinion publique américaine fut très secouée à la pensée que les Soviétiques
contrôlaient l'espace, mais Eisenhower et la plupart de ses conseillers ne
furent pas aussi troublés. Sherman Adams, par exemple, dit à un public
en majorité républicain que ce que l'on appelait la course aux satellites
n'était qu'une « partie de basket-ball spatiale ». Je crois que cette réflexion

désinvolte fut mauvaise en substance et désastreuse pour l'opinion publique. Le lendemain soir, je déclarai à un auditoire à San Francisco : « Nous ne saurions commettre d'erreur plus grande que de négliger cet événement en le considérant comme un exploit scientifique sans plus d'importance pour l'homme de la lune que pour les hommes de la terre. »

A cette époque, dans les réunions du Cabinet et du N.S.C., je conseillai vivement un fort accroissement de nos missiles et de nos programmes spatiaux. Eisenhower se rangea finalement à mon point de vue et approuva une proposition de véhicules spatiaux habités. Alors qu'il justifiait cette décision par des considérations militaires, je pensais que quelque chose de beaucoup plus fondamental était en jeu. J'estimais que lorsqu'une grande nation abandonne la course à l'exploration de l'inconnu, cette nation cesse d'être grande.

Le programme spatial habité était déjà bien en route quand, en 1961, le président Kennedy frappa l'imagination nationale en fixant le but d'un atterrissage sur la lune à la fin de la décennie. Le président Johnson était un ardent supporter de la N.A.S.A. et sous son gouvernement le programme Apollo avança à grands pas.

Je décidai que lorsque les astronautes d'Apollo XI se poseraient réellement sur la lune, cette occasion devrait être solennellement marquée. Travaillant avec des responsables de la N.A.S.A., nous traçâmes les plans d'une conversation téléphonique télévisée de la Maison Blanche à la lune. Non seulement les astronautes planteraient un drapeau américain à la surface de la lune, mais ils y laisseraient une plaque portant nos signatures et le message suivant :

ICI DES HOMMES DE LA PLANETE TERRE
ONT POSE POUR LA PREMIERE FOIS LE PIED SUR LA LUNE
JUILLET 1969
NOUS VENONS DANS LA PAIX POUR TOUTE L'HUMANITE

Le dimanche 20 juillet au soir, l'astronaute d'Apollo VIII Frank Borman, Bob Haldeman et moi, nous nous réunîmes autour de la télévision dans le bureau privé et regardâmes Neil Armstrong poser le pied sur la lune. Je passai ensuite à côté, dans le Bureau Ovale, où des caméras de télévision avaient été installées pour ma communication avec la lune, en double diffusion.

La voix d'Armstrong nous parvint cinq sur cinq. Je lui dis : « Grâce à ce que vous avez fait, les cieux sont devenus une partie du monde de l'homme. Et tandis que vous nous parlez de la mer de Tranquillité, vous nous inspirez le désir de redoubler d'efforts pour amener la paix et la tranquillité sur la terre. »

Après un voyage de plus de huit cent mille kilomètres aller-retour sur la lune, Apollo XI amerrit à moins de trois kilomètres de la cible prévue à environ mille milles nautiques au Sud-Ouest de Hawaï, dans l'océan Pacifique. J'étais là pour accueillir les astronautes. Comme le module de commandement de la mission s'appelait *Columbia,* j'avais demandé à la fanfare de la Marine de jouer « *Columbia, joyau de l'océan* », au moment où les astronautes descendraient de l'hélicoptère sur le pont du porte-avions *Hornet.*

En allant leur parler à travers la vitre de leur chambre de quarantaine, j'eus du mal à maîtriser mon enthousiasme et mon émotion à la pensée que les trois hommes derrière cette vitre venaient de revenir de la lune. Je leur dis impulsivement : « C'est la plus grande semaine dans l'histoire du monde depuis la Création. » Quelques jours plus tard, quand je m'entretins avec Bill Graham, il me déclara : « Monsieur le Président, je sais exactement ce que vous avez ressenti et je comprends parfaitement ce que vous avez voulu dire mais, malgré tout, je pense que vous avez été un peu excessif. »

Le programme Apollo se termina le 19 décembre 1972, par l'amerrissage d'Apollo XVII. A ce moment, le public était blasé des dangers omniprésents de l'espace et de l'excitation de ce défi. Le programme commençait aussi à être victime de l'attitude introvertie qui menaçait tant de nos technologies nouvelles dans les années 70. Cela provoqua le refus du Congrès de soutenir ma proposition de poursuivre notre programme d'avions de transport supersoniques, que je jugeais essentiel si l'Amérique voulait garder la tête dans le domaine de l'aviation commerciale. L'argument était que tant qu'une seule personne sur terre serait pauvre, pas un dollar ne devrait être dépensé pour l'espace. A mon avis, toutefois, l'exploration de l'espace est un des derniers grands défis à l'esprit américain. L'espace est peut-être la dernière frontière réellement à la mesure des possibilités américaines.

LYNDON JOHNSON : DÉCEMBRE 1969

Le jeudi 11 décembre 1969, Lyndon Johnson était à Washington et je l'invitai à la Maison Blanche pour le petit déjeuner. Je le reçus dans le Salon Rouge et nous montâmes tout de suite à la salle à manger du premier où j'avais fait disposer la table de manière qu'il puisse regarder le feu. Sans qu'il le demande, un flacon de saccharine liquide avait été placé à côté de son assiette et on lui servit un café très léger.

Il était extrêmement agité par des accusations selon lesquelles il aurait usé de son influence pour faire bénéficier ses amis de conditions spéciales pour des acquisitions de terrains et de prêts fédéraux pour leur centre de gériatrie au Texas. Plusieurs fois, pendant le repas, il y revint. Mais il avait aussi des idées fascinantes sur l'arrêt des bombardements au Vietnam et sur ses relations avec les Soviétiques.

Dans la soirée, je dictai quelques souvenirs de notre réunion; ce fut une des rares dictées détaillées que je fis avant de commencer à tenir un Journal dicté presque quotidien, en novembre 1971.

Lyndon Johnson était un homme d'un physique si intense qu'il est probablement impossible de transmettre avec de simples mots ce que c'était que d'être avec lui. Je crois que ces lignes donnent au moins une idée de la gamme d'impressions et d'émotions que pouvait engendrer une conversation avec lui :

Il semblait avoir considérablement grossi et j'ai remarqué que lorsqu'il s'excitait, il respirait très fort. Quand on en venait à la question du centre de gériatrie, il semblait même avoir les larmes aux yeux.

Il a passé en revue, en détail, son attitude sur les négociations du Vietnam et ses relations avec les Russes. Il m'a répété, comme il l'avait fait en Californie, que sa plus grande erreur de Président avait été de trop « faire confiance aux Russes ». Il m'a dit qu'il pensait qu'Eisenhower s'était bien entendu avec eux pendant les six ou sept premières années de son mandat parce qu' « ils craignaient Ike » à cause de ce que Dulles avait menacé de faire en Corée (employer la bombe A). Il pensait que si Ike avait eu des difficultés pendant sa dernière année, c'était qu'un peu de cette peur s'était dissipée. Il estimait que la même chose était arrivée à Kennedy quand il avait essayé d'apaiser les Russes, jusqu'à l'époque de la crise des missiles de Cuba. Il pensait qu'il était aussi passé par là pendant ses années à la Présidence.

Il m'a rapporté qu'à Glassboro, Kossyguine avait indiqué que les Russes seraient prêts à nous aider à propos du Vietnam et avait fait une proposition que Johnson me dit avoir voulu considérer. Johnson a suggéré qu'ils se rencontrent de nouveau à New York. Quand ils se sont retrouvés, Johnson avait étudié la proposition de Kossyguine avec Rusk et McNamara et fait une contre-proposition que Kossyguine trouvait « différente de la sienne, mais raisonnable ». Johnson espérait avec confiance un résultat. Deux semaines se sont passées sans rien. Rusk a alors convoqué Dobrynine et s'est heurté à un mur. Quinze jours après, Thompson (ambassadeur U.S. à Moscou) est allé voir Gromyko qui lui a battu froid. Cette initiative n'a rien donné du tout.

Il m'a confié qu'à l'époque de l'arrêt des bombardements, Harriman lui avait répété « au moins douze fois » qu'ils avaient l'assurance des Nord-Vietnamiens que si les bombardements cessaient, l' « entente » concernant le bombardement des villes serait respectée. Il avait l'impression que les Russes avaient fait des assurances semblables dans le même sens.

Il me dit que toutes les interruptions des bombardements avaient été une erreur et qu'il n'avait rien accompli. Chacune n'avait été décidée que parce qu'il avait reçu certaines assurances, des Russes ou d'autres sources, qu'il y aurait une réaction positive de l'autre camp. Il dit qu'il ne voulait pas ordonner une cessation des raids aussi tard dans la campagne électorale, à moins d'être absolument convaincu qu'il avait un « marché ». Il savait qu'il serait accusé d'avoir agi pour des raisons politiques.

Il m'a parlé avec une amertume considérable de l'article de *Look* sur son frère. Il m'a raconté l'histoire d'un de ses plus grands soutiens financiers qui avait aussi un frère à qui il arrivait des tas d'ennuis; la mère de cet homme le suppliait de faire quelque chose pour ce frère et il avait fini par lui trouver un emploi : conduire à travers l'Etat un camion de dynamite. « Il s'est arrêté dans un bistrot de routiers, il a bu quelques bières, il a demandé la serveuse en mariage et puis il a repris la route et un arbre lui a barré la route. »

Il m'a parlé chaleureusement d'Agnew en m'assurant qu'il avait eu une très haute opinion de lui quand il était gouverneur du Maryland. Agnew lui avait apporté son soutien, pour sa politique étrangère.

A son avis, les journalistes sont tout naturellement mauvais et ne sont pas heureux s'ils n'attaquent personne. Il pensait qu'il avait été à l'abri de ces attaques pendant la première année de son mandat uniquement parce que Goldwater était son adversaire et que dès que Goldwater a été écarté, il était inévitable qu'on s'en prenne à lui. « La presse n'est tout simplement pas satisfaite à moins qu'elle n'attaque le Président quel qu'il soit », a-t-il conclu.

Il m'a débité un monologue d'au moins vingt minutes sur le centre de gériatrie, expliquant de façon très émouvante qu'il avait décidé la construction de ce centre parce que le maire de sa ville natale avait passé les dernières années de sa vie dans une maison de repos qui n'était pas autre chose qu'une « crèche à cochons » et que sa mère était aussi restée un moment dans un tel établissement.

LA PREMIÈRE ANNÉE

A la fin de 1969, après avoir passé près d'un an à la Maison Blanche, je sentais que mon gouvernement fonctionnait comme une équipe homogène efficace.

Bob Haldeman avait prouvé que, contrairement aux idées reçues, il était possible de bien faire marcher la Maison Blanche, d'obtenir le maximum des gens et de préparer les prises de décisions à temps avec suffisamment d'information. Haldeman mérite d'en être crédité parce qu'on lui en a fait payer le prix. Dès le début, il y eut des conflits entre les ministres et l'équipe de la Maison Blanche, comme dans toute Présidence. Des bruits coururent sur la prétendue grossièreté de Haldeman envers les membres du Cabinet et les chefs de parti. La plupart de ces histoires étaient apocryphes, mais je suis sûr que certaines ne l'étaient pas. Haldeman avait un esprit vif, rapide et supportait difficilement ceux dont l'entregent et l'esprit de décision n'égalaient pas les siens. Il avait de grandes espérances et il harcelait l'équipe de la Maison Blanche pour les réaliser.

Il y avait des conflits de points de vue et de personnalités dans le gouvernement Nixon, mais aucune organisation humaine n'en est et n'en sera jamais dépourvue. Le plus important — à cause de leur effet sur la politique — était les divergences entre Bill Rogers, Henry Kissinger et Mel Laird. Trois personnalités et tempéraments aussi distincts venant s'ajouter au magma institutionnel déjà explosif du Département d'Etat, du C.N.S. et du Pentagone devaient fatalement provoquer des étincelles. Il faut reconnaître à l'honneur de Rogers que, dans bien des cas, son souci primordial était simplement d'être tenu informé de ce qui se passait. Il devait témoigner devant plusieurs commissions parlementaires et le secret entourant généralement — le plus souvent par nécessité — nos décisions le plaçait fréquemment dans une position embarrassante. Je fis un jour observer en plaisantant que Laird n'avait pas ce problème parce qu'il répondait aux questions et faisait part de ses idées, qu'il soit informé ou non.

Rogers et Laird se livraient occasionnellement à des négociations et des discussions délicates sans coordination avec la Maison Blanche. Dans certains cas, c'était par inadvertance, parce qu'ils ignoraient certains détails de notre diplomatie secrète; d'autres fois, c'était volontaire, pour prévenir ma désapprobation ou celle de Kissinger. Et dans d'autres cas, je crois, uniquement pour prouver, à leurs ministères, à la presse et à eux-mêmes, qu'ils étaient capables d'une action indépendante. Il arrivait que les résultats soient inoffensifs ou même positifs, mais parfois ils risquaient de compromettre notre politique et de saper notre crédibilité dans certains pays étrangers.

Les rapports entre Kissinger et Rogers finirent par prendre un aspect assez combatif. Kissinger s'était hérissé quand j'avais confié, en 1969 et 1970, les problèmes du Moyen-Orient à Rogers. Il estimait que Rogers se laissait trop influencer par les éléments pro-arabes du Département d'Etat et qu'il ne possédait pas l'habileté et la subtilité nécessaires ni le sens de la stratégie d'une grande politique étrangère. Kissinger s'inquiétait aussi quand la politique étrangère semblait se disperser entre plusieurs personnes. Il n'appréciait guère que Rogers eût directement accès au Bureau Ovale. Rogers trouvait Kissinger machiavélique, trompeur, égocentrique, arrogant. Pour Kissinger, Rogers était vaniteux, mal informé, incapable de garder un secret et désespérément dominé par les fonctionnaires du Département d'Etat. Les problèmes devinrent de plus en plus sérieux avec les années. Kissinger ne cessait de menacer de donner sa démission si Rogers n'était pas bridé ou remplacé.

Comme j'appréciais également les deux hommes, pour leurs qualités et leurs points de vue différents j'essayais de rester à l'écart des frictions qui ne manquaient pas de se produire lorsqu'ils devaient travailler ensemble. Haldeman nous rendit là d'excellents services en agissant en quelque sorte comme une zone démilitarisée entre eux deux, et entre eux et moi. Finalement, Haldeman lui-même éprouva des difficultés à concilier les points de vue également tenaces de ces deux hommes fiers et puissants; et vers la fin de 1969 je commençai à faire participer John Mitchell à beaucoup de décisions de politique étrangère afin qu'il puisse fournir un élément de stabilisation.

Les éclats entre mes conseillers libéraux et conservateurs de politique intérieure étaient sans doute plus cérébraux. Ils n'en étaient pas moins spectaculaires, ni moins violents. Au cours de l'été et de l'automne, j'avais graduellement confié à John Erlichman la coordination de tous les programmes et questions intérieurs. Il avait un côté très créatif, un sens de l'humour acerbe que je trouvais revigorant et je le considérais comme le choix idéal pour apporter à la politique intérieure cette approche intellectuelle mais disciplinée que Kissinger apportait avec tant de succès à la politique étrangère.

Sur le plan personnel, la plus grande surprise de la première année, pour Pat et moi, fut que nous n'avions pas été préparés à la combinaison paradoxale de la perte de la vie privée et de cet isolement que nous connaissions à la Maison Blanche. Quand j'étais Vice-Président, nous avions beaucoup d'obligations officielles, mais à la fin de la journée nous rentrions chez nous en famille dans notre quartier résidentiel de Washington, où nous faisions notre marché chez les commerçants locaux. Nous avions aussi un grand nombre d'amis avec qui nous pouvions nous détendre. Mais le Président et la Première Dame ne tardent pas à découvrir que tout ce qu'ils font ou disent est de l'actualité. Ils sont entourés d'agents des Services de sécurité, de collaborateurs, d'équipes des communications, de médecins, de secrétaires, de dizaines de reporters et de photographes dont l'unique mission est de leur soutirer un mot ou de prendre leur photo. Les moments de véritable intimité semblaient soudain extrêmement précieux. Pat et moi aimions de plus en plus séjourner à Camp David, à Key Biscayne ou dans notre maison de San Clemente en Californie.

Je découvris aussi combien un Président peut se sentir à l'écart des réalités de la vie américaine. Malgré toute son assurance et ses prétentions cosmopolites, Washington est une petite ville de province préoccupée de politique et de ragots, ce qui parfois, dans la capitale, revient au même. Comme d'autres Présidents, avant et après moi, j'éprouvais le besoin de quitter la Maison Blanche et Washington afin de conserver un certain sens de la perspective.

En me retournant sur l'année 1969, je la voyais comme un commencement, un début solide. Nous avions tenu bon. La nouvelle année inaugurerait une nouvelle décennie et j'avais hâte de laisser derrière moi les turbulentes années 60 pour entamer une nouvelle ère de progrès créatifs et pacifiques pour l'Amérique et pour le monde.

1970

Du point de vue politique, j'abordai la question des droits civiques des Noirs américains de la même façon que la question d'Israël. Dans l'un et l'autre cas, je me trouvais dans une situation unique : je n'étais pas politiquement redevable au principal groupe de pression en cause et bénéficiais par conséquent davantage de la confiance des groupes adverses. J'avais les coudées plus franches pour faire uniquement ce que je trouvais juste.

Quand j'étais entré en fonction en 1969, les extrémistes noirs tenaient encore le haut du pavé. Malgré les lois, l'argent dépensé, les progrès importants qui avaient été réellement faits, les Américains noirs semblaient encore moins satisfaits de leur sort qu'au commencement des années 60 et jamais les tensions entre Blancs et Noirs n'avaient été aussi vives. J'estimais qu'en ma qualité de Républicain et de conservateur modéré, j'avais une meilleure chance de parvenir à un accommodement entre les deux races qu'un Démocrate ou un libéral publiquement engagé envers un électorat particulier. En formulant ma politique, je m'efforçai d'atteindre un équilibre modéré. Inévitablement, je déplus aux extrémistes des deux bords. Au cours de l'une de nos premières réunions, je dis à mes collaborateurs : « Je pourrais réciter le Sermon sur la Montagne : le N.A.A.C.P. [1] en critiquerait encore la rhétorique. Quant aux ségrégationnistes endurcis, ils le critiqueraient en disant que je suis uniquement motivé par la pression du public et non par ma conscience. Alors attaquons-nous aux problèmes au lieu d'en parler. Nous serons jugés sur ce que nous faisons et non sur ce que nous disons. »

Je savais que nous devions attaquer le problème sur plusieurs fronts. Je sentais que si l'éducation allait être l'aspect le plus difficile et le plus important, il resterait les questions de l'emploi, de la réforme de l'aide sociale, de l'encouragement à l'entreprise commerciale des minorités et du logement.

Quelques semaines après mon entrée en fonction, Pat Moynihan amena à la Maison Blanche le Rév. Ralph Abernathy, président de la Southern

---

1. *National Association for the Advancement of Colored People :* Association nationale pour le progrès des gens de couleur. (N.d.T.)

Christian Leadership Conference, et plusieurs de ses collaborateurs. J'avais rencontré Abernathy en 1957 quand il était le principal lieutenant de Martin Luther King. Sans doute avait-il été un bon lieutenant mais il n'était pas devenu un bon général; il lui manquait la profondeur de vision et la sagesse que possédait King à un degré si remarquable. La plupart des ministres et des membres clefs de la Maison Blanche se réunirent dans le Salon Roosevelt avec Abernathy, mais la longue séance fut un chaos parce qu'il n'était pas prêt ou répugnait à avoir une discussion sérieuse. Il prit des poses et déclama. Il commença par lire une liste de revendications et passa le reste du temps à les répéter en termes plus pittoresques. Il paraissait néanmoins heureux que nous ayons fait cet effort et il me remercia avec effusion d'avoir pris le temps de les recevoir. En quittant la salle du Conseil, il passa dans la salle de presse et déclara aux journalistes qu'il venait d'assister « à la réunion la plus décevante, la plus stérile de toutes celles que nous avions eues jusque-là ».

Moynihan fut gêné et scandalisé. Il revint dans le Bureau Ovale et arpenta le tapis en grognant : « Alors que vous et nous tous l'avons écouté et lui avons indiqué notre désir sincère de trouver des solutions aux problèmes, il s'en va dans la salle de presse et pisse sur le Président des Etats-Unis. C'est inconcevable et je vous promets que ça ne se reproduira plus. »

La conduite d'Abernathy me surprenait moins. Je répondis à Moynihan : « Le problème tel que je le vois, c'est qu'ils ne pensent pas que cela me tient à cœur. Nous devons leur démontrer par nos actes et pas simplement par nos paroles que nous nous en soucions. »

Ironiquement ce fut Moynihan, un des plus ardents défenseurs du programme des droits civiques dans mon Gouvernement, qui écrivit dans un mémorandum qu'il m'adressa au début de 1970 les mots mêmes pour lesquels nous fûmes accusés par la suite d'être des réactionnaires. Il y proposait plusieurs initiatives qu'il conseillait. Dans un passage traitant du besoin de refroidir un peu la rhétorique enflammée, il écrivait :

> « Le moment est peut-être venu où la question raciale pourrait bénéficier d'une période de " négligence bienveillante ". On a trop parlé de ce sujet. Le forum a été plus ou moins occupé par des hystériques, des paranoïaques et des rhéteurs de tous les bords. Nous avons peut-être besoin d'une période pendant laquelle le progrès des Noirs se poursuivra et la rhétorique raciale s'atténuera. »

On s'empara des termes *négligence bienveillante,* en dehors de leur contexte, pour caractériser l'attitude du Gouvernement envers les Noirs et autres minorités. La locution eut du succès et nous fut renvoyée chaque fois que nous tentions de faire quelque chose de constructif dans le domaine des droits civiques. Moynihan fut bouleversé par cet incident et me proposa sa démission que, naturellement, je refusai.

Un bon emploi est un droit civique aussi fondamental et important qu'une bonne éducation. Beaucoup de Noirs et de membres d'autres minorités n'en trouvaient pas à cause de la politique des grands syndicats qui les excluaient de leurs rangs ou usaient de discrimination contre eux dans l'embauche et la promotion. Par conséquent le premier problème à résoudre était celui du chômage. Je demandai au ministre du Travail George Shultz de voir ce qui pourrait être fait. Il me proposa un plan exigeant que tous les entrepreneurs travaillant sur des projets fédéraux de construction s'engagent à faire des efforts de bonne volonté pour embaucher un nombre représentatif de travailleurs des minorités.

Shultz fit observer que sur un million trois cent mille ouvriers du bâtiment des Etats-Unis, 106 000 seulement étaient des Noirs, et 80 pour cent de ceux-ci occupaient les emplois aux salaires les plus bas; sur les 130 000 apprentis du bâtiment, 5 000 seulement étaient noirs.

Au temps de ma Vice-Présidence, j'avais présidé la Commission des Contrats gouvernementaux d'Eisenhower, qui avait fait de louables progrès en usant de persuasion et de publicité pour encourager les sociétés détenant des contrats du gouvernement à embaucher des ouvriers des minorités. Je pensai que le plan de Shultz, exigeant cela par la loi, était à la fois nécessaire et juste. Nous ne fixerions pas de quotas, mais nous exigerions des contractants fédéraux qu'ils fassent preuve d'une « action affirmative » pour atteindre les buts de l'emploi croissant pour les minorités. Par exemple, à Philadelphie, le but serait de l'accroître de 4 à 26 pour cent entre 1969 et 1973. D'autres villes auraient des objectifs différents.

Les parlementaires conservateurs s'allièrent aux syndicats pour s'opposer avec véhémence à ce projet. Pour eux, c'était de l'hérésie de la part d'un Président républicain... et l'hérésie est rarement populaire. Jusqu'à sa mort en septembre 1969, Everett Dirksen me suplia d'abandonner ce plan. Lors d'une réunion du Conseil, il me déclara à sa manière pittoresque : « En tant que votre leader au Sénat des Etats-Unis, il est de mon devoir sacré de vous dire que ce truc est à peu près aussi populaire qu'un morpion dans un bordel. Vous allez diviser votre parti si vous insistez. Et, Monsieur le Président, je ne pense pas que je pourrai moi-même vous soutenir dans cette entreprise regrettable. »

A la fin d'octobre 1969, un contrat fut accordé qui mettait le plan en action pour six syndicats du bâtiment travaillant à la construction d'un hôpital fédéral à Philadelphie. Ce qui fut bientôt appelé le Plan de Philadelphie ne tarda pas à s'étendre à d'autres syndicats du bâtiment à New York, Pittsburgh, Seattle, Los Angeles, Saint Louis, San Francisco, Boston, Chicago et Detroit.

George Meany sauta au plafond, accusant le gouvernement de faire des syndicats ses boucs émissaires et d'essayer de « marquer des points de B.A. » chez les groupes défenseurs des droits civiques. Les lobbyistes syndicaux firent terriblement pression sur les membres du Congrès et des amendements nuisibles furent adoptés par le Sénat. Nous transportâmes la bataille dans les deux chambres. Finalement, grâce en grande partie au leadership de Jerry Ford et de Hugh Scott, nos efforts furent couronnés de succès. Le Sénat et la Chambre repoussèrent les amendements, qui auraient anéanti le Plan de Philadelphie.

Transformer le plan en loi se révéla plus facile que de faire respecter la loi. Il y eut quelques succès initiaux, mais je fus déçu de voir que nous recevions qu'un tiède soutien de la plupart des grands responsables noirs, qui avaient tendance à minimiser les résultats obtenus ou à se plaindre que nous n'étions pas allés assez loin. Une fois de plus, je me demandai si les dirigeants noirs n'étaient pas plus intéressés par le symbolisme spectaculaire que par la lutte pour un véritable progrès.

Dans un domaine important, nous pûmes produire un impact considérable : celui de l'entreprise commerciale des minorités. Pendant la campagne de 1968, j'avais fait à la radio une allocution intitulée « Les ponts de la dignité humaine » dans laquelle je réclamais de nouveaux efforts pour amener les membres des groupes minoritaires dans le courant économique. Si l'on ne voulait pas qu'ils restent en permanence une classe économique inférieure séparée des autres Américains, nous devions trouver des moyens de donner aux Noirs et autres membres qualifiés des minorités un intérêt dans le système américain de la libre entreprise. Pendant la période de transition, je déléguai cette responsabilité au ministre du Commerce Maurice Stans en lui disant que je la considérais comme une très haute priorité. Les statistiques prouvaient que si nous n'avions pas atteint tous les buts que nous nous étions fixés nous avions fait de sérieux progrès dans ce domaine.

Quand j'entrai en fonction en 1969, les entreprises des minorités ne faisaient que 8 millions de dollars grâce à des contrats du gouvernement. En 1972, ce chiffre était passé à 242 millions. Durant la même période, la totalité des subventions, prêts et garanties du gouvernement destinés à aider l'entreprise privée des minorités avait fait un bond de 200 millions à 472 millions de dollars. Sur les 100 plus importantes affaires appartenant à des Noirs en 1975, plus des deux tiers avaient été fondées depuis 1968. Plus important encore, toute cette activité se reflétait dans le tiroir-caisse, où les bénéfices des entreprises appartenant à des Noirs sautaient de 4,5 milliards en 1968 à 7,2 milliards en 1972.

Au cours de ma Présidence, la plus explosive des questions de droits civiques fut la déségrégation des écoles et le « busing ». Quinze ans s'étaient écoulés depuis que la Cour Suprême avait fait jurisprudence lors de l'affaire *Brown/Education nationale,* en décrétant que les lois exigeant des écoles séparées étaient anticonstitutionnelles. Après cette décision la ségrégation par la loi — ségrégation *de jure* — fut non seulement mauvaise mais illégale; partout où il était prouvé qu'elle existait, cette nouvelle loi pouvait y mettre fin. Il était plus difficile de résoudre le problème de l'inégalité de l'éducation pour les élèves noirs et blancs à cause de la ségrégation existant non par suite d'une discrimination consciente par la loi mais des schémas économiques et sociaux naturels dans les villages et les quartiers : la ségrégation *de facto*.

Malgré beaucoup de grands discours et quelques confrontations symboliques à grand tapage sous les Présidences de Kennedy et de Johnson, très peu de progrès avaient été accomplis pour mettre fin au double système scolaire dans le Sud. A mon entrée en fonction en janvier 1969, 68 pour cent des enfants noirs du Sud fréquentaient encore des écoles entièrement noires.

La question qui se posait en 1969 était de savoir si les tribunaux devraient essayer de rectifier ce qui restait de la ségrégation *de jure,* qui existait principalement dans le Sud, en mélangeant de force les races dans les écoles. Pour y parvenir, l'instrument primordial était le « busing » par lequel les écoliers étaient transportés par autobus dans diverses écoles jusqu'à ce que l'équilibre racial de chaque établissement reflète celui de l'assemblée de la communauté. Faute de « busing », le Congrès devrait accorder des crédits pour hausser le niveau de l'instruction inférieure partout où elle existait et remédier par conséquent au problème sans bouleverser l'école du quartier.

Je voulais éliminer les derniers vestiges de la ségrégation par la loi et le faire d'une façon qui traiterait avec égalité la nation tout entière. J'étais déterminé à ce que le Sud cesse d'être le bouc émissaire des libéraux du Nord. Mais je ne voulais pas imposer le « busing » à une grande échelle, parce que j'étais fortement partisan de l'école de quartier. Plus important encore, je ne pensais pas que les enfants devaient être arrachés à leur environnement et forcés, uniquement à cause de leur race, d'aller dans de lointaines écoles où ils risquaient d'être mal accueillis et même molestés. La ségrégation obligatoire était désastreuse, mais l'équilibre racial obligatoire ne valait pas mieux.

J'étais sûr qu'en nous y prenant bien, nous pourrions persuader les gens du Sud et d'ailleurs de ne pas obéir à la loi simplement parce que c'était la loi, mais les amener à comprendre et à accepter la sagesse et l'humanité qui avaient inspiré cette loi. En attendant, tant que la loi ne serait pas délibérément transgressée, le gouvernement fédéral devrait être un instrument de persuasion plutôt qu'une machine de coercition; le Président devait concilier et non diviser.

Je pensais que, dans la plus grande mesure possible, les plans pour la désagrégation devaient être faits par les conseils scolaires, les municipalités et les tribunaux de chaque région, plutôt que par les fonctionnaires du H.E.W. à Washington [1].

Beaucoup de districts scolaires décidèrent de ne pas retarder l'inévitable et respectèrent simplement les dates limites de déségrégation imposées par la Cour Suprême en 1968. D'autres résistèrent à tout changement et soumirent des propositions de délais qui étaient de l'obstructionnisme flagrant. Nous repoussâmes plusieurs de ces propositions et coupâmes les subventions fédérales. D'autres districts, toutefois, cherchèrent une solution d'une manière responsable et nous projetâmes de leur accorder des sursis limités et surveillés.

Mais le 29 octobre 1969, au début de l'année scolaire, la Cour Suprême rendit à l'unanimité un décret imposant à tous les districts scolaires la déségrégation *immédiate*. J'estimai que la Cour n'était pas réaliste et que sa décision était irréalisable, mais je n'avais d'autre choix que de la faire respecter.

Au cours de ma conférence de presse suivante, on m'interrogea sur ma politique de déségragation scolaire. Je répondis : « Elle respectera ce que la Cour Suprême a décidé. Je suis partisan de faire respecter la loi même si je ne suis pas d'accord avec le décret, comme c'est le cas pour celui-ci. »

Je m'y sentais obligé, mais pas plus que le minimum exigé par la loi, en espérant que la Cour finirait par comprendre que sa bonne intention était légalement et socialement contre-productive. J'étais surtout bien

---

1. *Health, Education and Welfare :* le ministère de la Santé, de l'Education et de l'Aide sociale.

résolu à faire en sorte que les nombreux jeunes avocats libéraux du H.E.W. de la Division des Droits civiques du ministère de la Justice ne considèrent pas cette décision comme une carte blanche pour aller galoper dans tout le Sud en contraignant à l'obéissance avec les exigences extrêmes et punitives qu'ils avaient formulées à Washington.

La date limite de février imposée par la Cour pour la déségrégation immédiate passa sans incidents. Quelques-unes des écoles encore « ségréguées » s'inclinèrent; d'autres fermèrent; certaines l'ignorèrent et attendirent de voir ce qui allait arriver. Avant cela, George Wallace avait pressé le Sud de défier le gouvernement fédéral et parlé de sa candidature à la présidence en 1972. Un sondage Gallup national indiqua que plus de la moitié des personnes interrogées pensaient que l'intégration scolaire se faisait trop vite.

Je nommai une Commission ministérielle de l'Education, pour considérer le problème au plus haut niveau, en déclarant : « Premièrement, je veux que tout le monde, mais plus particulièrement les dirigeants noirs, sachent que notre devise est ici : " Je m'en soucie." Le Président se préoccupe de la situation et a l'intention d'y remédier. Le plus important, cependant, est de placer les choses dans leur bonne perspective. Une fois que nous aurons clairement indiqué que la loi sera maintenue et qu'aucune ségrégation n'est légale dans ce pays, où que ce soit, je pense que nous devrions tenir compte du fait que des communautés locales, blanches ou noires, pourraient vouloir conserver un certain degré de séparation. C'est pourquoi je veux consacrer notre argent fédéral à améliorer le plus possible l'enseignement dans chaque école. Nous devons cesser d'utiliser les salles de classe et les gosses comme des moyens visant à résoudre les problèmes sociaux et économiques qui se posent ailleurs. Notre but doit être l'éducation, pas le litige. »

Une semaine plus tard le sénateur de Georgie Richard Russell vint à la Maison Blanche me transmettre le point de vue de quatre gouverneurs du Sud et me dire que les fonctionnaires du H.E.W. parcouraient tout le Sud en fomentant des troubles et en incitant à des actions en justice. « Je ne sais pas ce que je ferais à votre place, Monsieur le Président, me dit-il. Je sais simplement que vous avez là un problème qui ne s'en ira pas et qui s'aggravera si vous ne faites rien. Les gens de Georgie sont plus bouleversés par ce problème qu'ils ne l'ont jamais été pour quoi que ce soit. »

Je me dis que le moment était venu d'indiquer clairement ma position. Le 24 mars, je fis une longue déclaration couvrant tous les aspects de la question des droits civiques. Je réaffirmai mon soutien à la déségrégation et mon opposition au « busing »; j'indiquai aussi que l'on devait s'appuyer avant tout sur la coopération avec les autorités locales et au respect volontaire de la loi plutôt que sur une mise en vigueur par la force avec tout le poids de l'autorité fédérale. Je dis que ma priorité n° 1 était le maintien et l'amélioration de la qualité de l'enseignement et j'annonçai que j'allais demander un crédit de un milliard et demi de dollars sur deux ans pour aider les districts scolaires à la déségrégation. La réaction à ces propos fut divisée entre ceux qui voulaient forcer le Sud à s'incliner devant la décision de la Cour et ceux qui voulaient bien tenter la persuasion.

J'étais convaincu que la prise de conscience des dirigeants locaux était le préalable indispensable à une bonne politique de persuasion. A la suggestion de ma Commission ministérielle, sept des Etats du Sud qui à un degré ou un autre ne se pliaient toujours pas à la décision de la Cour formèrent des Comités consultatifs d'Etat sur la déségrégation scolaire. Le 24 juin, je reçus à la Maison Blanche le Comité consultatif de l'Etat du Mississippi; il y avait quinze membres, neuf Blancs et six Noirs. Un des Noirs me dit : « Avant-hier, j'étais en prison pour être allé sur une plage interdite. Aujourd'hui, Monsieur le Président, je suis ici avec vous. Si ça, c'est possible, alors tout peut arriver. »

Au cours des semaines suivantes, je reçus tous les autres comités consultatifs et pour chacun je soulignai les mêmes points. Tout d'abord, je condamnai l'hypocrisie d'une grande partie du Nord sur le problème de la ségrégation. J'affirmai ma certitude que le Sud devait être traité avec patience et compréhension; mais j'insistai aussi sur le besoin de résoudre le problème par l'obéissance pacifique. Ensuite, je répétai ma foi dans le principe des élus locaux pour résoudre les problèmes locaux. Je fis comprendre subtilement mais sans équivoque que s'ils n'agissaient pas pour résoudre le problème, je serais forcé d'assumer pleinement ma responsabilité de faire respecter la loi de la nation.

La plupart des Blancs qui assistaient à ces réunions trouvaient mauvaise la décision de la Cour; et certains Noirs arrivèrent avec scepticisme parce qu'ils pensaient que seule une forte intervention fédérale pourrait faire appliquer la loi. Les entretiens démontrèrent qu'il était possible aux deux camps de se rencontrer et de parler entre eux de leurs soucis.

Je savais que je suivais une ligne bien mince entre les intégrationnistes instantanés et les extrémistes de la ségrégation — toujours, mais je sentais que le risque en valait la peine si nous parvenions à résoudre le problème sans que le gouvernement fédéral s'en mêle.

A la fin de juillet, je reçus une note de Harry Dent, mon agent de liaison politique dans le Sud, m'avertissant qu'il existait « dans les communautés sudistes et politiquement conservatrices une inquiétude dangereuse et croissante, l'inquiétude que le gouvernement glisse à gauche dans un souci d'apaiser ses adversaires ». Il écrivait que l'on sentait que « la roue qui grince reçoit l'huile » et qu'à une récente réunion la plupart des présidents de comités républicains du Sud avaient exprimé ainsi leurs sentiments : « Nous avons été de braves types pendant trop longtemps et nous n'avons obtenu que des belles paroles alors que les " méchants " sont descendus dans la rue et ont eu droit à l'attention et à l'action. »

Le 6 août, le jour où le Comité consultatif de l'Etat de Georgie vint à la Maison Blanche, je reçus également les principaux sénateurs conservateurs et républicains du Sud parmi lesquels Ed Gurney, de Floride, Barry Goldwater, Strom Thurmond et John Tower. Ils se plaignirent amèrement que le Gouvernement avait opéré un brusque virage à gauche sur la question des droits civiques. Ils exigèrent que je renvoie Jerris Leonard, adjoint au ministre de la Justice pour la Division des Droits civiques, et d'autres qui avaient travaillé pour mettre en œuvre ma politique. Je les écoutai et leur affirmai qu'en réalité je bridais les fonctionnaires du H.E.W. et de la Justice qui voulaient que j'agisse avec plus d'agressivité — d'une manière irresponsable à mon avis — contre le Sud. En même temps je soulignai que j'avais la responsabilité de faire appliquer la loi de la nation et j'étais résolu à assumer cette responsabilité.

A mesure qu'approchait la nouvelle année scolaire la tension montait. Ma confiance dans le pouvoir de la persuasion allait-elle se justifier? Ou bien faudrait-il faire appel à des troupes fédérales pour imposer l'intégration?

A la fin du mois d'août, je demandai à Billy Graham de m'enregistrer des appels télévisés en faveur de l'obéissance volontaire. Il fit une magnétoscopie qui fut montrée dans tous les Etats du Sud et je suis convaincu qu'elle eut une influence puissante, très positive.

A mon grand soulagement, la politique marcha. Les écoles du Sud et de tout le pays ouvrirent leurs portes à l'automne de 1970 sans violence et conformément à l'ordonnance de la Cour Suprême. Le succès spectaculaire de notre programme de déségrégation scolaire du Sud est révélé avec éloquence par les statistiques. En 1974, seuls 8 pour cent des enfants noirs du Sud fréquentaient des écoles entièrement noires, contre 68 pour cent à la rentrée de 1968.

LE CAMBODGE ET LES UNIVERSITÉS

Au début de 1970, nos services de renseignement indiquèrent que l'infiltration communiste du Vietnam du Nord dans le Sud augmentait sérieusement. Les Nord-Vietnamiens avaient aussi commencé à transporter un nombre important de soldats et de matériel au Cambodge et au Laos.

Face à cette activité ennemie, je pensai que nous devions envisager des initiatives pour montrer à l'adversaire que nous prenions toujours au sérieux notre engagement au Vietnam.

Le 21 février, Kissinger rencontra secrètement les Nord-Vietnamiens à Paris, pour la deuxième fois. La situation avait radicalement changé depuis la première rencontre en août, en grande partie parce que mon discours du 3 novembre avait renforcé ma position chez nous. A la fin de janvier, un sondage Gallup révéla que 65 pour cent des Américains approuvaient ma politique vietnamienne. Les Nord-Vietnamiens devaient être encore plus inquiet de savoir que nous nous adressions maintenant à leurs principaux protecteurs et fournisseurs militaires : les Soviétiques avaient récemment proposé des discussions quadripartites sur la question de Berlin à Bonn, et les Chinois étaient d'accord pour reprendre avec nous les entretiens d'ambassadeurs à Varsovie.

Cette fois, Le Duc Tho participa avec Xuan Thuy aux conversations avec Kissinger. Tho faisait partie du Bureau Politique du P.C. de Hanoï, ce qui signifiait que les pourparlers avaient maintenant atteint au moins un niveau de décisions.

Cherchant à profiter de la réaction à mon discours du 3 novembre, Kissinger leur conseilla très vivement de ne pas sous-estimer le puissant soutien que j'avais obtenu pour ma politique du Vietnam. « Je sais qu'ici à Paris, leur dit-il, vous voyez beaucoup d'Américains qui sympathisent énormément avec votre position. Mais lors de la dernière élection, la grosse masse des voix était à droite et non à gauche. Le Président Nixon peut faire appel à des gens que le Président Johnson ne pouvait toucher. » Le Duc Tho riposta suavement qu'il avait plutôt l'impression que depuis août, le mouvement anti-Vietnam avait atteint en Amérique un niveau sans précédent. Il déclara qu'il avait lu de nombreuses déclarations de la Commission des Affaires étrangères du Sénat, du Parti Démocrate et de Clark Clifford exigeant le retrait total des forces américaines et le renversement du gouvernement Thieu. Il ajouta carrément : « Le peuple et la presse des U.S.A., ainsi que la grande majorité du peuple du Sud-Vietnam, sont opposés à l'actuel gouvernement de Thieu-Ky-Khiem. »

Kissinger avait senti dès le début que les fanfaronnades de Tho dissimulaient d'authentiques doutes et de bien réels soucis de la part des Nord-Vietnamiens. Ce jugement parut se confirmer au cours de la réunion quand les Nord-Vietnamiens devinrent plus conciliants. Il apparut même qu'ils étaient prêts à entamer de sérieuses négociations au niveau secret. Ils proposèrent une nouvelle réunion le 16 mars.

Lorsque Kissinger rentra à Washington, il me rapporta : « C'était une réunion importante, certainement la plus importante depuis le début de votre mandat, et même depuis le commencement des pourparlers en 1968. »

A la fin de son mémorandum proposant notre stratégie pour la réunion secrète suivante, j'ajoutai une petite note de conseils sur la façon d'y traiter les Nord-Vietnamiens : « Ne chicanez pas sur " ce qu'ils veulent dire par ceci ou cela ". Ils adorent ce genre de discussion. Arrivez directement aux décisions concernant les deux questions principales en disant que " nous laisserons les détails à des subordonnés ". Autrement nous allons perdre deux jours en détails sans faire de progrès sur le fond. Nous avons besoin d'une percée sur le principe et sur le fond. Dites-leur que nous voulons aller immédiatement au cœur du problème. »

Quand ils se retrouvèrent le 16 mars, Kissinger leur dit que si l'on pouvait aboutir à un accord, nous aurions retiré toutes nos troupes du Vietnam avant seize mois. Ils parurent intéressés mais ne s'engagèrent pas. Kissinger conclut que « deux réunions encore devraient régler l'affaire ».

Quelques jours plus tard, un événement inattendu modifia complètement la situation. Le 18 mars, alors qu'il était en visite à Moscou, le prince Sihanouk, chef de l'Etat cambodgien, fut renversé par un coup d'Etat militaire sans effusion de sang. Ce coup d'Etat amena au pouvoir le général Lon Nol, un anticommuniste fervent.

Le coup d'Etat de Lon Nol fut une surprise totale. La C.I.A. n'avait reçu aucune indication que l'opposition à Sihanouk était allée si loin. Je demandai avec irritation à Bill Rogers : « Mais qu'est-ce qu'ils fichent à Langley, ces clowns? »

Mon premier mouvement fut de faire tout notre possible pour aider Lon Nol, mais Rogers et Laird me recommandèrent vivement d'attendre. Ils firent observer que Moscou, Pékin et Hanoï seraient dans tous leurs états et nous soupçonneraient d'avoir financé et organisé ce coup. Si nous fournissions maintenant une aide économique et militaire, dirent-ils, nous confirmerions ces soupçons; nous risquerions même de fournir aux Nord-Vietnamiens un prétexte pour renoncer à leur façade officielle de non-engagement et provoquer ainsi une invasion totale du Cambodge. Helms me prêcha aussi très fortement la retenue. Il dit que le gouvernement Lon Nol avait peu de chance de survivre, et nous nous mettrions dans une position désastreuse en nous précipitant au secours d'un gouvernement qui pourrait être renversé avant même que notre aide arrive.

Je décidai donc d'attendre une semaine. Pendant ce temps, Lon Nol, dont les soldats se battaient étonnamment bien contre les Khmers Rouges communistes et les Nord-Vietnamiens parfaitement entraînés, entreprit de couper tout seul une source majeure de fournitures aux communistes en fermant le port cambodgien de Sihanoukville.

Dans ce contexte, Kissinger se prépara pour une nouvelle rencontre avec les Nord-Vietnamiens à Paris. Avant son départ, il m'envoya une note demandant mon approbation, pour la stratégie qu'il voulait suivre. Il estimait que le moment était venu pour nous de nous montrer très fermes et de découvrir si vraiment les communistes avaient l'intention de négocier. J'approuvai sa stratégie et je la renforçai même : « Fixez un délai. »

L'entretien dura près de cinq heures. Les Nord-Vietnamiens étaient réticents. Kissinger pensait qu'ils avaient été troublés par les événements du Cambodge, qu'ils nous accusaient d'avoir organisés. Suivant mes instructions, il proposa qu'une limite de temps soit imposée pour parvenir à un accord au cours des pourparlers secrets. Comme ils refusèrent, il suggéra de fermer le réseau secret jusqu'à ce qu'un côté ou l'autre ait quelque chose de nouveau à discuter.

La situation du Cambodge et du Vietnam devenait si tendue que je dus prendre une décision personnelle très pénible. Tout en sachant combien Pat et Julie y comptaient, je renonçai à notre projet d'assister à la remise des diplômes de David à Amherst et de Julie à Smith ce printemps. Pat n'avait jamais eu la joie de voir ses parents assister à ses remises de prix et je savais qu'elle se faisait une fête d'être auprès de Julie ce jour-là. Julie aussi fut terriblement déçue. Elle essaya de retenir ses larmes et fit observer qu'un tout petit nombre de groupuscules de gauche seulement était en cause et que tous les gens qu'elle connaissait, y compris les étudiants qui étaient contre la guerre et le Gouvernement, estimaient que je devrais pouvoir assister à la cérémonie.

Ted Agnew fut particulièrement indigné. « Ne les laissez pas vous intimider, Monsieur le Président, me dit-il en se maîtrisant avec peine. Vous êtes peut-être le Président, mais vous êtes aussi son père, et un père doit pouvoir assister à la remise de diplômes de sa fille! » Les Services de sécurité de la Maison Blanche, cependant, avaient eu vent de plusieurs manifestations qui s'organisaient déjà contre moi et de la possibilité d'un vilain incident qui gâcherait la cérémonie non seulement pour nous mais pour tous les autres étudiants et parents; à leur avis, le risque était trop grand.

Malgré l'impasse des conversations secrètes et l'aggravation de la situation militaire au Cambodge, je décidai d'aller de l'avant, pour le retrait des troupes fixé au 20 avril. J'en discutai longuement avec Kissinger et nous tombâmes d'accord pour penser que le moment était venu de lâcher une bombe sur l'orage menaçant des manifestations anti-guerre.

La vietnamisation avait progressé au point que pour la première fois nous estimions pouvoir projeter nos retraits de troupes sur l'année suivante. Nous décidâmes donc qu'au lieu de parler d'un moindre retrait sur une plus courte période, j'annoncerai le rappel de 150 000 hommes pour l'année prochaine.

Ce chiffre provoqua une énorme surprise quand je le révélai dans un discours le 20 avril. La seule réaction des communistes fut une escalade des combats.

A la fin d'avril, les communistes tenaient un quart du Cambodge et se refermaient sur Phnom Penh. Il était évident que Lon Nol avait besoin d'aide. Si les communistes réussissaient à le renverser, le Sud-Vietnam serait menacé par l'Ouest ainsi que par le Nord. La situation compromettrait notre programme de retrait de troupes et assurerait pratiquement l'invasion du Sud-Vietnam dès le départ des Américains.

Le soutien à Lon Nol devait être discuté au cours d'une réunion du C.N.S. le 22 avril. Ce matin-là, je me réveillai très tôt et dictai une note à Kissinger :

> En supposant qu'à la réunion d'aujourd'hui je sois dans le même état d'esprit que ce matin (il est 5 heures, le 22 avril), je pense que nous avons besoin d'une action hardie au Cambodge pour montrer que nous soutenons Lon Nol.
>
> Je ne pense pas qu'il survivra. Il y a cependant une chance qu'il le puisse, et quoi qu'il en soit, nous devons faire quelque chose de symbolique pour l'aider à tenir.
>
> Nous avons vraiment perdu le ballon ce coup-ci parce que nous nous sommes laissés avoir par l'idée qu'en l'aidant, nous détruirions sa « neutralité » et fournirions aux Nord-Vietnamiens un prétexte pour attaquer. Nous n'arrivons pas à nous mettre dans la tête que les communistes n'ont pas besoin de prétexte pour passer à l'attaque.
>
> Ils n'en ont pas eu besoin en Hongrie en 1956 quand le même argument a été avancé par le Département d'Etat, quand Dulles est tombé dans le panneau parce qu'il était fatigué et que nous étions en pleine campagne présidentielle.
>
> Ils n'en ont pas eu besoin en Tchécoslovaquie quand le même argument a été avancé par les mêmes gens. Et ils n'en ont pas eu besoin au Laos quand nous avons perdu un jour précieux en ne frappant pas le coup qui aurait pu étouffer l'offensive dans l'œuf, ni au Cambodge quand nous avons adopté une attitude de non-ingérence totale en protestant devant le Sénat que nous n'avions qu'une délégation de sept crétins du Département d'Etat à l'ambassade et avons refusé toute aide parce que nous avions peur de leur fournir ainsi une « provocation » pour attaquer.
>
> Ils se promènent là-bas et le seul gouvernement cambodgien depuis vingt-cinq ans qui a le courage de prendre une attitude pro-occidentale et pro-américaine est sur le point de tomber...
>
> Je vous parlerai de tout cela après la réunion du C.N.S.

Les sanctuaires communistes au Cambodge occupaient deux zones principales. Le Bec de Perroquet est une enclave qui avance dans le Sud-Vietnam jusqu'à 53 kilomètres de Saïgon. Un détachement particulièrement important de l'A.R.V.N. (armée sud-vietnamienne) était stationné sur la frontière de cette zone. Les rapports de nos S.R. indiquaient que la plus importante concentration communiste se trouvait dans une autre zone frontière, l'Hameçon, un mince croissant de territoire cambodgien enfoncé au cœur du Sud-Vietnam, à 80 kilomètres environ au Nord-Ouest de Saïgon. C'était la principale zone d'opérations pour ce que les S.R. appelaient le C.O.S.V.N., l'Office central du Sud-Vietnam. Le C.O.S.V.N. était le poste de commandement mobile du Q.G. communiste, de son intendance et de ses services médicaux. Ainsi, l'Hameçon était le centre névralgique des forces communistes dans les sanctuaires et serait fortement défendu. Les premières estimations de nos services de renseignement prévoyaient que les importantes fortifications et la concentration des troupes communistes dans cette région pourraient provoquer de très lourdes pertes pendant la première semaine de l'opération.

J'envisageai d'abord de laisser l'A.R.V.N. pénétrer dans le Bec de Perroquet et d'envoyer un fort détachement de troupes américaines et sud-vietnamiennes dans l'Hameçon. En offrant aux Sud-Vietnamiens une opération bien à eux, nous leur remonterions le moral tout en faisant une démonstration pratique de la réussite de la vietnamisation. Ce serait aussi une diversion utile à l'opération Hameçon plus importante et plus difficile.

Je ne me suis jamais fait d'illusions sur l'effet fracassant qu'aurait chez nous une décision de pénétrer au Cambodge. Je savais que chez mes principaux conseillers de politique étrangère, les opinions étaient divisées sur l'élargissement de la guerre et je reconnaissais que cela pourrait être une catastrophe personnelle et politique pour mon Gouvernement et pour moi.

Dans la nuit du dimanche 26 avril, je pris ma décision. Nous jouerions le tout pour le tout. L'A.R.V.N. pénétrerait dans le Bec de Perroquet et une force A.R.V.N.-U.S. avancerait dans l'Hameçon.

Le lundi matin, je conférai avec Rogers, Laird et Kissinger. Ce fut une réunion tendue, car si Rogers et Laird avaient renoncé à tout espoir de me dissuader d'entreprendre une action au Cambodge, ils pensaient encore pouvoir me convaincre de ne pas engager de troupes américaines. Rogers déclara : « Cela nous coûtera de lourdes pertes pour un très petit gain. Et je ne crois pas du tout que cela porterait un coup fatal à l'ennemi. » Laird me dit : « Je ne suis pas réellement opposé à une attaque du C.O.S.V.N., mais la méthode ne me satisfait pas. » Il s'inquiétait davantage, semblait-il, du camouflet que serait pour le Pentagone notre prise de position. Il insinua aussi que le général Abrams pourrait ne pas approuver l'opération C.O.S.V.N., mais battit en retraite lorsque Kissinger le contredit. Néanmoins, aussitôt après notre réunion, j'expédiai un câble à Abrams par les voies secrètes lui ordonnant de me faire connaître la « pure vérité » sur ses sentiments.

Une réponse commune d'Abrams et de notre ambassadeur Ellsworth Bunker m'assura de leur soutien total. Parlant plus spécifiquement de l'attaque de l'Hameçon, ils écrivaient : « Nous pensons tous deux que l'attaque contre cette zone devrait produire un effet bouleversant sur l'ennemi qui a considéré jusqu'à présent que ses refuges étaient à l'abri de toute attaque terrestre. » Abrams ajoutait son opinion personnelle dans un paragraphe distinct : « J'estime personnellement que ces attaques contre les sanctuaires ennemis au Cambodge sont l'action militaire à entreprendre en ce moment pour le soutien de notre mission au Sud-Vietnam, tant pour la sécurité de nos propres forces que pour l'avancement du programme de vietnamisation. »

Cette nuit-là, seul, je réfléchis une dernière fois à la décision. Il n'était pas encore trop tard pour annuler l'opération : l'action sur le Bec de Perroquet ne commencerait pas avant le lendemain matin et celle de l'Hameçon deux jours plus tard. Je pris un bloc-notes et dressai une liste du pour et du contre des deux opérations. Le risque était indiscutablement très grand; il n'y avait aucune assurance de réussite sur le champ de bataille mais la certitude d'un tollé chez nous. D'un autre côté, il n'était pas question de laisser les sanctuaires cambodgiens continuer de menacer la sécurité des Américains restant encore au Sud-Vietnam et de préparer presque certainement une invasion dès que nous nous serions retirés.

Le lendemain matin de bonne heure, je montrai mes notes à Kissinger. Il cligna des yeux, prit une feuille de papier dans sa serviette et me la tendit. C'était une liste presque identique à la mienne. « J'ai fait la même chose, Monsieur le Président, me dit-il. Et on dirait que nous sommes tous deux capables de fonder dessus notre affaire. »

Je répondis qu'à mon avis le simple fait de montrer aux communistes que nous avions bien l'intention de nous protéger, nous et nos alliés, ferait porter tout le poids d'un côté. « Maintenant que nous avons pris la décision, il ne doit y avoir aucune récrimination contre nous, dis-je. Pas même si toute l'affaire tourne mal. *Surtout* si tout va mal. »

L'annonce par le Sud-Vietnam de l'opération du Bec de Perroquet fut diffusée par les agences de presse le mercredi 29 avril. En quelques minutes, les principales colombes du Sénat se bousculèrent devant les caméras de télévision, exigeant que je désavoue l'offensive de Thieu et que je n'envoie pas de troupes américaines au Cambodge. Je passai toute la journée à travailler au discours que je devais prononcer le lendemain soir pour annoncer l'opération. Je demandai à Rose de téléphoner pour moi à Julie, en expliquant que je ne voulais pas la bouleverser, mais qu'il était possible que les Universités explosent vraiment après ce discours : « Alors, dites-lui simplement que je lui demande si David et elle ne pourraient pas venir pour être avec nous. »

J'eus du mal à trouver le sommeil cette nuit-là. Après m'être tourné et retourné pendant une heure, je me levai et allai m'asseoir dans le Salon Lincoln, jusqu'à 5 h 30. A 9 heures, je passai dans mon bureau de l'E.O.B. pour revoir les premières pages du discours dactylographié. Dans l'après-midi, je convoquai Haldeman et Kissinger pour le leur lire. Je demandai à Kissinger de mettre George Meany au courant, parce que je savais que le soutien de la classe ouvrière serait vital. Un peu plus tard, il m'annonça que Meany approuvait de tout cœur ma décision. Kissinger eut moins de succès auprès de sa propre équipe du C.N.S. Trois de ses principaux collaborateurs décidèrent de démissionner, en signe de protestation.

Peu après avoir prononcé mon discours télévisé, diffusé à partir du Bureau Ovale, je passai dans la salle de projection de la Maison Blanche pour m'adresser aux leaders parlementaires des deux partis. Je leur dis que je comprenais que beaucoup d'entre eux s'opposeraient à la décision que j'avais prise. Je connaissais leurs sentiments et je les respectais. J'ajoutai : « Je tiens simplement à vous faire savoir que quoi que vous pensiez, que vous trouviez cela bon ou mauvais, j'ai pris cette décision parce que je suis convaincu que c'est le meilleur moyen de mettre fin à la guerre et de sauver la vie de nos soldats. »

Je regardai mon auditoire. Les visages étaient tendus. Certaines des plus puissantes colombes étaient là : Fulbright, Mansfield, Aiken, Kennedy. La sincérité de mes paroles dut les toucher, même s'ils restaient opposés à ma décision. Quand je quittai la salle, tout le monde se leva et applaudit.

J'ouvris mon discours en racontant comment les communistes avaient réagi à ma récente annonce de retrait de troupes en renforçant leurs offensives dans toute l'Indochine. « Pour protéger nos hommes qui sont au Vietnam et pour garantir le succès continu de nos programmes de retrait et de vietnamisation, j'ai conclu que le moment de l'action était venu. »

Je me servis d'une carte pour expliquer l'importance géographique et stratégiques des refuges cambodgiens et pour décrire l'opération sud-vietnamienne dans le Bec de Perroquet. Puis j'annonçai qu'une force américano-vietnamienne pénétrerait dans l'Hameçon.

Je soulignai que ce n'était *pas* une invasion du Cambodge. Les refuges étaient complètement occupés et contrôlés par les forces nord-vietna-miennes. Nous pourrions nous retirer dès qu'elles auraient été chassées et que leurs stocks militaires seraient détruits. Le but, dis-je, n'était pas d'étendre la guerre au Cambodge, mais de mettre fin à la guerre du Vietnam en rendant la paix possible.

Plaçant ma décision dans le plus large contexte, j'ajoutai : « Si, mise au pied du mur, la plus puissante nation du monde, les Etats-Unis d'Amérique, se comporte comme un pitoyable géant sans défense, les forces du totalitarisme et de l'anarchie menaceront les nations et les institutions libres dans le monde entier. »

Après le discours, je passai une heure avec ma famille dans le solarium, pendant qu'on discutait de ce que j'avais dit et que l'on essayait de deviner les réactions. Puis j'allai au Salon Lincoln pour répondre aux appels téléphoniques.

Vers 22 h 30, on vint m'apprendre que le président de la Cour Suprême Warren Burger était à la grille avec une lettre pour moi. Je priai l'agent du Service de sécurité de garde de le faire monter immédiatement.

« Je ne voulais pas vous déranger, Monsieur le Président, me dit Burger, mais je tenais à vous dire que votre discours de ce soir révélait un sens de l'histoire et du destin. »

Je lui répondis que des adversaires avaient déjà commencé à dénoncer le discours et la décision, mais il m'assura que j'aurais le soutien du peuple : « Je crois que toute personne qui a vraiment écouté ce que vous disiez appréciera le courage qu'il a fallu pour prendre cette décision. » Il fit aussi observer que quiconque voudrait bien réfléchir comprendrait qu'en homme politique avisé je n'irais jamais faire une chose qui risquait de compromettre les chances républicaines aux élections de novembre à moins d'être sûr que c'était absolument nécessaire pour la sécurité nationale.

« Tout à fait entre nous, Monsieur le Président, lui répliquai-je, je suis assez réaliste pour savoir que si cette opération échoue — ou si toute autre chose arrive qui fait tomber mon soutien public à un niveau révélant que je ne peux pas être réélu —, j'aimerais que vous soyez prêt à vous présenter à la nomination en 1972. »

Quand je montai enfin dans ma chambre, vers 3 heures du matin, j'y trouvai un mot de Julie :

> « Cher papa,
> J'ai été très fière de toi ce soir. Tu as parfaitement expliqué la situation au Vietnam; je suis sûre que le peuple américain comprendra pourquoi tu as pris cette décision. Je veux surtout te dire combien ton message final aux populations du Sud et du Nord-Vietnam, à l'Union Soviétique et aux Etats-Unis était frappant et émouvant. Je crois que le message le plus puissant qui ressort de ton discours est : " Nous ne pouvons pas abandonner 17 millions de gens à une mort vivante et nous ne pouvons pas compromettre les chances de la future paix mondiale par un retrait sans fondement du Vietnam. "
> Je sais que tu as raison et, encore une fois, je suis très fière.
> Tendrement,
> Julie. »

Le discours provoqua des réactions prévisibles. Le sénateur Muskie déclara : « Ce discours confirme un jugement que je répugnais à formuler : le Président a décidé de chercher à terminer cette guerre par des moyens militaires plutôt que par la méthode de la négociation. » Le sénateur Walter Mondale, du Minnesota, proclama : « Ce n'est pas seulement une escalade tragique, qui élargira la guerre et accroîtra les pertes américaines, mais un aveu flagrant de l'échec de la vietnamisation. »

Le New Republic publia en couverture un éditorial commençant ainsi : « Richard Nixon passe à la postérité, certainement, mais pas assez tôt... » Selon cet éditorial, mon discours était « insensible », « bidon », « frauduleux », « indifférent » et « dangereux ». Le New York Times assura que je n'étais pas « en contact » avec la nation.

En Grande-Bretagne, l'Economist adopta un point de vue différent : « Ce ne sont pas les Américains qui ont porté la guerre au Cambodge mais les communistes. Depuis des années, le Vietnam du Nord viole la neutralité de ce pays, avec à peine un pépiement de protestation du reste du monde. Condamner les Etats-Unis pour avoir " envahi " le Cambodge neutre est à peu près aussi rationnel que de condamner la Grande-Bretagne pour avoir " envahi " la Hollande officiellement neutre en 1944. »

Malgré une nuit pratiquement sans sommeil, je me levai très tôt le lendemain. J'allai au Pentagone pour une conférence sur l'opération cambodgienne des chefs de l'état-major interarmes et de leurs principaux conseillers. Alors que je longeais les couloirs jusqu'à la salle de conférence, je fus assailli par des gens qui m'acclamaient et voulaient me serrer la main. « Dieu vous bénisse! » « Allez-y! » « Il y a des années que nous aurions dû faire ça! » criaient-ils.

Dans la salle, l'atmosphère était généralement positive, avec un peu plus de retenue. Une immense carte de la zone de combats couvrait presque entièrement un des murs. Des épingles à tête de couleur différente indiquaient les positions et les mouvements des diverses forces. Tandis qu'on me décrivait les premiers succès de l'opération, j'étudiais la carte avec une attention accrue. Je remarquai qu'en plus du Bec de Perroquet et de l'Hameçon, quatre autres zones étaient marquées comme étant occupées par des forces communistes.

Je demandai brusquement : « Avec l'A.R.V.N. et nous, serions-nous capables de monter des offensives contre toutes ces autres zones? Pourrions-nous éliminer *tous* les refuges? »

La réponse à ma question illustra la réaction très négative que provoquerait une telle action dans la presse et au Congrès.

Je poursuivis : « Laissez-moi être juge des réactions politiques. Le fait est que nous avons déjà subi la réprobation politique pour cette opération particulière. Si nous pouvons réduire substantiellement la menace contre nos forces en anéantissant le reste des sanctuaires, c'est le moment ou jamais. »

Tout le monde parut attendre qu'un autre réponde. En général, j'aime bien réfléchir mais je pris une décision sur-le-champ, ce qui ne me ressemblait guère : « Je veux éliminer tous ces refuges. Faites les plans nécessaires et allez-y. Ecrasez-les pour qu'ils ne puissent plus servir contre nous. Jamais. »

Quand je quittai le Pentagone, les employés se précipitèrent de nouveau dans les couloirs. Lorsque j'atteignis enfin la sortie, j'étais entouré d'une foule amicale et joyeuse. Une femme me remercia avec une grande émotion au nom de son mari qui combattait au Vietnam. En songeant à tous ces hommes et ces femmes dont les êtres chers se battaient là-bas, je ne pus m'empêcher de penser à ces étudiants qui profitaient de leurs sursis et de leur situation privilégiée dans notre société pour placer des bombes dans les campus, allumer des incendies et tyranniser leurs établissements.

« Je les ai vus, dis-je de nos soldats au Vietnam. Ils sont formidables. Vous voyez ces voyous, vous savez, qui font sauter les campus. Ecoutez, les garçons qui sont aujourd'hui dans nos Universités sont les gens les plus chanceux du monde, ils vont dans les plus grandes Universités, et voilà qu'ils brûlent les livres, qu'ils crient et manifestent à propos du Vietnam.. Et puis là-bas, nous avons des gosses qui font simplement leur devoir. Et je les ai vus. Ils se tiennent droits, ils sont fiers. »

Dans l'après-midi, alors que la tempête de réactions à propos du Cambodge continuait de s'amplifier, je décidai d'éloigner ma famille de la Maison Blanche pour quelques heures au moins de détente après la grande tension que nous venions de subir. Il faisait un temps beau et chaud. Alors, je proposai une promenade sur le Potomac jusqu'à Mount Vernon à bord du *Sequoia*.

L'usage veut que tous les bâtiments de la Marine qui passent devant Mount Vernon rendent honneur à George Washington qui y est enterré. Comme nous nous en approchions, je fis monter tout le monde sur le pont, face à la rive. Pat était à côté de moi, puis David, Julie et Bebe Rebozo. Alors que nous passions devant la tombe du premier Président, les haut-parleurs du *Sequoia* diffusèrent l'hymne national. Nous restâmes tous au garde-à-vous jusqu'à la dernière note.

Lorsque le *Sequoia* retourna à Washington, la réaction indignée à ma déclaration sur les « voyous » au Pentagone avait déjà presque submergé celle qu'avait provoquée mon discours sur le Cambodge.

Pendant tout le printemps de 1970, le pays avait affronté des vagues successives d'agitation universitaire violente. Comme pour les troubles du début de 1969, la plupart des questions étaient orientées vers les campus, traitant de règlements disciplinaires, d'administration des Universités et d'admissions de membres de minorités.

Ce qui distinguait l'agitation de 1970, c'était la montée de la violence, l'augmentation des bombes. Des groupes radicaux encourageaient ouvertement les attentats à la bombe contre les institutions qu'ils n'approuvaient pas.

Durant l'année universitaire 1969-1970, il y eut 1 800 manifestations, 7 500 arrestations, 462 blessés — dont les deux tiers dans la police —, 257 incendies criminels et 8 morts.

Avril 1970 fut un mois particulièrement violent. Pour la deuxième fois, une banque proche de l'Université de Californie à Santa Barbara fut incendiée. On mit le feu à l'Université du Kansas et des bâtiments valant deux millions de dollars furent détruits. A l'Université d'Etat de l'Ohio, des manifestants exigeant l'admission de plus d'étudiants noirs et l'abolition du R.O.T.C. (préparation militaire d'officiers de réserve) sur le campus se battirent pendant six heures contre la police. Il y eut 600 arrestations et 20 blessés. Le gouverneur James Rhodes dut finalement faire venir 1 200 gardes nationaux et imposer un couvre-feu pour calmer l'Université.

C'était criminel et barbare de brûler des banques pour protester contre le capitalisme ou d'incendier des bâtiments du R.O.T.C. pour protester contre le militarisme. Mais pour moi, les incidents les plus choquants étaient ceux qui étaient dirigés contre la qualité même de la vie intellectuelle qui aurait dû caractériser une communauté universitaire. En mars, un incendiaire causa 320 000 dollars de dégâts à la bibliothèque de l'Université de Californie de Berkeley. A la fin d'avril, lors d'une manifestation en faveur de Panthères Noires accusées de meurtre à New Haven, 2 500 dollars de livres furent brûlés dans le sous-sol de la faculté de droit de Yale.

L'incident le plus honteux se produisit à l'Université de Stanford. Le 24 avril, un groupe anti-R.O.T.C. mit le feu au centre d'études du comportement. Un des bureaux qui furent complètement détruits était celui d'un anthropologue indien en visite, le professeur M. N. Srinivas. Ses notes personnelles, ses dossiers, ses manuscrits disparurent dans les flammes.

Quand Pat Moynihan m'apprit cette tragédie, j'écrivis au professeur Srinivas :

« Comme d'innombrables Américains, j'ai réagi avec incrédulité à la nouvelle de l'attentat à la bombe incendiaire perpétré contre votre cabinet de travail au Centre d'Etudes avancées des Sciences du comportement et de la destruction d'une grande partie des travaux d'une vie entière.
Ce sera pour vous une maigre consolation de savoir que l'immense majorité du peuple américain et de la communauté universitaire américaine réprouvent absolument les tactiques de celui ou de ceux qui ont commis cet acte.

Dire qu'ils sont dérangés ne les excuse pas. Dire, ce qui est probablement le cas, qu'ils sont tout simplement malveillants ne les fait pas disparaître.

J'espère que la grande connaissance de l'anthropologie sociale dont font montre vos travaux vous servira en ce moment pour vous aider à comprendre cette tragédie. Sachez en tout cas, je vous prie, que vous êtes un invité honoré et bienvenu, dont les travaux sont reconnus et appréciés dans cette nation comme dans le monde entier. »

Je ne pense pas que ceux qui avaient entendu mes commentaires au Pentagone ou leur enregistrement aient pu douter qu'en parlant des « voyous » qui brûlaient des bibliothèques et faisaient sauter des campus, je faisais allusion aux incendiaires de Berkeley et de Yale, aux lanceurs de bombes incendiaires de Stanford et à d'autres de leur espèce. La manchette du *Washington Post* du lendemain matin exprima parfaitement ce que j'avais voulu dire : « *Nixon dénonce les " voyous " des campus qui brûlent des livres et lancent des bombes.* »

Mais celle du *New York Times* déformait subtilement ma pensée : « *Nixon traite de " voyous " certains étudiants radicaux.* » Et l'article en page intérieure était titré : « *Nixon dénonce les " voyous " des campus.* »

En quelques jours, on eut l'impression que j'avais traité de « voyous » tous les étudiants contestataires.

La place accordée dans la presse et son interprétation de l'affaire des « voyous » versa de l'huile sur le feu de la dissension qui commençait à échapper à tout contrôle dans de nombreuses Universités. L'association nationale des étudiants exigea ma destitution et les rédacteurs de onze Universités de l'Est, parmi les plus prestigieuses, publièrent un éditorial commun dans leurs journaux universitaires réclamant une grève générale de l'enseignement.

A l'Université du Maryland, aux portes de Washington, cinquante personnes furent blessées quand des étudiants saccagèrent le bâtiment du R.O.T.C. et se battirent contre la police. A Kent, dans l'Ohio, une foule de centaines de manifestants regarda tranquillement deux jeunes gens lancer trois torches allumées dans le bâtiment militaire du R.O.T.C., sur le campus de l'Université d'Etat, et le brûler jusqu'au sol. Le gouverneur Rhodes appela la Garde Nationale à la rescousse. Il déclara que 99 pour cent des étudiants de Kent voulaient que l'Université reste ouverte et que les autres étaient « pires que des chemises brunes ».

Le lundi 4 mai, je demandai à Haldeman de venir me rejoindre à mon bureau de l'E.O.B. pour examiner avec moi des horaires de voyage. Il arriva l'air très agité. « Un truc vient de tomber sur les téléscripteurs au sujet d'une manifestation à l'Université de Kent, m'annonça-t-il. La Garde Nationale a ouvert le feu et des étudiants ont été touchés. »

Je fus suffoqué. « Ils sont morts? demandai-je. — J'en ai peur. Personne ne sait pourquoi c'est arrivé. »

Une confrontation orageuse, semblait-il, avait commencé vers midi. Finalement, une foule d'étudiants s'étaient mis à lancer des pierres et des blocs de béton sur les gardes, les forçant à battre en retraite sur une petite colline. Au sommet, les soldats s'étaient retournés et quelqu'un s'était mis à tirer.

Dans le journal du lendemain je vis les photos des quatre jeunes gens qui avaient été tués. Deux étaient de simples spectateurs; les deux autres manifestaient contre une décision qu'ils jugeaient mauvaise. A présent ils étaient morts tous les quatre et un appel était lancé pour des manifestations et des grèves d'étudiants dans le pays tout entier. Je ne pouvais chasser les photos de mon esprit et me demandais si ce drame n'allait pas en causer des dizaines d'autres. Je ne pouvais m'empêcher de penser aux familles, apprenant soudain que leurs enfants étaient morts, abattus au cours d'une manifestation sur un campus. J'écrivis personnellement à chacun des parents, tout en sachant bien que des mots ne pourraient être d'aucun secours.

Ces quelques jours après l'affaire de Kent furent parmi les plus sombres de ma Présidence. Je me sentis affreusement accablé quand j'appris que le père d'une des jeunes filles tuées avait dit à un journaliste : « Ma fille n'était pas un voyou. »

Kent porta aussi un coup sérieux au moral de Henry Kissinger. Des membres de son équipe avaient démissionné à cause du Cambodge et d'anciens collègues de Harvard qu'il avait considérés comme ses amis les plus loyaux lui écrivirent des lettres amères exigeant qu'il rende sa position morale crédible en démissionnant.

Un jour qu'il avait reçu plusieurs de ces lettres, il vint dans mon bureau et regarda tristement par la fenêtre. Finalement, il murmura : « Je persiste à penser que vous avez pris la bonne décision en ce qui concerne la politique étrangère. Mais après ce qui s'est passé, je crains de n'avoir pas su bien vous conseiller ni vous avertir comme il convenait des dangers de l'intérieur. »

Je lui répondis que j'avais pleinement conscience des risques militaires et politiques. J'avais pris la décision moi-même et j'en assumais la pleine responsabilité. Je conclus en lui disant : « Henry, rappelez-vous la femme de Loth. Ne regardez jamais en arrière. Ne perdez pas de temps à ressasser les choses auxquelles nous ne pouvons rien changer. »

Je fus choqué et déçu quand une fuite à la presse, apparemment volontaire, révéla que Bill Rogers et Mel Laird s'étaient opposés à ma décision sur le Cambodge. L'opération en était encore au stade critique; je convoquai Rogers et lui dis que le Cabinet devrait à mon avis soutenir une décision une fois que le Président l'avait prise.

Walter Hickel, le ministre de l'Intérieur, choisit une façon plus publique d'exprimer sa conviction que je devrais écouter les étudiants et passer plus de temps avec les ministres. A la suite de ce qu'il appelait un contretemps, une copie d'une lettre qu'il m'avait écrite à ce sujet était déjà diffusée par l'A.P. avant qu'elle soit remise à la Maison Blanche.

L'affaire de Kent déclencha une vague de manifestations d'étudiants dans tout le pays. Les dépêches quotidiennes donnaient une impression de bouleversement touchant à l'insurrection. Des centaines d'Universités connurent un paroxysme de rage, d'émeutes et d'incendies criminels. A la fin de la première semaine, 450 Universités furent fermées par des grèves de protestation d'étudiants ou d'enseignants. Avant la fin du mois, la Garde Nationale avait été appelée 24 fois sur 21 campus dans 16 Etats.

Une journée nationale de contestation fut hâtivement organisée pour le samedi 9 mai à Washington. Je pensais que nous devions faire tout au monde pour que cet événement reste non violent et que nous n'y paraissions pas insensibles. Ehrlichman insistait pour que nous tentions le plus possible de communiquer. Kissinger, toutefois, adoptait une attitude plus dure envers les manifestants. Il était atterré par la violence que ces manifestations provoquaient et par l'ignorance des véritables questions qu'elles révélaient. Il estimait avec force que je ne devrais pas paraître plus souple avant l'achèvement réussi de l'opération cambodgienne. Comme il disait, nous devions faire clairement comprendre que notre politique étrangère n'était pas faite par des manifestations.

Je voulus tenter de désamorcer la tension en donnant une conférence de presse. Les risques étaient grands et mon équipe divisée sur la sagesse de cette mesure à ce moment-là. La plupart des journalistes et commentateurs seraient fatalement hostiles et il était à craindre qu'une conférence acrimonieuse ne fasse qu'aggraver les choses. Néanmoins, je tins bon et la conférence télévisée fut annoncée pour le vendredi 8 mai au soir, à une heure de grande écoute.

Je sentais les émotions bouillonner sous les projecteurs de la télévision quand j'entrai dans le Salon Est le vendredi soir à dix heures. Presque toutes les questions concernaient l'opération cambodgienne et l'affaire de Kent.

On me demanda d'abord si j'avais été surpris par l'intensité des protestations et si elles allaient modifier ma politique. Je répondis que cette intensité ne m'avait pas étonné. Je savais que ceux qui contestaient le faisaient parce qu'ils pensaient que ma décision intensifierait la guerre, notre engagement et nos pertes. Je déclarai : « Cependant, j'ai pris cette décision pour les mêmes raisons qui les font protester. Je suis soucieux parce que je connais la profondeur de leurs sentiments. Mais je sais que ce que j'ai fait atteindra les buts qu'ils désirent atteindre. Je vais raccourcir cette guerre. Je vais réduire les pertes américaines. Je vais nous permettre d'aller de l'avant, dans notre programme de retrait. Les 150 000 Américains qui doivent être rappelés l'année prochaine rentreront dans leurs foyers comme je l'ai dit, à la date prévue. Cela, à mon avis, servira la cause d'une juste paix au Vietnam. »

Un journaliste me demanda ce que je pensais de ce que les étudiants cherchaient à dire, avec la manifestation de Washington. Je voulus répondre à cette question avec compassion mais sans faiblesse : « Ils essayent de dire qu'ils veulent la paix. Ils essayent de dire qu'ils veulent arrêter la tuerie. Ils essayent de dire qu'ils veulent que cesse la conscription. Ils essayent de dire que nous devrions nous retirer du Vietnam. Je suis d'accord avec tout ce qu'ils veulent accomplir. Je crois toutefois que les décisions que j'ai prises, particulièrement cette dernière décision terriblement difficile de pénétrer dans les sanctuaires cambodgiens qui sont totalement occupés par l'ennemi..., je crois que cette décision servira ce dessein, parce que vous pouvez être certains que tout ce que je veux, c'est ce qu'ils veulent. »

Après la conférence de presse, je dormis quelques heures, puis j'allai au Salon Lincoln. Je mis un enregistrement du Deuxième Concerto pour piano de Rachmaninoff et j'écoutai un moment la musique. Manolo apprit que j'étais levé et vint voir si je voulais du thé ou du café. En regardant par la fenêtre, je distinguais de petits groupes de jeunes gens qui commençaient à se rassembler sur l'Ellipse, entre la Maison Blanche et l'obélisque du monument Washington. Je dis à Manolo que le Lincoln

Memorial la nuit est ce que l'on peut voir de plus beau à Washington et il m'avoua qu'il ne l'avait jamais vu. Impulsivement, je proposai : « Venez, allons-y maintenant. »

C'était, de ma part, un geste spontané et, volontairement, je n'emmenai personne de mon équipe et n'avertis aucun reporter pour me faire accompagner. Je fus donc particulièrement irrité et peiné quand les journaux racontèrent que j'avais été incapable de communiquer avec les jeunes gens que j'avais rencontrés et que j'avais prouvé mon indifférence à leurs soucis en parlant de choses sans importance, comme les sports et le surf. Apparemment, une partie de cette fausse impression venait des étudiants eux-mêmes. L'un d'eux dit à un journaliste : « Ça ne l'intéressait pas vraiment de savoir pourquoi nous étions là. » Un autre, que j'avais été fatigué et terne et que j'avais bavardé d'une façon décousue en passant d'un sujet à l'autre.

Quelques jours plus tard, John Ehrlichman fit allusion aux problèmes que j'avais créés en parlant de sports à des étudiants qui avaient fait des centaines de kilomètres pour venir contester ma politique militaire. J'étais fatigué, tendu, et je lui parlai sèchement des problèmes qu'un Président a quand sa propre équipe elle-même croit aux histoires mensongères qu'on répand sur son compte.

Ce soir-là, je dictai un long mémorandum décrivant ce qui s'était réellement passé au Lincoln Memorial, parce que je voulais conserver une trace de ce qui était pour moi un événement mémorable et aussi parce que je tenais à réfuter cette idée fausse que je m'étais laissé aller à ce genre de conversation stupide rapportée par la presse :

« Nous sommes descendus de voiture, Manolo et moi, vers 4 h 40 et nous avons gravi les marches vers la statue de Lincoln...

Il y avait déjà quelques groupes d'étudiants dans la rotonde du Mémorial. Je me suis approché d'un groupe... et j'ai serré des mains. Ils n'étaient pas hostiles. En fait, ils semblaient quelque peu impressionnés et, naturellement, très surpris.

Quand j'ai commencé à parler à ce groupe, ils étaient huit, je crois. J'ai demandé à chacun d'où il venait et j'ai appris que plus de la moitié étaient du Nord de l'Etat de New York. A ce moment, il n'y avait que des garçons, pas de filles. Pour engager la conversation, je leur ai demandé leur âge, ce qu'ils étudiaient, — enfin, toutes les questions habituelles...

Deux ou trois m'ont dit qu'ils n'avaient pas pu entendre la conférence de presse parce qu'ils avaient roulé toute la nuit. Je leur ai répondu que je le regrettais parce que j'avais essayé d'expliquer dans cette conférence de presse que mes buts au Vietnam étaient les mêmes que les leurs, arrêter la tuerie et la guerre, faire la paix. Notre but n'était pas de pénétrer au Cambodge, en faisant ce que nous faisions, mais de sortir du Vietnam.

Ils n'ont pas réagi, alors je leur ai dit que je comprenais bien que la plupart d'entre eux n'étaient pas d'accord avec ma prise de position mais que j'espérais qu'ils ne permettraient pas à leur désaccord sur cette question de les empêcher de nous entendre à propos d'autres questions sur lesquelles nous serions peut-être d'accord. Et aussi que j'espérais particulièrement que leur haine de la guerre, que je comprenais parfaitement, ne se transformerait pas en haine amère de tout notre système, de notre pays et de tout ce qu'il représentait.

Je leur ai dit : " Je sais que la plupart d'entre vous me prennent sans doute pour un salaud, mais je veux que vous sachiez que je comprends très bien vos sentiments. Je me souviens, alors que je sortais tout juste de la faculté de droit et que j'allais me marier, combien j'ai été excité quand Chamberlain est revenu de Munich et a prononcé son fameux discours sur la paix dans notre temps. Je l'ai entendu à la radio. J'étais si impécunieux à l'époque que la perspective d'être mobilisé m'était presque intolérable. Je pensais que l'on devrait payer n'importe quel prix pour que les Etats-Unis restent en dehors d'un conflit quelconque. " Après quoi, je leur ai fait observer aussi que j'étais d'une famille de quakers. J'étais aussi pacifiste qu'on pouvait l'être à l'époque. Je pensais donc, à ce moment, que Chamberlain était le plus grand homme du monde et quand j'avais lu les violentes critiques de Churchill contre Chamberlain, je m'étais dit qu'il était fou.

" Avec le recul, lui ai-je dit encore, je comprends maintenant que j'avais tort. Je pense aujourd'hui que Chamberlain était très bien, mais que Churchill était plus sage et que nous sommes plus heureux dans ce monde que nous l'aurions été parce que Churchill a eu non seulement la sagesse mais le courage d'appliquer une politique qu'il jugeait juste, alors même qu'à un moment donné il était extrêmement impopulaire en Angleterre et dans le reste du monde à cause de son attitude *anti-paix.* "

J'ai ensuite essayé de porter la conversation sur des sujets qui pourraient les faire sortir de leur réserve. Je leur ai dit que puisque cetains d'entre eux venaient à Washington pour la première fois, j'espérais qu'ils ne rateraient jamais une occasion de voyager tant qu'ils étaient encore jeunes. L'un d'eux m'a dit qu'il ne savait pas s'il en aurait les moyens et je lui ai répondu que je ne pensais pas en avoir les moyens non plus quand j'étais jeune, mais que ma femme et moi, nous avions emprunté de l'argent pour faire un voyage au Mexique et un autre en Amérique centrale. Le fait est qu'on doit voyager quand on est jeune. Si on attend d'en avoir les moyens, on est trop vieux pour apprécier ce genre d'expérience. Quand on est jeune, on peut tout apprécier...

A ce moment une fille s'est jointe au groupe et comme je parlais de la Californie, j'ai demandé s'il y avait là des Californiens. Elle a dit qu'elle était de Los Altos et je lui ai avoué que c'était une de mes villes préférées de la Californie du Nord et que j'espérais qu'elle était restée aussi belle que je me la rappelais. Elle n'a pas réagi.

Pour l'encourager à parler, j'ai dit au reste du groupe que lorsqu'ils iraient en Californie, ils pourraient y voir les grandes mesures que nous devions entreprendre pour traiter du problème de l'environnement qui les intéressait tous, j'en étais sûr. J'ai dit que juste au-dessous de l'endroit où j'habitais, il y avait la plus fantastique plage à surfing du monde, qu'elle était totalement interdite au public parce qu'elle appartenait au Corps des Marines et que j'avais pris des mesures pour libérer une partie de ce domaine pour en faire une plage publique afin que les plages terriblement surpeuplées, plus au Nord, puissent être décongestionnées et que le public ait une chance de profiter de sa beauté naturelle. J'ai dit qu'une des principales mesures de notre programme d'environnement et de " qualité de la vie " était de prendre nos domaines fédéraux pour en faire un meilleur usage au lieu de continuer de les utiliser à des fins militaires ou autres sous prétexte qu'ils le sont depuis des temps immémoriaux.

A ce moment, la plupart m'ont paru hocher la tête avec approbation.

Ensuite je suis revenu aux voyages et leur ai dit que j'espérais qu'ils auraient l'occasion de connaître non seulement les Etats-Unis mais le monde entier. J'ai dit que la plupart des gens leur conseilleraient d'aller en Europe et que l'Europe était très bien, mais ce n'était qu'une version plus ancienne de l'Amérique. Elle valait la peine d'être vue, mais je pensais que ce qui leur plairait vraiment, ce serait l'Asie.

Je leur ai parlé de mon grand espoir qu'au cours de mon mandat et certainement de leur vivant, le grand continent chinois s'ouvre pour que nous puissions connaître les 700 millions de gens qui vivent en Chine et qui sont le peuple le plus remarquable de la terre. La plupart m'ont semblé approuver...

Je suis passé ensuite à l'Union Soviétique. L'un d'eux m'a demandé alors comment était Moscou et j'ai répondu " gris ". Il est très important de voir Moscou, bien sûr, si vous allez en Russie, à cause des décisions historiques qu'on y prend, mais si vous voulez vraiment connaître la Russie, sa diversité et son histoire passionnantes, il faut aller à Leningrad. J'ai dit qu'en Russie Leningrad était vraiment la ville la plus intéressante à visiter. Les gens y étaient plus ouverts car ils se sentaient moins sous le contrôle et la domination du gouvernement central.

Je leur ai dit aussi, puisque nous parlions de belles villes, qu'ils trouveraient à Prague et à Varsovie beaucoup plus de beauté architecturale qu'à Moscou. Je parlais ainsi parce que je m'adressais directement à un garçon qui m'avait dit qu'il étudiait l'architecture. Ils étaient deux, en fait, qui étudiaient l'architecture et je pensais que ça les intéresserait. Mais je leur ai dit qu'ils devaient aller surtout dans des endroits comme Novossibirsk, une grande ville neuve et jeune au cœur de la Sibérie, et Samarkand en Russie d'Asie où les gens étaient plus asiatiques que russes.

L'un d'eux m'a demandé s'il lui serait possible d'obtenir un visa pour aller voir ces villes et j'ai répondu que j'étais certain qu'il le pourrait et que si l'un d'eux voulait faire un voyage en Russie et prenait contact avec mon bureau, je l'aiderais. Cela les a un peu fait rire.

Je suis ensuite revenu au problème en insistant pour dire que ce qui comptait vraiment dans le monde c'était les gens plutôt que les villes, l'air et l'eau et toutes les choses matérielles. Je leur ai dit, par exemple, qu'entre tous les pays que j'ai visités en Amérique latine, Haïti est sans doute le plus pauvre... Mais que les Haïtiens, tels que je me les rappelais depuis 1955, tout en étant pauvres, avaient une dignité et une grâce très émouvantes, et que j'avais toujours voulu y retourner, non parce qu'il y avait à Haïti des choses qui valaient la peine d'êtres connues, par exemple des monuments ou de la bonne cuisine, etc., mais parce que les gens avaient un tel caractère.

J'ai fait la même observation sur les populations que j'avais vues en Asie et en Inde et je suis revenu aux Etats-Unis en insistant encore sur l'importance de ne pas se séparer du peuple de ce pays, de sa grande diversité.

J'ai exprimé mon chagrin de voir que dans les Universités, les Noirs et les Blancs, qui vont maintenant ensemble à l'école, ont moins de contact entre eux qu'avant, quand ils ne faisaient pas leurs études ensemble... Il m'a semblé que cela les touchait mais aucun n'avait grand-chose à dire et aucun n'a réagi spécifiquement.

A ce moment le groupe qui m'entourait avait considérablement grossi. Les huit ou dix du début étaient devenus une trentaine et certains de ceux qui semblaient plus vieux, ou des meneurs, ont commencé à prendre part à la conversation.

L'un d'eux m'a déclaré : " J'espère que vous comprenez que nous sommes prêts à mourir pour les choses auxquelles nous croyons. "

Je lui ai répliqué que je le comprenais parfaitement. Est-ce que vous vous rendez compte que beaucoup d'entre nous quand nous avions votre âge étions prêts aussi à mourir pour les choses auxquelles nous croyions, et que nous sommes prêts à recommencer? Le fait est que nous essayons de construire un monde dans lequel vous n'aurez pas à mourir pour vos croyances, où vous pourrez vivre pour elles.

J'ai fait un bref commentaire sur un point que j'avais abordé à la conférence de presse, que si nous avions de grands différends avec les Russes, nous devions trouver un moyen pour limiter l'armement nucléaire et que j'espérais que nous pourrions accomplir des progrès dans ce sens. Ce sujet n'a pas semblé les intéresser beaucoup. Peut-être parce que nous parlions de tout si vite et peut-être parce que notre discussion impromptue les impressionnait énormément.

Et puis un autre m'a dit : " Ça ne nous intéresse pas de savoir comment est Prague. Ce qui nous intéresse, c'est le genre de vie que nous construisons aux Etats-Unis. "

J'ai dit que si j'avais parlé de Prague et d'autres lieux, ce n'était pas pour discuter de la ville mais des gens. " Dans les vingt-cinq ans à venir, la terre va devenir bien plus petite. Nous allons vivre dans toutes les parties du monde et il est d'une importance vitale que vous connaissiez, et appréciez et compreniez les gens partout, où qu'ils soient, et que vous compreniez particulièrement les gens de votre propre pays. "

J'ai dit encore : " Je sais l'importance qu'on accorde actuellement à l'environnement — la nécessité d'avoir un air propre, une eau propre, des rues propres —, et vous savez bien que nous avons un programme très audacieux qui va beaucoup plus loin que tout ce qui a été déjà fait pour résoudre certains de ces problèmes. Mais je veux vous laisser au moins une pensée. Nettoyer l'air et l'eau et les rues ne résoudra pas les problèmes les plus profonds qui nous concernent tous. Ce sont des problèmes matériels. Ils doivent être résolu. Ils sont terriblement importants... Mais vous ne devez pas oublier que quelque chose de totalement propre peut aussi être totalement stérile et sans âme.

" La chose à laquelle nous devons tous réfléchir c'est pourquoi nous sommes ici, quels sont les éléments de l'esprit qui comptent réellement. " Et, là encore, je suis revenu à mon thème : penser aux gens plutôt qu'aux lieux et aux choses. J'ai dit franchement et honnêtement que je ne connaissais pas la solution, mais je savais que les jeunes d'aujourd'hui cherchaient, comme je cherchais il y a quarante ans, une solution à ce problème. Je voulais être simplement sûr qu'ils comprennent tous que mettre fin à la guerre, nettoyer les rues, l'air et l'eau, n'allait pas assouvir la faim spirituelle que nous avons tous et qui, naturellement, a été le grand mystère de la vie depuis le commencement des temps.

A ce moment, le jour se levait, les premiers rayons du soleil apparaissaient et ils commencèrent à monter vers le Monument Washington; je leur ai dit que je devais partir et j'ai serré la main à ceux qui étaient le plus près de moi et j'ai descendu les marches.

Un garçon barbu de Detroit prenait une photo comme j'allais monter dans la voiture. Je lui ai demandé s'il voudrait être sur la photo. Il est venu vers moi et je lui ai dit : " Tenez, je vais demander au médecin du Président de prendre la photo ", et Tkach l'a prise. Le garçon avait l'air tout à fait enchanté, c'était, je dois dire, le plus large sourire que je voyais de toute la visite. En le quittant, je lui ai dit que je savais qu'il était venu de loin pour cet événement et que je savais aussi que ses camarades et lui étaient terriblement frustrés et furieux et opposés à notre politique. Je lui ai dit : " J'espère que votre opposition ne se changera pas en haine aveugle du pays, mais n'oubliez pas que c'est un grand pays, avec tous ses défauts. Si vous en doutez, allez au bureau des passeports. Vous ne verrez pas beaucoup de gens faire la queue pour quitter le pays. A l'étranger, vous verrez beaucoup de gens faire la queue pour y venir. "

Il a souri, il a pris ça avec bonne humeur. Nous nous sommes serré la main, je suis monté dans la voiture et je suis parti. »

L'opinion publique parut basculer en notre faveur au cours des semaines qui suivirent la tragédie de Kent, quand le succès militaire de l'opération cambodgienne devint de plus en plus évident.

Le 20 mai, le Conseil des Métiers du bâtiment et de la construction de New York subventionna un grand défilé à l'hôtel de ville pour soutenir le Président. Il y avait déjà eu quelques incidents, des échauffourées entre ouvriers du bâtiment et divers groupes de contestataires anti-guerre, surtout après que le maire John Lindsay avait fait mettre en berne le drapeau de l'hôtel de ville pour une « Journée de Réflexion » après l'affaire de Kent. Les ouvriers décidèrent d'exprimer leur soutien à nos buts et nos efforts de guerre et plus de 100 000 personnes vinrent défiler avec eux.

J'invitai les dirigeants des syndicats du bâtiment à la Maison Blanche. Une photo fut prise de leurs casques de plastique sur la table du Conseil. Je fis une brève allocution sur les dessous de l'opération cambodgienne; et, quand je leur serrai la main, un des hommes me dit : « Monsieur le Président, si quelqu'un avait eu le courage d'aller plus tôt au Cambodge, il aurait pu se saisir de la balle qui a tué mon fils. »

A la mi-mai, *Newsweek* publia un remarquable sondage Gallup, indiquant que 65 pour cent des personnes interrogées approuvaient ma présidence, dont 30 pour cent se disaient « très satisfaites »; 50 pour cent approuvaient ma décision d'envoyer des troupes à l'intérieur du Cambodge, 39 pour cent désapprouvaient et 11 pour cent n'avaient pas d'opinion. En réponse à la question : « A votre avis, qui est principalement responsable de la mort des quatre étudiants de Kent », 58 pour cent accusèrent « les étudiants qui manifestaient », et seulement 11 pour cent la Garde Nationale.

Le 30 mai, un mois après le début de l'opération cambodgienne, je fis à la nation un rapport télévisé sur les progrès à ce jour. Après avoir conféré avec le général Abrams, j'étais en mesure de déclarer que c'était l'opération la plus réussie de la guerre du Vietnam. Nous avions déjà saisi à l'ennemi énormément d'armes, de matériel, de munitions et de provisions depuis un mois au Cambodge, plus que dans tout le Vietnam durant toute l'année 1969.

Le 30 juin, exactement à la date prévue et comme je l'avais promis, nous annonçâmes le départ des derniers soldats américains du Cambodge. L'opération avait été un succès total. Nous avions saisi assez d'armes individuelles pour équiper soixante-quatorze bataillons d'infanterie nord-vietnamiens, assez de riz pour nourrir pendant quatre mois environ tous les bataillons de combat communistes estimés présents au Sud-Vietnam, 143 000 roquettes, obus de mortier et munitions de fusil sans recul équivalent à la quantité utilisée pendant environ 14 mois de combats, 199 552 charges antiaériennes, 5 482 mines, 62 022 grenades et 42 tonnes d'explosifs, sans parler de 435 véhicules; 11 688 bunkers et autres installations militaires avaient été détruits.

Mais, surtout, l'opération cambodgienne avait fait perdre aux communistes tout espoir de lancer une offensive de printemps contre nos forces au Sud-Vietnam. Nos pertes étaient tombées de 93 par semaine dans les six mois précédent l'opération à 51 dans les six mois suivants et l'action de l'A.R.V.N. avait prouvé que la vietnamisation marchait bien. Le rappel de 150 000 hommes que j'avais annoncé le 20 avril pourrait avoir lieu comme promis. Et, finalement, la pression contre Lon Nol avait été réduite. Tout portait maintenant à croire qu'il pourrait survivre, ce qui signifiait que Sihanoukville, le principal port d'entrée de l'artillerie lourde soviétique et chinoise des refuges cambodgiens resterait fermé.

Le jour de notre départ annoncé du Cambodge, le Sénat vota l'amendement Cooper-Church, le premier vote restrictif jamais imposé à un Président en temps de guerre. Il exigeait en substance que je retire toutes les troupes américaines du Cambodge avant le 1er juillet. La date était un symbole, mais la chose était aussi grave que l'acte en soi était futile, puisque tous les Américains avaient déjà quitté le Cambodge.

La première rencontre secrète entre Kissinger et les Nord-Vietnamiens depuis l'opération cambodgienne eut lieu le 7 septembre. Au lieu de la propagande et des vitupérations auxquelles il s'attendait, il découvrit l'atmosphère la plus amicale de toutes les réunions. Il me résumait ainsi l'entretien : « Ils ont non seulement changé de ton mais indiqué qu'ils étaient prêts à progresser sur le fond. Ils ont renoncé à leur exigence d'un retrait « inconditionnel » dans les six mois, ils n'ont pas parlé des dix points et ils ont laissé entendre qu'ils allaient reconsidérer leurs propositions politiques. Ils tiennent beaucoup à ce que cette voie reste ouverte et ont réitéré les propositions concernant nos prochaines rencontres quand j'ai insisté sur le fait qu'il faudrait faire de nouveaux progrès. »

Son optimisme me laissait assez sceptique parce que malgré l'atmosphère amicale et les nouveaux éléments d'accommodement, les Nord-Vietnamiens affirmaient toujours qu'on ne pourrait parvenir à un règlement qu'à la condition de renverser le président Thieu. En marge de la note de Kissinger, à côté de la référence à Thieu, j'écrivis : « C'est probablement le point de cassure à moins que nous ne trouvions une formule. » Il était difficile de voir comment Kissinger, même avec toute son habileté de négociateur, pourrait trouver un moyen terme sur cette question particulière.

La prochaine rencontre fut fixée au 27 septembre. Sur la note de Kissinger m'exposant l'approche qu'il projetait, je notai : « Je suggérerais simplement que j'aimerais aborder plus tôt le cœur de la question. Est-ce qu'ils sont sérieux, ou s'agit-il de nouvelles répétitions? »

La réunion du 27 anéantit tout espoir de percée. Les Nord-Vietnamiens ergotèrent et se répétèrent. Ils exprimèrent clairement que leur tactique serait d'isoler Thieu et de le dénoncer comme l'homme qui faisait obstacle à la paix. Kissinger mit fin à la rencontre sans fixer de date pour la suivante.

Comme il semblait peu probable que les pourparlers secrets allaient donner des résultats positifs, je décidai de présenter publiquement un nouveau plan de paix.

Grâce au succès de l'opération cambodgienne, je pensais à présent que nous pourrions, pour la première fois, considérer un accord de cessez-le-feu au Sud-Vietnam sans exiger comme préalable que les Vietnamiens du Nord se retirèrent. Du moment que les troupes communistes au Sud-Vietnam ne pouvaient plus compter sur les refuges cambodgiens pour les ravitailler en armes, munitions et renforts, j'estimais que l'A.R.V.N., grandement améliorée et renforcée par plus d'un an de vietnamisation, serait bientôt capable de défendre son pays.

En plus du cessez-le-feu dans toute l'Indochine, les autres points clefs de mon nouveau plan étaient une conférence de paix indochinoise générale suivie d'un agenda négocié pour le retrait de toutes les forces américaines, un arrangement politique reflétant « le rapport actuel des forces politiques au Sud-Vietnam » et la libération immédiate de tous les prisonniers de guerre dans les deux camps.

Je présentai le plan à la télévision le 7 octobre. Cinq jours plus tard, j'annonçai que 40 000 hommes de plus seraient retirés avant Noël. Ces deux décisions contribuèrent beaucoup à éliminer les obstacles à un règlement, au point qu'elles réduisirent au silence le mouvement antiguerre chez nous en mettant carrément sur le dos des Nord-Vietnamiens la responsabilité de différer à des négociations sérieuses. Mais Hanoï garda le silence et le canal secret de Paris resta fermé.

LE PLAN HUSTON

En 1970, le cycle évolutionnaire de dissension violente donna naissance à un vilain rejeton : la clandestinité urbaine de terroristes politiques se consacrant aux meurtres et aux attentats à la bombe.

Les plus importants de ces groupes étaient les Panthères Noires et les Weathermen. Les Panthères Noires avaient été fondées en 1966 par Bobby Seale et Huey Newton alors qu'ils travaillaient pour l'Office of Economic Opportunity. Newton disait qu'ils exerceraient le pouvoir non par des voies politiques mais par la destruction. Eldridge Cleaver, le « ministre des Communications » des Panthères, prêchait que les masses devaient être aiguillonnées vers la « tentative révolutionnaire d'enlever des ambassadeurs américains, de détourner des avions américains, de faire sauter les pipelines et les bâtiments américains, et de tuer tous ceux qui emploient des fusils et autres armes au service sanglant de l'impérialisme contre le peuple ».

Les Panthères Noires possédaient des bases dans les régions urbaines de tout le pays. Comme leur organisation était petite et extrêmement disciplinée, il était très difficile d'obtenir à l'avance des renseignements sur leurs projets ou sur les lieux où ils avaient l'intention de frapper. En 1969 et en 1970, deux de leurs membres plaidèrent coupables du meurtre d'un indicateur supposé.

En 1969, la police déclara qu'elle avait trouvé une cache d'armes des Panthères, comprenant une mitraillette, treize fusils, une grenade de fabrication artisanale et trente bombes incendiaires. En juillet de cette même année, cinq policiers furent blessés à Chicago au cours d'une fusillade; en novembre, toujours à Chicago, deux policiers furent tués et six blessés dans une nouvelle fusillade au cours de laquelle une Panthère Noire fut tuée aussi. En décembre, la police de Los Angeles et les Panthères livrèrent une bataille rangée de quatre heures. Rien qu'en 1969, 348 Panthères furent arrêtées pour des crimes graves comprenant l'assassinat, le vol à main armée, le viol et le cambriolage. « A bas le cochon » : tel était leur slogan.

Les Weathermen était une branche terroriste du mouvement des Etudiants pour une Société démocratique. Lors du meeting de leur Conseil National, en 1969, ils décidèrent de monter une nouvelle campagne de guérilla urbaine, d'assassinats de policiers et de plasticages. Dans leur premier communiqué publié, ils déclarèrent : « La violence révolutionnaire est la seule solution. » Estimés à un millier, les Weathermen se scindèrent en unités mobiles secrètes du type commando. Comme pour les Panthères Noires, il était impossible de savoir où et comment ils allaient frapper.

Pendant l'année scolaire 1969-1970, les terroristes furent responsables de pas moins de 174 plasticages importants et tentatives d'attentats à la bombe sur des campus. Maintenant, les villes devenaient aussi des cibles. Le 6 mars, un viel hôtel particulier de Greenwich Village explosa. On trouva trois cadavres dans les décombres ainsi que 57 cartouches de dynamite, des tuyaux de plomb farcis de dynamite et de clous de charpente et des bombes à fragmentation. C'était une fabrique de bombes des Weathermen. Le même jour, il fut prouvé qu'un Weathermen avait déposé deux bombes dans un bâtiment de police à Detroit. Le 12 mars, des explosions dans trois immeubles du centre de Manhattan provoquèrent l'évacuation de quelque 15 000 personnes. Un groupe terroriste s'intitulant la *Force 9 Révolutionnaire* revendiqua ces attentats. Sur une seule période de 24 heures, il y eut à New York plus de 400 alertes à la bombe. Le 30 mars, la police découvrit de la dynamite dans une fabrique de bombes des Weathermen à Chicago. Vers la même date, deux personnes trouvèrent encore la mort dans l'explosion d'une fabrique clandestine de Manhattan.

Dans tout le pays la peur montait et s'accompagnait de demandes d'action policière plus efficace. Un éditorial du *New York Times* déclara : « Les attentats ou menaces d'attentats à la bombe de ces derniers jours ne doivent pas être considérés avec tolérance comme les actions de révolutionnaires idéalistes bien que mal inspirés. Ce sont les actes criminels d'assassins en puissance... Les criminels fous qui menacent et plastiquent doivent être reconnus pour ce qu'ils sont et poursuivis avec toute la force non seulement de la loi mais de la communauté qu'ils voudraient dominer et détruire. »

J. Edgar Hoover m'informa que des agents du F.B.I. captaient depuis peu des rumeurs d'une offensive terroriste calculée et générale, par des groupes d'étudiants radicaux ayant recours à l'incendie, aux bombes et à l'enlèvement de personnalités universitaires ou officielles. La violence augmentait dans les lycées. Les détournements d'avions passèrent de 17 en 1968 à 33 en 1969.

Entre janvier 1969 et avril 1970 il y eut, en calculant sans exagération, plus de 40 000 plasticages, tentatives et menaces d'attentats à la bombe, une moyenne de plus de 80 par jour. Des biens d'une valeur dépassant 21 millions de dollars furent détruits et 43 personnes furent tuées. Sur ces 40 000 incidents, 64 pour cent étaient dus à des terroristes dont l'identité et les mobiles restèrent inconnus.

Le 25 mars, j'envoyai au Congrès un message réclamant une législation d'urgence pour l'application de la peine capitale au cas où des bombes causeraient des morts. Le Congrès ne fit rien.

Le même jour, le *New York Times* publia des extraits d'une « déclaration de guerre » des Weathermen : « Dans les 14 jours à venir, nous attaquerons un symbole ou une institution de l'injustice américaine. » Deux semaines et un jour plus tard, une bombe de dynamite à retardement explosa au quartier général de la police à New York. Une communication manuscrite signée « Weathermen » fut envoyée à l'Associated Press revendiquant l'attentat — parce que « les cochons de ce pays sont nos ennemis ».

Les Panthères Noires étaient étroitement affiliées aux groupes nord-coréens et aux terroristes arabes de gauche. Nous savions que les Weathermen cherchaient à entrer en contact avec le Nord-Vietnam, Cuba et la Corée du Nord. J'aurais bien voulu savoir si le soutien étranger allait au-delà de la sympathie idéologique. J'en étais sûr, les motifs étaient trop évidents. Mais les Services de renseignements n'obtinrent jamais de preuve concluante. Il faudrait attendre 1977 pour que le *New York Times* rapporte que le ministère de la Justice détenait les preuves d'un soutien direct des Weathermen par Cuba et le Nord-Vietnam. Des agents cubains et nord-vietnamiens les conseillaient et le service secret cubain organisait et payait pour qu'ils échappent au F.B.I. Des officiers de l'armée cubaine les entraînaient à la « pratique des armes ».

Aujourd'hui que cette saison de terreur insensée est passée, il est difficile — peut-être impossible — de faire comprendre les pressions qui influaient sur mes actes et mes réactions pendant cette période, mais ce fut cette épidémie de terrorisme national sans précédent qui nous poussa à chercher les meilleurs moyens de traiter ce nouveau phénomène, cette vague de révolutionnaires extrêmement habiles et organisés appliqués à détruire par la violence notre système démocratique.

Je fis appel pour cela aux divers services secrets. Travaillant ensemble, ils mirent au point un programme de violence contre-révolutionnaire. Trois ans plus tard, ce programme serait révélé au public et appelé le Plan Huston. Il fut attaqué et considéré comme une autorisation des méthodes de la Gestapo violant les libertés individuelles. A la lumière de révélations plus récentes, nous savons aujourd'hui que ce programme ne supposait l'emploi d'aucune mesure qui n'ait pas été précédemment utilisée par la police fédérale et les services de renseignement.

J. Edgar Hoover était devenu directeur du Federal Bureau of Investigation en 1924, et pendant quarante ans il avait été acclamé comme un héros national. Vers le milieu des années 60, cependant, il sentit que l'humeur du temps se tournait contre lui. Un nouveau libéralisme devenait à la mode, par lequel on paraissait se soucier davantage des droits des accusés que de la protection des innocents. A présent que sa carrière touchait à sa fin, il était résolu, dans les dernières années de sa vie, à ne donner à personne une corde pour le pendre, lui ou son organisation. Il avait toujours été rigoureusement territorial quand il s'agissait des fonctions et des prérogatives du F.B.I. Il se défiait totalement des autres services secrets, surtout de la C.I.A. : chaque fois que c'était possible, il résistait lorsqu'on tentait de le faire travailler avec elle. Non sans raison, il répugnait à s'engager à fond pour quelqu'un de peur de rester soudain en plan.

Pendant plus de vingt ans, les agents du F.B.I. avaient recueilli, quand c'était nécessaire, des renseignements sur l'étranger et des preuves de subversion étrangère et d'espionnage ainsi que des renseignements sur toute violence à l'intérieur au moyen de cambriolages secrets. Entre 1942 et 1968, à part les cibles étrangères, des groupes américains soupçonnés de subversion et d'activités illégales et violentes furent l'objet de plus de 200 de ces cambriolages.

En 1966, quand le libéral Nicholas Katzenbach devint ministre de la Justice, Hoover supprima sommairement tous les cambriolages et la surveillance secrète du courrier. Il mit pratiquement fin aussi à l'emploi des micros clandestins puisque, eux aussi, exigeaient une pénétration par effraction, et en 1967 il réduisit le recrutement d'étudiants et d'indicateurs de campus.

Au moment même où Hoover renonçait à ces pratiques, la violence s'accrut à l'intérieur à une allure alarmante. Le gouvernement Johnson réagit avec force. De hauts fonctionnaires du gouvernement firent pression sur le F.B.I. pour obtenir des renseignements sur les émeutiers en puissance, et imaginèrent même d'extraordinaires programmes supplémentaires bien à eux.

Par exemple, alors que Katzenbach avait réduit le rôle du F.B.I. dans les manifestations raciales à de simples enquêtes sur les « menées subversives », le nouveau ministre de la Justice Ramsey Clark ordonna en 1967 au F.B.I. d'employer « le maximum de ressources, d'enquêtes et de renseignements pour rassembler et rapporter tous les faits portant sur la question de savoir s'il existe ou a existé un plan ou conspiration par quelque groupe que ce soit, de quelque importance, efficacité ou affiliation que ce soit, pour projeter, préparer ou aggraver les émeutes. » Le ministre adjoint de Clark chargé de la division des Droits civiques, John Doar, alla encore plus loin : il exprima son inquiétude de ce que le F.B.I. n'adoptait pas « une vaste approche » pour rassembler et évaluer les renseignements, mais se braquait trop étroitement sur les « groupes subversifs traditionnels » et sur les personnes soupçonnées de « violations spécifiques de la loi ».

Finalement, Clark et Doar prirent les choses en main et organisèrent une unité centrale de coordination des informateurs sur les projets d'émeutes. A un moment donné, ils eurent plus de 3 000 personnes faisant des rapports sur leurs voisins dans les quartiers pauvres.

Vers la fin des années 60, sous la pression de la Maison Blanche et de Ramsey Clark à la Justice, le petit service de renseignements intérieur du Pentagone, créé en 1963, prit des proportions spectaculaires. En 1968, 1 500 agents des S.R. de l'armée surveillaient divers groupes civils allant de la Marche des Pauvres Gens et du Comité de Mobilisation à de petits mouvements de mères assistées ou de défense des écoliers noirs. Plus tard, en 1970, Mel Laird abolit avec mon approbation le programme militaire de renseignement. A ce moment, le service avait amassé des dossiers concernant plus de 100 000 personnes.

En 1970, les rapports déjà difficiles de la C.I.A. et du F.B.I. s'envenimèrent lorsque la C.I.A. refusa de donner à Hoover le nom d'un agent du F.B.I. qui l'avait aidée sans demander auparavant l'autorisation à son chef. Hoover riposta en supprimant toute liaison entre le F.B.I. et la C.I.A. Des rapports m'apprirent que la décision de Hoover, s'alliant au manque général de coordination entre les diverses agences de renseignement, nous laissait avec une force de contre-espionnage insuffisante alors que la violence terroriste atteignait son paroxysme. Quelques semaines plus tard, Hoover entreprit de couper toute liaison avec les agences diverses et ne communiqua plus qu'avec la Maison Blanche.

Le 5 juin 1970, je convoquai Hoover, Helms de la C.I.A., le général D.V. Bennett de la Defense Intelligence Agency (les S.R. de l'armée) et le vice-amiral Noel Gayler, directeur de la National Security Agency. Haldeman, Ehrlichman, Bob Finch et Tom Huston étaient présents aussi à cette réunion. Huston était un jeune avocat, ancien assistant à la Defense Intelligence Agency dont une des missions à la Maison Blanche était de s'occuper du problème de la violence gauchiste. Il s'inquiétait sérieusement des déficiences de l'appareil de contre-espionnage américain, tant vis-à-vis de la violence chez nous, que du côté des services plus particulièrement affectés aux pays du bloc communiste.

Je dis à ce groupe que je voulais connaître les problèmes relatifs au renseignement et ce que l'on devait faire pour les résoudre. Je voulais qu'ils me soumettent conjointement leurs recommandations et je demandai à Hoover d'agir pour cela comme leur président.

Le comité forma un groupe d'études pour examiner la situation et formuler des recommandations. Un rapport fut rédigé qui reçut l'approbation des chefs de la C.I.A., de la D.I.A. et de la N.S.A. Puis il fut transmis à Hoover qui l'annota et ajouta ses objections personnelles à plusieurs des résolutions.

Le rapport débutait par une brève analyse de nos problèmes, allant des Panthères Noires et des Weathermen aux agents d'infiltration communistes. Il faisait la différence entre les groupes terroristes radicaux et ceux qui s'adonnaient simplement à la rhétorique incendiaire. Il donnait un résumé des techniques de renseignement disponibles, des restrictions qui leur étaient imposées et des avantages et désavantages d'un assouplissement de ces restrictions.

Il n'y avait qu'une technique pour laquelle Hoover ne soulevait pas d'objections : la couverture par la National Security Agency des communications téléphoniques et télégraphiques. Il s'opposait vivement à quatre possibilités envisagées : la reprise de l'ouverture secrète du courrier, celle des cambriolages, l'accroissement de la surveillance électronique et l'augmentation des effectifs d'informateurs sur les campus, jeunes par conséquent.

Dans une note séparée recommandant les deux méthodes les plus sujettes à controverse, l'ouverture du courrier et les perquisitions clandestines, Huston indiquait que la première viserait principalement l'espionnage étranger et les cas d'espionnage soupçonnés alors que la seconde reprendrait contre des cibles étrangères susceptibles de fournir des renseignements permettant de déchiffrer un code et peut-être aussi contre d'autres « cibles de haute priorité pour la sécurité intérieure », à savoir les Weathermen et les Panthères Noires.

Le dernier sujet du projet était le renseignement militaire. Hoover était adversaire de l'augmentation des effectifs secrets. Le groupe réclamait aussi une augmentation du budget de chaque agence — ce que Hoover approuvait — et recommandait la création d'un comité de coordination des renseignements qui assurerait que cette coordination existerait bien entre les divers services secrets du gouvernement. Hoover était contre.

Quand j'appris l'opposition de Hoover au rapport approuvé à l'unanimité, je pensai que c'était surtout parce qu'il ne pouvait surmonter sa répugnance naturelle à collaborer avec la C.I.A. et les autres services de renseignement. Peut-être aussi parce qu'il craignait, s'il acceptait de collaborer, que les autres agences en profitent pour saper son activité au moyen de fuites.

Le 14 juillet, suivant les recommandations de Huston, je repoussai l'accroissement des activités des S.R. militaires et approuvai l'assouplissement des restrictions imposées aux autres techniques. Je sentais que cela était nécessaire et se justifiait par la violence que nous affrontions. J'étais certain qu'aucune des techniques spéciales ne serait employée sans discrimination et qu'aucune ne représentait une menace contre la contestation légitime. Les cibles intérieures spécifiques — Panthères Noires et Weathermen — avaient annoncé leur intention d'enlever et d'assassiner et réunissaient déjà un arsenal pour mettre leurs menaces à exécution.

Le 23 juillet, Huston envoya une note aux chefs des agences de renseignement les informant de ma décision. Quand cela vint aux oreilles de Hoover, il fit appel à John Mitchell. Il dit que, à son avis, la possibilité de révélation publique était trop grande pour justifier les risques. Mitchell me transmit les arguments de Hoover, en ajoutant qu'il était d'accord avec lui. Je savais que si Hoover avait décidé de ne pas coopérer, ce que je décidais ou approuvais importait peu. Même si je lui donnais un ordre direct, il y obéirait certainement mais ferait en sorte que je m'en repente. Il était même possible qu'il démissionne en signe de protestation.

Le 28 juillet, cinq jours plus tard, et avant que le plan entre en vigueur, je retirai mon approbation.

L'ironie de la controverse à propos du plan Huston ne devint apparente qu'en 1975 quand une enquête sénatoriale révéla que les techniques d'investigation qu'il préconisait étaient non seulement entrées en vigueur longtemps avant mon approbation mais continuaient d'être utilisées alors que je m'étais ravisé.

Il est évident que lorsqu'une nation se trouve face à une situation dramatique, quelqu'un agit fatalement. Les gens ne vont pas se croiser les bras et laisser des criminels détruire les biens et les assassiner. Si le Président ne prend pas de mesures pour y parer, quelqu'un les prendra à un niveau inférieur. Je préférais que ce soit le Président qui exerce son jugement plutôt que l'agent du F.B.I. sur le terrain. Comme le dit le sénateur Frank Church lors d'une enquête parlementaire sur les activités des agences de renseignement, le Plan Huston « était limité à des techniques beaucoup plus restrictives que les méthodes d'une vaste portée employée par le F.B.I. durant les années que nous avons étudiées ».

Cependant, la violence et les plasticages continuaient à la même cadence et plus d'une fois je me demandai si le Plan Huston, s'il avait été en vigueur, aurait pu détecter et empêcher la mort et la destruction. En août, un policier fut tué et six autres blessés au cours d'une série de fusillades à Philadelphie contre les Panthères Noires et un autre groupe de militants noirs. Ce même mois, une bombe déposée dans un centre de recherche de l'Université du Wisconsin tua un étudiant et blessa quatre personnes. Le 8 octobre, il y eut plusieurs attentats à la bombe — en principe l'œuvre des Weathermen — à l'Université de l'Etat de Washington et dans deux villes de la Californie du Nord. A Rochester, dans l'Etat de New York, cinq bâtiments sautèrent à la dynamite le 12 octobre. Le 18, un centre de recherches d'Irvine, en Californie, fut détruit par une bombe. Le 1er mars 1971, le Capitole fut plastiqué par les Weathermen.

Je crois aujourd'hui, comme je le croyais alors, que vu la vague de terrorisme et de violence déferlant sur d'innombrables innocents, les recommandations du rapport de 1970 étaient pleinement justifiées. Les critiques qui plus tard prétendirent que ces recommandations étaient répressives et illégales jouissaient du luxe d'un environnement plus calme. Ils n'avaient pas à faire face aux exigences d'une période critique où le Président, dont la principale responsabilité est d'assurer la sécurité de tous les citoyens, était forcé d'envisager des mesures qui seraient indiscutablement inacceptables en des temps plus paisibles.

Dans les années 1960, un rapport officiel du F.B.I. annonça que les résultats d'une seule perquisition clandestine avaient contribué à la « quasi-désintégration » du Ku Klux Klan. Le F.B.I. avait-il eu tort ou raison d'entreprendre cette action? Est-ce que les menaces de meurtres et de violences qui venaient des membres du Klan justifiaient un empiètement sur leurs libertés?

Ma décision d'approuver les recommandations du Plan Huston, comme celles du Président Roosevelt d'incarcérer des milliers de Japonais américains et du Président Lincoln de suspendre la garantie constitutionnelle de l'*habeas corpus* seront toujours sujettes à caution. Dans les années 70, les attentats des Weathermen et les violentes offensives des Panthères Noires justifiaient-ils un empiètement sur leurs libertés? Quand la question met dans un plateau de la balance la vie de citoyens innocents et dans l'autre la restriction possible de libertés personnelles que nous chérissons tous, les solutions ne sont jamais faciles.

Parfois la lettre d'une loi entre en conflit avec l'esprit d'une autre, et c'est là que le Président doit choisir. Il ne peut pas lever les bras au ciel et gémir, parce que l'inaction peut être aussi dangereuse qu'un mauvais choix. La question qui se pose, c'est : qu'est-ce que la loi et comment doit-elle être appliquée pour que le Président accomplisse les devoirs de sa fonction? Au cours des années, des précédents ont sanctionné une certaine mesure de latitude dans le recours par les Présidents à des mesures d'exception pour parer à des circonstances exceptionnelles. Je pense qu'une telle latitude est nécessaire et parfois vitale pour défendre la nation et protéger des innocents menacés par des criminels. C'est de ce problème que parlait Jefferson en 1810 quand il notait :

> « Une stricte observation de la loi écrite est sans aucun doute un des premiers devoirs du bon citoyen mais ce n'est pas le plus élevé. Les lois de la nécessité, de l'autodéfense, de la sauvegarde de la patrie en danger sont une plus haute obligation... Perdre la nation par une adhésion scrupuleuse à la loi écrite serait perdre la loi elle-même ainsi que la vie, la liberté, la propriété et tous ceux qui en profitent avec nous; sacrifiant ainsi absurdement la fin aux moyens. »

Je crois qu'il serait désastreux si, dans un excès de zèle prohibitif, nous allions lier les mains du Président, maintenant et dans l'avenir, en le limitant aux fonctions mécaniques d'exécuter de la lettre précise de la loi, parce que les lois ne peuvent prévoir toutes les circonstances. Nous devons nous fier à son jugement; nous devons peser la possibilité d'abus de pouvoir en lui laissant une latitude raisonnable contre la possibilité des maux qui pourraient résulter d'une restriction trop étroite de cette latitude.

LA GUERRE EN JORDANIE

Sous les Présidents Kennedy et Johnson, la politique américaine au Moyen-Orient visait principalement à fournir des armes et de l'argent à Israël pour lui permettre de se défendre contre ses ennemis en puissance.

Cette politique semblait réussir. En 1967, les forces israéliennes inférieures en nombre purent vaincre et humilier les Egyptiens et les Syriens armés par les Soviétiques, en moins d'une semaine de combats. A la suite de cette guerre des Six Jours, les Israéliens agrandirent leur territoire en occupant plusieurs zones le long du canal de Suez, dans la péninsule du Sinaï, sur la rive gauche du Jourdain, à Jérusalem et sur les hauteurs du Golan à la frontière israélo-syrienne. La victoire fut écrasante, à tel point qu'il était inévitable que les voisins d'Israël repartent en guerre pour récupérer ces territoires conquis et occupés.

Après la guerre, des visites à un haut niveau entre Moscou et Le Caire, Damas et Bagdad provoquèrent un afflux nouveau d'argent, d'hommes et de matériel soviétiques. Les Russes voulaient maintenir leur présence au Moyen-Orient, non par soutien idéologique de la cause de l'unité arabe, mais parce que c'était par l'Egypte et les autres pays arabes qu'ils pouvaient avoir accès à ce qu'ils avaient toujours désiré : la terre, le pétrole, la puissance et les eaux tièdes de la Méditerranée. Comme je le dis à Bill Rogers, « la différence entre notre but et celui des Soviétiques au Moyen-Orient est très simple mais fondamentale. Nous voulons la paix. Ils veulent le Moyen-Orient ».

La possibilité d'une confrontation entre les Etats-Unis et l'U.R.S.S. devenait menaçante. Si les Soviétiques étaient engagés à des victoires arabes et si nous l'étions à des victoires israéliennes, il ne fallait pas beaucoup d'imagination pour voir comment nous pourrions être entraînés dans le conflit même contre notre volonté, et presque certainement contre nos intérêts nationaux.

Au début de mon mandat, je confiai exclusivement le Moyen-Orient à Bill Rogers et à son secrétaire d'Etat adjoint pour les Affaires du Proche-Orient et sud-asiatiques Joseph Sisco. J'avais fait cela en partie parce que je pensais que les antécédents juifs de Kissinger le désavantageraient pendant les délicates négociations initiales pour la reprise des relations diplomatiques avec les Etats arabes, mais surtout parce que je sentais que le Moyen-Orient exigeait un temps complet et une attention d'expert. Je m'en expliquai à Kissinger : « Vous et moi, nous aurons plus qu'assez à notre menu avec le Vietnam, le S.A.L.T., les Soviétiques, le Japon et l'Europe. »

De toute évidence, l'intérêt de l'Amérique était de faire cesser la domination soviétique au Moyen-Orient arabe. Pour cela, il faudrait élargir les relations américaines avec les pays arabes. Dans les premiers mois de mon gouvernement, je commençai à prendre les premières mesures dans ce sens.

Au début d'avril 1969, le roi Hussein de Jordanie vint aux Etats-Unis en visite officielle. Au cours de notre dernier entretien avant son départ, je lui dis que j'étais profondément troublé par l'absence de relations diplomatiques avec certains des gouvernements du Moyen-Orient, ce qui nous empêchait de jouer un rôle constructif dans cette région. Sur le moment, il ne me répondit pas, mais je savais qu'il transmettrait ce message aux autres dirigeants arabes.

Le lendemain, je reçus Mahmoud Fawzi, venu à Washington comme émissaire personnel du Président égyptien Nasser. Je lui dis que nous regrettions que les Etats-Unis n'aient pas de relations officielles avec l'Egypte, que je ne croyais pas à un règlement qui satisferait pleinement les deux parties, mais que j'étais certain qu'un compromis mutuellement acceptable pourrait être atteint si les Etats-Unis établissaient de nouvelles relations avec l'Egypte et les nations arabes. « Naturellement, dis-je, cela exigera de la confiance entre les parties et je sais que cette confiance doit être gagnée et méritée. »

La clef de la paix au Moyen-Orient se trouvait tout autant à Moscou qu'au Caire ou à Damas. Par conséquent, quand notre nouvel ambassadeur en Union Soviétique Jacob Beam présenta ses lettres de créance en avril 1969, je lui confiai une lettre personnelle pour Kossyguine. Je lui disais qu'il était essentiel que nos deux pays exercent une influence apaisante au Moyen-Orient, et qu'aucune puissance extérieure ne cherche des avantages dans la région aux dépens d'aucune autre.

Le 25 septembre 1969, Golda Meir vint à Washington en visite officielle. Pour les Israéliens, elle était un « faucon » adoptant une ligne dure opposée à la reddition d'un seul centimètre carré des territoires occupés qu'Israël avait conquis par la guerre de 1967. Golda Meir possédait simultanément une infinie dureté et une chaleur extrême; quand la survie de son pays était en cause, la dureté prédominait. Elle réclama vingt-cinq avions à réaction Phantom et quatre-vingts chasseurs Skyhawk; elle se plaignit des délais de livraison d'appareils déjà approuvés. Elle demanda aussi des prêts à faible intérêt de 200 millions de dollars par an couvrant des périodes allant jusqu'à cinq ans. Je lui assurai que nous tiendrions nos engagements.

Au dîner officiel donné en son honneur, elle exprima de l'inquiétude au sujet de nos tentatives de détente avec les Soviétiques. Je lui dis que nous ne nous faisions pas d'illusions sur leurs mobiles : « Notre règle d'or, en ce qui concerne la diplomatie internationale, est : *Faites aux autres ce qu'ils vous font.*

— Plus dix pour cent, ajouta vivement Kissinger.

— Tant que vous aborderez les choses de cette façon, répondit Madame Meir en souriant, nous n'avons aucune crainte. »

En décembre 1969, Bill Rogers exposa dans un discours ce qui a été appelé le « Plan Rogers » pour la paix au Moyen-Orient. Ce plan était fondé sur le principe du retour des territoires arabes occupés en échange de la promesse des Arabes de respecter l'intégrité territoriale d'Israël. En termes strictement pratiques, cela signifiait que le Plan Rogers n'avait pas la moindre chance d'être accepté par Israël.

Rogers et le Département d'Etat arguèrent que le plan offrait le meilleur espoir de paix, puisque le retour des territoires occupés supprimerait au moins pour les Arabes le rappel honni de leur humiliante défaite. Kissinger objecta que le plan encourageait les éléments extrémistes chez les Arabes, offensait gratuitement les Israéliens et serait méprisé par les Soviétiques qui considéraient qu'il faisait naïvement leur jeu. Comme l'avait prédit Kissinger, les Israéliens critiquèrent farouchement le plan qui faisait de Rogers, comme Kissinger aimait à me le rappeler, « l'homme le plus impopulaire d'Israël ».

Je savais que le Plan Rogers n'entrerait jamais en vigueur, mais je pensais qu'il était important de faire savoir au monde arabe que les Etats-Unis n'écartaient pas automatiquement la cause arabe à propos des territoires occupés et ne rejetaient pas un accord de compromis entre les parties en conflit. Une fois le Plan Rogers officialisé, je pensais qu'il serait plus facile pour les dirigeants arabes de renouer les relations avec les Etats-Unis sans être attaqués par les faucons et les éléments prosoviétiques de leurs propres pays.

Le 31 janvier 1970, je reçus ce que Kissinger appela la première menace soviétique de mon mandat. Elle concernait le Moyen-Orient et prenait la forme d'une lettre de Kossyguine déclarait : « Nous aimerions vous dire en toute franchise que si Israël poursuit son aventurisme, continue de bombarder le territoire de la R.A.U. et d'autres Etats arabes, l'Union Soviétique sera forcée de veiller à ce que les Etats arabes aient des moyens à leur disposition, grâce auxquels ils pourront opposer une rebuffade méritée à l'agresseur arrogant. »

Ma réponse fut soigneusement mesurée : j'exhortais à une réaction soviétique plus positive au Plan Rogers et proposais des discussions sur la limitation des fournitures d'armes au Moyen-Orient.

Au même moment un problème diplomatique d'un autre genre se posait plus près de chez nous. Beaucoup de membres de la communauté juive américaine et leurs amis politiques avaient décidé de boycotter la visite officielle du président Georges Pompidou afin de protester contre sa récente vente de plus de cent Mirage à la Libye.

Peu de temps avant l'arrivée de Pompidou, j'appris que ni le gouverneur Rockefeller ni le maire Lindsay ne l'accueilleraient officiellement à New York et qu'ils n'assisteraient pas au dîner donné en son honneur à l'hôtel Waldorf-Astoria le dernier soir de sa visite. Je comprenais bien l'importance de l'électorat juif à New York; mais, comme je le dis à Haldeman, « c'est absolument hypocrite de traiter Pompidou de cette façon alors qu'ils se sont mis à plat ventre devant Kossyguine quand il était là et c'est *lui* la cause de tout ce foutu problème. » J'expliquai à Kissinger : « Je trouve inconcevable cette conduite à l'égard d'un invité officiel des Etats-Unis d'Amérique, et je ne la tolérerai pas. Pas plus que je ne permettrai aux gens de penser qu'elle a un quelconque effet sur moi. »

Après quatre jours passés à Washington, les Pompidou visitèrent Cap Kennedy et San Francisco avant de prendre l'avion pour Chicago. Là-bas, des manifestants hurlant des obscénités rompirent les barrages de police et bousculèrent le président français et son groupe. Madame Pompidou fut terriblement secouée par cet incident et Bus Mosbacher, notre chef du protocole, m'apprit qu'elle comptait reprendre l'avion pour Paris dès le lendemain matin.

Je répliquai à Mosbacher : « Je me fiche de ce que vous avez à faire, mais je ne veux pas qu'elle parte. »

Je décidai d'aller à New York pour assister au dîner du Waldorf-Astoria que Rockefeller et Lindsay boycottaient. Mon apparition dans la grande salle à manger fut une surprise spectaculaire et rien de ce que je pus dire au cours de nos nombreux entretiens au fil des ans, sur des questions d'importance, ne fit autant que ce geste, pour gagner l'amitié et la coopération de Pompidou.

Au début de mars, je décidai de retarder notre livraison de Phantom à Israël. J'avais appris que les Soviétiques étaient soumis à de nouvelles pressions de leurs clients arabes pour surpasser les livraisons américaines à Israël et j'espérais que, puisqu'Israël était déjà dans une position militaire forte, je pourrais ralentir la course aux armements sans faire basculer l'équilibre militaire précaire de cette région du globe. Je pensais aussi que l'influence américaine au Moyen-Orient dépendait de plus en plus de notre reprise des relations diplomatiques avec l'Egypte et la Syrie et que cette décision contribuerait à atteindre ce but.

Le 12 mars, je reçus une lettre personnelle de Golda Meir. Elle me disait : « S'il est vrai que nos pilotes sont excellents, ils ne peuvent l'être que s'ils ont des avions. Dernièrement, des rumeurs m'ont laissé entendre que votre décision pourrait être négative ou, au mieux, retardée. Je refuse absolument d'y croire. Si, Dieu nous en garde, elles étaient vraies, alors nous nous sentirions réellement abandonnés. »

Israël n'avait pu survivre que parce que son peuple était prêt à se battre et à mourir pour la patrie. Je comprenais leur répugnance à accepter nos assurances à la place de nos chasseurs à un moment où ils affrontaient une attaque possible.

J'avais dit à Pompidou : « Si vous vous mettez à la place de Dayan, Rabin, Eban ou Madame Meir, qui sont des gens intelligents et résistants, vous devez les admirer; ils sont là, un très petit peuple, entourés d'ennemis et le fait est qu'ils ne sont pas prêts à écouter des conseils, même du Président des Etats-Unis. »

Je m'efforçai de rassurer Madame Meir, en lui disant que si jamais on en venait à l'épreuve d'une crise — comme en septembre 1970 et encore en octobre 1973 —, alors nous serions pleinement et fermement du côté d'Israël. En attendant, je comprenais que ma nouvelle politique causerait beaucoup de douleurs et bien des problèmes. Je comprenais aussi qu'elle serait incomprise et dénoncée par beaucoup, des deux côtés. Mais mon désir était de tenter de créer des rapports de puissance entièrement nouveaux au Moyen-Orient, non seulement entre Israël et les Arabes, mais aussi entre les Etats-Unis, l'Europe occidentale et l'Union Soviétique.

Un des principaux problèmes que j'affrontais à cet égard était l'attitude pro-israélienne inflexible et à courte vue d'importantes fractions influentes de la communauté juive américaine, du Congrès, de la presse et des milieux intellectuels et culturels. Durant le quart de siècle depuis la Seconde Guerre mondiale, cette attitude s'était si profondément enracinée que beaucoup établissaient un corollaire, prétendant que si l'on n'était pas pro-israélien, on était anti-israélien et même antisémite. J'essayai en vain de les convaincre que ce n'était pas le cas.

Il y eut une vague de critiques dans la presse et au Congrès quand ma décision de retarder la livraison des Phantom fut annoncée. L'ambassadeur d'Israël Rabin était au courant et se plaignit à Kissinger que nous n'assumions pas nos responsabilités. J'étais exaspéré par un certain nombre de sénateurs qui nous pressaient d'envoyer davantage d'aide militaire pour sauver Israël alors qu'ils s'opposaient à tous nos efforts pour sauver le Sud-Vietnam de la domination communiste. Je dictai un mémorandum pour Kissinger exposant mes sentiments et soulignant le danger pour Israël de compter sur les sénateurs libéraux et les « colombes » des deux partis pour les aider au cas où une crise surviendrait, où Israël serait attaqué par les Arabes ou même menacés directement par la puissance soviétique :

« Ce qu'ils [les Israéliens] doivent comprendre, c'est que ces gens sont de très faibles roseaux. Ils couvriront Israël de belles paroles, mais leur devise est la paix à n'importe quel prix. Quand les dés sont jetés, ils prennent leurs jambes à leur cou, non seulement comme ils le font maintenant au Vietnam, mais aussi quand n'importe quel conflit du Moyen-Orient les concerne directement.

D'un autre côté, leurs vrais amis (à leur grande surprise) sont des gens comme Goldwater, Buckley, R.N. et C°, qui sont considérés comme des faucons pour le Vietnam mais qui, dans un sens plus large, ne sont pas des fuyards, qu'il s'agisse du Vietnam, du Moyen-Orient, de la Corée ou de n'importe quel pays du monde...

Ils doivent reconnaître que nos intérêts sont fondamentalement pro-liberté et pas seulement pro-Israël à cause de l'électorat juif. Nous sommes *pour* Israël parce qu'à notre avis Israël est le seul Etat du Moyen-Orient qui soit *pour* la liberté et, qui plus est, un adversaire efficace à l'expansion soviétique. Nous nous opposons à une politique de fuyards au Vietnam, à Cuba, dans le Moyen-Orient ou l'O.T.A.N. ou n'importe où dans le monde. Voilà le genre d'amis dont Israël a besoin et continuera d'avoir besoin, surtout quand les choses vont devenir très difficiles d'ici cinq ans...

Tout cela pour dire que Madame Meir, Rabin, etc., doivent avoir totalement confiance en R.N. Il ne veut pas voir Israël disparaître et il s'engage absolument à veiller à ce qu'Israël ait toujours " un angle ". D'autre part, il doit emporter avec lui non seulement l'électorat juif de New York, de Pennsylvanie et de Californie et peut-être de l'Illinois qui a voté contre lui à 95 pour cent, mais il doit emporter avec lui les 60 pour cent d'Américains qui forment ce que l'on appelle la majorité silencieuse, sur qui on doit pouvoir compter au cas où nous devrions prendre une attitude ferme contre l'expansion soviétique au Moyen-Orient. C'est seulement quand les dirigeants israéliens l'auront compris qu'ils jouiront d'une sécurité sûre...

Nous allons rester au Vietnam, à l'O.T.A.N. et au Moyen-Orient, mais c'est une question de tout ou rien. C'est cartes sur table et il est temps que nos amis d'Israël le comprennent.

Nous allons être au pouvoir pendant au moins trois ans et telle sera la politique de notre pays. S'ils ne le comprennent pas et s'ils n'agissent pas comme s'ils le comprenaient, à partir de maintenant, ils sont fichus. »

Au cours du printemps, il y eut une suite de combats sporadiques mais âpres entre Israël, l'Egypte et la Syrie. Au début de juin 1970, Rogers m'envoya une note proposant une initiative de paix U.S.; le 25, il annonça que nous encouragerions les parties à « cesser de tirer et commencer à parler ».

Le 7 août, un cessez-le-feu précaire fut déclaré. C'était une grande réussite pour Rogers et Sisco. Même si le cessez-le-feu fut violé par l'Egypte presque avant que l'encre soit sèche, il établissait que les Etats-Unis étaient le courtier honnête accepté par les deux camps.

Le 17 août, avec Kissinger, je reçus l'ambassadeur Rabin. Il me dit avec émotion que Madame Meir et le gouvernement israélien étaient inquiets parce que les Etats-Unis ne semblaient pas accepter la preuve que les Egyptiens violaient sérieusement le cessez-le-feu. Il dit que des missiles soviétiques sol-air avaient été déployés dans la zone avancée le long du canal de Suez, modifiant tout l'équilibre du pouvoir dans la région. Si quelque chose n'était pas fait, ce ne serait qu'une question de temps avant que les Egyptiens passent à l'attaque. Les Israéliens voulaient par conséquent effectuer des raids aériens contre ces ensembles de missiles. L'usure de leurs avions serait considérable. Faute d'obtenir de nous des avions en bon état, ils nous demandaient qu'au moins nous leur donnions du matériel électronique spécial de brouillage et des missiles.

Je lui répondis : « Israël doit comprendre que je ne me fais aucune illusion sur les mobiles soviétiques. Je les comprends même mieux, peut-être, que les Israéliens eux-mêmes. Nous avons lancé notre initiative de cessez-le-feu sans idées préconçues sur la bonne volonté soviétique. D'autre part, il était important que l'initiative soit prise et qu'elle soit officielle. »

Je lui fis observer que l'opinion publique américaine serait très importante si une autre guerre éclatait au Moyen-Orient. C'était pourquoi j'avais voulu que l'Amérique soit le principal moteur de la proposition de cessez-le-feu, et c'est également la raison pour laquelle je voulais qu'Israël le respecte avec un soin scrupuleux. « Si notre initiative de paix échoue, tout le monde pourra voir qui en est responsable, et j'espère que ce ne sera pas Israël. »

Je dis que j'approcherais les Soviétiques par des voies spéciales au sujet de leur engagement dans la crise actuelle : « Je suis tout à fait d'accord avec vous pour penser que les Soviétiques soient la principale cause des tensions au Moyen-Orient et que s'ils étaient écartés de la situation, Israël pourrait régler la question sans difficulté. »

Un mois plus tard, notre politique de création d'un nouvel équilibre des puissances au Moyen-Orient fut mise à l'épreuve de la guerre.

Au début de septembre, les guérilleros extrémistes palestiniens devinrent de plus en plus actifs. Un de leurs groupes détourna quatre avions de ligne et les fit sauter après avoir gardé en otage pendant plusieurs jours des centaines de passagers, en majorité américains. Il apparut qu'un sérieux affrontement serait inévitable. Aussi décidai-je de révoquer mon ordre précédent et d'envoyer davantage d'aide militaire et de Phantom à Israël.

Le 15 septembre, une crise grave éclata en Jordanie. Les dirigeants extrémistes palestiniens, soutenus par l'aide et l'armement syriens, avaient soulevé les réfugiés palestiniens vivant en Jordanie et menacé de provoquer la guerre civile contre le régime de Hussein. Lorsque Kissinger m'apprit la nouvelle, il me dit : « On dirait que les Soviétiques poussent les Syriens et que les Syriens poussent les Palestiniens. Les Palestiniens n'ont guère besoin d'être poussés. »

La situation était confuse, et tant que nous n'aurions pas des renseignements de source sûre sur ce qui se passait, je pensais qu'il était important de garder le plus possible notre sang-froid. Je devais partir pour un voyage de deux jours, à Kansas City et à Chicago, et je décidai de ne rien annuler.

Une chose était claire, toutefois. Nous ne pouvions pas permettre que Hussein soit renversé par une insurrection d'inspiration soviétique. Si elle réussissait, tout le Moyen-Orient risquait de s'enflammer : les Israéliens prendraient certainement des mesures préventives contre un gouvernement de gauche dominé par les Syriens en Jordanie; les Egyptiens étaient liés à la Syrie par des pactes militaires et le prestige soviétique était en jeu tant auprès des Syriens que des Egyptiens. Comme les Etats-Unis ne pouvaient pas se croiser les bras et regarder Israël être repoussé dans la mer, la possibilité d'une confrontation directe U.S.A.-U.R.S.S. devenait très inconfortable. C'était comme une partie de dominos macabre, avec une guerre nucléaire au bout.

Le lendemain matin, le téléphone sonna à huit heures dans mon appartement d'hôtel de Chicago. C'était Kissinger, qui m'apprenait que la guerre civile avait éclaté en Jordanie. Des forces rebelles palestiniennes se battaient contre les soldats d'Hussein et des chars syriens se massaient à la frontière. Dans l'après-midi, je parlai à un groupe de journalistes et leur dis que nous aurions peut-être à intervenir si les chars ou les soldats syriens ou si les troupes irakiennes de la Ligue Arabe campant déjà en

Jordanie se portaient contre Hussein. Dans les journaux du soir, les manchettes annoncèrent : « *Nixon avertit les Rouges : N'entrez pas.* »

Le lendemain 18 septembre, nous reçûmes une note du Kremlin déclarant que les Russes n'avaient aucune intention d'intervenir en Jordanie, nous pressant de ne pas intervenir et suggérant que nous dissuadions les autres — autrement dit Israël — de le faire.

Ce matin-là, j'eus une de mes réunions du petit déjeuner avec Mike Mansfield. Il était vivement opposé à tout engagement militaire américain au Moyen-Orient et je pus lui dire, en me basant sur la note soviétique, que j'étais optimiste et pensais que nous pourrions arranger les choses sans confrontation. Il leva les bras au ciel, les rabaissa lentement en fermant les yeux et murmura : « Allah soit loué! »

A onze heures, j'avais rendez-vous avec Golda Meir qui était aux Etats-Unis en visite privée.

Quand elle entra dans le Bureau Ovale, je vis à son sourire fixe qu'elle était d'humeur très sévère. Je commençai par lui dire que je considérais sans naïveté les intentions soviétiques et que j'avais conscience des difficultés que les violations du cessez-le-feu avaient causées à Israël.

« A mon avis, Monsieur le Président, répondit-elle, la réaction américaine à nos rapports sur ces violations a été lente, et votre assentiment initial a encouragé de nouvelles violations. »

Elle pria Rabin de donner des explications. Celui-ci étala sur le tapis trois grandes cartes des services de renseignement d'Israël indiquant les violations spécifiques.

Madame Meir me dit que les problèmes d'Israël n'étaient pas causés par les Arabes seuls. Ils résultaient directement de la présence et du matériel militaire soviétiques. Les Egyptiens ne savaient même pas comment se servir des missiles sol-air que les Soviétiques leur avaient donnés, et du personnel soviétique avait dû être incorporé à tous les niveaux dans l'armée égyptienne. Elle dit que des pilotes israéliens avaient déjà rencontré des pilotes soviétiques en combat aérien au-dessus du canal de Suez.

Elle poursuivit : « A mon avis, je crois que vous devriez vous adresser directement aux Soviétiques et exiger un réajustement de la situation si les négociations doivent continuer. »

J'assurai à Madame Meir que nous avions déjà envoyé plusieurs notes fermes aux Russes par les voies diplomatiques. Je lui dis que je voulais qu'elle comprenne les principes majeurs qui sous-tendaient la politique américaine au Moyen-Orient. Nous ne nous faisions pas d'illusions sur les intentions et l'engagement des Soviétiques dans la région et nous reconnaissions qu'il fallait faire quelque chose au sujet des violations du cessez-le-feu par les Egyptiens. Nous n'entendions pas permettre que l'équilibre militaire au Moyen-Orient soit troublé et nous étions prêts à mettre au point avec elle un programme d'aide militaire qui serait approprié à la stratégie adoptée par les Israéliens.

Elle m'assura que les Israéliens n'avanceraient pas précipitamment en Jordanie et reconnut qu'il était préférable de laisser Hussein résoudre le problème lui-même.

Des rapports de Jordanie annonçaient des combats violents dans tout le pays — combats dans lesquels les soldats de Hussein tenaient bon, et mieux encore. Et puis, le 18 septembre, la nouvelle arriva à la Salle de Situation de la Maison Blanche que des chars syriens avaient franchi la frontière et pénétré dans le Nord de la Jordanie. Le lendemain, nous apprîmes que la force d'invasion comptait au moins cent chars. Nous agîmes rapidement et avec décision sur le front diplomatique. Kissinger rédigea une note très sévère et l'envoya aux Soviétiques; Rogers fit une déclaration publique très ferme demandant à la Syrie d'arrêter son invasion. Au début de la soirée, il apparut que la moitié environ des chars syriens étaient retournés en Syrie.

« Ils nous mettent à l'épreuve, dis-je à Kissinger, et l'épreuve risque de ne pas être encore finie. »

Dans la nuit du 21 septembre, vers 10 heures, un autre message arriva à la Salle de Situation : environ trois cents chars syriens avaient franchi la frontière jordanienne. Ils avaient percé les défenses jordaniennes et roulaient pratiquement sans opposition vers Amman. Mais le lendemain matin, ces chars-là aussi avaient battu en retraite. L'épreuve se poursuivait, en montant à chaque fois de quelques crans. Nous allions devoir décider très vite de ce que nous allions faire, sinon il serait trop tard pour faire quoi que ce soit.

Nous décidâmes de poursuivre une ligne très dure mais très calme. J'autorisai Kissinger à téléphoner à l'ambassadeur Rabin pour lui suggérer d'informer son gouvernement que nous serions tout à fait partisans de raids aériens israéliens sur les forces syriennes en Jordanie si cela devenait nécessaire pour éviter une défaite jordanienne. Je décidai de mettre en état d'alerte 20 000 soldats américains et d'envoyer des forces navales supplémentaires en Méditerranée.

A la fin, la Jordanie, sous la courageuse conduite de Hussein, se sauva elle-même. Au matin du 22 septembre, les chars syriens reprenaient une fois de plus le chemin de la frontière. Rabin appela au début de l'après-midi pour confirmer que les blindés avaient quitté la Jordanie et que les forces rebelles étaient en déroute. Il attribuait la victoire de Hussein à la prise de position dure de l'Amérique, à la menace israélienne et à la magnifique conduite de sa propre armée.

CRISE A CUBA

Le vendredi 18 septembre, alors que j'attendais Golda Meir dans le Bureau Ovale, je reçus une note urgente de Kissinger, portant la mention « TOP SECRET ». La première phrase me sauta aux yeux : « Analyse de vol photographique de reconnaissance sur Cuba confirme ce matin la construction d'une base probable de déploiement de sous-marins dans la baie de Cienfuegos. » Si le renseignement était exact, cela voulait dire que les Soviétiques construisaient une base de sous-marins nucléaires à Cuba.

Pour le moment, les détails étaient très minces. Le 4 août, Youli Vorontsov, ministre conseiller de l'ambassade soviétique et chargé d'affaires en l'absence de Dobrynine, avait envoyé à Kissinger une note exprimant son inquiétude à propos d'une prétendue activité anticastriste de groupes révolutionnaires cubains aux Etats-Unis. La note soulignait l'adhésion des Soviétiques à l'accord pris avec le Président Kennedy en 1962, comprenant un article selon lequel les Russes n'installeraient pas d'armes nucléaires sur le territoire cubain à la condition que nous n'entreprendrions et ne soutiendrions aucune action militaire visant à renverser Castro.

Des vols normaux de reconnaissance, par des U-2, au-dessus de Cuba n'avaient rien révélé d'insolite au mois d'août. En septembre, cependant, les photographies montraient que des travaux avaient commencé sur les plages de l'île d'Alcatraz, un minuscule point sur la carte au large des côtes méridionales de Cuba dans la baie de Cienfuegos. Un ravitailleur de sous-marins était ancré à quatre bouées dans le bassin d'évolution et des filets à sous-marins tendus en travers de la rade. Un vaste complexe de baraquements, de casernes et de bâtiments administratifs était aussi presque terminé sur l'île.

Quand un U-2 avait découvert des rampes de missiles soviétiques à Cuba en octobre 1962, le Président Kennedy avait révélé leur présence dans un discours télévisé et avait fait montrer par Adlai Stevenson des agrandissements photographiques à l'assemblée générale de l'O.N.U. Khrouchtchev s'était ainsi trouvé placé dans une situation impossible, désastreuse pour son prestige international. Il avait pu, cependant, se servir de la peur universelle de la guerre pour faire pression sur Kennedy et, de la sorte, donner l'impression qu'il avait résolu la crise et atteint lui-même un accord pacifique. Il en résulta que Kennedy, au lieu de traiter avec Khrouchtchev du haut de l'immense supériorité nucléaire qui était encore la nôtre en 1962, finit par accepter de ne se livrer à aucune activité anticastriste en échange du retrait des missiles soviétiques de Cuba.

Considérant ce qui s'était passé lors de la crise de 1962, je pris la décision de n'imposer aucune confrontation publique à moins de ne pas avoir d'autre choix et de ne traiter avec les Soviétiques qu'en position de force inflexible.

J'envoyai une note à Kissinger : « Je veux un rapport immédiat sur : 1° ce que peut faire la C.I.A. pour soutenir *n'importe quelle* action qui irriterait Castro; 2° quelles actions nous pouvons entreprendre que nous n'ayons pas encore tentées pour boycotter les nations traitant avec Castro; 3° le plus important : quelles actions nous pouvons entreprendre, secrètement ou non, pour installer des missiles en Turquie — ou une base de sous-marins en mer Noire —, enfin, n'importe quoi qui vaudrait comme monnaie d'échange. »

Les jours suivants, de nouveaux vols d'U-2 confirmèrent nos pires craintes. Les travaux se poursuivaient à une allure rapide, et si nous n'agissions pas tout de suite et avec décision, nous allions nous réveiller un beau matin avec une base soviétique de sous-marins nucléaires en parfait état de marche à moins de cent cinquante kilomètres de nos côtes...

Tous mes conseillers n'étaient pas d'accord pour une action immédiate. Bill Rogers fut particulièrement véhément à la réunion du C.N.S. du 23 septembre et nous exhorta à faire le silence total sur la situation jusqu'après les élections de novembre. Mais je ne pensais pas que la crise durerait aussi longtemps et je donnai l'ordre au C.N.S. de travailler à un plan parant à toute éventualité.

Le 24 septembre, Dobrynine me demanda un rendez-vous pour me remettre la réponse du Kremlin aux propositions que j'avais faites pour une possible réunion au sommet. La hardiesse de cette requête m'étonna.

Apparemment, les Soviétiques pensaient que nous ignorions encore ce qu'ils faisaient à Cuba et projetaient de nous prendre par surprise en nous présentant un fait accompli, tout comme en 1962. Kissinger et moi, nous tombâmes d'accord pour qu'il reçoive Dobrynine et tâche de voir ce que manigançaient les Soviétiques.

Le lendemain matin, le *New York Times* publia un article de son correspondant à l'étranger C. L. Sulzberger. Selon ce dernier, les « premières informations » indiqueraient qu'une installation de sous-marins nucléaires se construisait à Cienfuegos. Comme l'information était vague et sans confirmation, et puisque la chronique de Sulzberger se trouvait dans les pages éditoriales du journal, il y avait une chance que l'histoire passe inaperçue pendant plusieurs jours. Lorsque Kissinger et Dobrynine se réunirent ce matin-là dans la Salle des Cartes, ni l'un ni l'autre ne parla de l'article ni de la base supposée. Dobrynine, en fait, rapporta que les dirigeants soviétiques étaient intéressés par un sommet et il proposa même des dates. Kissinger lui suggéra de revenir à la Maison Blanche dans la soirée pour avoir la réponse.

Cependant, au Pentagone, un sous-secrétaire adjoint révéla par inadvertance dans une conférence de presse qu'il existait des preuves d'une base soviétique de sous-marins en cours de construction à Cuba. A cause de cette fuite, Kissinger fut obligé de recevoir les journalistes. Il essaya de biaiser autant que possible, mais l'histoire parut dans les journaux du soir.

Kissinger me dit que lorsque Dobrynine était revenu à la Maison Blanche à 17 h 30, il était blême. A la surprise de l'ambassadeur puis à sa gêne, Kissinger prit grand soin de ne pas mentionner les événements de l'après-midi et commença par déclarer calmement qu'il avait ma réponse au sujet du sommet en question. En principe, dit-il, je serais d'accord pour une rencontre à Moscou en juin ou septembre 1971. Finalement, à la fin de l'entretien, il annonça qu'il voulait parler des déclarations à la presse faites au Pentagone et de sa propre conférence de presse de l'après-midi. Il avait répondu aux journalistes que nous ne savions pas encore s'il y avait vraiment une base de sous-marins à Cuba afin, expliqua-t-il à Dobrynine, de donner aux Soviétiques l'occasion de se retirer sans confrontation publique.

« Je tiens à ce que vous sachiez pourtant que nous n'avons aucune illusion dans cette affaire, ajouta-t-il. Nous savons qu'il y a une base à Cuba et nous prendrons les choses très au sérieux si les travaux se poursuivent et si la base demeure. »

Dobrynine tenta de minimiser le problème, mais Kissinger insista. Nous offrions aux Russes une chance de se retirer parce que nous ne voulions pas d'affrontement public. Mais nous n'hésiterions pas à prendre des mesures, même publiquement, si nous y étions contraints.

L'ambassadeur soviétique demanda si nous considérions que l'entente de 1962 sur Cuba avait été violée. Kissinger acquiesça. Cuba était pour nous une zone ultra-sensible et nous estimions que l'installation de la base de sous-marins était une grave duperie. Dobrynine répondit qu'il allait immédiatement en informer le Kremlin.

Je donnai des ordres pour qu'il n'y ait absolument plus d'autres fuites à ce sujet tant que nous n'aurions pas reçu la réponse des Soviétiques. Tout le succès de notre stratégie pour atténuer la crise dépendait du secret. Après ce qui s'était passé en 1962, je savais qu'une véritable panique de guerre déferlerait sur le pays si l'on apprenait par la presse la vérité sur Cienfuegos.

Nous parvînmes si bien à garder le secret que, pendant les quelques jours suivants, beaucoup d'hommes politiques éminents et de journalistes considérèrent Cienfuegos comme une crise fabriquée. Le sénateur Fulbright, président de la Commission des Affaires étrangères du Sénat, nous accusa de « tromper le peuple américain » et déclara que les histoires de bases de sous-marins nucléaires à Cuba visaient à obtenir du Congrès de généreux crédit pour le Pentagone. Je ne fis rien pour les en dissuader — au contraire.

Les derniers vols U-2 indiquant un ralentissement des activités à Cienfuegos, je partis le 27 septembre pour un voyage d'une semaine en Europe.

Le 6 octobre, à mon retour à Washington, Dobrynine téléphona pour prendre rendez-vous avec Kissinger. Il lui remit une note par laquelle le gouvernement soviétique réaffirmait l'accord de 1962 et assurait qu'il ne faisait rien à Cuba de contraire à cette entente. Je fus immensément soulagé. Notre stratégie avait marché. Les Soviétiques avaient préféré profiter de la liberté de manœuvre que nous leur accordions en ne publiant pas l'affaire et s'extirpaient de la crise en niant qu'elle eût pu même avoir existé.

Nous ne pouvions cependant accepter la vague déclaration de Dobrynine comme un règlement définitif d'un incident aussi grave. Quelques jours plus tard, Kissinger lui remit une note que j'avais rédigée : j'y accusais réception de la réponse soviétique, tout en soulignant encore une fois notre interprétation de l'accord de 1962 : « Le gouvernement des Etats-Unis comprend que l'U.R.S.S. n'établira, n'utilisera et ne permettra pas l'installation à Cuba de tout établissement susceptible d'être employé pour ravitailler ou réparer des bâtiments soviétiques capables de porter des armes offensives, à savoir des sous-marins ou bâtiments de surface équipés de missiles nucléaires mer-mer. » Afin d'éviter tout « malentendu », je mentionnais cinq actions spécifiques que nous considérerions comme des violations de l'accord de 62.

Dobrynine s'offusqua un peu de la brutalité de certaines phrases, mais il laissa entendre que la question serait bientôt réglée. Quelques jours plus tard, l'agence Tass publia une dépêche affirmant qu'aucune base de sous-marins n'existait, rendant ainsi la chose officielle.

La crise était passée. Après quelques retards pour sauver la face, les Soviétiques abandonnèrent Cienfuegos. Grâce à une diplomatie ferme mais discrète, nous avions évité ce qui aurait pu être la Crise de Cuba de 1970 et qui, comme la précédente, aurait pu nous amener au bord d'un affrontement nucléaire avec l'Union Soviétique.

Les événements de la baie de Cienfuegos me persuadèrent que j'avais choisi la bonne voie pour riposter à une autre menace communiste en Amérique latine, au Chili cette fois.

Lors des élections présidentielles du Chili, le 4 septembre 1970, un marxiste plus ou moins castriste, Salvador Allende, arriva en tête avec une majorité de 36,3 pour cent des voix. Selon la loi chilienne, elle ne suffisait pas : il fut donc déclaré que le parlement chilien choisirait le nouveau président le 24 octobre. La C.I.A. estima que Cuba avait insufflé environ 350 000 dollars dans la campagne d'Allende, dont les intentions, précisées dans un discours électoral, étaient on ne peut plus claires : « Cuba dans les Caraïbes et un Chili socialiste dans le Cône Méridional feront la révolution en Amérique latine. »

Allende s'était déjà présenté trois fois à la Présidence et avait été battu chaque fois. Lors des élections chiliennes de 1962 et 1964, les Présidents Kennedy et Johnson avaient accordé à la C.I.A. des crédits de près de quatre millions de dollars pour empêcher l'installation des communistes au Chili. Sachant cela, et sachant aussi que près des deux tiers des électeurs chiliens s'étaient opposés à Allende, je priai la C.I.A. d'apporter son soutien aux adversaires d'Allende afin d'empêcher son élection par le parlement chilien.

Notre monde est loin d'être idéal. Tant que les communistes subventionnent financièrement des partis politiques, des factions ou des individus dans d'autres pays, je pense que les Etats-Unis peuvent et doivent en faire autant, et le faire secrètement afin que ce soit efficace. Selon la morale communiste, les gouvernements sont faits pour être renversés et les élections influencées. Pour moi, c'eût été le comble de l'immoralité que de laisser les Soviétiques, les Cubains et d'autres nations communistes intervenir impunément dans des élections libres alors que l'Amérique fermait les yeux. Ce serait un singulier système des deux poids et deux mesures qui nous obligerait, nous seuls, à rester abjectement à l'écart tandis que des démocraties sont minées par des nations à la conscience plus souple. Au Chili, nous cherchions à aider les partis non communistes à avoir au moins les mêmes ressources que les forces richement subventionnées d'Allende.

A la mi-octobre, je fus informé que nos efforts n'allaient sans doute pas être couronnés de succès; je donnai par conséquent l'ordre à la C.I.A. de renoncer à l'opération. Allende entra en fonction comme Président du Chili le 3 novembre.

J'en étais extrêmement troublé. Je croyais, comme mes deux prédécesseurs, qu'un régime communiste à Cuba exportant la violence, le terrorisme et la révolution dans toute l'Amérique latine était déjà assez dangereux. Un homme d'affaires italien qui était venu me voir avant les élections chiliennes m'avait averti : « Si Allende gagne, et avec Castro à Cuba, vous aurez en Amérique latine un sandwich rouge. Et, à la fin, elle sera entièrement rouge. » Ces craintes se vérifièrent quand, peu après l'arrivée au pouvoir d'Allende, des agents de renseignements cubains commencèrent à opérer d'une base au Chili pour porter la révolution en Bolivie, en Argentine, au Brésil et en Uruguay.

Après trois ans de gouvernement inefficace pendant lesquels l'économie chilienne fut paralysée par de nombreuses grèves, Allende fut renversé par une junte militaire en septembre 1973. Selon des rapports contradictoires, il fut tué ou se suicida au cours du coup d'Etat.

A l'automne de 1970, l'Amérique était mise à rude épreuve, par la guerre au Vietnam, par un risque de guerre au Moyen-Orient, par l'introduction menaçante d'armes nucléaires à Cuba. Au Chili, le test était tout aussi réel mais beaucoup plus subtil.

Les dirigeants communistes croient au précepte de Lénine : « Sondez avec des baïonnettes. Si vous rencontrez un terrain mou, continuez; si vous rencontrez de l'acier, retirez-vous. » J'avais craint que notre attitude à propos de l'incident de l'EC-121 en 1969 ne fasse croire aux communistes qu'ils rencontraient un terrain mou. Si nos efforts pour barrer à Allende la route du pouvoir avaient été vains, en Jordanie et à Cuba au moins leur « sondage » avait rencontré indiscutablement notre acier en 1970.

1971

Le début de 1971 fut le creux de la vague de mon premier mandat. Les problèmes que nous affrontions étaient si écrasants, apparemment si difficiles à résoudre qu'il semblait possible que je ne sois même pas nommé pour la réélection en 1972. Au début de janvier, on annonça que nous avions 6 % de chômeurs, le pourcentage le plus élevé depuis 1961. En février, ce fut l'opération laotienne qui fut un succès militaire mais un désastre sur le plan des relations publiques. En mai, 200 000 manifestants « pacifistes » convergèrent sur Washington et, menés par des agitateurs ouvertement encouragés par les Nord-Vietnamiens, ils montèrent une action violente mais vaine pour bloquer l'accès aux bâtiments du Gouvernement durant toute une journée. En juin, la publication des Papiers du Pentagone sapa le principe du contrôle du Gouvernement sur les documents secrets. L'économie était en piteux état et ne promettait pas de se remettre rapidement. A la bourse des changes, le dollar atteignait son cours le plus bas depuis 1949. Les sondages d'opinion enregistraient mes pertes et marquaient les points de Muskie. Les Soviétiques avaient fait reculer la détente par leur aventurisme à Cuba et au Moyen-Orient; tout espoir de percée dans les pourparlers sur la limitation des armes nucléaires (S.A.L.T.) ou pour d'autres questions importantes entre nous semblait donc lointain. De même, nos ouvertures vers la Chine communiste paraissaient être tombées dans les oreilles d'un sourd. Sans ces leviers pour faire pression sur Hanoï, il semblait que la guerre pourrait se traîner indéfiniment — à moins que, éventualité que je redoutais, la force et l'assurance croissantes des pacifistes au Congrès ne parviennent à provoquer un vote soudain de retrait total ou la suppression des crédits.

Ayant atteint le fond du gouffre en 1971, nous rebondîmes brusquement avec une suite de succès éclatants, dont l'annonce de mon voyage en Chine, une percée dans les négociations S.A.L.T., un programme économique extrêmement populaire et apparemment efficace, comportant le blocage des salaires et des prix, et la perspective d'un sommet soviétique. Ces réussites et quelques autres nous donnèrent l'élan qui allait nous porter jusqu'à l'année de l'élection présidentielle, en 1972.

1971 prouva le bien-fondé de la maxime politique selon laquelle on ne doit jamais désespérer avant que le scrutin ait été complètement dépouillé.

Il peut toujours se passer quelque chose, souvent d'une source ou d'un côté inattendus, qui renverse totalement la situation et transforme les perspectives d'avenir.

LAM SON

Avant notre opération cambodgienne réussie de 1970, on estimait que 85 % de l'artillerie lourde utilisée par les communistes dans le Sud-Vietnam arrivait par mer par le port de Sihanoukville. Quand nous fermâmes cette route, tout le matériel dut venir par le Laos le long de la piste Hô Chi Minh. A la mi-décembre 1970, le Laos était congestionné par des hommes et du matériel, dont la majorité serait transportée au Cambodge pour l'offensive du printemps 71.

Le 18 janvier 1971, au cours d'une réunion à laquelle assistaient Laird, Rogers, Helms, Kissinger, le colonel Alexander Haig, adjoint de Kissinger, et l'amiral Thomas H. Moorer, chef de l'état-major interarmes, j'autorisai une opération militaire majeure pour couper la piste Hô Chi Minh en attaquant les forces ennemies au Laos. A cause de l'opinion publique américaine, et parce que les Sud-Vietnamiens voulaient prouver la réussite de la vietnamisation, nous décidâmes que l'opération serait une manœuvre de l'A.R.V.N.; les Etats-Unis ne fourniraient qu'une couverture aérienne et un soutien de l'artillerie. La principale contribution américaine serait le transport de troupes et de matériel par hélicoptères, le soutien des canonnières et les raids des B-52. Même le nom de code de l'opération était vietnamien : *Lam Son 719.*

Le 8 février, une force de l'A.R.V.N. de 5 000 hommes franchit la frontière laotienne. Les communistes opposèrent une résistance plus forte que prévu et le haut commandement américain de Saïgon ne réagit pas à la violence inattendue de ces combats par l'accroissement de la couverture aérienne devenue nécessaire. Les pertes furent lourdes pour l'A.R.V.N., mais les soldats continuèrent de se battre courageusement.

Les Sud-Vietnamiens se remirent vite de ces revers et la plupart des objectifs militaires de Lam Son furent atteints durant les premières semaines, alors que les communistes étaient privés de leur capacité de lancer une offensive contre nos propres forces dans le Sud-Vietnam en 1971.

A cause du succès substantiel de l'opération et des signes indiquant que les communistes préparaient une contre-offensive majeure, les chefs de l'A.R.V.N. décidèrent de se retirer tôt. Le 18 mars, ils entamèrent ce qui devait être un repli stratégique. Notre soutien aérien fut insuffisant, cependant, et sous la sévère canonnade ennemie certains soldats sud-vietnamiens cédèrent à la panique. Il ne fallut que quelques films télévisés de soldats de l'A.R.V.N. se cramponnant aux patins de nos hélicoptères d'évacuation pour accréditer l'idée fausse, largement répandue, de l'incompétence et de la lâcheté de l'A.R.V.N.

Le résultat fut une victoire militaire, mais une défaite psychologique, tant au Sud-Vietnam, où le moral était atteint par les rapports de défaite en provenance de la presse, qu'en Amérique, où les soupçons sur une possibilité d'escalade avaient été éveillés et où les photos des journaux et les actualités télévisées empêchaient de croire au succès de la vietnamisation et à la fin de la guerre.

Sir Robert Thompson écrivit à Kissinger du Vietnam, peu après la fin de Lam Son. Il fit l'éloge du succès militaire et déclara que le facteur primordial de la guerre était maintenant une question de psychologie et de confiance des Sud-Vietnamiens. Grâce à Lam Son, il n'y eut pas d'offensive communiste en 1971 malgré le plus grand afflux de matériel que connût l'histoire de cette guerre. Les pertes américaines et sud-vietnamiennes furent réduites et la vietnamisation se poursuivit à une allure régulière.

Je suis toujours d'accord avec l'évaluation de Lam Son par Kissinger, à la fin de mars 1971, quand il me dit : « Si j'avais su avant que ça commence que la chose allait se passer exactement comme ça, j'aurais quand même été d'accord pour y aller. »

Le 29 mars 1971, quelques jours avant le départ de l'A.R.V.N. du Laos, le lieutenant William Calley Jr fut jugé coupable en conseil de guerre du meurtre prémédité de vingt-deux civils sud-vietnamiens. La fureur du public au sujet de Lam Son venait à peine de s'apaiser, et maintenant nous devions affronter encore une controverse en rapport avec le Vietnam. Celle-ci mijotait depuis l'automne de 1969, date à laquelle les meurtres avaient été révélés.

C'était en mars 1968, dix mois avant que je devienne Président, que Calley avait conduit son détachement à My Lai, un petit hameau situé à environ 160 kilomètres au Nord-Est de Saïgon. Le village avait été une place forte vietcong et nos forces avaient subi de lourdes pertes en tentant de le nettoyer. Calley ordonna à ses hommes de rassembler les villageois puis d'ouvrir le feu; beaucoup furent abandonnés, morts, dans un fossé de drainage.

Le crime de Calley était inexcusable. Mais j'estimais que beaucoup de journalistes et de parlementaires qui proclamaient leur indignation à propos de My Lai s'intéressaient moins aux questions morales soulevées par l'affaire Calley qu'à l'usage qu'ils pouvaient en faire pour lancer des attaques politiques contre la guerre du Vietnam. D'abord, ils avaient remarquablement peu critiqué les atrocités nord-vietnamiennes. En fait, le rôle continu et calculé de la terreur, du meurtre, du massacre dans la stratégie vietcong est un des aspects de cette guerre qui a été le plus passé sous silence. A la grande déconsidération de la presse et des activistes anti-guerre, ce côté de l'histoire n'a figuré que rarement dans les descriptions de la politique et des pratiques du Vietcong.

LES BANDES DE LA MAISON BLANCHE

Dès les premiers temps, j'avais voulu que ma Présidence ait la meilleure chronique de l'histoire. Je tenais à conserver des archives de tous mes entretiens importants, allant des transcriptions mot à mot de réunions sur la sécurité nationale à des « rapports colorés » de cérémonies. Malheureusement, le système se révéla encombrant car il n'était pas toujours commode ni approprié d'avoir dans la pièce quelqu'un qui puisse prendre des notes. Dans bien des cas, cela freinait la conversation. Nous nous aperçûmes aussi que la qualité de la prose variait autant que la qualité de la perception, et trop de rapports finissaient par être plus de l'hagiographie que de l'histoire. Finalement, pendant la période ou l'on projeta et discuta Lam Son, je décidai de réinstaller le système d'enregistrement.

L'existence des bandes magnétiques ne devait jamais être rendue publique, du moins pas pendant ma Présidence. Je pensais qu'ensuite je pourrais les consulter pour les ouvrages ou les Mémoires que j'aurais voulu écrire. De telles archives objectives seraient précieuses aussi dans la mesure où tout Président se sent vulnérable aux déformations des livres d'histoire — qu'il s'agisse ou non de son Gouvernement —, et plus particulièrement quand les questions sont sujettes à caution et les personnalités aussi inconstantes qu'elles l'étaient pendant mon premier mandat.

Le premier Président connu pour avoir enregistré ses conversations était Franklin Roosevelt, qui aurait eu un micro dissimulé dans une lampe du Bureau Ovale. Il n'y a aucune preuve que Truman ou Eisenhower aient fait des bandes, mais le Président Kennedy enregistrait certaines de ses conversations de travail et quelques-uns de ses coups de téléphone : plus de 180 de ces enregistrements sont d'ailleurs conservés à la Bibliothèque Kennedy, avec des restrictions concernant leur divulgation imposées par la famille Kennedy.

Lyndon Johnson avait un système d'enregistrement pour le téléphone de son bureau, celui de sa chambre, celui de Camp David, celui de son ranch à Johnson City et ceux de ses bureaux d'Austin. En plus de l'équipement téléphonique, il avait des microphones dissimulés dans la Salle du Conseil et dans son petit bureau privé à côté du Bureau Ovale. A un moment donné, il y eut aussi un appareil d'enregistrement qui pouvait capter les conversations dans un salon près du Bureau Ovale où ses visiteurs attendaient avant d'être introduits. Le système Johnson se déclenchait à la main, ce qui lui permettait de trier les conversations qu'il voulait enregistrer. Dans la Salle du Conseil, des boutons étaient encastrés sous le plateau de la table, à la place de son fauteuil, et l'on m'a dit que dans le bureau privé le système était déclenché par des boutons dissimulés derrière le meuble de télévision du Bureau Ovale.

Johnson faisait souvent transcrire les bandes dès la fin de la conversation. Selon le « téléphone arabe » de la Maison Blanche, il enregistra la conversation quand il reçut en privé Bobby Kennedy pour lui annoncer qu'il ne serait pas le candidat nommé à la Vice-Présidence en 1964. Immédiatement après l'entretien, Johnson demanda à ce qu'on transcrive la bande. Mais quand la dactylo la repassa, elle découvrit que toute la conversation était inaudible. Un technicien de l'enregistrement en conclut que Kennedy devait avoir sur lui, par précaution, un petit appareil de brouillage.

Johnson trouvait que ma décision de faire démonter son système d'enregistrement était une erreur; il pensait que les bandes étaient inestimables, pour la rédaction de ses Mémoires.

Tout en étant gêné à l'idée d'enregistrer des gens à leur insu, j'étais au moins sûr que le secret du système préserverait leur intimité. Je pensais qu'en enregistrant uniquement des conversations sélectionnées, on entraverait le dessein même du système d'enregistrement; si nos bandes devaient représenter des annales objectives de ma Présidence, elles ne pouvaient être aussi manifestement partiales. Je ne voulais pas avoir à calculer qui ou quoi ou quand j'enregistrerais. Par conséquent, un système fut installé qui se déclenchait à la voix; dès qu'on parlait, l'appareil se mettait en marche. A partir de février, des appareils d'enregistrement furent placés dans le Bureau Ovale, la Salle du Conseil et mon bureau de l'E.O.B. Je refusai quand on me suggéra d'en installer aussi sur les téléphones des appartements privés, à Key Biscayne et à San Clemente; je ne voulais conserver que les affaires officielles de la Présidence. Des enregistreurs équipèrent les téléphones du Bureau Ovale et de celui de l'E.O.B., du Salon Lincoln et du bureau de Camp David.

Au début, j'avais conscience de l'enregistrement, mais bientôt je l'acceptai comme une chose faisant partie de l'environnement.

Je n'ai jamais écouté une bande jusqu'au 4 juin 1973 moment où j'y fus obligé par l'enquête sur le Watergate. Aucune des bandes ne fut transcrite avant septembre 1973 quand je fus assigné à comparaître devant la Commission Ervin et le procureur spécial.

PORTRAITS DES KENNEDY

En février 1971, Pat convia Jacqueline Kennedy-Onassis et ses enfants à dîner avec notre famille. Elle les avait invités pour qu'ils puissent voir les portraits officiels du couple Kennedy avant la cérémonie au cours de laquelle ils seraient dévoilés en public. Ce fut extrêmement émouvant parce qu'aucun d'eux n'était revenu à la Maison Blanche depuis les jours tragiques suivant l'assassinat du Président.

Pat avait donné des ordres explicites pour que la visite soit tenue secrète jusqu'à ce qu'elle prenne fin, pour éviter toute intrusion de journalistes et de photographes. Nous accueillîmes les Kennedy dans le Salon de Réception des Diplomates et les emmenâmes voir les portraits, qui avaient été peints par un artiste de New York que Jackie avait elle-même choisi.

John Kennedy Jr., qui avait dix ans, et sa sœur Caroline, treize ans, furent enthousiasmés. Jackie, cependant, ne fit aucun commentaire. Je pensai que c'était peut-être à cause de ses dissensions avec l'artiste, qui avait vendu à un grand magazine une reproduction du tableau et des croquis d'elle. Pat me dit plus tard que lorsqu'elle invita Rose Kennedy à voir les portraits, cette dernière était restée longtemps silencieuse devant celui de son fils, puis elle avait murmuré : « Je n'ai jamais vu Jack avec cet air-là. »

LE MARIAGE DE TRICIA

Tricia fit la connaissance d'Ed Cox à un bal de lycée en 1963. Un an plus tard, alors qu'elle était en première année à Finch College, et lui à Princeton, il fut son cavalier au Bal international des Débutantes, une fête de charité qui a lieu tous les ans à New York. Ils commencèrent à se voir régulièrement mais souvent ils étaient en désaccord sur les questions de politique. Ed était un Républicain mais dans la tradition libérale de l'Est; dans le courant de l'été 1968, il travailla pour Ralph Nader.

Un jour de la fin de 1969, Tricia m'avoua qu'ils avaient des sentiments sérieux l'un pour l'autre mais qu'elle s'inquiétait de leurs opinions politiques différentes. Comme tous deux étaient extrêmement volontaires et volubiles, leurs discussions s'échauffaient souvent. Je lui répondis que seuls les sentiments importaient; s'ils s'aimaient vraiment, c'était tout ce qui comptait et les problèmes politiques s'aplaniraient. Avec le temps, ils finirent d'ailleurs par disparaître tandis que leur affection mutuelle devenait de plus en plus solide.

Un week-end de novembre 1970, Ed Cox entra dans mon bureau de Camp David et me dit sur un ton assez protocolaire : « Monsieur le Président, comme vous le savez certainement, je suis très amoureux de Tricia. J'aimerais que vous m'autorisiez à lui demander de m'épouser. »

Je connaissais Ed depuis plusieurs années et je lui répondis que le plus important c'était ce que Tricia voulait, mais que j'étais sûr qu'elle serait d'accord.

Nous annonçâmes leurs fiançailles le jour de l'anniversaire de Pat, le 16 mars, après un dîner offert en l'honneur du Premier Ministre d'Irlande John Lynch. Nous demandâmes à Tricia si elle aimerait un mariage à la Maison Blanche. Cela ne regardait bien sûr qu'elle et Ed, mais nous pensions que ce serait un souvenir inoubliable pour eux. Pat suggéra que, puisqu'ils avaient choisi le 12 juin, le mariage pourrait être célébré dehors, dans la Roseraie.

Le grand jour arriva, mais il faisait gris et des averses intermittentes étaient prévues jusque vers 16 heures, l'heure de la cérémonie. Je téléphonai à Tricia pour lui demander si elle était prête à courir le risque et à compter sur une éclaircie. Elle me répondit qu'elle tenait à la Roseraie.

A 16 h 15, les jeunes officiers qui servaient d'assistants mondains à la Maison Blanche avaient déjà rassemblé les 400 invités dans la longue galerie du rez-de-chaussée et attendaient pour savoir s'ils devaient les faire sortir dans la Roseraie ou les escorter en haut dans le Salon Est. Je téléphonai pour connaître le dernier bulletin météo de l'Armée de l'Air. On s'attendait à une éclaircie d'environ quinze minutes vers 16 h 30. Je dis à Haldeman de passer la consigne : la cérémonie commencerait à 16 h 30.

La pluie cessa, les housses de plastique furent ôtées des sièges et les invités conduits à leurs places. A l'heure dite, Julie et ses demoiselles d'honneur commencèrent à descendre lentement par le grand escalier blanc dans le jardin, sous un soleil magnifique.

Ensuite il y eut la réception et l'on dansa dans le Salon Est. Ed et Tricia ouvrirent le bal sur l'air de Lara, du *Docteur Jivago*, qu'ils avaient choisi. Ensuite, Ed dansa avec Pat et moi avec Tricia, puis avec Pat. Elle danse admirablement et les invités applaudirent en riant quand elle me conduisit tout autour de la piste. C'était la première fois que je dansais à la Maison Blanche.

Après le départ des jeunes mariés pour une lune de miel à Camp David, Pat, Julie, Bebe Rebozo et moi regardâmes la télévision dans les appardements privés.

Ce fut une journée admirable. Même le temps avait été notre ami. Ce fut un jour que nous n'oublierons jamais parce que nous étions tous merveilleusement, et très simplement, heureux.

Lettre de Richard Nixon à sa fille Tricia

June 12, 1971
12:10 AM

THE WHITE HOUSE
WASHINGTON

Dear Tricia –

Well Today is the day you begin a long and exciting journey –

I want you to know how proud I have been of you through the years – some of them – pretty difficult for you I'm sure.

The years ahead will be happy ones because you will make them so.

Your strength of
character will see you
through whatever comes —
You have made
the right choice and
I am sure Caldie & you
will look back on
this time and be able
to say —
"The day indeed was
splendid" —
love —
Daddy

LES PAPIERS DU PENTAGONE

Le dimanche 13 juin au matin, je dépliai le *New York Times*. Dans le coin supérieur gauche, il y avait une photo de moi avec Tricia dans la Roseraie, sous un gros titre : « *Tricia Nixon mariée.* » A côté, il y en avait un autre : « *Archives du Vietnam : une étude du Pentagone retrace trois décennies d'engagement U.S. croissant.* »

L'article évoquait une étude de 7 000 pages sur la présence américaine dans le Sud-Est asiatique depuis la Seconde Guerre mondiale jusqu'en 1968, qui avait été commandée par Robert McNamara, le ministre de la Défense de Johnson. Il contenait des documents cités mot à mot du ministère de la Défense, du Département d'Etat, de la C.I.A., de la Maison Blanche et du haut état-major interarmes. Le *Times* annonçait qu'il allait publier non seulement des extraits de cette étude, mais aussi beaucoup des documents originaux. Le journal ne disait pas que tous ces papiers étaient encore officiellement classés « Secret » et « Top Secret ». C'était, en fait, la plus énorme fuite de documents secrets de toute l'histoire des Etats-Unis.

Ces documents avaient été illégalement remis au *Times* et je pensais que le journal se comportait d'une manière irresponsable en les publiant. Il reconnaissait en avoir possession depuis plus de trois mois mais n'avait jamais cherché à contacter personne au gouvernement ni demandé si la publication de ces documents secrets ne risquait pas de menacer la sécurité nationale ou la vie de nos hommes au Vietnam.

Les Services de renseignement et de Défense nationale se précipitèrent pour obtenir des copies de l'étude afin de se faire une idée de l'impact de ces révélations. La National Security Agency craignit immédiatement que certains des documents les plus récents puissent fournir des indices pour déchiffrer des codes. On avait peur que des informations sur les systèmes électroniques de signalisation et de renseignement puissent sauter aux yeux entraînés d'ennemis experts. Le Département d'Etat s'alarma parce que l'étude révélerait des plans de l'O.T.A.S.E. qui étaient encore en vigueur. La C.I.A. tremblait parce que l'identité d'indicateurs passés ou présents pourrait être dévoilée; elle disait que l'étude contenait peut-être des allusions spécifiques à des agents encore en activité dans le Sud-Est asiatique. Effectivement, un contact secret disparut immédiatement. Un frisson secoua la communauté internationale parce que l'étude contenait des révélations sur le rôle d'autres gouvernements, comme intermédiaires diplomatiques; plusieurs envoyèrent des protestations officielles. A peine deux semaines plus tôt Kissinger avait fait de nouvelles propositions de paix aux Nord-Vietnamiens à Paris, et nous attendions toujours leur réponse. Dean Rusk fit une déclaration, disant que les documents seraient précieux pour les Nord-Vietnamiens et les Soviétiques.

Tout bien réfléchi, nous n'avions que deux solutions : ne rien faire ou réclamer une injonction interdisant au *New York Times* de poursuivre la publication. La raison conseillait d'agir contre le *Times*; la politique s'y opposait.

L'étude McNamara avait été avant tout une critique de la façon par laquelle Kennedy et Johnson avaient engagé la nation dans la guerre du

Vietnam. Elle rapportait la décision de Kennedy de soutenir le coup d'Etat qui renversa le président Diem en 1963 et causa sa mort, ce qui fit dire au général Maxwell Taylor qu'une de nos plus graves fautes avait été notre connivence dans le renversement de Diem, « dont il n'a résulté que le chaos ». Des rapports de presse déclaraient que le document prouvait que Johnson avait dit au peuple américain qu'il ne ferait pas d'escalade en ce qui concerne la guerre alors qu'il préparait en privé une escalade passant de 17 000 à 185 000 soldats américains. Le journaliste James Reston parlait de « l'engagement trompeur et sournois des Américains dans la guerre sous les Présidents Kennedy et Johnson ».

Néanmoins, la publication des Papiers du Pentagone compromettrait fatalement notre effort au Vietnam. Les adversaires de la guerre profiteraient de la publicité pour attaquer nos buts et notre politique.

Mais, pour moi, il y avait une raison encore plus fondamentale pour empêcher la publication. Dans cette affaire, un grand principe était en jeu : c'était au Gouvernement, et non au *New York Times,* de juger de l'impact d'un document ultra-secret. Mel Laird pensait que pour plus de 95 % de ces Papiers, le secret pouvait être levé; mais le reste des révélations — même s'il n'était que de 1 % —, dont le secret devait être rigoureusement gardé, nous inquiétait tous beaucoup. Si nous n'agissions pas contre le *Times,* tous les fonctionnaires mécontents prendraient cela pour la preuve qu'ils pouvaient « faire fuir » tout ce qu'ils voulaient et que le gouvernement se croiserait les bras.

Le lundi 14 juin dans la soirée, après la publication par le *Times* d'une deuxième partie de l'étude, John Mitchell envoya au journal un télégramme le priant de cesser cette publication qui causait « un tort irréparable aux intérêts de la défense nationale ».

Le *Times* refusa, ce qui prouvait clairement que les divulgations étaient inspirées par la politique anti-guerre du journal, et non par attachement à un principe. Au début des années 1960, Otto Otepka, employé du Département d'Etat, avait montré des documents secrets concernant le laxisme des mesures de sécurité du ministère à des sénateurs qui enquêtaient sur ce problème. Il croyait son geste justifié parce qu'il estimait que c'était le seul moyen de remédier à une situation qu'il jugeait dangereuse. Le *Times* avait fortement réprouvé Otepka et avait exprimé son indignation dans un éditorial :

> « Le respect des procédures est essentiel si l'on ne veut pas que la division vitale entre le législatif et l'exécutif soit mimée. L'emploi de méthodes " clandestines " pour obtenir des documents secrets de fonctionnaires de bas niveau constitue une dangereuse violation de ces procédures. »

Le *Washington Post* en avait été tout aussi scandalisé :

> Si n'importe quel sous-fifre du Département d'Etat était libre de révéler à sa discrétion des câbles confidentiels ou si n'importe quel agent du F.B.I. pouvait communiquer le contenu de dossiers secrets quand l'envie l'en prend, la branche exécutive du Gouvernement se verrait privée de toute sécurité.

Quand on interrogea le directeur du *Times,* Arthur Sulzberger, sur les craintes du Gouvernement que la publication des Papiers du Pentagone sape la confiance des gouvernements étrangers en nos possibilités de traiter en toute sécurité, il aurait répliqué : « Ah, tout ça, c'est bidon. Je le pense vraiment! »

Le mardi 15 juin, le ministère de la Justice enjoignit au *Times* d'interrompre la publication jusqu'à ce que le gouvernement puisse examiner les documents et vérifier qu'ils ne posaient pas de graves problèmes de sécurité. Cependant le *Washington Post*, le *Boston Globe,* et le *Saint Louis Post Dispatch* avaient obtenu des copies et commencé la publication de leur côté.

Devant le tribunal, l'avocat du *Times* déclara à un moment donné que même si la publication des Papiers du Pentagone retardait le retour de nos prisonniers de guerre, c'était un risque que nous devrions être prêts à courir afin de protéger le Premier Amendement. Je fus outré. Je ne considérais pas que les droits accordés par le Premier Amendement, ou n'importe quel autre, étaient supérieurs au droit d'un seul soldat américain de rester vivant en temps de guerre.

Les tribunaux inférieurs furent divisés; le 24 juin, le gouvernement et le *New York Times* en appelèrent à la Cour suprême. La Cour rendit son verdict le 30 : le Gouvernement perdait à 6 contre 3. Cette majorité exprima son opinion en ces termes : « Ces révélations peuvent avoir de graves conséquences, mais ce n'est pas une raison pour sanctionner une tentative pour museler la presse. »

Le président Burger, qui n'était pas de l'avis de la majorité des juges, s'étonna de ce que le *Times* n'ait même pas consulté le gouvernement : « Pour moi, il est à peine croyable qu'un journal considéré depuis longtemps comme une grande institution nationale omette d'accomplir un des simples devoirs fondamentaux de tout citoyen quand à la découverte ou la possession de biens volés ou de documents secrets du gouvernement... Ce devoir incombe aux chauffeurs de taxi, aux juges et au *New York Times.* »

Au début, j'avais espéré que les anciens Présidents Truman et Johnson se joindraient à moi pour s'élever fermement en public contre de telles fuites de documents secrets. A ma connaissance, toutefois, Truman ne fit aucun commentaire. Et après s'être entretenu avec Johnson, Bryce Harlow rapporta que ce dernier estimait que tout ce qu'il dirait paraîtrait maintenant comme une défense de ses intérêts personnels et serait retourné contre lui par le *Washington Post* et le *New York Times.* Ces journaux, disait-il, essayaient simplement de le « ré-exécuter ». Harlow présentait Johnson comme un homme presque brisé, au bord du désespoir. Il avait parlé amèrement, par brusques éclats, accusant les « professeurs » responsables de l'étude d'avoir pris à tort des plans hypothétiques pour des décisions présidentielles. Les auteurs de l'étude avaient tous été mêlés aux actions qui les faisaient « râler » maintenant, avait dit Johnson en ajoutant que jamais il n'avait pris de décision importante sur l'escalade ou l'emploi de l'armée sans le plein accord de McNamara et d'autres collaborateurs.

Nous avions perdu notre bataille juridique contre le journal qui publiait les documents, mais j'étais résolu à ce que nous gagnions au moins notre affaire sur le plan public contre l'homme que je soupçonnais de les avoir volés, Daniel Ellsberg. Quoi que puissent penser les autres, je considérais qu'Ellsberg avait commis un acte vil et méprisable en révélant des secrets de politique étrangère en temps de guerre.

Il fut inculpé par une chambre des mises en accusation de Los Angeles de vol de biens du gouvernement et de possession non autorisée de documents et d'écrits relatifs à la défense nationale. A la foule d'admirateurs qui l'attendaient à la sortie du tribunal, Ellsberg déclara : « En tant que citoyen, je me félicite d'avoir fait de l'aussi bon travail... »

Kissinger, Haldeman, Ehrlichman et moi, nous nous étions réunis dans l'après-midi du 17 juin pour examiner la situation. Kissinger nous dit qu'il avait eu Ellsberg comme élève à Harvard et que c'était un des plus intelligents mais en même temps un être très instable.

Ellsberg se déclarait convaincu que j'avais l'intention d'accentuer les efforts de guerre plutôt que de rappeler les soldats du Vietnam. Il prétendait que l'opposition publique croissante était nécessaire pour imposer le retrait unilatéral. J'avais donc de bonnes raisons d'être inquiet de ce qu'il pourrait encore faire. Pendant ses années passées à la Défense, il avait eu accès à des informations les plus délicates. Et la Corporation Rand, où il travaillait avant de remettre au *Times* les Papiers du Pentagone, possédait 173 000 documents classés secrets. Je me demandais combien Ellsberg pouvait en avoir entre les mains, et ce qu'il pourrait bien donner d'autre aux journaux.

La fuite des Papiers du Pentagone se produisait à un moment particulièrement délicat. Nous n'étions qu'à trois semaines du voyage secret de Kissinger en Chine et les pourparlers S.A.L.T. étaient commencés. Sir Robert Thompson avait écrit en avril que le principal facteur influant à présent sur le cours de la guerre était psychologique : notre politique militaire donnait de bons résultats sur le champ de bataille; mais les divisions en Amérique faisaient tergiverser les Nord-Vietnamiens à Paris. Nous avions eu de violentes manifestations en mai, à Washington. Le 31 mai, aux pourparlers secrets de Paris, Kissinger avait ajourné notre proposition de paix la plus étendue à ce jour. Le 13 juin, les Papiers du Pentagone étaient publiés et le 22 le Sénat votait sa première résolution établissant un calendrier de retrait pour le Vietnam. Sous peu, les Nord-Vietnamiens allaient refuser notre nouvelle proposition et commenceraient à préparer une offensive militaire.

Ellsberg n'était pas notre seul souci. Dès le début il y avait eu des rumeurs de conspiration. Le premier rapport, écarté par la suite, concernait un ami d'Ellsberg, ancien employé du ministère de la Défense, qui était alors membre d'une société savante, la Brookings Institution. J'avais entendu parler de lui tout au début de mon mandat quand j'avais demandé à Haldeman de me procurer une copie du dossier du Pentagone sur les événements ayant abouti à l'annonce de l'arrêt des raids, par Johnson, à la fin de la campagne de 1968. Je voulais savoir ce qui s'était réellement passé; je tenais aussi à connaître ce renseignement pour avoir une arme contre ceux du Gouvernement de Johnson qui essayaient à présent de saper ma politique de guerre. On me dit qu'une copie des dossiers sur l'arrêt des bombardements ainsi que d'autres documents secrets avaient été transportés du Pentagone à Brookings par cet homme-là. Je voulais récupérer les documents, mais j'appris qu'une copie du rapport sur l'arrêt des raids avait déjà « disparu »; j'étais sûr que si le bruit courait que nous la voulions, la copie de Brookings disparaîtrait aussi.

A la suite de la fuite des Papiers du Pentagone, avec toute l'incertitude et les nouvelles critiques de la guerre qu'elle provoqua, mon intérêt pour le dossier sur l'arrêt des bombardements se ralluma. Quand on m'annonça qu'il était toujours à Brookings, j'enrageai. En pleine guerre, alors que nos secrets étaient révélés par la presse dans le monde entier, des rapports ultra-secrets du Gouvernement étaient hors d'atteinte, entre les mains d'une société savante privée composée en majorité de Démocrates adversaires de la guerre. Cela paraissait absurde. Je ne pouvais tolérer que nous ayons perdu à ce point le contrôle des travaux du Gouvernement auquel nous avions été élus. Je ne voyais en outre vraiment aucune raison pour que ce rapport soit à Brookings. Je déclarai qu'il me le fallait immédiatement, même si nous devions nous en emparer subrepticement. Ma résolution ne fit que s'affermir quand j'appris qu'une circulaire de Brookings datant de 1969 annonçait une nouvelle étude sur le Vietnam, à publier en 1971, qui serait basée en partie sur des « documents de l'exécutif ». Cette étude était dirigée par le Dr Daniel Ellsberg.

Nous apprîmes aussi qu'un collaborateur d'Elliot Richardson au Département d'Etat avait donné accès à Ellsberg aux documents actuels du Vietnam en 1970. Même après une fuite sur cette information, probablement due à Ellsberg, Richardson avait refusé de renvoyer son assistant. On savait aussi qu'un certain nombre de gens de l'équipe Kissinger avaient des amis et des contacts à Brookings et je me demandais si l'un d'eux avait fourni à Ellsberg et à ses amis des documents et de l'information.

Au début de juillet, John Mitchell rapporta que la Justice détenait des renseignements indiquant qu'Ellsberg faisait partie d'un complot; nous reçûmes un rapport selon lequel l'ambassade soviétique à Washington avait reçu une copie des Papiers du Pentagone avant qu'ils soient publiés par le *New York Times*; on me dit que certains documents remis au journal ne faisaient même pas partie de l'étude de McNamara. Une fois de plus la question se posait : qu'avait encore fait Ellsberg et que projetait-il de faire en plus?

En attendant, Ellsberg se servait avec succès de la presse, des émissions parlées de la télévision et des marches anti-guerre pour défendre le principe du dissentiment illégal. Kissinger déclara que nous étions dans une situation « révolutionnaire ».

Alors que notre inquiétude au sujet d'Ellsberg et de ses collaborateurs possibles allait grandissant, nous apprîmes que J. Edgar Hoover n'accordait à l'affaire qu'une relative priorité et n'y affectait aucune équipe spéciale. Il pensait que s'il agissait trop vigoureusement, la presse ferait passer Ellsberg pour un martyr et le F.B.I. pour le « méchant ». Il y avait aussi et surtout que d'autres que lui, principalement au ministère de la Défense, enquêtaient de leur côté, et Hoover n'avait jamais aimé partager son territoire avec qui que ce fût.

Je me moquais des raisons ou des excuses. Je voulais qu'on mette le feu aux fesses du F.B.I. et que tous les services s'activent à rechercher les responsables de fuites. Si une conspiration existait, je voulais le savoir, et je voulais que toutes les ressources du Gouvernement entrent en jeu pour le découvrir. Si le F.B.I. ne voulait pas poursuivre l'enquête comme il convenait, nous nous en occuperions nous-mêmes. Ellsberg avait un grand succès dans la presse, avec ses efforts pour justifier une dissidence illégale, et j'estimais qu'il devait être discrédité. J'insistai pour tout connaître sur ses antécédents, ses mobiles et ses conjurés, s'ils existaient.

J'étais résolu aussi à ne pas me croiser les bras pendant que les architectes démocrates de notre engagement au Vietnam tenteraient de me faire payer politiquement cette guerre. Je voulais qu'un agent politique expert trie les Papiers du Pentagone ainsi que les dossiers des Départements d'Etat et de la Défense, pour découvrir tous les faits sur la Baie des Cochons, l'assassinat de Diem et l'arrêt des bombardements par Johnson en 1968. Nous abordions une année électorale, où la guerre du Vietnam allait peser lourd. Je tenais à posséder des munitions contre les hommes qui, sous Kennedy et Johnson, nous avaient fourrés dans la fondrière du Vietnam.

Le 17 juillet 1971, Ehrlichman chargea Egil « Bud » Krogh, un jeune avocat du Conseil de l'Intérieur, de diriger le projet des fuites. David Young, avocat et ancien assistant de Kissinger, Howard Hunt, ancien de la C.I.A. qui travaillait déjà avec Chuck Colson, furent nommés pour assister Krogh. Ils furent bientôt rejoints par un ancien du F.B.I., G. Gordon Liddy. Un an et demi plus tard seulement, j'appris que comme leur travail consistait à colmater des fuites ils s'étaient intitulés en plaisantant « les Plombiers ».

Au cours du week-end de Labor Day, 1971, le groupe de Krogh pénétra par effraction dans le cabinet du psychiatre d'Ellsberg afin d'obtenir des renseignements dans ses dossiers sur les mobiles de son client, ses intentions futures et tout co-conspirateur possible.

Je ne crois pas avoir été mis au courant du cambriolage à l'époque, mais il est clair qu'il était au moins en partie issu de ma hâte à discréditer Ellsberg et à savoir ce qu'il risquait encore de faire. Compte tenu de l'humeur de ces temps amers et tendus, du péril que je percevais, je ne saurais dire si, au cas où j'aurais été informé à l'avance, j'aurais jugé cette action mal venue. Ehrlichman assure qu'il n'en avait rien su à l'avance mais qu'il ne m'en parla qu'après, en 1972. Je ne m'en souviens pas et les bandes de juin-juillet 1972 indiquent que je n'en savais rien alors; mais je ne puis le jurer.

Aujourd'hui, le cambriolage chez le psychiatre d'Ellsberg paraît odieux et excessif. Mais je ne puis admettre que c'était aussi odieux et excessif que ce qu'Ellsberg avait fait. Je crois encore fermement qu'il est dramatique que Bud Krogh et John Ehrlichman soient allés en prison alors que Daniel Ellsberg était laissé en liberté.

Avec le recul, je vois bien que lorsque j'ai compris que la guerre du Vietnam ne pouvait pas être terminée vite et facilement et qu'il me faudrait affronter un mouvement anti-guerre capable de dominer la presse, je me suis laissé entraîner à l'état d'esprit même que je réprouvais chez les chefs de ce mouvement. Ils en venaient de plus en plus à justifier presque n'importe quoi pour imposer de force une fin à cette guerre qu'ils trouvaient injustifiée et immorale. J'étais également poussé à préserver la politique étrangère du gouvernement et à la poursuivre de la manière que je jugeais la meilleure pour aboutir à la paix. Pour moi, la défense nationale était en cause. Je le crois encore aujourd'hui et, dans les mêmes circonstances, j'agirais encore comme je l'ai fait alors. L'histoire jugera les actes, les réactions et les excès des deux camps. C'est un jugement que je ne crains absolument pas.

Le 23 juillet, la veille du jour où nous devions faire connaître notre position officielle aux pourparlers S.A.L.T. à Helsinki, le *New York Times* publia en première page une fuite sur notre position de repli dans les négociations. Je secouai Krogh et lui dis que nous ne pouvions le tolérer. Le 13 août, le *Times* passa un article basé sur un rapport de la C.I.A. que nous avions reçu à la Maison Blanche depuis quelques jours à peine. À l'automne, la C.I.A. déclara que nous étions victimes de la pire épidémie de fuites depuis 1953. J'exhortai tout le monde à enquêter de plus belle.

Finalement, l'affaire des Papiers du Pentagone et les inquiétudes qu'elle avait causées s'apaisèrent et nos pensées se tournèrent vers d'autres sujets.

Il est tout de même intéressant de noter que nos efforts pour connaître, sur la foi des documents, le rôle du Gouvernement Kennedy dans l'assassinat de Diem et la Baie des Cochons se révélèrent difficiles. La C.I.A. se protège, même des Présidents. Helms refusa de remettre à Ehrlichman les rapports internes de l'Agence traitant de ces deux sujets. A un moment donné, il dit à Ehrlichman au téléphone que même lui n'avait pas de copie d'un des rapports clefs sur la Baie des Cochons. Il s'inquiétait aussi parce que Howard Hunt avait dit qu'il aimerait fouiller dans le « linge sale » de l'Agence...

Helms finit par m'apporter plusieurs documents que je lui avais demandés personnellement. Je lui promis de ne pas m'en servir pour faire du tort à son prédécesseur, à la C.I.A. ni à lui-même. « Je n'ai qu'un Président à la fois, me répondit-il. Je ne travaille que pour vous. » Cependant, quand Ehrlichman parcourut ce que Helms avait fourni, il s'aperçut que plusieurs rapports, dont celui sur la Baie des Cochons, étaient encore incomplets.

La C.I.A. était bouclée comme un coffre-fort et nous ne trouvions personne pour nous donner la combinaison.

1971 : CONTROLE ÉCONOMIQUE

J'ai toujours pensé que l'économie américaine n'est jamais aussi florissante que lorsque le Gouvernement ne s'en mêle pas, ou très peu. Toutefois, en août 1971, je proposai une suite de contrôles et de réformes économiques qui laissèrent pantois jusqu'aux plus ardents partisans du contrôle des prix et des salaires.

L'économie qu'Eisenhower avait léguée à Kennedy en janvier 1961 était remarquablement stable, avec un taux d'inflation d'environ 1,5 pour cent. En 1968, en grande partie à cause des effets de la guerre du Vietnam, elle était montée à 4,7 pour cent. Mais la guerre n'était pas l'unique cause d'inflation. Johnson avait voulu satisfaire tout le monde; il avait encouragé le peuple américain à croire que, même en temps de guerre, il pouvait avoir du beurre ainsi que des canons. En fait, l'expansion de la Grande Société était financée par des dépenses déficitaires.

Le thème principal de ma politique économique, en 1969 et 1970, avait été le rejet de « l'emprise » du Gouvernement sur le commerce et le travail pour restreindre l'inflation. Sous le Gouvernement de Johnson, toutes les mesures tendant à modérer les augmentations des salaires et des prix avaient été à l'évidence inefficaces. J'étais aussi fortement opposé au contrôle obligatoire des salaires et des prix parce que je pensais qu'il constituerait une ingérence du Gouvernement sur le marché libre et finirait par créer un appareil administratif qui aurait un pouvoir dictatorial sur la direction des affaires.

Vers la fin de 1969, on put espérer que l'inflation se calmait. Mais au printemps de 1970, nous rencontrâmes des difficultés. Le chômage, causé en partie par la réduction du service armé à la suite de nos retraits de troupes, monta à 5 pour cent; le taux d'inflation n'avait toujours pas baissé et un fort déclin de la Bourse inspirait une vive appréhension pour l'avenir proche de notre économie.

Malgré mes objections, le Congrès m'envoya un projet de loi habilitant le Président à contrôler les prix et les salaires. Comme mon opposition à ce contrôle était bien connue, je considérai ce projet comme une manœuvre politique du Congrès démocrate visant à mettre publiquement la balle dans mon camp. Dans une certaine mesure, ce plan marcha. Tout en n'acceptant pas de passer complètement à un système de contrôle obligatoire des salaires et des prix, je sentais que si je refusais d'entreprendre une action, je risquais d'aggraver le manque de confiance général qui commençait à faire du tort à l'économie et à compromettre ses chances de redressement.

Par conséquent, en juin 1970, je fis une allocution télévisée sur l'économie exposant les mesures de base que je comptais essayer pour ralentir l'inflation. J'annonçai mon projet de nommer une Commission nationale de la Productivité, dont les membres seraient choisis dans les milieux de l'industrie, du commerce, du travail et du Gouvernement. La tâche de la commission consisterait à établir un équilibre entre le prix de revient et la production amenant à des prix plus stables. Je demandai au Conseil Economique de lancer périodiquement des « alertes à l'inflation » qui nous permettraient de mieux situer l'origine du problème, et surtout d'analyser les interactions entre les salaires et les prix. Cette action était destinée à mettre à l'épreuve l'idée qu'en rendant publique l'augmentation des prix et des salaires, passée ou future, producteurs, commerçants et consommateurs se dissuaderaient d'eux-mêmes d'un comportement inflationniste.

Aucune de ces mesures n'eut, en 1970, d'effet significatif sur l'économie. Alors je fis une nouvelle tentative. Le budget que je soumis en janvier 1971 était calculé pour être équilibré au plein emploi, et déficitaire quand le chômage augmentait, pour donner un coup de fouet à l'économie. En même temps que cette nouvelle politique budgétaire du « plein emploi », il devrait y avoir un taux d'expansion monétaire suffisant pour faire remonter l'économie au niveau désiré.

Quand je mis au courant les leaders parlementaires républicains de ce budget qui, en fait, appuyait le concept de la dépense déficitaire en période de chômage important, le député de l'Illinois Les Arends secoua tristement la tête et dit : « Monsieur le Président, je vous soutiendrai comme je le fais toujours, mais il va me falloir brûler bien des vieux discours dénonçant les dépenses déficitaires. » Je lui répliquai : « Je suis dans le même bateau. »

Cependant, l'économie ne se redressait pas. Le 26 juin 1971, je réunis mes conseillers économiques à Camp David. Nous discutâmes longuement des problèmes et de leurs remèdes possibles. Après avoir soupesé tous les facteurs, je décidai de continuer sur la même voie à une exception près. Pendant plusieurs mois, j'avais été inquiet des points de vue contradictoires qui filtraient de divers organes du Gouvernement et contribuaient à créer dans le pays un sentiment de confusion et de désordre. Ma solution au problème de cette cacophonie, résultant des voix trop nombreuses qui se faisaient entendre, était d'en désigner une seule : un porte-parole économique qui serait la source autorisée pour ma politique économique. Je choisis pour cela John Connally.

Ministre du Trésor, Connally avait des responsabilités économiques mais, surtout, il parlait bien et il était capable de faire entendre sa résolution à appliquer vigoureusement les décisions présidentielles.

Le 29 juin, il annonça aux journalistes accrédités à la Maison Blanche les décisions prises à Camp David. Par ce qui fut appelé les « Quatre Non », il déclara qu'il n'y aurait *pas* de conseil de contrôle des salaires et des prix, *pas* de contrôle obligatoire des salaires et des prix, *pas* de réduction des impôts et *pas* d'augmentation des dépenses de l'Etat.

Répondant aux questions des journalistes, Connally affirma avec force que l'économie était en expansion et que des jours meilleurs se profilaient. Mais, malgré tout son talent, rien ne pouvait redresser la situation économique, psychologique et politique troublée qui se développait depuis plusieurs années.

Cependant, un événement inattendu allait nous forcer à accélérer, d'une façon spectaculaire, notre calendrier économique. Dans la deuxième semaine d'août, l'ambassadeur de Grande-Bretagne vint au ministère du Trésor demander que 3 milliards de dollars soient convertis en or. Que nous accédions à cette requête ou que nous la refusions, les conséquences de notre action seraient périlleuses : si nous donnions aux Britanniques l'or qu'ils voulaient, d'autres pays risquaient de se précipiter pour avoir le leur. Si nous refusions, alors nous avouerions notre souci de ne pouvoir accéder à toute requête de conversion en or. Connally demanda un délai pour répondre, mais nous savions que nous aurions à affronter bientôt une crise majeure concernant la position économique internationale des Etats-Unis.

Agissant sur la recommandation de Connally, j'organisai une réunion au sommet à Camp David, le 13 août. Quinze experts économiques, des membres de la Maison Blanche et un rédacteur s'y rassemblèrent, certains arrivant par des chemins secrets et détournés pour que la nouvelle de la réunion elle-même ne déclenche pas une vague de spéculation internationale.

Ces hommes qui comprenaient les délicates complexités de l'économie étaient John Connally, Arthur Burns, George Shultz, Paul McCracken et Herbert Stein, de mon Conseil Economique; Peter Petersen, président du Conseil de Politique économique internationale, et Paul Volcker, secrétaire d'Etat au Trésor pour les Affaires monétaires. Et puis, de mon équipe personnelle, Haldeman, Ehrlichman et Bill Safire.

Je commençais par établir le règlement qui devrait rester en vigueur pendant les jours suivants, jusqu'à ce que j'annonce officiellement ma décision : « Dans le passé, des fuites ont compromis nos positions sur diverses questions. Entre aujourd'hui et lundi, personne ici ne dira un mot. »

Puis je donnai la parole à Connally qui exposa succinctement les projets auxquels travaillaient les experts : la fermeture de la « fenêtre de l'or », en permettant au dollar de flotter; l'imposition d'une taxe d'importation de 10 % qui serait principalement une monnaie d'échange afin de dissuader des pays étrangers de dévaluer leur monnaie pour promouvoir leurs exportations; la restauration du crédit de la taxe d'investissement pour stimuler le commerce; un allégement nouveau de l'impôt sur le revenu; et l'abolition de la taxe à la production sur les voitures automobiles pour encourager la vente.

Il garda pour la fin la mesure qui serait jugée la plus spectaculaire par le peuple américain : un blocage des salaires et des prix de quatre-vingt-dix jours.

Je voulais annoncer ces décisions dès le dimanche soir afin que la nouvelle politique soit connue avant l'ouverture de la Bourse le lundi matin.

Tout en travaillant à mon discours avec Bille Safire, pendant le week-end, je me demandais quels seraient les gros titres : « *Nixon prend des mesures hardies* », ou bien « *Nixon change d'idée* »? Ayant parlé tout récemment encore des maux du contrôle des salaires et des prix, je savais que je pouvais être accusé d'avoir trahi mes propres principes ou d'avoir dissimulé mes intentions réelles. Philosophiquement, pourtant, j'étais toujours opposé au contrôle des prix et des salaires, tout en étant convaincu que la réalité objective de la situation me forçait à l'imposer.

La réaction du public à mon discours télévisé fut extraordinairement favorable. 90 % des journaux télévisés du lundi y furent consacrés et l'on insistait surtout sur la brillante démonstration que John Connally avait faite dans la journée. De Wall Street, les nouvelles affluèrent : 33 millions d'actions s'étaient échangées à la Bourse de New York ce lundi et le Dow Jones avait gagné 32,93 points.

Dans les trois mois suivants, le Nouveau Plan Economique commença à « prendre ». En 1971, le taux d'inflation était de 3,8 % avant le blocage. Il tomba à 1,9 % pendant; et puis, après un sursaut à la fin du blocage, il se stabilisa à 3 % environ en 1972. Le chômage, qui était de 6,1 % avant la nouvelle politique, baissa à 5,1 % à la fin de 1972.

Un sondage Harris effectué six semaines après l'annonce des décisions indiqua que, par 53 % contre 23, les Américains croyaient à la réussite de ma politique économique.

Que récolta l'Amérique de sa brève incursion dans le contrôle économique? La décision de l'imposer prise le 15 août 1971 était politiquement nécessaire et, à court terme, elle fut immensément populaire. Mais, à long terme, je crois qu'elle était mauvaise. Les violons doivent toujours être payés, et la manipulation des mécanismes de l'économie orthodoxe revenait indiscutablement très cher.

En me concentrant sur le problème économique le plus urgent de mon mandat — celui de l'inflation et du chômage —, je tentais de mettre en lumière le domaine dans lequel nous jugions nécessaire d'abandonner spectaculairement le marché libre pour y revenir péniblement ensuite. Mais il y eut aussi bon nombre de mesures économiques prises au cours de ma Présidence qui reflétaient mieux ma philosophie économique et qui, à long terme, seront peut-être plus importantes.

Par exemple, en 1969, nous réduisîmes les impôts sur le revenu et le supprimâmes même pour six millions de personnes à faible revenu. En 1973, nous avions déjà libéré l'agriculture de presque tous les contrôles de production, pour la première fois depuis trente-cinq ans. Nous avions aboli de nombreux contrôles sur les mouvements internationaux de capitaux, qui avaient été imposés dans les années 60, et nous prenions la tête pour établir un système international de libération des cours du change. Nous insistâmes pour que le Congrès autorise des négociations pour la réduction des barrières douanières internationales et la première de ces négociations eut lieu à Tokyo en septembre 1973. Nous commençâmes aussi à prendre des mesures pour réduire ou éliminer la réglementation dans les domaines des transports et des finances qui représentait un fardeau pour l'industrie et revenait cher au consommateur.

Certaines gens pensent que le marché libre ne concerne que les hommes d'affaires. Mais quand je suis entré en fonction, une des plus graves et des plus injustes restrictions du libre-échange était la conscription qui imposait un service à tout le monde plutôt que de recruter les services de ceux qui les fournissent volontairement. Ainsi la suppression de la conscription et la création d'une armée de volontaires, en janvier 1973, fut aussi un pas important vers une liberté économique significative.

Les conservateurs sont toujours désavantagés quand ils parlent d'économie parce que leur conviction qu'une douleur puisse être nécessaire dans l'immédiat pour sauver le malade plus tard est traditionnellement interprétée par les politiciens et commentateurs libéraux comme un « manque de cœur » ou une « indifférence sans pitié à la souffrance humaine ».

Il est navrant que la *politique* de l'économie en soit venue à dicter l'action plus que l'*économie* de l'économie. Assez naturellement, quand la prudence entre en conflit avec la réalité politique, cette dernière triomphe parfois. Comme toutes les simplifications, celle-ci paraît trop cynique; mais je puis témoigner personnellement du fait que même celui qui a des idées économiques bien ancrées peut être affecté par la critique et les clameurs de ceux qui veulent une politique différente.

L'entreprise gouvernementale est le moyen le plus inefficace et le plus coûteux de produire des emplois. Grâce au système de la libre entreprise, avec tous ses défauts, les Etats-Unis ont en 200 ans livré la bataille la plus victorieuse contre la pauvreté dans toute l'histoire. L'entreprise privée est un instrument de changement et de progrès; l'entreprise gouvernementale décourage presque invariablement le changement et freine le progrès.

Il est significatif de noter que notre principal concurrent communiste, l'Union Soviétique, a jugé nécessaire d'adopter *notre* méthode pour accroître sa production. Et alors que les communistes provoquaient par nécessité une stimulation accrue pour avoir des producteurs plus efficaces, les Etats-Unis semblent se tourner lentement mais sûrement vers les méthodes de l'U.R.S.S. en décourageant les stimulations.

L'Amérique d'aujourd'hui est un gouffre pour ce qui est de notre système politique et économique. Les impôts fédéraux, des Etats et locaux absorbent maintenant 40 % de notre produit national brut. Si ce pourcentage continue de monter, nous en arriverons bientôt à ce que les gens travaillent plus pour le Gouvernement que pour eux-mêmes. Si ce jour arrive, alors disparaîtra le système de l'entreprise privée qui a fait de l'Amérique le pays le plus libre et le plus prospère du monde. Espérons que les hommes d'Etat des deux partis verront à temps le danger de cette situation et ne la laisseront pas se créer.

PERCÉE DE S.A.L.T. ET ACCORDS DE BERLIN

A écouter les prophètes de malheur qui n'ont jamais manqué nulle part, l'annonce de mon voyage en Chine, le 15 juillet 1971, compromettrait gravement les relations américano-soviétiques. *Ce fut le contraire qui arriva.* Le 12 octobre, une déclaration commune à Washington et à Moscou confirma que j'irais en visite officielle en Union Soviétique trois mois après mon retour de Chine.

Un sommet U.S.A.-U.R.S.S. devenait enfin possible grâce à deux réalisations : un progrès dans les pourparlers sur la limitation des armes stratégiques (S.A.L.T.) avant la révélation de l'ouverture à la Chine et un progrès sur un accord de Berlin après l'annonce du voyage en Chine.

Les pourparlers S.A.L.T., commencés à la fin de 1969, s'étaient vite enlisés parce que les deux camps différaient sur l'ampleur d'un accord. Plus simplement, les Soviétiques voulaient conclure un accord ne portant que sur la limitation des systèmes de défense A.B.M. alors que nous tenions à un règlement plus vaste couvrant non seulement les systèmes défensifs comme l'A.B.M., mais aussi les armes offensives comme les missiles balistiques intercontinentaux (I.C.B.M.) et les véhicules à visée indépendante multiple (M.I.R.V.).

Le 9 janvier 1971, j'envoyai à Brejnev un message personnel soulignant la nécessité de lier les armes défensives et offensives si nous voulions parvenir à un accord.

Deux semaines plus tard, Kissinger s'entretint avec Dobrynine qui revenait d'une longue consultation avec Brejnev à Moscou. Lors de cette réunion, Dobrynine suggéra la fin de l'été pour une rencontre au sommet et indiqua qu'un accord S.A.L.T. pourrait être mis au point suivant les lignes de compromis que nous avions suggérées : une formule A.B.M. alliée seulement à un blocage sur les armes offensives, pendant que d'autres pourparlers se déroulaient.

Le 12 mars, cependant, Dobrynine apporta une réponse à notre accord S.A.L.T. proposé qui semblait revenir à la ligne plus dure insistant sur des termes « A.B.M. seulement ». Après avoir fait apparemment des progrès considérables, nous entrions dans une nouvelle période où les Soviétiques semblaient vouloir nous mettre à l'épreuve.

Cette volte-face soudaine était peut-être un dernier test qu'ils jugeaient indispensable, ou alors Brejnev couvrait ses propres flancs à la veille d'un Congrès du Parti. Quelles que soient les raisons, le 26 mars, Dobrynine reçut de Moscou de nouvelles instructions : elles incarnaient la percée que nous attendions. Les Soviétiques acceptaient de poursuivre les pourparlers; et même, ils retenaient l'idée d'un blocage sur les armes offensives, mais lorsqu'on aurait conclu un accord A.B.M.

Les pourparlers S.A.L.T. de Vienne, sous la présidence de notre principal négociateur Gerard Smith, et l'échange secret de messages par l'intermédiaire de Kissinger et de Dobrynine devinrent immédiatement plus intenses et plus sérieux. Le principal problème, à mes yeux, allait être la position de négociation des U.S.A. Les colombes du Congrès traitaient la proposition « A.B.M. seulement » des Soviétiques comme une manière de remporter une tardive victoire sur le gouvernement à propos de la question de l'A.B.M. et me pressaient d'accepter immédiatement.

Je pensais qu'il serait désastreux d'entamer dans cette position les négociations S.A.L.T. finales. J'étais convaincu que le seul moyen efficace de parvenir à une limitation de l'armement serait de présenter aux Soviétiques une alternative inacceptable sous la forme d'un accroissement de l'armement américain et de notre résolution à nous en servir.

Le 20 avril, je reçus pendant une heure et demie, dans la Salle du Conseil, un groupe de sénateurs républicains. Je leur dis : « Si l'on veut donner une chance à S.A.L.T., nous ne pouvons pas faire cadeau au Sénat de choses dont nous risquons d'avoir besoin pour négocier avec les Soviétiques. Ils diront : " Pourquoi continuerions-nous de négocier S.A.L.T. alors que les Etats-Unis vont entreprendre ces actions unilatéralement? " Les Russes aspirent beaucoup à un accord, mais nous savons qu'ils ne traiteront qu'à partir d'une position forte et qu'ils ne respectent que la force; sinon, comme le montre l'histoire, ils se sont toujours introduits dans les vides du pouvoir. »

Le 12 mai, Dobrynine communiqua à Kissinger la dernière proposition soviétique concernant S.A.L.T. Ils renonçaient à la dernière condition inacceptable. Maintenant, nous avions notre percée. Je parus devant les caméras de télévision dans la salle de presse de la Maison Blanche le 20 mai à midi.

« Comme vous le savez, dis-je, les pourparlers soviético-américains sur la limitation des armes nucléaires sont restés dans l'impasse pendant plus d'un an. A la suite de négociations au plus haut niveau des deux Gouvernements, je puis vous annoncer aujourd'hui un important événement qui met fin à l'impasse. » Je lus la déclaration, qui était rendue publique au même moment à Moscou. Ses termes étaient volontairement vagues : elle disait simplement que nous étions convenus de nous concentrer sur un accord A.B.M. et qu'ils avaient accepté « certaines mesures » portant sur la limitation des armes offensives.

Les pourparlers de Berlin aboutirent à la fin du mois d'août. Après seize mois de négociations au cours desquelles nous étions représentés par notre ambassadeur en Allemagne fédérale Kenneth Rush, les Etats-Unis, en collaboration avec le Royaume-Uni et la France, parvenaient à un accord avec les Soviétiques, sur Berlin, qui dissipait un peu de la tension accumulée en vingt-six ans de division de !a ville. L'accord contenait des clauses qui mettraient fin aux tracasseries dont étaient victimes les voyageurs et les visiteurs de Berlin-Ouest à Berlin-Est et en Allemagne de l'Est, rendraient possible la délivrance aux Berlinois de l'Ouest de passeports pour la partie contrôlée par les communistes et assureraient la représentation à l'étranger de Berlin-Ouest par le gouvernement de Bonn. Avant

1971, il était courant de considérer Berlin et le Moyen-Orient comme les plus grandes pierres d'achoppement dans les relations U.S.A.-U.R.S.S. En supprimant au moins un de ces obstacles, nous pavions la voie pour une rencontre au sommet.

L'annonce du sommet soviétique pour mai 1972 fut une surprise totale. Le *Detroit Free Press* intitula son éditorial : « *Un autre lapin du chapeau du toujours stupéfiant Nixon.* » Le *Wall Street Journal* déclara que la programmation des deux sommets reflétait « le point de vue le plus optimiste de la politique internationale qu'aucun Président n'a défendu depuis bien des années ».

Les réactions ne furent pas toutes positives. George Meany, qui avait pu réprimer son enthousiasme à l'annonce du voyage en Chine, suggérait maintenant que je pourrais aussi vouloir rendre visite à Allende au Chili et à Castro à Cuba :« S'il va voir les fumiers du monde, pourquoi est-ce qu'il ne va pas tous les voir? »

L'essentiel, c'était que nos patients préparatifs avaient largement payé. Nous aurions un voyage en Chine et aussi un sommet soviétique.

LA GUERRE INDO-PAKISTANAISE

Dans la matinée du 4 novembre, je reçus dans le Bureau Ovale le Premier Ministre de l'Inde, Indira Gandhi. Sa visite à Washington tombait à une date critique. Huit mois plus tôt, il y avait eu une révolte dans le Pakistan oriental contre le gouvernement du Président Yahya Khan. Les autorités indiennes révélèrent que près de 10 millions de réfugiés avaient fui le Pakistan oriental vers l'Inde. Nous savions que Yahya Khan aurait finalement à accéder aux demandes d'indépendance du Pakistan oriental et nous l'avions exhorté à adopter une attitude plus modérée et plus conciliante. Mais nous ne soupçonnions pas dans quelle mesure l'Inde sauterait sur cette occasion non seulement pour détruire le contrôle du Pakistan oriental mais encore pour affaiblir le Pakistan occidental.

Madame Gandhi me félicita chaudement sur mes initiatives pour mettre fin à la guerre du Vietnam et sur la hardiesse de la décision chinoise. Nous parlâmes de la situation troublée au Pakistan et je soulignai qu'il était important que l'Inde ne fasse rien pour l'aggraver.

Elle m'assura sur un ton sincère que l'Inde n'était en aucune façon motivée par une attitude anti-Pakistan. « L'Inde n'a jamais souhaité la destruction du Pakistan ni son incapacité permanente, dit-elle. Par-dessus tout, l'Inde cherche à restaurer la stabilité. Nous voulons éliminer le chaos à tout prix. »

J'appris plus tard qu'alors même que nous causions, Madame Gandhi savait que ses généraux et conseillers se préparaient à intervenir au Pakistan oriental et envisageaient des plans pour attaquer aussi le Pakistan occidental.

Si l'Inde était officiellement neutre et continuait de bénéficier de notre aide à l'étranger, Madame Gandhi s'était peu à peu alignée sur les Soviétiques et recevait une aide économique et militaire substantielle de Moscou. Le Président Ayoub Khan et son successeur Yahya Khan avaient riposté en développant les relations du Pakistan avec la République Populaire de Chine. Avec Moscou lié à New Delhi et Pékin à Islamabad, les possibilités étaient grandes que le sous-continent devienne une dangereuse zone d'affrontement entre les deux géants communistes.

Ce matin-là, au cours de notre entretien, je fus troublé par le fait que si Madame Gandhi professait son dévouement à la cause de la paix, elle refusait de faire des efforts concrets pour soulager la tension existante. Yahya Khan avait accepté d'éloigner ses troupes de la frontière si l'Inde faisait de même, mais elle se gardait de prendre un engagement semblable.

Comme je le lui déclarais, « la désintégration du Pakitan ne peut servir personne. Il serait pratiquement impossible de comprendre que l'Inde prenne l'initiative des hostilités ». Je lui dis que par certains côtés, la situation était similaire à celle du Moyen-Orient : tout comme les intérêts américains et soviétiques étaient en jeu là-bas, ainsi l'étaient dans l'Asie méridionale et le sous-continent ceux des Chinois, des Soviétiques et des Américains. « Il serait impossible de calculer avec précision les mesures que pourraient prendre les autres grandes puissances si l'Inde ouvrait les hostilités », lui dis-je.

Un mois plus tard, équipée d'armes soviétiques, l'armée indienne attaqua le Pakistan oriental. Des combats eurent lieu aussi le long de la frontière du Pakistan occidental mais il fut impossible de savoir si l'objectif de l'Inde était de clouer sur place les forces pakistanaises ou si l'action préludait à une offensive générale. Des plans de bataille d'une telle ampleur ne se formulent pas en moins d'un mois et je ne pouvais m'empêcher de penser que Madame Gandhi m'avait volontairement abusé lors de notre rencontre. J'étais soucieux aussi de ce que les Soviétiques eussent ignoré plusieurs de nos signaux fort clairs indiquant que nous réagirions très défavorablement s'ils soutenaient l'Inde dans une invasion du Pakistan. J'avais l'impression qu'un des mobiles principaux des Soviétiques était de montrer au monde que, malgré le rapprochement sino-américain qui faisait tant de bruit, l'U.R.S.S. était encore la première puissance communiste. En fait, les Soviétiques portèrent des troupes sur la frontière chinoise dans une tentative dépourvue de subtilité pour retenir les forces chinoises et les empêcher de se porter au secours du Pakistan.

Je pensais qu'il était important de décourager à la fois l'agression indienne et l'aventurisme soviétique; je fus d'accord avec Kissinger quand il recommanda que nous devrions démontrer notre irritation contre l'Inde et notre soutien du Pakistan.

Pour coordonner nos projets, Kissinger organisa une réunion du groupe spécial d'action de Washington (W.S.A.G.) composé de représentants du Département d'Etat, de la Défense, de la C.I.A. et du C.N.S. Il apprit que le Département d'Etat estimait que l'indépendance du Pakistan oriental était inévitable et désirable, que l'Inde avait des buts limités au Pakistan oriental et aucun dessein à l'égard du Pakistan occidental. Le risque d'intervention soviétique ou chinoise, selon ce raisonnement, était minime. Par conséquent, le Département d'Etat jugeait que nous devrions garder notre sang-froid, nous croiser les bras et laisser l'inévitable se passer.

Je n'étais absolument pas d'accord avec ce jugement simpliste. Je tenais à faire savoir aux Soviétiques que nous nous opposerions fermement au démembrement du Pakistan par une alliée de l'U.R.S.S. employant des armes soviétiques. Kissinger convoqua donc le chargé d'affaires soviétique Vorontsov à la Maison Blanche et lui dit que cette crise amenait encore une fois nos relations au bord du gouffre parce que nous considérions que favoriser une guerre dans le sous-continent indien n'était pas compatible avec une amélioration de nos relations.

Kissinger déclara que nous voulions un cessez-le-feu et le retrait des troupes indiennes du Pakistan. Les combats arrêtés, les parties pourraient entamer des négociations pour un règlement politique du problème. Nous reconnaissions que l'autonomie politique du Pakistan oriental serait l'issue probable d'une solution politique et nous étions prêts à travailler dans ce sens. Le principal, c'était l'arrêt des combats et la suppression du danger d'affrontement entre grandes puissances.

Le lendemain, j'écrivis à Brejnev une lettre qui ne laissait aucun doute sur mes sentiments :

> « Aujourd'hui, le fait objectif est que des forces militaires indiennes sont employées afin d'imposer des exigences politiques et de démembrer l'Etat souverain du Pakistan. Il est aussi de fait que votre gouvernement s'est aligné sur cette politique indienne...
> Je suis convaincu que l'esprit dans lequel nous sommes convenus que le moment était venu pour nous de nous rencontrer à Moscou en mai prochain exige de nous deux la plus grande retenue et l'action la plus urgente pour mettre fin au conflit et restaurer l'intégrité territoriale dans le sous-continent. »

Ce soir-là à 23 heures, Vorontsov apporta une note répondant aux points que Kissinger avait soulignés la veille. Elle accusait les Etats-Unis de ne pas avoir été assez actifs pour le maintien de la paix et proposait un cessez-le-feu immédiat s'alliant avec cette demande : que le Pakistan reconnaisse l'indépendance du Pakistan oriental. De toute évidence, les Soviétiques entendaient suivre une ligne dure. Nous devions donc rester fermes pour soutenir le Pakistan. Si nous ne l'aidions pas, alors l'Iran ou tout autre pays à portée de l'influence soviétique risquerait de mettre en doute la valeur du soutien américain. Comme le dit Kissinger, « nous n'avons vraiment pas le choix. Nous ne pouvons permettre à un ami, le nôtre et celui de la Chine, de se faire rouler dans un conflit avec un ami de la Russie ».

Le 9 décembre, Vorontsov se présenta avec une longue lettre de Brejnev. En tentant de mettre la chaussure à l'autre pied, il disait que le cœur du problème était de trouver un moyen d'exercer une influence sur Yahya Khan pour qu'il renonce au Pakistan oriental. Kissinger estima que le ton cordial de la lettre indiquait au moins quelque réaction favorable du côté soviétique mais je lui exprimai mes doutes.

Cependant, la crise prenait un tour inquiétant. Nos sources de renseignements nous apprirent que lors d'une réunion du Conseil des ministres indien, Madame Gandhi avait discuté de plans d'expansion de la guerre sur le front occidental et d'invasion du Pakistan occidental. Kissinger appela l'ambassadeur de l'Inde et lui laissa carrément entendre que nous étions au courant des projets de son Gouvernement; il lui demanda d'exhorter New Delhi à reconsidérer tout plan d'action précipitée.

Le ministre soviétique de l'Agriculture était justement en visite à Washington. Je le savais ami intime de Brejnev. Aussi le priai-je de lui rapporter un message personnel de ma part, où je précisais que je parlais très sérieusement quand je disais qu'il nous incombait à tous deux, en tant que dirigeants des deux superpuissances nucléaires, de ne pas permettre à nos plus vastes intérêts de nous entraîner dans les actions de nos amis de moindre importance.

Dans l'après-midi, j'autorisai l'amiral Moorer à envoyer, du Vietnam dans le golfe du Bengale, une force tactique de huit bâtiments, dont le porte-avions nucléaire *Enterprise*.

Au Pakistan oriental, la situation militaire était sans espoir. Les Indiens, supérieurs en nombre, avaient été rejoints par de féroces rebelles bengalis, si bien que les forces de Yahya Khan étaient en pleine déroute. La cruauté presque incroyable des combats, dans les deux camps, transformait la situation en cauchemar. Des millions de gens restèrent sans abri avant la fin des hostilités.

Finalement, Yahya Khan reconnut qu'il devait suivre la voie que nous recommandions : il ne pouvait plus défendre le Pakistan oriental et il ferait mieux de consacrer ses forces à la défense du Pakistan occidental auquel cas, indiquai-je, il aurait mon soutien total. Le 9 décembre, le Pakistan accepta la demande de cessez-le-feu de l'assemblée générale de l'O.N.U., mais l'Inde la rejeta. La tension ne cessait de monter le long de la frontière du Pakistan occidental tandis que j'écrivais une nouvelle lettre à Brejnev lui demandant instamment de se joindre à moi pour mettre fin à la crise avant que nous y soyons nous-mêmes entraînés. Je commençai par déclarer que, à notre point de vue, sa proposition d'indépendance politique du Pakistan oriental avait été honorée par la propre action du Pakistan. Puis je lui notifiais :

> « Cela doit maintenant être suivi d'un cessez-le-feu immédiat à l'Ouest. Sinon, nous devrions conclure qu'il se produit un acte d'agression dirigé contre tout le Pakistan, un pays ami envers lequel nous avons des obligations.
>
> Je propose en conséquence un appel commun immédiat au cessez-le-feu total.
>
> En attendant, je vous supplie le plus vivement qu'il soit de tempérer l'ardeur belliqueuse de l'Inde sur qui, en vertu de votre traité, vous exercez une grande influence et dont vous partagez la responsabilité des actions. »

Le 11 décembre, nous attendîmes toute la journée une réponse de Brejnev. Ce retard était intolérable, puisque la possibilité d'une offensive indienne contre le Pakistan occidental grandissait d'heure en heure. Le 12, peu avant que je prenne l'avion pour les Açores pour un sommet franco-américain avec le Président Pompidou sur la crise monétaire internationale, une brève réponse arriva de Moscou, déclarant simplement que le Gouvernement de l'Inde n'avait aucune intention d'entreprendre une action militaire contre le Pakistan occidental.

Je répondis immédiatement pour dire que les assurances indiennes n'avaient rien de concret. Vu la gravité de la situation et le besoin d'action concertée, je proposai la poursuite des consultations par le canal secret Kissinger-Dobrynine. J'ajoutai que je ne saurais insister trop fortement sur l'urgence qu'il y avait d'éviter des conséquences que nous ne désirions ni l'un ni l'autre.

Malgré le caractère pressant de mon message, le téléphone rouge resta silencieux jusqu'au lendemain 5 heures du matin, heure à laquelle un message de trois phrases arriva, indiquant que les Soviétiques se livraient à une « clarification » des circonstances en Inde et nous informeraient des résultats sans délai.

Avec Henry Cabot Lodge, également candidat à la Vice-Présidence, à la Convention nationale républicaine, en 1960.

Le candidat démocrate à la Vice-Présidence, Lyndon Johnson, et le chef de la minorité au Sénat, Everett Dirksen, rendent visite à R. N. qui a dû se faire hospitaliser pour un genou infecté lors de la campagne de 1960.

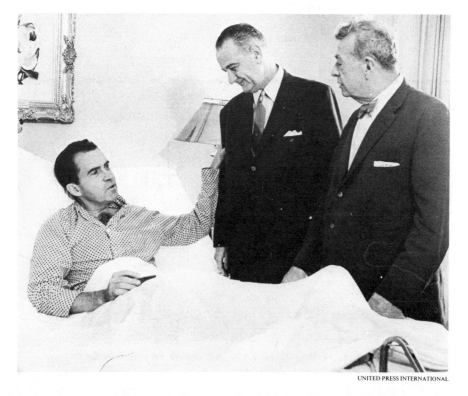

Les débats Nixon-Kennedy : le premier eut lieu le 26 septembre 1960, à Chicago.

La nuit de l'élection, 1960 : R. N. reconnaît que si la tendance se confirme, John F. Kennedy sera élu Président.

L'une des photos favorites de la famille Nixon, prise à son arrivée en Californie en 1971. Checkers est au premier plan.

La « dernière conférence de presse » qui suivit la candidature au poste de gouverneur de Californie en 1962. Herb Klein se tient à l'arrière-plan.

Avec Checkers à Central Park, après l'arrivée à New York en 1963.

Cliché très flou pris par le service photo au Sud-Vietnam, au cours du voyage en Asie en septembre 1965.

Détente à Key Biscayne avant la campagne de 1968.

Les Nixon et les Agnew à la Convention nationale républicaine, à Miami Beach, août 1968.

Campagne présidentielle, à Philadelphie.

Photo prise sur le vif par Dwight Chapin dans la suite de R. N., après son élection à la Présidence en 1968. L'écran de télévision indique les résultats de l'Illinois qui consolidèrent la victoire. John Mitchell observe R. N. qui tient le cadeau de victoire de Julie, le Grand Sceau des États-Unis en travail de broderie.

Rencontre avec le Vice-Président Hubert Humphrey, deux jours après l'élection de 1968, à l'aéroport de Opa-Locka, en Floride.

Accompagnant Julie, le jour de son mariage avec David Eisenhower, le 22 décembre 1968.

Le Jour de l'Inauguration, le 20 janvier 1969. Le président de la Cour Suprême, Earl Warren, fait prêter serment à R. N. Pat tient les deux bibles de la famille Milhous.

La dernière photo de R. N. avec le général Eisenhower.

Avec le Président Charles de Gaulle à Paris, en février 1969. Derrière R. N. se tiennent le conseiller pour la Sécurité nationale Henry Kissinger (à gauche) et le secrétaire d'État William Rogers.

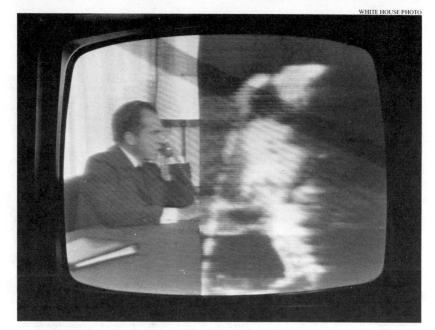

La conversation téléphonique entre la Terre et la Lune; R. N. parle aux astronautes d'*Apollo XI* depuis le Bureau Ovale, en juillet 1969.

R. N. en compagnie de Johnson, le précédent Président, et de John McCormack en mai 1970, au cours d'un déjeuner offert en l'honneur de McCormack quand il quitta son poste de président de la Chambre des Représentants.

©1970 FRED J.MAROON

Dans le Bureau Ovale avec
ses conseillers John Ehrlichman, Henry Kissinger et
Bob Haldeman (assis).

Dans le Salon Lincoln, avec
Henry Kissinger.

R. N. devant la baie vitrée
d'Aspen Lodge à Camp
David.

Visite aux troupes améri-
caines au Vietnam en juillet 1969.

Casques des dirigeants du Syndicat du bâtiment, sur la table de la Salle Roosevelt à la Maison Blanche, après l'opération cambodgienne, en mai 1970.

« Bain de foule » à l'aéroport de Bangor, Maine en 1971.

R. N. avec Michael Newton, l'enfant des affiches « pour une meilleure audition » et pour la campagne électorale, 1971.

Pat pratique sa diplomatie personnelle dans un orphelinat de Côte-d'Ivoire au cours de son voyage en Afrique en janvier 1972.

L'une des photos favorites des Nixon durant les années à la Maison Blanche, prise dans le Salon Bleu pendant les vacances de Noël en 1971.

Au bras de Tricia dans la Roseraie, le 12 juin 1971, jour de son mariage avec Edward Cox.

Le bal donné pour le mariage de Tricia dans le Salon Est.

Le 14 décembre, à Washington, Vorontsov remit à Haig une nouvelle note du Kremlin. Elle ne faisait que répéter les vagues assurances que l'Inde n'avait nulle intention d'entreprendre une action militaire contre le Pakistan. Comme cette réponse n'apportait aucune amélioration au premier message, je reconnus avec Kissinger que Haig devrait appeler Vorontsov et le lui dire franchement.

En revenant des Açores à Washington, Kissinger parla aux trois journalistes accrédités volant à bord d'*Air Force One*. L'un d'eux demanda s'il y avait un danger que la crise se détériore au point qu'elle me ferait modifier mon projet de me rendre au sommet soviétique. « Pas encore, répliqua Kissinger, mais nous devons attendre de voir ce qui va se passer dans les jours prochains. » Les journalistes comprirent immédiatement qu'il leur faisait une révélation importante. « Devons-nous déduire de cette déclaration que si les Russes ne se mettent pas très vite à exercer une influence modératrice sur l'Inde, les projets de voyage du Président pourraient être changés? » demanda l'un d'eux.

Kissinger répondit : « Nous attendons résolument que les Soviétiques exercent une influence modératrice dans les tout prochains jours; et s'ils continuent d'encourager délibérément des actions militaires, il nous faudra revoir les plans du Président. »

Dès que l'avion atterrit, les journalistes se précipitèrent pour partager leurs notes avec leurs confrères et écrire leurs articles. Les premiers journaux télévisés du soir annoncèrent la nouvelle à tout le pays et au monde entier.

Kissinger convoqua Vorontsov à la Maison Blanche et lui dit que je m'inquiétais de voir que les dirigeants soviétiques ne faisaient pas tout leur possible pour parvenir à un règlement de l'affaire. Devant leurs retards continuels, je commençais à croire qu'ils ne traitaient qu'en paroles, avec l'intention de laisser les événements sur le terrain dicter l'issue finale.

« Le Président Nixon n'a pas l'habitude de menacer, dit-il. Depuis longtemps, il cherche un changement sincère dans les relations américano-soviétiques. Malgré son désir, cependant, votre gouvernement a entrepris d'équiper l'Inde d'une grande quantité d'armes sophistiquées. Si le gouvernement soviétique devait soutenir ou faire pression sur d'autres dirigeants étrangers pour démembrer ou diviser un allié des Etats-Unis, comment peut-il espérer un progrès dans nos rapports mutuels? »

Le lendemain, Kissinger rappela Vorontsov et lui montra le texte d'une lettre que j'avais écrite à Kossyguine insistant pour que nos pays prennent promptement des mesures de responsabilité pour assurer que le conflit armé ne s'étende pas et pour que des assurances soient données qu'il n'y aurait pas d'acquisitions territoriales d'un côté comme de l'autre.

Vorontsov se plaignit que les Indiens se révélaient très résistants aux pressions soviétiques. Kissinger répliqua : « Ce n'est plus une excuse. Le Président a fait je ne sais combien d'appels personnels, qui ont tous été repoussés, et il est maintenant grand temps d'agir. »

Vorontsov dit que les Soviétiques étaient prêts à garantir inconditionnellement qu'il n'y aurait pas d'attaque indienne contre le Pakistan occidental ni le Cachemire. Mais s'ils le faisaient publiquement, ils avoueraient en somme qu'ils parlaient au nom d'un pays ami. Autrement dit, les Soviétiques exhorteraient les Indiens à accepter un cessez-le-feu à condition de ne pas avoir à le faire publiquement. Sans la perspective d'un soutien et d'une aide soviétiques, les Indiens accepteraient presque certainement un accord.

Le lendemain, les forces de Yahya Khan au Pakistan oriental se rendirent sans conditions. Le 17 décembre, la situation explosive du front occidental fut également résolue quand le Pakistan accepta l'offre indienne d'un cessez-le-feu là-bas. En usant de messages diplomatiques et de pressions en coulisses, nous avions pu sauver le Pakistan occidental de la menace imminente d'une agression et d'une domination de l'Inde. Nous avions aussi, une fois de plus, évité un affrontement majeur avec l'Union Soviétique.

La guerre indo-pakistanaise comportait des enjeux bien plus élevés que l'avenir du Pakistan, lequel était déjà assez important. Elle mettait en cause un principe, celui de savoir si les grandes nations soutenues par l'Union Soviétique seraient autorisées à démembrer leurs voisins plus petits. Une fois ce principe acquis, le monde deviendrait bien plus instable et moins sûr.

Durant cette période, les Chinois jouèrent un rôle très prudent. Ils avaient des troupes massées à la frontière indienne mais ne voulaient pas prendre le risque de se porter au secours du Pakistan en attaquant l'Inde, parce qu'ils craignaient avec raison que les Soviétiques saisissent ce prétexte pour attaquer la Chine. Par conséquent ils ne firent rien, mais il est probable que la présence de leurs forces eut sur l'Inde un effet de dissuasion.

Trois jours avant l'accord sur le cessez-le-feu, nous envoyâmes aux Chinois un bref exposé de ses points saillants, en concluant : « De l'avis des U.S.A., les récents événements dans l'Asie méridionale invitent à de graves réflexions. Les gouvernements de la République Populaire de Chine et des Etats-Unis ne devraient pas se retrouver dans une situation où des visées globales hostiles peuvent être menées à bien par l'intermédiaire de pays agissant par procuration. »

A la suite de la crise indo-pakistanaise, mon respect et mon estime pour Madame Gandhi diminuèrent. Quelques mois plus tard, en mars 1972, après avoir vu pendant un week-end à Key Biscayne une biographie filmée du Mahatma Gandhi — aucun lien de parenté avec elle —, je dictai une brève réflexion dans le Journal que j'avais commencé à tenir en novembre 1971 :

Extrait de mon Journal :

> En voyant l'assassinat de Gandhi et en entendant ses propos sur la violence, j'ai compris l'hypocrisie des dirigeants actuels de l'Inde, Indira Gandhi racontant que la victoire de l'Inde avait eu les ailes coupées quand Shastri était allé à Tachkent, et sa duplicité à notre égard quand elle avait déjà décidé d'attaquer le Pakistan lorsqu'elle est venue me voir à Washington et m'assurer qu'elle n'en ferait rien. Ceux qui ont recours à la force sans chercher d'excuses sont assez dangereux, mais ceux qui ont recours à la force tout en sermonnant les autres sur leur recours à la force ne méritent aucune considération.

Un des incidents les plus graves de la crise indo-pakistanaise se produisit chez nous. Le 14 décembre, alors que nous ne savions pas encore si l'Inde allait attaquer le Pakistan occidental, le chroniqueur Jack Anderson publia des extraits mot pour mot des minutes des réunions du W.S.A.G. des 2, 4 et 6 décembre. Ces minutes révélaient les déclarations de Kissinger concernant la pression que j'exerçais sur mon entourage pour faire « pencher » la balance en faveur du Pakistan. Voilà qui différait singulièrement de l'attitude adoptée par certaines sources du Département d'Etat ainsi que de la position publique plus neutre que nous prenions pour exercer des pesées plus fortes sur toutes les parties. Du point de vue diplomatique, la fuite était gênante; du point de vue de la sécurité nationale, elle était intolérable.

La fuite causa un choc parce que seuls des membres du plus haut rang des Services de renseignements et du Département d'Etat assistaient aux réunions du W.S.A.G. Nous apprîmes que le contre-amiral Robert O. Welander croyait qu'un des documents de la fuite venait de son bureau qui s'occupait de la liaison entre le haut état-major interarmes et le Conseil National de Sécurité. Bud Krogh et David Young furent chargés de l'enquête.

Les soupçons se portèrent sur un jeune officier de transmissions de la Marine attaché au bureau de Welander. Au cours de l'interrogatoire, Young apprit que depuis quelque temps cet officier prenait des copies de documents secrets du C.N.S. Il avait régulièrement fouillé les sacs à brûler pour chercher des doubles ou des photocopies. Dans certains cas, il s'était même emparé de documents dans les serviettes de Kissinger et de Haig, pour les photocopier. Une fois, il prit une copie d'un rapport sur une conversation de Kissinger avec Chou en-Laï lors de la première mission secrète à Pékin. Il transmettait ces documents à ses supérieurs au Pentagone.

Nous ne pûmes établir avec une certitude absolue que ce garçon était la source d'Anderson. Cependant les preuves circonstancielles étaient fortes. Ils se connaissaient personnellement et s'étaient rencontrés en plusieurs occasions. Qu'il ait ou non révélé des informations secrètes à Anderson, il demeurait qu'il avait sérieusement compromis les relations entre l'état-major interarmes et la Maison Blanche.

J'étais troublé — sans être vraiment surpris — que l'état-major espionne la Maison Blanche. Mais, franchement, je ne tenais guère à poursuivre cet aspect de l'affaire parce que je savais que si elle était explorée, elle finirait, comme tant d'autres questions délicates, par passer dans la presse où elle serait complètement déformée et ferait le plus grand tort à l'armée, déjà si fortement attaquée.

L'officier des transmissions lui-même posait un problème semblable. Je trouvais suffisante la preuve circonstancielle qu'il avait fourni des renseignements à Anderson et je savais que ce genre d'action ne pouvait être toléré. Je notai dans mon Journal :

> Ce qui m'inquiète dans cette histoire, c'est le complexe d'Ellsberg qui a poussé l'officier à transmettre l'information. Son espionnage de la Maison Blanche au profit de l'état-major interarmes est une chose qui ne me surprend pas particulièrement, bien que je la trouve assez malsaine. Mais la remise de renseignement ultra-secrets à un journaliste, parce qu'il n'est pas d'accord avec notre politique en Inde, est une pratique qui doit être réprimée à tout prix.

Je pensais toutefois qu'il serait trop dangereux de poursuivre l'officier. Il avait voyagé avec Kissinger et d'autres, dans un certain nombre de missions secrètes, et il avait eu accès à d'autres renseignements ultra-secrets qui, s'ils étaient révélés, pourraient compromettre nos négociations avec la Chine et le Nord-Vietnam. Il représentait en somme une bombe à retardement que pourrait faire exploser un procès. Nous le fîmes muter dans un poste isolé de l'Oregon et le gardâmes un moment sous surveillance, et même sur écoute, pour nous assurer qu'il ne divulguait pas d'autres secrets. Cela donna de bons résultats; il n'y eut plus de fuites de cette source.

SIX GRANDS DESSEINS

Si l'année 1971 fut dominée par le Vietnam et d'autres problèmes de politique étrangère, ce fut aussi l'année où je défiai le Congrès de voter une législation intérieure dont le résultat serait ce que j'appelais une « Nouvelle Révolution américaine ». Insensible au manque d'intérêt du Congrès pour la diffusion du pouvoir et son retour au peuple, je le pressai encore une fois d'agir sur des propositions — dont certaines que j'avais présentées dès 1969 — qui commenceraient à transformer la forme et l'importance du gouvernement fédéral. Dans mon discours sur l'état de l'Union du 22 janvier 1971, j'eus recours à un langage brutal pour exprimer la nécessité des programmes que je proposais : « Regardons les choses en face. Aujourd'hui, la plupart des Américains en ont tout simplement ras le bol du Gouvernement, à tous les niveaux. »

Je dressai la liste de six grands desseins pour la nation et le peuple américains : la réforme de l'assistance sociale, la pleine prospérité en temps de paix, la défense et l'amélioration de l'environnement, l'amélioration des soins médicaux dispensés plus justement et à plus de gens, le renforcement et le renouvellement des dirigeants des Etats et des municipalités, et enfin, une réforme totale du gouvernement fédéral.

La réaction du Congrès continua d'être décevante et frustrante. La réforme de l'assistance sociale, la réorganisation du gouvernement, le vaste programme des soins médicaux et des dizaines d'autres continuèrent d'être victimes de l'inaction parlementaire.

PAT

La plupart des gens pensent sans doute que pour réussir dans la vie politique, il faut de l'endurance, de la force ou de la résolution. Pat a dit une fois qu'il faut surtout du « cœur » et elle a raison. Cela est vrai de la politique dans son sens le plus élevé et de la vie publique à son plus haut niveau.

Le « cœur » est une combinaison de communication personnelle et d'intérêt humain basée sur une affection pour les gens parce qu'on les respecte et non parce qu'on a besoin de leur voix ou de leur soutien. C'est une qualité que Pat possède au plus haut degré. Ce fut son don à la Maison Blanche et à la nation, dès l'instant où elle devint Première Dame.

Elle accepta sans hésitation ce rôle écrasant. Elle installa des bureaux dans l'Aile Est et s'intéressa personnellement à tous les aspects de l'organisation de la Maison Blanche. Elle s'occupa tout autant de faire disposer tous les jours des fleurs fraîches dans les salles ouvertes au public que d'être totalement renseignée sur tous les visiteurs officiels.

Nous aimions tous la Maison Blanche et cherchions des moyens pour en faire partager l'histoire et la beauté aux autres, mais ce fut Pat qui y parvint le mieux.

Elle fit placer des haut-parleurs près de la grille du Sud afin que les visiteurs qui faisaient la queue puissent apprendre l'histoire des salons qu'ils allaient voir. Elle organisa des visites spéciales pour les aveugles où, pour la première fois, ils pouvaient toucher les objets historiques dans les divers salons. Pat enregistra aussi une introduction pour la première « histoire parlante » de la Maison Blanche pour que ceux qui ne pouvaient la voir aient néanmoins l'impression de la partager et d'en faire partie quand ils seraient là.

Les petites avaient hérité de leur mère ce même sens de l'affection et de la générosité. Tricia, qui vécut avec nous jusqu'à son mariage, s'occupait des jeunes enfants d'une des écoles élémentaires de la capitale et cherchait constamment des moyens imaginatifs d'amener des enfants à la Maison Blanche : une réunion de 1 000 boy-scouts sur la Pelouse Sud, un goûter de Halloween (le carnaval de la Toussaint) pour 350 enfants des quartiers les plus déshérités de Washington, un concert en plein air... Tout cela s'ajoutant à son agenda normal de réceptions, de thés et de conférences.

Au cours de notre premier été à la Maison Blanche, Julie fut un guide bénévole au Bureau des Visites, entraînant les touristes enchantés dans les jardins et les salons historiques du premier étage. L'après-midi, elle organisait des visites spéciales pour les handicapés. Même quand elle travaillait à sa maîtrise et, plus tard, quand elle fut rédactrice au *Saturday Evening Post,* elle poursuivit ses conférences et ses visites dans tout le pays.

Pat fit appel à des subventions privées pour que l'extérieur de la Maison Blanche soit illuminé la nuit aussi bien pour les habitants de la ville que pour les touristes. Elle transforma l'intérieur avec son sens inné et sûr de la couleur et de la forme, et son extraordinaire énergie. Travaillant avec Clement Conger, conservateur de la Maison Blanche, et Edward V. Jones d'Albany, Georgie, qui faisait autorité sur l'art, l'architecture et le mobilier anciens, elle réunit des fonds pour orner les salles publiques de plus de 500 pièces soigneusement sélectionnées de meubles et de tableaux de la première époque américaine. Avec Carlisle Humelsine, directeur de la Fondation Coloniale de Williamsburg, elle redécora complètement l'Aile Ouest.

Les filles et moi, nous fûmes très fiers lorsque Pat eut fini et que les nombreux artistes, historiens, architectes et décorateurs qui vinrent en visite déclarèrent que jamais la Maison Blanche n'avait été aussi belle.

Pour ma part, je ne puis me vanter que d'une seule innovation dans le programme de redécoration. Une nuit que nous revenions d'une réception, je remarquai que des drapeaux flottaient au-dessus de nombreux bâtiments fédéraux mais pas sur la Maison Blanche. Mon attaché militaire, Don Hughes, m'apprit que le drapeau ne pouvait être hissé la nuit que s'il était éclairé. Je le priai de faire installer un projecteur sur le toit et, désormais, le drapeau flotta sur la Maison Blanche de nuit comme de jour.

Il existe un lien commun profond entre tous ceux qui ont vécu à la Maison Blanche. Pat et moi tenions particulièrement à ce que les familles de tous les anciens Présidents et Vice-Présidents, quels que soient leur parti ou leurs opinions, s'y sentent les bienvenues.

Pat suggéra de dresser une liste de tous les descendants directs des anciens Présidents pour les inviter dans la mesure du possible aux réceptions officielles. Ainsi nous reçûmes le fils de Calvin Coolidge, quelques-uns des petits-enfants de Grover Cleveland, des descendants de Theodore comme de Franklin Roosevelt et des dizaines d'Adams.

Nous nous assurâmes que la famille Johnson eût la protection du Service de sécurité quand elle voyageait à l'étranger. Je téléphonais régulièrement à Johnson et à Humphrey pour leur demander conseil, et parfois simplement pour bavarder et leur faire savoir que je comprenais les fardeaux qu'ils avaient assumés.

Pat « recevait » réellement les visiteurs à la Maison Blanche. Elle avait toujours eu horreur de faire des discours officiels et au lieu de passer simplement dans une réception, juste le temps qu'il faut pour dire quelques mots aux journalistes et devant les caméras de la télévision, elle préférait se mêler personnellement aux invités et parler avec eux.

J'étais exaspéré que la presse reconnaisse si mal tout ce qu'elle faisait. Mais pour elle, ce qui importait, c'était de mettre les gens à l'aise pour qu'ils se sentent chaleureusement accueillis.

Tous les matins, Pat parcourait quelques-unes des mille lettres et plus qu'elle recevait chaque semaine, et elle signait les réponses. Elle estimait que si les gens prenaient la peine de lui écrire, ils méritaient bien une réponse personnelle. Dans l'après-midi, après son emploi du temps normal de réceptions et de thés, il lui arrivait d'emmener des enfants attardés pour une petite croisière à bord du *Sequoia* ou de projeter un événement spécial tel qu'un dîner de Thanksgiving auquel elle invitait des centaines de personnes âgées : pas des personnalités mais des gens qui, autrement, n'auraient jamais l'occasion de voir la Maison Blanche. Et puis, dans la soirée, c'était une réception ou une conférence ou une apparition en ville.

Elle nous coupait le souffle. Quand vint notre deuxième année à la Maison Blanche, nous avions battu un record avec 50 000 invités.

Il est convenu de nos jours que toute Première Dame doit avoir un « projet », une chose qui l'identifie. Pat se consacrait à promouvoir le concept du volontariat, l'idée que les gens doivent s'entraider sans attendre que le gouvernement fasse pour eux ce qu'ils pourraient faire eux-mêmes. Mais l'idée que le volontariat puisse être son « projet » ou que ses intérêts doivent être compartimentés la hérissait. « Les êtres humains sont mon véritable projet », disait-elle. Et elle le prouva inlassablement.

Elle voyageait partout, parlant aux gens de toutes sortes de programmes... pour la jeunesse, pour les vieux, pour les handicapés, pour aider les enfants à bien apprendre à lire, pour l'embellissement des villes et des villages. Elle effectua plus de 150 voyages dans tous les Etats-Unis, parfois avec moi, mais le plus souvent seule. Et pas une seule fois, elle ne perdit de vue le fait qu'elle ne rencontrait pas des groupes mais des individus, pas des électorats mais des gens. On m'a raconté qu'un jour où elle visitait un hôpital, elle s'est arrêtée pour embrasser une petite fille que la rubéole avait rendue aveugle. Lorsque quelqu'un vint lui dire que l'enfant était non seulement aveugle mais sourde, Pat répondit qu'elle le savait mais, ajouta-t-elle « elle sait ce qu'est l'amour. Elle peut sentir l'affection ».

La vie à la Maison Blanche est intensément active. C'est d'abord une demeure dans la ville et l'on y entend constamment la rumeur de la circulation, de l'animation, parfois le tumulte des manifestations. A l'intérieur, on a bien souvent l'impression qu'il n'y a aucune intimité réelle; le personnel, les gens de maison vont et viennent, et au sous-sol les cuisines sont constamment en ébullition pour préparer les petits déjeuners, les déjeuners, les thés, les réceptions et les dîners officiels.

Nous tentâmes au début de réduire un peu tout l'apparat. Pat et moi, nous fûmes d'accord pour diminuer le nombre de majordomes et d'assistants qui entourent un Président partout où il va. Je dis à Haldeman de faire nommer à des postes plus productifs les deux médecins de la Marine qui travaillaient à plein temps comme masseurs du Président. Je supprimai immédiatement un usage qui me paraissait presque incroyable, l'envoi à l'avance, par avion, du lit du Président de la Maison Blanche partout où il devait se rendre afin qu'il n'ait jamais à coucher dans un lit inhabituel. Je déclarai que je n'avais besoin que de Manolo et peut-être d'un maître d'hôtel pour s'occuper de mes vêtements et de mes repas quand je partais pour des week-ends de travail à Camp David ou à Key Biscayne. Nous ordonnâmes le désarmement des deux grands yachts de la Marine nationale qui avaient été maintenus exclusivement pour l'usage du Président. Nous essayâmes aussi de réduire les effectifs et les exigences du Service de sécurité qui nous accompagnait partout.

Malgré cela, la vie à la Maison Blanche était un peu étouffante et pour cette raison la maison que nous achetâmes à San Clemente pendant l'été de 1969, pour y prendre notre retraite, fut particulièrement chère à notre cœur. C'est une vieille maison espagnole située sur une magnifique éminence dominant la plage. Le bruit constant du ressac lui confère de la sérénité, et les palmiers et les eucalyptus qui l'entourent offrent une protection naturelle nous permettant de nous promener plus ou moins à l'abri des curieux. Nous baptisâmes la propriété *La Casa Pacifica*, la Maison Paisible. Un petit complexe de bureaux fut construit tout à côté sur la base des Garde-Côtes, et cela devint la Maison Blanche de l'Ouest.

A cause de la distance, nous ne pouvions aller à San Clemente que cinq ou six fois par an. Le plus souvent, nous passions nos week-ends à Key Biscayne ou à Camp David. En somme, Pat dirigeait trois maisons, à Washington, en Californie et en Floride, et elle avait fait de chacune un véritable foyer pour nous, même si nous n'y restions que quelques jours.

Au cours des longues années de notre vie politique, la force de caractère de Pat ne fit que s'accentuer et sa douce sensibilité aux êtres devint plus vive encore. Elle était souvent critiquée par les féministes gauchisantes du Mouvement de Libération de la Femme, mais elle restait fidèle à son principe directeur : le droit d'une femme de choisir son rôle dans la vie. Et, par ses actes, elle prouva qu'il était possible d'être à la fois une femme indépendante et une épouse qui soutient. Elle ne se fâchait pas du tout quand on l'accusait parfois d'être guindée. En petit comité, elle était vive, simple, détendue et spirituelle mais elle estimait qu'une Première Dame doit avoir de la dignité. Elle reconnaissait que par bien des côtés, c'est un rôle représentatif. Elle était traditionaliste, mais d'une manière chaleureuse transcendant le temps et le lieu. Plus important encore : elle était à l'aise avec elle-même, « bien dans sa peau », et sûre d'elle dans un monde aux valeurs changeantes.

Pendant les années de Vice-Présidence, Pat et moi, nous avions voyagé ensemble dans 53 pays. Eisenhower nous considérait comme une équipe, et moi aussi. Pendant que mes journées se passaient en réunions, elle rencontrait les gens du cru dans des écoles, des hôpitaux, des usines, des orphelinats. Je me souviens encore de l'air impressionné et respectueux de nos hôtes à Panama quand elle insista pour visiter une léproserie et pour serrer la main des malheureux qui y vivaient.

Pat devint pour des milliers de personnes à l'étranger l'incarnation de la bonne volonté américaine : on la sentait dans sa voix, son sourire, ses yeux. Cela touchait les populations des pays que nous visitions comme n'auraient jamais pu le faire des discours, des toasts et des communiqués.

Pat fut la Première Dame à servir de représentant diplomatique officiel du Président, à l'étranger. En cette qualité, elle alla au Pérou apporter les dons rassemblés par des travailleurs bénévoles en Amérique aux victimes d'un tremblement de terre dévastateur. Bravant le danger et endurant la fatigue, elle escalada des décombres pour aller embrasser des enfants sans abri et leur apporter le message de l'amour et du souci américains. En gage de reconnaissance, le Président du Pérou lui conféra la Grand-Croix de l'Ordre du Soleil, la plus ancienne décoration des Amériques. Elle fut la première Américaine à recevoir cet honneur insigne.

Au cours de nos voyages en Chine et aux sommets en Union Soviétique, Pat démontra sa maîtrise dans l'art de la diplomatie personnelle. Elle serra la patte d'ours danseurs au cirque, attira les enfants vers elle dans des écoles et des hôpitaux, visita des communes, des usines, de grands magasins et dansa un pas avec l'école de ballet du Bolchoï.

En 1974, elle dirigea la délégation américaine aux cérémonies d'entrée en fonction du Président du Venezuela et du Président du Brésil. En 1972, elle me représenta en Afrique pour l'entrée en fonction du Président du Libéria et poursuivit son voyage pour rencontrer les chefs d'Etat du Ghana et de Côte-d'Ivoire.

Notre famille était souvent jugée « vieux jeu » : cela nous convenait parfaitement. Dans le milieu de Washington, on est vieux jeu lorsqu'on est enraciné dans des principes qui ignorent le chic et les modes fugaces.

Le premier dimanche que nous passâmes à la Maison Blanche, nous inaugurâmes les services religieux dans le Salon Est. Notre idée était d'avoir de courts offices d'inspiration, conduits par des prédicateurs différents de cultes divers, avec des chœurs venant de tous les coins du pays. Chaque dimanche, nous invitions de deux à trois cents personnes, allant de leaders du Congrès à des policiers et standardistes de la Maison Blanche. Grâce à ces services religieux, nous pouvions, Pat et moi, éviter l'exploitation de la religion qui se produisait souvent quand nous assistions au culte public ailleurs, accompagnés par des équipes de télévision et une foule de touristes ou de curieux qui ne s'intéressaient pas du tout au service. Cela m'agaçait et je pensais que cela devait gêner et distraire tous les autres qui venaient pour prier.

Ces services religieux suscitèrent une vague de critiques. Les traditionalistes disaient qu'ils étaient trop modérés pour avoir une signification; les incroyants déclaraient que la religion n'avait pas sa place à la Maison Blanche; les éditorialistes protestaient que nous ne respections pas la séparation entre l'Eglise et l'Etat. Mais Pat et moi, nous considérons que nos services de prières furent un des points saillants et élevés de nos années à la Maison Blanche. Ils donnèrent à des milliers de gens l'occasion de se joindre à nous. Mieux encore, ils donnèrent un exemple national de respect.

Notre famille a toujours adoré le théâtre, le cinéma et la musique. Notre détente préférée, à Camp David, en Floride ou en Californie, était de regarder un film après le dîner. Parfois nous faisions une expérience avec une production dont nous n'avions jamais entendu parler, d'autres fois c'était le grand succès du moment ou encore un vieux film que nous avions tous aimé.

Pat et moi, nous nous faisions une joie des soirées récréatives à la Maison Blanche, tout autant que nos invités. Nous pensions que les artistes invités à distraire la société après les grands dîners officiels devaient représenter toute la gamme des goûts américains et, incidemment, nos propres préférences éclectiques. Parmi des centaines de soirées mémorables, je me rappelle tout particulièrement celle où Golda Meir se précipita pour embrasser Isaac Stern et Leonard Rubinstein quand ils jouèrent après le dîner donné en son honneur. Beverly Sills, Roberta Peters, Merle Haggard et les Carpenter représentèrent toute l'étendue du répertoire, de l'opéra au rock; et Frank Sinatra, lors de sa première apparition à la Maison Blanche, me remercia ensuite les larmes aux yeux. Nous pûmes aussi applaudir Tony Bennett, Johnny Cash, Glen Campbell, Art Linkletter et Bob Hope.

En plus des spectacles d'après-dîner, Pat organisa une série de soirées spéciales à la Maison Blanche où les invités pouvaient apprécier le talent d'un grand artiste, que ce fût Nicol Williamson lisant des passages de *Hamlet,* Red Skelton et ses blagues, ou Sammy Davis Jr. qui chantait et dansait. Sammy et sa femme passèrent la nuit avec nous après son numéro, et — réalisation d'un rêve d'enfance — il dormit dans la chambre de Lincoln.

Plus d'une fois, il m'arriva de m'asseoir au piano — ce qui aurait fait le désespoir de ma tante Jane — pour jouer de vieux airs entraînants que tout le monde reprenait en chœur.

En dehors du dîner des prisonniers de guerre en 1973, qui fut un événement historique unique, je crois que la plus mémorable de nos réceptions de la Maison Blanche fut celle du soixante-dixième anniversaire de Duke Ellington, le 29 avril 1969, quand je lui remis la plus haute décoration civile des Etats-Unis, la Médaille de la Liberté. Nous avions plus de 200 invités parmi lesquels Cab Calloway, Earl Hines, Billy Eckstine, Mahalia Jackson, Harold Arlen et Richard Rodgers. En faisant la présentation je déclarai : « Au royaume de la musique américaine, aucun ne balance davantage et ne se tient plus haut que le Duke. »

J'accompagnai bravement au piano le « Happy Birthday »; et quand le programme fut terminé, après que les plus grands musiciens de jazz eurent exécuté quelques-uns de leurs grands airs, je dis : « Je crois que nous devons tous écouter encore un pianiste. » Je priai Duke de se lever et je l'escortai jusqu'au piano.

Toute la salle se tut tandis qu'il restait un moment assis en silence. Puis il annonça qu'il allait improviser une mélodie. « Je vais choisir un nom... doux, gracieux... par exemple Patricia », dit-il.

Et quand il se mit à jouer, ce fut lyrique, délicat et merveilleux... comme Pat.

1972

Mes dispositions d'esprit au début de cette année décisive ne peuvent être mieux rendues que par une note de mon journal que je dictai le 9 janvier 1972, jour de mon cinquante-neuvième anniversaire.

Extrait de mon Journal :

> Ma cinquante-neuvième année, maintenant terminée, a été sans doute celle qui, jusqu'ici, a connu le plus de succès du point de vue des réalisations. La soixantième m'offre d'immenses possibilités, et naturellement bien sûr d'aussi grands dangers. Le principal est de garder toujours une attitude calme et objective, et autant que possible de rester au-dessus de la mêlée sans se laisser ballotter par les hauts et les bas des sondages et par les inévitables attaques politiques.

LA CAMPAGNE PRÉSIDENTIELLE

Le 5 janvier, j'adressai au président de mon Comité de soutien du New Hampshire une lettre annonçant que je serais candidat pour la réélection à la Présidence. Onze Démocrates et deux autres Républicains recherchaient également la désignation de leur parti comme candidat présidentiel. Les autres Républicains étaient le parlementaire Paul McCloskey, de Californie, et un parlementaire de l'Ohio, John Ashbrook, nettement situé à l'aile droite du parti.

Quelques-uns des candidats démocrates, Edmund Muskie, George McGovern, Willbur Mills et Vance Hartke, avaient déjà commencé leur campagne au New Hampshire. Chacun espérait s'assurer une importance nationale grâce à une performance décisive dans cette première élection primaire du 7 mars. D'autres, comprenant Hubert Humphrey, George Wallace, Henry Jackson et John Lindsay, calculaient qu'il serait plus sage de ne pas s'exposer à un échec, mais de paraître tout frais, à la seconde primaire, une semaine plus tard en Floride.

Le Comité National Républicain devait officiellement rester neutre jusqu'à la Convention, et, après l'expérience de 1970, je voulais tenir la Maison Blanche hors de la politique. C'est pourquoi je décidai de monter une organisation séparée pour la campagne. On l'appela le Comité pour la Réélection du Président », abrégé sous le sigle C.R.P.

Le favori démocrate était Edmund Muskie. A la fin de 1971, les sondages le donnaient à égalité avec moi. Ses points faibles étaient son caractère explosif, et la réputation d'indécision qu'il avait dans les milieux politiques. Son problème principal venait de l'ambition de son ancien coéquipier, Hubert Humphrey, dont l'entrée dans la course risquait de lui retirer l'appui et les votes de beaucoup d'électeurs démocrates.

Parmi les autres candidats démocrates, George Wallace était le seul à prendre au sérieux. S'il se présentait encore en tiers parti, il me priverait certainement d'un grand nombre de voix conservatrices.

George McGovern, l'outsider ultra-libéral, n'attirait que peu d'intérêt, parce que ses chances d'obtenir la désignation par son parti étaient très faibles. Si par miracle, cela se faisait, il serait, j'en étais sûr, le candidat le plus facile à battre. Le plus dur serait celui qui annonçait ouvertement qu'il ne serait pas candidat : Teddy Kennedy.

S'il avait eu à choisir sa stratégie, ne pas se présenter comme candidat eût été le meilleur parti qu'il ait pu prendre. Mais il n'en avait probablement plus le choix à cause des suites de la party de Chappaquiddick, au Massachusetts en juillet 1969 : sa voiture était tombée d'un pont et une jeune femme qui se trouvait dans la voiture s'était noyée. La télévision offrit à Kennedy un temps d'antenne à travers tout le pays pour expliquer sa version des faits. Son récit était très habilement construit, mais beaucoup sentirent que les lacunes et les contradictions y abondaient. Je pense que si toute autre personne qu'un Kennedy avait été impliquée et avait donné une explication aussi clairement inacceptable, les moyens d'information et l'opinion publique ne lui auraient pas permis de survivre en tant qu'homme politique.

Il était clair qu'on avait recouvert d'un voile pudique la vérité sur cette affaire, et je soupçonnais que la presse ne ferait pas de grands efforts pour en découvrir le fond. C'est pourquoi je dis à Ehrlichman de mettre quelqu'un sur la piste afin de faire des recherches pour notre compte et tirer les faits au clair. « Ne perdez pas une minute, dis-je. Imaginez-vous à leur place si quelque chose de ce genre nous arrivait, à nous. » En fait, notre détective privé fut incapable de dénicher quoi que ce soit, à part de vagues rumeurs.

Le cas fut soumis à un grand jury. Le juge président James Boyle publia un rapport disant que Kennedy ne pouvait pas avoir dit la vérité lorsqu'il avait déposé en qualité de témoin. Kennedy répondit en déclarant que le rapport du juge Boyle n'était pas fondé. Les sondages montraient que la plupart des gens partageaient l'avis du juge Boyle, mais aussi que les électeurs du Massachusetts ne pensaient pas que Kennedy dût pour autant démissionner du Sénat. L'année suivante, ils lui témoignèrent leur confiance en le renvoyant au Sénat à la majorité écrasante de 63 pour cent. Même avec le handicap de Chappaquiddick, Teddy Kennedy aurait encore été mon plus redoutable adversaire démocrate en 1972.

Muskie avait une bonne possibilité de me battre, et Humphrey, soutenu par les syndicats, me suivrait de près. Tout candidat aurait le bénéfice du poids du Parti Démocrate, dont les effectifs, en 1972, dépassaient de plusieurs millions ceux du Parti Républicain. Ils auraient aussi peut-être l'aide de George Wallace faisant campagne contre moi en tiers parti. Finalement, il semblait probable que tous les candidats feraient campagne contre une guerre que je n'étais capable ni de gagner, ni de terminer.

George McGovern était le plus extrême des candidats opposés à la guerre. La solution qu'il proposait pour résoudre ce problème extraordinairement complexe séduisait ses partisans par sa simplicité : « Si j'étais Président, disait-il, il ne me faudrait que vingt-quatre heures et une signature pour mettre fin à toutes les opérations militaires du Sud-Est asiatique. » Il retirerait toutes les troupes en quatre-vingt-dix jours, que nos prisonniers de guerre fussent ou non relâchés. Le Président Thieu pourrait s'enfuir où il voudrait. Même si nos prisonniers n'étaient pas relâchés, McGovern ne reprendrait pas la lutte parce que, comme il l'exprima clairement pendant sa campagne, « mendier vaut mieux que bombarder ».

Les divergences sur le Vietnam entre McGovern et les autres Démocrates étaient fondamentales : pour ces derniers, la guerre était un problème; pour lui, c'était *la* cause à saisir, son principal cheval de bataille.

Muskie battit McGovern au New Hampshire par 46 contre 37 pour cent. En raison de l'avance considérable de Muskie au début de la campagne, les commentateurs qualifièrent sa marge de 9 pour cent de sérieux échec. D'un jour à l'autre, l'attention des moyens d'information transforma McGovern : de candidat marginal, il était devenu un concurrent sérieux.

Lors des secondes primaires, en Floride, George Wallace galvanisa les électeurs, en leur demandant « d'envoyer un message à Washington », avec la mention « *No busing* [1] ». Wallace remporta la Floride avec 41,5 pour cent des voix. Humphrey venait en second, Jackson en troisième. Muskie, qui avait traité Wallace de raciste, venait quatrième avec seulement 8,8 pour cent.

McGovern gagna le 4 avril à l'importante élection primaire du Wisconsin, puis au Massachusetts et au Nebraska. Pour moi, son ascension était la bienvenue, autant qu'elle me paraissait invraisemblable. A la fin du printemps, il n'y avait plus, pour l'arrêter, que Humphrey et Kennedy.

La satisfaction que me donnait, d'autre part, les résultats des primaires du Parti Républicain n'était pas diminuée par le fait que l'on s'y attendait. Bien que je n'aie fait aucune campagne, je recevais des majorités écrasantes.

LA CHINE

Le soir du 15 Juillet 1971, à 7 h 30, je m'adressai à la nation d'un studio de télévision à Burbank, en Californie. Je ne parlai que trois minutes et demie, mais mon allocution produisit l'une des plus grandes surprises diplomatiques du siècle.

Je commençai ainsi : « J'ai demandé un temps d'antenne à la télévision ce soir pour vous annoncer une initiative très importante dans les efforts

---

1. C'est-à-dire : pas d'intégration scolaire; le transport des enfants blancs et noirs en « bus » vers des écoles mixtes interraciales, parfois éloignées, étant la conséquence inévitable et l'image pratique des mesures prises pour mettre fin à la discrimination raciale scolaire (N.d.T.).

que nous entreprenons pour construire une paix mondiale durable. » Et je lus le communiqué qui était publié à la même heure à Pékin :

> « Le Premier Ministre Chou en-Laï et M. Henry Kissinger, conseiller du Président Nixon pour les affaires de Sécurité nationale, ont eu des entretiens à Pékin du 9 au 11 juillet 1971. Mis au courant du désir exprimé par le Président Nixon de visiter la République populaire de Chine, M. Chou en-Laï, au nom du gouvernement de la République populaire de Chine, a invité le Président Nixon à la date qui lui conviendrait avant mai 1972. Le Président Nixon a accepté cette invitation avec plaisir.
> La rencontre qui doit avoir lieu entre les chefs de la Chine et des Etats-Unis a pour but de rechercher une normalisation des relations entre les deux pays et aussi d'échanger leurs points de vue sur les questions intéressant les deux parties. »

Ce bref communiqué avait été précédé par plus de deux ans de communications et de négociations diplomatiques complexes, subtiles et persévérantes. Malgré le secret presque miraculeux que nous avions su garder, l'initiative chinoise avait été, en réalité, l'une des surprises de l'histoire les mieux préparées publiquement.

La première allusion que je fis à l'importance des relations entre les Etats-Unis et la Chine communiste se trouvait dans l'article que je donnai à la revue *Foreign affairs* en 1967. Mon premier message présidentiel s'y référait indirectement par les mots que voici :
« Nous voulons un monde ouvert, un monde dans lequel aucun peuple, grand ou petit, ne vivra dans l'amertume ou l'isolement. »
Moins de deux semaines plus tard, le 1ᵉʳ février, j'adressai à Kissinger un mémorandum, recommandant d'encourager le Gouvernement à étudier les possibilités d'un rapprochement avec les Chinois. J'ajoutai : « Ceci doit être fait évidemment d'une manière officieuse, et ne doit, en aucun cas, figurer dans les documents officiels de cette administration. » Au cours de 1969, les Chinois ne tinrent aucun compte des signes d'intérêt que nous leur manifestâmes discrètement, et ce n'est qu'en 1970 que des démarches sérieuses furent entreprises pour obtenir un dialogue, afin de voir si la chose pouvait nous mener quelque part, et où.
La première démarche publique fut prise, comme suite à mon initiative concernant la Chine, en février 1970, lorsque j'adressai au Congrès mon premier rapport sur la politique extérieure. Le passage consacré à la Chine commençait ainsi :

> « Les Chinois sont un grand peuple, d'importance essentielle, et comme tel, il ne devrait pas être tenu à l'écart de la communauté internationale.
> Les principes qui sont à la base de nos relations avec la Chine sont semblables à ceux qui gouvernent notre politique avec l'U.R.S.S. La politique des Etats-Unis, selon toute probabilité, n'est pas près de modifier le comportement de la Chine, encore moins son idéologie. Mais il est certainement de notre intérêt, et de l'intérêt de la paix et de la stabilité en Asie et dans le monde, que nous prenions des mesures propres à améliorer nos relations pratiques avec Pékin. »

Les chefs de la Chine communiste comprirent parfaitement ce que ces mots voulaient dire. Deux jours plus tard, au cours d'un entretien avec notre ambassadeur à Varsovie, Walter Stoessel, l'ambassadeur de Chine suggéra de transporter à Pékin leurs conversations qui avaient été jusqu'alors irrégulières et dépourvues de tout résultat. Il fit comprendre également que le Gouvernement chinois accueillerait volontiers une personnalité américaine importante, comme chef de la délégation.

En mars 1970, le Département d'Etat annonça un assouplissement de la plupart des restrictions officielles pesant sur les voyages en Chine communiste; en avril, nous fîmes connaître un nouvel adoucissement des contrôles sur le commerce.

Les plans élaborés pour faire passer nos contacts à Varsovie à Pékin furent compromis en mai lorsque les Chinois annulèrent un projet de rencontre pour protester contre l'opération entreprise au Cambodge. Il parut, pendant quelques semaines, que l'initiative de rapprochement avec la Chine avait échoué. Mais sa logique fondamentale reposait sur une estimation solide des avantages mutuels, et je ne fus pas surpris quand, après quelques mois, les Chinois nous firent savoir qu'ils étaient prêts à reprendre notre menuet diplomatique. En juillet, ils remirent en liberté l'évêque catholique américain James Eduard Wash, qui avait été arrêté en 1958 et gardé en prison pendant douze ans.

Au début d'octobre, je donnai une interview à la revue *Time*. J'y disais : « S'il y a quelque chose que je désire avant de mourir, c'est d'aller en Chine. Si je ne puis le faire, j'espère que mes enfants le feront. »

Le 25 octobre, le Président du Pakistan Yahya Khan vint me voir, et je saisis cette occasion pour établir « la connexion Yahya ». Nous avions déjà discuté de cette idée en termes généraux lors de la visite que je lui avais faite au Pakistan en juillet 1969. Cette fois-ci, je lui dis que nous avions décidé de normaliser nos relations avec la Chine et je lui demandai de nous aider en se faisant notre intermédiaire.

« Nous ferons naturellement tout ce que nous pourrons pour vous aider dit Yahya, mais vous devez bien savoir que ce sera difficile. D'anciens ennemis ne deviennent pas facilement de nouveaux amis. Ce sera lent, et vous devez vous attendre à des échecs. »

Le jour suivant, le Président roumain Ceausescu arriva en visite officielle; j'avais déjà abordé avec lui, à Bucarest en 1969, la nécessité de nouveaux rapports sino-américains. Au cours du dîner donné en son honneur, je saisis l'occasion de mon toast pour appeler la Chine communiste par son titre officiel, la République Populaire de Chine. C'était la première fois qu'un Président des Etats-Unis le faisait : même mon rapport sur la politique extérieure s'en était tenu à « la Chine communiste ». C'était là un appel diplomatique significatif.

Parlant le jour suivant avec Ceausescu, je dis que, même à défaut de la solution idéale du rétablissement des relations diplomatiques normales avec la Chine, un échange de personnalités d'un haut niveau pourrait avoir lieu. Il accepta de faire passer le mot à Pékin et ce fut ainsi le début de la « connexion roumaine ».

Un mois plus tard, le 22 novembre, je dictai un mémorandum pour Kissinger.

« Je souhaiterais que d'une manière tout à fait confidentielle, vous fissiez préparer par votre état-major, sans aucune participation de gens qui pourraient éventer la nouvelle, une étude sur l'attitude à prendre en ce qui concerne l'entrée de la Chine rouge aux Nations Unies. Il me semble que, bien plus tôt que nous ne le pensons, nous ne disposerons plus de tous les votes nécessaires pour bloquer son admission.

« La question à laquelle je voudrais une réponse est celle de savoir comment nous pouvons prendre une position nous permettant de tenir nos engagements à l'égard de Taïwan tout en évitant d'être laminés par ceux qui sont en faveur de l'admission de la Chine rouge.

« Il n'y a pas d'urgence, mais j'aimerais voir d'ici deux ou trois mois à quelles conclusions vous avez abouti. »

En fait, les choses devaient se passer beaucoup plus vite que je ne l'avais pensé.

Le 9 décembre, Chou en-Laï fit savoir par le Président Yahya que mon représentant serait accueilli avec plaisir à Pékin pour discuter de la question de Taïwan. Chou soulignait que ce message n'émanait pas de lui seul, mais qu'il avait été approuvé par le Président Mao et par Lin Piao qui exerçait encore, à cette époque, un pouvoir important. Avec une subtilité caractéristique, Chou concluait sur un jeu de mots : « Nous avons reçu déjà dans le passé des messages venant de diverses sources des Etats-Unis, mais — disait-il — c'est la première fois qu'une proposition vient de la tête, passant par une tête, adressée à la tête. » Par l'entremise de l'ambassadeur du Pakistan Agha Hilaly, nous répondîmes qu'un entretien ne saurait être limité à une discussion sur Taïwan, et que nous proposions que des représentants chinois et américain se rencontrent au Pakistan pour examiner la possibilité d'entretiens à un niveau élevé à Pékin.

Le 18 décembre, l'écrivain américain Edgar Snow obtint une interview de son vieil ami Mao Tse-tung. Mao lui dit que le ministère des Affaires étrangères étudiait la possibilité d'autoriser des Américains de toutes tendances politiques — de la droite, du centre et de la gauche — à visiter la Chine. Snow lui demanda si un homme de droite, tel que Nixon, qui représentait « le capitalisme monopoliste », serait aussi admis à venir. Mao répondit que je serais le bienvenu, parce que j'étais, après tout, en tant que Président, l'homme avec lequel les problèmes existant entre la Chine et les Etats-Unis devraient être résolus. Mao ajouta qu'il serait heureux de parler avec le Président, qu'il vînt comme simple touriste ou comme Président. Cette déclaration de Mao fut portée à notre connaissance quelques jours plus tard.

Au début de 1971, la connexion roumaine entra en activité. L'ambassadeur Corneliu Bogdan vint voir Kissinger pour lui dire qu'après notre conversation d'octobre Ceausescu avait envoyé à Pékin son Vice-Président du Conseil et que Chou en-Laï lui avait donné pour moi le message suivant :

« Le message du Président des Etats-Unis n'est pas une nouveauté. Il existe entre nous un seul différend non réglé : l'occupation américaine à Taïwan. La République Populaire de Chine a essayé de négocier en toute bonne foi sur ce différend depuis quinze ans. Si les Etats-Unis ont le désir de le régler et présentent une proposition de solution, la République Populaire de Chine sera prête à recevoir à Pékin un représentant spécial des Etats-Unis. Le présent message a été mis au point par le Président Mao et Lin Piao. »

Chou en-Laï avait ajouté qu'en raison du fait que j'avais été à Bucarest en 1969 et à Belgrade en 1970, je serais le bienvenu à Pékin.

Ce message était encourageant. Comme Kissinger le remarqua, le ton était rassurant : il ne comportait aucune invective, et l'absence de toute référence au Vietnam indiquait que Pékin ne considérerait pas que la guerre du Vietnam constitue un obstacle insurmontable au rapprochement sino-américain.

Je fis de mon mieux pour m'assurer que l'opération de Lam son au début de 1971 ne détruirait pas cet embryon de relations, comme l'opération du Cambodge avait menacé de le faire un an auparavant. Dans une conférence de presse, le 17 février, je soulignai que notre intervention au Laos ne devait pas être interprétée comme une menace contre la Chine. A Pékin, le *Journal du peuple,* organe officiel du gouvernement, rejeta ma déclaration avec véhémence : « En portant le foyer de la guerre aux portes de la Chine, l'impérialisme des Etats-Unis crée évidemment une grave menace pour la Chine... Nixon a en fait révélé au grand jour son caractère féroce et atteint le zénith de l'arrogance. »

Le 25 février 1971, cinq jours après la publication de cette tirade, je soumis au Congrès mon deuxième rapport sur la politique extérieure. Cette fois, un passage relatif à la République Populaire de Chine discutait d'une extension possible des relations entre les deux pays et laissait entrevoir l'éventualité d'une entrée de Pékin aux Nations Unies. Il concluait ainsi :

> « Au cours de l'année à venir, j'examinerai avec soin quelles sont les mesures à prendre pour créer de plus larges possibilités de contact entre les peuples chinois et américain, et la manière de supprimer les obstacles inutiles qui empêchent la réalisation de ces possibilités. Nous espérons constater une attitude réciproque, mais nous ne serons pas détournés de nos efforts si elle fait défaut.
>
> Nous devons, en tout cas, être tout à fait réalistes dans nos prévisions. La République Populaire de Chine continue à faire connaître à son peuple et au monde sa détermination de nous attribuer le rôle du diable. Nos modestes efforts pour montrer le contraire n'ont pas réduit l'hostilité doctrinaire de Pékin à notre égard...
>
> Aussi longtemps que Pékin persistera dans son intransigeante hostilité, il y a bien peu de chose que nous pourrons faire nous-mêmes pour améliorer nos rapports. Ce que nous pouvons faire, nous le ferons. »

Le 15 mars, le Département d'Etat annonça la fin des restrictions sur l'emploi des passeports américains pour les voyages vers la Chine continentale. Le 6 avril, une percée se produisit dans une direction tout à fait inattendue : notre ambassade à Tokyo fit savoir qu'une équipe américaine de ping-pong, qui prenait part aux championnats du monde organisés au Japon, avait été invitée à visiter la R.P.C. pour y donner une tournée de matchs.

Je fus aussi surpris que satisfait de cette nouvelle. Je n'avais jamais pensé que l'initiative de Pékin viendrait à maturité sous la forme d'une équipe de ping-pong. Nous approuvâmes immédiatement l'acceptation de cette invitation et les Chinois réagirent en accordant des visas à plusieurs correspondants de presse occidentaux pour leur permettre de suivre la tournée.

Le 14 avril, je mis fin à l'embargo sur le commerce qui était vieux de vingt ans. J'ordonnai aussi toute une série de mesures nouvelles pour assouplir les contrôles sur la monnaie et la navigation applicables à la

R.P.C. Le même jour, Chou en-Laï recevait personnellement nos joueurs de ping-pong à Pékin.

Parlant quelques jours plus tard au congrès de l'association américaine des rédacteurs en chef de journaux à Washington, je fus interrogé sur la signification des récents événements concernant la R.P.C. Je répondis que nous assistions au développement d'une politique réglée qui commençait à porter ses fruits. Mes auditeurs seraient déçus s'ils étaient en quête de nouvelles à titres sensationnels, car la nature même des nouveaux rapports ne permettait pas de les satisfaire.

Je terminai par une observation que, j'en suis sûr, beaucoup de mes auditeurs négligèrent, pensant qu'il s'agissait d'une digression personnelle. En fait, c'était une perche tout à fait directe que je leur tendais :

« L'autre jour, c'était le dimanche de Pâques — commençais-je —, mes deux filles, Tricia et Julie, étaient là, et Tricia avec Eddie Cox (je pense qu'ils se marieront au mois de juin), et Julie avec David Eisenhower. »

Et la conversation tomba sur les voyages, et donc, bien entendu, sur les voyages de noces et les autres. Ils me demandèrent où j'aimerais aller, où je pensais qu'ils devraient aller.

Alors, je réfléchis un moment et leur dis : « Eh bien, l'endroit où il faut aller, c'est l'Asie. J'espère qu'une fois dans votre vie, le plus tôt possible sera le mieux, vous pourrez aller en Chine voir ses grandes villes, et le peuple, et tout ce qui s'y trouve.

« J'espère que mes enfants le feront. Et en fait, parfois j'espère que je le ferai moi-même. Je ne suis pas sûr que cela arrivera pendant que je suis Président. Je ne veux me lancer dans des spéculations sur aucune question diplomatique. Il est encore trop tôt pour parler d'une reconnaissance. Il est aussi trop tôt pour parler d'un changement de notre politique en ce qui concerne les Nations Unies. »

Nous en étions là lorsqu'un éléphant, sous la forme de Ted Agnew, pénétra par inadvertance dans notre magasin diplomatique de porcelaine chinoise. Pendant une longue séance nocturne avec un groupe de reporters dans sa chambre d'hôtel à Williamsburgh en Virginie, où il assistait à une conférence des gouverneurs républicains, le Vice-Président leur dit que le traitement favorable réservé par les moyens d'information à la visite de l'équipe de ping-pong à Pékin avait aidé le Gouvernement chinois communiste à obtenir une propagande triomphale. Il avait remarqué que certains reporters avaient envoyé des descriptions presque lyriques de l'existence satisfaite et créatrice vécue par les habitants de Pékin.

Agnew avait exprimé des réserves sur nos ouvertures à la Chine communistes en matière de commerce et de visas au cours d'une récente session du Conseil National de Sécurité, mais je n'avais jamais imaginé qu'il ferait part de ses doutes à des journalistes. Je chargeai Haldeman de dire à Agnew de se tenir à l'écart de ce sujet.

Le rythme commençait à s'accélérer. Le 27 avril, l'ambassadeur Hilaly apporta à la Maison Blanche un nouveau message de Chou en-Laï via le Président Yahya. Après l'insistance rituelle sur Taïwan qui formait le problème principal et préalable, qui devait être résolu avant que toute relation pût être rétablie, le message ajoutait que les Chinois étaient maintenant intéressés par des discussions directes, en tant que moyen de réaliser cet accord, et qu'en conséquence « le Gouvernement chinois réaffirmait ses dispositions à recevoir publiquement à Pékin un envoyé spécial du Président des Etats-Unis (par exemple, M. Kissinger) ou le Secrétaire d'Etat des Etats-Unis, ou même le Président des Etats-Unis lui-même pour un entretien et une discussion directs. »

Sur certains points importants, ce message posait autant de problèmes qu'il en résolvait. Taïwan était encore cité comme problème essentiel. De plus, les Chinois parlaient de recevoir publiquement un envoyé à Pékin. Je sentais que pour préserver toute chance de succès à notre initiative, il fallait la tenir tout à fait secrète jusqu'à ce que les dernières dispositions concernant la visite présidentielle aient fait l'objet d'un accord. Avisée à l'avance, l'opposition conservatrice pourrait mobiliser le Congrès et saborder toute l'entreprise.

Nous passâmes les jours suivants, Kissinger et moi, à décider qui nous enverrions à Pékin pour les premiers entretiens.

Le meilleur, nous en tombâmes d'accord, aurait été David Bruce, mais il fallut l'éliminer, car il était notre négociateur à Paris, et les Chinois auraient sans aucun doute pris en mauvaise part l'envoi d'une personnalité aussi étroitement liée aux affaires vietnamiennes. Nous pensâmes aussi à Cabot Lodge, mais plus encore que Bruce, il était associé au Vietnam.

« Eh bien, pourquoi pas Bill? dis-je. Si nous envoyons le Secrétaire d'Etat, ils seront sûrs, c'est absolument certain, que nous traitons sérieusement. »

Kissinger leva les yeux au ciel. Je savais qu'il se serait opposé à l'envoi de Rogers de toute façon, pour des raisons personnelles; mais, en ce cas, il avait de bonnes raisons politiques. Le Secrétaire d'Etat avait une position trop élevée pour ces premiers entretiens. De plus, il n'y avait pas moyen qu'il allât en Chine secrètement.

« Henry, dis-je finalement, je pense que c'est vous qui devrez le faire. »

Il objecta que, comme Rogers, il n'était que trop visible.

« Je suis sûr, lui répondis-je alors, qu'un homme qui réussit à entrer à Paris et à en sortir sans avoir été repéré peut aller à Pékin et en revenir sans que personne puisse s'en rendre compte. »

Lors de ma conférence de presse du 29 avril, je donnai un nouvel indice de ce qui était projeté. Mais, une fois de plus, même les critiques et les analystes les plus rigoureux de la rhétorique de Nixon ne réussirent pas à déceler l'allusion que je leur offrais.

Comme aucun des reporters ne m'avait rien demandé sur une possibilité précise de visite en Chine, je me posai moi-même la question. A la fin d'une réponse à une question générale concernant notre politique chinoise, je dis : « Je voudrais maintenant indiquer — je sais que cette question peut m'être posée si je n'y réponds pas dès maintenant — que j'espère, et en fait que je crois que je visiterai la Chine continentale quelque jour à quelque titre — je ne sais pas encore à quel titre. Mais cela indique ce que j'espère à long terme. Et j'aspire à contribuer ainsi à créer une politique qui permettra de nouveaux rapports avec la Chine continentale. »

A peu près à la même date parut un numéro de *Life* contenant l'interview accordée en décembre par Mao à Edgar Snow. Il était maintenant public que Mao m'accueillerait à Pékin.

Des messages et des signaux avaient été échangés depuis plus de deux ans. Nous avions procédé avec soin et avec prudence, au moyen des connexions Yahya et roumaine. Et maintenant, Kissinger et moi, nous étions d'accord : nous étions arrivés au point où nous avions à prendre le risque de faire une proposition substantielle, ou sinon de retomber dans une nouvelle longue série de sondages préalables.

Je décidai que le temps était venu de faire un grand pas et de proposer une visite présidentielle.

En conséquence, le 10 mai, Kissinger remit à l'ambassadeur Hilaly un message pour Chou en-Laï via le Président Yahya. Il disait qu'en raison de l'importance que j'attachais à la normalisation des relations entre nos deux pays, j'étais prêt à accepter une invitation de Chou à visiter Pékin. Avant mon voyage, Kissinger s'y rendrait secrètement pour fixer un programme et entreprendre un échange de vues préliminaire.

Les dés étaient jetés. Il n'y avait plus rien à faire que d'attendre la réponse de Chou. Si nous avions agi trop tôt, si nous n'avions pas bâti de fondations assez solides, ou si nous avions surestimé les possibilités de Mao et de Chou de faire leur affaire de l'opposition intérieure à une telle visite, alors tous nos efforts eussent été vains. J'aurais eu même à compter avec de sérieuses difficultés internationales si les Chinois avaient décidé de rejeter mes propositions et les avaient publiées.

Pendant deux semaines nous attendîmes, en nous demandant quelle serait la décision que l'on élaborerait à Pékin.

Puis, le 31 mai, le Président Yahya Khan nous adressa par son ambassadeur un message dont voici la substance :

1. Une réponse à notre message tout à fait encourageante et positive était arrivée.

2. Veuillez faire savoir à M. Kissinger que la rencontre aura lieu sur le territoire chinois et que le voyage sera organisé par nous.

3. Le niveau de la rencontre sera celui que vous avez proposé.

4. Un message complet sera envoyé par des moyens sûrs.

Deux jours plus tard je donnais un dîner officiel en l'honneur du Président Somoza, du Nicaragua. Après avoir pris le café avec Pat et nos hôtes dans la Salle Bleue, je me rendis au Salon Lincoln pour travailler et lire. A peine cinq minutes plus tard, Kissinger entra. Il avait dû courir tout le long du chemin depuis l'aile occidentale, car il était hors d'haleine...

Il me remit deux feuilles dactylographiées : « Cela vient d'arriver par la valise de l'ambassade du Pakistan, dit-il. Hilaly s'est précipité chez moi, et il était tellement excité que ses mains tremblaient en me le remettant. »

Kissinger était radieux tandis que je lisais le message.

« Le Premier Ministre Chou en-Laï a sérieusement étudié les messages du Président Nixon des 29 avril, 17 mai et 22 mai 1971, et a eu le grand plaisir de rendre compte au Président Mao que le Président Nixon était disposé à accepter ses suggestions d'une visite à Pékin pour des conversations directes avec les chefs de la République Populaire de Chine. Le Président Mao Tse-Tung a indiqué qu'il se réjouissait de recevoir le Président Nixon et qu'il attendait avec impatience cette occasion d'avoir des conversations directes avec son Excellence le Président, au cours desquelles chaque partie serait libre de soulever le problème principal qui l'intéresse le plus...

« Le Premier Ministre Chou en-Laï accueillera volontiers en Chine le Dr Kissinger, en tant que représentant des Etats-Unis, qui viendra tout d'abord pour un entretien préliminaire secret avec des personnalités officielles chinoises de haut rang afin de prendre les dispositions nécessaires à la visite du Président Nixon à Pékin. »

« C'est là, dit Kissinger (quand j'eus terminé ma lecture), la communication la plus importante qui ait été faite à un Président américain depuis la fin de la Seconde Guerre mondiale. »

Pendant près d'une heure, nous discutâmes de l'initiative chinoise, de ce qu'elle signifiait pour l'Amérique, et de la manière délicate dont il fallait traiter, si nous ne voulions pas la compromettre. Minuit allait sonner lorsque nous nous aperçûmes de l'heure et Kissinger se leva pour s'en aller.

« Henry, dis-je, je sais que, comme moi, vous ne buvez jamais rien après dîner, et qu'il est très tard. Mais je pense que cela est l'occasion de faire une exception. Attendez un instant. »

Je me levai et, par le corridor, j'allai à la petite cuisine familiale à l'autre bout du deuxième étage. Dans l'un des placards, je trouvai une bouteille de très vieux Courvoisier que quelqu'un nous avait donnée pour Noël. Je la mis sous le bras et je pris deux petits verres dans le vaisselier. En levant mon verre, je dis : « Henry, nous ne buvons pas à notre propre santé, ni à notre succès, ni à la politique de notre gouvernement qui a rendu possibles et ce message et l'événement de ce soir. Nous buvons aux générations à venir qui auront une meilleure chance de vivre en paix à cause de ce que nous avons fait. »

Tels que je les écris aujourd'hui, ces mots paraissent un peu solennels, mais l'instant n'était pas celui d'une exaltation personnelle, bien plutôt celui de la conviction (mutuelle et profonde) qu'il s'agissait d'un moment d'une importance historique.

Le 6 juillet, je m'envolai pour Kansas City où je devais prendre la parole devant un nombreux groupe de responsables de moyens d'information au cours d'une de ces conférences périodiques sur la politique du Gouvernement que nous organisions dans différentes parties du pays.

Kissinger était en plein milieu d'une mission de dix jours en Extrême-Orient et juste à quelques jours de son voyage secret à Pékin. Avant qu'il n'y arrivât, je désirais fixer pour l'histoire une esquisse des raisons qui avaient déterminé nos démarches vers la Chine. Je dis à l'Assemblée que le potentiel chinois, bien que dissimulé à la plupart des observateurs américains par son isolement, était tel qu'aucune politique extérieure raisonnable ne pouvait feindre de l'ignorer ou de l'exclure. « Voilà la raison pour laquelle j'ai pensé que ce Gouvernement devait prendre l'initiative de mettre un terme à l'exclusion de la Chine continentale de la communauté mondiale. » En dépit des récentes manifestations d'activité, j'ajoutai que je n'avais pas grand espoir dans un progrès rapide de nos relations. « Nous n'avons fait qu'ouvrir la porte, nous avons ouvert la porte aux voyages, nous avons ouvert la porte au commerce. Maintenant la question est de savoir s'il y aura de leur part d'autres portes qui seront ouvertes... La Chine continentale, hors de la communauté internationale, avec des chefs qui ne seraient pas en relation avec les autres chefs de gouvernement du monde, constituerait un danger pour le monde entier, un danger qui serait inacceptable, pour nous et pour les autres aussi. Par conséquent, ce pas doit être franchi dès maintenant. D'autres seront faits, de manière très précise, de manière très décidée, lorsqu'il y aura réciprocité de leur côté. »

Ces propos ne provoquèrent pas une grande attention à Kansas City. Mais comme nous l'apprîmes plus tard, il n'en fut pas de même à Pékin.

Nous avions décidé que Kissinger irait au Vietnam pour des entretiens au début de juillet et s'arrêterait au Pakistan sur le chemin du retour. Là, il souffrirait de maux d'estomac qui l'empêcheraient d'être vu des journalistes. Alors, avec l'aide du Président Yahya, il rejoindrait un aéroport d'où un avion à réaction pakistanais l'emmènerait vers la Chine par-delà les montagnes. Les maux d'estomac étaient prévus entre le 9 et le 11 juillet. Kissinger s'envolerait ensuite vers San Clemente pour me rendre compte.

Le voyage de Kissinger avait reçu le nom de code de Polo, d'après Marco Polo, un autre voyageur occidental dont le voyage en Chine avait marqué l'histoire. Tout se passa sans le moindre accroc. Son indisposition à Islamabad fut à peine remarquée des journalistes qui avaient été chargés de le suivre. Ils gobèrent l'histoire de son alitement pour plusieurs jours et se mirent à s'occuper de leurs propres plaisirs.

En raison du secret nécessaire et de l'absence de toute communication directe entre Pékin et Washington, je savais que nous n'aurions pas un mot de Kissinger pendant qu'il était en Chine. Même après son retour au Pakistan, il était important de maintenir le secret : c'est pourquoi, avant le départ de Kissinger, nous avions convenu d'un seul mot code — *Eurêka* — qu'il devait utiliser si sa mission avait réussi et si le voyage présidentiel avait été arrangé.

Tout en étant persuadé que les Chinois étaient aussi disposés que nous à mon voyage, je ne sous-estimais pas les terribles problèmes que Taïwan et le Vietnam posaient pour les deux parties, et je m'efforçais de me contraindre à ne rien espérer de peur de commencer à espérer trop.

Le 11 juillet, Al Haig, qui connaissait notre mot code, m'appela au téléphone pour me dire qu'un câble de Kissinger était arrivé. « Que dit-il? demandai-je. — *Eurêka!* » répondit-il.

Le récit que Kissinger me fit de son séjour en Chine fut passionnant. Les Chinois s'étaient déclarés d'accord à peu près sur tout ce que nous avions proposé concernant les dispositions à prendre et le programme de mon voyage. Les conversations préliminaires avaient traité de tout l'ensemble des questions et des problèmes séparant nos deux pays. Il décrivait les Chinois coriaces, idéalistes, fanatiques, obstinés dans leur poursuite d'un but unique, étonnants et péniblement conscients de la contradiction philosophique inhérente aux préparatifs qu'ils faisaient pour la visite de leur ennemi capitaliste numéro un.

Et surtout, Kissinger avait été impressionné par Chou en-Laï. Les deux hommes avaient passé plusieurs heures en entretiens et en simples conversations, et Kissinger constata qu'il était à l'aise tout aussi bien dans ses traits philosophiques occasionnels que dans l'analyse historique, les sondages tactiques, l'esprit de repartie, la maîtrise des faits, et, en particulier, sa connaissance de ce qui se passait en Amérique était remarquable. A un moment, Chou lui posa une question sur mon discours de Kansas City, et Kissinger dut admettre qu'il n'avait lu que les comptes rendus de presse. Le matin suivant, Kissinger trouva, avec son petit déjeuner, un exemplaire de mon discours, avec les annotations en chinois et les passages soulignés par Chou, accompagné d'une note lui demandant de le lui rendre, parce que c'était le seul exemplaire dont il disposait.

Dans un brillant résumé du long rapport qu'il fit de son voyage, Kissinger écrivait :

> « Nous avons posé les fondations qui vous permettront, à vous et à Mao, de tourner la page. Mais nous ne devons nourrir aucune illusion sur l'avenir. Des différences profondes et des années d'isolement ont créé un abîme entre nous et les Chinois. Ils seront coriaces, avant et pendant la rencontre au sommet, au sujet de Taïwan et d'autres questions importantes; ce seront des ennemis implacables si les choses tournent mal. Mon avis sur ces gens est qu'ils sont avant tout des idéologues, presque des fanatiques dans l'intensité de leur foi. Mais, en même temps, ils témoignent d'une sûreté d'eux-mêmes qui leur permet, dans le cadre de leurs principes, d'être méticuleux et sûrs dans leurs relations avec les autres.
>
> « Nos tractations, tant avec les Chinois qu'avec les autres, nécessitent de la crédibilité, de la précision, de la finesse. Si nous pouvons maîtriser ce processus, nous aurons fait une révolution. »

Le 15 juillet, j'annonçai à la télévision que j'allais me rendre à Pékin. La plupart des premières réactions furent tout à fait positives. Max Lerner écrivit : « La politique des surprises conduit, par les portes de l'étonnement, au royaume de l'espoir. »

Certains commentaires se rapprochaient des vues partisanes des Démocrates en suggérant que ma motivation avait été surtout politique. Cependant, la plus grande part des critiques les plus sérieuses venait, comme je m'y attendais, des conservateurs. John Schmitz, membre du Congrès pour la Californie, m'accusa « d'avoir capitulé devant le communisme international » en acceptant l'invitation. George Wallace ne condamnait pas exactement le voyage, mais recommandait de ne pas « supplier, plaider ou ramper » devant les communistes chinois. Il dit à des journalistes qu'il soupçonnait que le voyage n'était en fait qu'une tactique de diversion destinée à détourner l'attention des gens de « l'inflation et du prix élevé des côtes de porc »!...

La réaction à l'étranger à l'égard de notre initiative chinoise fut généralement favorable, mais il y eut quelques réserves parfaitement compréhensibles. Nos amis de Taïwan étaient effondrés : nous les rassurâmes en leur disant que nous ne retirerions pas la reconnaissance de leur Gouvernement et que nous ne dénoncerions pas nos accords mutuels de défense. Les Japonais présentaient un problème particulièrement difficile. Ils étaient mécontents de n'avoir pas été informés, mais nous n'avions pas eu le choix. Nous n'aurions pu les mettre au courant sans le faire pour les autres, prenant ainsi un risque de fuite qui aurait fait échouer toute l'initiative.

Dès mon retour à Washington de San Clemente, je tins une conférence pour les dirigeants des deux partis dans la salle du Cabinet. J'insistai sur la nécessité du secret : plus nous fixions les choses par des mots et moins nous aurions de liberté de mouvement dans nos tractations avec les Chinois. Je comprenais que cela était difficile pour beaucoup d'entre eux, mais il me fallait leur demander de me faire confiance. Tous, ils répondirent comme un seul homme, de manière splendide. John Stennis déclara : « Le Président a pris une bonne initiative, il s'agit maintenant de le suivre, et quant à moi, je le soutiendrai. »

Mike Mansfield déclara que l'initiative de Chine avait un trait commun avec le projet de Manhattan : dans les deux cas, le secret était absolument indispensable au succès.

Kissinger retourna en Chine le 20 octobre : c'était Polo II. Cette fois-ci, ce voyage de six jours fut rendu public. Il avait pour objet de préparer l'agenda des entretiens que j'allais avoir avec les dirigeants chinois et de mettre au point le texte de base du communiqué qui serait publié à la fin de mon voyage.

Le projet de communiqué que j'avais approuvé pour être soumis aux Chinois suivait les usages diplomatiques habituels : il utilisait un langage vague et conciliant, afin de dissimuler les problèmes les plus difficiles et les plus insolubles.

Kissinger fut quelque peu déconcerté lorsque Chou lui déclara que notre conception du communiqué était inacceptable. Selon lui, il fallait qu'il exprimât nos oppositions fondamentales, sinon, il n'aurait pas l'air véridique. Il refusa notre projet : c'était, pour lui, le genre de document banal que les Soviétiques avaient l'habitude de signer sans y attacher d'importance et sans avoir la moindre intention de s'y conformer.

Les Chinois tendirent à Kissinger un contre-projet qui lui coupa le souffle. Si le nôtre camouflait nos oppositions, le leur les soulignait. Tout à fait maître de lui, Kissinger le lut. Après quoi, d'un ton très calme : « Il n'est pas possible, dit-il, qu'un Président américain signe un texte qui stipule que la révolution est devenue l'irrésistible destin de l'histoire ou que les luttes révolutionnaires du peuple sont justes. »

Les Chinois paraissaient déconcertés, mais Kissinger continua. Nous ne pouvions permettre aucune allusion aux discriminations raciales : nous y étions aussi opposés que les Chinois, mais la mention qui en serait faite dans le communiqué serait interprétée comme une critique de la politique intérieure américaine. De même les références à la Chine qu'ils proposaient en tant qu'« arrière sûr » du front du Nord-Vietnam, comme celles à l'appui donné par elle aux peuples indochinois « luttant jusqu'au bout pour atteindre leur but », étaient inacceptables, alors que des Américains combattaient ou étaient détenus prisonniers en Indochine.

Après cette séance initiale, Kissinger trouva les Chinois très disp à accepter un compromis sur un communiqué qui indiquait les buts essentiels de la rencontre au sommet, tout en maintenant les positions de base de chaque partie en un style dépourvu de toute violence.

Pour résumer ces longs et difficiles entretiens, Kissinger mettait l'accent sur le fait que les Chinois étaient désireux d'atteindre leurs objectifs en misant plutôt sur la poussée de l'histoire que sur le libellé précis d'un communiqué. « Ils continuèrent à se montrer coriaces, écrivait-il, mais dans le fond, ils ont accepté nos arguments qui consistent en ceci : que nous faisons souvent plus que nous ne disons, que le processus doit être progressif, et que certaines questions doivent être laissées à l'évolution des événements. Ce qui, à l'évidence, entraîne de grands risques pour eux, tant à l'intérieur qu'à l'extérieur, en raison de leurs exigences publiques antérieures et des différends qu'ils ont dans leur propre camp. »

Kissinger me rapporta que vers la fin des entretiens, Chou avait souligné très clairement qu'ils auraient pu se trouver dans de très graves difficultés, si mon Gouvernement n'avait pas été au pouvoir. « Il partageait ce qu'il dit être votre vœu, celui de présider aux cérémonies du bicentenaire de la naissance de l'Amérique. »

Tandis que Kissinger était en Chine, l'Assemblée Générale des Nations Unies se disposait à voter sur la question d'admettre la République populaire de Chine parmi ses membres. J'avais donné instruction à Kissinger de retarder son retour d'un jour, de manière à n'arriver aux Etats-Unis qu'après que ce vote difficile ait été acquis.

Dès le mois d'août, nous avions retiré notre opposition à la prise en considération de cette question, et indiqué notre appui pour l'idée des « deux Chine », la République de Chine de Tchang Kaï-chek à Taïwan et la République populaire de Chine communiste, chacune d'entre elles devant être membre de l'Organisation des Nations Unies.

Il n'avait pas été facile de prendre une décision qui serait si décevante pour notre vieil et fidèle ami Tchang. Dès le printemps, j'avais appris que le bloc traditionnellement opposé à l'admission de Pékin s'était irrémédiablement effondré et que plusieurs de nos partisans habituels avaient décidé d'appuyer Pékin au vote suivant. Personnellement, je n'ai jamais cru qu'il fallût se résigner à l'inévitable, juste parce que c'est inévitable. En ce cas, cependant, je pensais que les intérêts de la sécurité nationale des Etats-Unis exigeaient le développement de nos relations avec la R.P.C. D'autre part, indépendamment de ce qui se passait aux Nations Unies, j'étais déterminé à faire honneur à nos engagements en continuant notre appui militaire et économique en faveur d'un Taïwan indépendant.

Le 25 octobre, les Nations Unies décidèrent, par 76 voix contre 35 et 17 abstentions, d'expulser Taïwan et d'admettre la R.P.C. comme seul gouvernement représentant la Chine; cela allait beaucoup plus loin que nous ne nous y attendions. Nous avions pensé que notre plus grand problème aurait été de convaincre Taïwan de demeurer après que la R.P.C. eut été admise dans un statut d'égalité.

Quelques jours avant de partir pour la Chine, j'invitai le grand écrivain et philosophe français André Malraux à la Maison Blanche.

Malraux avait connu Mao Tsé-Tung et Chou en-Laï en Chine en 1930 et avait gardé avec eux des contacts intermittents au cours des années. Sa description des chefs chinois dans ses *Anti-Mémoires* fut l'une des lectures les plus passionnantes et les plus précieuses que j'aie faites pour me préparer à mon voyage.

Malraux avait alors soixante-dix ans. L'âge n'avait point terni le brillant de sa pensée ni la vivacité de son esprit. Même après traduction par un agent du Département d'Etat de son élégant français, le texte demeurait original et frappant.

Pendant notre conversation dans le Bureau Ovale, je lui demandai s'il aurait pensé quelques années auparavant que les dirigeants chinois accepteraient un jour de se rencontrer avec le Président des Etats-Unis.

« Cette rencontre était inévitable, me répondit-il. — Même avec la guerre du Vietnam? dis-je. — Mais oui, même en ce cas. L'action de la Chine au Vietnam n'est qu'une imposture. Il y a eu une période où l'amitié entre la Chine et la Russie était sans nuages, où les Chinois permettaient le passage des armes russes sur leur territoire vers le Vietnam. Mais la Chine n'a jamais aidé personne. Ni le Pakistan, ni le Vietnam. La politique extérieure chinoise n'est qu'un mensonge brillant. Les Chinois n'y croient pas : ils croient uniquement en la Chine. La Chine seule!

« Pour Mao, poursuivit Malraux, la Chine est un continent. C'est une sorte d'Australie. Seule la Chine compte. Si la Chine doit recevoir le Sultan de Zanzibar, elle le fait. Ou le Président des Etats-Unis. Pour les Chinois, cela n'a pas d'importance. »

Je demandai à Malraux ses impressions sur Mao. « Il y a cinq ans, dit-il, Mao avait une crainte : que les Américains et les Russes, avec dix bombes atomiques, détruisent les centres industriels de la Chine et rejettent la Chine cinquante ans en arrière, à un moment où Mao lui-même serait mort. Lui-même me l'a avoué : " Quand j'aurai six bombes atomiques, personne ne pourra bombarder mes villes. " » Malraux me confia qu'il n'avait pas compris ce que Mao avait voulu dire par là. Il continua : « Alors Mao me dit : " Les Américains n'utiliseront jamais une bombe atomique contre moi. " Je n'ai pas compris cela non plus, mais je vous le répète, parce que, souvent, c'est ce que l'on n'a pas compris qui est le plus important. » Il ne posa aucune question à Mao à ce sujet, parce que l'on ne pose pas de question à Mao.

Malraux débordait de mots et d'idées :

« Vous allez traiter avec un colosse, mais avec un colosse qui est en face de la mort. La dernière fois que je l'ai vu, il m'a dit : " Nous n'avons pas de successeurs. " Savez-vous ce que Mao pensera quand il vous verra pour la première fois? Il pensera : " Il est bien plus jeune que moi. " »

Le soir, au cours d'un dîner donné en son honneur, à ma résidence, Malraux me donna des conseils sur la façon de conduire une conversation avec Mao.

« Monsieur le Président, vous allez rencontrer un homme qui a eu une destinée fantastique et qui croit qu'il est en train de jouer le dernier acte de sa vie. Vous penserez sans doute qu'il s'adresse à vous, mais en réalité il sera en train de s'adresser à la mort... Cela vaut le voyage. »

Je demandai ce qui se passerait après Mao. Malraux répondit : « C'est exactement comme Mao l'a dit, il n'a pas de successeur. Que voulait-il dire par cela? Il voulait dire qu'à son avis, les grands chefs — Churchill, Gandhi, de Gaulle — ont été créés par une suite d'événements traumatiques qui n'arriveront plus jamais au monde. A cet égard, il pense qu'il n'a pas de successeur. Je lui ai demandé une fois s'il ne se considérait pas comme l'héritier des grands empereurs chinois du XVIᵉ siècle. Mao répondit : " Mais, naturellement, je suis leur héritier. " Monsieur le Président, vous agissez à l'intérieur d'un cadre logique, mais ce n'est pas le cas de Mao. Il y a chez lui quelque chose du sorcier. C'est un homme qui est habité, possédé par une vision. »

Je remarquai que ce genre de mystique se manifestait chez beaucoup de grands hommes. Des personnes qui avaient connu Lincoln assuraient qu'elles avaient toujours senti qu'il regardait au-delà de l'horizon — comme s'il y avait eu entre la terre et le ciel un espace sur lequel son regard était fixé. Le jour de son assassinat, il avait raconté au Conseil de Cabinet un rêve qu'il avait eu la nuit précédente : il lui avait semblé se trouver sur « un navire étrange, indescriptible », qui se déplaçait avec une grande rapidité vers un rivage indéfini. « Nous ne savons pas, dis-je, où est le rivage, ni ce qu'il est, mais il nous faut éviter les hauts-fonds en essayant de l'atteindre. »

Et Malraux de repartir : « Vous parlez d'éviter les hauts-fonds afin d'atteindre le rivage. Je crois que Mao est du même avis. Et bien que vous et lui vous soyez conscients de l'existence des hauts-fonds, ni l'un ni l'autre vous ne savez ce qui est au-delà du rivage. Mais Mao sait, cependant, que son port est la mort. »

Plus tard, lors du café : « Vous allez tenter une des choses les plus importantes de notre siècle. Je pense aux explorateurs du XVIᵉ siècle qui mettaient à la voile dans un but très précis mais qui souvent parvenaient cle. Mao répondit : " Mais, naturellement, je suis leur héritier." Monsieur le Président, peut avoir un résultat tout à fait différent de ce que l'on en attend. »

A la fin de la soirée, je raccompagnai Malraux à sa voiture. Comme nous nous tenions sur les marches du portique Nord, il se tourna vers moi : « Je ne suis pas de Gaulle, énonça-t-il, mais je sais ce que de Gaulle dirait s'il était ici. Il dirait : " Tous les hommes qui comprennent l'entreprise dans laquelle vous vous êtes embarqué vous saluent. " ».

Le 17 février 1972, à 10 h 35 nous partîmes pour Pékin de la base aéronautique d'Andrews. Tandis que l'avion prenait de la vitesse et décollait, je pensais aux paroles de Malraux. Nous étions embarqués pour un voyage de découverte philosophique aussi incertain, et à certains égards aussi périlleux, que les voyages en découverte géographique d'un temps beaucoup plus reculé.

Extrait de mon Journal :

Comme Henry et Bob me l'ont fait remarquer dans l'avion, les messages de bons vœux qui nous ont été envoyés de tous les coins du pays exprimaient un sentiment presque religieux. Je dis à Henry que je pensais que cela venait du fait que le peuple américain était désespérément en faveur de la paix, de façon presque naïve, même à n'importe quel prix. Il pensait qu'il y avait peut-être quelque élément d'excitation dans la hardiesse de notre initiative et dans le fait de visiter un pays inconnu pour beaucoup d'Américains.

Nous fîmes une brève escale à Changhai pour prendre à bord des fonctionnaires du Ministère chinois des Affaires Etrangères et un pilote chinois; une heure et demie plus tard, nous nous préparions à atterrir à Pékin. Je regardai par le hublot : c'était l'hiver, et la campagne était terne et grise. Les petites villes et les villages ressemblaient aux images que j'avais vues des villes du Moyen Age.

Notre avion atterrit doucement, et quelque minutes plus tard, nous nous arrêtions en face du terminal. La porte fut ouverte, et Pat et moi sortîmes de l'avion.

Chou en-Laï était en bas de la rampe, sans chapeau, malgré le froid. Son lourd manteau ne parvenait pas à dissimuler sa maigreur. A peine étions-nous à la moitié des marches qu'il commença à applaudir. Je m'arrêtai un instant pour lui rendre sa politesse, conformément à la coutume chinoise.

Je savais que Chou s'était senti profondément insulté par Foster Dulles qui avait refusé de lui serrer la main lors de la conférence de Genève en 1954. Sur la dernière marche, je fis exprès de lui tendre la main tout en marchant vers lui. Avec notre poignée de main, une ère prenait fin, une autre s'ouvrait.

Après avoir été présenté à toutes les personnalités chinoises, je me tins à la gauche de Chou tandis que l'orchestre jouait les hymnes nationaux. La *Star-Spangled Banner* ne m'a jamais paru si émouvante que sur cette piste battue par les vents au cœur de la Chine communiste.

La garde d'honneur était une des plus belles que j'aie jamais vues. C'étaient des hommes de grande taille, de forts gaillards, en tenue impeccable. Pendant que je les passais en revue, chacun tournait la tête à mon passage, créant ainsi une sorte de mouvement presque hypnotique dans les rangs serrés.

Une voiture munie de rideaux nous conduisit, Chou et moi, dans la ville. Comme nous quittions l'aéroport, il me dit : « Votre poignée de main est venue au-dessus du plus vaste océan du monde : vingt-cinq ans de non-communication. » En arrivant sur la place Tien An Men, au centre de Pékin, il me montra divers bâtiments; je remarquai que les rues étaient vides. Madame Chou nous attendait à notre arrivée aux deux maisons d'hôtes où notre délégation officielle devait séjourner. On nous offrit le thé dans le salon, puis Chou dit qu'il était sûr que chacun aimerait à se reposer avant le banquet officiel.

Une heure plus tard, j'allais prendre une douche lorsque Kissinger fit irruption pour me dire que Mao désirait me voir. Plus tard, dans la nuit, je décrivis l'atmosphère de cette rencontre.

Extrait de mon Journal :

Au cours du voyage, dans l'avion, Rogers avait exprimé son inquiétude au sujet de la rencontre que nous devions avoir bientôt avec Mao : je ne pouvais me trouver dans la situation de le voir d'une façon qui le placerait au-dessus de moi, par exemple d'avoir à gravir un escalier, tandis qu'il se tiendrait en haut des marches.

Nos soucis se dissipèrent tout à fait à deux heures environ, lorsque Henry arriva hors d'haleine pour m'annoncer que Chou était en bas : le Président Mao désirait me voir dès maintenant à sa résidence. J'attendis cinq minutes pendant que Henry descendait l'escalier, et on nous conduisit à la résidence.

On nous escorta dans une pièce qui n'avait rien de raffiné, remplie de livres et de papiers. Plusieurs livres étaient ouverts sur une table à café auprès de laquelle il était assis. Sa secrétaire l'aida à se lever. Lorsque je lui serrai la main, il me dit : « Je ne peux pas parler très bien. » Chou me confia par la suite qu'il avait été malade pendant environ un mois à la suite de ce qu'il décrivit comme une bronchite. Le public chinois, cependant, n'en n'avait pas été avisé.

Chacun, y compris Chou, lui témoignait la déférence qui lui était due. Deux ou trois militaires — ou des civils — se tenaient dans la pièce et, après dix minutes de conversation, Chou leur fit de la main signe de se retirer. Mais je remarquai cependant qu'ils restèrent debout dans le hall, montant la garde.

Même la transcription la plus fidèle de notre échange ne serait pas en mesure de rendre le plus émouvant de la conversation, lorsqu'il me tendit la main et que je lui tendis la mienne qu'il retint pendant environ une minute. Il avait évidemment un sens remarquable de l'humour. Il ne cessa de mêler Henry à la conversation, et alors que notre entretien était supposé ne durer que de dix à quinze minutes, il s'étendit à presque une heure. A plusieurs reprises, je vis Chou regarder sa montre, et je compris que je devais probablement y mettre fin pour ne pas le fatiguer exagérément.

Je notai plus tard avec intérêt, lors des séances plénières, que Chou se référait constamment à l'entretien avec Mao et à ce que Mao avait dit.

Plusieurs photographes chinois s'étaient précipités devant nous pour immortaliser notre première rencontre. Nous étions tous assis dans des fauteuils excessivement rembourrés rangés en demi-cercle au bout d'une longue pièce. Tandis que les photographes faisaient leur remue-ménage autour de nous, nous échangions des propos sans importance. Kissinger indiqua qu'à Harvard il avait fait inscrire les œuvres de Mao parmi les lectures de ses étudiants. Manifestant une humilité caractéristique, Mao prit alors la parole : « Mes œuvres ne sont rien. Il n'y a rien d'instructif dans ce que j'ai écrit. — Les écrits de Monsieur le Président, rétorquai-je, ont mis en mouvement une nation et ont transformé le monde. — Je n'ai pas pu le tranformer, répliqua Mao. C'est à peine si j'ai pu le faire pour quelques endroits dans le voisinage de Pékin. »

Bien que Mao eût quelque difficulté à parler, il était évident que son esprit était aussi rapide que l'éclair. « Tout cela ne plaît pas à notre vieil ami commun, le généralissime Tchang Kai-chek, dit-il avec un grand geste qui pouvait signifier tout aussi bien notre rencontre que toute la Chine. Il nous traite de bandits communistes. Il a fait un discours dernièrement. L'avez-vous lu?

— Tchang Kai-chek appelle *bandit* le Président, répondis-je. Comment le Président appelle-t-il Tchang Kai-chek? »

Mao eut un rire étouffé lorsque ma question lui fut traduite, mais ce fut Chou qui répondit : « Nous les appelons généralement la clique de Tchang Kai-chek. Nos journaux l'appellent parfois un bandit, et, à son tour, il nous traite de bandits. En somme, nous nous injurions mutuellement.

— En fait, dit Mao, l'histoire de notre amitié avec lui est beaucoup plus longue que celle que vous lui portez. »

Mao fit une remarque sur l'adresse de Kissinger à tenir secret son premier voyage à Pékin.

« Il n'a pas l'air d'un agent secret, dis-je, c'est le seul homme connu qui ait pu se rendre douze fois à Paris et une fois à Pékin sans que personne l'ait su, sauf peut-être quelques jolies filles...

— Elles ne le savaient pas, dit Kissinger, je ne m'en sers que comme d'une couverture.

— A Paris? fit Mao qui feignait l'incrédulité.

— Celui qui se sert de jolies filles comme d'une couverture, dis-je, doit être le plus grand diplomate de tous les temps.

— Vous faites souvent usage de vos jolies filles? me demanda Mao.

— De ses filles à lui, pas des miennes, dis-je. Cela risquerait de me coûter cher, si j'utilisais des filles pour couverture!

— Spécialement pendant une élection », remarqua Chou, tandis que Mao se joignait à nos rires.

Faisant allusion à nos élections présidentielles, Mao dit qu'en toute honnêteté il devait m'avouer que, si les Démocrates gagnaient, les Chinois ne traiteraient pas avec eux.

« Nous vous comprenons, dis-je. Espérons que nous ne vous poserons pas ce problème.

— J'ai voté pour vous lors de la dernière élection, dit Mao avec un large sourire.

— Quand le Président déclare qu'il a voté pour moi, répondis-je, cela signifie que, de deux maux, il a choisi le moindre...

— J'aime les gens de droite, observa Mao, qui s'amusait visiblement. Les gens disent que vous êtes de droite, que le Parti Républicain est un parti de droite, que le Premier Ministre Heath est un homme de droite.

— Et le général de Gaulle? ajoutai-je.

Dans la lancée, Mao répondit : « De Gaulle? C'est une tout autre affaire!... On dit aussi que le Parti Chrétien-Démocrate d'Allemagne occidentale est à droite. Je suis relativement heureux quand ces gens de la droite parviennent au pouvoir.

— Je pense, dis-je, que la chose la plus remarquable est qu'en Amérique, au moins en ce moment, ceux de droite sont ceux qui peuvent faire les choses dont ceux de gauche ne savent que parler. »

La conversation venant à porter sur l'histoire de notre réunion, Mao fit cette remarque : « L'ancien Président du Pakistan nous a présenté le Président Nixon. A l'époque, notre ambassadeur au Pakistan n'était pas favorable à ce que nous prenions contact avec vous. Il disait que le Président Nixon n'était pas meilleur que le Président Johnson. En revanche, le Président Yahya avait la conviction qu'on ne pouvait comparer les deux hommes. Selon lui, l'un était un gangster — il voulait dire le Président Johnson. Je ne sais pas comment il s'était formé cette impression, bien que, de notre côté, nous n'ayons pas été particulièrement heureux avec vos anciens Présidents, à commencer par Truman, jusqu'à Johnson. Entre eux, il y a eu huit ans de présidence républicaine. Pendant cette période, vous n'aviez probablement pas pu non plus vous faire une opinion.

— Monsieur le Président, dis-je, je sais que pendant un certain nombre d'années, ma position en ce qui concerne la République Populaire de Chine ne pouvait être que totalement désapprouvée par vous et M. Chou en-Laï. Ce qui nous réunit aujourd'hui, c'est la reconnaissance d'une situation nouvelle dans le monde, et de notre part, la reconnaissance que ce qui est important n'est pas la philosophie politique intérieure d'une nation. Ce qui importe, c'est sa politique à l'égard du reste du monde et de nous-mêmes. »

Bien que l'entretien avec Mao ait traité principalement de ce qu'il appelait la « philosophie » de nos relations présentes et futures, je m'attachai à soulever en termes généraux les problèmes pratiques les plus importants que nous aurions à discuter. Je dis que nous devrions examiner nos politiques et déterminer comment elles devraient se développer, de manière à traiter du monde entier, aussi bien que des problèmes immédiats de Corée, du Vietnam et de Taïwan.

Je continuai : « Nous devons, par exemple, nous demander — même dans les limites de cette pièce — pourquoi les Soviétiques massent plus de force sur leur frontière avec vous qu'ils ne le font sur leur frontière avec l'Europe occidentale? Nous devons nous poser la question de l'avenir du

Japon. Est-il préférable — je sais que sur ce point nous ne sommes pas d'accord — du point de vue chinois que le Japon soit neutre et tout à fait sans défense, ou vaut-il mieux que le Japon ait avec les Etats-Unis certaines relations de défense mutuelle? Une chose est sûre : nous ne pouvons laisser aucun vide, car ils peuvent être remplis. Le Premier Ministre par exemple a souligné que les Etats-Unis étendent leurs bras trop loin, et que l'Union Soviétique fait de même. La question est de savoir quel est le danger qui menace la Chine. Est-ce une agression américaine ou une agression soviétique? Ce sont des questions difficiles, mais nous devons les discuter. »

Mao paraissait animé et suivait toutes les nuances de la conversation, mais je pouvais voir aussi qu'il se fatiguait beaucoup. Chou regardait sa montre de plus en plus souvent : aussi décidai-je d'essayer de mettre fin à la séance.

« Je voudrais vous dire, pour terminer, Monsieur le Président, que je sais que vous et le Premier Ministre, vous avez pris de grands risques en nous invitant ici. Pour nous aussi, ce fut difficile. Mais après avoir lu certaines de vos déclarations, j'ai su que vous étiez l'homme qui voit arriver les occasions et qui sait quand il doit saisir l'heure et saisir le jour. »

Mao rayonnait quand le traducteur lui cita ces mots qui provenaient d'un de ses poèmes.

Je continuai : « Je voudrais aussi dire de manière personnelle, et aussi vous le dire, Monsieur le Premier Ministre, vous ne me connaissez pas. Et parce que vous ne me connaissez pas, vous vous méfiez de moi. Vous constaterez que je ne dis jamais une chose que je ne peux faire. Et je fais toujours plus que je ne puis dire. C'est sur cette base que je désire avoir des entretiens sincères avec le Président et, naturellement, avec le Premier Ministre. »

Mao montra du doigt Kissinger et dit : « Saisissez l'heure et saisissez le jour. Je pense qu'en général les gens comme moi font l'effet d'une quantité de gros canons. » Chou se mit à rire, et il était clair que l'on pouvait s'attendre à un nouveau couplet d'humilité. Par exemple, des choses du genre de : *Le monde entier devrait s'unir et vaincre l'impérialisme, le révisionnisme et tous les réactionnaires, et établir le socialisme.*

Quand je déclarai que j'étais pour lui un réactionnaire et peut-être même un *bandit,* Mao se pencha et sourit : « Mais peut-être, en tant qu'individu, pourriez-vous ne pas être parmi ceux qu'il faut renverser... » Et désignant Kissinger, il ajouta : « On dit que lui aussi est parmi ceux qu'il n'y a pas lieu de renverser personnellement. Si tous, vous étiez renversés, nous n'aurions plus beaucoup d'amis.

— Monsieur le Président, fis-je, votre vie est bien connue de nous tous. D'une très pauvre famille, vous êtes parvenu au sommet de la nation la plus nombreuse du monde, une grande nation. Mon passé n'est pas aussi connu que le vôtre. Moi aussi, sorti d'une très pauvre famille, je suis arrivé au sommet d'une grande nation. L'histoire nous a élevés ensemble. La question est de savoir si, avec des philosophies différentes, mais tous deux avec les pieds bien sur le sol, et venus tous deux du peuple, nous pouvons faire une percée qui servira non seulement la Chine et l'Amérique, mais aussi le monde entier pendant des années. Et c'est pourquoi nous sommes ici. »

Comme nous partions, Mao me dit : « Votre livre *Six Crises* n'est pas mauvais. » Je m'adressai à Chou en souriant : « Il lit trop. »

Mao nous accompagna jusqu'à la porte. Il traînait la jambe, et il m'avoua qu'il n'était pas en très bonne santé : « Mais, répliquai-je, vous avez très bonne mine! — Les apparences sont trompeuses », dit-il en haussant légèrement les épaules.

La première séance plénière avec Chou, au Grand Hall du Peuple, fut écourtée en raison de l'entretien imprévu avec Mao, et nous ne parlâmes qu'en termes généraux de la procédure de nos rencontres. Chou préférait une formule selon laquelle une partie présenterait ses vues sur un sujet à une séance, et l'autre ne lui répondrait qu'à la séance suivante.

La partie la plus difficile, la plus délicate, du voyage devait être le communiqué commun. Je réaffirmai notre conception pratique de la chose. « La méthode conventionnelle pour traiter d'une rencontre au sommet comme celle-ci, alors que le monde entier nous regarde, dis-je, est d'avoir des réunions plusieurs fois de suite, et nous les aurons; d'avoir des discussions et de déceler des oppositions, et nous le ferons; puis de publier un communiqué d'une ambiguïté voulue qui dissimule entièrement les problèmes.

— Si nous agissons ainsi, répliqua Chou, non seulement nous tromperons le peuple, mais nous nous tromperons nous-mêmes.

— Ce que vous dites est vrai, quand il s'agit d'Etats qui n'influencent pas le sort du monde, poursuivis-je; mais nous ne serions pas à la hauteur de nos responsabilités en ce qui concerne des entretiens que le monde entier surveille et qui intéressent pour les années à venir nos amis du Pacifique et du monde entier. En commençant ces entretiens, nous n'imaginons pas que nous allons tout résoudre. Mais nous pouvons lancer un processus qui nous permettra de résoudre beaucoup de problèmes à l'avenir. Les hommes et les femmes qui sont dans cette pièce ont livré un dur et long combat pour une révolution qui a triomphé. Nous savons que vous croyez profondément à vos principes et nous croyons profondément aux nôtres. Nous ne vous demandons pas de compromis sur vos principes, tout comme vous ne nous demanderez aucun compromis sur les nôtres. »

C'est peut-être la mention de nos principes opposés qui déclencha sa pensée, car Chou remarqua : « Comme vous l'avez dit au Président Mao cet après-midi, aujourd'hui, nous nous donnons une poignée de main. Mais John Foster Dulles n'a pas voulu le faire.

— Mais n'avez-vous pas dit que vous ne désiriez pas le faire non plus?

— Pas nécessairement, dit Chou. Je l'aurais fait.

— Eh bien, répondis-je, nous le ferons. »

Et une fois de plus, nous nous serrâmes les mains à travers la table.

Chou semblait s'échauffer à ce sujet; il continua : « L'adjoint de Dulles, M. Walter Biddle Smith, voulait agir d'une manière différente, mais il n'enfreignit pas les règles posées par John Foster Dulles. Aussi se résolut-il à tenir une tasse de café dans la main droite. Et, comme l'on ne peut se serrer la main avec la main gauche, il utilisa celle-ci pour me serrer le bras. »

Chacun se mit à rire, y compris Chou en-Laï.

« Mais à ce moment-là, nous ne pouvions vous blâmer, dit-il, parce que, dans tous les pays, on pensait que les pays socialistes constituaient un bloc monolithique et que les pays occidentaux en étaient un autre. Maintenant nous comprenons que ce n'est plus le cas.

— Nous sommes libérés des vieux cadres, déclarai-je. Nous voyons chaque pays à la lumière de sa conduite propre, au lieu de les fourrer tous ensemble dans le même sac et de croire que, parce qu'ils ont telle sorte de philosophie, ils sont tous dans la plus profonde obscurité. En toute honnêteté, je vous dirai que mes vues à l'époque étaient les mêmes que celles de M. Dulles, parce que j'appartenais au gouvernement Eisenhower. Mais le monde a changé depuis, et les rapports entre la République Populaire de Chine et les Etats-Unis doivent changer aussi. Comme vous l'avez dit lors de vos entretiens avec le Dr Kissinger, le pilote doit naviguer avec les vagues, sinon il sera submergé par le flot. »

Lorsque nous le retrouvâmes au banquet une heure plus tard, le groupe chinois semblait beaucoup plus à l'aise. Peut-être était-ce parce que Mao avait donné sa bénédiction officielle à la visite — ou peut-être était-ce tout simplement parce que la glace était rompue.

Dans mon toast, je m'efforçai de donner une expression idéaliste aux sous-œuvres pratiques de notre initiative chinoise.

« A certaines époques du passé, nous avons été ennemis. Il existe entre nous aujourd'hui d'importants différends. Ce qui nous réunit est que nous avons des intérêts communs qui surpassent ces différends. En les discutant, aucun d'entre nous n'accepte de compromettre ses principes. Mais si nous ne pouvons combler le gouffre qui nous sépare, nous pouvons essayer de jeter un pont qui nous permettra de parler à travers lui.

« Ainsi, tentons au cours des cinq prochaines années d'entreprendre une longue marche ensemble, non pas au pas de parade, mais par différentes voies conduisant au même but : celui de construire une structure mondiale de paix et de justice... Le monde nous regarde. Le monde écoute. Le monde attend de voir ce que nous ferons...

« Il n'y a pas de raison que nous soyons ennemis. Aucun d'entre nous ne convoite le territoire de l'autre. Aucun d'entre nous ne cherche à étendre la main pour s'emparer du monde.

« Le Président Mao a écrit : " Tant d'exploits réclament à grands cris d'être « accomplis, et toujours en toute hâte. Le monde continue à tourner. Le temps « s'écoule. Dix mille ans, c'est long. Saisissez le jour, saisissez l'heure. "

« C'est l'heure, c'est le jour pour nos deux peuples de s'élever à la grandeur qui peut construire un monde nouveau et meilleur. »

Après mon toast, l'orchestre joua *America the Beautiful,* et je remarquai que cet air avait été l'un de ceux que j'avais choisis pour l'inauguration de mes fonctions en 1969. Chou leva son verre et me dit : « A la santé de votre prochaine élection! »

Lorsque je retrouvai Chou au Grand Hall du Peuple, l'après-midi suivant, je lui rappelai que, malgré ce que l'on pouvait lire dans certaines correspondances de presse américaines sur mon voyage, je ne nourrissais aucune illusion sentimentale sur ce qui se passait. « Nous disons, et une grande partie de notre presse américaine plutôt naïve adopte étroitement ce boniment, que les nouvelles relations entre la Chine et l'Amérique sont dues au fait qu'existe entre nos deux peuples une amitié fondamentale. Mais vous savez comme moi que l'amitié — que nous avons entre nous personnellement — ne peut être la base de rapports établis : pas l'amitié seule en tout cas. Je me souviens d'un professeur qui disait, quand je faisais ma première année de droit, qu'un contrat ne valait qu'autant que la volonté des parties était intéressée à son maintien. »

Chou était immobile, tendu mais impassible. Je continuai :

« Je crois que les intérêts de la Chine tout aussi bien que ceux des Etats-Unis exigent de manière urgente que nous maintenions nos armements à peu près au niveau présent. Et, sauf certaines exceptions que nous pourrons discuter plus tard, je crois que nous devons conserver une présence militaire en Europe, au Japon, et nos forces navales dans le Pacifique. Je crois que les intérêts de la Chine sont aussi importants que ceux des Etats-Unis à cet égard. »

Comme je m'y attendais, cette déclaration produisit un léger émoi du côté chinois.

« Permettez-moi maintenant de faire une comparaison qui, je l'espère, ne sera pas prise en mauvaise part. Par religion, je suis un quaker, peut-être pas un très bon quaker, mais je crois en la paix. D'instinct, je suis hostile aux armements et aux aventures militaires. Comme je l'ai indiqué il y a quelques instants, M. Chou en-Laï est l'un des représentants principaux de sa philosophie et c'est pourquoi il a dû s'opposer à des puissances qui, telles que les Etats-Unis, conservent des établissements militaires importants. Mais chacun d'entre nous doit considérer avant tout la survie de sa nation, et si les Etats-Unis réduisaient leurs forces militaires, et si nous devions nous retirer des zones du monde que j'ai indiquées, le danger couru par les Etats-Unis serait grand, et celui couru par la Chine plus grand encore.

« Je ne mets en accusation aucun des mobiles qui inspirent les chefs actuels de la Russie soviétique, dis-je. Je dois m'en tenir à ce qu'ils disent. Mais je dois fonder ma politique sur ce qu'ils font. Et au point de vue de l'équilibre de la puissance nucléaire, l'Union Soviétique a progressé à une allure très alarmante au cours des quatre dernières années. J'ai décidé que les Etats-Unis ne doivent pas prendre de retard. Si nous le faisions, le bouclier de défense que nous constituons pour l'Europe et pour tous les pays du Pacifique avec lesquels nous sommes liés par traités serait sans valeur. »

Appliquant ce raisonnement à la question des rapports de l'Amérique avec le Japon, je déclarai que les Chinois avaient formé leur position sur ce sujet dans les termes de leur idéologie et de leur philosophie. Ils réclamaient le retrait des troupes américaines au Japon et l'abrogation de notre traité de défense mutuelle qui laisserait le Japon neutre et désarmé.

« Je pense que le Premier Ministre, dans les termes de sa philosophie, a pris exactement la position correcte en ce qui concerne le Japon, dis-je, et je pense qu'il devra continuer à la prendre. Mais je voudrais qu'il comprît pourquoi je pense fortement que notre politique à l'égard du Japon est dans l'intérêt de la sécurité de la Chine, même si elle est opposée à la doctrine philosophique qui est la sienne.

« Les Etats-Unis peuvent se retirer des eaux japonaises, mais d'autres continueront d'y pêcher. Si nous devons laisser le Japon démuni et sans défense, les Japonais devront demander de l'aide à d'autres ou construire eux-mêmes les moyens de se défendre. Si nous n'avions pas d'accords avec le Japon, nous n'aurions aucune influence sur ce qui le concerne.

« Si les Etats-Unis se retirent d'Asie, se retirent du Japon, nos protestations, si bruyantes qu'elles soient, ne seront pas plus qu'un coup de canon à blanc. Elles n'auront pas plus d'effet, car à des milliers de milles plus loin, elles ne seront pas entendues.

« Je comprends que je vous ai fait un tableau qui risque de me faire passer pour un partisan de la guerre froide, continuai-je. (Et Chou eut un léger sourire.) Mais c'est le monde tel que je le vois et que je l'analyse qui nous rapproche, Chinois et Américains, non en termes de philosophie ou d'amitié — bien que je pense que ce sont des choses importantes —, mais à cause des impératifs de la sécurité nationale. Je crois que nos intérêts sont communs dans les domaines que j'ai mentionnés. »

Les Chinois considéraient l'Union Soviétique avec un mélange de complet mépris et de crainte salutaire. Chou était tout à fait conscient de la signification et de la portée de ma venue à Pékin avant d'aller à Moscou, et il trouvait grand plaisir aux vitupérations de la presse soviétique contre ma visite à Pékin : « Vous êtes venus ici d'abord, et Moscou fait des siennes comme d'habitude. Ils mobilisent la masse de leur peuple, leurs partisans, pour nous maudire. Qu'ils continuent. Cela nous est indifférent. »

Plus tard, après qu'il se fut sensiblement décontracté, il raconta une histoire qui, selon lui, était arrivée au cours d'un incident de frontière sino-soviétique en 1969. « Nous avions un téléphone rouge avec l'Union Soviétique, me dit-il; mais il avait beaucoup blanchi, car le Kremlin ne s'en servait jamais. Cependant, au moment de l'incident de frontière de Chen Pao, Kossyguine nous appela au téléphone. Quand notre standardiste répondit, il entendit : « Ici Kossyguine, je voudrais parler au Président Mao. » Le standardiste, tout à fait spontanément, lui dit : « Vous êtes un révisionniste, et par conséquent je ne vous donnerai pas la communication. » Kossyguine dit alors : « Eh bien, si vous ne voulez pas me donner la communication avec le Président, donnez-moi le Premier Ministre. » Mais le standardiste lui fit la même réponse spontanée et mit fin à la communication.

A peu près au milieu de l'entretien, Chou prit quelques petites pilules blanches. Je pensai qu'elles étaient destinées à sa tension artérielle. J'étais impressionné par l'acuité de son esprit et par son énergie. Quelques-uns des jeunes gens, des deux côtés, s'assoupissaient à mesure que l'après-midi se prolongeait dans le bourdonnement des traductions, mais Chou en-Laï, malgré ses soixante-treize ans, demeura alerte et attentif tout au long de la séance de quatre heures.

« La question la plus importante est maintenant celle de l'Indochine. C'est là que le monde entier nous attend, dit-il. Le Parti Démocrate a tenté de vous coincer en affirmant que vous veniez en Chine pour régler la question du Vietnam. Naturellement, cela n'est pas possible. Nous ne sommes pas en mesure de la régler par des conversations. »

J'approuvai : je comprenais parfaitement les limites de nos entretiens et je n'avais aucune illusion sur la possibilité de régler la guerre d'Indochine à Pékin. « C'est tout simplement un conflit que seule l'Union Soviétique a intérêt à prolonger, dis-je. Ils veulent nous y voir immobilisés pour en tirer la possibilité d'exercer de plus en plus d'influence sur le Vietnam du Nord. D'après tous nos renseignements, il semble qu'ils fassent pression sur les Vietnamiens du Nord pour qu'ils continuent la lutte et ne traitent pas. »

Chou indiqua clairement que, à son avis, plus nous tarderions à nous retirer du Vietnam, et plus notre retrait serait difficile et désagréable. Il connaissait la tenacité des Vietnamiens du Nord. « Hô Chi Minh était un de mes vieux amis, souligna-t-il; je l'ai connu en France en 1922. » Chou insista sur le fait que j'avais admis que de Gaulle avait agi sagement en se retirant de l'Algérie; malgré les difficultés politiques intérieures qu'une décision analogue pourrait entraîner pour moi, il pensait que c'était ce qu'il fallait faire au Vietnam. Il ajouta : « Notre position est la suivante : aussi longtemps que vous continuerez votre politique de vietnamisation, de laosisation, de cambodgianisation de la guerre et qu'ils continueront à combattre, nous ne pourrons rien faire d'autre que de continuer à leur donner notre appui. »

C'est en ces termes que je résumai la position américaine : « Laissons tomber les huit points, les cinq points et les treize points et tous les points du monde, et venons-en à ce que nous offrons réellement. Si j'étais en face du chef du Vietnam du Nord, quel qu'il soit, et que nous puissions négocier un cessez-le-feu et le retour de nos prisonniers, alors tous les Américains seraient retirés du Vietnam dans les six mois. Et permettez-moi de souligner que lorsque cela a été suggéré aux Vietnamiens du Nord, dès le milieu de l'année dernière, ils l'ont rejeté, et ils ont exigé, pour arriver à une solution, que nous imposions un règlement politique tout aussi bien qu'une liquidation militaire. Je sais qu'il y a des opinions contraires, mais quand une nation est dans la position qui est la nôtre, quand, dans le monde entier, il y a des nations qui dépendent de nous pour leur défense, si nous ne nous conduisions pas honorablement, nous cesserions d'être une nation digne d'être une alliée et en laquelle les peuples du monde pourraient avoir confiance. »

Pendant que j'avais ces entretiens avec Chou, Pat suivait un programme complet qui comprenait la visite du zoo de Pékin, et celle du Palais d'Eté. Lorsque nous nous retrouvâmes à la maison des hôtes, ce soir-là, elle fit la remarque que, si les Chinois qu'elle avait rencontrés avaient été aimables et complaisants, elle avait le sentiment que la réception qui nous était offerte avait quelque chose de contraint. On l'avait empêchée de rencontrer des gens, et les seules personnes autres que les guides officiels avec lesquelles elle était entrée en contact étaient les cuisiniers de l'hôtel de Pékin, lors de la visite des cuisines. Nous discutâmes des difficiles problèmes que notre visite présentait au Gouvernement chinois, non pas seulement à l'égard de ses relations avec l'Union Soviétique, le Vietnam du Nord et le monde communiste tout entier, mais aussi au point de vue de sa politique intérieure. Vingt ans de virulente propagande anti-américaine ne pouvaient pas disparaître en une nuit, et il fallait du temps pour que les masses chinoises puissent assimiler les nouvelles directives de Pékin.

Ce soir-là, nous fûmes conduits à l'Opéra de Pékin par Chou en-Laï et par Chiang Ching, la femme de Mao. Ils avaient organisé une représentation spéciale de la pièce à grand spectacle *La Brigade rouge des femmes*, qu'elle avait écrite et mise en scène.

Par la documentation que j'avais lue pour mon voyage, je savais que

Chiang Ching était une idéologue fanatique qui s'était fortement opposée à mon voyage. Elle avait mené une vie pleine de vicissitudes et de contrastes, depuis sa jeunesse d'actrice ambitieuse jusqu'à sa position dominante à la tête des forces radicales dans la Révolution culturelle de 1966. Il y avait des années qu'elle n'était plus la femme de Mao que de nom, mais il n'y avait pas en Chine de meilleur nom et elle en avait tiré tout le parti nécessaire pour se bâtir une faction personnelle de partisans.

Nous nous assîmes, Chou dit qu'en 1965 Khrouchtchev avait assisté à une représentation du même spectacle, assis à l'endroit même où je me trouvais, puis, rougissant, il se reprit et dit : « Je veux dire Kossyguine, et non Khrouchtchev. »

En attendant l'ouverture, Chiang Ching me parla des auteurs américains dont elle avait lu des livres. Elle avait beaucoup aimé *Autant en emporte le vent,* et elle en avait vu le film. Elle cita le nom de Steinbeck et me demanda pourquoi un autre de ses auteurs favoris, Jack London, s'était suicidé. Je ne me rappelais pas très bien, mais je dis que je pensais que c'était dans une crise d'alcoolisme. Elle s'enquit de Walter Lippmann dont elle avait lu des articles.

Chiang Ching n'avait rien de l'humour ou de la chaleur humaine de Mao, de Chou et des autres Chinois que j'avais rencontrés. Je constatai la même caractéristique chez les jeunes femmes qui nous servaient d'interprètes et chez plusieurs autres à qui nous eûmes affaire au cours de notre voyage. Les femmes appartenant au Parti, j'en fus frappé, avaient beaucoup moins d'humour, étaient plus fanatiques que les hommes dans leur dévouement total à l'idéologie. En fait Chiang Ching était désagréable et agressive. A un moment de la soirée, elle se tourna vers moi pour me dire d'une voix provocante : « Pourquoi n'êtes-vous pas venu en Chine plus tôt? » Comme le ballet était en cours, je ne répondis pas.

Après chaque soirée, Kissinger retrouvait le Vice-Ministre des Affaires Etrangères et examinait mot à mot chaque nouveau projet de communiqué. Parfois Chou les rejoignait. Parfois Kissinger traversait la passerelle qui réunissait les maisons des hôtes et me rendait compte des progrès accomplis ou des problèmes auxquels il s'était heurté. Ces négociations nocturnes firent que nous avons peu dormi, et Kissinger pas du tout.

Taïwan était la pierre de touche pour les deux parties. Nous pensions que nous ne devions ni ne pouvions abandonner les Formosans : nous étions engagés à défendre le droit de Taïwan d'exister comme nation indépendante. Les Chinois étaient également déterminés à utiliser le communiqué pour revendiquer l'île clairement et ouvertement. C'était là la sorte de désaccord dont notre formule de projet devait tenir compte : nous pourrions y affirmer notre position et ils affirmeraient la leur. Sur ce point, des considérations de politique intérieure nous obligeaient, Kissinger et moi, à essayer de convaincre les Chinois d'exercer une extrême modération.

Nous savions que si les Chinois exprimaient dans le communiqué leurs prétentions sur Taïwan d'une manière par trop guerrière, je tomberais sous les feux croisés meurtriers de tous les groupes de pression divers, des pro-formosans, des anti-Nixon, des anti-R.P.C., etc. Si ces groupes trouvaient un terrain d'entente à la veille des élections présidentielles, la question chinoise deviendrait une question de parti. Et si je perdais les élections, pour ce motif ou pour un autre, mon successeur pourrait ne plus se trouver en mesure de continuer à améliorer les rapports entre Washington et Pékin. Dans la séance plénière officielle, j'exposai très franchement à Chou les problèmes que me poserait un communiqué trop brutal sur Taïwan.

Nous savions qu'aucun accord sur Taïwan ne pouvait être obtenu pour le moment. Si, des deux côtés, nous étions d'accord sur le fait que Taïwan appartenait à la Chine — thèse soutenue tout aussi bien par le gouvernement de Taïwan que par celui de Pékin —, nous devions nous opposer à tout emploi de la force qui serait entrepris par Pékin pour obtenir par des moyens militaires la soumission de Taïwan au gouvernement communiste.

Nos interminables discussions eurent le résultat attendu : nous ne pouvions être d'accord que pour constater nos désaccords et les exprimer dans le communiqué. C'est surtout grâce à l'habileté de Kissinger dans la négociation et au bon sens de Chou que les Chinois acceptèrent finalement les modifications nécessaires.

Une des raisons pour lesquelles nous trouvions la négociation avec les Chinois si agréable était chez eux la totale absence de toute vanité ou arrogance. A la différence des Soviétiques, qui répètent continuellement que tout, chez eux, est plus grand et meilleur qu'ailleurs, les Chinois poussaient l'autocritique jusqu'à l'obsession et demandaient comment ils pourraient s'améliorer. Même Chiang Ching répondit, alors que je lui disais combien j'avais été impressionné par son ballet : « Je suis heureuse de savoir que vous l'avez trouvé acceptable, mais dites-moi comment vous feriez pour l'améliorer. » Et lorsque Chou ne cessait d'insister sur la nécessité pour les Chinois de comprendre et de surmonter leurs imperfections, je ne pouvais que penser aux vantardises emphatiques de Khrouchtchev. Combien plus saine était l'attitude chinoise! Bien entendu, je savais qu'il ne s'agissait que d'une attitude, d'une décision réfléchie de se voir sous cet aspect. En fait, ils étaient absolument convaincus de la supériorité finale de leur culture et de leur philosophie : avec le temps, ils devaient, pensaient-ils, triompher de nous et de tous.

Cependant, je me trouvais en sympathie avec ces hommes austères et dévoués. Lorsque Pat et moi nous visitâmes la Cité interdite, notre hôte était le Ministre de la Défense, le Maréchal Yeh Chien-Ying, âgé de soixante-douze ans.

Extrait de mon journal :

> C'était un homme tout à fait charmant, avec une grande force intérieure. Il fit une remarque intéressante sur les musiques américaine et chinoise qui semblaient bien s'accorder entre elles, et dit que les journalistes américains et chinois étaient devenus bons amis. Je pense qu'il avait tout à fait raison à cet égard, surtout quand les Américains ont quelque peu de profondeur et de subtilité et qu'ils ne sont pas du genre bruyant et irritant qui pourrait agacer les Chinois. L'un des atouts dans nos rapports extérieurs est que les Américains d'aujourd'hui, à la différence de ceux de la fin du XIXᵉ siècle, sont très différents des Européens, des Anglais, des Français, des Hollandais, etc. Nous sommes dépourvus d'arrogance, honnêtement, presque naïvement, nous aimons les gens et nous voulons nous entendre avec eux. Souvent, nous manquons de subtilité,

mais cela viendra après quelques siècles de plus de civilisation. C'est la subtilité des Chinois qui m'a le plus impressionné. J'en avais entendu parler, et j'en avais lu des exemples et des citations. Chou en-Laï ajoutait naturellement à la subtilité l'expérience étendue d'un diplomate de compétence et de réputation mondiales.

Pour notre troisième soirée à Pékin, nous assistâmes, Pat et moi, à un spectacle de gymnastique et de ping-pong.

Samedi, le 26 février, nous partîmes avec Chou dans son avion personnel pour Hang Tchéou en Chine orientale. Nous en étions venus à nous parler tout à fait librement.

Extrait de mon journal :

> Nous eûmes, sur le chemin de l'aéroport, à Pékin, une très intéressante conversation. Il parla du poème que Mao avait écrit en retrouvant, après vingt-deux ans, sa cité natale. Il y avait repris un point qu'il a souvent traité : celui des grandes leçons à tirer de l'adversité. Sur le même sujet, j'indiquai qu'un échec aux élections était, en réalité, plus douloureux qu'une blessure de guerre : cette dernière faisait souffrir le corps, mais la première l'esprit. Mais d'autre part, l'échec aux élections développe la force de caractère qui est essentielle pour les combats suivants. Je dis à Chou que j'avais appris davantage de mes échecs que de mes victoires, et que tout ce que je désirais était une vie où j'aurais tout juste une victoire de plus que d'échecs.
> Je citai aussi l'exemple de de Gaulle avec sa traversée du désert : ces quelques années ont contribué à former son caractère. Il revint au pouvoir avec la pensée que les hommes qui suivent toute leur vie une voie facile ne peuvent pas développer leur force.

Chou me dit que j'avais montré une tournure d'esprit aussi poétique que celle de Mao lorsque j'avais dit, dans mon toast, qu'il n'était pas possible de lancer en une semaine un pont à travers 16 000 milles et vingt-deux ans. Beaucoup de poésies de Mao n'étaient que des exemples vivants et colorés.

Il fit encore allusion à son admiration pour *Six Crises,* et je lui dis en plaisantant qu'il ne devait pas croire tout le mal que la presse disait de moi, et que je suivrais la même pratique en ce qui le concernait.

Hang Tchéou est construit autour de grands lacs et de jardins. A l'époque où elle était la résidence d'été des empereurs, elle passait pour la plus belle ville de Chine. Je savais que Mao aimait y passer ses vacances et résidait dans un exquis palais ancien transformé en maison des hôtes du Gouvernement.

Nous étions à Hang Tchéou hors saison, le temps était nuageux, mais il était facile de voir ce qui attirait Mao dans cette ville. Les montagnes au loin s'élevaient comme un brouillard, et les lacs étaient recouverts de fleurs de lotus. La maison des hôtes en forme de pagode, avec ses toits en pente aux tuiles vertes, se trouvait au milieu d'un lac, sur une île appelée « Ile des trois tours reflétant la lune ». Ça sentait le moisi, mais c'était d'une propreté sans défaut. Pat et moi fûmes plus tard d'accord pour estimer que notre séjour en cette île fut l'interlude le plus agréable de tout notre voyage.

Pendant les quinze heures et plus d'entretiens que j'avais eues avec Chou en-Laï, nous avions traité d'une large série de problèmes et d'idées. Nos discussions avaient été très franches; aussi était-il compréhensible que les Chinois fussent inquiets au sujet des possibilités de fuites. Chou pouvait facilement imaginer, j'en suis sûr, les possibilités de propagande que le Kremlin pourrait tirer de transcriptions de nos conversations. Pendant un entretien sur les oppositions intérieures à certaines des décisions que j'avais prises pendant la guerre indo-pakistanaise, Chou fit allusion à la fuite *Anderson* : « Les procès-verbaux de trois de vos réunions ont été rendus publics parce que des gens de cette espèce y avaient été invités », dit-il avec un sourire ironique. Je sentais sous son acide plaisanterie une réelle inquiétude. En fait, dans notre première conversation, sur le chemin de l'aéroport vers Pékin, Chou avait fait mention de l'importance que les Chinois attachaient au caractère confidentiel de nos relations, et Mao s'était fait un devoir d'insister sur ce point lors de notre entretien.

Pour calmer les craintes de Chou, je lui esquissai la procédure très stricte que nous avions décidé de suivre pour garder secrètes nos futures relations. « Vous penserez peut-être que nous sommes trop prudents, dis-je, mais, comme vous le savez, nous avons eu sous le précédent Gouvernement l'affaire des papiers du Pentagone, puis sous l'actuel Gouvernement celle des papiers Anderson. Le Dr Kissinger et moi, nous avons décidé que cela n'arriverait jamais dans nos rapports avec votre Gouvernement. » J'ajoutai que j'étais déterminé à faire en sorte que nous puissions parler en toute confiance, alors que le destin de nos deux pays, et sans doute celui du monde, était en jeu.

Parlant de la situation du Moyen-Orient, Chou en-Laï dit en plaisantant que si M. Kissinger ne voulait pas discuter de ce problème, c'est parce qu'il était juif, et qu'il craignait qu'on ne le soupçonne de partialité. « L'intérêt, répondis-je, que je porte au Moyen-Orient — et soit dit en passant, il en est de même pour M. Kissinger, parce que, s'il est juif, il est avant tout américain —, notre intérêt dépasse de beaucoup Israël. Nous pensons que l'Union Soviétique se dispose à étendre son influence dans cette région. Il faut l'en empêcher. C'est pourquoi nous avons pris position dans la crise jordanienne, en avertissant les Soviétiques que s'ils se livraient à une agression dans cette zone, nous considérerions que nos intérêts seraient en jeu. »

Je soulignai que ma visite en Chine était appuyée par les deux partis, et que d'autres visites, de Démocrates comme de Républicains, seraient tout à fait naturelles. « Comme je vous l'ai indiqué, il importe que la politique continue quelle que soit la personne qui sera assise à ma place l'an prochain. Dans notre système, cela peut être moi ou un autre. Que ce soit un Démocrate ou un Républicain qui soit à la présidence, je veux être sûr que l'œuvre que nous avons entreprise sera poursuivie. Elle dépasse un parti ou un homme, quels qu'ils soient. Elle met en jeu l'avenir pour des années. »

A mesure que nous devenions plus familiers et à l'aise entre nous, nos conversations devinrent parfois plus gaies et plaisantes.

Pendant l'un de nos trajets vers un aéroport, Chou me raconta la rencontre de Mao et de l'empereur d'Ethiopie Hailé Sélassié, qui avait eu lieu quelques mois avant l'annonce de mon propre voyage en Chine. Mao avait demandé au vieil empereur s'il pensait que le « diable socialiste » devait s'asseoir à la même table pour parler avec le « diable capitaliste ». « Je pense, dis-je, que beaucoup de vos collègues doivent penser que si je suis venu sans chapeau, c'est parce que je n'en ai trouvé aucun qui puisse recouvrir mes cornes... »

La vieillesse était un des sujets périodiques de nos conversations. Comme Malraux me l'avait dit, les dirigeants chinois étaient obsédés par tout ce qu'il leur restait à faire et par le temps si court qui leur était imparti pour le mener à bien.

Extrait de mon journal :

> Chou revint sur la vieillesse à deux ou trois reprises. Je lui dis que j'étais très impressionné par sa vitalité, et que l'âge n'était pas tellement la question du nombre d'années que vivait un individu, mais de l'intensité de sa vie pendant ces années. Je crus comprendre qu'il pensait que d'être mêlé aux grandes affaires prolongeait la jeunesse, mais le refrain dominant montrait qu'il pensait que l'équipe actuelle était arrivée au bout du rouleau, alors qu'il restait tant à faire.

Tous les dirigeants chinois me parurent particulièrement frappés par la jeunesse de nos délégués. A notre première rencontre, Chou remarqua Dwight Chapin, qui n'avait que trente et un ans et paraissait plus jeune encore. « Nous avons, confessa-t-il, trop de personnes âgées dans notre équipe dirigeante. Sur ce point, nous avons beaucoup à apprendre de vous. J'ai constaté que vous aviez ici beaucoup d'hommes jeunes. M. Chapin est vraiment très jeune, et M. Green n'est pas très vieux non plus. » Marshall Green, secrétaire d'Etat adjoint pour l'Extrême-Orient et le Pacifique avait cinquante-six ans.

Bien que je fusse d'un quart de siècle plus jeune que Mao, je considérais ce voyage comme la dernière chance que j'aurais de faire quelque chose pour les rapports sino-américains. Comme je l'écrivis dans mon journal, de retour à Washington :

> Je suis probablement plus vieux qu'eux en réalité : je n'ai politiquement que dix mois à vivre ou au mieux quatre ans et dix mois, et c'est maintenant que je dois réussir. C'est l'heure pour moi plus que pour eux, bien qu'ils soient plus vieux en termes conventionnels.

Un après-midi que nous parlions de la nécessité d'être patients pour résoudre les problèmes, Chou dit : « Je ne peux pas attendre dix ans. Vous, vous pouvez. Un Président des Etats-Unis peut être réélu une troisième fois.

— Ce serait contraire à la Constitution, dit Kissinger.

— Mais après quatre ans, repartit Chou, vous pourriez vous présenter de nouveau, votre âge vous permettrait de le faire. Mais cela ne serait pas possible pour les dirigeants de la Chine. Ils sont trop vieux.

— Les anciens présidents des Etats-Unis, répondis-je, sont comme les rois d'Angleterre; ils ont de grandes responsabilités, mais aucun pouvoir. Je veux parler de ceux dont les fonctions ont pris fin.

— Mais votre carrière est tout à fait exceptionnelle dans l'histoire. Vous avez été Vice-Président à deux reprises, vous avez perdu une élection et vous en avez gagné une autre. Cela est tout à fait exceptionnel. »

Notre communiqué publié à Changhai à la fin de notre voyage a pris le nom de cette ville. Suivant la formule établie par Kissinger au cours de son voyage Polo II, ce document créait un précédent diplomatique en faisant ouvertement état des positions différentes des deux parties sur les problèmes principaux plutôt que de les minimiser. Aussi le texte en est-il étonnamment vivant pour un document diplomatique.

Le premier paragraphe significatif commençait ainsi : « La délégation des Etats-Unis a déclaré... » Et suivait le détail de nos positions sur les problèmes les plus importants qui avaient été discutés. Ensuite venait un second paragraphe : « La délégation chinoise a déclaré... », avec les mêmes alinéas en contrepoint.

Les Etats-Unis réaffirmaient ensuite leur appui au plan en huit points proposé par nous et le Vietnam du Sud à Paris, le 27 janvier, tandis que les Chinois répétaient leur appui au plan en sept points du Vietcong de février.

Nous déclarions notre intention de maintenir des liens étroits et notre appui à la Corée du Sud; les Chinois approuvaient le plan de la Corée du Nord pour la réunification de la péninsule et réclamaient la disparition de la présence des Nations Unies dans la Corée du Sud.

Nous affirmions que nous attachions le plus haut prix à nos relations amicales avec le Japon et que nous continuerions à développer les liens étroits qui existaient déjà. La délégation chinoise affirmait de son côté « qu'elle était fermement opposée à une renaissance et à une expansion du militarisme japonais et qu'elle appuyait fermement le désir du peuple japonais de construire un Japon indépendant, démocratique, pacifique et neutre ».

Les Chinois déclaraient qu'ils étaient le seul gouvernement chinois légal et que Taïwan était une province de la Chine. La libération de Taïwan était une affaire intérieure chinoise : aucun pays n'était en droit d'y intervenir et les Américains étaient priés de retirer de l'île toutes leurs forces et installations militaires. Ils concluaient en déclarant que « le Gouvernement chinois s'opposait fermement à toute activité tendant à l'établissement " d'une Chine et d'un Taïwan ", " d'une Chine et de deux gouvernements ", de " deux Chine " et d'un " Taïwan indépendant ", ou défendant l'idée que le statut de Taïwan demeurait indéterminé ».

Le libellé de la partie américaine sur Taïwan évitait le choc en disant simplement : « Les Etats-Unis reconnaissent que tous les Chinois, des deux côtés du détroit de Formose, affirment qu'il n'y a qu'une Chine et que Taïwan est une partie intégrante de la Chine. Le Gouvernement des Etats-Unis ne conteste pas cette position. Il réaffirme l'intérêt qu'il porte à un règlement pacifique de la question de Taïwan par les Chinois eux-mêmes. » Nous affirmions que notre objectif final était de retirer nos troupes de Taïwan, mais nous ne fixions pas de date, et entre-temps, nous nous déclarions d'accord pour réduire progressivement nos troupes et nos installations à Taïwan « à mesure de la diminution des tensions dans cette région ».

La plus importante partie du communiqué de Changhai était sans doute la clause suivant laquelle aucune des deux nations « ne recherchait à obtenir l'hégémonie dans la région de l'Asie du Pacifique. Chacune d'entre elles s'opposerait aux efforts qui seraient faits par un pays ou un groupe de pays pour établir une telle hégémonie ». Par cet accord, la R.P.C. et les Etats-Unis s'imposaient à eux-mêmes certaines restrictions. Mais beaucoup plus importante, surtout pour les Chinois, était l'implication subtile, mais claire à ne pas s'y méprendre, que nous nous opposerions tous deux aux efforts faits par l'U.R.S.S. ou toute autre puissance pour dominer l'Asie.

En réfléchissant rétrospectivement sur cette semaine passée en Chine, deux impressions ressortent de la manière la plus vive. L'une est le spectacle imposant de l'assistance disciplinée, mais sauvagement, presque fanatiquement enthousiaste, de la soirée de gymnastique de Pékin. Il a confirmé mon avis que nous devions cultiver nos relations avec la Chine pendant les prochaines décennies, pendant qu'elle apprend encore à développer son potentiel et sa force nationale. Nous pourrions autrement nous trouver confrontés avec l'ennemi le plus redoutable qui ait jamais existé dans l'histoire.

Mon autre souvenir le plus frappant est celui de la personnalité unique de Chou en-Laï. Mon entretien avec Mao Tsé-Tung a été trop court et trop formel pour m'avoir donné plus qu'une impression personnelle et superficielle. Mais plusieurs heures d'entretiens sérieux et de libres conversations avec Chou m'ont fait apprécier l'éclat de son esprit et son dynamisme.

A la différence de tant de personnalités mondiales et d'hommes d'Etat qui sont complètement absorbés par un problème ou une cause particulière, Chou en-Laï était en mesure de parler en termes généraux des hommes et de l'histoire. Si sa façon de voir les choses était terriblement déformée par le cadre étroit de son idéologie, l'étendue de ses connaissances était impressionnante.

Après un des banquets de Pékin, je pris des notes sur notre conversation.

Extrait de mon journal :

> Chou en-Laï témoigne de remarquables connaissances historiques, mais aussi de l'influence de son idéologie sur ses vues historiques. Il voit, par exemple, l'intervention de la France dans la Révolution américaine comme l'œuvre des volontaires conduits par Lafayette, et non comme celle du Gouvernement français.
>
> Pour Chou, Lincoln, « après de nombreux échecs », comme il dit, a prévalu parce qu'il avait le peuple de son côté. S'il est vrai que Lincoln fut l'une des quelques grandes figures de l'histoire, il n'en fut pas moins un complet réaliste. Ce n'est pas pour libérer les esclaves qu'il fit la guerre, bien qu'il ait été toujours opposé à l'esclavage; et lorsqu'il libéra les esclaves, ce ne fut pas comme un but en soi-même, mais il le fit comme un moyen de manœuvre purement tactique et militaire, en libérant seulement les esclaves du Sud, mais non ceux des Etats frontières du Nord.

Je regrette que Chou n'ait pas vécu assez longtemps pour que j'aie pu le revoir quand je suis retourné en Chine en février 1976. Bien que nos relations aient été courtes et, par la force des choses, quelque peu contraintes et même circonspectes, je crois que nous avions formé des liens de respect mutuel et d'estime personnelle.

Au cours de notre dernière longue séance à la maison des hôtes de Pékin, Chou me dit : « Dans votre salle à manger au-dessus, il y a un poème du Président Mao, calligraphié de sa main, sur les montagnes de Louhan. La dernière phrase dit : " La beauté hante le sommet des montagnes. " Vous avez pris quelques risques en venant en Chine. Mais il y a un autre poème chinois qui dit : " Sur les sommets dangereux réside la beauté dans sa variété infinie. "

— Nous nous trouvons aujourd'hui au sommet de la montagne, dis-je.

— C'est un des poèmes, continua-t-il. Un autre que j'aurais bien voulu pendre au mur, mais il n'y avait pas de place, est *L'Ode à une fleur de prunier.* Dans cette poésie, le Président Mao veut dire que celui qui prend une initiative n'est pas toujours celui ou celle qui en recueille le fruit. Au moment où l'arbre est en pleine floraison, le temps de la disparition des fleurs est proche. »

Il tira un petit livre de sa poche et me lut le poème :

> *Le printemps disparaît dans la pluie et les vents*
> *et vient avec la volée des neiges.*
> *La glace pend sur mille pieds de falaise.*
> *Mais sur la branche la plus haute naît la fleur du prunier.*
> *Elle n'est pas une jolie fille qui parade,*
> *mais elle est le héraut du printemps.*
> *Quand la montagne est en pleine floraison,*
> *elle rit tout bas dans la couleur.*

« Ainsi, continua Chou, nous sommes d'accord sur l'idée que vous avez exprimée : vous êtes celui qui a pris l'initiative. Peut-être ne serez-vous plus là pour en voir le succès, mais nous serions certainement heureux de vous accueillir à votre retour. »

Fin diplomate, Kissinger indiqua que, même si j'étais réélu, un nouveau voyage en Chine était peu probable.

« Je voulais simplement illustrer une manière de parler chinoise, dit Chou. Cela importe peu de toute façon. »

Chou fit allusion au fait que j'avais changé le nom de l'avion, *Air Force One,* avant le voyage pour l'appeler *Esprit de 76.* « Quel que soit le futur Président, dit-il, l'Esprit de 76 existe encore et il vaincra. Du point de vue de la politique, j'espère que notre partenaire restera le même, de sorte que nous puissions poursuivre nos efforts. Nous espérons non seulement que le Président restera en fonction, mais aussi qu'il en sera de même de son conseiller pour la sécurité nationale (Kissinger) et de ses autres adjoints. Divers changements peuvent survenir. Par exemple, si je meurs subitement d'une crise cardiaque, vous aurez à traiter avec un autre partenaire. C'est pourquoi nous nous sommes efforcés de vous faire rencontrer beaucoup de monde. J'espère que vous ne m'avez pas trouvé trop long. »

Je l'assurai qu'au contraire j'avais été très intéressé par ce qu'il me disait.

« Cela appartient à la philosophie, mais aussi à la politique. Par exemple — et il désigna le livre de poèmes ouvert sur ses genoux —, ce poème-ci a été écrit après une victoire militaire sur l'ennemi. Dans tout le poème, le mot ennemi ne figure pas. Il a été très difficile à composer.

— Certes, répondis-je, je crois très utile de penser en termes de philosophie. Trop souvent nous considérons les problèmes mondiaux sous l'angle de la tactique. Nous en prenons une vue sommaire. Si celui qui a écrit le poème avait fait de même, vous ne seriez pas où vous êtes aujourd'hui. Il est essentiel non pas de considérer le monde sous l'aspect des batailles et de décisions diplomatiques immédiates, mais d'y voir les grandes forces qui le mettent en mouvement. Il se peut que nous différions d'avis sur certains points, mais nous savons qu'il y aura des changements et qu'il peut y avoir un monde meilleur et plus sûr pour nos deux peuples, quels que soient leurs différends, si nous trouvons un terrain d'entente commun. »

J'avais mis au point ma pensée réelle sur l'initiative chinoise dans des notes, prises à 2 h 30 du matin le vendredi 24 février, relatives aux questions que je voulais traiter lors de ma rencontre avec Chou dans l'après-midi. Si j'avais pu les publier, peut-être ces notes auraient-elles rassuré les critiques conservateurs de l'initiative chinoise en leur montrant que ce n'était pas naïvement que j'avais approché les Chinois.

> « Le premier point était de souligner le potentiel immense formé par les Chinois d'outre-mer, et la nécessité pour la R.P.C. d'en faire usage et d'apprendre à vivre avec lui, plutôt que de l'émousser en essayant de les incorporer de force dans le système.
> « Le second, de souligner que R(ichard) N(ixon) se retournerait comme un cobra contre les Russes ou, pour la même raison, contre n'importe qui d'autre, s'ils ne tenaient pas la parole qu'il lui avait donnée. L'histoire de mon comportement sur le Vietnam était de nature à rendre cette notion parfaitement intelligible.
> « Le troisième, de souligner, d'une manière très personnelle et très directe, ma foi intense dans notre système et ma conviction qu'il triompherait dans une compétition pacifique. Je pense que nous en avons fourni la preuve. Je crois qu'il est essentiel de ne pas laisser exister non contredite leur prétention que leur système prévaudra à cause de sa supériorité.
> « En rapport avec ce point : nous ne sommes pas en train de devenir faibles — notre système n'est pas en train de se décomposer. Les critiques publiques, etc., de notre système ne doivent pas être considérées comme des signes de faiblesse. »

Le dernier soir de notre séjour en Chine, je dis dans mon toast : « Le communiqué commun que nous avons publié aujourd'hui résume les résultats de nos conversations. Ce communiqué fera les gros titres de la presse mondiale demain. Mais ce que dit le communiqué n'est pas aussi important que ce que nous ferons dans les années à venir pour bâtir un pont à travers les 16 000 milles et les vingt-deux ans d'inimitié qui nous ont séparés dans le passé. »

Je levai mon verre en disant : « Nous avons passé ici une semaine. Ce fut la semaine qui a changé le monde. »

L'AFFAIRE DE L'I.T.T.

Le lendemain de notre retour de Chine, Jack Anderson commença une série d'articles, assurant qu'il avait déterré un grand scandale gouvernemental. Ses accusations se fondaient sur un mémorandum, que l'on prétendait provenir de Dita Beard, démarcheuse politique de l'International Telephone and Telegraph Corporation, adressée à l'un de ses supérieurs de l'I.T.T. Ce document aurait établi qu'une transaction intervenue entre le Gouvernement et l'I.T.T. au sujet de l'application de la législation contre les trusts avait été influencée par une contribution versée par l'I.T.T. pour la prochaine Convention républicaine et que John Mitchell et moi, nous avions poussé à un règlement favorable pour l'I.T.T. en raison de cette contribution. Madame Beard aurait arrangé toute l'affaire presque toute seule.

En fait, la transaction en question avait été favorable au Gouvernement, et non à l'I.T.T. Celui-ci avait dû se défaire d'investissements représentant un milliard de dollars par an, à la suite de quoi ses actions avaient perdu 11 pour cent de leur valeur. Il n'y avait eu aucune contribution au Comité pour la réélection du Président, mais un versement fait à la ville de San Diego, pour lui permettre d'offrir l'hospitalité à la Convention Nationale Républicaine de 1972. Il s'agit d'une pratique habituelle des industries locales, et en ce cas la section Sheraton de l'I.T.T. voyait dans cette contribution une opération de promotion pour l'hôtel qu'elle ouvrait à San Diego.

Mon rôle en cette affaire consistait en un coup de téléphone irrité adressé à Dick Kleindienst un an plus tôt, au moment où le Département de la Justice menait trois procès contre l'I.T.T.

A mon avis, ces procès étaient en contradiction avec ma politique anti-trust. Nous avions besoin, sur le marché international, d'affaires puissantes, et je pensais que les grandes firmes ne devaient être sanctionnées que si elles violaient les règles de la libre concurrence, et non pas seulement parce qu'elles étaient importantes. J'avais clairement exposé ma politique devant les membres du Cabinet, et maintenant, des fonctionnaires subordonnés suivaient une procédure qui lui était directement contraire.

A la fin de 1970, l'un des procès fut soumis au tribunal, qui décida qu'il n'était pas fondé et se prononça contre le Département de la Justice.

Plusieurs semaines plus tard, j'appris que le Département avait l'intention de faire appel de ce jugement. C'est alors que j'appelai Kleindienst pour lui ordonner de n'en rien faire. Mais sur l'intervention de John Mitchell, deux jours après, je retirai mon opposition.

Il arriva, pour des raisons tout à fait indépendantes de mon coup de téléphone à Kleindienst comme de toute contribution relative au choix de la ville où se tiendrait la Convention républicaine, que les fonctionnaires compétents du Département de la Justice décidèrent de clore ce dossier et de ne pas faire appel. Des mois plus tard, les enquêteurs spéciaux de l'affaire du Watergate, Archibald Cox et Leon Jaworski, examinèrent l'affaire I.T.T. et conclurent qu'aucun échange de prestations n'en avait influencé le règlement. L'enregistrement de nos conversations avec Mitchell et Kleindienst prouva que mon opposition à la procédure d'appel répondait à une préoccupation politique et non à la politicaille. Mais cette justification ne survint qu'un an plus tard. Au printemps 1972, dans une période préélectorale, les Démocrates exploitèrent l'affaire I.T.T. à fond. Et notre réaction fut telle qu'elle leur vint en aide.

En effet, Dick Kleindienst, qui devait remplacer John Mitchell comme Attorney Général, demanda une commission d'enquête du Sénat pour défendre son honneur. Ce fut un désastre. La Commission comprenait Teddy Kennedy — le « non-candidat » favori — et ses amis Birk Bayh et John Tunney. La Commission devint un forum pour attaquer le Gouvernement.

Jour après jour, l'équipe de la Maison Blanche s'essoufflait dans ses efforts pour réduire les dégâts politiques et tenir tout document embarrassant à l'abri des griffes partisanes de la Commission. Selon certains bruits, le mémorandum était un faux. Colson envoya quelqu'un voir Madame Beard et l'encouragea à nier publiquement son authenticité. Comme je l'appris plus tard, c'était E. Howard Hunt. Madame Beard témoigna ultérieurement que le document publié par Anderson était un faux; sa secrétaire affirma par déclaration sous serment qu'elle ne l'avait jamais tapé à la machine, et l'homme qui en était le prétendu destinataire témoigna qu'il ne l'avait jamais reçu.

LE VIETNAM DU NORD ENVAHIT LE VIETNAM DU SUD

Les jours d'espoir où j'avais envisagé de terminer la guerre au Vietnam en une année appartenaient maintenant à un passé reculé. Pendant plus d'un an, les Vietnamiens du Nord avaient mené leur jeu cynique aux pourparlers de paix de Paris. Chaque fois que Kissinger faisait une proposition substantielle dans une séance secrète, ils feignaient de l'ignorer ou la rejetaient. Et en séance publique, ils nous reprochaient avec véhémence de ne manifester aucune souplesse, aucun intérêt à un accord. Ils marchandaient sur les détails, mais sur le fond, ils ne bougeaient pas d'un pouce : ils ne voulaient d'aucun règlement, à moins que nous n'acceptions de renverser le Gouvernement Thieu.

Le 16 août 1971, nous avions offert le retrait complet des forces américaines et alliées dans les neuf mois qui suivaient un accord. Le 13 septembre, ils rejetèrent cette proposition, et continuèrent à exiger la déposition de Thieu, dont ils faisaient la condition *sine qua non* de la conclusion d'un accord. Entre-temps, ils mettaient à profit les séances publiques de Paris pour nous reprocher de ne pas vouloir négocier sérieusement.

C'était là une manœuvre de propagande très habile, et beaucoup d'Américains hostiles à la poursuite de la guerre s'y laissèrent prendre. En septembre 1971, par exemple, McGovern, de passage à Paris, conféra six heures durant avec Xuan Thuy. Il dit ensuite aux journalistes qu'il avait reçu l'assurance que les Vietnamiens du Nord rendraient tous les prisonniers de guerre aussitôt que nous aurions fixé une date pour le retrait de nos troupes. C'était exactement ce que nous avions déjà proposé le 31 mai 1971 et ce qu'ils avaient refusé le 26 juin 1971. Lorsque Kissinger mit Xuan Thuy en face de sa duplicité à la réunion suivante, Xuan Thuy répondit froidement : « Ce que raconte le sénateur McGovern ne concerne que lui. »

Plus désireux d'établir avec certitude que nous n'avions rien négligé pour arriver à un accord que confiant dans la possibilité de l'obtenir, je décidai de faire une nouvelle tentative pour sortir de l'impasse. C'est pourquoi, en octobre, nous obtînmes de Thieu qu'il approuvât un nouveau plan d'ensemble, qui prévoyait un retrait des forces américaines et alliées, dans les six mois de la signature de l'accord, l'échange mutuel des prisonniers et un cessez-le-feu pour toute l'Indochine. Thieu se déclarait d'accord, de plus, pour une élection présidentielle sous contrôle international au Vietnam du Sud dans les six mois suivant l'accord et alla même jusqu'à accepter de démissionner de ses fonctions, ainsi que le Vice-Président Ky, un mois avant la tenue de ces élections, de sorte que tous les candidats puissent rivaliser sur un pied d'égalité.

Armés de ce nouveau plan extraordinaire, nous proposâmes une nouvelle séance secrète pour le 1er novembre 1971. Les Vietnamiens du Nord contre-attaquèrent en proposant le 20 novembre, ce qui fut accepté. Le 17 novembre, ils annulèrent la séance, disant que Le Duc Tho était malade. Nous offrîmes de les voir dès qu'il serait rétabli ou de rencontrer toute autre personnalité qualifiée.

Aucune nouvelle ne vînt plus de Hanoï, mais nous reçûmes de nombreux renseignements inquiétants sur de grosses concentrations de troupes au Nord de la zone démilitarisée, aussi bien que sur une intensification des activités militaires dans le Sud. Lorsque Saïgon fut bombardé, en violation flagrante des termes de l'accord de 1968 sur l'arrêt des bombardements, j'ordonnai la reprise de nos raids de bombardements sur le Vietnam du Nord. Chez nous, cette mesure suscita immédiatement un tollé d'intense indignation.

Le 13 janvier 1972, j'approuvai un nouveau retrait de 70 000 soldats américains dans les trois prochains mois. A la veille d'une nouvelle session du Congrès, et juste avant le début des primaires de l'élection présidentielle, je sentais que le nombre des soldats retirés devait être élevé pour rendre manifeste la direction de ma politique de retrait. Quatre mois plus tard, le 1er mai, il ne resterait au Vietnam que 69 000 Américains, qui devaient eux-mêmes se préparer au départ. Au moment même où j'annonçais cette nouvelle, cependant, j'étais confronté à l'inquiétante perspective d'une invasion communiste victorieuse au Vietnam du Sud : celle-ci compromettrait sérieusement la sécurité des effectifs décroissants de nos troupes qui s'y trouvaient encore.

La fuite dont avait bénéficié le rédacteur Jack Anderson pendant la guerre entre l'Inde et le Pakistan ajoutait une nouvelle complication. Le sous-officier secrétaire de la Marine que nous soupçonnions d'avoir été à la source de cette fuite avait eu accès aux papiers relatifs aux négociations secrètes de Kissinger, et nous ne pouvions être certains qu'aucun renseignement sur celles-ci n'ait été livré à Anderson ou à d'autres. Si le peuple américain était mis au courant des négociations secrètes par une fuite de presse, ce serait une pétaudière politique et diplomatique. J'étais aussi inquiet au sujet d'un des adjoints de Kissinger, qui avait démissionné lors des affaires du Cambodge et qui travaillait maintenant aux côtés de Muskie, comme conseiller de politique extérieure pour sa campagne présidentielle. Cet homme avait été initié aux négociations secrètes de Paris; nous ne pouvions être certains de sa discrétion à l'égard de Muskie.

C'est pourquoi je décidai de faire une déclaration. Je dévoilerais publiquement le plan de paix que les Vietnamiens du Nord avaient montré si peu d'empressement à écouter, et je révélerais aussi l'existence des négociations secrètes.

Dans mon allocution, faite à partir du Bureau Ovale le 25 janvier 1972, je disais que Kissinger avait eu des entretiens secrets avec les Vietnamiens du Nord depuis août 1969. J'expliquais qu'au cours des trente derniers mois nous avions, Kissinger et moi, ajusté soigneusement nos déclarations publiques de manière à protéger le secret de ces entretiens, parce que nous étions déterminés à ne rien faire qui pût en compromettre le succès. Mais nous n'avions abouti à rien, et il était temps de changer de méthode.

Faisant allusion au tour malhonnête que les Vietnamiens du Nord avaient joué à McGovern concernant les prisonniers de guerre en septembre 1971, je dis que garder le silence ne servirait à rien, s'il ne faisait que tromper certains Américains et les conduire à accuser leur propre gouvernement de n'avoir pas tenté tout ce qu'il était en son pouvoir de réaliser. « Garder le silence, ajoutai-je, ne sert à rien, s'il permet à l'autre partie de suggérer publiquement la possibilité de solutions qui ont déjà été nettement rejetées dans des entretiens secrets. »

De même que des négociations secrètes peuvent parfois permettre de sortir d'une impasse publique, déclarai-je, je pensais maintenant qu'une révélation publique pourrait aider à sortir d'une situation secrète sans issue. J'énumérai les principaux points de notre nouveau plan sensationnel, que Hanoï n'avait pas daigné accueillir.

Nous étions toujours intéressés, continuai-je, par tout projet d'accord de paix, presque par n'importe quel projet, mais je répétai que la seule espèce de plan que nous ne pourrions prendre en considération était celui qui exigerait de nous d'accomplir les desseins de l'ennemi en renversant notre allié au Vietnam du Sud. Enfin, je lançai un avertissement : « Si l'ennemi répond à notre offre de paix en intensifiant ses attaques militaires, je prendrai toutes mes responsabilités, en tant que commandant en chef de nos forces armées, pour protéger ce qui reste de nos troupes au Vietnam. » Je conclus en ces termes : « Des Américains patriotes et honnêtes, il y a neuf ans, ont exprimé leur désaccord sur le principe de notre engagement, et il y a eu des désaccords sur la conduite de la guerre. La proposition que j'ai faite ce soir est telle qu'elle peut recevoir l'accord de tous. »

Alors que la voie conduisant au sommet chinois n'a pas présenté de grands obstacles, celle qui mène au sommet soviétique est semée de pièges. Au début de 1972, nos services de renseignements nous font savoir que des quantités d'armes soviétiques parviennent au Vietnam du Nord. « Je pense que ce qui nous choque le plus de la part des Soviétiques, c'est leur manque complet de subtilité, dit Kissinger, lorsqu'il fut mis au courant. Ils sont juste en train de pocher l'œil aux Chinois à cause de votre voyage. Ils veulent accroître leur influence sur Hanoï, mais ils ne voient pas le danger de donner de nouveaux jouets aux fanatiques du Vietnam du Nord. »

Le 25 janvier, j'écris à Brejnev une lettre pour l'informer de mon allocution du même jour. Je lui déclare : « L'Union Soviétique devrait comprendre que les Etats-Unis n'ont pas d'autres choix que de réagir en force aux actions entreprises par les Vietnamiens du Nord pour nous humilier. Des procédés de ce genre ne peuvent être utiles à personne et ne peuvent servir qu'à compliquer la situation internationale. » Dobrynine feint d'être surpris d'une réaction aussi négative, et la réponse de Brejnev, quelques jours plus tard, est courte et désagréable.

Le 30 mars, je parle à Kissinger dans le Bureau Ovale lorsque l'un de ses collaborateurs lui adresse un message. Après l'avoir lu : « Les Vietnamiens du Nord ont attaqué à travers la zone démilitarisée, dit-il, c'est probablement le début de l'offensive à laquelle nous nous attendions. »

C'était plus qu'une offensive : c'était une invasion à grande échelle, et, dans les semaines qui suivirent, le corps des troupes principales de l'armée du Vietnam du Nord, estimé à 120 00 hommes, traversa le territoire internationalement reconnu comme neutre de la zone démilitarisée et s'enfonça profondément dans le Vietnam du Sud.

Tragiquement, l'offensive de printemps communiste déchaîna une fois de plus cet élément barbare de la brutalité nord-vietnamienne qui avait tant marqué leur manière de conduire la guerre. Je fus profondément ému par les renseignements qui me parvinrent. A An Loc et à Quangtri, lorsque les civils terrifiés se précipitèrent pour fuir la zone des combats, les soldats du Vietnam du Nord les massacrèrent par milliers.

Pendant cette offensive, les communistes prirent la province de Binh Dinh, au centre de la côte du Vietnam, et, selon nos renseignements, se livrèrent à des centaines d'exécutions publiques, portant sur des personnes soupçonnées d'avoir des rapports avec le gouvernement de Saïgon. Dans un hameau, quarante-sept membres des autorités locales auraient été enterrés vivants. Quelques mois plus tard, on nous signala des assassinats en masse encore plus barbares au voisinage de la province de Quang Ngai : les soldats communistes avaient réuni plus d'une centaine de civils et en avaient choisi quarante pour être mis à mort. Ils ajoutèrent à ces exécutions un supplément d'horreur, en attachant autour des victimes des mines terrestres. Sous les yeux de leurs femmes et de leurs enfants, ils les firent sauter — de sorte que les victimes furent toutes réduites en bouillie.

A mon avis, l'invasion des Vietnamiens du Nord était un geste de désespoir. Ils devaient constater le succès de la vietnamisation de la guerre. S'il n'en avait pas été ainsi, ils auraient attendu qu'elle échoue. Je pensai que si nous pouvions monter sur leur territoire une attaque dévastatrice tout en fixant leur armée dans le Sud, nous serions en très bonne position pour la série suivante des négociations. Nous décidâmes d'appliquer au Vietnam du Nord toute la pression militaire et, à leurs fournisseurs d'armes soviétiques, toute la pression diplomatique possible. Je donnai au Pentagone l'ordre de faire préparer une attaque massive par porte-avions, croiseurs et destroyers pour un bombardement naval, les B-52 étant réservés pour des raids aériens sur le Vietnam du Nord. Le 4 avril, le Département d'Etat annonça que l'invasion nord-vietnamienne bénéficiait du support des armes soviétiques. Lorsqu'il vit Dobrynine, Kissinger l'enferma dans le dilemme suivant : ou les Soviétiques avaient dressé les plans de cette invasion, ou ils l'avaient permise par leur négligence.

Malgré cela, Brejnev réserva une réception remarquablement cordiale au Secrétaire pour l'Agriculture Earl Butz qui arrivait à Moscou pour signer un accord commercial. Et durant cette période, nous signâmes plusieurs accords concernant les échanges universitaires et culturels. Nous commençâmes aussi des négociations sur le règlement des dettes au titre du prêt-bail que les Soviétiques nous devaient encore depuis la fin de la Deuxième Guerre mondiale. Il était évident que Moscou continuait à se diriger vers la conférence au sommet sans se laisser détourner par le rebondissement des hostilités.

Sans faire de promesse précise, Dobrynine assura que les Vietnamiens du Nord se montreraient très compréhensifs, lors de la reprise des entretiens secrets à Paris le 24 avril. Il suggéra de nouveau que Kissinger se rendît en secret à Moscou pour discuter avec Brejnev du Vietnam et d'autres points de notre programme avant la conférence au sommet. J'étais d'accord avec Kissinger pour qu'il acceptât cette invitation.

Nous nous mîmes aussi complètement d'accord sur la stratégie d'ensemble et les buts à atteindre, au cours de la préparation de son voyage à Moscou. Mais son opinion sur la tactique à suivre dans ses entretiens différait de la mienne. Tant dans mes conversations avec lui que dans les instructions que je lui adressai à Moscou, j'insistais pour qu'il fît du Vietnam le premier point à l'ordre du jour et qu'il refusât de discuter de ce qui intéressait les Soviétiques — en particulier les accords commerciaux dont ils se montraient si friands — tant qu'ils ne se seraient pas engagés de façon précise à aider à la fin de la guerre. Kissinger, cependant, continuait à penser que la souplesse était la pierre angulaire de tout succès dans la négociation, et il me poussa à le laisser tâter la situation plutôt que de risquer tout en imposant des conditions préalables par trop rigides.

Nous étions tout à fait d'accord sur l'importance de maintenir une pression militaire sur le Vietnam du Nord, y compris par des bombardements. Tout signe de faiblesse de notre part encourageait les Soviétiques à fournir plus d'armes encore aux Vietnamiens du Nord pour leur donner l'avantage militaire. Je voulais aussi que les Vietnamiens du Sud aient confiance dans notre résolution de les soutenir. Le moral du gouvernement et des forces armées du Vietnam du Sud était essentiel pour leur résistance à l'offensive.

L'invasion nord-vietnamienne faisait entrer la guerre, à mon avis, dans sa phase finale. De deux choses l'une : ou bien les Vietnamiens du Sud, avec l'appui aérien américain, repousseraient l'invasion ou l'arrêteraient (en ce cas, nous aurions gagné la guerre et un règlement favorable négocié en serait le résultat), ou bien les troupes nord-vietnamiennes réussiraient à tout balayer et à faire leur jonction avec les forces du Vietcong, en mettant en déroute les forces sud-vietnamiennes et en prenant Saïgon (alors la guerre serait perdue et les 69 000 Américains qui étaient encore là-bas seraient en grand péril).

Kissinger était entièrement d'accord. Peut-être pour me réconforter, il dit que même si le pire arrivait, et si nous avions à nous retirer face à la victoire de l'ennemi, je pourrais encore revendiquer le mérite d'être sorti de la guerre en retirant 500 000 soldats en tout honneur et toute sécurité. Bien des gens m'en seraient reconnaissants, et chacun serait très heureux que la guerre fût terminée, de sorte qu'il ne serait pas impossible de faire face à la situation intérieure.

Mais cette perspective me paraissait trop sombre pour la prendre en considération. « Je me fiche, au cas échéant, des réactions intérieures, dis-je, parce qu'en ce cas ce ne sera plus la peine d'occuper mes fonctions. La politique étrangère des Etats-Unis serait anéantie, et les Soviétiques auraient fourni la preuve qu'ils peuvent arriver à leurs fins en utilisant la force des armes dans des pays tiers. » J'affirmai fermement que la défaite n'est pas une option à choisir, ni même à envisager. Je notai mes réflexions sur l'évolution des événements au Vietnam.

Extrait de mon journal :

> C'est une ironie du sort d'en être venu à ce fait : que notre destin soit dans les mains des Vietnamiens du Sud.
>
> Si nous échouons, ce sera parce que la façon américaine d'appuyer les pays étrangers n'est pas aussi efficace que celle des communistes. J'ai le pénible sentiment qu'il en est ainsi. Nous leur donnons les armes les plus modernes, nous mettons l'accent sur le matériel à l'exclusion des forces spirituelles et de l'esprit spartiate, et il se peut que nous les amollissions ainsi, au lieu de les endurcir au combat.
>
> De son côté, l'ennemi insiste sur la nécessité d'une vie spartiate, sur l'esprit de sacrifice, etc., et beaucoup moins que nous sur le matériel. Mais comme, simultanément, les Soviétiques leur apportent une aide énorme en projectiles, canons, et en matériel de toute sorte, nos ennemis ont de loin l'avantage sur le terrain.
>
> Peut-être ai-je été trop insistant et brutal avec Henry aujourd'hui, mais je suis tellement dégoûté par l'incapacité des militaires à s'élever au niveau d'une idée, ou à la poursuivre, qu'il fallait que je m'en prenne à quelqu'un. Et aussi, Henry, avec toutes ses qualités, semble trop souvent soucieux de préparer la voie à des négociations avec les Soviétiques. Mais confronté aux faits, il comprend qu'aucune négociation avec Moscou n'est possible si nous ne sortons pas en beauté de l'affaire du Vietnam.
>
> Ce qui importe réellement aujourd'hui, c'est la façon dont tout se terminera. Haldeman et Henry pensent tous deux, semble-t-il — ce qui à mon avis est une erreur —, que même si nous échouons au Vietnam, nous pourrons survivre politiquement. Je n'ai pas d'illusion à ce sujet, cependant. Les Etats-Unis n'auront plus de politique extérieure crédible si nous échouons, et j'aurai à assumer la responsabilité de cette évolution, à tous égards préjudiciable.

Une subtile occasion de faire pression sur les Soviétiques survint à l'occasion de la signature, au Département d'Etat, d'une convention internationale interdisant la guerre biologique. En face de Dobrynine, siégeant parmi les diplomates qui m'écoutaient, je dis qu'il nous fallait reconnaître qu'une grande responsabilité pesait sur les grandes puissances : elles devaient observer le principe de n'encourager, ni directement, ni indirectement, aucune autre nation à employer la force ou à commettre une agression contre aucun de ses voisins. Il était évident que je parlais de l'Union Soviétique et du Vietnam du Nord.

Juste avant de quitter la salle de conférences du Département d'Etat, j'allai à Dobrynine pour lui serrer la main. Je lui dis que Pat était fort heureuse de l'invitation que Mme Dobrynine lui avait adressée pour parler de son prochain voyage à Moscou. Plus tard dans l'après-midi, Dobrynine appela Kissinger, et proposa la date du lendemain pour la visite proposée.

Pat demanda des conseils à Kissinger, qui lui dit : « Vous pourriez lui dire que, tous deux, vous attendez ce voyage avec impatience et que vous espérez que rien ne viendra l'empoisonner, par exemple les événements actuels au Vietnam. »

La visite fut un plein succès. Pat montra beaucoup d'adresse et de finesse : quand elle dit que nous souhaitions que rien de tel que le Vietnam ne vînt compromettre la conférence au sommet, Mme Dobrynine lui serra la main en acquiesçant d'un vigoureux signe de tête.

Nous continuâmes les semaines suivantes notre politique de pressions combinées, militaires pour le Vietnam du Nord, et diplomatiques pour les Soviétiques. Alors même que les projets de rencontre au sommet se poursuivaient, j'étais bien décidé à ne pas accepter la fiction soviétique suivant laquelle ils ne pouvaient être tenus pour responsables de ce que faisait le Vietnam du Nord, bien que l'invasion n'eût été rendue possible que par la fourniture massive de nouvelles armes et de munitions soviétiques.

Pour obtenir le poids militaire nécessaire, j'étais convaincu que les bombardements, qui avaient commencé dans la partie Sud du Vietnam du Nord, devaient atteindre le cœur du pays, dans la zone Hanoï-Haïphong. Les risques de pertes supplémentaires en matériel et en personnel et de captures de prisonniers étaient très grands en ces régions particulièrement bien défendues. Laird exprima son inquiétude de voir se déchaîner la fureur du Congrès à la suite de toute aggravation nouvelle des bombardements, tandis que Rogers craignait que le sommet soviétique n'en fût compromis. Mais je pensais qu'il fallait le faire, et j'approuvai les plans de l'opération « Freedom Porch Bravo », un week-end de raids massifs de B-52 visant à détruire les réservoirs d'essence des environs de Hanoï et de Haïphong, qui alimentaient l'invasion en carburant.

L'opération fut un succès complet, et le dimanche matin 16 avril, je dis à Haldeman : « Eh bien, nous leur avons réellement laissé notre carte de visite pour le week-end! »

Entre-temps, le 15 avril, la situation avait pris une sérieuse tournure : les Vietnamiens du Nord avaient annulé le rendez-vous à Paris qui avait été prévu pour le 24. C'était précisément la séance dont les Soviétiques avaient laissé entendre qu'elle pourrait être décisive sur la voie d'un règlement. Je dis à Kissinger qu'il devait remettre son voyage à Moscou jusqu'à ce que nous ayons trouvé à quel jeu ils jouaient.

Kissinger se plaignit à Dobrynine : nous lui avions fait confiance pour ces entretiens, leur annulation créait de sérieux obstacles à son voyage avant le sommet. Et Kissinger d'ajouter à son adresse : « Le Président se demande quels progrès l'on peut faire à Moscou, si l'Union Soviétique ne peut même pas garantir une réunion avec les Vietnamiens du Nord à une date convenue. »

Ce soir-là, je couchai sur le papier mes conjectures :

Extrait de mon journal :

Henry considère évidemment qu'il s'agit d'une crise de première grandeur. Je lui interdis formellement de se rendre à Moscou dans ces circonstances. Ce que les Russes voulaient, c'était l'avoir à Moscou pour discuter de la conférence au sommet. Ce que nous voulions, c'était qu'il allât à Moscou pour discuter du Vietnam. J'ai pu voir qu'il était contrarié, parce qu'il désirait désespérément aller à Moscou pour une raison ou pour une autre. Il l'a pris de bonne grâce. Je lui dis alors que nous avions à examiner le choix à prendre concernant l'établissement d'un blocus.

Il m'a accompagné jusqu'à l'immeuble des bureaux du gouvernement. Nous avons fait un grand détour par la pelouse parce qu'il y avait plusieurs groupes de touristes, et je n'étais pas d'humeur à parler à qui que ce soit.

Plus tard, dans l'après-midi, j'ai eu une conversation à cœur ouvert avec Henry sur nos perspectives d'avenir. Je lui ai dit que nous allions vers l'annulation de la conférence au sommet et que nous allions cogner dur au Vietnam, blocus compris.

Dans ces conditions, je devais penser à me trouver un successeur. Mais qui? J'en suis donc venu à examiner la liste de mes successeurs possibles — liste qui comprenait à Rockefeller, Burger, Reagan et Connally, ce dernier si nous pouvions le décider à changer de parti. Quelqu'un tel que Burger ou Connally, vierge de toutes les balafres que je portais, et avec mon appui, pourrait réussir en face d'un Parti Démocrate divisé.

Henry levait les mains au ciel : aucun d'entre eux ne ferait le poids, même un Démocrate, il en était certain. Et d'ailleurs, la question ne se posait pas. « Si je peux obtenir que vous restiez en fonction, la continuité de notre politique serait assurée. » Très ému, Henry m'a conjuré de ne pas penser à des choses pareilles, et surtout de ne les dire à personne — ce que, naturellement, je n'avais nullement l'intention de faire, il aurait pu s'en douter. Son refrain était qu'il ne fallait pas que les Nord-Vietnamiens aient eu l'avantage de démolir deux Présidents.

Après le dîner donné en l'honneur de l'Organisation des Etats américains, un aide de camp vient me prévenir d'un appel de Kissinger. Il me dit que Dobrynine veut désespérément qu'il aille à Moscou, et que le Vietnam sera le premier point à l'ordre du jour. Il est même question que soit présent le Ministre des Affaires Etrangères du Vietnam du Nord.

Je dis à Henry que j'ai reconsidéré la situation et que je pense que nous devons garder un regard tourné vers le sommet. Il est nécessaire d'avoir en main tous les atouts pour négocier dans les meilleures conditions possibles. Kissinger doit donc se rendre à Moscou.

Le jour suivant, nos bombardiers touchèrent par hasard quatre cargos soviétiques qui se trouvaient à l'ancre dans le port de Haïphong. Les Soviétiques protestèrent immédiatement contre nos « activités de ganster ». Un des adjoints de Dobrynine remit à un adjoint de Kissinger une note avertissant que les Soviétiques prendraient « toutes mesures appropriées » pour protéger leurs navires « où qu'ils se trouvent ». Une protestation verbale fut faite, puis une note similaire fut remise à notre ambassadeur à Moscou. Du point de vue diplomatique, il était intéressant — et important — que ces protestations fussent relativement modérées.

Je donnai instruction de maintenir notre position absolument ferme. Des armes soviétiques avaient rendu possible l'offensive du Vietnam du Nord, et je n'étais pas disposé à laisser les Russes s'en tirer par la défensive sur ce point.

Avant de partir pour Moscou, Kissinger m'envoya un mémorandum décrivant les stratégies qu'il comptait suivre pendant ses entretiens. J'eus l'impression en le lisant que ce document ne reflétait pas comme il fallait mes instructions d'insister sur la nécessité d'un règlement sur le Vietnam comme préalable à toute discussion sur un autre sujet. A notre dernière entrevue avant son départ, je dis même à Kissinger que si les Soviétiques étaient intransigeants sur ce point, il devait prendre son chapeau et s'en aller.

Dans leur premier entretien, Brejnev protesta que le Gouvernement soviétique n'avait pas autant d'influence à Hanoï que nous paraissions le penser. Les Soviétiques avaient refusé de donner suite à toute nouvelle demande de matériel militaire venant du Vietnam du Nord. Quand il affirma que, d'ailleurs, les Soviétiques n'avaient pas fourni tant de matériel, Kissinger lui rappela les tonnages massifs qu'ils avaient envoyés. Finalement, Brejnev refusa de s'engager à exercer sur Hanoï la moindre pression en faveur d'un apaisement graduel des hostilités ou d'un accord final. Tout au plus pouvait-il accepter de faire suivre à Hanoï nos dernières propositions, bien qu'il s'attendît à une réaction négative.

On était loin des assurances soviétiques antérieures, selon lesquelles la rencontre prévue à Paris pour le 24 avril verrait probablement l'aboutissement de nos négociations.

Arrivé à cette impasse, Kissinger passa à la discussion des autres points à l'ordre du jour du sommet. Ils purent s'entendre sur tous les points, à l'exception des éléments les plus sensibles au S.A.L.T. qui exigeraient une négociation directe entre Brejnev et moi. Mais je fus déçu par ses télégrammes quotidiens, parce que je pensais que nous avions manqué l'occasion de voir jusqu'où iraient les Soviétiques pour obtenir la conférence au sommet. Je craignais aussi qu'ils n'interprétassent comme un signe de faiblesse, plutôt que de réalisme, la disposition montrée par Kissinger à négocier sans avoir d'abord obtenu que les Soviétiques s'engagent formellement à modérer le Vietnam du Nord.

Sur les autres points à discuter, par contre, les progrès étaient remarquables. Brejnev présenta une proposition S.A.L.T. qui était beaucoup plus favorable que nous l'espérions. Comme Kissinger l'écrivait : « Si la réunion au sommet a lieu, vous aurez la possibilité de signer le plus important accord sur la maîtrise des armes qui ait jamais été conclu. »

Etant donné les résultats obtenus par Kissinger sur les questions à traiter au sommet, il n'aurait servi à rien de le désavouer après coup. S'il avait suivi mes instructions et insisté sur le règlement vietnamien comme premier point à l'ordre du jour, Brejnev aurait peut-être durci sa position, l'aurait pris au mot et lui aurait dit de rentrer chez lui — ce qui aurait purement et simplement signifié la fin du sommet, avec tout ce qu'il comportait, sans amener de progrès au Vietnam. J'avais pensé qu'il valait la peine de courir ce risque. En tout cas, le sommet eut lieu, et il dut sans aucun doute une grande partie de son succès aux négociations de Kissinger pendant sa visite secrète à Moscou.

Deux jours après le retour de Kissinger, je décidai de faire à la télévision une courte allocution annonçant un retrait de troupes au Vietnam. Je pensai qu'une nouvelle réduction de nos forces, alors même que l'invasion ennemie était en cours, rendrait évident notre désir de paix. C'est pourquoi j'annonçai que 20 000 hommes de plus allaient quitter le Vietnam au cours des deux mois à venir, réduisant à 49 000 hommes nos forces au 1er juillet 1972.

Je décrivis la situation au Vietnam dans les termes les plus simples : « Ce à quoi nous assistons ici, ce qui est brutalement infligé au peuple du Vietnam du Sud, est un cas évident d'agression ouverte et non provoquée à travers une frontière internationale. Il n'y a qu'un mot qui convienne : l'invasion. » Je déclarai également que les bombardements du Vietnam du Nord continueraient jusqu'à l'arrêt de l'offensive militaire. « J'ai refusé nettement la proposition qui nous était faite d'obtenir une reprise des négociations contre un arrêt des bombardements. Déjà en 1968, on nous a fait cette farce, et nous n'avons pas l'intention d'y goûter de nouveau en 1972. »

C'était un discours énergique. Combien, cependant, j'ai plus tard regretté de ne pas l'avoir fait plus énergique encore!...

Les Vietnamiens du Nord acceptèrent pour le 2 mai la rencontre prévue pour le 24 avril. Le 30 avril, nous assistions, Pat et moi, à un barbecue dans le ranch de John Connally au Texas. Je dis quelques mots et je répondis à des questions. Un invité me demanda si j'avais pensé à faire bombarder les digues au Vietnam du Nord. Je répondis que, naturellement, j'y avais pensé, mais que cela aurait entraîné une quantité énorme de victimes civiles. Je continuai : « Nous sommes prêts à utiliser nos forces militaires et navales sur tout objectif militaire au Vietnam du Nord, et nous croyons que les Nord-Vietnamiens prennent un très grand risque s'ils continuent leur offensive vers le Sud. Je m'en tiendrai là, et je les laisserai choisir leur voie. »

Je savais que ces propos parviendraient à Hanoï avant la réunion du 2 mai et je pensais qu'ils pourraient nous aider à améliorer notre jeu.

Le soir même, je dicte un mémorandum pour Kissinger, retraçant mes instructions pour négocier avec les Nord-Vietnamiens.

> « Il faut vous souvenir que s'ils obtiennent un délai en raison de vos conversations, nous perdrons la meilleure chance que nous ayions jamais eue de leur porter un coup très dur qui leur fera mal où il frappera, pas tout de suite, mais surtout à l'avenir.
>
> « Oubliez les réactions intérieures. C'est maintenant le meilleur moment pour frapper. Chaque jour de retard réduit tout appui pour une action énergique.
>
> « Notre désir d'avoir la conférence au sommet avec les Soviétiques est évidemment en jeu, mais, à cet égard, vous avez très bien préparé la voie, et, de toute façon, nous ne pouvons laisser le sommet dominer notre décision. Comme je vous l'ai dit ce matin au téléphone, j'ai l'intention d'annuler le sommet si la situation militaire et diplomatique ne s'améliore pas substantiellement avant le 15 mai, ou à moins que nous n'obtenions des Russes l'engagement ferme d'annoncer une action conjointe pour mettre fin à cette guerre.
>
> « Nous avons passé le Rubicon. Il nous faut vaincre — non pas obtenir un simple répit temporaire dans la bataille actuelle, mais renverser la balance en faveur des Vietnamiens du Sud pour les batailles à venir, quand nous ne serons plus en mesure de les aider de notre appui aérien.
>
> « Nous savons par expérience, d'après leur attitude en 1968, qu'ils violeront n'importe quel accord. Nous savons, par nos douze séances d'entretiens secrets, qu'ils ne parlent que pour gagner du temps. Et plus nous nous rapprochons de la convention démocrate, plus les candidats démocrates et les membres du Congrès qui soutiennent Hanoï les encourageront à pousser leurs avantages et à ne pas traiter avec nous, dans l'espérance de pouvoir traiter avec les Démocrates après l'élection.
>
> « Je parlerai avec vous des déclarations que vous ferez quand vous les verrez, mais pour le moment je pense qu'il faut que vous soyez d'une franchise brutale, dès le début, surtout dans le ton... En résumé vous leur direz qu'ils ont violé tous les accords, qu'ils ont relancé la guerre, qu'ils se refusent à négocier sérieusement. Le résultat est que le Président en a assez, et que vous n'avez plus pour eux qu'un message : " Traitez, sinon... " »

MAI 1972

Le 1er mai, comme Kissinger va partir pour Paris, je reçois une lettre de Brejnev qui augmente mes craintes: je n'ai pas réussi à le convaincre de notre volonté inébranlable de demeurer fermes sur le point du Vietnam. Il me demande tout simplement de m'abstenir de toute nouvelle action militaire parce qu'elle compromet les chances de succès de notre conférence au sommet.

Kissinger est complètement absorbé par ses plans de stratégie pour son entretien du 2 mai avec Le Duc Tho. Je passe plusieurs heures à essayer de parvenir à un accord avec lui sur la ligne qu'il doit y adopter.

En fin d'après-midi, après une séance d'une heure et demie sur S.A.L.T., Kissinger revient à mon bureau, où je recevais Haldeman. Il vient de recevoir un message. « Il est d'Abrams, me dit-il. Quangtri est tombé aux mains des communistes. La bataille pour Hué commence. »

Nous restons silencieux un instant, tandis qu'il lit le document. « Abrams nous annonce que la chute de Quangtri n'est pas importante, sauf par l'effet sensible qu'elle pourrait avoir sur le moral des Vietnamiens du Sud, mais celle de Hué serait un coup très sérieux.

— Que dit-il d'autre?

— Il croit devoir nous signaler (Kissinger s'éclaircit la gorge) qu'il est fort possible que les Vietnamiens du Sud aient perdu toute volonté de combattre ou de tenir ensemble, et que tout peut être perdu. »

Je pouvais à peine en croire mes oreilles. Je prends le télégramme et je le lis.

« Comment cela a-t-il pu arriver?

— Les Vietnamiens du Sud semblent plutôt cyclothymiques, suggéra Kissinger. Ils sont très bons pendant un mois, puis ils semblent fermer boutique. La crise s'est accumulée pendant un mois et maintenant ils cèdent selon l'horaire.

— Quoi qu'il arrive, ceci ne change rien à mon avis sur les négociations, dis-je. Je ne veux pas que vous fassiez la moindre concession aux Vietnamiens du Nord. A cause de ces nouvelles, ils se donneront de grands airs. Vous aurez à les ramener au sol par votre comportement. Pas de sentimentalité, pas d'amabilité, pas de complaisance. Et nous allons faire connaître à nos amis soviétiques que je suis prêt à laisser tomber le sommet, si c'est là le prix qu'ils veulent nous faire payer. En aucun cas, je n'irai au sommet si nous sommes encore en difficulté au Vietnam. »

Et je pense à une sinistre éventualité. Il est concevable que le Vietnam du Sud entier succombe. Nous n'aurons alors pas d'autre alternative que d'imposer un blocus naval pour réclamer nos soldats prisonniers.

« Et en ce cas, nous serions vaincus, dis-je à Haldeman et à Kissinger.

— Et nous aurons en ce cas, enchérit tristement Kissinger, à nous préparer au pire! »

A peine étais-je arrivé à mon bureau le matin du 2 mai 1972 qu'Haldeman entra et m'apprit que J. Edgard Hoover était mort dans son sommeil pendant la nuit.

Bien qu'il eût soixante-dix-sept ans, Hoover avait une telle vitalité qu'il semblait beaucoup plus jeune. Il était devenu Directeur du Bureau des enquêtes (F.B.I.) en 1924. Pendant les quarante-huit années qui suivirent, son patriotisme et son adresse politique lui permirent de servir loyalement sept Présidents.

Le renseignement était l'une des sources principales de la puissance de Edgar Hoover. Il savait toujours quelque chose sur tout ce qui se faisait, et cette omniscience le rendait aussi précieux à ses amis que dangereux pour ses ennemis. Il avait atteint les pinacles de la puissance et du prestige sous Eisenhower. Lorsque Kennedy devint Président, Hoover avait déjà soixante-dix ans, et de nombreux collaborateurs de

Kennedy lui conseillèrent de remplacer Hoover. Robert Kennedy, en tant qu'Attorney général, constata que l'influence de Hoover sur le Département de la Justice faisait obstruction à certains de ses plans de réforme et il en résulta une période de tension considérable.

Au cours d'une visite que je lui faisais dans sa maison de Washington, je l'avais entendu parler d'un certain « sournois fils de putain » qui n'était rien de moins que le frère du Président et le propre patron de Hoover. Mais jamais, tant que je l'ai connu, je ne l'ai entendu parler irrespectueusement de John Kennedy ou d'aucun des Présidents qu'il a servis.

C'est avec Lyndon Johnson que Hoover devint le confident du Président. L'admiration de Johnson pour Hoover était presque sans bornes. Je me souviens qu'il me dit, en 1968, que sans Hoover il n'aurait pu devenir Président.

Comme Hoover, Johnson était insatiable, lorsqu'il s'agissait de renseignements et de potins. Tous deux en étaient fascinés. A beaucoup d'égards, ces relations n'étaient pas saines, car, comme le montra ultérieurement une enquête du Sénat, ce fut sous Johnson que Hoover permit au F.B.I. d'atteindre l'apogée de ses immixtions politiques.

Quand je devins Président, je demandai à Hoover de demeurer à son poste, mais je savais qu'en raison de son âge et des problèmes posés dans son administration par sa longue carrière dans les mêmes fonctions je devais commencer à penser à son remplacement.

En 1971, John Ehrlichman et les autres membres de mon cabinet étaient convaincus que, dans l'intérêt du F.B.I., du Gouvernement et de Hoover lui-même, nous devrions prendre l'initiative de l'amener à donner sa démission de lui-même, avant qu'il ne soit contraint de le faire. Nous avions été informés que le moral du F.B.I. baissait, et que les traits de caractère qui avaient été autrefois la source de la force de Hoover, c'est-à-dire son sens de la discipline et son orgueil, se manifestaient maintenant sous la forme d'un caractère irritable et du culte du moi.

Cette année-là, Robert Mardian, un adjoint de Mitchell, me transmit un message de William Sullivan, qui avait été un des plus proches collaborateurs de Hoover au F.B.I. Sullivan pensait que Hoover s'était laissé enfermer dans une conception dépassée de la menace communiste et qu'il ne s'adaptait pas avec la souplesse nécessaire aux nouvelles méthodes de la violence extrémiste. Sullivan était aussi tracassé par le comportement de Hoover qui devenait imprévisible. Dernièrement, il avait pris Sullivan en grippe et projetait de le renvoyer.

Sullivan fit savoir à Mardian que Hoover pourrait faire emploi des dix-sept lignes d'écoute qu'il avait placées en 1969 chez des collaborateurs du Gouvernement et chez des journalistes, afin d'exercer un chantage pour garder sa place. Je ne croyais pas qu'il ferait une chose de ce genre. Longtemps avait couru le bruit que Hoover se maintenait en place grâce aux menaces et au chantage subtils qu'il avait fait peser sur divers Présidents, mais j'ai toujours considéré ces rumeurs avec scepticisme. J'étais convaincu aussi que, si tenté qu'il fût de mettre au grand jour des combines politiques, Hoover ne consentirait jamais à exposer les écoutes de sécurité, dont la révélation aurait mis en danger et les efforts que nous faisions pour mettre fin à la guerre, et nos autres initiatives en politique extérieure. Mais le F.B.I. était dans une période de grandes transformations, et même si les écoutes avaient pris fin, je ne pouvais accepter le risque que les rapports qui en avaient été faits tombent dans les mains de quelqu'un qui, comme Ellesberg, saisirait l'occasion de les publier et de devenir le héros des moyens d'information.

Sullivan détenait pour le F.B.I. les copies des rapports d'écoute. Je dis à Mardian de les lui faire remettre, de sorte que tous les exemplaires fussent gardés à la Maison Blanche. Plus tard, Ehrlichman me dit qu'il les garderait lui-même, et j'acceptai. Ce fut la dernière fois que j'entendis parler de prétendues menaces de Hoover. Je ne lui en ai jamais parlé.

En octobre 1971, Ehrlichman me transmit un rapport solide et brillant que lui avait fourni G. Gordon Liddy, un membre du personnel de la Maison Blanche, et ancien agent du F.B.I. Il analysait en détail la situation complexe née de la longue carrière de Hoover comme directeur, et concluait en recommandant sa démission avec insistance.

Ehrlichman était partisan d'une action immédiate. John Mitchell était plus réservé. Il connaissait les faiblesses de Hoover, mais aussi, malgré les critiques dont il faisait l'objet, sa popularité dans le pays et au Congrès.

Je dis à l'un comme à l'autre que ses principaux critiques s'opposaient à lui, non à cause de sa politique, mais parce qu'il était le symbole des convictions et des valeurs auxquelles ils étaient hostiles, telles sa croisade contre le communisme et la subversion, la forte position qu'il avait prise en faveur d'une législation plus sévère contre le crime, et son opposition à la permissivité légale et judiciaire. Je n'allais pas laisser tomber un homme de cette valeur, un vieil et bon ami, pour le seul motif qu'il faisait l'objet d'attaques.

Mais j'avais cependant deux autres soucis, l'un pratique, l'autre politique. Ce qui me contrariait le plus était que le comportement de plus en plus imprévisible de Hoover affaiblissait visiblement le moral du F.B.I. L'homme lui-même était devenu un problème. Le second se fondait sur mon réalisme politique. Je ne pouvais être sûr d'être réélu pour un second mandat. Je savais ce qu'il pourrait advenir du F.B.I. entre les mains d'un parti d'opposition politiquement motivé. La dernière chose que je souhaitais faire était de laisser aux Démocrates la chance de nommer un nouveau directeur, qui accomplirait sans poser de questions leurs ordres contre les Républicains au cours des quatre ou huit années suivantes.

Mitchell suggéra finalement un compromis idéal. Il s'agirait de persuader Hoover d'annoncer volontairement sa décision de prendre sa retraite lors de son soixante-dix-septième anniversaire. Comme supérieur hiérarchique du Directeur du F.B.I., Mitchell aurait dû s'acquitter de cette tâche. Mais il savait que Hoover n'écouterait jamais personne d'autre que le Président des Etats-Unis sur un tel sujet. Et je savais qu'il avait raison. C'est pourquoi je finis par me décider à inviter Hoover à venir partager mon petit déjeuner à la Maison Blanche et à aborder le problème avec lui.

Hoover se montra aussi alerte, disert et décidé qu'il l'avait toujours été. Il tentait évidemment de démontrer que, malgré son âge, il était toujours, au point de vue physique, mental et nerveux, en état de continuer.

Je lui dis que je savais qu'il avait été affecté par les récentes attaques portées contre lui au Congrès, et par une conférence très négative sur le F.B.I., de l'Université de Princeton.

« Vous ne devez pas vous laisser décourager par ce genre de choses, Edgar, déclarai-je. Lyndon me disait qu'il n'aurait pu être Président sans vos conseils et votre aide, et, comme vous le savez, j'ai le même respect pour vous, et aussi une profonde affection personnelle qui remonte à presque vingt-cinq ans. » Cela dit, je tentai de faire ressortir aussi aimablement et adroitement que possible que, en tant qu'homme politique expérimenté, il devait reconnaître que les attaques menées contre lui ne pouvaient que croître en nombre et en intensité dans les années à venir. Ce serait une tragédie s'il terminait sa carrière à cause d'une attaque lancée par ses adversaires, et non dans l'éclat du respect de la nation qu'il s'était acquis à si bon droit.

Il répondit d'une manière très directe. Il me dit : « Plus que tout, je désire vous voir réélu en 1972. Si vous avez le sentiment que mon maintien à la tête du Bureau compromet vos chances de réélection, faites-le-moi savoir. En ce qui concerne les attaques d'aujourd'hui et celles que l'on projette pour l'avenir, elles me laissent indifférent. Vous savez, je crois, que plus l'attaque est dure, plus dur j'agis. »

Il était évident qu'il ne prendrait pas l'initiative d'offrir sa démission. J'étais passé par ce genre de situation en 1952 quand j'avais dit à Eisenhower qu'il devait décider si je mettais sa campagne en danger. Hoover prenait maintenant exactement la même position avec moi. Il ne présenterait sa démission que si je la lui demandais expressément. Je décidai de ne pas le faire. Mes sentiments personnels jouèrent un rôle dans ma décision, mais aussi importante fut ma conclusion que la démission de Hoover avant l'élection poserait plus de problèmes politiques qu'elle n'en résoudrait.

Il mourait au bon moment. Par bonheur, il mourait étant encore en fonction. Cela l'aurait tué d'être obligé de se retirer, ou même de démissionner volontairement. Je me souviens de notre dernière conversation, deux semaines plus tôt, lorsque je lui avais téléphoné pour le féliciter du bon travail fait par le F.B.I. lors des affaires de piraterie aérienne. Il m'avait remercié de mon appel et il avait exprimé aussi son appui total pour ce que nous faisions au Vietnam. Je suis particulièrement heureux de ne pas l'avoir obligé à se retirer à la fin de 1971.

Tandis que nous discutions de la succession de J. Edgar Hoover, décédé le 2 mai, je reçus un rapport de Kissinger sur son entretien du même jour avec les Nord-Vietnamiens à Paris. Les communistes avaient été très froids et agressifs. Après trois heures d'insultes et d'invectives, Kissinger avait mis fin à la séance.

Extrait de mon journal :

C'est sans surprise que j'ai constaté que les Vietnamiens du Nord n'avaient rien cédé, et que ce voyage avait été le plus improductif de tous ceux qu'Henry a jamais entrepris. C'est une des faiblesses de son attitude à l'égard de certains de ces problèmes. Il est si naturellement obsédé par l'idée qu'il devrait y avoir un règlement négocié, et que nous devrions l'obtenir avec tout ce que nous avons mis en mouvement, qu'il ne parvient pas à voir clairement pourquoi l'ennemi n'a pas intérêt à négocier pour le moment. J'ai longuement parlé avec Haig. Nous sommes arrivés à la conclusion qu'il serait préférable d'avoir des raids continus pendant deux jours plutôt que tous les deux jours, comme Henry l'avait recommandé au début de la semaine. Nous avons très peu de cartes à jouer pour le moment.

J'ai adressé à Henry un message lui conseillant de réfléchir sérieusement, au cours de son voyage de retour, à décommander le sommet avant que les Russes ne le fassent eux-mêmes.

Pour Haig, plus important encore que ce qu'il adviendra du Vietnam est d'agir en sorte que mon maintien dans mes fonctions soit assuré. Je ne suis pas sûr que cela soit possible. De toute façon, je suis tout à fait attaché à un principe : plutôt que de partir comme Johnson l'a fait, je dois faire les choix nécessaires, si difficiles qu'ils soient, et prendre tous les risques indispensables pour maintenir la position des Etats-Unis au Vietnam.

Evidemment, le maillon le plus faible de la chaîne est la question de savoir si le Vietnam du Sud a la volonté de combattre. Abrams a certainement été ébranlé sur ce point, comme le montre une comparaison entre son rapport du 1er mai et celui de la semaine précédente. J'ai télégraphié à Thieu de garder bon espoir, car je juge indispensable que nous n'ayons pas la responsabilité d'un effondrement de son moral, à ce moment si difficile où les mauvaises nouvelles affluent du front. Le véritable problème est que l'ennemi est prêt à faire des sacrifices pour vaincre, tandis que les Vietnamiens du Sud ne sont même pas disposés à payer le même prix pour éviter de perdre. Comme Haig le fait remarquer, tous les raids aériens du monde et tous les raids sur Hanoï et Haïphong ne sauveront pas le Vietnam du Sud si son armée ne peut se maintenir sur le terrain.

En rentrant de Paris ce soir-là, Kissinger était encore découragé par le comportement arrogant de Le Duc Tho. Il pensait qu'il n'y avait aucune chance pour que la conférence au sommet pût avoir lieu et il était d'accord avec mon sentiment qu'il fallait que nous la contremandions immédiatement, avant que les Russes ne le fassent.

Nous discutâmes de la question primordiale : une annulation du sommet serait-elle le moyen de gagner la guerre? Les Soviétiques en seraient-ils émus au point de faire pression sur le Vietnam du Nord? Nous permettrait-elle de lever toutes les restrictions et de les bombarder jusqu'à ce qu'ils cèdent? Nous fûmes d'accord pour penser que c'était peu probable. En ce cas, arguai-je, il faut considérer les problèmes que poserait cette annulation. Elle anéantirait beaucoup des espoirs américains dans la paix et donnerait ainsi un argument réel aux Démocrates. Elle déclencherait une offensive de propagande mondiale, par laquelle les Soviétiques pourraient prétendre qu'ils avaient écrasé notre politique extérieure. « Il est difficile, dis-je en conclusion, de croire qu'une annulation est un choix véritablement réaliste quand vous voyez les choses sous cet angle. »

Pour Kissinger, le problème était que nous ne pouvions à la fois poursuivre les bombardements et avoir le sommet. Et maintenant, nous devions bombarder, parce que nous avions dit que nous le ferions, sauf si les négociations de Paris prenaient un sens réel. Les Soviétiques le savaient, et à moins que nous ne retirions notre menace, il était fort probable qu'ils décommanderaient la conférence eux-mêmes en rejetant la responsabilité sur nos bombardements. Ce serait la pire des solutions : une tempête d'indignation à l'intérieur et pas de conférence au sommet.

Des deux côtés, les arguments étaient convaincants. Il était difficile d'imaginer comment je pourrais prendre part à la conférence au sommet et trinquer avec Brejnev pendant que les chars soviétiques dévalaient les rues de Hué et de Quangtri. Cela paraîtrait de la lâcheté ou de la faiblesse, ou les deux. Tandis que si nous annulions le rendez-vous au sommet, on nous reprocherait d'avoir agi de manière impulsive, et d'avoir ainsi anéanti les espoirs d'un progrès vers un monde plus pacifique.

Je décidai de prendre le risque de retarder ma décision de quelques jours. En attendant, j'étais décidé à maintenir, malgré tous les échecs, une attitude forte. Je commençai par adresser à Brejnev une réponse brutale à sa lettre du 1ᵉʳ mai, par laquelle il m'avait mis en garde contre toute initiative au Vietnam susceptible de compromettre les chances de la conférence au sommet. Je dis que les Vietnamiens du Nord nous avaient floués, et qu'ils espéraient que leur offensive nous obligerait à leur faire des concessions.

> « Mais cela, Monsieur le Secrétaire Général, ne se produira pas et je dois maintenant décider des mesures à prendre dans la situation qui a été ainsi créée. A la lumière des récents événements, il ne semble pas que l'on puisse s'attendre à un résultat en vous faisant part d'autres réflexions essentielles : il n'y a aucune raison de croire qu'elles pourraient avoir un effet positif sur la situation. Comme M. Le Duc Tho l'a expliqué clairement, Hanoï traite par le mépris toutes les communications qui lui sont transmises par une tierce partie. Le fait demeure que l'équipement militaire soviétique fournit à la République Démocratique du Nord les moyens de ses initiatives et que l'influence soviétique promise, pour autant qu'elle ait été mise en jeu, a été vaine. »

Je dis à Haldeman que lui et Kissinger devraient instruire John Connolly de la situation et recueillir son avis. D'après Haldeman, Connolly insista beaucoup : « Ce qu'il y a de plus important, c'est que le Président ne perde pas la guerre et il ne devrait pas annuler le sommet. Il fallait qu'il témoigne de son cran et de son autorité là-dessus. Au diable la prudence : s'ils annulent, et je ne pense pas qu'ils le fassent, on le leur fera rentrer à travers la gorge. »

Je discutai la question avec Kissinger, Haldeman, Connolly et Haig. « En ce qui me concerne, mes seules erreurs, je les ai faites lorsque je n'ai pas suivi mon propre instinct, dis-je. Après que l'EC-121 a été descendu, je sentais qu'il fallait y aller et bombarder la Corée du Nord. Comme nous ne l'avons pas fait, on nous a pris pour des poires, et depuis, on nous l'a fait payer. Quand nous sommes entrés au Cambodge, je savais qu'il aurait fallu bombarder le Vietnam du Nord en même temps. Si nous l'avions fait, cette maudite guerre serait déjà terminée. Maintenant, mon instinct me dit qu'une chose est claire : quoi qu'il arrive, nous ne pouvons perdre cette guerre. Le sommet ne vaut pas un clou s'il faut l'acheter en perdant la guerre. Mon instinct me dit que le pays peut supporter la perte du sommet, mais non la perte de la guerre. »

Il était essentiel, à mon avis, de prendre des mesures décisives pour immobiliser l'invasion nord-vietnamienne : il fallait interdire le ravitaillement en carburants et en matériel nécessaire à l'ennemi pour la poursuite de son avance au Vietnam du Sud. Je fis en conséquence préparer immédiatement des plans pour miner le port de Haïphong et bombarder les objectifs militaires de Hanoï, principalement les lignes de chemins de fer utilisées pour le transport des approvisionnements militaires.

J'allai à Camp David pour préparer le discours annonçant ma décision. Le dimanche soir, je rapportai comme suit les événements de cette fin de semaine si tendue.

Extrait de mon journal :

Julie m'a rejoint vendredi à quatre heures, Tricia et Eddie vers six heures. Nous avons vu une bonne comédie avec Bob Hope.

J'ai dit ma décision à Julie le vendredi et à Tricia le samedi.

Julie se demande si cela servira à quelque chose. De toute évidence, elle a beaucoup lu au sujet des échecs militaires essuyés au Vietnam. Elle est aussi consciente du fait que beaucoup ont été si déçus par cette guerre que nous pourrons peut-être ne pas trouver suffisamment d'appuis dans la population. Je dis que si nous ne le faisons pas, les Etats-Unis cesseront d'être une grande puissance respectée. Elle me fait observer que beaucoup de gens pensent que les Etats-Unis ne doivent pas être une grande puissance. C'est là, naturellement, le genre de poison dont les professeurs nourrissent tant de jeunes. Elle est certaine, cependant, que David sera tout à fait d'accord avec ma décision, et elle paraît sensible aux nécessités du moment.

La réaction de Tricia est d'emblée positive, parce qu'elle sent qu'il faut faire quelque chose et qu'elle ne voit pas ce que nous pourrions faire d'autre pour éviter une plus grande détérioration de la situation militaire.

Pat arrive très tard le vendredi soir. Je viens de rentrer de Birch où j'ai travaillé à mon discours. Je vois de la lumière dans sa chambre, et quand j'entre, elle se lève, me prend dans ses bras et me dit : « Cesse de te tourmenter! »

Pendant le week-end, je parle à John Mitchell qui me dit qu'il approuve entièrement ma décision.

Henry paraît heureux de constater que tous ses collaborateurs, sauf un, sont partisans du blocus, y compris son expert sur le Vietnam, qui est plutôt une colombe. Tous disent que le blocus supprimera toute chance d'un sommet. Mitchell, de même que Connolly, n'est pas d'accord sur ce dernier point.

Je parle à Kissinger de la nécessité d'un plan de rechange pour le cas d'une annulation de la conférence au sommet. Ce matin-là, il a élevé de 20 à 25 % son estimation des possibilités de maintien au sommet, bien qu'il ne voie pas comment les Russes pourraient faire autrement que l'annuler. Je le ramène constamment à l'observation que Connolly a faite : nous pouvons perdre le sommet et nombre d'autres batailles, mais nous ne pouvons pas nous permettre de perdre au Vietnam. Non seulement l'élection, mais encore le pays, ce qui est bien plus important, exigent que les Etats-Unis ne perdent pas au Vietnam. Tout doit être maintenant concentré vers un seul but : ne pas perdre, maintenant que nous avons franchi le Rubicon.

Les projets de mon discours que nous examinâmes disent comment il évolua. Le passage peut-être le plus important portait sur l'Union Soviétique, et Henry fut très impressionné par ce que j'avais bâti de ma propre inspiration. Il fallait le faire avec beaucoup d'adresse, et je pense que nous avons posé le problème aussi bien que nous le pouvions afin de leur offrir une échappatoire s'ils étaient désireux d'en trouver une.

Toute cette période est terriblement dure pour toute la famille. Tricia et Eddie ont décidé d'attendre à Camp David. Je suis très heureux que mes deux filles en profitent parce que personne ne sait si nous aurons encore l'occasion de nous y retrouver l'année prochaine, et je désire qu'elles aient le souvenir le plus agréable de ces années.

Le lundi matin, j'informai le Conseil de Sécurité Nationale que j'avais décidé d'aller de l'avant avec les bombardements et le minage, et que j'annoncerais ma décision par une allocution télévisée le soir même.

Extrait de mon journal :

> Ce lundi a été une dure journée, parce que la séance du Conseil de la Sécurité Nationale a duré plus de trois heures. David s'est opposé à la décision et Rogers a affirmé qu'il en serait partisan si elle marchait. Comme prévu, Connolly et Agnew prirent fortement position en sa faveur. Le compte rendu parlera de lui-même. Naturellement, en toute justice pour Laird et Rogers, leur réputation à tous deux est en jeu, et je pense qu'ils ont des doutes sérieux sur le succès de mon initiative. L'épreuve définitive sera évidemment de voir s'ils appuient la décision une fois qu'elle aura été prise, et je n'ai aucun doute à ce sujet.

Le plus grand point d'interrogation était celui de la réaction soviétique. J'adressai le lundi matin une lettre de quatre pages à Brejnev, expliquant ce que j'avais décidé de faire, et pourquoi. Je réaffirmai que je m'étais consacré au développement de nos nouveaux rapports en faveur de la paix mondiale, mais que je n'avais pas l'intention de permettre au Vietnam du Nord de nous forcer à nous écarter de la voie que nos deux pays avaient choisie :

> « En conclusion, Monsieur le Secrétaire Général, laissez-moi vous dire que c'est le moment de la grande politique. C'est un moment où, par nos efforts réunis, nous pouvons mettre fin aux effets nuisibles à nos relations et à la paix du monde que le conflit au Vietnam a exercé si longtemps. Je suis prêt à me joindre à vous immédiatement pour établir une paix qui n'humiliera personne et qui servira les intérêts de tous les peuples concernés. Je sais qu'ensemble nous avons la possibilité de le faire. »

Le texte final de mon allocution ne fut pas terminé avant 17 heures. Je le préparai pour la lecture et j'allai chez le coiffeur à 17 h 30. Puis je pris à 18 heures le léger repas de germes de blé que j'ai l'habitude de prendre avant mes discours, et je repassai mon texte jusqu'à 19 h 30. Je marchai dix minutes, je pris une longue douche froide avant de rejoindre l'aile occidentale où m'attendaient les chefs des deux fractions parlementaires du Congrès dans la salle Roosevelt.

La pièce était confortable et tiède, avec un feu brûlant dans la cheminée. Je voyais des figures familières, certaines tendues, d'autres circonspectes, toutes vigilantes : Carl Albert, Hugh Scott, Bill Fulbright, Mike Mansfield, John Stennis, George Aiken, Jerry Ford, Hale Beggs, et une demi-douzaine d'autres. Certains s'opposeraient à moi, d'autres m'approuveraient à regret tout en souhaitant que je n'aie jamais pris cette décision. Comme je décrivais la situation et les mesures que j'avais décidées, personne ne m'interrompit, ni ne posa de questions.

Je reconnaissais qu'il s'agissait d'une rude médecine. Ç'avait été une décision très difficile pour moi, et je savais qu'il leur serait très difficile de m'appuyer.

« Si vous pouvez me donner votre appui, déclarai-je, j'en serai très reconnaissant. Si vous ne pouvez pas le faire, je serai compréhensif. »

Un silence complet régnait quand je me levai pour quitter la pièce.

Kissinger a invité Dobrynine à venir à la Maison Blanche peu avant mon allocution. Quand il le met au courant de ce que je vais dire, Dobrynine devient terriblement agité : « Pourquoi vous tournez-vous contre nous, alors que c'est Hanoï qui vous provoque ? » demande-t-il.

Kissinger reste tout à fait calme.

Dobrynine dit qu'il ne voit pas comment les choses peuvent faire autrement que tourner très mal...

Je fais mon allocution à neuf heures du soir. Après avoir décrit la situation militaire et l'impasse des négociations, je dis : « Il n'y a qu'un moyen d'arrêter la tuerie, c'est de tenir les armes de la guerre loin des mains des hors-la-loi internationaux du Vietnam du Nord. J'ai ordonné les mesures suivantes qui sont en cours d'exécution au moment où je vous parle. Toutes les entrées des ports du Vietnam du Nord seront minées pour en empêcher l'accès et interdire toute activité navale du Vietnam du Nord à partir de ces ports. Les forces des Etats-Unis prendront toutes les mesures appropriées dans les eaux intérieures et prétendues territoriales du Vietnam du Nord pour interdire la livraison de tout approvisionnement. Les communications par chemin de fer ou autres seront coupées au maximum. Les raids et attaques aériens et navals contre les objectifs militaires du Vietnam du Nord seront poursuivis. »

Je proposais ensuite un nouveau plan de paix qui devint le texte de référence pour les conditions du règlement final qui intervint en janvier suivant :

> « Tout d'abord, tous les prisonniers américains doivent être libérés.
> « Ensuite, il doit y avoir un cessez-le-feu sous contrôle international dans toute l'Indochine.
> « Une fois les prisonniers rendus et dès le début du cessez-le-feu sous contrôle international, nous mettrons fin à toute action de force dans toute l'Indochine, et nous procéderons au retrait complet du Vietnam de toutes les forces américaines dans un délai de quatre mois.
> « Ce sont là des conditions générales, des conditions qui n'exigent la capitulation ou l'humiliation de personne... Elles méritent de recevoir l'accord immédiat du Vietnam du Nord. »

Je terminais par le message — en termes très pesés — que j'avais moi-même rédigé à l'adresse de l'Union Soviétique :

« Nous nous attendons à ce que vous aidiez vos alliés, et vous ne pouvez faire autrement que de vous attendre à ce que nous soutenions les nôtres, mais il faut que nous, et toutes les grandes puissances, nous n'aidions nos alliés qu'à se défendre, et non pas à envahir leurs voisins... Nos deux nations ont fait d'importants progrès dans leurs négociations au cours des derniers mois. Nous avons conclu d'importants accords sur la limitation des armes nucléaires, sur le commerce, sur des quantités d'autres problèmes. Ne retournons pas dans les ombres d'un âge révolu. Nous ne vous demandons pas de sacrifier vos principes ou vos amis, mais vous ne devriez pas permettre non plus à l'intransigeance de Hanoï d'anéantir les perspectives que nous avons ensemble préparées avec tant de patience. »

Les critiques furent immédiates et aigres au Congrès et dans les mass média. Teddy Kennedy prétendit que le minage était « un geste militaire futile, un acte de désespoir ». « Je pense, ajoutait-il, que sa décision est dangereuse, et que c'est une folie. » Le *Post Dispatch* de Saint-Louis déclara que la nation ne m'appuierait pas, parce que, en ce cas, « la cause n'est pas l'honneur, mais le déshonneur ». Selon une correspondance du *Wall Street Journal,* les observateurs diplomatiques pensaient que la réunion au sommet serait maintenant indéfiniment retardée. Plusieurs des émissions de télévision étaient centrées sur cette question, et les commentateurs des chaînes conclurent unanimement que mon discours avait sérieusement compromis la détente. Le correspondant de Moscou de la chaîne N.B.C. assura qu'il serait difficile au Kremlin d'avaler ma décision et qu'elle « anéantissait pratiquement la possibilité d'un sommet ».

Les réticences des militaires continuaient à poser un problème.

Les propositions de bombardement que le Pentagone m'envoya ne pouvaient, tout au mieux, être qualifiées que de timides. Comme je l'indiquais dans un long mémorandum à Kissinger : « Je suis inquiet des plans militaires affectant deux cents raids aux tristes " tournées du laitier " qui ont caractérisé les bombardements entrepris sous le gouvernement de Johnson dans la période 1965-1968. »

Après avoir passé à travers les tourments de la décision et accepté les risques politiques qu'elle comportait, j'étais déterminé à la faire exécuter comme je l'entendais. Je continuais :

> « Je n'insisterai jamais assez sur le fait que j'ai décidé que nous y allions à fond. Il s'agit avant tout de faire comprendre à l'ennemi que nous allons passer aux actes. Nos paroles, certes, aideront certains à comprendre notre détermination. Mais nos actes au cours des prochains jours parleront beaucoup plus fort que nos paroles.
>
> « Je suis très mécontent des plans que, jusqu'à ce jour, les militaires ont présenté en ce qui concerne nos activités aériennes...
>
> « Notre erreur serait de faire trop peu trop tard. Il est beaucoup plus important de faire trop en un moment où nous avons l'appui maximal de l'opinion pour ce que nous faisons.
>
> « Ce que nous devons tous avoir présent à l'esprit, c'est qu'il faut punir l'ennemi d'une façon qui lui fasse vraiment mal...
>
> « Maintenant que j'ai pris une décision dure et sans retour, j'entends ne m'arrêter à rien pour mettre l'ennemi à genoux. Je veux que vous fassiez pénétrer cette résolution à tous les échelons, et je veux en particulier que les militaires se creusent un peu la cervelle et me présentent des propositions sur la manière d'atteindre ce but...
>
> « Je pense que nous avons trop tendance à parler fort et à agir peu. Ce fut certainement le point faible du gouvernement de Johnson. Dans une certaine mesure, ce fut sans doute notre faiblesse que de mettre sans cesse l'ennemi en garde et de réagir d'une façon plutôt modérée quand l'ennemi nous a provoqués. Il a dépassé les limites, et nous aussi. Nous avons le pouvoir de briser sa capacité à combattre. La seule question est de savoir si nous utiliserons ce pouvoir. Ce qui me distingue de Johnson, c'est que j'ai de la volonté « à la pelle ». Si nous échouons, ce sera parce que les bureaucrates et la bureaucratie, et surtout ceux du Département de la Défense, qui seront naturellement aidés par les alliés qu'ils trouvent dans l'Etat, trouveront le moyen d'affaiblir la forte et décisive action que j'ai décidé d'entreprendre. Je veux que, pour une fois, les états-majors des forces armées et du Conseil de la Sécurité Nationale parviennent à se former des idées personnelles sur les moyens de proposer une action très forte, menaçante et efficace. »

L'agence soviétique Tass publia une énergique condamnation du minage « lourd de conséquences sérieuses pour la paix et la sécurité internationales », et le Politburo se réunit en séance exceptionnelle le matin qui suivit mon allocution. Je m'attendais tout à fait à une déclaration officielle condamnant mon initiative et annulant le rendez-vous au sommet.

Dobrynine vit Kissinger le jour suivant dans la chambre des cartes. Sans se livrer aux plaisanteries habituelles, Dobrynine annonça froidement que son gouvernement lui avait donné instruction de lui lire une note officielle. Au grand soulagement de Kissinger, ce ne fut qu'une protestation relativement modérée contre le blocus et la mort d'un citoyen soviétique tué par une bombe tombée par accident sur un navire soviétique dans le port de Haïphong. Quand ils se revirent l'après-midi suivant, Kissinger lui demanda en passant pourquoi les Soviétiques n'avaient fait aucune mention du sommet.

« On ne nous a pas posé de question sur ce point, rétorqua Dobrynine; et mon gouvernement n'a donc pas senti le besoin de prendre une nouvelle décision.

— Aurions-nous donc dû poser une question au sujet du sommet? dit Kissinger.

— Absolument pas, répondit Dobrynine. Vous avez traité une situation difficile exceptionnellement bien. »

Le jour suivant, Dobrynine appela Kissinger, disant qu'il avait reçu une communication de Moscou. Elle concernait des détails de procédure pour la rencontre. Il souleva même la question des cadeaux officiels. Le Gouvernement soviétique projetait de me donner un hydroglisseur pour Key Biscayne, et il nous laissa sous-entendre que Brejnev ne serait pas mécontent de recevoir une nouvelle voiture pour sa collection d'automobiles de luxe.

Il semblait maintenant certain que le sommet avait survécu à mon discours.

LA PREMIÈRE RENCONTRE AU SOMMET

Le samedi 20 mai, l' « Air Force One » quitta Washington pour Salzbourg, en route vers Moscou. Après le décollage, Kissinger entra dans la cabine : « Ceci est un des plus grands coups diplomatiques de tous les temps, dit-il très enthousiaste. Il y a trois semaines, tout le monde disait qu'il serait annulé, et aujourd'hui, nous sommes en route. »

Le lundi 22 mai à 16 heures, après avoir passé la nuit à Salzbourg, nous atterrissions à l'aéroport Vnutovo de Moscou.

Une pluie légère s'était mise à tomber juste avant notre arrivée. Le Président Nicolai Podgorny m'accueillit officiellement. Kossyguine et Gromyko étaient également présents. A part un petit groupe derrière une barrière qui agitait de petits drapeaux de papier, ce fut une réception très froide. Comme nos voitures roulaient à toute vitesse à travers les larges rues complètement vides vers le Kremlin, je remarquai que des foules importantes étaient retenues par des barrages de police à un bloc de distance dans les rues latérales.

On nous avait donné, à Pat et à moi, un étage entier dans l'une des grandes ailes du Grand Palais à l'intérieur du Kremlin. Comme nous faisions le tour de notre logement orné à outrance, Kissinger arriva pour me dire que Brejnev m'attendait dans son bureau pour me souhaiter la bienvenue.

Ce bureau était le même que celui où, treize ans auparavant, j'avais rencontré Khrouchtchev pour la première fois. De même que Khrouchtchev, Brejnev ressemblait exactement à ses photographies : les sourcils épais dominaient le visage, et un sourire quelque peu méfiant était figé sur ses lèvres. J'étais sûr qu'aucun de nous deux, qui nous étions trouvés ensemble treize ans plus tôt dans la cuisine de l'Exposition américaine, n'avait imaginé que nous nous rencontrerions un jour au sommet, en tant que chefs de nos pays respectifs.

Nous nous serrâmes la main et parlâmes debout pendant qu'on servait le thé. Il montra une longue table sur un côté de la pièce, et nous nous assîmes l'un en face de l'autre avec l'interprète soviétique Viktor Sukhodrev au bout. On avait insisté pour qu'un interprète du Département d'Etat assistât aussi aux séances. Mais je savais que Sukhodrev était un superbe linguiste, qui parlait l'anglais aussi bien que le russe, et je pensai que Brejnev parlerait plus librement s'il y avait seulement une seule autre personne.

Son ton était cordial, mais ses mots étaient brutaux. D'entrée, il me dit qu'il n'avait pas été facile pour lui de maintenir cette rencontre au sommet après nos récentes initiatives au Vietnam. Seule l'importance primordiale d'une amélioration des relations américano-soviétiques et d'un accord éventuel sur certains problèmes entre nous l'avait rendue possible.

Après avoir fait cette déclaration préliminaire presque obligatoire, il s'anima sensiblement en parlant de la nécessité et des avantages de relations personnelles entre nous. Il dit que le nom de Franklin D. Roosevelt était très cher à la mémoire du peuple soviétique, qui se souvenait de lui comme du Président qui avait reconnu, en 1934, l'Union Soviétique et aussi comme du chef de l'alliance contre Hitler pendant la Deuxième Guerre mondiale.

Je dis que j'avais étudié l'histoire des rapports entre Staline et Roosevelt et entre Staline et Churchill. J'avais constaté que, pendant la guerre, les différends qui s'élevaient entre les subordonnés étaient généralement réglés au sommet :

« C'est, dis-je, ce genre de rapports que j'aimerais à établir avec le Secrétaire Général.

— J'en serais très heureux, répondit-il cordialement, et j'y suis tout disposé pour ma part.

— Si nous laissons toutes les décisions aux bureaucrates, dis-je, nous n'arriverons à rien.

— Ils ne feront que nous enterrer sous les papiers! » Il rit de bon cœur en frappant la table du plat de la main. C'était, semble-t-il, un bon commencement.

Une demi-heure plus tard, nous étions réunis pour le banquet dans la magnifique Salle Granovit du XVe siècle, au cœur de la partie la plus ancienne du Kremlin. Le parquet luisait de cire et les murs voûtés étaient recouverts de grandes peintures semblables à des icônes, en riches couleurs d'or brun. Assis l'un à côté de l'autre à la table principale, nous étions, Brejnev et moi, directement en face d'images gigantesques de la Cène avec le Christ et les Apôtres. Et Brejnev de dire :

« C'était le Politburo de ces temps-là.

— Ce qui signifie, répondis-je du tac au tac, que le Secrétaire Général et le Pape ont beaucoup de choses en commun! »

Brejnev se mit à rire et me serra la main.

Comme d'habitude, le changement d'heure m'empêcha de m'endor-mir cette première nuit. Je me levai finalement vers 4 h 30, enfilai un pantalon et un veston, et décidai d'aller faire un tour dans les jardins du Kremlin. A la latitude nordique de Moscou, il faisait déjà presque aussi clair qu'en plein jour. Je pouvais entendre les bateaux sur la rivière et la rumeur de circulation des camions venant des rues voisines des murs de brique rouge. Je m'arrêtai un instant pour voir le drapeau américain qui flottait au-dessus de notre résidence au milieu des dômes en forme de bulbes et des étoiles rouges des églises et des tours du Kremlin.

Lors de la première séance plénière, à 11 heures, avec Brejnev, Kossyguine, Podgorny, Gromyko et Dobrynine, je décidai de prendre le ton direct que j'avais projeté d'adopter pour toute la conférence.

« Je voudrais dire, commençai-je, une chose que mes amis soviétiques sont peut-être trop polis pour oser formuler. Je sais que ma réputation est celle d'être un anticommuniste convaincu, du genre guerre froide.

— Effectivement, intervint Kossyguine, caustique, j'ai parfois entendu ce bruit...

— Il est vrai, continuai-je, imperturbable, que j'ai une foi profonde dans notre système. Mais je respecte ceux qui croient aussi fortement à leur propre système. Il doit y avoir place dans le monde pour deux grandes nations à systèmes différents, pour qu'elles vivent et pour qu'elles œuvrent ensemble. Nous ne pouvons pourtant y parvenir par une sentimentalité larmoyante ou en recouvrant d'un vernis superficiel les différends qui existent. »

Toutes les têtes approuvèrent de l'autre côté de la table, mais je devinai qu'en fait ils auraient bien préféré la continuation de la sentimentalité larmoyante qui a caractérisé si longtemps notre approche des Soviets autrefois.

L'après-midi nous eûmes, Kissinger et moi, un entretien de deux heures sur les problèmes S.A.L.T. avec Brejnev et Andrei Aleksandrov, son conseiller pour les affaires américano-soviétiques. En dépit de l'impatience qu'il manifestait à l'égard des détails et des chiffres, Brejnev avait été visiblement fort bien mis au courant de la question. Il utilisait un crayon rouge pour dessiner des projectiles sur un bloc-notes pendant que nous discutions du calendrier et des techniques de contrôle et de limitation.

Je dis que je pensais que des dispositions précises permettant de vérifier que chacune des parties observait ses engagements seraient de nature à donner la confiance nécessaire des deux côtés. Brejnev se tourna vers moi d'un air offensé :

« Si nous essayons de nous rouler l'un l'autre, en quoi avons-nous besoin d'une feuille de papier? Quant à nous, nous jouons franc jeu. L'esprit de suspicion est inacceptable. »

Nous eûmes encore un long entretien le soir même pour discuter de la question, importante et controversée, de la distance à laquelle le nouveau système soviétique A.B.M. serait situé à partir de Moscou. En ouvrant la discussion, Brejnev diminua avec désinvolture de trois cents kilomètres la distance qui avait été fixée quelques jours auparavant :

« En ce qui concerne les A.B.M., dit-il, il semble que la question soit réglée. Mille deux cents kilomètres, c'est O.K. pour nous.

— Mille cinq cents, rectifiai-je...

— Vous voulez dire que nous devrions les mettre en Chine? »

Il feignait évidemment l'exaspération...

« Le Secrétaire Général aura l'occasion de le constater, arguai-je patiemment, je ne cherche jamais à couper les cheveux en quatre.

— Bon, puisque vous y tenez tant, ce sera mille cinq cents kilomètres, concéda-t-il sans hésiter. Vous nous avez demandé de bouger vers l'est. Nous sommes d'accord. Il nous aurait été plus commode d'accepter mille deux cents kilomètres, mais cela ira aussi avec mille cinq cents kilomètres, et nous n'en parlerons plus. »

C'est une tactique des négociations communistes que d'introduire une modification idéaliste, mais irréalisable, dans un chapitre dont tous les détails ont déjà fait l'objet d'un accord. Alors que nous discutions sur des clauses précises de la proposition S.A.L.T. qui, selon l'accord réalisé, devaient rester en vigueur cinq ans. Brejnev demanda soudainement : « Pourquoi ne pas les adopter pour dix ans? Pourquoi cinq ans seulement? » Kissinger, très calme, fit remarquer que les Soviétiques eux-mêmes avaient à l'origine voulu limiter à dix-huit mois la validité de l'accord.

« Je considère que la conclusion de cet accord provisoire serait un grand succès pour nous et pour tout le monde, dis-je. Je voudrais bien obtenir un accord permanent, mais mon temps est limité — moins de cinq ans. Ensuite, je m'en vais nager dans le Pacifique, ou plus tôt encore.

— Ne vous en allez pas plus tôt, Monsieur le Président », dit Brejnev.

La surprise est aussi une autre des tactiques favorites des négociations communistes. Après la séance solennelle du mercredi après-midi où nous avions signé un accord de coopération sur l'exploration spatiale, Brejnev et moi nous sortîmes ensemble de la salle. Il commença à parler du dîner qui avait été organisé ce soir-là pour nous dans une des datchas du Gouvernement aux environs de Moscou. Comme nous approchions du bout du corridor, il prit mon bras et me dit : « Pourquoi n'irions-nous pas dès maintenant à la campagne pour que vous puissiez la voir à la lumière du jour? » Il me poussa dans un ascenseur qui nous mena au rez-de-chaussée où l'une de ses limousines était parquée.

Nous y montâmes et nous étions déjà en route pendant que les gens du Service de sécurité et d'autres se précipitaient pour trouver des voitures et des chauffeurs pour nous suivre. L'allée centrale de toutes les rues principales de Moscou est réservée uniquement aux Officiels du Parti, de sorte que nous roulions à toute vitesse.

Aussitôt arrivé à la datcha, Brejnev suggéra une promenade en bateau sur la Moskva. C'était exactement ce que Khrouchtchev avait fait treize ans auparavant. Mais les temps avaient changé; ce n'est pas à un canot automobile qu'il nous conduisit mais à un petit hydroglisseur effleurant la surface de l'eau. Le pilote était adroit, la promenade fut tranquille. Brejnev montrait le compteur de vitesse qui indiquait quatre-vingt-dix kilomètres à l'heure.

Nous discutions des façons de travailler. Il me dit qu'il n'utilisait pas de dictaphone. Je rappelai que Churchill m'avait dit qu'il préférait beaucoup dicter à une jolie jeune femme. Brejnev et les autres approuvèrent. Brejnev ajouta, en plaisantant : « De plus, une secrétaire est particulièrement utile lorsque vous vous réveillez la nuit et que vous voulez rédiger une note. » Tous rirent aux éclats.

Chacun était de bonne humeur en retournant à la datcha, et Brejnev suggéra que nous ayons un entretien avant le dîner, prévu pour huit heures.

Kissinger et moi, nous étions assis d'un côté de la table avec Winston Lord et John Négroponte du Conseil National de Sécurité, en face de Brejnev, Kossyguine, Podgorny et Sukhodrev. Pendant les trois heures qui suivirent, les Soviétiques me bombardèrent de reproches amers et émotionnels au sujet du Vietnam. Je pensai un instant au Dr Jekyll et à Mr Hyde lorsque Brejnev, qui venait de rire et de me taper dans le dos, commença à crier avec colère qu'au lieu de m'efforcer honnêtement de terminer la guerre, j'essayais d'utiliser les Chinois comme un moyen d'obliger les Soviétiques à intervenir auprès des Vietnamiens du Nord. Ils se demandaient si, le 8 mai, je n'avais pas agi sous l'influence d'une irritation irréfléchie, car sans aucun doute, si je désirais réellement la paix, je pourrais obtenir un règlement sans l'assistance de personne. « Il est très douteux que tous les Américains soient partisans de la guerre au Vietnam, continua-t-il. Je ne pense pas que les familles de ceux qui ont été tués ou mutilés, ou qui resteront infirmes pour le reste de leur vie, appuient cette guerre. »

Lorsque Brejnev sembla finalement hors d'haleine, Kossyguine prit le relais :

« Monsieur le Président, il me semble que vous surestimez la possibilité de résoudre dans les conditions actuelles la question du Vietnam à partir d'une position de force. Il peut arriver un moment critique pour les Vietnamiens du Nord qui les incitera à accepter l'aide de troupes étrangères à leurs côtés. »

Ils y allaient fort — trop fort. Et, pour la première fois, je devins cassant : « Cette menace ne nous fait pas peur. Continuez! Allez-y donc!

— Ne pensez pas que vous ayez raison de croire que ce que nous disons est une menace et que ce que vous dites n'en est pas une, répliqua froidement Kossyguine. C'est une analyse de ce qui pourrait arriver et cela est beaucoup plus sérieux qu'une menace. »

Kossyguine semblait rassembler ses forces pour concentrer son mépris sur le Président Thieu qu'il appelait « un prétendu Président, qui plus est, mercenaire. » Comme je continuais à ne montrer aucune réaction à cette tirade, Kossyguine commença à perdre son sang-froid :

« Avez-vous besoin de conserver le prétendu Président du Vietnam du Sud, un individu que vous appelez le Président et qui n'a été élu par personne? me demanda-t-il.

— Qui a élu le Président du Vietnam du Nord? demandai-je à mon tour.

— Le peuple entier! répondit-il.

— Continuez! » dis-je.

Lorsque Kossyguine eut terminé, ce fut au tour de Podgorny. Son ton était plus cordial, mais ses mots étaient aussi raides. Pendant que Podgorny et Kossyguine me martelaient tour à tour, Brejnev se promenait de long en large.

Après vingt minutes, Podgorny s'arrêta subitement et Brejnev dit quelques mots. Le silence se fit. Il était presque onze heures. Je sentis qu'avant de laisser tomber la conversation, je devais leur faire connaître ma position exacte.

Je rappelai que j'avais retiré 500 000 hommes du Vietnam. J'avais témoigné de la plus grande patience alors que le Vietnam du Nord massait ses troupes pour une attaque en mars, parce que je ne voulais pas compromettre la conférence au sommet. Mais lorsque les Vietnamiens du Nord avaient envahi le Vietnam du Sud, je n'avais pas d'autre choix que de réagir fortement. Je m'expliquai plus à fond :

« Le Secrétaire Général a dit tout à l'heure que certaines personnes se demandaient si je n'avais pas agi le mois dernier sous l'influence de la colère. Si c'était le cas, je serais un homme très dangereux dans la position que j'occupe. Mais ce n'est pas le cas. Tout au contraire, mes décisions ont été prises en toute objectivité. J'agis toujours de cette façon, ayant présents à l'esprit les conséquences et les risques possibles.

« Notre peuple veut la paix. Je la veux aussi, mais je veux que les dirigeants soviétiques sachent combien je prends au sérieux la menace d'une nouvelle escalade de la part des Vietnamiens. De l'avis de l'un des grands généraux de notre guerre civile, le général Sherman, " la guerre, c'est l'enfer ". Personne ne le sait mieux que le peuple soviétique. Et depuis que cette nouvelle offensive a commencé, trente mille Vietnamiens du Sud, hommes, femmes et enfants, ont été tués par des Vietnamiens du Nord équipés par l'Union Soviétique.

« Loin de moi l'idée que les dirigeants soviétiques ont voulu cela. Ce que je veux dire, c'est que notre but est le même que le vôtre. Nous ne tentons pas d'imposer un règlement ou un gouvernement à qui que ce soit!... »

Ils écoutèrent avec attention ce que je disais, mais aucun n'essaya de répondre.

En montant à l'étage, où un somptueux dîner nous attendait, je fis ma plaisanterie habituelle sur Kissinger qu'il ne fallait pas faire trop boire parce qu'il devait s'en aller ensuite négocier avec Gromyko. Ils semblèrent très amusés, et se mirent à jouer une sorte de comédie, en feignant de le presser de boire de la vodka et du cognac. Il y eut beaucoup de rires, de plaisanteries, de petites histoires, comme si l'aigre séance d'en bas n'avait jamais eu lieu.

Pendant que nous mangions, Kossyguine nous fit observer que le fait que nous puissions avoir une conversation détendue et amicale pendant le dîner après trois heures passées à de durs échanges de vue était un bon présage. Je répondis que nous devions admettre nos divergences et les discuter honnêtement. Il m'approuva d'un signe de tête vigoureux et leva son verre pour un nouveau toast.

Il était minuit quand nous nous retrouvâmes au Kremlin. Kissinger et Gromyko commencèrent immédiatement un entretien des questions les plus délicates qui faisaient encore obstacle à la conclusion d'un accord S.A.L.T.

J'étais vers une heure du matin dans ma chambre dans les mains du Dr Riland qui soignait mon dos, lorsque Kissinger vint me dire que les Soviétiques continuaient à maintenir leurs positions, qui étaient inacceptables pour nous. Peut-être espéraient-ils que les pressions politiques intérieures en faveur de la conclusion d'un accord S.A.L.T. m'obligeraient à accepter leurs conditions. J'avais bien pensé à cette éventualité avant de quitter Washington et j'étais bien décidé à ne pas accepter leur bluff.

Kissinger avait d'autres nouvelles auxquelles je n'étais pas préparé. Le Pentagone était presque en rébellion ouverte et les chefs d'états-majors revenaient sur la position qu'ils avaient acceptée concernant les accords S.A.L.T. Kissinger n'eut pas besoin de me rappeler — bien qu'il le fît de la manière la plus claire — que si la presse avait vent de cette décision, ou si le Pentagone refusait d'appuyer l'accord S.A.L.T. que je rapporterais du Sommet, les conséquences politiques seraient désastreuses. « Au diable les conséquences politiques! fis-je. Nous allons conclure un accord à nos conditions sans tenir compte des conséquences si le Pentagone refuse de coopérer. »

J'étais déterminé à ne pas me laisser déborder par le Pentagone sur ma droite ou par les Soviétiques sur ma gauche, et à tenir la position que je jugeais la meilleure pour les intérêts du pays.

J'encourageai Kissinger :

« Faites du mieux que vous pourrez, et rappelez-vous qu'en ce qui nous concerne, nous ne sommes pas obligés à conclure cette semaine. »

Kissinger passa plusieurs autres heures cette nuit à forger un accord acceptable. L'entretien se termina au petit matin, sans que l'on eût réussi à sortir de l'impasse.

Le soir suivant, nous assistâmes à une représentation du *Lac des Cygnes* au théâtre Bolchoï. J'étais entre Kossyguine et Podgorny, Pat étant à la droite de Kossyguine. D'après les règles du protocole, la présence de Brejnev n'était pas nécessaire, et j'étais heureux de cette occasion de voir comment ses collègues se comportaient hors de sa présence imposante.

Entre le deuxième et le troisième acte, une femme se leva dans la salle, et, tournée vers notre loge, cria : « Vive le Vietnam! » Elle fut rapidement expulsée. Nous apprîmes par la suite que c'était la femme d'un journaliste italien qui travaillait pour un journal procommuniste. A l'acte suivant, Kossyguine dit que si nous quittions le Vietnam, notre prestige y gagnerait, plutôt qu'il n'en souffrirait comme le prestige des Français avait souffert après les défaites de Dien Bien Phu et d'Algérie. Ce fut la seule allusion aux questions sérieuses pendant toute la soirée et Podgorny ajouta tout de suite après que la partie du ballet qu'il préférait était le pas de quatre du second acte.

Kissinger reprit ses entretiens avec Gromyko après le ballet. Le lendemain, il me dit qu'ils étaient arrivés au bout des négociations. La séance s'était terminée sans avoir abouti à un accord.

Un peu plus tard, nous nous trouvions Kissinger et moi dans mon appartement, quand Dobrynine arriva pour nous dire que le Politburo avait tenu une séance spéciale et décidé d'accepter nos dernières propositions.

L'ambiance était excellente au dîner que j'offris, ce soir-là, à la résidence de notre ambassadeur. Brejnev était des plus expansifs. La pièce maîtresse du repas fut une omelette norvégienne. Quand on l'apporta, Brejnev dit : « Regardez! Ces Américains sont vraiment des faiseurs de miracles. Ils ont trouvé le moyen de mettre le feu à une glace. »

Un peu après onze heures, au Kremlin, je signai avec Brejnev le traité A.B.M. et l'accord provisoire offensif, établissant ainsi un gel provisoire sur le nombre d'I.C.B.M. et de missiles lancés par sous-marins que chaque partie pourrait posséder jusqu'à la négociation d'un accord définitif. Pat me demanda si elle pourrait assister à cette cérémonie historique. Comme aucune autre dame n'y serait présente, je lui suggérai d'attendre l'entrée des officiels, de se faufiler derrière eux et de se tenir derrière l'une des grosses colonnes. Elle le fit, et assista à la signature.

Le jour suivant, nous nous envolâmes pour Leningrad, où nous visitâmes le cimetière Piskariev. Des centaines de milliers de victimes du siège de la ville par les nazis y avaient été enterrées. Nous étions en retard, de sorte que notre accompagnateur nous conseilla de laisser tomber la visite du petit musée qui se trouvait là. La jeune fille qui nous servait de guide fut visiblement contrariée lorsqu'elle entendit que nous pourrions ne pas faire la visite complète. Je dis que, bien entendu, je voulais visiter le musée. Je fus très ému lorsqu'elle me montra le journal de Tania, une fillette de douze ans qui était enterrée dans le cimetière. Elle me traduisit les passages qui décrivaient la fin de tous les membres de la famille de Tania, l'un après l'autre; la dernière et triste phrase était : « Tous sont morts. Il n'y a plus que Tania. » La voix de la jeune fille vibrait d'émotion en lisant ces mots. « Tania mourut aussi », dit-elle en essuyant ses larmes.

On me demanda de signer le livre des visiteurs avant de partir. J'écrivis : « A Tania et à tous les héros de Leningrad. » En partant, je répétai : « J'espère que cela n'arrivera plus jamais dans le monde. »

De retour à Moscou, nous assistons le lendemain dimanche à un service de la seule église baptiste de Moscou, appartenant au Conseil Fédéral des baptistes évangélistes chrétiens. Le chant simple de l'assistance me fait penser aux premiers chrétiens. Je suis surpris d'y voir tant de jeunes gens. L'on me dit par la suite que beaucoup de paroissiens âgés ont été dissuadés de venir par des menaces ou expulsés par des agents du K.G.B.

Je passe le reste de la journée à préparer mon allocution télévisée au peuple soviétique. Comme en 1959, je pense que c'est là une très importante occasion de présenter au peuple russe le point de vue américain sur les problèmes internationaux en dehors de toute possibilité de censure par le Gouvernement soviétique.

Dans mon discours, j'expose les dangers d'une course aux armements incontrôlée, et je souligne le sincère désir de paix des Américains. A la fin, je décris mon expérience du jour précédent au cimetière de Leningrad et je dis :

> « En travaillant à la construction d'un monde pacifique, pensons à Tania, et aux autres Tania, à leurs frères et à leurs sœurs du monde entier. Faisons tout ce que nous pouvons pour garantir qu'aucun autre enfant n'aura à souffrir ce que Tania a souffert, et pour que vos enfants comme les nôtres, tous les enfants du monde, puissent vivre leurs vies pleinement, tous ensemble dans l'amitié et dans la paix. »

Brejnev me dit après l'émission que ma conclusion l'a ému jusqu'aux larmes.

La grande surprise du sommet vient lors de mon avant-dernière rencontre avec Brejnev. Je dois lui faire à son bureau ce qui était supposé être une visite de courtoisie d'une demi-heure, et nous passons deux heures à parler du Vietnam. Mais à la différence de nos entretiens de la datcha, il était calme et sérieux.

Après quelques escarmouches initiales, il me dit : « Aimeriez-vous que l'un de nos hauts fonctionnaires aille en République Démocratique du Vietnam dans l'intérêt de la paix? »

Je répondis qu'une visite de ce genre pourrait être une contribution importante à la fin des hostilités, et que je suspendrai les bombardements pendant le séjour du fonctionnaire soviétique à Hanoï.

En nous séparant, sur le pas de la porte : « Vous avez ma parole, lui dis-je, que tant en privé qu'en public, je ne prendrai aucune mesure qui aille directement contre les intérêts de l'U.R.S.S. Mais vous devez faire confiance à ce que je vous dis sans intermédiaire, et non pas à ce que d'autres vous diront. Il y a de par le monde, non seulement certaines forces, mais aussi des membres de la presse, qui n'ont aucun intérêt à l'amélioration de nos relations. »

Le résultat majeur du sommet n° 1 était l'accord sur la limitation des armes stratégiques. Le traité A.B.M. arrêtait ce qui serait inévitablement devenu une course aux armes défensives avec des milliards et des milliards de dollars qui auraient été dépensés pour de plus en plus de protection A.B.M.

Un autre effet important du traité A.B.M. était de rendre permanent le concept de dissuasion par terreur mutuelle : en abandonnant les missiles de défense, chacune des parties offrait sa population et son territoire en otage à une attaque par missiles stratégiques. Chaque partie avait donc un intérêt vital à empêcher une guerre qui ne pouvait être que mutuellement destructrice.

Avec le traité A.B.M., l'accord provisoire sur les missiles stratégiques marquait un premier pas vers le contrôle des armes à l'âge thermonucléaire. L'accord intérimaire gelait quantité de missiles stratégiques, ceux qui existaient déjà ou qui étaient en construction. Par cet accord, les Etats-Unis ne cédaient rien, parce que nous n'avions aucun programme qui fut affecté par le gel. Les Soviétiques, par contre, avaient un important programme de déploiement de missiles en cours d'exécution. Il est impossible de savoir jusqu'où serait allé ce déploiement en l'absence d'accord. Mais si ce déploiement avait été poursuivi, il nous aurait de plus en plus désavantagé, et nous aurions été contraints d'entreprendre un coûteux programme de constructions, ne serait-ce que pour maintenir le rapport des forces existant. En maintenant ce rapport, l'accord permettrait aux deux parties de commencer à négocier un accord permanent sur les armes offensives à l'abri de la pression d'une course aux armements. En plus de ces importants accords dans le domaine du contrôle des armes, un certain nombre d'autres ont été signés lors du sommet n° 1, comprenant l'établissement d'une commission mixte pour encourager le développement du commerce, et des accords sur la lutte contre la pollution, sur la médecine et la santé publique, en particulier les recherches sur le cancer et les maladies de cœur. En annexe à la création d'une commission mixte pour étendre la coopération dans plusieurs domaines de la science et de la technique, un accord sur une mission orbitale commune dans l'espace fut signé, qui porta ses fruits en 1975 avec la rencontre dans l'espace *Soyouz-Apollo*.

Nous avions signé, enfin, un document contenant « douze principes fondamentaux des relations mutuelles entre l'U.R.S.S. et les Etats-Unis », qui constituait un code de bonne conduite que les deux parties s'engageaient à observer. Ce code ne traitait pas seulement des relations bilatérales et des mesures à prendre pour réduire le risque de guerre nucléaire, mais aussi de la réduction des tensions et des conflits, particulièrement du genre de ceux qui peuvent impliquer les grandes puissances, dans leurs relations avec d'autres régions du monde.

Ces accords au sommet furent le début d'un modèle, d'interrelations et de coopération dans un certain nombre de domaines différents. Le premier stade de la détente fut d'impliquer les intérêts des Soviétiques d'une manière qui accrût leur enjeu en faveur de la stabilité internationale et du *statu quo*. Personne ne pensait que ces relations commerciales, scientifiques et techniques pourraient en elles-mêmes empêcher les confrontations et les guerres, mais au moins elles figureraient sur le bilan des pertes ou des gains possibles, chaque fois que les Soviétiques seraient tentés de se livrer à l'aventurisme international.

En raison des micros partout présents, je ne dictai rien pour mon journal pendant que nous étions en Union Soviétique. Les Soviétiques manquaient curieusement de subtilité à cet égard. Un membre de mon équipe ayant dit par hasard à sa secrétaire qu'il aimerait bien manger une pomme, une domestique apparut dix minutes plus tard et posa une coupe pleine de pommes sur la table. Mais je pris des notes abondantes pendant le voyage, et je fis plusieurs longues dictées pendant le week-end à mon retour.

Extrait de mon journal :

> J'ai exprimé à Henry mon avis sur les dirigeants soviétiques : Robert Conquest affirmant qu'ils sont d'un niveau intellectuel très inférieur est tout à fait à côté de la plaque. Nous avons continuellement sous-estimé les Russes, parce que nous les jugeons d'après leurs manières, etc., et nous ne cherchons pas au-delà pour voir quel est leur caractère, ni la force dont ils disposent.
>
> Toute personne qui parvient au sommet de la hiérarchie communiste et qui y demeure doit nécessairement avoir beaucoup de talents politiques et d'énergie. Les trois leaders soviétiques ont tout cela à la pelle, et Brejnev surtout. Son russe n'est peut-être pas aussi élégant et ses manières ne sont pas aussi bonnes que celles de certains de ses collègues raffinés d'Europe ou d'Asie; mais à l'instar d'un syndicaliste américain, il tient ce qu'il prend, et nous ne pouvons pas faire de plus grande erreur que de le considérer comme un imbécile ou comme une brute dépourvue d'intelligence. Chou en-Laï combinait l'élégance et l'énergie : combinaison tout à fait inhabituelle dans le monde d'aujourd'hui.
>
> Sans aucun doute, les Russes n'ont plus autant de complexes d'infériorité qu'au temps de la période Khrouchtchev. Ils n'ont plus besoin de fanfaronner en affirmant que tout est mieux en Russie que n'importe où dans le monde. Mais ils aspirent encore ardemment à être traités sur un pied d'égalité, et je pense qu'à cet égard, nous avons fait bonne impression.
>
> Il est intéressant de noter que tous les dirigeants soviétiques aiment être bien habillés. Brejnev avait, à sa manière, quelque chose de la gravure de mode. Il avait un étui à cigarettes et un briquet en or, visiblement coûteux.
>
> Les trois leaders soviétiques portaient des boutons de manchettes. Quel changement subtil depuis les jours de Khrouchtchev qui se faisait une règle d'être habillé plus simplement que nous tous.
>
> Kossyguine est tout aux affaires, c'est un homme qui en prend à son aise, avec très peu de cordialité extérieure. En termes communistes, c'est un aristo-

crate, tandis que Podgorny ressemble davantage à un sénateur du Middle West. Brejnev ressemble à un gros syndicaliste irlandais; mais peut-être une comparaison avec le maire Daley serait-elle plus juste, sans aucune intention d'offenser l'un ou l'autre.

Ils semblent s'entendre et avoir de bonnes relations personnelles entre eux. Je fis remarquer à Kissinger sur un bout de papier, tandis que Kossyguine, Podgorny et Brejnev avaient un colloque à trois, que le bruit qu'ils faisaient ressemblait à celui du brouilleur que nous utilisions dans notre chambre chaque fois que nous voulions éliminer les écoutes intempestives.

Brejnev était très cordial et amical. Comme nous sortions en voiture de la datcha, il a mis sa main sur mon genou et a dit qu'il espérait que nous aurions de bonnes relations personnelles.

Le Chancelier autrichien Bruno Kreisky classait Brejnev parmi les types qui vous donnent des accolades à vous rompre les os, qui recherche un contact physique avec toute personne qui vient le voir. Je ne puis m'empêcher de penser que Johnson et Brejnev seraient devenus une paire d'amis, si ce dernier était présent à Glasboro au lieu de Kossyguine.

Une fois, il me dit : « Dieu vous protège! » Une autre fois, il me désigna par la formule : « l'actuel et futur Président ».

Il me dit qu'un vieux membre du Parti, alors qu'il y commençait sa carrière, lui avait recommandé l'importance des relations personnelles pour la politique et le travail dans le gouvernement et le Parti. Je me suis demandé à qui il pensait, parce qu'il y avait, dans ce conseil, quelque chose de Staline.

La force dominante de Brejnev ne fait pas question. D'abord, il a cinq ans de moins que les deux autres. Ensuite, il a une voix forte et profonde, beaucoup de magnétisme personnel et d'allant, ce qui apparaît nettement chaque fois qu'on le voit. Enfin, s'il parle trop, et pas toujours de façon précise, il parvient toujours à son but en pleine force, et il est très rusé. Il a aussi le talent de laisser tomber un point si par hasard il ne peut pas le gagner.

Ses gestes sont très expressifs. Il se lève, il va et vient, un moyen qu'il employait souvent pendant nos entretiens. Henry se rappelle une fois où Brejnev a avoué : « Chaque fois que je me lève, je fais une concession. » Il doit naturellement, avoir été impressionné par le fait que mon comportement était, en comparaison du sien, totalement maîtrisé. Certains diront que c'était une erreur, mais je crois, pour ma part, que cela a dû lui faire beaucoup plus d'effet que si je m'étais montré extérieurement émotif en répondant à ses diverses accusations.

Brejnev m'a dit un jour : « Je suis émotif, particulièrement quand il s'agit de la mort pendant une guerre. » Je lui ai répondu que, si j'avais la réputation de ne pas l'être du tout, j'étais aussi émotif que lui en ce qui concernait ce sujet.

Au cours d'un autre entretien, il m'interroge sur Mao. Je lui réponds que malgré sa mauvaise santé, il est vif au point de vue intellectuel. Brejnev réplique que Mao est un philosophe, peu réaliste, une sorte de figure divine. Les Chinois sont, d'après lui, très difficiles à comprendre, tant et si bien qu'il va jusqu'à dire : « Nous autres, Européens, nous sommes totalement différents d'eux. » Il est vraiment choquant, selon lui, qu'au cours de la Révolution culturelle, ils aient coupé des têtes sur les places publiques. Il n'y avait pourtant qu'une vingtaine d'années que les communistes soviétiques avaient cessé de liquider leurs adversaires, au lieu de les laisser devenir des non-personnes, comme ce fut le cas de Khrouchtchev.

Brejnev insista beaucoup sur le fait que « certaines gens » ne voulaient pas que notre rencontre réussisse » — voulant visiblement désigner les Chinois.

Un intéressant aperçu en passant : à la différence des Chinois, qui étaient totalement obsédés par les petits pays d'Afrique, d'Asie et d'Amérique latine, les dirigeants soviétiques ne parlèrent d'aucun d'entre eux, à l'exception du Vietnam du Nord et d'une brève mention de la Corée du Nord. Il était intéressant aussi de noter que les Soviétiques ne soulevèrent pas la question de Cuba, et ils furent très tièdes sur la Corée du Nord.

Je remarquais de grands changements depuis 1959. Il y avait beaucoup plus de voitures dans les rues et les gens étaient mieux habillés.

Dans un État totalitaire, on fait grand cas d'avoir des contacts avec le peuple, mais en réalité, les Soviétiques ne font pas mieux que les Chinois pour mettre en scène des contacts qui puissent paraître spontanés. J'ai été constamment stupéfait par l'abîme qui existe entre les classes dirigeantes communistes et le peuple. J'ai toujours parlé aux serveurs ou leur ai fait un signe de tête en sortant de table, mais les chefs soviétiques faisaient comme s'ils n'existaient pas. Ils les traitaient comme une classe tout à fait différente.

J'ai eu l'occasion de rappeler que cette conférence au sommet n'a pas été un événement fortuit. La situation du monde exigeait des entretiens. Le monde en attendait beaucoup et nous avons justifié ses espoirs. Notre conférence avait été bien préparée et nous devions aller de l'avant pour détruire les foyers de guerre qui existaient dans le monde. Ce que nous ne devons pas faire est de répéter l'histoire. Yalta avait conduit à une amélioration des relations, mais avait été suivi de leur rapide dégradation. Lire sur Yalta donne à réfléchir parce que ce n'est pas ce qui fut décidé à Yalta, mais le fait que les Soviets manquèrent à leurs engagements, qui conduisit aux difficultés qui suivirent.

Je notais enfin dans mon journal que nous avions maintenant à faire face à la tâche essentielle de mettre en œuvre les documents qui ont été signés.

JUIN 1972

Le matin qui suivit mon retour du sommet soviétique, mon agenda était surchargé de rendez-vous. J'avais notamment une conférence destinée à mettre les parlementaires au courant du traité S.A.L.T., afin d'obtenir leur appui. L'après-midi, je partis pour la Floride avec ma famille. J'emportais une valise pleine de rapports et de mémoires qui s'étaient empilés pendant notre absence.

John Connally vint le lundi. Il quittait le Gouvernement et préparait son retour au Texas.

« J'ai vu Tommy Corcoran il y a quelques jours, fit-il en s'asseyant; et d'après lui, Teddy Kennedy dit maintenant qu'il veut se présenter. Mais je crois que c'est trop tard. McGovern et ses gens ont le vent en poupe et cela les aide. »

Je répondis que nous ne devions pas sous-estimer l'attrait résiduel exercé par Kennedy sur les électeurs. Même les partisans de McGovern, si passionnés qu'ils fussent pour leur homme, se rallieraient autour de Kennedy.

« Il me semble, ajoutai-je, que Humphrey ne va pas réussir.

— Quoi que vous fassiez, dit Connally en m'approuvant, gardez une porte ouverte pour les Démocrates et les Indépendants. Si McGovern est désigné, vous assisterez à des défections sans précédent.

— Ne vous inquiétez pas! répliquai-je. J'ai appris quelque chose en 1960. Il n'y aura pas qu'une porte ouverte : j'ai même tissé un paillasson de bienvenue. »

Le 6 juin, McGovern gagna les primaires de Californie. Un sondage antérieur avait prévu une différence de 20 %, mais Hubert Humphrey l'avait réduite à 5,4 % seulement. Avec une semaine de plus, Humphrey aurait pu gagner. Mais la Californie régla la question : McGovern allait s'assurer la désignation.

Les Démocrates étaient sur le point de désigner un homme qui réclamait l'évacuation unilatérale immédiate du Vietnam du Sud sans aucune assurance concernant nos prisonniers de guerre. Ce même homme se prononçait pour une amnistie inconditionnelle des réfractaires; la réduction du budget militaire qu'il proposerait amputerait les forces aériennes de moitié, diminuerait le nombre des bâtiments de guerre et entraînerait des coupes claires dans le personnel affecté à l'O.T.A.N. sans exiger de réductions réciproques de la part des Soviétiques; il s'engageait aussi à diminuer l'aide accordée à notre allié de l'O.T.A.N., la Grèce, tout en augmentant de 400 % l'aide à l'étranger, avec la plus grande partie des crédits réservée à l'Afrique. La Santé Publique calcula que ce seul programme coûterait 50 milliards de dollars par an.

Ses propositions de réforme fiscale prétendaient interdire certaines possibilités de fraude et redistribuer plus équitablement la charge des impôts. Mais elles étaient dures à avaler, même pour le *New York Times* qui les traita de « remède de cheval " assorti " d'estimations de recettes et de dépenses souvent confuses ». Hubert Humphrey, pendant les primaires, les avait qualifiées de « mesures de confiscation » et de « tas de blagues ». A la fin de la campagne, nous avions estimé le coût des propositions de McGovern à 126 milliards de dollars qui s'ajouteraient au budget fédéral.

McGovern déclara au *Washington Post* que le « busing » était essentiel pour assurer l'intégration. Il appela J. Edgar Hoover « une menace pour la justice ». Il dit que quand il serait Président, les manifestants qui avaient engendré le chaos et couvert la police d'injures obscènes « viendraient dîner à la Maison Blanche ».

Toutes ces positions et ces déclarations excessives étaient authentiques, mais une table ronde organisée par l'hebdomadaire *Time* aussi tard qu'en juillet montra qu'un seul citoyen sur dix considérait George McGovern comme un extrémiste, tandis que les autres discutaient pour savoir s'il était réellement un libéral ou un conservateur modéré. Cette confusion était due à la complaisance des moyens d'information, qui, au début de la campagne, avaient étouffé les passages radicaux ou inconsistants des discours de McGovern. Beaucoup de journalistes sympathisaient avec ses positions. Beaucoup aimaient son équipe enthousiaste et séduisante d'agents politiques amateurs et de travailleurs volontaires.

Heureusement, il y en avait encore qui n'avaient pas renoncé à leur sens critique ou oublié leur devoir d'objectivité. « Lecteurs, méfiez-vous! écrivait Godfrey Sperling, dans le *Christian Science Monitor* du 8 juin. Une affaire de cœur entre un certain nombre de journalistes et George McGovern est en train d'éclore, et bien que l'on nous parle toujours d'observateurs experts et inflexibles, ces rapports de sympathie ne peuvent manquer de colorer leurs articles. » Il continuait :

> « En réalité, selon moi, c'est déjà fait. Depuis des mois, le sénateur McGovern annonce un programme qui apporterait la révolution dans notre société... Et cependant, jusqu'à la semaine dernière ou à peu près, le sénateur McGovern a reçu un traitement de faveur de la part de la presse... Pour le moment, je dirai que beaucoup de journalistes qui accompagnent McGovern dans sa campagne ont déjà laissé voir leur prévention, non pas tant par ce qu'ils ont écrit sur McGovern, que par ce qu'ils ont passé sous silence de lui et de ses programmes. Ces omissions sont très éloquentes. »

L'EFFRACTION DE WATERGATE

J'étais parti seul, le vendredi 16 juin, passer quelques jours en Floride. Je passai tout l'après-midi du vendredi et le samedi à Grand Cay, une petite île des Bahamas appartenant à mon vieil ami Bob Ablanalp. Le samedi 17, je ne touchai qu'une fois le continent, pour un entretien de quatre minutes avec Haldeman. Le dimanche matin, 18 juin, je partis avec Rebozo pour Key Biscayne. En arrivant à la maison, je sentis une bonne odeur de café venant de la cuisine et j'allai en prendre une tasse. Il y avait là un exemplaire du *Herald* de Miami, et je regardai la première page dont les grands titres traitaient du Vietnam. Mais il y avait un entrefilet au milieu de la page à gauche intitulé : « Des habitants de Miami arrêtés pour inconduite : ils avaient essayé d'installer des microphones dans le Quartier Général démocrate. »

Je lus les premières lignes. Cinq hommes, dont quatre de Miami, avaient été arrêtés dans les locaux du siège du Comité National Démocrate au Watergate, un élégant immeuble de Washington avec appartements, bureaux et hôtel. L'un des cinq s'était lui-même identifié comme un ancien membre de la C.I.A., trois autres étaient nés à Cuba. Tous étaient porteurs de gants de chirurgien en caoutchouc. Tout cela avait l'air absurde. Des Cubains avec des gants de chirurgien en train de truffer le Comité démocrate de microphones! Je n'y attachai pas plus d'importance qu'à une farce, et je passai à l'article qui était en vedette au bas de la page : « Comment le camp de McGovern s'imagine qu'il va vaincre. »

Je rejoignis Haldeman à l'hôtel Key Biscayne, où il demeurait avec le reste de notre équipe de voyage. Nous avons examiné s'il y avait lieu d'organiser une cérémonie de signature pour le projet de loi sur l'Enseignement supérieur. Puis nous passâmes à de curieuses nouvelles concernant George Meany — nouvelles qui portaient en elles l'événement le plus important de la campagne de 1972. Meany avait dit à George Shultz que si Humphrey ne réussissait pas à obtenir la désignation du Parti Démocrate, il ne donnerait pas son appui à McGovern. Une bienveillante neutralité de Meany, qui signifiait celle d'une grande partie des travailleurs syndiqués, briserait la coalition traditionnelle des Démocrates, et serait d'un secours considérable pour ma campagne.

Le soleil et une brise légère firent du lundi une magnifique journée. Je ne pris pas la peine de lire le journal du matin, mais j'allai tout droit dans mon bureau pour donner quelques appels téléphoniques. L'effraction du Watergate était encore bien loin de mes pensées quand je parlai avec Julie, Tricia, Rose Woods, Al Haig et Billy Graham; je discutai aussi avec Chuck Colson : la seule note de mon journal qui se réfère à notre conversation porte sur notre analyse détaillée d'une série de sondages allant de la confiance accordée au Gouvernement du Président jusqu'à l'économie. Par deux fois, j'appelai brièvement Haldeman au sujet du programme de la journée. Il vint me parler une heure durant. Nous discutâmes de la candidature éventuelle de George Wallace en tiers parti, de l'augmentation des prix des produits alimentaires, de la nomination d'un nouveau chef du Protocole, et du programme de la semaine à venir. Dans l'après-midi, je fis du bateau et une longue promenade avant dîner. A dix-neuf heures quarante-huit, je m'embarquai pour Washington à bord de l'*Air Force One*. Enfouie au milieu d'observations sur le beau temps du week-end et de réflexions sur le bon effet d'un repos se trouve la première note que j'inscrivais au sujet du Watergate.

Extrait de mon journal :

> Sur le chemin du retour, j'appris de Bob Haldeman une nouvelle inquiétante : Dans l'effraction de Watergate se trouve impliquée une personne rémunérée par le Comité pour la réélection du Président. Au téléphone, Mitchell avait dit à Bob, de manière mystérieuse, de ne pas se laisser engager dans cette affaire. Je dis à Bob que j'espérais bien que personne de notre équipe n'était impliquée, pour deux motifs : l'un, parce que cette affaire était stupide par la façon dont elle avait été traitée; l'autre, parce que je ne voyais aucune raison d'essayer d'espionner le Comité National Démocrate.
>
> D'après Bob, l'un des agents de Chotiner aurait dit que, selon un adjoint de McGovern, ils auraient placé des microphones dans les bureaux de notre Comité. Le problème est naturellement de trouver un spécialiste des relations publiques qui dénicherait quelque histoire de ce genre de l'autre côté, de manière que l'affaire n'apparaisse pas comme une tentative maladroite de notre part d'obtenir de manière illégale des renseignements en provenance des Démocrates.
>
> Il faut empêcher Colson et Ehrlichmann, dis-je à Haldeman, de se laisser obséder par cette affaire, parce qu'elle les empêcherait de consacrer leur temps à d'autres besognes. Rétrospectivement, je pense que Colson n'aurait pas dû s'engager si complètement dans l'affaire I.T.T. : il ne pouvait, en effet, travailler à d'autres choses qui étaient plus importantes. Ce que l'on aurait pu faire de mieux avec l'affaire I.T.T. aurait été de la laisser courir sans mettre constamment notre équipe sur les dents à son sujet. J'espère que nous pourrons régler de cette façon la nouvelle affaire.

L'employé du C.R.P. qui avait été arrêté à Watergate était James McCord. Ancien agent de sécurité de la C.I.A., McCord était l'employé à la fois du Comité pour la réélection du Président et du Comité National Républicain, en tant que Conseil pour la sécurité des immeubles, des documents et du personnel. L'une de ses fonctions était précisément de protéger les Républicains contre le genre d'activité qu'il avait été surpris en train d'exercer contre les Démocrates. Haldeman avait appris que l'argent trouvé sur les personnes arrêtées, plus de mille dollars en coupures de 100, provenait, semble-t-il, du C.R.P.

En raison des rapports de McCord avec le C.R.P., son arrestation fit de l'effraction de Watergate une nouvelle de presse sensationnelle. Larry O'Brien, en termes hyperboliques, assurait que cet incident « faisait se poser sur l'intégrité des mœurs politiques les questions les plus horribles auxquelles j'aie jamais été confronté depuis un quart de siècle d'activité politique ». John Mitchell, en tant que Président du C.R.P., avait publié une déclaration selon laquelle les hommes arrêtés n'avaient pas agi pour le compte ou avec le consentement du C.R.P., et qu'il avait été lui-même surpris et consterné d'apprendre que McCord y était impliqué.

Ma réaction à l'effraction du Watergate était d'un ordre tout à fait pratique. Si elle était réaliste aussi, c'était d'un réalisme né de l'expérience. J'avais été trop longtemps dans la politique, et vu trop de choses, des mauvais coups jusqu'aux fraudes électorales, pour pouvoir beaucoup m'indigner de l'espionnage politique par microphones.

Larry O'Brien pouvait bien feindre l'étonnement et l'horreur! Il savait aussi bien que moi que ce genre d'espionnage se pratiquait depuis l'invention de la bande magnétique. Aussi récemment qu'en 1970, un ancien membre du Comité électoral d'Adlai Stevenson avait publiquement reconnu qu'il avait écouté les conversations téléphoniques de l'organisation de Kennedy lors de la Convention démocrate de 1960. Lyndon Johnson pensait que les Kennedy l'avaient fait écouter. Barry Goldwater soutenait que sa campagne de 1964 avait été espionnée au microphone; et Edgar Hoover m'avait dit qu'en 1968, Johnson avait donné l'ordre de placer des microphones dans l'avion que j'utilisais lors de ma campagne de 1968. Ces procédés n'étaient d'ailleurs nullement l'apanage des hommes politiques. En 1969, un producteur de la télévision, de la chaîne N.B.C., avait été condamné à une amende et à une peine de prison avec sursis pour avoir dissimulé un micro lors d'une réunion confidentielle du Comité démocrate chargé de l'élaboration du programme de 1968. Des experts en la matière déclarèrent au *Washington Post,* au lendemain de l'effraction de Watergate, que cette pratique « n'avait pas été rare dans les élections du passé... et qu'elle est usuelle, en particulier entre candidats appartenant au même parti »...

En fait, ma confiance dans le C.R.P. était ébranlée davantage par la stupidité de l'opération que par son caractère illégal. Toute l'affaire avait si peu de sens! Pourquoi? me demandai-je. Pourquoi maintenant? Pourquoi d'une manière aussi maladroite? Et de tous les endroits possibles, pourquoi choisir le Comité National Démocrate? Toute personne, quelque peu familière de la politique, aurait su que le siège d'un Comité National est le dernier des endroits où l'on puisse trouver des renseignements confidentiels sur une campagne présidentielle. Toute cette affaire était si absurde et tellement mal fichue qu'elle avait l'air d'un coup monté. Et cependant la piste aboutissait, c'était indéniable, au C.R.P. Le dimanche matin, l'idée des Cubains plantant des microphones dans le Comité démocrate avec des gants de chirurgien, avait paru tout à fait ridicule. Lundi soir, elle était devenue un des facteurs importants de l'élection présidentielle.

Le mardi 20 juin, il y eut un fait nouveau.

En gros titre en première page, le *Washington Post* annonçait : « Un Conseiller de la Maison Blanche en relation avec des spécialistes du microphone. » On racontait, d'après « des sources fédérales proches des enquêteurs », que le nom de Howard Hunt avait été trouvé sur les livres d'adresses de deux des personnes arrêtées au siège du Comité démocrate. On indiquait que jusqu'au 29 mars 1972, Hunt, un ancien agent de la C.I.A., avait travaillé à la Maison Blanche en qualité de conseiller de Chuck Colson. La mention faite du nom de Colson me fit sursauter. Ce n'était pas grave si le C.R.P. était impliqué ou même un fonctionnaire de rang inférieur de la Maison Blanche comme Hunt. Mais Colson appartenait au cercle intime de mes adjoints et conseillers, et s'il était mêlé à l'affaire, la situation était toute différente. J'avais toujours apprécié son caractère énergique. Je me demandais maintenant s'il n'était pas allé trop loin.

Les Démocrates montaient déjà leur offensive. Leur Comité attaquait en justice le C.R.P. et lui réclamait un million de dollars de dommages et intérêts, pour violation de domicile et des droits civiques. Ce procès permettrait à leurs avoués de citer en qualité de témoins sous serment presque tous les membres du C.R.P. et du personnel de la Maison Blanche. Et de cette façon, sous prétexte de l'affaire des microphones, ils pourraient poser des questions sur tous les aspects de notre campagne. Comme l'hebdomadaire *Time* l'écrivait, le but véritable des Démocrates était « d'occuper les Républicains devant le Tribunal pendant l'automne, de maintenir l'affaire présente à l'esprit du public de manière à renverser de fond en comble la campagne, en apparence irrésistible, du Parti Républicain ». En public, les Démocrates étaient pleins d'une vertueuse indignation. En privé, ils se réjouissaient de toucher un tel dividende, l'année des élections.

Ken Clawson, Directeur adjoint des Communications, bénéficia d'un aperçu de ce qui allait se passer en déjeunant avec Dick Harwood, un rédacteur du *Washington Post*. Avant d'entrer à la Maison Blanche, Clawson avait été reporter au *Post,* et après le déjeuner il vit, en compagnie de son hôte, plusieurs de ses anciens collègues. Il sut que Katharine Graham, la propriétaire du journal, allait diriger personnellement une armée de reporters chargés de fouiller l'affaire du Watergate : « Nous pouvons nous attendre à un tir de barrage infernal », dit Clawson aux membres de notre équipe.

A quatorze heures vingt, Colson vint me voir. Plusieurs minutes passèrent à discuter la façon dont la presse déformait ses relations avec Hunt afin de le compromettre dans le scandale, ainsi que la question de savoir quelle pouvait être la source des fuites dont la presse avait bénéficié.

Colson dit que Haldeman était en train de « tout remettre en ordre », et qu'à son avis, nous avions jusqu'ici traité le cas comme il fallait.

Nous aurions bientôt à faire, pensais-je, avec les dépositions des personnes arrêtées. Je pensais que nous serions exposés à toutes les accusations ou imputations, vraies ou fausses, dont ils pourraient nous charger. On m'avait dit que les hommes arrêtés étaient plutôt des durs. Je dis à Colson que, si j'avais bien compris, c'était « ce type bizarre » qui aurait à porter toute l'affaire. Je voulais parler de McCord, mais Colson comprit évidemment que je désignais ainsi son ami Howard Hunt.

Il prit vivement sa défense. Hunt était bien trop malin et expérimenté pour avoir pris part à une entreprise d'amateur, telle que l'effraction de Watergate. J'étais d'accord, et je dis que si nous ne savions pas déjà qu'il en était tout autrement, nous aurions pu croire que toute l'affaire avait été délibérément sabotée.

Colson dit qu'aux premières nouvelles, il avait pensé qu'il s'agissait d'une initiative d'exilés cubains. Chacun savait que la communauté émigrée cubaine craignait que McGovern décidât de reprendre les relations diplomatiques avec Castro. Les sentiments y étaient si exaltés qu'il n'était pas impossible que les Cubains anticastristes aient voulu espionner les Démocrates pour être informés de telles intentions.

McGovern, le *New York Times* et le *Washington Post* allaient adopter certainement dans cette affaire leur double échelle de valeurs : ils avaient tacitement approuvé l'acte d'Ellsberg, quand celui-ci avait illégalement détourné des documents officiels très secrets, mais ils allaient sûrement monter sur leurs grands chevaux au sujet d'une chose beaucoup moins grave, une effraction sans succès au siège d'un parti politique. Je suggérai ironiquement que quelqu'un réclame publiquement que l'équipe du Watergate reçoive un prix Pulitzer, comme le *New York Times* après la publication des papiers du Pentagone.

Je dis à Colson que j'étais d'accord pour laisser l'affaire du Watergate sur le dos des Cubains.

Colson revint à Hunt : le fait que son nom figurât sur les carnets d'adresses des deux hommes arrêtés était tout naturel. Le journal avait souligné lui-même que Hunt avait appartenu à la C.I.A. pendant plus de vingt ans et que toutes les personnes arrêtées avaient des liens avec cet organisme. Mais Colson me dit que leurs rapports étaient encore plus justifiés : Hunt avait entraîné des exilés cubains en vue de l'opération de la Baie des cochons. Ce renseignement semblait renforcer l'explication cubaine.

Le plus grand risque que le Watergate nous faisait courir était que nous en devenions obsédés, comme par contagion — puisque aussi bien les moyens d'information et les Démocrates ne manqueraient de se saisir de l'affaire et de lui donner des proportions considérables. « Normalement, dit Colson, ce serait une affaire de rien. Ils vont faire leur numéro parce qu'ils n'ont rien d'autre à se mettre sous la main en ce qui nous concerne. »

Le *New York Times,* pensait-il, avait d'ailleurs ses problèmes. Pendant mon voyage en Russie Soviétique, le journal avait publié une insertion réclamant ma mise en accusation en raison de ma politique au Vietnam. Une plainte avait été déposée contre le journal, l'accusant de n'avoir pas exigé les indications nécessaires pour l'identification des gens qui avaient payé l'insertion, et d'avoir ainsi violé la loi sur la publicité des fonds électoraux. J'étais pessimiste sur la possibilité d'en tirer quelque avantage politique. Le *Times,* je le savais, ferait de l'obstruction systématique.

Colson allait quitter mon bureau; je tentai de le réconforter. « Voici la plus idiote des histoires, lui dis-je. Rien ne perd une élection. Rien ne la change à un tel point... Vous êtes maintenant fixé sur cette maudite affaire. Dans quelque temps, elle sera complètement oubliée. »

Le problème principal était que les Démocrates auraient la possibilité de maintenir l'affaire en vie par leurs dépositions. Nous allions essayer de gagner du temps jusqu'à l'élection, mais rien ne garantissait que nous pourrions le faire. Mais ce n'était pas ce qui inquiétait Colson. Il dit qu'il aimerait beaucoup que l'on prît des dépositions de tous les membres du personnel de la Maison Blanche, parce que « aucun d'entre eux n'a rien à voir avec cette affaire... Pour une fois vous serez content que les gens témoignent ». Il le dit avec tant de conviction que j'espérais que c'était vrai.

Je vis deux fois Bob Haldeman le mardi 20 juin de 11 h 26 à 12 h 45 et de 16 h 35 à 17 h 25. Ce qui fut dit le matin ne sera jamais connu complètement, parce que la bande qui enregistra cette conversation est celle qui présente un « blanc » de dix-huit minutes et demie. D'après les notes de Haldeman, on peut reconstruire une partie de notre entretien.

L'une de mes premières réactions à l'effraction de Watergate fut d'ordonner le contrôle régulier de mon bureau de l'Executive Office Building, pour s'assurer que je n'étais écouté de personne. Ces notes indiquent aussi ma crainte des éventuelles ramifications politiques de l'affaire, et le désir d'en détourner le choc par une contre-attaque.

La meilleure indication de ce qui a pu être dit du Watergate ce matin-là se trouve dans notre conversation de l'après-midi sur le même sujet. J'ai toujours eu l'habitude de discuter les problèmes plusieurs fois, souvent presque dans les mêmes termes et avec les mêmes gens. C'est ma méthode pour mettre en lumière chaque renseignement, chaque opinion, et pour examiner une situation donnée sous tous ses angles avant de prendre une décision. Je crois bien que nos conversations du matin et de l'après-midi sur l'effraction ont porté sur les mêmes points : y a-t-il quelqu'un des membres de notre personnel, quel que soit son niveau, qui nous ait entraîné dans cette situation si embarrassante? Est-ce que l'enquête et les dépositions, si elles vont trop loin en s'attaquant à tous les aspects possibles, pourront fournir aux Démocrates un argument électoral efficace?

Au début de notre entretien du matin, Haldeman dit que John Mitchell n'avait rien su à l'avance de l'effraction. J'étais d'accord. Mitchell est trop malin pour se laisser prendre dans une affaire de ce genre. Mitchell avait été surpris. Il est cependant vrai, dit Haldeman, que les hommes qui ont été arrêtés passaient pour des gens plutôt compétents, et avaient fait déjà d'autres choses en rapport avec la campagne électorale.

Haldeman me répéta ce qu'il avait entendu dire des raisons possibles de l'effraction. Il semble que les hommes arrêtés soient allés au Watergate pour réparer des équipements électroniques qui y avaient déjà été installés, mais qui ne fonctionnaient pas convenablement, et pour photographier ce qu'ils trouveraient dans les bureaux. Il indiqua un peu plus tard qu'ils espéraient trouver des renseignements sur les finances du Parti Démocrate.

Dans les semaines et les mois qui suivirent, j'entendis bien d'autres théories sur les raisons de l'effraction du Watergate. L'une était que les inculpés avaient voulu vérifier un « tuyau », selon lequel les Démocrates projetaient de saboter notre Convention en imprimant de fausses cartes d'entrée qui seraient distribuées à des manifestants. Selon une autre version, ils avaient voulu photographier des documents classés « secret », que le Comité démocrate détenait illégalement. Si j'ai entendu tant de versions différentes, c'est parce que j'ai posé très souvent la même question. « Pourquoi l'écoute du Comité démocrate? »

Haldeman parla encore cet après-midi-là des autres informations qui lui étaient parvenues dans la journée. McCord allait dire, semblait-il, qu'il travaillait avec des Cubains qui avaient voulu planter des microphones pour leur propre cause. Howard Hunt avait disparu, ou était sur le point de disparaître, mais il reviendrait si on le souhaitait. La mention faite du nom de Hunt sur les carnets d'adresses serait expliquée par ses relations avec les Cubains. Comme Colson, Haldeman indiqua que Hunt avait pris part à l'opération de la Baie des cochons quand il était à la C.I.A., et l'un des Cubains arrêtés avait été l'adjoint de Hunt pour l'opération. Nos gens s'efforçaient d'expliquer l'incident par le nationalisme cubain. Le problème, naturellement, était que maintenant, à travers Hunt, des liens avec Colson et la Maison Blanche avaient été établis. Les journaux annonçaient que le travail de Hunt à la Maison Blanche portait sur des projets concernant le renseignement dans le domaine des stupéfiants et la déclassification des documents. Haldeman ne savait pas exactement ce que Hunt avait fait d'autre : tout ce qu'il savait, c'est que c'était en rapport avec son expérience professionnelle du renseignement. Il indiqua plus tard dans la conversation que Hunt avait eu à s'occuper du « rapport Diem », c'est-à-dire de nos efforts pour découvrir la vérité sur la participation du Président Kennedy au coup d'Etat organisé contre le Président Diem en 1963, qui se termina par la mort de ce dernier. Je me souvins que Colson avait fait allusion au passé de Hunt dans les services du renseignement.

En ce qui concerne les opérations de renseignement au profit du C.R.P.. tous, dit Haldeman, nous avons su qu'il y en avait en train. Mais en dépit des rapports de Colson et de Hunt, Haldeman ne pensait pas que Colson ait su de manière précise qu'un projet d'organiser des écoutes à Watergate allait être exécuté. Je dis que je pensais qu'il le savait, mais que c'était de ma part une conjecture. Mais Haldeman me rassura au sujet de Colson : un contrôle avait été effectué, et il était sûr que Colson n'était pas impliqué.

Mes bureaux de l'Executive Office Building avaient été vérifiés. On n'y avait trouvé aucun microphone. Naturellement, rappela Haldeman, il y avait notre propre système d'enregistrement.

Pour Haldeman, toute l'affaire était un cauchemar. « Ce sont des choses qui ne doivent pas arriver! » s'exclama-t-il... Heureusement, Mitchell en avait été tenu à l'écart. Encore fallait-il peut-être le regretter, car s'il en avait été plus proche, l'effraction n'aurait jamais eu lieu. Mais il y avait toujours le danger des preuves indirectes, et l'on allait certainement s'efforcer d'accrocher Mitchell. « Peut-être, dit Haldeman par plaisanterie, vaudrait-il mieux affirmer : " Oui, nous espionnions les Démocrates, nous avons payé McCord pour le faire, parce que nous étions terrifiés par l'idée qu'un fou pourrait devenir Président et vendre le pays aux Communistes. " »

Comment Hunt avait-il été impliqué dans l'incident du Watergate? demandai-je. La nuit de l'effraction, répondit Haldeman, Hunt se trouvait en face du Watergate, dans une chambre de motel où les microphones auraient été écoutés. Haldeman n'avait aucune certitude, cependant, ni sur les rapports de Hunt et de McCord, ni sur ceux de McCord et des Cubains.

Je n'avais pas encore bien compris comment le nom de Hunt avait été révélé, et Haldeman me répéta l'histoire des carnets d'adresses. L'un des Cubains, de plus, avait été trouvé porteur d'un chèque de Hunt de 6 dollars 90 à l'ordre d'un Country-club dont Hunt était membre.

Dans un sens — c'était du moins mon opinion —, l'implication des Cubains, de McCord et de Hunt donnait à toute l'affaire l'apparence d'une opération purement cubaine. Quelle que soit la réalité, l'explication cubaine de l'effraction aurait deux avantages pour nous : elle nous protégerait des conséquences politiques d'une implication du C.R.P., et elle nuirait aux Démocrates en montrant ouvertement que la communauté cubaine aux Etats-Unis redoutait les conséquences d'une politique naïve de McGovern à l'égard de Castro.

Haldeman mentionna quelque chose en passant sur les enregistrements sur rubans et « le budget de Liddy ». Il revint à la question des dépositions démocrates, — question qui, à son avis, était pour nous le problème le plus difficile à résoudre. J'exprimai une fois de plus ma stupéfaction sur l'origine de toute l'affaire. « Le Comité démocrate n'en valait pas la peine! » Ce fut là ma conclusion à notre conversation.

Le 20 juin avait été une journée très occupée. Une heure de conférence avec Ehrlichman sur l'intégration scolaire et d'autres questions d'ordre intérieur; plusieurs conversations téléphoniques avec des parlementaires et des membres de mon personnel; et un long entretien avec Al Haig. En ce qui concernait le Watergate, j'étais assuré de l'avenir en rentrant ce soir-là à la présidence. Ma plus grande inquiétude avait été de savoir si un membre quelconque du personnel de la Maison Blanche était impliqué dans l'affaire. Haldeman et Colson m'avaient rassuré sur ce point. Haldeman avait affirmé que Mitchell n'avait rien eu à y voir. Fort de ces garanties, j'étais prêt à passer à l'offensive.

Ce soir-là, j'appelai John Mitchell. Nous parlâmes environ quatre minutes, et je notai ce qu'il me dit dans mon journal : « Il est terriblement contrarié que les activités d'une personne attachée à son Comité aient été traitées d'une telle manière, et il me dit qu'il regrettait de n'avoir pas mieux discipliné tous ces gens... dans sa propre organisation. »

Au téléphone, il avait paru tellement embarrassé de toute cette affaire que j'étais plus que jamais convaincu qu'elle avait été pour lui une complète surprise. Il avait semblé très épuisé et à bout de forces. J'appelai ensuite Haldeman. Quand lui et Ehrlichman avaient mentionné la Baie des cochons cet après-midi, ils avaient éveillé ma réflexion, et je lui dis mes idées nouvelles sur la façon de traiter l'incident de Watergate sur le plan des relations publiques. Je suggérai que si l'explication cubaine prenait réellement, j'appellerais Rebozo, et je lui ferais organiser, parmi les exilés Cubains de Miami, une collecte afin de procurer des cautions à leurs compatriotes emprisonnés, et l'on en ferait le thème d'une grande campagne des moyens d'information. S'ils savaient l'utiliser pour remettre en mémoire la conduite inepte des Démocrates à la Baie des cochons et pour attaquer les idées de politique extérieure de McGovern, nous pourrions même retourner en notre faveur l'affaire du Watergate.

Le mercredi matin 21 juin, Haldeman me dit que George Liddy est « l'homme qui a tout fait ». Je demande qui est George Liddy. Haldeman répond que c'est le conseiller du Comité financier du C.R.T. « Je pensais, dis-je, que McCord était le responsable de l'effraction. — Non, me répond Haldeman, c'est Liddy. Nous ne savons pas quelle était la position de McCord, mais tout semble montrer qu'il est sérieusement accroché. Ehrlichman a eu une idée : Liddy avouera tout, et dira qu'il l'a fait parce qu'il veut devenir le héros du C.R.P. » Cette solution aurait en effet plusieurs avantages. Elle couperait l'élan du procès des Démocrates, et réduirait leurs possibilités d'aller à la pêche dans les dépositions qui y seraient faites; elle détournerait les attaques de la presse et des milieux politiques vers un niveau moins élevé; et finalement, puisque tous les détenus pensaient que Lilly avait dirigé les opérations, une fois que Liddy aurait admis sa culpabilité, ce qu'ils pouvaient penser d'autre n'aurait plus aucune importance, puisque tout remonterait à Liddy. « Et puis, ajouta Haldeman, nos partisans demanderont la grâce de Liddy, en alléguant que Liddy est un pauvre garçon dévoyé qui a lu trop de romans policiers...

— Après tout, dis-je, il n'y a pas dans tout cela de quoi fouetter un chat, et si quelqu'un me demande mon avis sur le qualificatif employé par Ziegler sur ce « cambriolage de troisième classe », je répondrai : « Mais non! Pas un cambriolage de troisième classe : une tentative seulement de cambriolage de troisième classe! »

— Les avocats, dit Haldeman, pensent tous que si Liddy et les gens arrêtés plaidaient coupables, ils seraient condamnés à des amendes et à la prison avec sursis puisque, selon toutes les apparences, leur casier judiciaire est vierge.

— Le plan d'Ehrlichman me plaît. Nous devons admettre que la vérité sortira tôt ou tard. Si donc Liddy est responsable, il doit faire face et endosser la faute. Il y aurait objection de ma part si John Mitchell était impliqué dans l'affaire. En ce cas, je ne crois pas que cette procédure pourrait marcher. »

La veille, Haldeman avait semblé certain que Mitchell n'était pas impliqué. Aujourd'hui il n'est plus aussi rassurant. Il m'avait déjà dit que Mitchell s'inquiétait de l'enquête confiée au F.B.I. Mitchell pensait que quelqu'un devrait aller directement au F.B.I. et arrêter la vapeur. Ehrlichman aussi craint que Mitchell puisse être impliqué. Haldeman avait ce matin posé la question à Mitchell presque directement, mais il n'avait obtenu aucune réponse. Ainsi ne peut-il être certain que Mitchell soit impliqué ou non. Mitchell avait paru redouter le plan d'Ehrlichman en raison de l'instabilité de Liddy et de ce qui pourrait arriver si Liddy faisait l'objet de pressions. « En tout cas, dit-il, ce n'est que ce matin qu'Ehrlichman a exposé son plan et chacun va y réfléchir avant de faire quoi que ce soit. »

Je croyais encore que Mitchell était innocent. J'étais sûr qu'il n'aurait jamais ordonné quelque chose de ce genre. Il était trop malin pour cela, et, de plus, il avait toujours dédaigné les campagnes de renseignements. Mais il y avait deux possibilités — et elles étaient lancinantes! — je pouvais me tromper, et Mitchell avait peut-être participé à l'affaire; et même s'il ne l'avait pas fait, il pourrait, si nous n'étions pas très prudents, être tellement impliqué indirectement que jamais ni lui ni nous n'aurions le loisir d'expliquer la vérité. J'espérais que Liddy ne le traînerait pas dans le scandale. « Ce n'est pas une affaire, au fond, que de recevoir un coup de règle! » Haldeman proposa qu'on prenne soin de Liddy, et je donnai mon accord pour l'aider. J'étais disposé à aider financièrement quelqu'un qui avait cru qu'il m'aiderait à gagner cette élection.

Jamais je n'ai demandé directement à Mitchell s'il avait été impliqué ou s'il avait été au courant du projet d'effraction de Watergate. C'était un de mes amis intimes, et il avait publié un démenti officiel. Je ne pouvais mettre en doute ce qu'il avait déclaré. Je sentais que s'il pensait que je devais savoir quelque chose, il me le dirait. Et cependant, il y avait autre chose, une chose que j'ai exprimée plus tard en ces termes devant Haldeman : « Supposez que vous appeliez Mitchell... Et que Mitchell vous avoue : " Eh bien oui, je l'ai fait! " Alors, dans ce cas, comment est-ce que nous nous en tirerions? »

J'étais également inquiet pour le coup que la Maison Blanche allait encaisser, du fait que Hunt travaillait avec Colson. Je finissais par me demander si ce dernier n'était pas dans le bain. Mais Haldeman m'assura que pour autant qu'on puisse être convaincu de quelque chose, il était persuadé que ce n'était pas le cas de Colson.

« Ce que je considère comme le problème le plus grave pour la Maison Blanche, dit Haldeman, n'a rien à voir avec l'effraction de Watergate elle-même, mais avec ce que j'appellerai " les autres implications " — les choses qu'une enquête à la recherche de gros poissons pourrait découvrir et exploiter politiquement. Voilà où réside le plus grand danger qui menace la Maison Blanche. Hunt a fait pour Colson des quantités de choses sans aucun rapport avec cette affaire, qui pourtant pourraient être découvertes au cours des dépositions sans frein ni loi que les Démocrates projettent d'organiser. »

Je savais que l'occupation essentielle de Colson au cours des derniers mois avait été l'affaire de l'I.T.T. A quoi Haldeman faisait-il au juste allusion? A la déclassification des documents ou à l'I.T.T.? D'après Haldeman, Hunt était l'homme qui s'était rendu à Denver et qui avait parlé à Dita Beard pendant l'enquête de l'I.T.T. Il y avait aussi d'autres « pièces et morceaux » qui viendraient au jour si Hunt était cité.

« Il est important pour nous, dit Haldeman, de ne pas défendre exagérément Colson, et que Colson ne réagisse pas exagérément : il est au-dessus de tout soupçon pour l'affaire des microphones, mais vulnérable quant à ses autres rapports avec Hunt. L'aspect politique de ces rapports est la raison pour laquelle il semble préférable que Hunt fasse le mort pendant quelque temps. C'est aussi une autre raison pour intervenir auprès du F.B.I. : jusqu'ici il n'y a rien pour mêler Hunt à l'affaire, si ce n'est son nom dans le carnet d'adresses. »

A la fin de notre discussion, je revins à la situation éprouvante engendrée par l'effraction. « Il semble, dis-je à Haldeman, que les Démocrates nous ont espionné de cette manière pendant des années, et ils n'ont jamais été pris. » Haldeman en était d'accord : les Démocrates semblent toujours pouvoir s'en sortir. La presse ne les attaque jamais comme elle nous attaque. Je dis plus tard que chaque fois que les Démocrates nous accusaient d'écouter par microphones, nous devrions répliquer que nous étions nous-mêmes espionnés, et au besoin poser un microphone nous-mêmes pour le découvrir.

Je vis Colson l'après-midi pour parler de la façon dont la presse du matin avait traité de l'effraction et de la campagne de McGovern. Pensant à l'avance à ma conférence de presse du lendemain, je revins à l'effraction. Au pire, dis-je, nous pouvions démolir complètement l'idée que la Maison Blanche était impliquée. « Nous n'en connaissions pas le moindre petit fait. » La conversation aborda plusieurs autres sujets, et de nouveau nous parlâmes de Watergate. Que pensait Colson du plan de laisser Liddy endosser toute l'affaire pour faire la part du feu? Il serait, dit-il, pour tout ce qui nous permettrait de faire la part du feu et de nous en sortir. « Mais, ajouta-t-il, je tiens à me tenir hors de toute cette affaire de façon à pouvoir faire la déclaration sous serment que je n'en connais rien. »

Il prit encore la défense de son ami Howard Hunt qu'il appela « un patriote dévoué ». Il ne pouvait pas arriver à croire que Hunt avait organisé l'effraction.

Le matin du jeudi 22 juin, je passai en revue la documentation de ma conférence de presse de l'après-midi. Ziegler et Buchanan m'avaient envoyé une note pour m'avertir que les journalistes cherchaient à monter en épingle l'affaire de l'effraction et qu'ils essaieraient de me contraindre à donner un commentaire qui puisse la maintenir en vie. Ils recherchaient un gros titre du genre : « Nixon inquiet », ou : « Nixon réclame une enquête ». Il serait important que je garde une juste mesure dans ce que je dirais de l'affaire : si je montrais peu d'intérêt pour elle, les correspondances de presse seraient aussi mauvaises que si j'en montrais trop. Il ne me restait pas grand-chose à dire : Mitchell avait déjà déclaré que de telles activités étaient inexcusables et qu'il en était surpris; et Ziegler avait déjà publié un communiqué de la part de Colson, niant toute participation.

Quand je vis Haldeman, je lui prédis que la principale question qui serait posée sur Watergate serait de savoir si la Maison Blanche était impliquée d'une manière ou d'une autre. Je savais que les reporters allaient se précipiter sur toute modification ou tout qualificatif apporté par ma réponse. C'est pourquoi je pensais que je devais déclarer sans équivoque que nous n'avions rien à voir avec l'affaire. Haldeman pensait que, sur ce point, nous étions absolument au-dessus de tout soupçon.

Selon lui, d'ailleurs, les nouvelles du jour sur le Watergate étaient toutes bonnes. Les Démocrates avaient commis une erreur de droit en engageant un procès collectif contre le C.R.P. Le juge démocrate à qui l'affaire aurait été soumise avait été remplacé par un juge républicain. Quand l'avocat des Démocrates, Edward Bennett Williams, avait insisté pour des dépositions immédiates, le juge avait dit qu'il le verrait après le week-end pour prendre des décisions sur les dates.

Autre bonne nouvelle : le F.B.I. n'avait encore aucune raison d'ouvrir un dossier Hunt. Nous savions qu'il avait été sur place; ils ne le savaient pas. Le F.B.I. n'avait pas émis de mandat d'amener le concernant, de sorte qu'il leur était indifférent qu'il se mît à l'ombre. La dernière bonne nouvelle était que le F.B.I. ne parvenait pas à découvrir l'origine des billets de cent dollars en possession des auteurs de l'effraction lors de leur arrestation. C'était une bonne nouvelle, parce que ces billets auraient pu permettre d'établir un lien avec le C.R.P. Le F.B.I. était arrivé à remonter jusqu'à une banque de Miami, et Haldeman dit qu'il leur faudrait pouvoir passer par un pays de l'Amérique du Sud pour retrouver complètement leur circuit.

Le 22 juin, la situation autorisait donc certains espoirs. L'explication cubaine tenait toujours, et le problème restait entièrement confus. On allait continuer les efforts pour lancer la version cubaine. Haldeman observa que, parce que nous savions, nous avions tendance à lire trop de choses dans ce que nous voyions, des choses que les autres ne pouvaient pas voir.

« Le principal, dis-je, est ce que les réseaux de télévision feront s'ils pensent que la Maison Blanche ou le C.R.P. ont quelque chose à se reprocher. » Les Cubains ne leur fournissaient pas en effet matière à une histoire sensationnelle, mais les réseaux monteraient l'affaire à grand fracas dans le cas où, croiraient-ils, nous n'étions pas dans notre bon droit.

« On est en train de s'arranger, dit Haldeman, pour que certains membres de la communauté cubaine commencent à dire combien ils ont peur de McGovern. » En bref, on faisait ressortir que deux des personnes arrêtées étaient des membres inscrits du Parti Démocrate. On pensait même à faire en sorte que Liddy quitte le pays. Le F.B.I. n'était pas encore à sa recherche, et il pourrait toujours revenir si quelque chose sortait à son sujet — par exemple si certains détenus décidaient de parler. Entre-temps, m'informa Haldeman, McCord resterait en prison et surveillerait les autres.

L'après-midi, je fis venir Ron Ziegler et lui demandai ce que je devrais dire, à son avis, sur l'incident de Watergate. Puis je le regardai au-dessus de mes lunettes et lui demandai : « Y étiez-vous? » Un instant, il écarquilla les yeux, tout ronds dans sa figure enfantine :

« A l'effraction? s'enquit-il d'une voix un peu étranglée.

— Non, vous étiez en Floride, pas vrai? fis-je en riant aux éclats.

— Avez-vous voulu dire : " Etais-je à Watergate? " Monsieur le Président? répéta-t-il en se mettant à rire.

— Oh! je vous le dirai quand je le saurai!... »

Toujours par plaisanterie, j'ajoutai que quelqu'un devrait bien écrire que les détenus essayaient seulement de gagner un prix Pulitzer.

En entrant dans la salle des conférences de presse, le 22 juin après-midi, il y avait deux choses que j'étais prêt à dire : que personne, dans la Maison Blanche, n'était impliqué dans l'effraction et que je croyais absolument à la déclaration de John Mitchell niant qu'il en ait jamais rien su. Sur les dix-sept questions qui me furent posées, une seule portait sur l'effraction, et il se trouva que ma prédiction fut pleinement confirmée. « Q : M. O'Brien a dit que les gens qui ont mis des microphones dans ses locaux étaient en liaison avec la Maison Blanche. Avez-vous fait faire une enquête quelconque pour déterminer si cela est exact?

R. : M. Ziegler, et aussi M. Mitchell, parlant au nom du Comité de la campagne, ont répondu à ces questions de manière très détaillée. Ils ont exposé quelle était ma position, et aussi exposé les faits exactement.

« Cette espèce d'activité, comme l'a dit M. Ziegler, n'a place ni dans nos mœurs électorales, ni dans notre mode de gouvernement. Et, comme M. Ziegler l'a déclaré, la Maison Blanche n'est en aucune manière impliquée dans cet incident.

« En ce qui concerne cette affaire, elle fait, comme il convient, l'objet d'une enquête de la part des autorités compétentes, la police du district de Columbia et le F.B.I. Je ne ferai aucun commentaire à son sujet, en particulier parce que des accusations au criminel pourraient en résulter. »

Le vendredi 23 juin, je pris mon petit déjeuner avec Jerry Ford et Hale Boggs qui étaient sur le point de partir pour un voyage en Chine. Je me rendis ensuite au Bureau Ovale, et Alex Butterfield, l'un des adjoints d'Haldeman, m'apporta plusieurs papiers et documents relatifs à des affaires de routine. Puis Haldeman arriva comme tous les matins, sans hâte, prêt à commencer sa journée.

Nous parlâmes du programme organisé pour le retour de Chine de

Kissinger qui arrivait l'après-midi, et d'un entretien avec Rogers. Puis nous passâmes à ce qu'Haldeman appelait « l'affaire de l'effraction démocrate ».

Toutes les bonnes nouvelles de la veille avaient viré au noir, et nous étions entrés, selon le mot d'Haldeman, dans *la zone problématique*. « On ne peut se rendre maître du F.B.I., dit-il en substance, parce que le directeur par intérim Pat Gray ne sait pas lui-même comment le maîtriser, et l'enquête s'approche d'objectifs prometteurs. Il semble, en particulier, que le F.B.I. parvient malgré tout à dépister l'origine des billets... Et cela va dans certaines directions que nous ne souhaitons pas », ajouta Haldeman. Je ne le comprenais que trop : à moins de trouver un moyen de limiter l'enquête, la piste mènerait directement au C.R.P., et notre retenue politique passerait par-dessus bord.

Mitchell et John Dean avait trouvé une idée pour faire face au problème. Dean était un brillant jeune homme qui avait travaillé au Département de la Justice jusqu'en 1970, date à laquelle il succéda à Ehrlichman comme conseiller de la Maison Blanche. En cette qualité, Dean était chargé de suivre et de traiter tous les problèmes de droit concernant le Président et la Maison Blanche.

Selon les explications d'Haldeman, le général Vernon Walters, Directeur adjoint de la C.I.A., irait voir Pat Gray et lui dirait « de rester, par le diable, en dehors de cette affaire. Nous ne voulons pas que vous y entriez plus avant ». Le F.B.I. et la C.I.A. étaient convenu, une fois pour toutes, de ne pas s'immiscer dans leurs opérations secrètes respectives. Une telle visite, de l'avis de Haldeman, ne serait pas cependant considérée comme intempestive. Pat Gray était désireux de limiter les recherches, mais il ne disposait d'aucune base pour le faire. Cette visite la lui donnerait. Cela pourrait marcher, car le F.B.I. en était déjà venu à la conclusion que la C.I.A. était impliquée d'une façon ou d'une autre.

A moins que l'on ne fît quelque chose, les enquêteurs découvriraient l'origine de l'argent; et des donateurs, ils iraient jusqu'au C.R.P. Je demandai ce que les donateurs diraient s'ils ne voulaient pas coopérer avec les enquêteurs; ils auraient à dire que c'était des Cubains qui les avaient sollicités. Etait-ce là une idée de manœuvre? Haldeman dit que c'en serait une, si les donateurs voulaient bien nous aider. Mais cela signifiait que nous aurions toujours à nous reposer sur des gens de plus en plus nombreux. Faire appel à Walters éviterait cet inconvénient, et tout ce qui serait nécessaire pour le mettre en mouvement était une instruction de la Maison Blanche.

Comment prévoyait-on de s'y prendre? demandai-je. Et je rappelai que nous avions protégé le directeur de la C.I.A. Richard Helms dans de nombreux cas. Helms m'avait rarement approché personnellement pour me demander une aide ou une intervention quelconque, mais je me souvenais de l'inquiétude qu'on lisait sur son visage, moins d'un an plus tôt, lorsqu'il avait été question de la publication d'un livre par un ancien agent de la C.I.A. Helms s'était demandé si je soutiendrais une action légale de la C.I.A., en dépit du fait qu'on crierait à la « suppression ». Je lui avais dit que je le ferais. Je mentionnai Hunt : il avait été impliqué dans une quantité d'opérations de la C.I.A., y compris la Baie des cochons. Je proposais l'approche que voici : nous ferions comprendre à Helms et Walters que s'ils ouvraient cette plaie, il allait en sortir des quantités de choses. Il faudrait leur dire qu'il serait très nuisible de pousser l'enquête plus loin, en faisant allusion aux Cubains, à Hunt, et « à une quantité d'histoires sordides dont nous n'avons que faire ». Je posai encore une question qui devenait rituelle : « Mitchell était-il plus ou moins au courant de la chose?

— Je pense que oui, répondit Haldeman. Je ne crois pas qu'il connaissait les détails, mais il était au courant.

— Je suis sûr, dis-je, qu'il ne pouvait pas avoir su de quelle façon on allait agir — c'est Liddy qui a dû tout organiser. »

Mais Haldeman se demandait si ce n'était pas Mitchell qui avait poussé Liddy à rechercher des renseignements.

« Bon, bien, j'ai tout compris, fis-je brusquement. Nous n'allons pas faire des conjectures sur Mitchell et les autres. Grâce à Dieu, ce n'était pas Colson.

— Après avoir interrogé Colson, me fit observer Haldeman, les agents du F.B.I. en ont conclu que la Maison Blanche n'a joué aucun rôle à Watergate; ils sont convaincus qu'il s'agit d'une opération de la C.I.A.

— Je ne suis pas bien sûr que leur analyse soit juste, dis-je; mais pour rien au monde je ne me laisserai entraîner dans cette affaire. Il faut donc appeler Helms et Walters... »

Sur ce, je mis un terme à notre discussion. Je conseillai à Haldeman d'y aller sans scrupules : « C'est la façon d'agir habituelle des Démocrates, et c'est ce que nous allons faire désormais. »

Nous passâmes à la démission du chef de Protocole, à une tentative de Parlement pour rattacher une augmentation des prestations de la Sécurité sociale, à un projet de loi élevant le plafond provisoire de la dette nationale, à la dévaluation de la livre sterling, à l'écho donné par la presse à ma conférence de la veille et à l'intégration scolaire. Puis je revins à l'idée d'avoir recours à Helms et à Walters. Howard Hunt fournissait le meilleur moyen d'approche. Son passé dans la C.I.A. donnerait à Helms et Walters une raison plausible de se rendre au F.B.I. Et la participation de Hunt dans la préparation du coup de la Baie des cochons stimulerait le zèle de Helms.

J'avais autrefois donné instruction à Ehrlichman de demander à Helms le dossier de la C.I.A. sur la Baie des cochons et sur l'assassinat de Diem. Je me rappelais les résistances de Helms. Et même quand j'eus personnellement demandé ces dossiers, le dossier de la Baie des cochons qui nous fut remis était incomplet. Howard Hunt nous donnerait une chance d'exploiter à notre avantage l'extrême sensibilité dont Helms témoignait au sujet de la Baie des cochons. Je n'étais pas sûr que la C.I.A. eût actuellement, au point de vue légal, des raisons valables d'intervenir auprès du F.B.I. Il y avait suffisamment d'indications indirectes qui suggéraient qu'elle pourrait le faire. Mais, en tout cas, Howard Hunt fournissait un bon moyen de les encourager. Si la C.I.A. détournait le F.B.I. de Hunt, ils nous mettraient à l'abri du seul côté où la Maison Blanche était vulnérable au sujet du Watergate, c'est-à-dire non pas l'effraction, mais les activités politiques auxquelles Hunt s'était livré pour Colson.

Je tenais à ce que Haldeman agît adroitement. Je ne voulais pas qu'il brutalisât Helms et Walters, ou qu'il leur mentît en disant qu'il n'y avait aucune implication. Il fallait disposer la situation de façon telle que Helms et Walters prendraient l'initiative et iraient au F.B.I. de leur propre mouvement. Haldeman venait leur dire que cet incident pourrait rouvrir toute l'affaire de la Baie des cochons — que la chose n'était qu'une sorte de comédie des erreurs, qu'ils devraient appeler le F.B.I. et dire que pour le bien du pays ils n'aillent pas plus loin dans l'enquête.

Après cet entretien d'une demi-heure avec Haldeman vint une séance d'une heure et demie sur l'économie et plusieurs entretiens protocolaires. Quand tout fut terminé, j'appelai Haldeman : je voulais qu'il comprît que je n'étais pas désireux de dissimuler à Helms et Walters, et même au F.B.I., que Hunt était impliqué. Au contraire, il devait jouer franc jeu avec Helms et Walters et leur dire que nous savions que Hunt avait été mêlé à l'effraction. Mais il devait alors souligner que la participation cubaine à l'opération mettrait la C.I.A. et Hunt en difficulté; que toute l'affaire pourrait rouvrir la controverse sur la Baie des cochons, ce qui serait mauvais pour la C.I.A., pour le pays, pour la politique extérieure américaine. Je ne voulais pas non plus que Helms et Walters eussent l'impression que notre inquiétude était d'ordre politique — ce qu'elle était bien, en réalité. Mais je ne voulais pas non plus que Haldeman dise que notre inquiétude n'était pas politique. Il devait dire simplement qu'elle venait du fait que « Hunt était impliqué ».

En revenant de sa rencontre avec Helms et Walters, l'après-midi, Haldeman m'annonça qu'il n'avait pas mentionné d'emblée le nom de Hunt. Il avait simplement évoqué la possibilité que le F.B.I. exploitât des pistes qui porteraient préjudice à la C.I.A. et au Gouvernement. Helms l'avait de lui-même informé qu'il avait déjà, en fait, reçu un appel téléphonique de Pat Gray exprimant la crainte que le F.B.I. ne soit tombé sur une opération de la C.I.A. Helms avait répondu que la C.I.A. ne connaissait, pour le moment, rien de cette affaire, mais Gray avait assuré qu'à son avis c'en avait tout l'air.

La difficulté était, insista alors Haldeman, que l'affaire allait mener à celle de la Baie des cochons et à des gens qui n'avaient rien à voir avec l'effraction de Watergate, excepté par des contacts ou des connexions. C'est alors qu'il mentionna Hunt. Helms comprit alors de quoi il retournait, dit qu'il serait heureux d'aider, mais qu'il désirait connaître les raisons. Haldeman fit comprendre qu'il ne serait mis au courant que des grandes lignes et non des détails. Il fut convenu que Walters irait voir Gray pour régler la question. Il semblait que notre intervention eût fonctionné sans difficulté. Je pensais que c'était la fin de nos ennuis.

Durant les derniers jours de juin, je ne discutai de l'effraction de Watergate que pour exprimer mon irritation du fait que rien ne semblait arriver pour régler cette affaire et la soustraire à l'attention du public. Jusqu'à ce que cela fût fait, les moyens d'information et les Démocrates continueraient à nous battre en brèche. Le 26 juin, je demandai à Haldeman s'il n'y avait pas moyen d'inciter les gens impliqués à plaider coupable, de sorte que la Maison Blanche puisse oublier toute l'affaire et que nous ne l'ayons plus devant nous comme une menace. Qui suivait la situation pour nous? Il me répondit qu'elle était surveillée par John Dean, John Mitchell et d'autres.

Avant de pouvoir plaider coupable, dit Haldeman, il fallait attendre les mises en accusation. Et celles-ci étaient retardée parce que le F.B.I. continuait son enquête et découvrait de nouveaux éléments. Mais nous pouvions espérer que nous y avions mis fin. Plus tard, le même jour, Haldeman m'informa que le C.R.P. avait utilisé les hommes compromis dans l'effraction à d'autres projets de politique, et aussi de renseignement — ce qui faisait problème. Autrement, alléguait-il, nous aurions pu les laisser tomber sans laisser de traces. Il ne savait pas ce qu'étaient ces autres projets.

Malgré tout le souci que m'inspirait la vulnérabilité de Mitchell et les doutes occasionnels que d'autres et moi avions parfois sur l'étendue de son implication dans l'affaire, j'étais encore en principe convaincu de son innocence. Je pensais qu'il avait été au courant de la campagne de renseignement, dans ses grandes lignes, mais non de la pose des microphones.

Le vendredi 30 juin, une dépêche de presse attribuée à des sources non identifiées annonça que le coffre dont Howard Hunt disposait à la Maison Blanche avait été ouvert et que son contenu avait été remis au F.B.I. On y aurait trouvé les plans des bureaux du Comité National Démocrate, du matériel pour faire des écoutes et un revolver. Ziegler vérifia immédiatement l'authenticité de cette histoire : il y avait bien eu, effectivement, dans le coffre de Hunt un revolver non chargé; mais on n'avait pas trouvé de plans, et le matériel d'écoute se réduisait à un talkie-walkie. D'autres choses découvertes dans le coffre, dit Haldeman, avaient fait l'objet d'un traitement discret, à un niveau élevé dans le bureau. Pourquoi Hunt avait-il un coffre à la Maison Blanche, puisque, d'après ce que l'on m'avait dit, il avait cessé depuis plusieurs mois, d'y travailler comme conseiller? A ma question, Haldeman me répondit que Hunt avait tout simplement abandonné ces choses en partant... C'était tellement grotesque que Dean n'avait pas écarté la possibilité que nous ayons affaire à un agent double qui avait à dessein conçu l'opération. Autrement, cela n'avait pas le sens commun.

Je fus surpris, parce que cette dépêche de presse prouvait que le F.B.I. continuait ses recherches au sujet de Hunt. J'avais pensé qu'il le laisserait de côté à la suite de la conversation de Haldeman avec Helms et Walters. D'après Haldeman, Pat Gray ne savait sans doute pas comment procéder. La direction du Parquet du Département de la Justice les poussait dur et l'empêchait de limiter les enquêtes. Que Walter allât voir aussi les fonctionnaires du Département de la Justice : voilà la solution qui me semblait la meilleure.

L'histoire du coffre de Hunt renouvela mes inquiétudes au sujet d'une collaboration éventuelle de Colson et de Hunt sur le projet d'effraction. Mais, une fois de plus, Haldeman m'assura que Colson avait dit « la stricte vérité » au F.B.I., qu'il n'avait travaillé avec Hunt que sur des questions sans aucun rapport avec les microphones.

La veille, Haldeman m'avait prévenu du renvoi de Liddy, de son congédiement par le C.R.P., quand il avait refusé de parler aux enquêteurs du F.B.I. Liddy avait compris que cela devait se produire, et il était d'accord. Je demandai à Haldeman s'il ne pensait pas que Mitchell avait été avisé à l'avance des projets de Liddy. Haldeman ne croyait pas que Mitchell ait été au courant des détails; mais Liddy avait travaillé pour Mitchell dans le domaine général du renseignement et du contre-renseignement. De telles pratiques, concédai-je, sont habituelles dans les campagnes électorales.

Haldeman me rappela alors que Gordon Liddy avait travaillé une fois à la Maison Blanche sur le problème des stupéfiants avec Bul Krogh au sein du « Conseil de l'Intérieur » d'Ehrlichman. Il n'était pas sûr que ce soit lui ou Hunt qui avait travaillé sur les recherches faites au sujet des papiers du Pentagone. Je dis que ces deux projets étaient parfaitement réguliers, et nous passâmes à d'autres sujets.

Un peu plus tard, Haldeman me parla des dernières idées émises pour traiter l'affaire du Watergate. Liddy écrivait un scénario tenant compte de tous les éléments connus susceptibles d'être mis en relation. Il prendrait l'entière responsabilité de l'opération, et dirait qu'aucun de ses supérieurs ne l'y avait autorisé. Quant à l'argent au moyen duquel il avait financé ses activités, il soutiendrait qu'il l'avait obtenu en encaissant un chèque qu'il avait ensuite retourné au donateur. Comme je m'inquiétais de la façon dont Liddy avait réellement obtenu ce chèque, Haldeman me fit savoir que Liddy était supposé en toucher le montant à Mexico. Il l'avait fait; mais, par la suite, il l'avait utilisé pour son opération clandestine. On n'avait pas encore, ajouta Haldeman, trouvé une solution au problème du rôle que Hunt avait joué dans l'affaire.

Je pensais vraiment, dis-je à Haldeman, que Mitchell ne mentait pas, qu'il n'avait pas été au courant. Haldeman était d'accord : Mitchell avait probablement prescrit de réunir des renseignements, ne sachant pas qu'on planterait des micros.

J'espérais toujours qu'une explication cubaine des origines de l'effraction pourrait être retenue. Elle était vraie jusqu'à un certain point. Pourquoi, sinon, les Cubains auraient-ils pris tant de risques? « Mais avant tout, mon cher Haldeman, il faut aller vite. Il faut faire la part du feu et en finir avec cette maudite affaire! » Où allions-nous en effet si l'enquête impliquait Colson, ce qui devait fatalement arriver si le F.B.I. continuait son travail? Mais Haldeman ne me rassura pas. Bien au contraire : le problème, selon lui, dépassait la personne de Colson, car Hunt et Liddy avaient partie liée avec Krogh; et tous ensemble, ils dépendaient d'Ehrlichman et de son adjoint David Young.

A quoi j'objectai que cela n'avait aucune espèce d'importance si notre enquête sur les papiers du Pentagone était la raison qui avait réuni dans la même situation tous ces hommes... Mais là encore, Haldeman m'expliqua que c'était l'enquête en elle-même, ce qu'il appela le procédé, qui formait problème. Je lui demandai ce qu'il voulait dire. Il me répéta que c'était simplement « le procédé » qu'ils avaient utilisé. Je ne le questionnai pas davantage, mais je répétai avec insistance qu'à mon avis tout était en ordre.

Mes pensées revinrent sur Liddy. Je m'étais enquis précédemment de sa famille, et Haldeman m'avait affirmé que quels que soient leurs besoins, nous nous occuperions d'eux. Et il hasarda que si Liddy recevait une lourde condamnation, nous pourrions attendre que quelque temps se passe, puis le libérer sur parole ou le gracier après l'élection. Je tombai d'accord.

A la fin de l'entretien, je revins à la confession de Liddy : « Il faut en finir le plus tôt possible. Elle impliquera le C.R.P., et je n'aime pas cela. Mais elle ne nous gênera pas au cours de la campagne; le scandale Bobby Baker n'a pas entamé l'avance de Johnson. On ne peut pas étouffer cela! Le mieux est de décider le responsable à aller de l'avant et endosser la faute. C'est vraiment une affaire par trop ridicule! »

Peu de temps avant de quitter Washington pour passer le 4 juillet en Californie, nous parlâmes, Colson et moi, du traitement excessif accordé par la presse à l'effraction. Dans un moment d'exaspération, je dis que cela nous aiderait si quelqu'un pénétrait dans notre Quartier Général et y faisait des ravages. Nous pourrions lancer une contre-attaque. Colson en était d'accord et fit remarquer que plusieurs de nos dossiers avaient disparu. « Il faut nous libérer de cette histoire, insistai-je, parce que si elle traîne, elle donnera l'impression que la Maison Blanche a ordonné l'écoute par microphones!... » Bobby Kennedy, lui, l'avait fait réellement. Mais, nous, nous ne pouvions pas nous le permettre, ni même en donner l'impression.

De longs passages de mon journal du 21 au 30 juin traitent surtout de la politique extérieure, de questions d'ordre intérieur, de la campagne électorale, et de notes personnelles ou familiales. Le 30 juin, la veille de mon départ pour la Californie, je dictai une brève réflexion sur la situation au sujet du Watergate.

Extrait de mon journal :

> Le problème essentiel pour régler l'affaire : que celui qui est responsable reconnaisse ce qui est arrivé. Personne à la Maison Blanche n'a eu connaissance de ces activités, ni ne les a approuvées. J'en ai l'assurance certaine — et Mitchell non plus n'était pas au courant.

C'est en ces jours de fin juin, début juillet que je pris les premières mesures qui me conduisirent finalement à la fin de ma présidence. Je ne fis rien pour décourager les diverses versions que l'on envisageait pour expliquer l'effraction, et j'approuvai les efforts entrepris pour encourager la C.I.A. à intervenir afin de limiter l'enquête du F.B.I. Plus tard, ce que je fis et ce que je ne fis pas au cours de cette période devait apparaître à beaucoup comme une entreprise délibérée de dissimulation. Ce n'était pas ainsi que je voyais les choses. Je traitais d'une manière pratique ce qui me paraissait être un problème préoccupant et strictement politique. Je cherchais un moyen de régler l'affaire qui réduirait au minimum les dommages qu'elle me portait, à moi, à mes amis, et à ma campagne, et ne donnerait à mes adversaires qu'un minimum d'avantages. Je voyais le Watergate sous l'angle de la politique pure et simple. Nous allions jouer serré. Je n'ai jamais douté que l'autre côté aurait joué exactement comme cela, s'il s'était trouvé dans la même situation.

J'aurais préféré raconter l'histoire de ces journées comme elle arriva réellement, avec des discussions sur le Watergate de trente ou quarante minutes, coupées d'heures de conversation, de délibérations, de décisions, portant sur l'entière série des affaires intéressantes, ennuyeuses, importantes et insignifiantes qui remplissent les jours d'un Président. J'ai préféré la clarté; plusieurs dimensions complexes ont été réduites en une seule, afin d'être compréhensibles. Mais toutes les discussions sur le Watergate qui ont eu lieu au cours de la semaine suivant l'effraction n'ont pris qu'une faible fraction de soixante-quinze heures que j'ai passées au travail, soit à mon bureau, soit chez moi. Je me suis souvent posé la question : Si, dès le début, nous avions consacré plus de temps à ce problème, nous aurions pu agir moins stupidement.

MARTHA MITCHELL

Martha Mitchell était vive, jolie d'une manière flamboyante, sans se prendre au sérieux. Elle était très flirt, déterminée à choquer et désireuse de dominer partout où elle allait. Quand je la rencontrai pour la première fois, je pensais qu'elle pouvait bien être « le seul plaisir qu'ait le pauvre homme », comme elle se définit elle-même plus tard. Le pauvre homme était son mari, qui la gardait d'un œil vigilant pour la protéger, riait de ses fantaisies et ne semblait jamais laisser entamer son tranquille comportement.

Après l'élection, lorsque je lui avais offert de devenir mon Attorney Général, Mitchell s'était d'abord dérobé. J'étais sûr que son souci pour Martha était la cause de sa réticence. Finalement, je pris le taureau par les cornes : je pensais, lui dis-je, que Washington était exactement ce qu'il fallait pour Martha. Les feux de la rampe et les attentions qui entoureraient sa position lui donneraient confiance et lui feraient du bien. Il était sceptique, mais finalement il accepta.

J'avais raison et j'avais tort. Washington fut pour Martha une éclosion, comme une allée d'azalées. Elle fournissait aux journalistes de l'excellente copie, et elle s'assura la réputation de dire tout ce qu'elle pensait, parce qu'elle disait réellement tout ce qu'elle pensait. En un rien de temps, elle devint une célébrité nationale. Sa très vivante originalité la faisait rechercher par la télévision et les collecteurs de fonds de bienfaisance. A un moment, elle obtint même dans un sondage Gallup la cote phénoménale de 76 pour cent. Le cercle de ses admirateurs se composait de ceux qui aimaient réellement ses opinions, de ceux qui aimaient le fait qu'elle les exprimât ouvertement et de ceux qui se réjouissaient de l'embarras qu'elle devait nous causer, à Mitchell et à moi. Je savais qu'elle n'était pas toujours maîtresse d'elle-même, et cela m'ennuyait. Mais je gardais mes soucis pour moi-même, parce que je ne voulais pas que Mitchell se sentît gêné à mon égard à cause d'elle.

Malgré sa grande popularité et ses succès à Washington, Martha souffrait encore de ses difficultés, de sa frustration, et elle était tourmentée de problèmes émotionnels qu'elle ne pouvait ni comprendre, ni maîtriser. Dès le mois de mars 1971, Bob Rebozo avait confidentiellement abordé avec moi le fait que Mitchell avait de plus en plus de difficultés avec Martha. Un jour, à Key Biscayne, je demandai à Rebozo pourquoi Mitchell la supportait. Il avait déjà posé la même question à Mitchell, me répondit-il, et celui-ci avait dit simplement : « Parce que je l'aime. »

Dans le passé, elle avait eu de longues crises de pleurs et d'hystérie. Maintenant, avec le Watergate, elle parlait de suicide.

John Mitchell avait été usé et épuisé par les attaques au sujet de l'I.T.T. Il s'efforçait maintenant de diriger une campagne électorale au milieu des soucis et de la confusion engendrés par la publicité faite autour du Watergate. Dans les deux semaines qui suivirent l'effraction, Martha commença une nouvelle série de coups de téléphone à la presse. Elle disait qu'elle avait exigé de son mari qu'il se retirât de la politique et déclarait avec insistance qu'elle était « un prisonnier politique ». Elle attira sur Mitchell de nouveaux soupçons quand elle déclara : « J'aime beaucoup mon mari, mais je ne vais pas soutenir toutes ses saletés qui continuent. »

« Il ne peut en venir à bout », me dit Haldeman. Billy Graham téléphona à Rose Woods pour voir s'il pouvait faire quelque chose. Mais nous ne fîmes rien parce que nous savions que Mitchell ne l'aurait pas aimé. Il aurait dit que c'était ses affaires, et qu'il devait s'en occuper lui même. Une seule fois, dans un moment de dépression, il se laissa aller et se confia à Haldeman : « Vous et le Président, vous ne pouvez pas savoir combien je dois prendre de mon temps pour maintenir son équilibre, et combien cela affecte mes possibilités de diriger la campagne. »

Je savais que certains membres de la presse exploitaient délibérément Martha Mitchell. Quelques mois plus tard, quand elle prétendit qu'elle avait un manuel qui décrivait les procédés employés pour l'effraction de Watergate, et qu'elle-même en connaissait tous les détails, il devint clair que ses déclarations n'étaient qu'un truc pour attirer l'attention. Mais même sur le moment, il était clair pour tous ceux qui l'approchaient qu'elle avait de sérieux problèmes affectifs. Néanmoins, plusieurs journalistes l'encouragèrent à de nouveaux excès, surtout, je pense, parce qu'ils croyaient, en agissant ainsi, pouvoir accroître la pression sur Mitchell. A la fin de juin, à regret, je commençais à penser que Mitchell devait abandonner la campagne électorale.

Je considérais John Mitchell comme l'un de mes amis les plus intimes. Je pensais que je devais mon élection de 1968 en grande partie à sa force en tant que conseiller et à son adresse comme organisateur. Je l'avais décrit comme l'un des rares « hommes indispensables », et c'était ce que je pensais de lui. L'idée de perdre son concours était déjà suffisamment désagréable. L'idée qu'il devrait démissionner sous la pression d'un barrage de controverses et de publicité hostile était dure à accepter. Mais la combinaison du Watergate et de Martha ne pouvait qu'inévitablement l'éloigner de ses tâches importantes dans la campagne électorale.

Je n'avais pas l'illusion que le départ de Mitchell pût mettre fin aux problèmes du Watergate. Il en faudrait plus que cela. Le 26 juin, au cours d'un entretien avec Haldeman, celui-ci se hasarda à me dire que la seule façon de mettre fin à l'affaire serait d'en faire porter le chapeau à Mitchell. « Je ne lui ferai pas une chose pareille, lui répondis-je. Au diable! Je préférerais encore perdre l'élection. »

Au moment où je commençais à penser que Mitchell aurait à se démettre, Mitchell en arrivait lui-même à la même conclusion. Etant donné sa situation personnelle, il vit qu'il n'y avait pas d'autres choix, et dans le style typique qui lui était habituel, au lieu de nous apporter un problème à résoudre, il vint nous présenter une solution. Le 29 juin, il vit Haldeman et lui dit que l'état de santé de Martha était très sérieux. Elle ne pouvait pas supporter les critiques auxquelles il était soumis au sujet du Watergate, et il craignait qu'elle pût être amenée à se faire du mal. Plus tard, lorsque je demandai si Martha avait eu connaissance du problème réel du Watergate, Haldeman répondit que non. Mitchell avait dit pourtant que Martha était intelligente, et qu'elle comprenait que ses plaintes publiques lui donneraient une raison de sortir de la première ligne des controverses en démissionnant.

Je déjeunai avec Mitchell le 30 juin, dans mon bureau de l'Executive Office Building. Ce fut un moment pénible. Il paraissait à bout de forces, et sa main tremblait tellement qu'il dut reposer sa cuillère après la première cuillerée de potage. L'après-midi, je demandai à un ancien parlementaire du Minnesota, Clark MacGregor, de prendre la direction de ma campagne. Il accepta. J'étais sûr qu'il infuserait un nouveau souffle et un nouvel esprit au C.R.P.

Le 1ᵉʳ juillet, nous annonçâmes la démission de Mitchell et la nomination de MacGregor. Plusieurs semaines plus tard, à deux occasions différentes, j'évoquai Mitchell dans mon journal.

Extrait de mon journal :

> Je pense que nous avons eu un accident dû au fait que Mitchell était obsédé par ses problèmes avec Martha...
> Sans Martha, je suis sûr que l'affaire du Watergate ne serait jamais arrivée.

LE COUP DE TÉLÉPHONE DE GRAY

En arrivant en Californie le 1ᵉʳ juillet pour un séjour de huit jours, j'entrais dans une période exceptionnelle de travail. Al Haig et Sir Robert Thompson rentraient du Vietnam avec une estimation de première main de la situation dans ce pays. Kissinger et moi étions en train de travailler à la stratégie qu'il faudrait adopter pour sa prochaine rencontre avec les Vietnamiens du Nord, la première depuis les bombardements et la pose de mines du 8 mai. Il y avait aussi au programme beaucoup de projets concernant la campagne électorale à examiner après le départ de Mitchell. Le 6 juillet, j'eus un long entretien avec MacGregor et Malek sur l'organisation et la direction de la campagne. Ce jour-là devait devenir mémorable pour une raison tout à fait inattendue, et je retraçai le soir les événements qui devaient, par la suite, prendre tant d'importance.

Extrait de mon Journal :

> Nous avons appris aujourd'hui, presque par accident, des nouvelles inquiétantes sur l'évolution de l'affaire du Watergate.
> Après avoir lu le compte rendu donné par le *Times* de l'action du F.B.I. lors de l'attaque de pirates aériens, au cours de laquelle ils avaient abattu deux pirates, et malheureusement aussi un passager, sur les Pacific Southwest Airlines, j'appelai le nouveau directeur, Pat Gray, pour lui demander de féliciter en mon nom le capitaine de la Panamerican et l'officier de police qui avaient tué le pirate du Vietnam, à l'aéroport de Saïgon.
> J'étais à la fin de mon message quand il commença à me dire qu'il était très préoccupé au sujet de l'officier du Watergate. Walters était venu le voir ce jour-là pour lui dire que la C.I.A. ne s'intéressait pas à la question et que la poursuite de l'enquête ne gênerait en rien la C.I.A.
> Walters et lui avaient tous deux l'impression que certaines gens, soit de la Maison Blanche, soit du C.R.P., tentaient de dissimuler des choses qui pourraient me porter un coup décisif, et se gardaient bien de coopérer à l'enquête.
> Quand Ehrlichman arriva, il fut étonné de constater que j'avais eu cette conversation. Selon lui, la difficulté était que la mise à jour de l'affaire ne serait pas particulièrement embarrassante en ce qui concernait les faits pris en eux-mêmes, mais qu'elle mettrait en jeu des activités qui étaient pleinement justifiées, mais difficiles à expliquer dans les enquêtes concernant le cas Ellsberg, la Baie des cochons et d'autres sujets sur lesquels nous avions un besoin impératif de connaître les faits.

De ma conversation du 23 juin avec Haldeman, j'avais compris que Gray avait désiré l'aide de Walters pour pouvoir maîtriser une enquête dont il sentait qu'elle lui échappait. Le 30 juin, Haldeman avait dit que

Gray voulait limiter les recherches, mais qu'il subissait la pression de la direction du Parquet. Mais maintenant, Gray me disait, de la manière la plus claire, qu'il était inquiété par des tentatives venant de la Maison Blanche, pour faire échouer l'enquête du F.B.I. J'étais soudain confronté à la seule chose que j'avais le plus désiré éviter : une implication de la Maison Blanche dans l'affaire du Watergate. Je dis à Gray avec insistance d'aller de l'avant pour faire la pleine lumière.

Extrait de mon Journal :

> Certainement le mieux est que l'enquête soit poursuivie jusqu'à sa conclusion normale. En tout cas, nous avons à vivre avec elle et à espérer l'amener à sa fin sans que la Présidence ait trop à en souffrir avant l'élection. C'est l'un de ces cas où des subordonnés, au cours d'une campagne, avec les meilleures intentions, partent sur une impulsion qui, inévitablement, embarrasse celui qui est au sommet. En ce cas, la manière dont nous agirons pourrait faire toute la différence pour la manière dont nous en sortirons.
>
> Quoi qu'il en soit, comme je le soulignais devant Ehrlichman et Haldeman, nous ne devons rien faire qui puisse donner à penser à Pat Gray et à la C.I.A. que la Maison Blanche essaie d'étouffer l'enquête. Nous devons coopérer à l'enquête de bout en bout.

Je dis à Ehrlichman de s'assurer que Helms à la C.I.A. et Gray au F.B.I. sachent que je voulais une enquête complète, et que nous ne tentions pas d'étouffer quoi que ce soit. Nous devions aussi parler franchement à Clark MacGregor, de sorte qu'il ne fasse pas de déclarations qu'il aurait à regretter plus tard. « Ne nous excitons pas, dit Ehrlichman. Cela n'ira pas si mal. »

La première fois que j'entendis parler d'une implication possible de Jeb Magruder dans l'effraction du Watergate survint pendant mon séjour en Californie, quand Ehrlichman me dit qu'il allait être interrogé par les enquêteurs. Magruder avait été introduit à la Maison Blanche par Haldeman en 1969, il était considéré comme un protégé de Haldeman. Ce serait un coup porté contre Haldeman personnellement si Magruder était mêlé à l'affaire. Magruder avait quitté l'équipe de la Maison Blanche en mai 1971 pour aider à la formation du C.R.P., où il devait s'occuper pour Mitchell des détails de la direction. Magruder avait été le supérieur immédiat de Liddy, et c'était lui qui était responsable des fonds.

Ehrlichman pensait que Magruder devrait invoquer le Cinquième Amendement, parce que même si l'accusation ne pouvait établir aucune implication directe dans la préparation et l'exécution de l'effraction, ses rapports avec Liddy étaient tels qu'ils pourraient l'y mêler pour participation à un complot.

Le samedi 8 juillet dans l'après-midi, Ehrlichman et moi allâmes nous promener sur la plage. C'était une magnifique journée de Californie, et nous pouvions voir les surfistes évoluer sur leurs planches le long de la côte. En marchant, nous parlâmes de Magruder.

Extrait de mon Journal :

> Je dis à Ehrlichman que la question est de savoir si Magruder ne se trouverait pas mieux, dans ces circonstances, d'aller au-devant de ce qui va arriver,

d'indiquer volontairement quel était son rôle, et d'accepter la responsabilité de l'action entreprise; sinon, il aura à faire face au fait qu'il sera interrogé sur ces affaires et qu'il sera forcé, plus tard, à démissionner. Je recommande la première solution dans son propre intérêt.

Ehrlichman fait quelques réflexions sur la communication téléphonique de Gray. Peut-être, suggère-t-il, Gray et Walters n'ont-ils pas coopéré pour limiter l'enquête du F.B.I. parce qu'ils ont cru que quelqu'un du personnel de la Maison Blanche — peut-être Colson — était responsable du Watergate, et que ce quelqu'un essayait de me faire porter le chapeau pour se protéger lui-même. Ne sachant pas qu'en fait il n'y avait aucune implication de la Maison Blanche, Gray et Walters pensaient probablement qu'ils servaient mes intérêts en insistant pour une large enquête.

Nous discutons des possibilités de grâce. Le Watergate était un cas de tricherie politique. Magruder, Hunt, Liddy et les cinq accusés n'avaient jamais été condamnés. Trois ans plus tôt, le producteur de télévision N.B.L., pris à écouter les Démocrates par microphones, s'en était sorti avec une amende légère et un sursis. Le climat politique que l'on créait autour du Watergate rendait peu probable que les personnes impliquées dans l'affaire bénéficient d'un traitement aussi modéré.

Ehrlichman et moi, nous sommes convenus qu'il ne pouvait être question d'une promesse de grâce — quelle qu'elle soit — pour le moment.

Dans une conversation ultérieure avec Ehrlichman, je dis que si des délits étaient commis par des manifestants au cours de la campagne, et si les coupables étaient arrêtés et accusés, je pourrais accorder après les élections une grâce générale politique qui couvrirait aussi bien le Watergate que les délits commis par des membres de l'opposition. Elle ne couvrirait pas cependant les crimes commis avec emploi de la violence, ou de bombes, ou ayant entraîné des blessures corporelles : il ne s'agissait pas, en ces derniers cas, d'infractions mineures du genre de celles du Watergate.

Il y a eu un précédent pour la grâce appliquée à des délits politiques. Quand Harry Truman est devenu Président, des douzaines d'agents démocrates de l'organisation Pendergast à Kansas City ont été condamnés pour fraudes électorales lors des élections de 1936. Truman a commencé à les gracier dès le premier mois de sa présidence. Au bout d'un an, il en avait gracié quinze, et les avait rétablis dans leurs droits civiques.

Mes discussions avec Ehrlichman n'étaient d'aucune manière une autorisation ou une promesse de grâce. Toute décision devait être prise plus tard. Je résumai mon point de vue dans mon journal : s'il y avait des délits équivalents des deux côtés, « cela formerait la base dont nous aurons besoin pour gracier les individus pris dans cette escapade, s'ils sont condamnés ».

LE CANDIDAT DÉMOCRATE

La Convention démocrate de 1972 à Miami fut une scène de carnage politique. Les réformistes extrémistes qui avaient pris possession de la machinerie du parti en 1968 avaient remplacé l'organisation traditionnelle par des groupes minoritaires et des activistes.

George McGovern avait été l'un des parrains principaux de cette réforme, et sa désignation comme candidat, le 12 juin, montra quel en était le résultat. Il prit le sénateur Thomas Eagleton, du Missouri, comme coéquipier. Eagleton était jeune, agréable, catholique et favori des syndicats.

De nouveaux statuts du parti furent discutés. Puis l'on nomma trente-neuf autres candidats à la Vice-Présidence, parmi lesquels Mao Tsé-Tung et Martha Mitchell. A la télévision, la scène avait l'air d'une parodie de

THE WHITE HOUSE

WASHINGTON,

July 15, 1972

Dear Hubert,

As your party's convention
comes to an end, I know
how deep your disappointment
must be.

You can take comfort in
the fact that through the
years you have earned the
respect of your opponents
as well as your supporters
for being a gallant warrior.

As I am sure you will
recall after Churchill's defeat
in 1945 his wife tried to
console him by saying
that maybe it was a "blessing in disguise

Churchill answered - "If
this is a blessing it is certainly
very well disguised."

You must feel as
he did. But like him -
you have many years
of service ahead.

As friendly opponents
in the political arena
I hope we can both
serve our parties in a
way that will best
serve the nation

Sincerely

Pat joins me in sending
our best to Muriel. & to you.

collège qui se serait emballée et que l'on ne pouvait plus arrêter. A 2 h 48 du matin, McGovern apparut enfin en personne.

Pat trouva que les meilleurs atouts de McGovern étaient une certaine dignité d'attitude et sa sincérité apparente. Tricia dit de McGovern : « C'est un évangéliste assommant et il n'y a rien de plus assommant qu'un évangéliste assommant. »

J'avais très peu d'éléments pour prendre la mesure de McGovern personnellement; je ne savais que ce qu'il avait dit sur le fond des problèmes et cela suffisait. Je pensais qu'il était d'une importance vitale pour le pays que ses idées extrémistes ne prévalent pas en novembre. Je craignais qu'il n'adoucisse ses positions extrémistes, chose qu'un extrémiste de droite ne consentirait jamais à faire, mais que ceux de gauche font volontiers si c'est utile.

Trois jours après sa désignation, McGovern avait irrémédiablement perdu l'appui de son parti.

Déjà pendant la convention, il avait donné quelques signes de son instabilité, en feignant d'ignorer ou en reniant des engagements embarrassants ou qui ne lui convenaient plus. Par exemple, il avait dit qu'il donnerait son appui à des contestataires féministes de la délégation de Caroline du Sud, mais il fit machine arrière quand la contestation se produisit. Avant comme après sa désignation, il avait demandé à Larry O'Brien de rester Président du Parti Démocrate; il le laissa tomber lorsque son équipe fit des objections. Il présenta Pierre Salinger à une réunion publique comme son candidat personnel à la Vice-Présidence du Comité National Démocrate, puis l'abandonna quand une opposition se manifesta. John Connally secouait la tête, n'en croyant pas ses oreilles : « Absence totale de caractère, diagnostiqua-t-il. Il sera coulé avant la fin de la campagne. » En mars 1973, le nouveau Président du Comité National Démocrate, Robert Strauss, dit à Haldeman : « Vous, les gars, vous ne connaissez pas McGovern, vous pensez que c'est un homme dangereux. Il n'est que l'homme le plus stupide qui fût jamais. »

Il y avait des bruits qui couraient, selon lesquels George Wallace était dégoûté par les événements de Miami et caressait encore l'idée de se présenter à la Présidence en tiers parti.

Connally, sur ma demande, alla le voir le 25 juillet et lui dit franchement ce qu'il pensait : que Wallace ne se ferait aucun bien en formant un troisième parti et que la seule façon de remettre le Parti Démocrate sur pied serait de battre McGovern à mort en novembre.

Connally me dit, le jour suivant, que Wallace allait annoncer qu'il ne serait pas candidat à la Présidence en tiers parti.

J'appelai Wallace pour lui dire que je savais que cette décision avait été difficile à prendre. « Mais vous ne devez pas vous laisser décourager pour autant, lui conseillai-je. Vous avez de belles années devant vous. » Je lui dis que Connally était mon conseiller politique intime et que, s'il y avait quelque question politique qu'il veuille discuter, Connally serait à sa disposition à n'importe quel moment.

Le 17 juillet, je fus avisé qu'après trois heures de discussion le Bureau exécutif du syndicat des camionneurs avait décidé, par 16 voix contre 1, de soutenir ma candidature. J'invitai leur Président, Frank Fitzsimmons, et les membres de son bureau à dîner à San Clemente.

En raccompagnant Fitzsimmons, je lui demandai quelle serait, à son avis, la réaction de George Meany à la décision du Syndicat des camionneurs quand il apprendrait que le Syndicat appuierait ma candidature. « Eh bien, dit-il, ce vieux fils de pute a maintenant un problème. Je sais que 90 des 130 membres du bureau A.F.L.-C.I.O. ne veulent pas de McGovern. Quand Meany saura ce que nous avons fait aujourd'hui, il sera dans un tel état qu'il en pissera dans son froc!... »

Le 19 juillet, à Washington, je passai la matinée sur des questions d'ordre intérieur ou de législation. Puis j'appelai Ehrlichman pour une mise à jour sur le Watergate. Dean, me dit-il, voyait Mitchell ce matin même pour en discuter. Il ne pensait pas, quant à lui, que la ligne de défense qui avait été étudiée pour Magruder marcherait. Selon l'avis d'Ehrlichman, Magruder aurait probablement à « débuter la glissade ».

Je demandai ce que cela signifiait. Ehrlichman dit que Magruder aurait à avaler les grumeaux de la pâte tels qu'ils étaient : il avait à assumer la responsabilité. Il ne pensait pas que l'on pût concocter une histoire indiquant que Magruder n'avait pas su ce qui se passait. Mais Dean travaillait là-dessus ce matin même.

Je demandai si Magruder avait réellement été au courant. La réponse d'Ehrlichman fut emphatiquement affirmative :

« Ah! mon dieu! oui, dit-il, il était dedans avec ses deux pieds!

— Dans ce cas, fis-je, il ne faut pas d'histoire *concoctée*. »

J'aurais bien aimé voir l'affaire terminée, mais je savais que les deux attitudes qui étaient les pires dans ce genre de situation étaient de mentir et de dissimuler la vérité. Si vous dissimulez, vous finirez par être pris; si vous mentez, on vous condamne pour faux témoignage. C'est ce qui s'était passé pour Alger Hiss et pour les 5 pour cent du temps de Truman. « C'est tragique pour Magruder, constatai-je, et je regrette vivement que cela lui arrive, mais c'est ainsi. »

Je répétai ce que j'avais dit à San Clemente : il serait facile de gracier Magruder plus tard avec d'autres personnes appartenant aux deux partis qui auraient été accusées de délits politiques pendant la campagne.

« C'est d'accord, dit Ehrlichman, mais nous aurons une meilleure idée de la situation après l'entretien de Dean et de Mitchell. Hunt et Liddy vont être cités devant le grand jury en raison du témoignage d'un avocat que Hunt avait approché la nuit de l'effraction pour lui demander de défendre les hommes arrêtés. »

Pensant toujours à Magruder, je demandai s'il pourrait se prévaloir du Cinquième Amendement. Ehrlichman ne le pensait pas : il pourrait être condamné sur le témoignage d'un autre. Ce que Magruder aurait de mieux à faire, c'était d'y aller carrément, de dire que c'était une faute, qu'il s'était laissé emporter et que maintenant il le regrettait très vivement.

Toute la vie de Magruder allait être ruinée par cette erreur unique. Je me demandais s'il pourrait n'accepter que la responsabilité finale, en disant qu'il avait donné instruction de se procurer tous les renseignements possibles, mais sans savoir que ses ordres seraient exécutés de cette façon. Il serait regrettable qu'il dît qu'il avait en fait ordonné l'écoute sur ruban enregistreur. Ehrlichman était d'accord pour estimer qu'il vaudrait mieux se tenir au niveau de Liddy si possible, mais répéta que pour le moment il avait trop peu d'informations pour dire quoi que ce soit de plus.

Je demandai avec qui Dean étudiait le problème, Ehrlichman ou Haldeman. Tous deux, dit Ehrlichman, en avaient plus ou moins parlé avec Dean. Magruder disait qu'il avait voulu disposer, pour différentes raisons, d'une quantité de renseignements et qu'il avait chargé Liddy de se les procurer.

Selon Ehrlichman, une fois que Magruder se mettrait à parler, il était impossible de savoir quelle serait l'étendue de l'examen et jusqu'où il irait. C'était là le problème.

La difficulté principale, dis-je, est de savoir si l'on s'arrêtera à Magruder, ou si l'on ira jusqu'à Mitchell ou Haldeman. Ehrlichman était d'accord. Il avait examiné la question avec Dean. Ce dernier n'était pas sûr que Magruder fût suffisamment résistant et stable pour ne pas perdre pied si les enquêteurs le pressaient.

Je demandai à Ehrlichman s'il pensait que Mitchell avait été au courant des microphones. Il ne le pensait pas, mais au fond, il ne savait pas. Je ne pouvais croire pour ma part que Mitchell l'ait su. Ehrlichman dit que des transcriptions avaient été faites à partir des écoutes, et qu'il avait l'impression — qui, il le reconnaissait, pouvait être fausse — que Mitchell avait pu les voir. Je demandai si Haldeman les avaient vues. Non, dit Ehrlichman : en fait, il ne pouvait trouver personne à la Maison Blanche qui eût vu ces transcriptions ou qui eût été au courant de l'effraction du Watergate. Haldeman et Dean avaient eu auparavant un entretien avec Mitchell, Magruder et quelques autres au sujet d'un plan de renseignement différent qui avait été proposé, puis écarté. En raison de la décision qu'ils avaient prises dans cette réunion plus ancienne, Haldeman et Dean étaient en droit de penser que rien de tel que l'opération du Watergate n'avait été envisagé. Mais après le rejet de ce plan, d'autres personnes dans le C.R.P. avaient lancé l'effraction du Watergate sans qu'il y ait eu une autre réunion avec les gens de la Maison Blanche.

Il était bien difficile de savoir, continua Ehrlichman, si Magruder assumerait ses responsabilités en disant que Mitchell n'avait rien su. Quelquefois, un interrogatoire rudement mené peut amener un homme à dire des choses qu'il n'avait pas l'intention de dire. Je pensais que sûrement Magruder saurait se tenir, alors que tant de choses dépendaient de la non-implication de Mitchell. Mais Ehrlichman dit qu'un bon avocat pourrait s'acharner sur lui jusqu'à ce qu'il s'effondre. Il y avait un danger particulier dans le procès des Démocrates : ils seraient représentés par Edward Bennett Williams qui était bien connu pour son étincelante technique au tribunal.

« Quelle serait, demandai-je, la meilleure tactique à suivre au point de vue pénal? » Ehrlichman dit que si nous pouvions agir à notre guise, ce serait de laisser Liddy et Hunt prendre le paquet et d'en rester là. Mais si Magruder était impliqué par le témoignage d'un tiers, la meilleure tactique serait de bâtir une histoire qui évite sa condamnation.

J'essayais d'estimer l'effet, en termes de relations publiques, d'une dissimulation, si les cinq hommes arrêtés à Watergate, Hunt et Liddy étaient condamnés. « Bien que Hunt ait travaillé à la Maison Blanche, dis-je, je ne suis pas réellement soucieux de la publicité négative qui découlerait de sa condamnation. — Liddy aussi a travaillé à la Maison Blanche, me répondit Ehrlichman, et l'on en parlera également dans les nouvelles de presse. »

Ehrlichman espérait encore que Dean et Mitchell aboutiraient à la conclusion que ce qu'il appelait le « scénario Magruder » marcherait. Mais, à son avis, il n'y aurait aucun sens à le mettre en route s'il devait être réfuté. « Il nous causerait un double dommage, dis-je. Nous aurions à la fois une dissimulation et une condamnation. C'est ce qui est arrivé à Truman avec l'affaire Alger Hiss... »

Aux dires d'Ehrlichman, Dean avait été exhorté à ne pas construire une histoire qui pourrait ne pas réussir. S'il subistait un seul risque, Magruder pourrait être contraint à aller jusqu'au bout.

J'étais encore soucieux au sujet de Magruder quand je vis Colson plus tard dans l'après-midi. Je lui exposai, comme je l'avais fait à Ehrlichman, que nous n'avions plus qu'à laisser les choses aller leur train et faire la part du feu. Comme Hunt devait comparaître devant le grand jury, je demandai à Colson ce qu'il pensait de la situation. Il ne pensait pas, dit-il, que Hunt se sentirait coupable. C'était un tel idéaliste et un homme si dévoué au pays que, s'il avait un bon avocat et s'il était convenablement dirigé, il se laisserait chauffer à blanc plutôt que de parler. Le seul point qui l'ennuyait au sujet de Hunt, c'était que celui-ci pourrait être amené à dire qu'il avait essayé de « psychanalyser » Ellsberg parce que ce « fils de putain » était un ennemi. Je ne voyais pas du tout ce qu'Ellsberg aurait à voir dans cette affaire. « A votre place, lui dis-je, je ne me ferais pas de souci à ce sujet. »

Nous discutâmes la situation de Magruder. Tiendrait-il le coup à l'interrogatoire? Colson rétorqua que, sans l'aspect politique de l'affaire, les accusés ne risqueraient que des peines avec sursis, comme cela arrive dans les cas d'espionnage industriel. Ce serait terrible pour Magruder s'il devait aller en prison, et que cela figure sur son dossier. Je fis part à Colson de l'idée que j'avais discutée avec Ehrlichman : accorder une grâce générale après les élections, s'appliquant à la fois aux Démocrates et aux Républicains coupables de délits politiques.

L'après-midi, Haldeman était pessimiste sur les chances qu'avait Magruder de n'être pas inculpé. Il y aurait, arguait-il, des témoignages qui l'impliqueraient, et la meilleure chose serait d'essayer de couper tout ce qui pourrait mener à Mitchell. Magruder pourrait-il le faire? Telle était la question. Selon Haldeman, Magruder y était tout disposé. Mais le pourrait-il?

Ehrlichman pensait qu'il fallait en finir rapidement. Haldeman était d'accord, il valait mieux accepter nos pertes quelles qu'elles fussent. C'était vraiment dommage pour Magruder, évidemment, et je ne pus que répéter ce que je pensais d'une grâce éventuelle. Nous passâmes à d'autres sujets, mais je revins à Magruder pour demander ce que nous pourrions faire pour aider ce pauvre gars. Il fallait, de l'avis de Haldeman, lui procurer un avocat. J'espérais, quant à moi, que Magruder quitterait la campagne avant d'être inculpé. Cela vaudrait mieux pour lui comme pour nous.

Haldeman et moi, nous étions d'accord : le principal était d'éviter que

Mitchell fût compromis. Je spécifiai à Haldeman que, quels que fussent les faits, Magruder devait exclure tout ce qui pourrait impliquer Mitchell.

Colson avait-il été cité devant le grand jury? Haldeman secoua la tête en signe de dénégation. Il pourrait cependant être appelé à témoigner au procès civil. Par contre, il était question, au grand jury, de citer Ehrlichman. Je fus surpris, et demandai pourquoi. Haldeman répondit que cela avait à faire avec la collaboration de Hunt et de Bud Krogh. « Quel intérêt pour eux que Ehrlichman? » demandai-je. Dean avait essayé de le savoir au Département de la Justice, dit Haldeman, mais il semblait qu'ils n'eussent rien voulu dire.

L'après-midi suivant, il semblait, d'après Haldeman, que Magruder n'allait pas être inculpé pour l'effraction. Il y avait en effet une distinction qui pouvait être établie : la décision de procéder par effraction était-elle prévisible — et donc délictuelle — ou non? La ligne de conduite de Magruder serait de dire qu'il n'avait pas été au courant de cette action spécifique. « Ce qui semble vrai », ajouta Haldeman. Magruder dirait qu'il avait autorisé des remises de fonds à Liddy sans connaître l'usage qui en serait fait. Il admettrait avoir été coupable de stupidité, mais non d'une conduite délictuelle.

Ainsi Magruder était maintenant en sécurité. Il avait pris part à la campagne de recherche de renseignements, mais il n'avait pas été au courant de l'effraction du Watergate. Au moins, c'était ce qu'il allait dire. J'étais sceptique, comme nous l'étions probablement tous, mais je pensais néanmoins que maintenant c'était au Département de la Justice qu'incomberait la charge de faire contre lui la preuve du contraire.

Mitchell ne pensait pas, dit Haldeman, qu'il faille pousser Magruder à quitter le C.R.P. On serait prévenu à l'avance s'il devait être inculpé; s'il l'était, il serait toujours temps qu'il s'en aille. Haldeman observa que Ehrlichman et Mitchell incarnaient deux attitudes différentes à l'égard de la façon de traiter la question. Mitchell était de l'école : « Tenez bon! Qu'ils aillent tous au diable! » Tandis qu'Ehrlichman appartenait à l'école : « Sauve qui peut! Coupez tout et sabordez immédiatement. » A son avis, les deux écoles avaient tort.

A la fin de l'après-midi du 25 juillet, un télégramme d'agence annonçait qu'au cours d'une conférence de McGovern et d'Eagleton, ce dernier avait révélé qu'à trois reprises, entre 1960 et 1966, il était entré sur sa demande dans des hôpitaux pour des traitements d'une dépression mentale; deux de ces traitements avaient comporté des électrochocs. Il prenait encore occasionnellement des tranquillisants. McGovern avait affirmé sa pleine confiance dans la santé intellectuelle, physique et spirituelle de son coéquipier...

Je pensais qu'après quatre ou cinq jours, malgré l'intention irrévocable qu'il avait annoncée de conserver Eagleton à ses côtés comme candidat à la Vice-Présidence, McGovern le laisserait tomber. Mais le lendemain, McGovern renforça son engagement, disant qu'il était « mille pour cent derrière Eagleton ». Mais lorsque le *New York Times* réclama la démission d'Eagleton, je fus assuré qu'il n'en serait rien.

Le 27 juillet, Jack Anderson annonça une nouvelle honteusement fausse. Selon lui, Eagleton aurait été arrêté plusieurs fois sous l'inculpation de conduite en état d'ivresse. Le *Washington Post,* le *Times* de Los Angeles, et le *New York Post* lui emboîtèrent le pas, réclamant la démission d'Eagleton. McGovern répéta qu'il était « mille pour cent » derrière Eagleton, et celui-ci démentit les insinuations et se défendit crânement. Il affirma avec insistance qu'il demeurait candidat. Sa confiance en lui-même, courageuse et inébranlable, lui attirait des sympathies, à défaut d'appuis politiques.

Le 30 juillet, Eagleton apparut à la télévision. Jack Anderson était un de ceux qui lui posaient des questions. Le journaliste s'excusa des accusations qu'ils avaient portées concernant la conduite en état d'ivresse, mais refusa de les retirer, sous prétexte qu'il était en train de les vérifier. Je me rappelais, en l'entendant, que lors de la crise des fonds de 1952, le mentor d'Anderson, Drew Pearson, avait agi de même à mon égard. Je pouvais comprendre l'amertume d'Eagleton et j'admirais sa fermeté. Il se montrait aussi courageux qu'Anderson était méprisable.

Il se passa alors quelque chose de presque incroyable. L'un des reporters fit la remarque qu'Eagleton transpirait. Eagleton répondit que les lumières dégageaient beaucoup de chaleur. Le reporter insista, en faisant ressortir que d'autres personnes qui prenaient part à l'émission ne transpiraient pas autant, et il fit des commentaires sur la nervosité que révélaient les gestes des mains d'Eagleton. Je notai dans mon journal : « Je transpire également, même sans être l'objet d'une tension quelconque. » Ce fut un véritable spectacle de bêtes de proie.

Entre-temps, McGovern se préparait à revenir sur l'appui qu'il avait donné à Eagleton. Il le laissa tomber le lendemain soir. Je pensai immédiatement à la famille d'Eagleton. Je savais ce qu'ils devaient souffrir. Nous en avions fait l'expérience pendant la crise des fonds, avec cette différence que tout s'était bien terminé. Je me rappelai qu'Eagleton avait mené son fils visiter le Bureau Ovale l'année précédente et j'écrivis une lettre à ce garçon. Je reçus sa réponse quelques semaines plus tard.

LA CAMPAGNE DE 1972

L'élection présidentielle de 1972, avec sa majorité, aurait dû être la plus satisfaisante et la plus accomplie de mes campagnes. Mais, au contraire, elle fut l'une des plus décevantes et, à beaucoup d'égards, la moins satisfaisante de toute.

La désignation de McGovern par le Parti Démocrate m'assurait virtuellement d'une réélection sans grands efforts personnels. Moins j'agirais, et mieux je réussirais. C'était pour moi une situation inhabituelle; ce n'en était pas une où je me sentirais particulièrement à mon aise et où je saurais d'instinct ce qu'il fallait faire.

En raison des circonstances, je pouvais prendre à la campagne une part moins personnelle, et continuer mon travail à la Présidence. Des amis, des membres du Cabinet se déplaceraient pour mettre en valeur l'œuvre accomplie au cours de mon premier mandat. En principe, l'un d'entre eux précéderait McGovern dans chacune des villes principales, et un autre suivrait, aussitôt après le départ de McGovern. Le tout appuyé sur le C.R.P., dont le travail fut tout à fait remarquable. Au

Personal

THE WHITE HOUSE

WASHINGTON   August 2, 1992-

Dear Terry-

When I saw the picture in *Life*
a week ago I was reminded
of our meeting at the White House
when your father introduced you to me
after I signed the Construction Safety Bill.
I thought you might like to have
a copy of the White House Photographic
picture of that meeting.

I realize these past few days
have been very difficult ones for
you and the members of your
family. Speaking as one who
understands + respects your
father's decision to continue to
fight for his party's nominee
and against my administration's
policies, I would like to pass
on to you some strictly personal
thoughts with regard to the
ordeal your father has undergone.

Politics is a very hard game.
Winston Churchill once pointed out
that Politics is even more difficult

Than war. Because in politics you die many times; in war you die only once."

But in those words of Churchill we can all take some comfort. The political man can always come back to fight again.

What matters is not that your father fought a terribly difficult battle and lost. What matters is that in fighting the battle he won the admiration of foes and friends alike because of the courage, poise and just plain guts he showed against overwhelming odds.

Few men in public life in our whole history have been through what he has been through. I hope you do not allow this incident to discourage or depress you.

Years later you will look back and say "I am proud of the way my dad handled himself in the greatest trial of his life".

Sincerely Richard Nixon

PS I hope your arms are completely healed.

Friday, September 1, 1972

Honorable Richard Nixon
The White House
Washington D.C.

Dear Mr. President,

I just came home from summer camp. That explains why I did not answer your letter sooner.

I guess very few thirteen-year-olds get handwritten letters from the President. Although I am a Democrat, I think you must be a wonderful man to take the time to write to some unimportant person like me.

Do you know what my dad said when he read your letter? He said, "It's going to make it all the tougher to talk against Nixon."

I think both Dad and you are excellent politicians. Even though you and Dad don't always agree, I think the country is lucky to have both of you.

My favorite subject in school is history. I now feel I am a part of history since you wrote a letter to me.

Thank you, Mr. President very, very much.

With appreciation,
Terry
Eagleton

cours des quatre dernières semaines, je diffuserais treize discours à la radio, et tout à la fin, pendant les deux dernières semaines, je ferais personnellement campagne dans les régions où le scrutin serait serré, ou encore là où certains candidats républicains pourraient profiter de ma victoire.

En raison de ces plans de campagne, très réduits du point de vue personnel, je décidai d'aider en argent les candidats républicains. Près d'un million de dollars passa des fonds de la campagne à diverses candidatures au Sénat ou à la Chambre des Représentants. Je posais pour des photographies, j'envoyais des messages enregistrés de soutien à tous les candidats républicains, excepté deux qui se présentaient au Mississippi et en Arkansas. Ils n'avaient aucune chance contre les titulaires démocrates de ces deux sièges, James Eastland et John McClellan, qui m'avaient soutenu dans chaque crise internationale pendant mon premier mandat, et dont l'appui me serait nécessaire au cours du second.

Je ne crois pas qu'aucun gouvernement dans l'histoire ait abordé la campagne électorale avec des états de service plus impressionnants que les nôtres en août 1972. Il n'y avait pas de domaine de la vie américaine que nous n'ayons pas fait progresser, ou auquel nous n'ayons pas ouvert de séduisantes et nouvelles perspectives.

Le taux d'inflation atteignait 6,1 % en 1969. Après un an de notre nouvelle politique économique, il avait été réduit à 2,7 %. La valeur totale de la production nationale ne s'était accrue que de 3,4 % par an pendant le premier trimestre de 1969. Au troisième trimestre de 1972, elle s'accroissait de 6,3 %, l'accélération la plus grande depuis 1965. Pendant toute la campagne, la Bourse montait. Elle atteignit l'indice record 1 000 en novembre 1972.

Les revenus réels des Américains n'avaient pas crû du tout de 1965 à 1970. Ils croissaient maintenant de 4 % par an. Chaque année de mon gouvernement avait établi un nouveau record pour le revenu total des fermiers. Le revenu moyen était maintenant de 40 % supérieur au revenu moyen de 1961 à 1968.

Nous avions réduit les taxes fédérales sur le revenu, de 66 % pour les familles de quatre enfants gagnant 5 000 dollars, et de 20 % pour les familles de quatre enfants gagnant 15 000 dollars. Dans l'ensemble, les taxes fédérales sur les individus avaient diminué de 22 milliards de dollars.

Notre Gouvernement avait complètement changé les priorités budgétaires. Dans l'année fiscale 1968, 45 % du budget allait à la défense et 32 % à l'éducation, les services sociaux, la santé. En 1973, ces proportions étaient inverses. Nos dépenses en faveur de l'art s'étaient accrues de 500 %, les prestations de Sécurité sociale de 51 %.

299 000 recrues avaient été appelées sous les drapeaux en 1968 et 50 000 en 1972. Et nous étions sur le chemin d'une suppression de la conscription et d'une création d'une armée de volontaires.

Nous avions de magnifiques états de service, mais il fallait les faire connaître au peuple.

George Meany était libéral en ce qui concerne les problèmes économiques, et conservateur au point de vue social. Politiquement, c'était un Démocrate militant, mais, quand il était question de politique extérieure et de la défense nationale, il était d'abord patriote, et le parti venait ensuite.

Le 19 juillet, une dépêche d'agence annonça que pour la première fois dans l'histoire le Conseil exécutif de l'A.F.L.-C.I.O. s'était ajourné sans avoir adopté une motion de soutien à un candidat pour la Présidence. C'était un moment à savourer : pour la première fois en dix-sept ans, les syndicats A.F.L.-C.I.O. n'allaient pas soutenir le candidat démocrate.

Le 28 juillet, je jouais au golf avec Meany, Bill Rogers et George Shultz, à Burning Tree, tout près de Washington. Après le premier parcours, Meany dit brusquement : « Eagleton aurait dû mettre McGovern au courant, mais maintenant McGovern s'est conduit comme un imbécile, en passant d'un extrême à l'autre. »

Il était 18 h 30 quand nous rentrâmes au club, pour prendre un verre sous le porche. Rogers et Shultz se joignirent à moi pour commander des cigares, de manière à tenir compagnie à Meany. Nous passâmes presque une heure, au crépuscule, à tirer sur nos cigares et à écouter Meany parler. McGovern allait, dit-il, subir une défaite écrasante. Dans ces circonstances, et bien que les syndicats ne fussent pas d'accord avec certaines de mes options politiques, leur intérêt était de rester neutre dans les élections présidentielles et de se concentrer sur le soutien de leurs parlementaires favoris. Mettre de l'argent dans la campagne de McGovern, c'était le jeter au vent.

En quittant le porche pour regagner nos voitures, Meany s'éclaircit la gorge et me dit d'un ton bourru : « Je veux que vous sachiez que je ne vais pas voter pour vous, et que je ne voterai pas pour McGovern. Mais vous, vous vous en tirerez très bien avec la famille Meany. » Il ajouta que sa femme et deux de ses trois filles voteraient pour moi. « L'autre fille, à ce qu'elle dit, fera comme son papa et ne votera pour personne. » Et au moment de nous séparer, il me mit la main sur l'épaule pour me dire : « Ne vous faites pas la tête trop grosse, parce que ma femme votera pour vous. Je vais vous dire pourquoi : elle n'aime pas McGovern. »

Après six essais infructueux, McGovern annonça le 4 août qu'il avait trouvé un nouveau coéquipier. Ce fut le beau-frère de Teddy Kennedy, Sargent Shriver.

Dès le mois de juin, j'avais entendu dire, de personnes qui étaient allées au ranch L.B.J., que Johnson ne voulait pas appuyer McGovern s'il était désigné. Après la Convention démocrate, j'appelai Johnson et je lui posai la question directement.

« Laissez-moi seulement vous lire une lettre, Monsieur le Président, me dit Johnson (et j'entendis un bruissement de papiers). Ceci est la réponse que j'envoie à tous les Démocrates qui m'écrivent au sujet de ce qu'ils doivent faire, parce qu'ils sont tellement déçus par McGovern. J'écris que, en raison de l'honneur que m'a fait le parti pendant quarante ans, je voterai pour la liste démocrate à tous les niveaux. Cependant, j'ajoute — et je pense que personne ne s'y trompera — que j'ai toujours eu pour principe que lors d'une élection présidentielle chacun agissait selon sa conscience, et que je ne voulais pas intervenir dans une telle décision. Qu'en pensez-vous?

— Je peux dire seulement que je vous suis très reconnaissant, Monsieur le Président. »

L'une des premières choses que j'avais à décider pour ma campagne de 1972 était de savoir si je garderais le même Vice-Président. Vers le milieu de 1971, Agnew avait commencé à se sentir déçu par ses fonctions. Il pensait, comme presque tous les Vice-Présidents le font plus ou moins, que le personnel de la Maison Blanche ne le traitait pas avec le respect qui lui était dû, et que je ne lui avais donné aucune responsabilité importante. C'est alors que, par Bryce Harlow, nous eûmes vent d'un très probable départ d'Agnew, au début de 1972, qui lui permettrait de profiter d'offres avantageuses hors du Gouvernement.

De mon côté, j'avais à penser aux élections de 1976, pour lesquelles je ne voyais, dans les deux partis, qu'un seul homme de taille à devenir Président, John Connally. Si Agnew se retirait, pourquoi ne pas choisir Connally pour le remplacer?

Je lui en parlai au début de 1972. Ses réactions furent mêlées, et même négatives. Il ne pensait pas, à ce qu'il m'a semblé, que les seconds violons soient la meilleure route vers la Maison Blanche. « Aucun de nous deux, ajouta-t-il, ne peut calculer la force de l'opposition républicaine qu'il rencontrera en tant que rallié tardif. » John Mitchell à qui j'en parlai quelques jours plus tard me mit fortement en garde contre un changement de coéquipier en 1972. Connally était toujours un Démocrate, et Mitchell pensait que le prendre en croupe pourrait agir de façon négative sur la Nouvelle Majorité conservatrice de Démocrates et de Républicains, surtout dans le Sud, où Agnew était devenu presque un héros national. « Les militants doivent pouvoir croire que la fidélité est récompensée, dit-il. Sinon il n'y aura plus de militants. »

Connally serait plus utile comme Président des « Démocrates pour Nixon » que s'il devenait républicain avant l'élection. Et de plus, ajouta Mitchell, il m'a dit qu'il ne voulait, en aucune circonstance, devenir Vice-Président.

Mitchell me poussa à donner à Agnew une promesse définitive. « De plus, précisa-t-il, il me fait de la peine. Il a quelques problèmes financiers, et il a besoin d'être fixé sur son avenir pour prendre ses dispositions. »

Le 12 juin, je demandai à Mitchell de dire à Agnew ma décision définitive de le conserver comme coéquipier. Je dis que j'attendrais la fin de la Convention démocrate pour l'annoncer publiquement. Cela soutiendrait l'intérêt en créant une atmosphère d'attente, et les Démocrates seraient incités à modérer leurs attaques contre lui en s'imaginant que je me déciderais pour quelqu'un d'autre.

Au mois d'août, l'affaire du Watergate commença à être exploitée par McGovern et les Démocrates, ces derniers surtout pour détourner l'attention de leur candidat présidentiel.

Mais ils avaient monté une attaque particulièrement acerbe sur le fait qu'un grand nombre des souscripteurs à ma campagne électorale avaient préféré que leurs contributions demeurent anonymes. C'était légal si les versements avaient été faits avant le 7 avril 1972, mais les Démocrates tournèrent le problème, et les moyens d'information montèrent l'affaire comme s'il s'agissait d'une attitude de secret opposée à une franchise ouverte dans la conduite politique et nous mirent en position défensive devant l'opinion publique. En septembre, le *Washington Post* faisait état de fuites provenant de sources anonymes. Par exemple, selon l'une d'entre elles, le Trésorier du C.R.P., Maury Stans, aurait été mêlé à un versement illégal de 700 000 dollars qui auraient été blanchis par un passage par Mexico. Stans nia catégoriquement l'histoire. Dans les mois suivants, le Comité financier du C.R.P. fut accusé de recueillir des informations sur les comptes privés de souscripteurs éventuels, d'avoir blanchi des versements au Luxembourg, et d'avoir reçu de l'argent d'Arabes de haut rang et d'autres sources étrangères illégales. Ces accusations étaient fausses.

Dès le début, je voulus riposter. Je ne voyais pas de raison pour que McGovern et ses partisans bénéficient de l'immunité. S'il y a un avantage à être en fonction lorsqu'on est candidat, c'est bien d'avoir accès aux informations gouvernementales sur les adversaires. Les Démocrates, quand ils étaient au pouvoir, avaient fait peu d'efforts pour camoufler les pressions politiques qu'ils exerçaient sur les principaux organismes gouvernementaux.

Jusqu'alors, nos efforts pour utiliser ces possibilités avaient été timides et inefficaces. Encore maintenant, je suis déçu que nos efforts pour obtenir quelque avantage politique pendant que nous étions au pouvoir aient été si faibles et indécis, un vrai travail d'amateurs, comparé aux procédés des Démocrates. Je poussai mon équipe à changer tout cela. Le 3 août, je fis quelques réflexions à ce sujet :

Extrait de mon Journal :

> Le problème auquel nous sommes confrontés est que nos gens ont peur du feu à la suite de l'incident du Watergate, et ne désirent pas examiner les dossiers qui concernent les Démocrates. Haldeman dit qu'après l'élection nous pourrons réellement prendre des mesures pour avoir des hommes à nous dans les positions correspondant aux points sensibles. Naturellement, nous aurions dû le faire depuis longtemps. Nous avons été, en cette matière, au-dessus de tout reproche, et nous n'avons pas utilisé les possibilités considérables offertes par l'administration, tels les dossiers fiscaux ou de la justice, pour rechercher les opérations douteuses de nos adversaires démocrates.

Larry O'Brien était un grand maître dans l'art du jeu politique. Il avait été éduqué par la machine politique de Kennedy, et formé plus tard par ses années avec Lyndon Johnson. C'était un homme de parti dans toute la force du terme. Après la tragédie de Kent State, il m'avait accusé virtuellement d'avoir tué les quatre étudiants. Qu'il s'agisse du Vietnam ou du Watergate, on pouvait compter sur lui pour frapper dur, et pas toujours au-dessus de la ceinture.

Une enquête de l'Internal Revenue Service portant sur l'empire financier de Hughes avait révélé que ce dernier versait chaque année près de 200 000 dollars à titre d'avance sur honoraires à une agence d'intervention et d'influence de Washington appartenant à O'Brien. Selon certaines rumeurs, on ne savait pas si O'Brien déclarait toutes ces sommes et payait les impôts correspondants. L'I.R.S. avait le projet d'interroger O'Brien sur les honoraires versés par Hughes. J'ordonnai à Haldeman et à Ehrlichman de faire faire l'inspection et de la terminer avant l'élection.

Quels qu'en seraient les résultats, il était d'une plaisante et sensationnelle ironie qu'après toutes les années pendant lesquelles Hughes avait été pré-

senté comme mon ange financier, le Président du Comité National Démocrate soit en fait celui qui jouissait d'une position lucrative sur la liste des
salariés de Hughes.

Finalement, l'I.R.S. innocenta O'Brien après une inspection de routine,
et mon désir de faire faire des contrôles sur lui et les soutiens de McGovern
fut bientôt éclipsé par les exigences croissantes du programme de la campagne et les nouveaux et importants développements des pourparlers de
paix au Vietnam.

Je m'envolai pour Miami le jeudi après-midi 22 août. Le soir, je fis une
apparition imprévue au rallye de la jeunesse, et je reçus un accueil qui me
combla. Des milliers de jeunes gens hurlaient un slogan qui était nouveau
pour moi : « Quatre ans de plus! Quatre ans de plus! » C'était assourdissant. C'était pour moi une vraie musique. Cette nuit-là, dans la salle de la
Convention, je fus désigné de nouveau pour une deuxième candidature
par 1 347 voix contre 1.

Le lendemain soir, aux environs de la salle, des manifestants déçus
tentèrent de mettre le feu à des cars pleins de délégués. Ils crevèrent les
pneus, jetèrent des pierres et des œufs sur les délégués, et marchèrent vers
la salle avec des masques à gaz et en brandissant des matraques. Mes yeux
brûlaient à cause des gaz lacrymogènes lorsque j'entrai dans la salle pour
accepter ma cinquième et dernière désignation par une Convention républicaine.

A l'intérieur de la salle, ni la régularité prévisible d'un programme bien
organisé, ni l'absence de lutte ardente pour la désignation n'avaient amorti
l'enthousiasme de la foule. Les délégués avaient repris le slogan que
j'avais entendu au rallye des jeunes. Sans cesse ils criaient : « Quatre ans
de plus! Quatre ans de plus! »

Le lendemain, je fis un discours devant l'American Legion à Chicago et
je parlai à l'inauguration du lycée Dwight D. Eisenhower à Utica dans
le Michigan. Puis nous traversâmes le pays en avion jusqu'à San Diego,
où une autre grande foule nous attendait, et, après un court trajet en
hélicoptère, nous rejoignîmes San Clemente. L'enthousiasme de toutes ces
foules était excitant, contagieux et me satisfaisait profondément. Il y avait
dans leur accueil et leur réaction une qualité d'émotion que nous n'avions
pas été en état de sentir à Washington, où beaucoup d'articles de la
presse attribuaient le soutien populaire plutôt à l'image si décevante de
McGovern qu'à l'une quelconque des qualités intrinsèques de ma propre
candidature.

Le mercredi 30 août, Haldeman entra dans mon bureau avec un air
morose :

« Mauvaises nouvelles! dit-il tristement. Je le dis comme c'est : c'est
vraiment mauvais... »

Et il me tendit le dernier sondage Gallup :

Nixon   64 %
McGovern 30 %
Indécis   6 %

Il souriait quand je le regardai. Moi aussi. C'était le taux le plus élevé
qu'ait jamais atteint un candidat républicain au lendemain de sa désignation.

Ma première conférence de presse était prévue pour le 29 octobre. Watergate serait évidemment l'un des sujets qui seraient abordés. Ehrlichman m'assura qu'il y avait encore une chose dont nous étions certains : John Dean, le Département de la Justice et le F.B.I. confirmaient tous que la Maison Blanche n'était pas impliquée.

Au cours de la conférence de presse, on me demanda si je pensais qu'un procureur spécial devrait être nommé pour l'affaire du Watergate. Je répondis que ce n'était guère nécessaire, puisque le F.B.I., le Département de la Justice, le Comité du Sénat pour la banque et la circulation monétaire, et le Bureau de la comptabilité générale menaient chacun leur enquête. Je dis que j'avais prescrit une coopération totale de la Maison Blanche. « De plus, continuai-je, à l'intérieur de notre propre personnel, sous ma direction, le Conseiller auprès du Président, M. Dean, a mené une enquête complète sur chacune des pistes qui auraient pu conduire à impliquer un membre actuel du personnel de la Maison Blanche ou du Gouvernement. Je peux assurer catégoriquement qu'aucune personne actuellement employée dans le personnel de la Maison Blanche ou au Gouvernement n'a été impliquée dans ce très bizarre incident... Ce qui est grave dans des questions de ce genre n'est pas le fait qu'elles arrivent, parce qu'il y a toujours des gens trop zélés qui font des choses irrégulières au cours des campagnes électorales. Ce qui est grave, c'est d'essayer de les dissimuler. »

A la réunion du Cabinet du 12 septembre, l'Attorney Général Kleindienst annonça que les inculpations pour l'affaire du Watergate seraient signifiées dans les trois jours, et que personne d'important, soit au C.R.P., soit à la Maison Blanche, n'était nommé. Il était allé au-devant des accusations prévisibles des Démocrates, et fournit quelques impressionnantes données statistiques. Le F.B.I. avait conduit sa plus grande enquête depuis l'assassinat de Kennedy : 333 agents de 51 bureaux locaux avaient suivi 1 897 pistes avec 1 551 interrogatoires pendant un total de 14 098 heures.

Les inculpations signifiées le 15 septembre nommèrent seulement Hunt, Liddy et les cinq hommes arrêtés au siège des Démocrates. Un long passage de mon journal à ce jour indique le peu d'importance relative que j'attribuais au Watergate encore à cette époque. Ma seule référence à l'affaire était une courte phrase à la fin : « Ce fut aujourd'hui le jour des inculpations, et nous espérons pouvoir maintenant mener avec succès l'affaire à sa fin. »

Sur l'avis de Haldeman, je reçus John Dean plus tard dans la journée et je le remerciai de son travail. J'avais su, dès la première semaine après l'effraction, que Dean, en tant que Conseiller de la Maison Blanche, suivait pour nous tous les problèmes du Watergate, y compris l'enquête du F.B.I., le grand jury, le procès démocrate au civil, la plainte en diffamation déposée par Maury Stans contre Larry O'Brien, la demande reconventionnelle du C.R.P. contre le Comité Démocrate, et une tentative d'un député du Texas, Wright Patman, qui voulait, avant l'élection, faire examiner par les Chambres les finances du C.R.P. En résumant son rapport sur ces affaires, Dean ajouta : « Il y a trois mois, il m'aurait été difficile de prévoir où nous en serions aujourd'hui. Je pense que je peux dire que d'ici cinquante-quatre jours (le jour de l'élection), rien ne viendra fondre sur nous et nous surprendre. »

Je dis à Dean que toute l'affaire était un bâton merdeux et qu'une quantité de choses qui étaient arrivées étaient « extrêmement embarrassantes.

Mais la façon dont vous l'avez traitée a été très adroite parce que vous avez bouché de vos doigts les crevasses de la digue, chaque fois qu'une fuite s'est manifestée ici ou là ».

Dean exposa toute la série des différentes affaires qu'il traitait. Le rapport du Bureau de la comptabilité générale accusant le C.R.P. d'avoir violé les règles relatives au financement des campagnes électorales avait été transmis au Département de la Justice, où se trouvaient des rapports sur des centaines d'autres prétendues violations, y compris contre McGovern, Humphrey et Jackson. Le même bureau avait le projet de vérifier l'utilisation des fonds de la Maison Blanche. « Je crois que nous pouvons être fiers du personnel de la Maison Blanche », assura Dean, ajoutant que le Bureau de la comptabilité générale ne trouverait rien lors de son inspection.

La tentative ouvertement partisane de Patman était le prochain assaut préélectoral qui nous attendait. A mon avis, c'était une affaire de pure et simple publicité. Dean en fut d'accord et ajouta : « Prenons les choses une à la fois.

— Et vous ne pouvez pas réellement rester assis et vous tourmenter tout le temps, à penser que le pire peut arriver, répondis-je. Aussi, essayez de faire de votre mieux et espérez que tout marchera... Rappelez-vous que cette maudite affaire est juste l'une de ces malheureuses choses qui arrivent, et que nous essayons de faire la part du feu. »

Puis nous passâmes à mon vieux projet de réformer la bureaucratie de Washington, pour faire que, même si elle ne nous était pas favorable, elle cesse de servir les Démocrates.

Les sondages continuaient à indiquer une écrasante victoire Nixon. McGovern et Sargent Shriver devinrent fous furieux. Ils lancèrent une campagne de violentes attaques personnelles. McGovern dit que ma politique au Vietnam cherchait à atteindre « un nouveau niveau de barbarie » et que je voulais sauver la face. Trois fois, il me compara à Hitler et le Parti Républicain au Ku Klux Klan. Tout travailleur qui me soutenait, déclara-t-il, « devrait être examiné au point de vue mental ».

Shriver m'appela « Dicky le truqueur », un « cas psychiatrique », un « fou du pouvoir », « le plus grand artiste du crime » qui passait son temps à « s'imaginer les moyens pour garder entre les mains le pouvoir de tuer et de détruire des gens à l'étranger », et « le bombardier n° 1 de tous les temps ». Je dis à George Christian, l'ancien secrétaire de presse de Lyndon Johnson, qui travaillait avec Connally à la tête des « Démocrates pour Nixon », que Johnson devait être content que ce soit moi que Shriver ait appelé « le bombardier n° 1 ». Christian se mit à rire et dit : « Je ne crois pas, Monsieur le Président. L.B.J. n'a jamais aimé être le numéro 2 en quoi que ce soit! »

Ma campagne tournait comme un mécanisme d'horlogerie. Ted Agnew, Clark MacGregor, Bob Dole et leurs équipes faisaient un boulot magnifique. Non seulement ils étaient les porte-parole efficaces du Gouvernement, mais encore ils cantonnaient McGovern sur la défensive en portant des pointes acérées contre sa politique gauchiste. En septembre, je commençai à ajouter quelques apparitions personnelles à mon emploi du temps, mais ce fut tout de même la plus discrète de toutes mes campagnes; c'est pourquoi je m'en souviens surtout comme d'une série d'épisodes.

A la fin de septembre, George McGovern reçut, par un éditorial, le soutien officiel du *New York Times*. Le *Washington Post* s'abstenait encore de tout soutien formel, mais il laissait voir clairement sa préférence pour McGovern. Je notai dans mon journal ma réaction quand j'appris la décision du *Times* :

> J'ai appris cette nouvelle avec soulagement parce que je ne voulais pas que quelqu'un de mon équipe me suggérât de rencontrer leur comité de rédaction, et grâce à Dieu, nous ne l'avons pas fait. Personne n'a eu non plus la témérité de me le suggérer; comme je l'ai dit à Haldeman, on devrait écrire une lettre au *Times* ou faire une déclaration disant que le *Times* devait normalement soutenir McGovern, puisque ce dernier était partisan de tout ce qu'il préconisait : la permissivité, la ruée en masse hors du Vietnam, le néo-isolationnisme, etc.

L'attitude du *Post* ne me surprenait pas non plus. Le 26 juin, j'avais dicté la note suivante, à la suite du compte rendu que Kissinger me fit d'une conversation avec Stewart Alsop. Celui-ci avait dîné avec la propriétaire. « Stewart... avait soutenu avec insistance qu'il était nécessaire d'appuyer Richard Nixon à cause de ce qu'il avait accompli dans le domaine de la politique extérieure, et aussi en raison du danger d'avoir McGovern à la Présidence. Il dit que finalement Kay Graham éclata et dit : " Je le hais et je vais faire tout ce qu'il faudra pour qu'il soit battu. " »

Le 26 septembre, nous donnâmes un dîner à New York en l'honneur des souscripteurs à ma campagne. Une rencontre faite ce soir-là me demeura particulièrement présente à l'esprit.

Extrait de mon Journal :

> C'était un homme relativement jeune, du moins il me sembla tel. J'imaginai qu'il avait quarante ans, peut-être quarante-cinq. Il me dit qu'il avait perdu son fils au Vietnam en 1970 et qu'il était toujours pour moi et ma politique extérieure. Quand je vois un homme comme celui-là, et les mères des soldats ou leurs épouses, je comprends combien il est important, non seulement de terminer la guerre, mais aussi d'y mettre fin d'une manière qui ne rendra pas leurs sacrifices inutiles. C'est ce que je lui ai dit en partant.

La foule qui vint nous accueillir, Pat et moi, à Atlanta le 12 octobre fut estimée entre 500 000 et 700 000 personnes. A la consternation du Service de sécurité, un homme de la foule devant notre hôtel me prit par le bras et cria en dominant le bruit : « Merci pour avoir fait du Sud une partie de l'Amérique! » Je dis plus tard à Ehrlichman : « Le Sud est en train de donner aux Démocrates une leçon de patriotisme. »

Durant un long cortège motorisé en Ohio, je fus averti que des manifestants hostiles nous attendaient un peu plus loin. Comme il y avait eu aussi une menace de bombe, le Service de sécurité voulut fermer le haut de la voiture et accroître la vitesse pendant cette partie de la route.

Extrait de mon Journal :

> Je leur dis au contraire de ralentir. Je dis que nous ne devions pas fuir devant ces gens-là. Nous ralentîmes donc à la vitesse d'un escargot et nous fîmes de grands signes des bras à toutes les têtes d'imbéciles de cette horrible foule.

Quand je voyais quelques-uns des manifestants contre la guerre et le reste, je faisais le signe en V ou simplement je montrais le pouce en l'air. Cela leur coupe littéralement le souffle, parce qu'ils pensent que ce signe leur appartient. Certains se mettent à sourire. D'autres, naturellement, n'en deviennent que plus furieux encore. Je pense que, quand la guerre cessera, certaines de ces personnes deviendront des âmes perdues. Ce sont fondamentalement des individus haineux; ils sont frustrés, aliénés; ils ne savent quoi faire de leur vie.

Le groupe le plus triste, je pense, sera celui des professeurs et surtout des jeunes professeurs des campus d'Universités et des lycées. Ils ont besoin de rejeter la faute sur quelqu'un d'autre pour leur incapacité à inspirer les étudiants.

Je pense encore à ces présidents des grandes Universités qui vinrent me voir après Kent State et qui disaient : « S'il vous plaît, ne nous laissez pas la charge de ce problème, que le Gouvernement fasse quelque chose. » Aucun d'entre eux n'aurait pris la responsabilité pour eux-mêmes.

Maintenant, cette responsabilité est la leur, bien que j'imagine qu'ils vont découvrir un autre problème. Il n'y a plus de pouvoir noir, l'environnement a avorté, la guerre ne sera plus là, la question sera : « Et maintenant ? » Je suppose que ce sera le grand capital, ou la corruption, ou n'importe quoi, mais il sera difficile de trouver quelque chose qui remuera autant les gosses que le problème de la guerre.

Il serait bon que les administrateurs d'Université et les professeurs veuillent bien se regarder dans la glace, rentrer en eux-mêmes, et qu'ils comprennent que c'est eux qui sont responsables, que c'est leur faute si la jeunesse n'a pas d'idéal. Ils ne peuvent rejeter la faute sur le Gouvernement ou sur qui que ce soit.

Bien que ma participation directe à la campagne fût limitée, elle était intense. A la fin de la campagne, j'avais fait des douzaines de discours ou d'allocutions.

Comme ma stratégie était de minimiser ma propre campagne, ma famille me déchargea de la peine de traverser le pays dans tous les sens pour me faire voir. Ensemble, Pat, Julie et Tricia couvrirent soixante-dix-sept villes de trente-sept Etats dans les neuf semaines de fin juin au jour de l'élection. Dans tous leurs discours et conférences de presse, il n'y eut jamais un mot de travers. Elles furent interrompues, bousculées, sifflées, soumises aux cris obscènes de manifestants, mais elles continuèrent à parler comme des professionnels, avec grâce et aplomb.

Même lorsque Pat fut injuriée par des jeunes gens furieux et des femmes à Boston, elle resta sereine et naturelle, ce qui les rendit encore plus furieux. Je suis sûr qu'ils n'avaient aucune idée du mal qu'ils lui faisaient.

Je savais que c'était pour Pat que la route avait été la plus dure. Pendant presque vingt ans de vie publique, elle avait été épouse, mère, et avait fait les campagnes à plein temps. Elle n'avait pas fait tout cela parce qu'elle aimait attirer l'attention ou prenait plaisir à la publicité. Ce n'était pas le cas. Elle l'avait fait parce qu'elle croyait en moi. Et elle l'avait fait magnifiquement. Maintenant elle était aimée de millions de gens, et aucune femme ne le méritait plus qu'elle. Mon plus grand espoir était qu'elle pense que cela en avait valu la peine.

LA PERCÉE AU VIETNAM

Comme nous nous y attendions, l'été de 1972 amena une autre série de manœuvres de propagande venant de Hanoï, dans un essai d'exploiter l'opinion publique américaine. Cette fois-ci, ils utilisèrent le bobard que les bombardiers américains visaient délibérément le système essentiel des digues et levées du Vietnam du Nord pour tuer un grand nombre de civils par les inondations qui en résultaient. Les chefs des opposants à la guerre acceptèrent ces affirmations sans aucun esprit critique. Teddy Kennedy nous accusa de mener une « politique délibérée de bombardements des digues ».

Lors d'une de mes conférences de presse, j'essayai d'introduire au moins un élément de logique dans l'examen de cette accusation : si, en fait, nous avions décidé de bombarder délibérément les digues et les levées, nous aurions pu détruire le système tout entier en une semaine. Mais malgré toutes les affirmations de propagande, aucune digue importante ne fut atteinte, et il n'y eut pas d'inondations massives.

Le 22 juillet, l'ancien Attorney Général Ramsey Clark, l'homme que McGovern avait qualifié de « parfait pour diriger le F.B.I. si vous pouvez l'y décider », partit pour Hanoï sous les auspices d'un groupe d'enquêteurs suédois sur « les crimes de guerre des Etats-Unis ». Il fit une émission à la radio d'Hanoï déclarant que nos bombardements devaient cesser immédiatement. Le 12 août, il dit à des reporters qu'il avait visité un camp de prisonniers de guerre et qu'il les avait trouvés en bonne santé, « meilleure que la mienne, et je suis un homme bien portant ». A son retour à Washington, Teddy Kennedy le fit venir au Capitole pour témoigner du bon traitement dont nos prisonniers faisaient l'objet.

Pendant que Clark était à Hanoï, Shriver alla de l'avant, « révélant » que le gouvernement Nixon avait, comme il disait, « torpillé » une possibilité de paix en 1969 : je n'aurais pas, selon lui, mis à profit les progrès faits dans les négociations de paix de Paris pendant les derniers mois du Gouvernement Johnson. Shriver assura qu'il avait démissionné de son poste d'ambassadeur à Paris pour protester contre ma politique de guerre. Bill Rogers fut furieux quand il l'apprit. Il qualifia publiquement les affirmations de Shriver de « blague » et de fantaisie politique. La déclaration de Rogers fut particulièrement efficace : elle était caractéristique de la façon convaincante et détaillée dont il défendait ma politique extérieure dans les réunions publiques au cours de ma campagne. Le lendemain, le Département d'Etat publia la lettre de démission de Shriver de son poste d'ambassadeur. Elle pouvait difficilement être interprétée comme une protestation. Il écrivait, au contraire, qu'il avait « atteint les objectifs pour lesquels il était allé à Paris : les commencements de la paix au Vietnam et le réveil de l'amitié entre les Etats-Unis et la France ».

Connally me téléphona pour me dire que l'accusation de Shriver avait rendu fou de colère le Président Johnson. Ce dernier fit savoir que son appui, déjà minimum, à McGovern deviendrait encore moindre du fait de cet incident. Johnson appela Haldeman pour lui dire qu'il n'avait jamais tenu Shriver informé de ce qui se passait aux négociations de Paris : « Je n'ai jamais eu confiance en lui, ce fils de pute, même pas à ce moment-là ! »

Quelques jours après le retour de Clark d'Hanoï, une dépêche de l'agence U.P.I. révéla que Pierre Salinger, sur les instructions de McGovern, avait approché directement la délégation du Vietnam du Nord à Paris. Son dessein avait été de voir si les communistes ne relâcheraient pas quelques prisonniers de guerre américains. Le but était louable, mais ce contact avait toutes les apparences d'un stratagème politique. De plus, la loi Logan interdisait à tout citoyen privé de prendre des contacts non autorisés avec des Gouvernements étrangers dans le but d'influencer des conflits entre ceux-ci et notre Gouvernement. McGovern avait donc à répondre à de sérieuses questions au sujet de la mission de Salinger.

Quand il fut confronté à cette histoire, McGovern dit aux reporters : « Pierre Salinger n'a reçu aucune instruction de ma part. » Salinger fut évidemment stupéfié par cette déclaration, parce que McGovern, non seulement l'avait envoyé en mission, mais aussi avait pris les arrangements nécessaires par l'entremise d'un chef important du mouvement contre la guerre. McGovern avait été pris ainsi en flagrant délit de mensonge grave et peu honorable.

Tous les efforts de McGovern pour m'attaquer au sujet de la guerre n'aboutirent à rien. A la fin d'août, nous savions que le soutien du public à ma conduite de la guerre s'était renforcé. Un sondage Harris du début de septembre montra que 55 pour cent des personnes interrogées étaient d'accord avec la poursuite des bombardements lourds au Vietnam du Nord, 64 pour cent avec la pose de mines devant le port de Haïphong et que 74 pour cent pensaient qu'il était important que le Vietnam du Sud ne tombât pas dans les mains des communistes. McGovern et ses partisans n'étaient pas au contact de la majorité du peuple américain. Mais les Vietnamiens du Nord, bons observateurs de l'opinion publique américaine, comprirent, semble-t-il, le message.

Après trois années d'impasse, les canaux de communication privés entre les Etats-Unis et le Vietnam du Nord s'activèrent soudainement en août 1972. Peut-être les communistes avaient-ils conclu que McGovern n'avait aucune chance. Ils étaient soucieux, de plus, de nos contacts avec Pékin et Moscou et des progrès de la vietnamisation.

Au cours d'une session de deux jours, les 26 et 27 septembre, les Vietnamiens du Nord présentèrent un programme en dix points. Bien qu'un peu plus conciliant que par le passé, il était encore inacceptable du point de vue politique et militaire. La prochaine rencontre, prévue pour le 8 octobre, serait décisive pour savoir si un règlement pourrait être obtenu avant les élections du 7 novembre. Je n'étais pas optimiste à cet égard, mais je décidai de faire jouer le maximum de pression.

Quand le Ministre soviétique des Affaires étrangères Andrei Gromyko arriva à Washington pour signer l'accord S.A.L.T. le 3 octobre, je l'invitai à Camp David. Quand il reprit son antienne sur le fait que les relations américano-soviétiques pourraient s'améliorer si le problème du Vietnam disparaissait, je lui dis que Kissinger retournait à Paris la semaine suivante, qu'il déposerait sur la table la dernière proposition que nous avions l'intention de faire. Si les Vietnamiens du Nord disaient non, les négociations prendraient fin, et nous aurions à envisager d'autres méthodes après les élections.

Haig se rendit à Saïgon pour préparer Thieu à l'éventualité d'une disposition réelle des communistes à traiter, et des difficultés qui se manifesteraient dans l'opinion publique américaine si Thieu pouvait être présenté comme bloquant les possibilités de paix.

Thieu fut choqué, amer au sujet de Kissinger, et finalement alla jusqu'aux larmes. Sa position était compréhensible. L'armée presque entière du Vietnam du Nord était sur son territoire, après avoir violé la zone démilitarisée. Je savais que l'attitude des Vietnamiens du Nord était tout à fait cynique : ils n'observeraient l'accord qu'aussi longtemps que la force du Vietnam du Sud et la disposition des Américains à exercer des représailles les forceraient à le faire. Mais je pensais que si nous pouvions négocier un accord tel que nous l'envisagions, ces conditions pourraient être assurées. J'adressai à Thieu un message personnel : « Je vous donne la ferme assurance qu'aucun accord ne sera conclu dont les conditions n'aient fait au préalable l'objet d'une discussion avec vous. »

Le 5 octobre, nous fûmes instruits d'une conversation entre le Premier Ministre du Vietnam du Nord Pham Van Dong et le Délégué général français à Hanoï. Pour la première fois Dong s'était montré optimiste sur les perspectives de paix. Il avait admis que ses experts avaient surestimé les possibilités des chefs de l'opposition à la guerre et ajouté que j'aurais probablement les mains plus libres après l'élection.

Kissinger et Haig arrivèrent à Paris le dimanche 8 octobre. Leurs comptes rendus sommaires des jours suivants faisaient état de négociations tendues, mais ne fermaient pas la porte à l'espoir. Le mardi soir, McGovern consacra au Vietnam une allocution télévisée qui fut largement diffusée. Le jour de son entrée en fonction comme Président, il mettrait fin à tous les bombardements et commencerait à retirer du Vietnam du Sud toutes les troupes américaines et les équipements militaires. Il supprimerait toute aide militaire et économique à Saïgon. Il n'avait aucun plan pour libérer les prisonniers, mais il espérait que Hanoï répondrait favorablement à sa politique. James Reston écrivit que McGovern était allé si loin dans l'acceptation des buts de guerre de Hanoï qu'il pouvait avoir perdu, par son allocution télévisée, plus de voix qu'il n'en avait gagné.

Le 11 octobre, Kissinger fit savoir seulement que les deux parties avaient décidé de rester un jour de plus, ayant le sentiment qu'elles étaient près de parvenir à une percée décisive. Ce même jour, les bombardements furent suspendus dans un cercle de seize kilomètres autour de Hanoï.

Kissinger et Haig furent de retour à la Maison Blanche le 12 octobre au soir. Kissinger vint immédiatement à mon bureau. En commençant son rapport des négociations de Paris, il arborait le plus large sourire que je lui aie jamais vu : « Eh bien, Monsieur le Président, il semble que nous ayons obtenu vingt sur vingt. »

Les propositions que Le Duc Tho avait présentées, après avoir longuement donné libre cours à ses philippiques habituelles, répondaient à presque toutes nos exigences essentielles : il y aurait un cessez-le-feu, qui serait suivi dans les soixante jours par le retrait des forces américaines et l'échange des prisonniers. Les Vietnamiens du Nord n'avaient pas accepté de retirer leurs forces du Vietnam du Sud, parce qu'ils maintenaient la fiction que le Vietnam était un seul pays, et donc leurs troupes n'étaient pas des troupes étrangères comme l'étaient les nôtres. Cette espèce de jeu de mots était particulièrement blessant pour Thieu. Mais Kissinger avait rapporté des conditions qui assureraient nos objectifs et ceux de Thieu tout en permettant au Vietnam du Nord de sauver la face : aucun retrait de leurs forces ne serait exigé d'eux, mais les dispositions de l'accord concernant les relèves et la fermeture des frontières du Cambodge et du Laos couperaient ces forces de leurs bases d'approvisionnement et les contraindraient soit à retourner vers le Nord, soit à dépérir au Sud. Les communistes avaient finalement renoncé à leurs demandes d'un gouvernement de coalition et avaient accepté, pour sauver la face, de le voir remplacé par un Conseil National de Réconciliation et de Concorde composé de représentants du gouvernement, du Vietcong et de membres neutres. L'unanimité serait nécessaire pour ses décisions. Thieu ne pourrait ainsi être mis en minorité par les communistes et leurs soutiens. De manière aussi significative, les Vietnamiens du Nord avaient abandonné leur exigence d'une démission de Thieu. Toutes ces dispositions équivalaient à une complète capitulation de l'ennemi : il acceptait un règlement à nos conditions.

Il y avait aussi une disposition établissant le principe d'une aide économique américaine au Vietnam du Nord, qui, à mon avis, était la partie la plus significative de l'accord tout entier. Les communistes affectaient de déclarer qu'il s'agissait de réparations pour la guerre qu'ils nous accusaient d'avoir déchaîné contre eux. Mais quelles que fussent leurs explications, recevoir de l'argent des Etats-Unis représentait un effondrement du principe communiste. Plus important encore, notre aide nous donnerait un moyen de pression toujours plus puissant à Hanoï, à mesure que le peuple vietnamien commencerait à jouir des fruits de la paix pour la première fois en vingt-cinq ans.

Plusieurs problèmes non résolus restaient à négocier pour la séance finale du 17 octobre. Deux étaient importants. Le premier traitait de la libération des prisonniers civils vietnamiens. Les Vietnamiens du Nord seraient accusés de trahir leurs alliés vietcongs s'ils n'essayaient pas d'obtenir leur libération aux termes de l'accord. Le second visait le remplacement du matériel de guerre des deux côtés. Les communistes voulaient le prévoir d'après « le principe de l'égalité ». Ni nous, ni le Vietnam du Sud ne pouvions l'accepter. Il aurait, en effet, réduit l'avantage que le Vietnam du Sud avait sur le Vietcong, qui était essentiel au maintien de la paix. Notre position était que l'armement existant serait remplacé sur la base de un pour un.

Tout en prévenant Le Duc Tho que je devais revoir l'accord et l'approuver, Kissinger avait accepté d'aller à Saïgon présenter le projet à Thieu et recevoir son approbation, après la séance finale du 17 octobre. Puis il se rendrait à Hanoï le 22 octobre pour parapher l'accord avec les chefs du Vietnam du Nord. Il rentrerait à Washington où une annonce commune serait faite le 26 octobre. Le cessez-le-feu prendrait effet le 30 octobre et l'accord serait signé à Paris par les Ministres des Affaires Etrangères de chaque partie.

Kissinger avait promis aux Vietnamiens du Nord de leur faire connaître ma réaction dans les quarante-huit heures de son retour à Washington. Le lendemain, j'ai ordonné au Pentagone de réduire les bombardements au Vietnam du Nord, et le soir nous avons envoyé un message à Paris :

« Le Président accepte le projet d'accord sur la fin à la guerre et le rétablissement de la paix au Vietnam, à l'exception de quelques problèmes techniques qui seront discutés entre le Ministre Xuan Thuy et le Dr Kissinger le 17 octobre, et sous réserve des modifications formelles suivantes, à défaut desquelles les Etats-Unis ne peuvent accepter ce document. »

Une des modifications demandées était la suppression d'un paragraphe qui subordonnait aux chapitres politiques de l'accord diverses obligations militaires des deux parties du Vietnam du Sud, le Gouvernement de Saïgon et le Vietcong. Les deux autres modifications clarifiaient des ambiguïtés du texte.

Les Vietnamiens du Nord répliquèrent par une note officielle disant que nous demandions des changements sur des points qui avaient déjà fait l'objet d'un accord. Ils disaient que seuls des changements mineurs pouvaient maintenant être envisagés, et demandaient que nous ne fassions pas de changements du genre de ceux que j'avais proposés. La date limite des élections était évidemment une arme à deux tranchants : de même que nous l'utilisions pour les amener à accepter nos conditions, ils essaieraient de s'en servir pour nous pousser à un règlement hâtif et peu réfléchi.

Après avoir lu ce message, je dis à Kissinger qu'en aucun cas nous n'accepterions des conditions que nous considérions comme moins qu'acceptables.

Kissinger souleva la possibilité de suspendre les bombardements afin de manifester notre bonne volonté. J'ordonnai une nouvelle réduction de nos attaques quotidiennes dont le nombre passerait de 200 à 150; il était indiscutable qu'un arrêt total serait un geste beaucoup plus démonstratif. Mais j'y étais opposé avant l'élection. Si tout marchait de façon satisfaisante à Paris et à Saïgon, et si Kissinger pouvait aller à Hanoï, j'envisagerais une suspension pour les quelques jours qu'il y passerait. Mai il n'y aurait pas d'arrêt avant la signature de l'accord. Je n'allais pas me laisser berner par la perspective d'un accord comme Johnson l'avait fait en 1968.

Juste avant le départ de Kissinger pour Paris, je lui remis une lettre que j'avais écrite pour lui la veille au soir. Je lui disais de faire ce qui était nécessaire pour obtenir une paix honorable, sans égard pour l'élection.

La rencontre de Kissinger avec Xuan Thuy le 17 octobre fut tendue et pénible. Kissinger refusa comme inacceptable l'exigence communiste d'une libération de tous les civils du Vietcong détenus par Saïgon. Certains d'entre eux étaient des meurtriers terroristes condamnés. Kissinger dit à Xuan Thuy que les Vietnamiens du Sud ne l'accepteraient jamais, et qu'il n'y avait aucune raison qu'il écrive quelque chose qui ne pourrait pas être observé. Les communistes ne nous donnèrent pas non plus d'assurance satisfaisante concernant les prisonniers de guerre américains détenus au Laos ou au Cambodge et s'opposèrent à notre interprétation stricte des dispositions concernant le remplacement du matériel de guerre. Il était évident que le calendrier prévu ne pourrait être observé. Ils incitaient Kissinger à régler à Hanoï les problèmes en discussion. Connaissant mes vues définitives sur ce point, Kissinger répliqua qu'il n'irait pas à Hanoï avant d'être parvenu à un accord complet. Bien que certains points fussent restés sans solution, Kissinger partit pour Saïgon.

Il avait déjà prévenu les communistes que Thieu serait consulté avant que nous signions l'accord. Il n'avait prévu que trois jours à Saïgon pour l'examen complet du projet, bien qu'il sût combien Thieu serait sceptique au sujet de ses dispositions, et malheureux de le voir conclu d'une manière soudaine et inattendue sans sa participation. Il était certain que les Vietnamiens du Nord tentaient d'utiliser la pression de la date limite de l'élection pour rendre difficiles nos relations avec Thieu. Ils voulaient créer, pour ce dernier, des difficultés intérieures, en soulignant que l'accord lui était imposé par Washington sans lui donner le temps de préparer son opinion publique à certaines dispositions en apparence peu avantageuses. Mais Kissinger avait fait le pari que Thieu passerait sur de tels problèmes pour saisir les avantages considérables que l'accord lui donnait s'il le considérait sous son aspect positif et le traitait comme la victoire qu'il représentait.

Le lendemain, j'adressai aux Vietnamiens du Nord une note les informant qu'à mon avis une nouvelle réunion serait nécessaire avant le voyage de Kissinger à Hanoï et l'arrêt des bombardements. Je rappelais que les questions relatives aux prisonniers civils et au remplacement du matériel de guerre n'étaient toujours pas réglées, ainsi que les accords relatifs à l'évacuation du Laos et du Cambodge par les forces du Vietnam du Nord. Je proposais un nouveau calendrier qui prolongerait le précédent de trois à quatre jours et permettrait une nouvelle rencontre entre Kissinger et Le Duc Tho. J'ajoutais qu'en signe de bonne volonté nous maintiendrions la réduction actuelle des bombardements pendant le cours des négociations, et je réaffirmais mon intention d'aboutir à un accord dans les limites du nouveau calendrier proposé.

Les Vietnamiens du Nord étaient déterminés à obtenir un accord avant les élections. Ils envoyèrent une réponse acceptant complètement notre position sur les questions du remplacement du matériel de guerre, et la libération inconditionnelle de nos prisonniers de guerre au Vietnam du Nord. J'adressai à Pham Van Dong un câble disant que l'accord pouvait être maintenant considéré comme complet. Seule, la question des déclarations unilatérales, qui comprenaient les arrangements pour un cessez-le-feu et le retour des prisonniers de guerre détenus au Laos et au Cambodge, devait encore être mise au point, et je suggérai un nouveau délai de vingt-quatre heures pour que ces problèmes puissent être débattus et réglés. Ce point réglé, nous étions décidés à appliquer le calendrier modifié, ce qui menait au 31 octobre pour la signature. Le 21 octobre, les Vietnamiens du Nord acceptèrent notre position sur les déclarations unilatérales.

En arrivant à Saïgon, le 18 octobre, Kissinger était porteur d'une lettre de moi pour Thieu. Je lui écrivais : « Je crois que nous n'avons pas d'autre choix que d'accepter cet accord. » Et je l'assurais que je considérerais tout manquement de la part des communistes comme un fait extrêmement grave.

Thieu fut poli, mais évasif. Pendant une séance plénière tendue et agitée du Conseil de la Sécurité nationale du Sud-Vietnam avec les ambassadeurs qui avaient pris part aux entretiens de Paris, Kissinger fut assailli de questions sceptiques. Il raconta par la suite que les chefs du Vietnam du Sud avaient montré une peur surprenante de l'habileté des communistes et un manque de confiance inquiétant en eux-mêmes. Il était clair qu'ils éprouvaient de grandes difficultés psychologiques à envisager la disparition du cordon ombilical américain. Nous étions sur le point d'être, selon Kissinger, dans la situation paradoxale de voir les Vietnamiens du Nord, qui avaient perdu la guerre, se comporter comme s'ils l'avaient gagnée, tandis que ceux du Sud, qui l'avaient gagnée, se comportaient comme s'ils l'avaient perdue. Il y avait sans aucun doute des raisons psychologiques à cette attitude mais aussi des raisons politiques et militaires.

Les moyens d'information américains présentaient Thieu comme un tyran qui supprimait ses adversaires, et les Américains les croyaient. Mais en réalité, Thieu avait à compter avec une Assemblée Nationale et une opposition énergiques. Il s'agissait de convaincre tous ces gens-là que l'accord était avantageux pour le Vietnam du Sud. Le problème était que cela prendrait du temps, et le temps était la seule chose que nous n'avions pas, si nous voulions nous en tenir à la date prévue pour la signature.

Thieu était inquiet aussi des conséquences militaires. Beaucoup d'analystes militaires pensaient que si les Vietnamiens du Nord tenaient tellement à la date du 31 octobre, c'était parce qu'ils s'étaient organisés pour s'emparer d'autant de territoire au Sud que possible avant cette date. Les forces du Sud seraient amenées à se porter vers le Nord, à délaisser la région du Delta et de Saïgon qui seraient vulnérables lors d'une offensive de dernier moment. Haig était très inquiet à ce sujet.

Le 20 octobre, nous commençâmes l'opération « Enhance Plus », un envoi massif par avions d'équipements militaires et d'approvisionnement pour le Vietnam du Sud. Si l'accord était signé le 31 octobre comme prévu, nous aurions à appliquer immédiatement les dispositions concernant le remplacement du matériel. Il était donc important d'achever autant que possible la vietnamisation avant la date limite.

Le 21 octobre, Dobrynine remit ce qu'il appela un message urgent de Brejnev. Les Vietnamiens du Nord s'étaient plaints auprès de lui que nous étions en train de renier notre accord, et il voulait nous faire connaître qu'il espérait que nous allions observer le calendrier prévu.

Pham Van Dong avait donné une interview à Arnaud de Borchgrave de l'hebdomadaire *Newsweek*. Quand on lui avait demandé si Thieu pourrait faire partie d'un gouvernement tripartite de coalition après le cessez-le-feu, Dong avait donné une réponse peu conforme à ce que les Vietnamiens du Nord avaient accepté à Paris. Il avait répondu que le Conseil National de Réconciliation et de Concorde pourrait être ou devenir en fait un gouvernement de coalition, ce qui ne pouvait manquer de rendre Thieu furieux et d'accroître ses réticences.

Les Vietnamiens du Nord suivaient une habile stratégie calculée. En donnant leur accord sur les points que nous soulevions, ils se construisaient un dossier parfait au cas où ils décideraient de publier les négociations. En présentant l'accord comme une victoire communiste, non seulement ils gardaient la face à l'intérieur, mais ils entamaient la bataille psychologique contre Thieu. Et en employant des procédés aussi grossiers que l'usage de mots différents dans la traduction vietnamienne de l'accord, ils tentaient de jeter la suspicion dans les relations entre Saïgon et Washington. Ainsi, encore chancelants de l'effet de nos bombardements et de nos mines, et inquiets de nos rapports avec leurs alliés à Moscou et à Pékin, les Vietnamiens du Nord tentaient paradoxalement d'accomplir à partir d'une position de faiblesse ce qu'ils n'avaient pu faire à partir d'une position de force : enfoncer un coin entre nous et Thieu. S'ils réussissaient, ils pourraient faire usage de notre opinion publique pour nous obliger à évacuer, leur donnant la chance de conquérir le Vietnam du Sud. J'étais déterminé à ne pas le permettre.

Je fis envoyer par Haig à Kissinger un nouveau câble le 21 octobre, lui enjoignant de pousser Thieu aussi énergiquement que possible, rupture exclue. S'il semblait qu'il n'y eût aucune possibilité d'obtenir l'accord de Thieu, Kissinger devait l'aviser que nous envisagerions de traiter séparément.

Selon Kissinger, la difficulté réelle n'était pas tant celle de voir Thieu rejeter ouvertement l'accord et provoquer une rupture entre lui et nous, que le risque de le voir gagner du temps sans donner de réponse, nous mettant en dehors des délais. Il proposa donc qu'en l'absence de toute réaction de Thieu, ou même s'il refusait de se joindre à nous, il aille quand même à Hanoï à la date prévue. Avec insistance, il souligna que l'annulation de « l'étape finale » engendrerait de difficiles problèmes, dont le plus sérieux était suggéré par sa conviction intime que, une fois l'élection passée, les communistes se sentiraient beaucoup moins pressés de traiter, et pourraient se décider à reprendre la lutte.

Mais j'étais convaincu que les Vietnamiens du Nord exploiteraient en ce cas la présence de Kissinger à Hanoï comme une victoire de propagande et en feraient usage pour tourner l'opinion publique américaine contre Thieu. Je refusai de considérer « l'étape finale » comme une option ouverte à moins que le règlement n'ait été accepté par toutes les parties.

Le matin du 21 octobre, Kissinger prit part à une conférence avec un groupe de travail sud-vietnamien dirigé par le Ministre des Affaires Etrangères, qui ouvrit la séance par une prière et présenta vingt-trois amendements au projet d'accord. Kissinger en accepta immédiatement seize qui portaient sur des détails et paraissaient réalisables. Les sept autres, par contre, formulaient d'impossibles exigences, telles que la spécification d'un retrait des troupes du Vietnam du Nord hors du Vietnam du Sud et l'élimination virtuelle du Conseil National de Réconciliation et de Concorde. Il expliqua que les forces communistes déjà affaiblies et privées de renfort dépériraient; il souligna qu'avec le principe de l'unanimité le Conseil finirait par devenir une protection plutôt qu'un handicap pour Saïgon. La réunion fut cordiale, et Kissinger eut l'impression qu'il avait réussi à présenter ses arguments de façon persuasive. Mais Thieu n'avait encore rien dit et le temps passait. Entre-temps, les Vietnamiens du Nord avaient accepté notre formule pour les déclarations unilatérales sur le Laos et le Cambodge. J'adressai immédiatement à Kissinger une lettre à remettre à Thieu lorsqu'il le verrait. Je lui disais que j'avais étudié l'accord entier, y compris les récentes concessions de Hanoï, avec le plus grand soin, et je lui demandais de l'accepter pour les raisons les plus pratiques et les plus convaincantes :

« Si vous trouviez cet accord inacceptable et que l'autre partie vienne à révéler les concessions extraordinaires qu'elle a consenties pour répondre aux demandes qui lui étaient faites, mon avis est que votre décision aurait des effets sérieux sur la possibilité de continuer à vous appuyer ainsi que le Gouvernement du Sud-Vietnam. »

A mesure que la campagne présidentielle s'approchait de son terme, la sagesse politique conventionnelle supposait que je pourrais tourner la guerre à mon avantage en procurant la paix juste avant l'élection. Tout règlement qui serait hâtivement conclu avant l'élection paraîtrait un acte cynique et suspect. Les « faucons » m'accuseraient, en toute injustice, d'avoir trop cédé, pour respecter une date limite qui m'était avantageuse. Les « colombes » diraient, en toute fausseté, que j'aurais pu obtenir les mêmes conditions en 1969.

Kissinger soulignait que le risque d'attendre l'élection consistait en ceci, que les communistes pourraient décider de continuer la lutte. J'étais prêt à reprendre les bombardements après l'élection, mais il n'y avait pas moyen de savoir si cela les conduirait à une attitude plus raisonnable, avant que la patience du public américain ne s'épuise, avant que les bombardements ne commencent à créer de sérieux problèmes avec les Chinois et les Soviets, ou avant que le Congrès ne décide, par une motion, de nous retirer de la guerre.

Etait-il plus aisé d'obtenir un règlement de paix avant l'élection ou après? Mes conseillers différaient d'avis. Kissinger était convaincu que les Vietnamiens étaient pressés de négocier avant l'élection, parce qu'ils espéraient obtenir de moi de meilleures conditions, alors que la guerre formait encore un des thèmes de la campagne. Une fois l'élection passée, il craignait qu'ils ne retournent à leur intransigeance habituelle et laissent la guerre traîner à un niveau réduit, dans l'espoir que l'opinion publique américaine nous contraigne à l'évacuation.

D'autres, parmi lesquels Haig, jugeaient probables que les Vietnamiens du Nord feraient davantage de concessions après l'élection. Je serais alors renforcé par une majorité écrasante, et ma position serait meilleure, je serais moins gêné que pendant mon premier mandat. Personnellement, je penchais pour cette opinion, mais j'étais tout à fait prêt à conclure un accord avant l'élection si les Vietnamiens du Nord acceptaient les conditions posées et si Thieu pouvait être persuadé de se joindre à nous. La détermination apparente de Thieu à retarder l'accord aussi longtemps que possible nous confrontait à un problème difficile. La question n'était pas rendue plus facile du fait que nous savions que les Vietnamiens du Nord menaient un jeu habilement calculé pour nous séparer de Thieu et nous réduire à l'impuissance devant l'opinion publique.

En fait, il semblait, pour le moment, que la stratégie du Vietnam du Nord eût réussi. Si les négociations étaient rendues publiques, elles montreraient qu'il avait virtuellement capitulé et accepté toutes nos exigences. Si nous décidions de retarder la signature à cause des objections de Thieu, ou si nous demandions des changements à cause de lui, les Vietnamiens du Nord rendraient leur position publique et exigeraient que nous signions. Thieu serait alors isolé et présenté comme le seul obstacle à la paix. L'opinion publique serait excitée contre lui par les chefs de la campagne contre la guerre et les moyens d'information. Des pressions formidables seraient exercées pour que nous l'abandonnions et que nous signions seuls.

Je ne pouvais pas envisager une telle éventualité. Aussi, tout en espérant que Thieu accepterait l'accord avant l'élection de novembre, j'étais préparé à lui donner jusqu'à la fin décembre pour qu'il pût prendre toutes les mesures d'ordre intérieur qui lui paraîtraient utiles avant de donner son accord. Entre-temps, la chose la plus importante était de maintenir en vie la négociation.

Le 22 octobre au matin, Kissinger, enfin reçu par Thieu, l'avait trouvé dans les meilleures dispositions et prêt à se joindre à nous, ce qui l'incita à m'envoyer un télégramme très optimiste. Mais le matin suivant, un nouveau câble arriva de Saïgon.

> « Thieu vient de rejeter le plan tout entier ainsi que toute modification du plan, et refuse de le prendre pour base de négociation. Il exige que tout règlement contienne une garantie absolue de la zone démilitarisée, le retrait total des forces du Vietnam du Nord, et l'autodétermination totale du Vietnam du Sud sans aucune référence à la façon dont elle sera exercée.
> Je n'ai pas besoin de vous dire à quelle crise nous allons avoir affaire. »

Plus tard, le même jour, Kissinger envoya un câble expliquant comment Thieu l'avait rappelé en fin d'après-midi et avait renversé complètement la position qu'il avait prise le matin. « Il est difficile d'exagérer l'intransigeance de la position de Thieu, disait Kissinger. Ses exigences confinent à la folie. »

J'envoyai immédiatement à Pham Van Dong un message rappelant à Hanoï que nous avions toujours dit que nous ne pouvions traiter seuls. « Malheureusement les difficultés à Saïgon se sont révélées plus complexes que l'on ne s'y attendait. Certains concernent des questions que les Etats-Unis se sentent obligés en conscience de présenter à la République Démocratique du Vietnam. » Citant l'abus de confiance de l'interview de Borchgrave comme une raison majeure des problèmes de Saïgon, je l'informais que je rappelais Kissinger en consultation à Washington, et lui demandais de ne prendre aucune mesure publique avant que nous puissions lui adresser un plus long message dans les vingt-quatre heures. Je réaffirmais notre attachement à la substance et aux principes de base du projet d'accord et notre désir de conclure un règlement négocié le plus tôt possible.

Nous reçûmes une réponse acerbe des Vietnamiens du Nord : ils ne pouvaient accepter les raisons que j'avais données pour obtenir un délai et avertissaient que si nous n'exécutions pas strictement nos engagements concernant l'accord et le calendrier convenu pour la signature, nous aurions à supporter « les conséquences » du fait que nous continuions la guerre.

Le 23 octobre, Kissinger et Thieu eurent une dernière rencontre. Thieu répéta ses trois objections principales contre l'accord : il ne faisait pas de la zone démilitarisée une frontière sûre; le Conseil National de Réconciliation et de Concorde était, en puissance, un gouvernement de coalition; les forces du Vietnam du Nord demeuraient au Vietnam du Sud.

Kissinger répéta ses arguments. Si les inquiétudes de Thieu n'étaient pas injustifiées, les conditions de l'accord représentaient, en fait, une grande victoire sur les communistes. Il acceptait néanmoins de voir les Vietnamiens du Nord à Paris et de leur présenter les demandes de Thieu, mais il souligna qu'il était improbable que nous puissions les satisfaire toutes.

Le lendemain, j'envoyai un nouveau message à Pham Van Dong, pour lui demander une dernière réunion. Le texte qui y serait arrêté serait considéré comme définitif, et, en gage de bonne volonté, j'offrais de suspendre tous les bombardements au nord du vingtième parallèle. Ce message se croisa avec une déclaration cassante des Vietnamiens du Nord : l'accord était définitif et aucune autre réunion n'était nécessaire. Ils étaient prêts à recevoir Kissinger à Hanoï comme prévu; si nous différions, la guerre continuerait. Ils demandaient une réponse pour le lendemain.

Notre réponse, envoyée le 25 octobre, était modérée, mais ferme. Nous déclarions partager leurs regrets qu'un bref délai de signature fût nécessaire, mais nous soulignions que nous ne pouvions signer un document qui affirmait la participation d'une des parties, alors que cette participation n'existait pas. Nous répétions notre demande d'un nouvel entretien entre Kissinger et Le Duc Tho et assurions que l'accord qu'ils réaliseraient serait considéré comme définitif. Nous allions même plus loin que je ne l'avais fait le jour précédent, et nous nous engagions à cesser complètement les bombardements aussitôt que le texte aurait été établi et pendant que nous consultions nos alliés. Le message se terminait ainsi :

« Il appartient à la R.D.V. de décider s'il convient de sacrifier tout ce qui a été accompli, par une politique d'injures publiques et d'intransigeance. L'insistance de la R.D.V. sur des exigences qu'il est hors du pouvoir des Etats-Unis de lui accorder ne permet qu'une conclusion : qu'elle cherche un prétexte pour prolonger le conflit. »

Au même moment, Thieu faisait un discours à l'Assemblée Nationale de Saïgon. Bien qu'il s'en prît très vivement aux principales dispositions de l'accord, il le fit d'une façon qui n'excluait pas une adhésion pour l'avenir.

Le jeudi 26 octobre, ce que nous avions craint arriva : les Vietnamiens du Nord publièrent l'accord de paix. La radio de Hanoï diffusa les dispositions générales du projet, y compris la date du 31 octobre prévue pour la signature. Ils donnèrent le texte de deux de mes câbles à Pham Van Dong et assurèrent que nous faisions traîner les conversations pour dissimuler « notre plan tendant à maintenir à Saïgon le régime fantoche dans le but de continuer la guerre d'agression ».

Kissinger avait déjà eu le projet de faire, le 26 octobre, une conférence de presse pour confirmer au Vietnam du Nord le sérieux de nos intentions et pour détourner l'attention de l'obstructionnisme de Thieu. Sa conférence de presse avait maintenant un objectif supplémentaire et une nouvelle importance : elle devait couper les effets de la propagande du Vietnam du Nord et faire en sorte que notre version de l'accord fût celle qui aurait le plus de poids dans l'opinion publique.

Kissinger commença ainsi :

« Nous croyons que la paix est toute proche. Nous croyons qu'un accord est en vue, qui est juste pour toutes les parties. Il est fondé sur les propositions du Président en date du 8 mai et sur quelques adaptations de nos propositions du 25 janvier. »

L'attention du public se fixa sur ce membre de phrase : « La paix est proche. » Un autre passage devait par la suite revenir nous hanter. Kissinger avait dit : « Nous croyons que ce qui reste à faire peut être réglé en une seule session de négociations avec les Vietnamiens du Nord, qui ne durerait pas, je pense, plus de deux ou trois jours, de sorte que le délai dont nous parlons ne correspondrait pas à une très longue période. » Quand Ziegler me dit que les titres des nouvelles relatant la conférence de presse étaient : *La paix est proche,* je compris immédiatement que nos possibilités de marchandage avec le Vietnam du Nord avaient été sérieusement atteintes, et que notre problème d'amener Thieu et le Vietnam du Sud à nous rejoindre deviendrait encore plus difficile. Les espoirs prématurés d'accord rapide ainsi suscités aux Etats-Unis n'étaient pas moins inquiétants, et les partisans de McGovern affirmeraient naturellement que nous avions tenté de manipuler les élections. Kissinger comprit bientôt que c'était une faute d'avoir été si loin pour convaincre de notre bonne foi les Vietnamiens du Nord en s'engageant en public à un règlement.

Il y avait cependant un aspect positif : il ne faisait pas l'ombre d'un doute que Kissinger avait réussi à couper complètement les effets de la ruse de l'ennemi et à annuler leur fausse interprétation de l'accord proposé.

Les Vietnamiens du Nord feignirent d'ignorer la conférence de presse et firent savoir qu'ils attendaient toujours Kissinger à Hanoï pour parapher l'accord. Nous répondîmes par une note reprenant les mêmes assurances et les mêmes apaisements que précédemment, et proposant une rencontre le 1er novembre, et le 20 novembre comme nouvelle date pour l'échange des paraphes.

En même temps, nous adressions à Pékin une note disant qu'il serait très apprécié que les Chinois voulussent bien faire usage de leur considérable influence à Hanoï pour aider à mener à bonne fin la paix qui paraissait si proche; et j'écrivis à Brejnev dans le même sens.

J'envoyai aussi un message énergique à Thieu : « Si la tendance évidente vers un désaccord entre nos deux gouvernements continue, la base essentielle à l'appui des Etats-Unis pour votre gouvernement sera détruite. »

L'avalanche de spéculations engendrées par le mot de Kissinger : *La paix est proche,* nous mit dans une position très délicate. Sans vouloir refroidir inutilement les optimistes, je ne pouvais pas se laisser accréditer l'impression qu'un règlement serait le résultat garanti de la prochaine rencontre à Paris. Même si les Vietnamiens du Nord acceptaient nos exigences, rien ne disait que Thieu se joindrait à nous. En fait, il avait fait un discours public qualifiant le règlement proposé d' « accord de capitulation ». C'est pourquoi le 2 novembre, dans un discours télévisé, je déclarai : « Nous n'allons pas permettre qu'une date limite d'élection ou toute autre date limite nous contraigne à accepter un accord qui ne serait qu'une trêve temporaire, et non une paix durable. Nous signerons l'accord quand cet accord sera bon, pas un jour plus tôt. Et quand il sera bon, nous le signerons, sans un jour de retard. » McGovern répondit en m'accusant d'avoir à dessein trompé le peuple sur les perspectives de paix.

Le même jour, j'avais relâché les restrictions que j'avais apportées aux raids des B-52 sur le Vietnam du Nord depuis le 13 octobre. Le plan était maintenant d'exercer une pression croissante sur Hanoï en commençant les bombardements près de la zone démilitarisée et en remontant progressivement vers le Nord, jour par jour. Le résultat fut presque immédiat. Deux jours après le début de ces raids, le Vietnam du Nord accepta une réunion à Paris pour le 14 novembre.

LE THÈME DE LA CORRUPTION

Ignorés ou rejetés par la majorité des électeurs au sujet de la guerre du Vietnam et de presque tous les autres thèmes de la campagne, McGovern et les Démocrates commencèrent à se concentrer sur « la corruption au gouvernement ». Peut-être est-ce par une pure coïncidence qu'au même moment le *Washington Post* lança une série de reportages, attribués largement à des sources anonymes, portant sur de prétendus cas de corruption dans la campagne Nixon. McGovern ne fut pas long à reconnaître que les articles du *Post* avaient beaucoup plus d'influence à Washington et sur les moyens d'information que ses discours ou ceux de Shriver. Aussi commença-t-il à incorporer les accusations portées par le *Post* à ses allocutions. Ces histoires atteignirent leur sommet quinze jours avant l'élection, le 25 octobre, et disparurent aussitôt après l'élection. Là aussi, peut-être était-ce une pure coïncidence, mais ce n'est pas de cette manière que nous l'envisagions à la Maison Blanche en ce temps-là.

Par exemple, le 3 octobre, le *Post* rendit compte d'une allégation venant de « sources » selon lesquelles le nom de Bill Timmons avait été cité comme celui d'une des personnes qui auraient reçu des rapports provenant des rubans enregistreurs du Watergate. Cette allégation était fausse et Timmons la démentit. Elle était toujours fausse lorsque le *Post* la reprit trois jours plus tard sous un gros titre en première page.

Le 10 octobre, le *Post* sortit en première page une nouvelle allégation sous le gros titre : *Le F.B.I. découvre que des aides de Nixon sabotent la campagne démocrate.* Le récit commençait ainsi : « Des agents du F.B.I. ont établi que l'incident du Watergate faisait partie d'une campagne massive d'espionnage politique et de sabotage menée pour le compte du Président Nixon et dirigée par des fonctionnaires de la Maison Blanche et par le Comité pour la Réélection du Président. »

Le journal accusait un jeune homme, nommé Donald Segretti, d'avoir recruté cinquante agents pour une campagne clandestine consistant « à suivre les membres des familles de candidats démocrates; à écrire et à distribuer de fausses lettres sur papier à en-tête des candidats; à faire passer des articles faux ou inventés dans la presse; à jeter le désordre dans les programmes de campagnes; à s'emparer de dossiers confidentiels et à faire des enquêtes sur la vie de douzaines de Démocrates engagés dans la campagne. »

Donald Segretti avait été un camarade d'Université de mon Secrétaire Dwight Chapin et de Gordon Strachan, un adjoint de Haldeman.

Chapin et Strachan avaient engagé Segretti pour qu'il devînt ce qu'ils appelaient « le Dick Tuck républicain ». Tuck était un Démocrate dont le nom était devenu synonyme de gags ingénieux pratiqués au détriment des candidats républicains. Il était passé maître en « sales blagues », comme l'on disait alors : il plantait des pancartes embarrassantes dans les foules, il modifiait les horaires pour créer de la confusion, et de façon générale, semait le désordre. Segretti, comme Tuck, était supposé faire usage de son imagination et de son sens de l'humour pour mettre en désarroi l'opposition.

Chapin lut le *Post* avec incrédulité. Il n'avait pas surveillé de près l'activité de Segretti, mais les allégations sinistres du récit du *Post* n'étaient en rien ce qu'il avait autorisé. Segretti se déclara outragé.

En imprimant cette histoire moins d'un mois avant l'élection, le *Post* accusait Segretti d'espionnage et de sabotage pour le genre d'activité qui avait été qualifiée de malice créative quand Tuck s'y était livré. De plus, il était contraire à la vérité et injuste de lier Segretti à l'effraction du Watergate.

Quelques jours plus tard, des reporters du *Post* téléphonèrent à la Maison Blanche pour prévenir qu'ils allaient lancer une nouvelle histoire accusant Chapin et Hunt d'être les contacts de Segretti et de diriger ses activités. Cela aurait rattaché Chapin par implication à l'affaire de l'effraction du Watergate. Les reporters dirent aussi que Chapin et Hunt avaient conseillé Segretti sur ce qu'il aurait à dire au grand jury s'il était interrogé sur ses activités. Ces deux allégations étaient fausses, et Chapin fit une déclaration pour les démentir.

L'histoire, qui fut publiée en première page du *Post* le 15 octobre, avait été subtilement transformée. Les reporters n'avaient pas informé Chapin des changements qui allaient être faits, et ne lui avaient pas donné la possibilité de modifier le texte de son démenti en conséquence. Il n'était plus allégué que Chapin avait conseillé Segretti pour le grand jury, et les prétendus liens avec Hunt étaient affaiblis. La version nouvelle disait : « Le secrétaire des rendez-vous du Président Nixon et un ancien collaborateur de la Maison Blanche inculpé dans l'affaire de l'effraction du Watergate servaient de contacts dans une opération d'espionnage et de sabotage contre les Démocrates. »

Naturellement, le problème était qu'il n'y a pas moyen de séparer les faits de la fiction dans une histoire de ce genre trois semaines avant une élection présidentielle. Les éléments les plus préjudiciables étaient faux; mais il était vrai que Chapin avait engagé Segretti avec la mission de jeter la pagaille dans la campagne démocrate. Et il y avait d'autres hasards politiques impliqués, si l'on essayait de rétablir les faits. Haldeman avait donné à Chapin son accord pour que Segretti fût payé par Herb Kalmbach, mon homme de loi et mon aide dans la campagne. Ainsi, l'on courait le danger de centrer encore davantage l'histoire sur la Maison Blanche. Ziegler nia que Chapin eût dirigé directement ou indirectement une campagne d'espionnage ou de sabotage, dénonça « les commérages,

les insinuations, et les accusations par amalgame ». Il se refusa obstinément à commenter les détails. La presse de la Maison Blanche était
furieuse.

Comme les correspondances de presse sur Segretti et l'affaire du
Watergate continuaient, McGovern annonça qu'il savait qu'il était l'objet
d'un sabotage. Le 19 octobre, il appela mon gouvernement « un équipage de coupe-gorge... un régime corrompu ». Le 24 octobre, il accusa
— faussement — les Républicains d'avoir fait écouter les téléphones des
candidats démocrates aux primaires et de « nous avoir fait suivre tout
le temps ainsi que des membres de nos familles ». Entre-temps, Teddy
Kennedy décida que c'était ce genre de choses qu'il devait examiner personnellement. Il annonça que la sous-commission des procédures admi-
nistratives commencerait à étudier le cas de Segretti et des tactiques
électorales contestables.

Le 25 octobre, le *Washington Post* montrait en première page une
photographie de Bob Haldeman sous le titre : « Un témoignage relie le
principal adjoint de Nixon à un fonds secret. » L'article disait qu'Haldeman était l'une des cinq personnes habilitées à autoriser les paiements
faits sur un fonds secret en espèces du C.R.P. Le fonds avait été découvert, disait l'article, « pendant l'enquête du F.B.I. sur l'affaire du Watergate. Il servait à financer une campagne sans précédent d'espionnage et
de sabotage ». Selon le journal, un témoignage du trésorier du C.R.P.,
Hugh Sloan, aurait révélé l'affaire et Haldeman avait été interrogé par le
F.B.I.

S'il était vrai qu'Haldeman aurait pu théoriquement autoriser des
paiements sur tous les fonds dont disposait ma campagne, il n'en était
rien, il n'avait pas été interrogé par le F.B.I., et Hugh Sloan n'avait pas
fait le témoignage qu'on lui attribuait.

Extrait de mon Journal :

> L'histoire du *Post* agace visiblement Haldeman, mais c'est un homme fort,
> et il l'a bien prise. Il dit que l'histoire est fausse en ce qui concerne le témoi-
> gnage de Hugh Sloan, mais que de toute façon le *Post* continuera à grignoter.
> Haldeman a dit, plutôt obscurément, qu'il y avait à la Maison Blanche une
> clique qui voulait sa peau. J'espère qu'il n'est pas en train de se forger un
> complexe de persécution.
> Je l'ai appelé après mon retour à la Résidence, et j'ai tenté de le rassurer
> en disant que je prenais la chose de manière détendue, que je savais que nous
> aurions encore des passages difficiles les deux semaines suivantes, mais que nous
> les traverserions et que nous ne nous laisserions pas affoler.

Si l'on considère que McGovern était supposé être le candidat de la
paix, il est surprenant de constater que ses partisans ont eu recours aux
attaques les plus violentes contre ma campagne et même mes partisans.
Au cours d'une de mes visites à San Francisco, il se produisit ce qu'un
observateur appela un « état de siège », l'hôtel fut entouré de policiers
casqués en tenue de combat, tandis que des groupes de manifestants blo-
quaient le trafic et jetaient des pierres.

Plus sérieux encore fut l'emploi de la violence contre ma campagne.
Les locaux du C.R.P. à Phoenix et à Austin furent détruits par des incendiaires. Nos permanences à Dayton, dans l'Ohio, furent cambriolées deux

fois, l'équipement et les dossiers endommagés; la seconde fois, des slogans en faveur de McGovern furent peints sur les murs et les fenêtres. Au Minnesota, un de nos locaux fut cambriolé. Une bombe explosa à nos bureaux du canton d'Alamenda, en Californie.

Des distributions de pamphlets précédaient nos apparitions en public. L'un d'eux, que les partisans de McGovern faisaient circuler dans un faubourg à forte population juive, comportait ces lignes : « Nixon amène les fours aux gens plutôt que les gens aux fours. »

Après la campagne, il fut révélé qu'avec ses airs de sainte nitouche l'état-major de McGovern ne s'était pas senti au-dessus de l'organisation d'un espionnage de son cru.

Il y eut aussi une effraction dans le cabinet du Dr John Lungren, mon médecin personnel à Long Beach, en Californie. On ne lui vola ni drogues, ni argent, mais mon dossier médical fut enlevé d'un placard fermé à clef et son contenu répandu sur le sol.

Extrait de mon Journal :

> Haldeman et Ehrlichman en ont parlé aujourd'hui. Colson était enthousiaste et parlait d'agir immédiatement. Ehrlichmann a été cependant d'un meilleur avis et dit qu'une plainte pourrait conduire à la conclusion, ou que nous avions organisé cela nous-même, ou que l'affaire n'était réellement pas assez importante.

Les manifestants et les incendiaires ont rabaissé de beaucoup le niveau de cette dernière campagne. Mais plus exaspérante encore était la double échelle de valeurs qui permettait à la presse de donner de l'affaire du Watergate des comptes rendus massifs et souvent déformés, tout en passant sous silence les nombreuses violations de la loi ou des règles traditionnelles commises contre nous. A la lumière de ce que j'ai vu au cours de la campagne, les leçons de morale satisfaite sur les activités de Segretti paraissaient plutôt creuses.

Mon dernier meeting électoral eut lieu à Ontario en Californie, à quelques kilomètres et à vingt-six ans de distance du premier qui s'était tenu à Ponoma. La foule débordante de l'aéroport semblait comprendre le sens symbolique que ce moment avait pour moi. Je leur dis que j'avais été dans tout le pays pendant les dernières semaines. Je leur parlai de nos buts, et de la Californie. Je leur dis combien le peuple de Californie avait été bon pour nous, partageant nos victoires et se tenant près de nous dans les échecs.

La veille de l'élection, à San Clemente, ma secrétaire Rose se joignit à nous pour le dîner. Sur la côte Est, des millions de gens avaient déjà suivi une brève allocution que j'avais enregistrée en vidéo ce jour-là. Je disais que je ne voulais par leur faire l'insulte de rabâcher les thèmes de la campagne et faire un appel de dernière minute pour obtenir leurs voix. Cette élection offrait sans doute le choix le plus clair entre les candidats à la Présidence qui se soit jamais présenté au peuple américain au XXᵉ siècle.

Nous retournâmes à Washington pour le jour de l'élection. A notre arrivée à la Maison Blanche, à 18 heures, nous fûmes accueillis par les applaudissements de mes collaborateurs. Et dans ma chambre, je trouvai une enveloppe sur mon oreiller. C'était une lettre manuscrite de Kissinger.

Cher Monsieur le Président,

Avant que les bulletins de vote ne soient comptés, le moment est venu, me semble-t-il, de vous dire à quel point ces quatre dernières années ont été pour moi un privilège. Je suis certain du résultat de demain. Mais il ne peut affecter votre œuvre historique; vous avez trouvé une nation divisée, engluée dans la guerre, en perte de sa confiance et ruinée par des intellectuels sans conscience, et vous lui avez assigné de nouveaux buts, vous avez surmonté ses hésitations. Ce que vous avez fait apparaîtra d'une manière encore plus manifeste lorsque vous entrerez dans l'histoire. Votre courage dans l'adversité, votre acceptation de la solitude ont été pour nous une inspiration. De tout cela, comme aussi de votre humaine bonté et de votre inlassable amabilité, je vous serais toujours reconnaissant.

Avec mes sentiments cordiaux et respectueux,

Henry.

Peu après 20 heures, Haldeman commença à téléphoner des rapports détaillés en provenance des équipes de dépouillement qui avaient été mises en place dans l'aile occidentale de la Maison Blanche. Etat après Etat, nous gagnions largement. Le Texas par exemple était à nous par plus d'un million de voix. Mais il y avait aussi de mauvaises nouvelles : nous n'enlevions pas suffisamment de sièges parlementaires pour assurer l'appui législatif dont avait besoin le mandat de la Nouvelle Majorité que j'allais recevoir. Lorsque tous les résultats furent connus, les Républicains avaient gagné douze sièges à la Chambre, mais ils en avaient perdu deux au Sénat. Nous avions perdu un poste de gouverneur : trente et un Démocrates contre dix-neuf Républicains. J'étais déçu de notre échec au Congrès, mais j'étais certain qu'aucun candidat républicain n'avait perdu par manque de moyens financiers.

Les dimensions de la victoire étaient flatteuses. J'avais eu pour moi 47 169 841 électeurs et McGovern 29 172 767, c'est-à-dire 60,7 contre 37,5 %! Un seul scrutin dans notre histoire avait donné plus de voix à l'élu, celui de Lyndon Johnson en 1964. Encore ne s'agissait-il que de quelques décimales, puisqu'il avait reçu 61,1 % des voix. Aucun candidat présidentiel n'avait jamais été élu dans autant d'Etats.

J'avais bénéficié d'un soutien à la fois large et profond. C'était vraiment la victoire écrasante de la Nouvelle Majorité, celle que j'avais évoquée dans mon discours d'acceptation du mois d'août. J'avais gagné une majorité dans chacun des groupes de population définis par les sondages Gallup, excepté les Noirs et les Démocrates. Quatre de ces groupes — les travailleurs manuels, les catholiques, les familles de syndiqués, et les personnes n'ayant eu qu'une éducation primaire — n'avaient jamais auparavant figuré dans le camp républicain, aussi loin que remontaient les archives Gallup.

Je ne sais pourquoi je ressentis tant de mélancolie en ce soir de victoire. Peut-être à cause d'une dent qui me faisait mal. Peut-être, pour une part, les effets du Watergate gâtaient-ils mon plaisir; pour une autre, notre échec au Congrès; et plus encore, le fait que nous n'avions pas encore été capables de terminer la guerre au Vietnam. Ou peut-être était-ce parce que c'était ma dernière campagne. Quelles qu'en fussent les raisons, je ne m'accordai que quelques minutes pour penser au passé. Une nouvelle ère allait commencer, j'en étais sûr, et j'avais hâte de l'entamer.

LA FIN DE LA GUERRE

En premier lieu, après l'élection, venait la tâche de mettre fin à la guerre. Maintenant que la pression électorale avait disparu, j'espérais que les deux côtés allaient entrer en négociation, avec l'idée que, après un marchandage serré, chacun accepterait un accord qui ne pourrait donner entière satisfaction à ses revendications extrêmes. Je savais que ce ne serait pas facile : aucun des facteurs objectifs n'avait changé, mais il restait à voir ce que deviendrait la tactique de négociation des communistes. Saïgon et Hanoï jouaient avec nous un jeu décevant. Thieu, tandis qu'il exigeait que nous présentions ses demandes — inacceptables pour les Vietnamiens du Nord —, prétendait qu'il était prêt à marcher seul. Et Le Duc Tho prétendait que les communistes étaient sincères dans leur intention de conclure un accord et d'en observer les conditions. Mais par notre service de renseignements, nous savions que Thieu préparait ses chefs militaires à un cessez-le-feu avant Noël; et que les Vietnamiens du Nord projetaient de s'emparer d'autant de territoires qu'ils le pourraient avant le cessez-le-feu, pour le tourner à leur avantage.

La prochaine rencontre avec les Vietnamiens du Nord était prévue pour la mi-novembre. Je décidai d'envoyer à Thieu, dont la coopération était nécessaire, Haig, en qui il avait confiance et qu'il aimait. Haig partit le 9 novembre avec une lettre de moi qui clarifiait les points que nous présenterions à nos interlocuteurs à la prochaine rencontre de Paris. « Nous ferons l'effort maximum pour obtenir ces changements dans l'accord, lui écrivais-je. Mais je ne veux pas vous laisser l'illusion que nous pouvons ou voulons aller au-delà de ces amendements pour améliorer un accord que nous considérions déjà comme excellent. »

Haig rappellerait à Thieu que le Sénat était devenu encore plus « colombe » qu'il ne l'avait été avant l'élection. Si nous n'obtenions pas un règlement complet avant janvier, si Thieu apparaissait comme l'obstacle au règlement, le Sénat couperait les fonds qui permettaient au Vietnam du Sud de survivre.

Aux objections de Thieu, portant principalement sur la présence (acceptée par l'accord) de troupes du Nord sur le territoire du Sud, je répondis que beaucoup plus important que ce que disait l'accord serait ce que nous ferions si l'ennemi reprenait ses agressions. « Vous avez mon assurance absolue que si Hanoï ne respecte pas les termes de l'accord, il est de mon intention de prendre des mesures de représailles aussi sévères que rapides. »

Haig quitta Saïgon convaincu que Thieu finirait par se joindre à nous. Sans aucun doute, Thieu savait qu'une intransigeance totale lui serait fatale. Mais Haig avait pris soin de ne pas pousser Thieu à bout. Il m'écrivait le 12 novembre :

« Nous sommes sur le fil du rasoir. Thieu a établi son prestige sur son gouvernement tout entier, et je crois que si nous prenons une attitude excessive, nous pourrions le contraindre à un suicide politique. Je ne suis pas sûr que cela servirait au mieux nos intérêts, et c'est pourquoi je recommande une approche plus prudente, celle d'essayer de régler le problème avec Thieu à fond. »

Si nous brisions avec Thieu, alléguait très justement Haig, et que nous trouvions alors les Vietnamiens du Nord intransigeants, nous aurions brûlé nos deux ponts.

J'étais de l'avis de Haig. Je dis à Kissinger et à Haig que je pensais que le 8 décembre devait être la date finale pour notre accord, afin que nous puissions être certains que tout serait complètement réglé avant l'ouverture de la session du Congrès. Si Thieu ne pouvait d'ici là être convaincu de se joindre à nous, je serais prêt, à mon grand regret, à accepter un accord séparé.

Tout allait dépendre du résultat de la réunion du 20 novembre à Paris.

Ce jour-là, Kissinger passa plus de cinq heures avec Le Duc Tho. Ce dernier avait ouvert la séance par un long discours où il se plaignait que nous ayons renié notre engagement d'octobre. Sans doute, son ton ne différait-il en rien du genre de rhétorique à laquelle nous nous attendions. Mais son accusation, selon laquelle nous avions unilatéralement empêché la conclusion d'un accord, était inacceptable. Kissinger cita immédiatement, avec toutes les références, les séances au cours desquelles il avait informé les communistes que les Vietnamiens du Sud seraient consultés avant la signature de l'accord. Kissinger finit ses observations en réaffirmant notre désir de négocier sérieusement et notre intention de maintenir l'essence de l'accord réalisé en octobre.

Il présenta alors les amendements proposés. Ceux qui avaient été demandés par les Vietnamiens du Sud avaient été appliqués au texte de l'accord et ajoutés aux changements et améliorations que nous désirions nous-mêmes. Il y en avait plus de soixante. Le Duc Tho sembla quelque peu décontenancé par leur nombre. La plupart d'entre eux étaient relativement mineurs et ne devaient pas entraîner de controverses. Mais certains touchaient à la substance de l'accord, le plus important d'entre eux ayant trait à l'insistance de Thieu sur le retrait de certaines forces du Vietnam du Nord hors du territoire du Vietnam du Sud. Il y avait aussi une disposition selon laquelle la zone démilitarisée devait être respectée par chaque partie : la présence au Sud des troupes du Vietnam du Nord serait donc une violation de l'accord. Le Duc Tho prit seulement note de la liste et ajouta, de manière menaçante, qu'il se pourrait bien qu'il eût lui aussi quelques changements à proposer. Kissinger n'avait fait aucune distinction entre les amendements que nous désirions et ceux que nous présentions pour les Vietnamiens du Sud. Son attitude, cependant, montra que nous étions prêts à négocier sur tous. A la fin de l'entretien, Le Duc Tho demanda si nos propositions étaient définitives. Kissinger répondit : « Je m'expliquerai de cette façon : c'est notre proposition définitive, mais ce n'est pas un ultimatum » : Kissinger proposa que les experts se réunissent le soir même pour étudier les amendements proposés. La séance s'achevait sur un ton amical; il semblait possible que les communistes prennent nos propositions comme base de négociation et que l'accord puisse être réalisé au cours de cette session.

Le lendemain, les Vietnamiens du Nord contrèrent nos propositions, durcirent leur position sur les problèmes non résolus et même, sur certains points, revinrent en arrière, en reprenant leur position d'avant le 8 octobre.

Il me semblait que les craintes de Kissinger s'étaient réalisées et que les Vietnamiens du Nord, libérés de la pression de notre date limite (en vue de l'élection), étaient prêts à traîner les négociations en longueur afin d'exploiter nos différends avec Thieu. Lorsque Kissinger me fit savoir qu'il y avait eu, le 22 novembre, un autre entretien tendu et tout à fait stérile, je lui envoyai un message pour qu'il pût l'utiliser à sa convenance pour faire avancer la négociation. C'était une directive déclarant que si l'autre partie ne se montrait pas disposée à être aussi raisonnable que nous l'étions nous-mêmes, il devrait mettre fin aux conversations. Nous aurions, en ce cas, à reprendre nos activités militaires, jusqu'à ce qu'elle soit prête à négocier.

Après la séance suivante, le 23 novembre, Kissinger rapporta que bien qu'il ait fait quelques progrès sur des points déterminés, on était encore éloigné de certaines des dispositions que Thieu considérait comme les plus importantes. Nous avions donc à envisager le fait qu'à moins d'un changement subit chez les Vietnamiens du Nord, nous n'obtiendrions pas un accord acceptable. Aussi longtemps que Saïgon exigerait tant de modifications substantielles, non seulement aucun accord ne serait obtenu, mais les Vietnamiens du Nord continueraient de plus à revenir sur des concessions déjà accordées.

Nous avions l'alternative de deux options. La première serait d'interrompre les conversations lors de la prochaine réunion, et d'augmenter de façon démonstrative le rythme de nos bombardements, tandis que nous réexaminerions notre stratégie de négociation pour décider quelle sorte d'accord nous serions disposés à accepter avec ou sans le Vietnam du Sud. C'était l'option préférée de Kissinger. La seconde option était de décider de positions de repli sur chacune des objections principales de Thieu et de les présenter sous forme d'offre finale. Si les Vietnamiens du Nord les acceptaient, nous pourrions affirmer avoir amélioré les conditions d'octobre.

Le corollaire de la seconde option serait une rupture complète avec Thieu s'il refusait d'accepter l'accord qui en résulterait. Ce serait là une mesure très sérieuse, mais j'étais tout à fait opposé à la rupture des conversations et à la reprise des bombardements, à moins qu'il ne fût absolument nécessaire de contraindre l'ennemi à négocier. Certaines manœuvres de Thieu commençaient à m'irriter, et je pensais que nous ne pouvions plus être en mesure de retarder longtemps la conclusion d'un accord seulement pour lui donner du temps.

Dans mon message à Kissinger, j'expliquai clairement que je ne croyais pas que la première option nous fût encore possible :

> « A mon avis, l'accord du 8 octobre aurait été dans notre intérêt. Vous devez tenter de l'améliorer pour tenir compte autant que possible des conditions de Saïgon. Mais il est de la plus haute importance de reconnaître la réalité fondamentale : nous n'avons pas d'autre choix que de conclure un accord sur la base des principes du 8 octobre. »

Presque tout de suite, je me demandai si, dans ma tentative d'encourager Kissinger à poursuivre la seconde option, je n'avais pas exagéré ma répugnance à reprendre les bombardements si aucun autre choix ne nous était laissé pour contraindre l'ennemi à négocier sérieusement. Il était essentiel qu'il ne fût pas privé de ce moyen de marchandage. Le 24 novembre, je lui adressai donc un câble, lui disant que si les communistes demeuraient intransigeants, il pourrait suspendre les conversations pendant une semaine, pour permettre aux deux parties de consulter leurs gouvernements. J'étais prêt à autoriser des bombardements massifs dans l'intervalle.

> « Je reconnais que c'est un grand risque, mais je suis prêt à le prendre, si la seule alternative devait être un accord qui serait pire que celui du 8 octobre et qui ne clarifierait aucune des ambiguïtés du projet du 8 octobre qui nous inquiètent, tant à Saïgon qu'à Washington...
>
> Notre but est de terminer la guerre dans l'honneur. Si, à cause de notre stratégie et de l'accident de la date de l'élection, nous nous trouvons aujourd'hui coincés par une question de relations publiques, nous devons faire face et aller de l'avant.
>
> En prenant cette direction, nous devons tous comprendre qu'il n'y a aucun moyen qui nous permette de mobiliser l'opinion comme ce fut le cas pour le 3 novembre, pour le Cambodge et pour le 8 mai. Mais, au moins, avec l'élection derrière nous, nous devons aux sacrifices qui ont été faits jusqu'ici par tant de personnes de faire ce qui est juste, même si le prix à payer en termes de soutien de l'opinion publique doit être élevé. »

Quand Kissinger fit savoir à Le Duc Tho que j'étais prêt à prendre des mesures aussi fortes que celles du 8 mai, les Vietnamiens du Nord devinrent aussitôt plus conciliants; cela semblait confirmer notre soupçon que leur intransigeance n'était qu'une tactique de négociation. Pas plus que nous, ils ne souhaitaient la fin des conversations, et ils étaient donc préparés, une fois de plus, à engager des pourparlers sérieux.

Le problème était, selon le câble de Kissinger de cet après-midi-là, que, si nous avions maintenant amélioré considérablement l'accord du 8 octobre, nous étions loin de pouvoir approcher d'un texte qui satisferait à toutes les exigences de Thieu. Nous savions, grâce à des télégrammes interceptés, que Thieu suivait toujours une tactique dilatoire : ce qui signifiait qu'aucune amélioration de l'accord n'exercerait la moindre influence sur lui avant qu'il ait décidé qu'il avait suffisamment préparé son peuple à accepter l'accord. Ainsi, malgré nos efforts intensifs et les améliorations obtenues, une rupture avec Thieu semblait inévitable, si nous voulions mener à terme notre accord. Kissinger recommanda donc une suspension d'une semaine pendant laquelle nous pourrions régler nos comptes avec Thieu, puis, sur la base de sa décision, formuler notre position définitive.

Je croyais toujours, cependant, qu'il était important de maintenir ouverts et en état de fonctionner les canaux de la négociation. Je considérais que la position de Thieu était malavisée, et j'étais plus que jamais convaincu que si nous pouvions obtenir un bon accord, nous le signerions et laisserions Thieu faire son choix à sa guise. Je répondis à Kissinger de rester à Paris et de continuer les pourparlers aussi longtemps que subsisterait une possibilité, même éloignée, d'aboutir à un accord. Je dis que je prendrais même des risques dans cette direction.

Les Vietnamiens du Nord continuaient à bloquer les négociations par leur intransigeance. Après une autre séance stérile le 25 novembre, Kissinger et Le Duc Tho tombèrent d'accord pour estimer qu'une suspension des pourparlers pour plusieurs jours seront désirables.

Je vis Kissinger dès son retour à Paris.

Extrait de mon Journal :

Il est arrivé vers 10 h 30 et nous avons passé une heure sur le problème. Il m'a fallu le détourner de son opinion, selon laquelle nous avions vraiment la possibilité de rompre les pourparlers avec le Nord et de reprendre les bombardements. Cela ne marchera pas. Sans doute devons-nous jouer cette carte avec les Vietnamiens du Nord comme si elle allait être efficace. Mais nous ne devons pas nous faire d'illusions : nous n'avons pas d'autre choix que de traiter.

Nous annonçâmes aux Vietnamiens du Nord que nous reprendrions les pourparlers avec la volonté de faire un dernier effort. Pour manifester notre bonne foi et notre désir d'entente, j'ordonnai une réduction des bombardements du Vietnam du Nord.

Le 29 novembre, Kissinger fit entrer dans le Bureau Ovale Nguyen Phu Duc, le représentant personnel de Thieu aux conversations de Paris. Nous avions pensé que si je lui présentais les faits d'une manière énergique, brutale, je pourrais faire comprendre à Thieu la précarité de sa situation et le danger qu'il courait d'être abandonné à ses propres ressources. Je dis qu'il n'était pas question de manquer de sympathie pour la situation difficile du Vietnam du Sud; mais il fallait faire face aux réalités. Si nous ne finissions pas la guerre par la conclusion d'un accord lors de la prochaine session de Paris, alors le Congrès, de retour en janvier, terminerait la guerre en supprimant les crédits nécessaires. Comme j'en avais déjà informé Thieu, j'avais interrogé, au sujet de l'accord d'octobre, les parlementaires qui avaient le plus fidèlement soutenu ma politique au Vietnam. Tous, ils avaient dit que si Thieu était le seul obstacle à la conclusion de l'accord, ils mèneraient personnellement l'attaque contre lui lorsque le Congrès se réunirait.

Le 30 novembre, je discutai avec Kissinger, Haig, Laird et les chefs d'état-major nos plans militaires pour le cas d'une rupture des pourparlers ou d'une violation de l'accord une fois celui-ci conclu. Dans le premier cas, on avait préparé des plans de trois à six jours de bombardement au Vietnam du Nord. Pour la seconde éventualité, j'exigeai impérieusement que notre réaction fût rapide et puissante : « Si Hanoï viole l'accord, nous devons réagir avec la plus grande vigueur, dis-je. Nous devons maintenir assez de forces dans la région pour pouvoir faire le boulot, même s'il s'agit de combattre un ennemi affaibli. Et avant tout, les bombardiers B-52 seront employés sur Hanoï. Nous devons avoir nos moyens propres d'empêcher les violations. »

La réunion suivante de Kissinger avec les Vietnamiens du Nord était prévue pour le lundi 4 décembre. Kissinger était optimiste et croyait même qu'il y avait 70 % de chances pour que l'affaire fût terminée et « empaquetée », dit-il, le mardi soir. Il se reprochait sa déclaration *La paix est proche*. Elle était la cause de tant de nos nouveaux soucis qu'il parlait de démissionner s'il était incapable de conclure un accord.

Tous nos espoirs furent déçus le lundi. Non seulement Le Duc Tho rejeta tous les amendements que nous avions proposés, mais il retira aussi son accord sur certains points acquis lors de la dernière session et introduisit plusieurs nouvelles exigences inacceptables. Maintenant, même si nous décidions de conclure un accord sans Thieu, les conditions qui nous seraient faites ne seraient plus acceptables. Kissinger câbla : « Nous sommes arrivés à un point où la rupture des pourparlers semble presque certaine. »

Selon lui, la conduite de Le Duc Tho ne nous laissait que deux options : ou nous devions nous replier et accepter les conditions de l'accord d'octobre sans aucun changement, ou nous devions courir le risque d'une rupture des pourparlers. La première était inacceptable : elle équivaudrait au renversement de Thieu. « Il ne pourrait pas survivre à une telle manifestation de son impuissance et de la nôtre. » Elle ne nous laisserait aucun moyen d'expliquer nos actes depuis octobre, et elle procurerait à Hanoï une colossale victoire de propagande. Plus important encore, cette option nous priverait de toute crédibilité en ce qui concerne l'application de l'accord; si nous acceptions cette reculade, les communistes sauraient que nous n'aurions pas le moyen de réagir à des violations de l'accord. Même si l'accord d'octobre était bon, les événements nouveaux en avaient maintenant rendu impossible l'acceptation.

« C'est pourquoi, continuait Kissinger, nous devons être prêts à rompre les négociations. » Deux possibilités tactiques s'offraient à nous. La première était de proposer de s'entendre sur la base où nous nous trouvions à la fin de la session de la semaine précédente : cela nous permettrait au moins de garder le bénéfice des amendements et améliorations alors acceptés par Le Duc Tho. La difficulté avec cette option était, vraisemblablement, que ni Hanoï ni Saïgon ne l'accepteraient. La seconde option, recommandée par Kissinger, était d'insister pour conserver les amendements déjà acceptés par les Vietnamiens du Nord, en réduisant à l'essentiel nos autres demandes, c'est-à-dire une mention précise du caractère non gouvernemental du Conseil National de Réconciliation et de Concorde et de ses fonctions, et l'inscription dans l'accord d'une formule indiquant que les troupes du Vietnam du Nord n'avaient pas le droit de rester indéfiniment dans le Sud.

Il était peu probable que les Vietnamiens du Nord acceptent ces exigences. Si toutefois ils le faisaient, nous pourrions utiliser ces améliorations du texte d'octobre comme un levier pour amener Thieu à nous rejoindre. Aucun de ces points n'était suffisamment important pour que les Vietnamiens du Nord, s'ils désiraient vraiment un accord, ne puissent les accepter.

Si les communistes refusaient, et si les pourparlers étaient rompus, nous n'avions plus d'autre choix que d'accélérer et renforcer nos bombardements pour les contraindre à adopter une nouvelle position de négociation. Kissinger recommandait que j'aille à la télévision pour obtenir du peuple américain qu'il donne son appui aux mesures sévères qui seraient alors nécessaires.

Je n'étais pas d'accord avec Kissinger sur ce dernier point de vue. Au lieu d'une tentative frénétique de ma part, probablement vouée à l'échec, pour rallier l'opinion publique américaine derrière une nouvelle escalade de la guerre, je préférais accroître les bombardements sans annonce publique. Ce geste serait associé à une conférence de presse de Kissinger qui expliquerait où nous en étions après les nouvelles tentatives d'accord et pourquoi les négociations avaient échoué. Encore était-ce, à mon avis, l'option du dernier recours.

Extrait de mon Journal :

> Ce que Henry ne comprend pas est ce que j'ai essayé de lui faire saisir hier avant son départ : l'appel au peuple, comme nous l'avons fait le 3 novembre pour le Cambodge, et le 8 mai, a atteint maintenant le point de non-retour.
> Les espoirs ont été éveillés à un tel point avant l'élection et depuis que c'est courir à sa perte que d'aller devant le peuple américain à la télévision pour lui dire que les communistes nous ont encore piégés, qu'ils nous ont trompés, et que nous devons maintenant ordonner la reprise de la guerre sans aucun signe d'espoir ou de fin.

Kissinger avait de nouveau agité l'idée de sa démission, en raison des répercussions d'un échec des négociations sur la situation intérieure. J'étais opposé à cette idée : il ne s'agissait pas d'une question de personne, mais d'une situation contraignante, où il fallait agir du mieux que l'on pouvait.

Le mardi matin 5 décembre, je reçus un câble de Kissinger. Si les négociations étaient rompues, il ne voyait pas d'autre choix que d'accroître les bombardements et de saisir l'initiative dans le domaine des relations publiques en ralliant le peuple américain par un discours présidentiel. Il suggéra, dans un autre câble, d'insister sur la demande de Thieu de l'évacuation du Vietnam du Sud par toutes les troupes du Nord, afin d'amener Tho à rompre les pourparlers. Il reviendrait alors à Washington, et je ferais le discours à la télévision où je présenterais des objectifs clairs et réalisables, qui consisteraient finalement en un retrait des troupes américaines contre la libération de nos prisonniers. Nous continuerions les bombardements jusqu'à ce que les Vietnamiens du Nord consentent à nous rendre les prisonniers : il pensait que cela prendrait de six à huit mois.

Je continuais à douter de la sagesse et des possibilités pratiques de ce plan. C'était ma ferme conviction que nous ne devions pas être responsables — ou présentés comme tels — de la rupture des négociations.

Extrait de mon Journal :

> Si nous le pouvons, nous devons mettre en lumière que ce sont, plutôt que nous, les Vietnamiens du Nord qui sont responsables de la rupture des pourparlers; et nous devrions alors, tout en parlant aussi modérément que possible, agir le plus fortement possible, sans faire une grosse histoire parce que nous augmentons l'intensité du bombardement et qu'en fait nous reprenons la guerre sans en voir la fin, après avoir éveillé les espoirs du peuple, surtout à la suite de la fameuse déclaration de Henry, *La paix est proche.*

Il y avait indiscutablement une différence d'opinion entre Kissinger et moi sur la meilleure stratégie à suivre. Pour éviter tout malentendu sur la manière dont je voulais procéder à ce stade si délicat de la négociation, je donnai à Haldeman des instructions pour rédiger un message à Kissinger, fixant la conduite qu'il devait tenir lors de sa prochaine rencontre avec Le Duc Tho.

> « Nous devons éviter toute apparence d'une rupture spectaculaire de notre part. Nous devons au contraire traiter la situation comme un cas où les pourparlers sont arrivés à une impasse, et chacun rentre chez soi pour consulter. S'il y a rupture spectaculaire, elle doit venir de leur côté, pas du nôtre. En aucun cas, nous ne devons paraître avoir pris l'initiative de mettre fin aux pourparlers. Nous devons demander une suspension pour consultation.

A votre retour aux Etats-Unis, vous donnerez une conférence de presse sur un ton modéré, en évitant tout effet dramatique, pour expliquer très brièvement la situation et indiquer que nous continuerons les opérations militaires jusqu'à ce qu'un règlement satisfaisant soit obtenu. Vous indiquerez que vous êtes prêt à reprendre les négociations à tout moment, quand il sera utile de le faire.

J'ai parlé ici à quelques fidèles en toute confiance. Ils sont unanimes à penser que ce serait une erreur si le Président allait à la télévision pour expliquer en détail pourquoi les pourparlers ont échoué. »

Kissinger envoya sa réponse par Haldeman : « Nous ferions mieux de voir les choses en face, disait-il. S'il n'y a pas d'accord dans les quarante-huit heures, nous ne pouvons prétendre que les pourparlers soient suspendus juste le temps nécessaire à ma conférence de presse. Mais bientôt après, il n'y aura pas moyen d'empêcher les parties vietnamiennes de rendre l'impasse publique. De plus, si nous reprenons le bombardement, ce sera une confirmation. Nous n'avons donc à choisir, en cas d'impasse, qu'entre céder ou rallier le peuple américain à un effort auquel je ne crois pas que le Vietnam du Nord puisse résister. Si nous devons essayer de rallier le peuple américain, seul le Président peut le faire efficacement. »

Le mercredi 6 décembre, Kissinger et Le Duc Tho se réunirent pendant six heures. La position du Vietnam du Nord demeurait inchangée. Après l'entretien, Kissinger m'envoya un câble disant que nous avions atteint le carrefour et qu'il fallait se décider. Il reprit ses deux options, exprimant toujours sa préférence pour la seconde, celle de la rupture, avec reprise et renforcement des bombardements. A son avis, le Congrès ne couperait pas les crédits, si on pouvait lui montrer que le Vietnam du Nord n'était pas disposé à rendre nos prisonniers. Kissinger disait : « Si nous sommes disposés à payer le prix, à l'extérieur comme à l'intérieur, à rallier le peuple américain et à ne pas dévier de notre route, cette option comporte moins de risques que la première en raison du Gouvernement du Vietnam du Sud. »

Après avoir réservé au câble de Kissinger toute mon attention, je répondis par un long message donnant point par point mes instructions pour la réunion du lendemain.

« Après avoir lu votre message, je suis une fois de plus très impressionné par la façon habile et dévouée dont vous traitez une situation terriblement difficile.

Avant de prendre une décision aussi importante, il est indispensable que je vous voie. Pour ce faire, je suggère que vous commenciez la séance de demain en déclarant que le Président a lu tous vos rapports et un compte rendu complet des pourparlers à ce jour. Il est, en toute franchise, choqué par l'intransigeance totale du Vietnam du Nord, et particulièrement par le fait qu'ils se sont dégagés des engagements qu'ils avaient pris en octobre.

Je désire qu'alors vous lisiez une liste de questions précises relatives à toutes les propositions figurant dans la position minimum exposée par votre dernier message, en y ajoutant la question précise de savoir s'ils consentent à une mention quelconque du retrait de leurs forces hors du Vietnam du Sud. Je suppose que leur réponse à toutes ces questions sera négative, mais mon dessein est de faire en sorte que le dossier soit clair et net. Vous leur demanderez alors quelle est leur offre finale. Puis, vous leur direz que vous allez faire rapport de leurs réponses au Président directement, et que vous reprendrez contact avec eux pour fixer la date et les conditions des futures rencontres.

Si les négociations sont rompues, il doit être absolument clair que ce sont eux, plutôt que moi, qui en portent la responsabilité.

Je suis aussi fermement convaincu que nous ne devons pas nous fermer la porte en employant des formules telles que : " Ceci est notre dernière offre "; " ceci est notre dernière rencontre ". Laissez la porte entrouverte pour de nouvelles discussions.

Vous pensez que si je vais à la télévision, je peux rallier les Américains et les amener à soutenir une continuation indéfinie de la guerre, simplement pour obtenir le retour des prisonniers. Je suis d'accord sur un point : ce serait une possibilité en ce moment. Mais en peu de semaines, elle fondrait comme neige au soleil, surtout lorsque les organes de propagande — non seulement du Vietnam du Nord, mais aussi de notre pays — commenceront à s'acharner sur le fait que nous avions un bien meilleur marché en main, et que nous avons été incapables de le mener à bien, à cause de l'intransigeance de Saïgon.

Si votre réunion d'aujourd'hui ne se termine pas par un accord (et je sais que, comme vous le dites, il n'y a qu'une chance extrêmement faible que vous réussissiez une percée de ce côté), nous allons entreprendre de très lourds bombardements au Vietnam du Nord. Mais ils se feront sans annonce spectaculaire à la télévision. La chose à faire est de ne pas exciter les cercles dominants de Washington par l'accroissement de l'intensité des bombardements qui se produira pendant quelques jours, et d'agir fortement sans provoquer une escalade de publicité sur notre action par ce que nous en dirions. »

Le 6 décembre, nous fîmes tenir à Dobrynine un message urgent : nous allions présenter à la prochaine séance notre dernière position; et à moins d'obtenir quelques progrès, ce serait la fin des pourparlers. Il sembla très contrarié et assura que les Soviétiques avaient agi continuellement sur le Vietnam du Nord en faveur d'un accord. Quelques jours plus tard, j'augmentai la pression en lui disant au téléphone qu'il était tout à fait de l'intérêt de Moscou que les négociations aboutissent, parce que Moscou et Washington avaient d'autres chats à fouetter et qu'il était de notre intérêt mutuel d'éliminer ce facteur d'irritation pour permettre l'amélioration de nos rapports. Nous avons aussi informé l'ambassadeur de Chine à Paris que la situation devenait critique et qu'avant de prendre « des mesures graves », nous voulions porter le problème à l'attention de Chou en-Laï : ces mesures affecteraient évidemment nos possibilités de développer les relations sino-américaines dans la direction que nos deux gouvernements souhaitaient.

Quand Kissinger et Le Duc Tho se virent le 7 décembre, on fit très peu de chose. Cependant, il y eut des progrès le lendemain, et le 9 au matin, il ne restait qu'un problème non résolu, celui du respect de la zone démilitarisée. En fait, les Vietnamiens du Nord en avaient déjà accepté le principe au cours des négociations de novembre. Mais maintenant Le Duc Tho insistait sur une nouvelle clause vague sur les deux parties qui « établiraient des règlements » pour les mouvements à travers la zone — ce qui mettait en question l'intégrité de ladite zone. J'adressai un câble aux Vietnamiens du Nord, disant que l'introduction d'une nouvelle clause rendrait difficile la conclusion rapide d'un accord et suggérant que la formulation adoptée le 23 novembre soit rétablie.

Le 9 décembre, avec ce seul article restant à négocier, je pouvais me permettre d'être optimiste et d'espérer un accord avant Noël. Ce serait pénible si Thieu refusait de se joindre à nous. Mais cela ne devait en rien mettre en question notre politique : nous avions fait tout ce qui était possible pour l'aider. Maintenant nous devions considérer notre intérêt, et conclure, si les conditions étaient acceptables.

Le 10 décembre, les Vietnamiens du Nord répondirent à mon câble qu'ils considéraient leur position sur la zone démilitarisée comme très raisonnable. Il était clair qu'ils menaient une politique de retardement.

Je décidai dans l'après-midi de remuer un peu les choses afin de lever tous les doutes sur notre résolution. Je téléphonai à Dobrynine et lui dis que, personnellement, je n'étais pas en faveur des formules de compromis que Kissinger suggérait au sujet de la zone démilitarisée. Nos adversaires devaient s'en tenir à la formulation qu'ils avaient déjà acceptée, et je lui dis carrément qu'il était de l'intérêt de Moscou d'aider à la négociation et de les persuader, car nous avions d'autres chats à fouetter. Au point où nous en sommes, dis-je, l'obsession de Hanoï à vouloir changer l'arrangement sur la zone démilitarisée met en danger la conclusion d'un accord qui a déjà été largement mis au point. Dobrynine demanda quelque temps pour qu'il puisse entrer en communication avec Moscou.

A la séance du lundi 11 décembre, les Vietnamiens du Nord furent inflexibles sur le problème de la zone démilitarisée. D'après Kissinger, leur conduite était un mélange d'insolence, de ruse et de temporisation.

Nos relations avec eux s'améliorèrent le jour suivant, mais toujours sans progrès réel. Ce soir-là, Kissinger en était venu à la conclusion qu'ils cherchaient encore à gagner du temps. Le Duc Tho essayait d'empêcher à la fois un règlement et la rupture des pourparlers. Peut-être leur plan était-il simplement d'exploiter la division, de plus en plus évidente, entre nous et Saïgon. C'était une ironie du sort que l'intransigeance des Vietnamiens du Nord à la table de négociations fût en partie le résultat de nos efforts pour amener Thieu à accepter l'accord. Aucun doute possible : les communistes s'étaient infiltrés jusque dans le gouvernement de Saïgon et Hanoï était au courant de notre avertissement sur les suppressions de crédits en janvier. Peut-être aussi les chefs à Hanoï étaient-ils divisés et se demandaient-ils encore s'il fallait conclure un accord. En tout cas, le résultat était le même : l'impasse.

Le 13 décembre, Le Duc Tho montra clairement qu'il n'avait pas l'intention de conclure un accord. Il devait retourner à Hanoï le lendemain pour consultation; Kissinger proposa donc une suspension des négociations et qu'aucune réunion n'eût lieu jusqu'après Noël. Kissinger et moi, nous étions entièrement d'accord sur la perfidie des Vietnamiens du Nord. Il pensait même que les évanouissements occasionnels de Le Duc Tho au cours des réunions n'étaient que des trucs visant à gagner un avantage de négociation en provoquant la sympathie. Grinçant des dents et les poings serrés, Kissinger dit : « Ce n'est qu'un tas de merde, de sales merdeux déguenillés. En comparaison, les Russes paraissent des gens corrects, de la même façon que les Russes font apparaître les Chinois comme des gens corrects quand il s'agit de négocier d'une manière responsable et décente. »

Il fallait maintenant passer aux bombardements : que faudrait-il pour contraindre Hanoï à négocier? Kissinger recommandait de miner de nouveau Haïphong, de reprendre les bombardements à plein régime au

Sud du vingtième parallèle et au Sud du Laos. A mon avis, il en fallait beaucoup plus. Un coup d'œil me montra que la zone du Sud du vingtième parallèle était surtout composée de champs de riz. C'était Hanoï et Haïphong qu'il fallait viser, avec les B-52.

Kissinger fit remarquer que Hanoï et Haïphong étaient défendues aux moyens de missiles soviétiques terre-air. Si nous les attaquions, il fallait nous attendre à de nouvelles pertes et de nouveaux prisonniers de guerre. « Je le sais, répondis-je; mais si nous sommes convaincus que c'est la chose à faire, il faut la faire à fond. »

Le 14 décembre, je donnai l'ordre, qui devait être exécuté trois jours plus tard, de procéder à de nouvelles poses de mines à Haïphong, de reprendre les reconnaissances aériennes, et les raids de B-52 sur des objectifs militaires à Hanoï et Haïphong. Le plan de bombardement comportant seize objectifs : transports, centrales et transmetteurs de radio à Hanoï, et six autres dans la zone voisine, portant sur des communications et des centres de commandement et de contrôle. Il y avait treize objectifs à Haïphong, y compris les chantiers navals et les docks. Quand les premiers plans me parvinrent, je fus consterné de constater que les avions devaient être empruntés à différentes unités et impliquaient une logistique compliquée et de grandes quantités de paperasseries. Je crois que je portai un coup à l'amiral Moover lorsque je lui téléphonai : « Je ne veux plus jamais voir cette façon de se défiler en disant : " Nous ne pouvons attaquer cet objectif ou tel autre. " C'est votre chance d'utiliser notre puissance militaire efficacement pour gagner cette guerre; si vous ne le faites pas, je vous considérerai comme responsable. » Je soulignai que nous devions frapper, et frapper dur; sinon, autant ne rien faire; si l'ennemi décèle la moindre hésitation, il tiendra pour nulle toute l'entreprise.

L'ordre de reprendre les bombardements avant Noël fut la décision la plus difficile que j'eus à prendre au cours de cette guerre; mais ce fut aussi l'une des plus nettes et des plus nécessaires.

Nous décidâmes que Kissinger ferait une conférence publique sur l'état des négociations. Il était vital de placer les responsabilités de l'impasse sur ceux à qui elles incombaient : les Vietnamiens du Nord. Je le vis plusieurs fois pour mettre au point ce qu'il dirait et je dictai deux mémoires couvrant les points que je jugeais importants. Il fallait faire comprendre que les Vietnamiens du Nord avaient accepté un accord, puis qu'ils l'avaient renié sur un certain nombre de points, et que maintenant ils refusaient de négocier sérieusement. Il faudrait aussi que Kissinger critiquât Thieu qui voulait une victoire totale, alors que nous désirions une paix juste, que les deux parties pourraient observer, et avec laquelle elles pourraient vivre.

Au petit matin du dimanche 17 décembre, nos avions semèrent de nouveau des mines dans le port de Haïphong. En vingt-quatre heures, 129 bombardiers prirent part à des raids de bombardement sur le Vietnam du Nord. Trois furent abattus dans la journée.

Extrait de mon Journal :

Toutes les décisions sont dures à prendre. Celle du 8 mai rétrospectivement a dû être la plus dure, bien que celle du Cambodge ait été tout aussi difficile, et également celle du 3 novembre. Si la dernière en date a été la plus déchirante, c'est parce que tout allait, semblait-il, dans la bonne direction. Sans parler de la grande incertitude qui est demeurée sur la réaction qui en sera le résultat.

En tout cas, la décision est prise, et on ne peut revenir en arrière. Henry a ses hauts et ses bas, c'est compréhensible. Ce matin, il semblait plutôt bas. J'ai appelé Moover pour qu'il fasse le nécessaire pour lui redresser l'échine, en raison de la nécessité de continuer à fond nos attaques. Je suppose que nous le pressons trop dur. Mais je crains que l'Armée de l'Air et la Marine n'aient parfois été trop prudentes en exécutant des ordres dans le passé, et que, du fait de leur prudence, nos objectifs politiques n'aient pas été atteints. Il nous faut tout simplement accepter des pertes, si nous voulons atteindre nos objectifs.

Je me souviens de l'avertissement de Winston Churchill pendant la guerre : on peut avoir une politique audacieuse ou suivre une politique prudente; mais il est désastreux de suivre en même temps une politique d'audace et de prudence. Il faut que ce soit l'une ou l'autre.

Beaucoup de gens n'ont pas compris pourquoi je ne m'étais pas adressé au public pour exposer les raisons des bombardements de décembre. Je ne pensais pas tout d'abord que je puisse « rallier » les Américains cette fois-ci comme le 8 mai ou le 3 novembre. Mais surtout j'étais convaincu qu'une déclaration de ma part pourrait compromettre la reprise des négociations. Si j'avais annoncé que nous reprenions les bombardements pour forcer le Vietnam du Nord à traiter, leur orgueil national et leur fanatisme idéologique ne leur auraient jamais permis d'accepter de perdre la face devant le monde entier. Cela eût signifié pour eux la capitulation devant un ultimatum. C'est pourquoi j'agis avec le minimum de discours et de publicité, et cela réussit exactement comme j'en avais eu l'intention. Notre usage de la force, bref mais massif, a fait comprendre le message aux gens de Hanoï tout en leur donnant la possibilité de se dégager de leur attitude intransigeante sans avoir à reconnaître qu'ils le faisaient sous notre pression militaire.

Le 18 décembre au matin, nous fîmes savoir aux Vietnamiens du Nord à Paris, qu'après avoir soigneusement étudié le dossier des récentes négociations, nous avions conclu qu'ils avaient délibérément et futilement fait traîner les pourparlers. Nous proposions de revenir au texte tel qu'il avait été mis au point après la séance du 23 novembre, avec l'addition d'un ou deux amendements qui avaient été négociés par la suite. Sur cette base, nous étions prêts à les rencontrer de nouveau après le 26 décembre pour conclure un accord.

Nous devions aussi faire tous les efforts possibles pour convaincre Thieu que si le Vietnam du Nord acceptait de reprendre les négociations, il était indispensable qu'il se joignît à nous pour offrir des conditions raisonnables que Hanoï pût accepter.

C'est Haig, une fois de plus, que je lui envoyai. Il était porteur d'une lettre de moi qui disait à Thieu mon intention irrévocable de continuer à négocier, de préférence avec sa coopération, mais si nécessaire seul, et qu'il s'agissait d'une dernière offre de ma part. Après avoir lu deux fois cette lettre, Thieu dit qu'en fait on lui demandait de signer non un accord pour la paix, mais un accord pour la continuation de l'appui américain. Haig répondit que, comme soldat tout à fait habitué à la perfidie communiste, il était d'accord avec cette interprétation.

Thieu sembla devenir fou de désespoir. Il dit que le cessez-le-feu ne durerait pas plus de trois mois. Le dernier Américain parti, les communistes reprendraient leurs activités de guérilla, d'une manière qui serait assez prudente pour ne pas provoquer de représailles américaines. De cette façon, ma garantie de l'accord ne serait jamais mise en jeu, et les communistes auraient toutes les possibilités d'agir contre son gouvernement.

Après cet entretien, Thieu fit comprendre à des reporters que nous avions tenté de le forcer à accepter un ultimatum et qu'il avait refusé.

Le 20 décembre fut le troisième jour des raids contre le Vietnam du Nord. Quatre-vingt-dix B-52 attaquèrent onze objectifs en trois vagues. Six avions furent perdus. Le 21 décembre, trente B-52 attaquèrent trois objectifs : deux avions furent perdus.

Mon plus grand souci n'était pas, dans cette première semaine, la vague de critiques venant de l'intérieur comme de l'extérieur, comme prévu, mais l'importance des pertes en B-52. Je notai, le 23 décembre : « J'ai tempêté parce qu'ils continuent à aller sur le même objectif en même temps. C'est alors qu'enfin le Pentagone a réparti les raids suivant des heures et des routes différentes, empêchant ainsi l'ennemi de savoir quand et où les raids se produiraient, et réduisant ainsi leurs possibilités d'abattre nos avions. »

Le 22 décembre, nous proposâmes aux Vietnamiens du Nord une réunion pour le 3 janvier. S'ils acceptaient, nous arrêterions les bombardements au Nord du vingtième parallèle le 31 décembre et ils seraient suspendus pendant la durée de la session.

La réaction des moyens d'information aux bombardements de décembre était prévisible. Le *Washington Post* écrivit que « des millions d'Américains s'aplatissaient de honte et doutaient de la santé mentale de leur Président ». Joseph Kraft parla d'une action « de terreur insensée qui tache la réputation de l'Amérique ». James Reston qualifia les bombardements de « Guerre par accès de colère », et Anthony Lewis m'accusa d'agir comme « un tyran devenu fou ». Au Congrès, il y eut aussi des accès de ce genre, de la part de membres des deux partis.

Il me fut particulièrement réconfortant de recevoir des appels téléphoniques de soutien de Nelson Rockefeller et Ronald Reagan. Le sénateur James Buckley m'appuyait également avec Howard Baker, Bob Taft et Chuck Percy. L'un de mes soutiens les plus énergiques fut John Connally qui m'appelait chaque jour pour me donner un échantillonnage de l'opinion publique.

A mesure que les critiques montaient, la pression devint intense dans la Maison Blanche. Je pouvais sentir combien étaient tendus les gens que je rencontrais et saluais en allant à l'Executive Office Building ou en en revenant. Je savais que beaucoup d'entre eux étaient sincèrement troublés par les bombardements. Je comprenais qu'avec les bombardements, il leur était parfois difficile de regarder en face leurs amis, et même leurs familles pendant les jours qui auraient dû être des jours de fête.

Pat et moi, nous passâmes Noël seuls à Key Biscayne. Nous avions encouragé nos jeunes ménages à partir en vacances en Europe; nous étions déprimés tous deux en trouvant la maison si vide sans eux. Mais j'étais surtout assombri par la pensée que, si les bombardements ne parvenaient pas à forcer les Vietnamiens du Nord à reprendre les négociations, il n'y avait pas moyen de savoir « comment » ou « si » la guerre du Vietnam prendrait fin.

A 18 heures, heure de Saïgon, le 24 décembre, commença la trêve de vingt-quatre heures que j'avais autorisée.

Pas de vol, pas de bombes. Pour un jour, nous étions en paix.

Le jour de Noël, je téléphonai à plusieurs de mes vieux amis et de mes partisans dans tout le pays.

Extrait de mon Journal :

L'un dans l'autre, les appels de Noël n'ont rien révélé d'important ou de nouveau, à part le fait que l'on n'a pas trop parlé des bombardements. Je pense que tous sont inquiets de la façon dont les moyens d'information traitent la question. Reagan en a fait mention et dit que la chaîne C.B.S., dans les conditions de la Seconde Guerre mondiale, aurait peut-être été accusée de trahison.

Martha Mitchell semblait tout à fait en bonne forme quand je lui ai téléphoné, ce qui est encourageant, parce que John Mitchell est passé par un enfer du fait de sa santé, et je suis heureux qu'elle se rétablisse. Peut-être les quinze jours de vacances feront-ils la différence et leur permettront-ils de reprendre la route de telle manière que John puisse demeurer politiquement efficace. Car c'est un des hommes les plus sages, les plus forts que j'aie connus.

Henry nous a appelé pour nous souhaiter un joyeux Noël, mais visiblement, il avait besoin d'être un peu réconforté. J'ai été tout à fait en mesure de le faire, parce que je suis sûr que nous faisons ce qu'il faut.

Harry Truman est mort le lendemain de Noël. Suivant son désir, son corps est exposé à la Bibliothèque Truman à Independence, dans le Missouri. Le 27 décembre, nous irons, Pat et moi, lui rendre hommage et faire une visite à Madame Truman.

Certains membres de mon équipe exercèrent une pression considérable en faveur de la prolongation de la trêve de Noël pendant quelques jours de plus. Mais je ne fus absolument pas d'accord, et au contraire j'ordonnai personnellement pour le 26 décembre l'un des plus importants raids de bombardiers; 116 vols de B-52 furent dirigés sur des objectifs de la zone Hanoï-Haïphong.

Cet après-midi-là, les Vietnamiens du Nord envoyèrent un premier signal, qui montrait qu'ils en avaient assez. Nous reçûmes d'eux un message condamnant « les bombardements d'extermination », mais ils n'exigeaient pas l'arrêt des bombardements comme condition préalable de leur accord à une nouvelle rencontre, qu'ils proposèrent pour le 8 janvier à Paris. Nous répondîmes que nous souhaiterions voir commencer dès le 2 janvier les entretiens techniques, si la rencontre au niveau de Kissinger ne pouvait avoir lieu avant le 8. Les bombardements au Nord du vingtième parallèle seraient arrêtés dès que les arrangements pour la rencontre auraient été achevés et annoncés publiquement. Le 28 décembre, le Vietnam du Nord accepta et confirma les dates des 2 et 8 janvier. A 19 heures, heure de Washington, le 29 décembre, le bombardement au

Nord du vingtième parallèle fut suspendu. Le lendemain matin, nous annonçâmes que les négociations de Paris allaient reprendre.

Extrait de mon Journal :

> La question est de savoir si le public verra, dans l'annonce d'aujourd'hui, le résultat d'une politique efficace. Bien entendu, ce n'est pas de cette façon que le verront nos adversaires dans les moyens d'information et au Congrès.
>
> J'en ai parlé avec Chuck Colson, et lui à son tour avec John Scali. Tous deux pensent que les moyens d'information vont essayer de dire : « *Le bombardement était-il nécessaire?* », ou même que l'indignation mondiale nous a contraints à retourner à la table de négociations, ou des choses de ce genre.
>
> Henry considère la chose au fond, et non d'après la forme. Et au fond, nous savons que c'est une fameuse reddition de l'ennemi à nos conditions.

La plupart des reporters de la télévision et des journaux du lendemain matin mirent l'accent sur l'arrêt des bombardements, plutôt que sur la reprise des pourparlers, et la plupart indiquèrent que l'on ne savait si le retour aux négociations était le résultat du bombardement, ou si l'arrêt des bombardements était la suite de l'accord de l'ennemi pour reprendre les conversations. C'était vexant de n'être pas en mesure de les tirer d'embarras. Comme je le dis à Colson : « Nous ne pouvons que faire confiance au bon sens du peuple. Ce n'est certainement pas la presse qui va faire la mise au point pour nous. »

C'est à Camp David que nous avons passé le 1ᵉʳ janvier, Pat et moi. Le 2 janvier j'appelai Lyndon Johnson, à son ranch au Texas. Nous échangeâmes quelques souvenirs d'Harry Truman. Il ne savait pas s'il pourrait assister au service commémoratif de Washington, parce que après avoir assisté à un match de football il avait souffert sévèrement du cœur et son médecin lui avait interdit les voyages.

La conversation passa au Vietnam :

« Je sais par quels tourments vous passez avec cette guerre, dit Johnson. Je veux que vous sachiez que je prie chaque jour pour vous.

— Je sais que vous avez essayé de faire ce qu'il fallait quand vous étiez ici, lui répondis-je, et c'est ce que j'essaie de faire moi aussi. »

Nous continuons à jouer des stratégies soviétique et chinoise pour autant qu'elles aient pu être utiles. Kissinger alla dire à Dobrynine que les choses que désiraient les Soviétiques — un arrangement au Moyen-Orient, une conférence de la sécurité européenne, des accords sur les armes nucléaires — devraient rester à mijoter, jusqu'à ce que l'affaire du Vietnam fût réglée. Et j'écrivis à Chou en-Laï que la guerre du Vietnam empêchait de faire le genre de progrès qui bénéficierait à nos deux pays.

Le 2 janvier 1973, veille de l'ouverture de la session parlementaire, le groupe démocrate de la Chambre des Représentants vota par 154 contre 75 voix la suppression de tous les crédits destinés aux opérations militaires en Indochine, aussitôt que des arrangements auraient été pris pour le retrait des troupes des Etats-Unis et le retour de nos prisonniers. Deux jours plus tard, Ted Kennedy proposa une résolution similaire au groupe démocrate du Sénat qui l'adopta par 36 voix contre 12. L'atmosphère du déjeuner parlementaire à la Maison Blanche le lendemain fut tendue. A la fin, je prononçai une allocution sur les raisons que j'avais eues d'ordonner le bombardement, et je dis pourquoi j'étais sûr que ç'avait été le seul moyen de parvenir à un règlement. Je conclus : « Messieurs, c'est moi qui prendrai la responsabilité, si ces négociations échouent. Si elles réussissent, alors tous nous aurons réussi. » Je n'étais pas surpris par la conduite des libéraux démocrates. Depuis l'élection, j'avais exclu tout espoir d'en recevoir un appui ou une coopération. Je pouvais voir qu'ils allaient essayer d'utiliser le problème du Vietnam pour retrouver leur unité après la débâcle de McGovern. Leur stratégie semblait évidente : si nous obtenions un accord, ils diraient que c'était parce que la pression qu'ils avaient exercée sur moi m'avait contraint à arrêter les bombardements et à retourner à la table des négociations; si nous n'y parvenions pas, ils insisteraient pour le retrait de nos forces que la plupart d'entre eux n'avaient cessé de préconiser.

Le 6 janvier, avant son départ pour Paris, Kissinger vint me voir à Camp David pour discuter la stratégie qu'il allait suivre. Au cours de la dernière session des négociations de décembre, il avait décrit les deux options entre lesquelles il nous fallait choisir. Selon la première, nous accepterions un accord aux meilleures conditions possibles. Selon la seconde, nous briserions avec Thieu, et nous continuerions les bombardements, jusqu'à ce que les Vietnamiens du Nord acceptent la libération de nos prisonniers contre notre retrait complet.

J'étais déterminé à obtenir un accord au cours de la prochaine session, et j'exprimai fortement ce sentiment à Kissinger.

Extrait de mon Journal :

> En résumé, je lui ai représenté d'une manière tout à fait directe que, même si nous pouvions revenir à l'accord du 8 octobre, nous devrions l'accepter, en ayant présent à l'esprit qu'il y avait un grand nombre de détails qui avaient été réglés, de sorte que nous pourrions faire état d'une certaine amélioration de cet accord. Un mauvais règlement sur la base de la première option était préférable à la deuxième à son mieux.
> Il s'est finalement rallié à mon avis. Il croyait cependant que du point de vue du Vietnam du Sud, et peut-être de notre propre point de vue à long terme, nous nous en tirerions mieux avec la deuxième option. Je crois qu'il néglige le fait qu'en ce qui nous concerne aujourd'hui, la lassitude de la guerre a atteint un point tel que la seconde option est devenue pour nous trop lourde à supporter.
> La guerre continue à détourner trop notre attention d'autres problèmes internationaux, tels que ceux du Moyen-Orient. Elle a aussi un effet nuisible sur nos relations, non seulement avec les Soviétiques et les Chinois, mais aussi avec nos alliés. »

En lui disant au revoir à la porte, je lui lançai : « Eh bien! d'une manière ou d'une autre, nous y sommes... » Cette nuit-là, j'essayais de faire une liste des avantages et des inconvénients, pour voir si je pouvais déceler le cours que les événements allaient suivre :

Extrait de mon Journal :

> Quelques faibles indices sont fournis par les conversations techniques qui ont fait des progrès cette semaine sur les quatre questions les plus faciles. Les quatre plus difficiles seront abordées la semaine prochaine. De même, le fait

que les Vietnamiens du Nord ont lancé des offensives vers le Sud indique qu'ils essaient de s'emparer de territoires et de villages avant l'entrée en vigueur du cessez-le-feu.

Un autre facteur positif : le Vietnam du Sud semble se rapprocher. Nos renseignements indiquent que Thieu dit à ses visiteurs que ce n'est pas un accord de paix qu'il va obtenir, mais un engagement des Etats-Unis de continuer à protéger le Vietnam du Sud dans le cas où l'accord serait rompu. C'est exactement la manière de voir les choses que je lui indiquais dans la lettre que Haig lui a remise.

Au milieu des jours tendus du bombardement de décembre et de la fureur qu'il provoquait, de nouveaux problèmes liés à Watergate commencèrent à faire surface. Le 8 décembre, la femme de Howard Hunt avait été tuée dans un accident d'avion; depuis, Hunt s'était montré désespéré, et semblait au bord de l'effondrement. Maintenant que Hunt était menacé d'aller en prison, Colson commençait à se faire du souci pour lui.

Parmi le personnel de la Maison Blanche, on commençait à se montrer du doigt, en faisant des suppositions sans aucune preuve. Je sentais que les gens étaient troublés et soucieux. J'écrivis dans mon Journal :

> Un point inquiétant : le commentaire de Haldeman selon lequel Colson aurait pu être au courant de l'affaire de Watergate. Je ne suis vraiment pas sûr qu'il l'ait été. L'argument de Haldeman est que Colson avait insisté pour être renseigné sur les tentatives faites par les Démocrates pour saboter notre Convention, etc. Naturellement, Colson peut avoir insisté en ce sens, mais cela ne veut pas dire qu'il ait connu les moyens employés pour obtenir ces renseignements. Je ne peux pas croire, d'après nos conversations avec Colson, qu'il ait été assez stupide pour penser que nous pouvions obtenir de tels renseignements en essayant de planter des microphones chez l'adversaire.

Je fis une autre note sur ce problème trois jours plus tard, le samedi 6 janvier.

Extrait de mon Journal :

> Colson m'a dit vendredi qu'il a fait tout ce qu'il a pu pour détourner Hunt de devenir un témoin de l'accusation. Après ce qui est arrivé à la femme de Hunt, et... je pense que ce serait un excellent dossier pour une grâce.
>
> Colson pense apparemment que, soit Haldeman, soit Ehrlichman, soit les deux, peut ou peuvent avoir été impliqués beaucoup plus profondément qu'il n'a été indiqué. Naturellement, ce ne sont que des ouï-dire. L'argument de Colson est que Magruder a l'habitude de citer des noms, et qu'il peut avoir mentionné ceux d'Haldeman et Ehrlichman en disant aux gens de Watergate de collecter des renseignements. Et il semble, selon Colson, que certaines des réunions se soient tenues dans le bureau de Mitchell au Département de la Justice. Voilà qui paraît invraisemblable, mais il est vrai que pendant une campagne, les gens n'agissent pas de façon aussi rationnelle ou responsable qu'ils le font dans des circonstances normales. Toute cette affaire a dû être lourde à porter pour Haldeman et Ehrlichman au cours de cette dernière semaine si tendue; j'avais senti que quelque chose les rongeait, sans savoir quoi.

Ces spéculations m'inquiétaient; mais j'y voyais, au moins en partie, des manifestations d'une animosité, qui n'est pas rare entre membres d'une même équipe, et qui d'ailleurs existait depuis longtemps entre Colson et Mitchell d'une part, et Colson et Ehrlichman d'autre part.

Il semble clair maintenant que j'aie su que Colson envoyait à Hunt des messages d'encouragement par son avocat, messages que Hunt interpréta comme la promesse d'être gracié. Je ne croyais pas qu'aucun engagement eût été pris. Je ne peux exclure la possibilité que j'aie su que des assurances similaires eussent été données à d'autres accusés. Je ne m'en souviens absolument pas, mais quand il est question de Watergate, j'ai appris à ne pas être trop catégorique. En tout cas, je fus soulagé quand, au début de janvier, Hunt et les autres plaidèrent coupables. Je pensai que cela nous épargnerait les difficultés d'un bruyant procès public et la confusion qu'il engendrerait en un moment aussi critique.

Le lundi 8 janvier, Kissinger passa quatre à cinq heures avec Le Duc Tho. Il n'en sortit rien; mais dans son compte rendu de ce jour, Kissinger soulignait qu'il ne serait pas réaliste d'espérer qu'après les bombardements les communistes céderaient dès le premier jour. J'étais naturellement déçu, mais il n'y avait rien d'autre à faire que d'attendre.

Vers midi, le 9 janvier, Haldeman arriva au Bureau Ovale avec un câble de Kissinger.

« Qu'est-il arrivé? lui demandai-je aussitôt.

— Je pense qu'il faut que vous lisiez vous-même, Monsieur le Président », dit-il solennellement, avant de sortir.

Je pris le papier, mis mes lunettes, et commençai la lecture : « Nous avons fêté l'anniversaire du Président aujourd'hui en faisant une percée décisive dans les négociations. En somme, nous avons réglé toutes les questions pendantes de l'accord. »

Kissinger me mettait en garde contre un excès d'optimisme : « Les Vietnamiens nous ont brisé le cœur plusieurs fois auparavant et nous ne pouvons être sûrs du succès avant que tout ne soit bien attaché, mais l'humeur et la manière pratique d'approcher les problèmes ont été plus proches de celles d'octobre que tout ce que nous avions vu depuis lors. » Il concluait : « Ce qui nous a conduits où nous sommes, c'est la fermeté du Président, et la certitude des Vietnamiens du Nord qu'il ne se laisserait pas influencer par les pressions du Congrès ou de l'opinion publique. Le Duc Tho me l'a indiqué plusieurs fois. Aussi est-il essentiel que nous gardions notre attitude sévère les prochains jours. Le moindre signe d'impatience serait suicidaire. »

Je répondis immédiatement :

« J'ai vivement apprécié vos vœux d'anniversaire et votre compte rendu. Je suis tout à fait d'accord sur la nécessité de maintenir un secret absolu sur les événements jusqu'à ce que tout soit complètement fixé...

Vous devez conserver une attitude énergique, et avant tout ne laissez pas l'autre partie recourir à des procédés dilatoires. Si, de l'autre côté, on reste en piste et que les choses ne tournent pas à la catastrophe demain, ce que vous avez fait aujourd'hui est le meilleur cadeau d'anniversaire que j'aie reçu depuis soixante ans. »

Le rythme se maintint au cours de la séance suivante. Kissinger rapporta qu'à cette allure l'accord serait conclu dans les trois ou quatre jours.

Le 11 janvier, Kissinger câbla. « Nous avons rédigé le texte complet de l'accord, y compris les dispositions finales. » Il y avait quatre ans moins neuf jours que j'étais entré à la Maison Blanche et que j'avais hérité de la tâche de mettre fin à la guerre du Vietnam.

Quand on annonça que Kissinger allait voler directement de Paris à Key Biscayne pour me faire rapport sur la marche des entretiens avec les

Vietnamiens du Nord, on conjectura un peu partout qu'un accord avait été conclu. Dans une brève déclaration faite à l'aéroport de Paris, Kissinger sortit l'un de ses énigmatiques sourires de hibou, et dit que les conversations avaient été « utiles ». Il arriva à Key Biscayne plusieurs heures plus tard, et nous parlâmes jusqu'à 2 heures du matin.

Extrait de mon Journal :

> Je l'ai reconduit à sa voiture et je lui ai dit que le pays lui devait beaucoup pour ce qu'il avait fait. Je ne me sens pas à l'aise pour complimenter les gens de but en blanc. Je préfère le faire d'une façon un peu plus discrète. C'était aussi, je m'en souviens, l'une des caractéristiques d'Eisenhower. Mais Henry s'y attendait, et c'est bon que je l'aie fait. A son tour, il m'a répondu que si je n'avais pas eu le courage de prendre la décision difficile du 18 décembre, nous n'en serions pas aujourd'hui où nous en sommes.

Le 15 janvier à 10 heures du matin, le bombardement et la pose de mines au Vietnam du Nord furent arrêtés pour une période indéfinie et l'annonce publique en fut faite. Le bombardement avait fait sa besogne; il avait atteint son but et maintenant il pouvait prendre fin. C'était une bonne nouvelle pour nous tous.

Extrait de mon Journal :

> J'ai demandé à Henry de téléphoner à Pat et de lui donner un aperçu de la situation tout de suite après l'annonce publique. Henry m'a dit que depuis quatre ans qu'il connaissait Madame Nixon, il ne l'avait jamais entendue aussi exaltée, qu'elle était infiniment heureuse.
> Julie avait voulu m'appeler. Elle était pétillante de bonheur. Elle, et sa mère qui était apparemment dans la même pièce qu'elle, étaient très fières de ce qui était arrivé. Comme je répondais que l'arrêt des bombardements devait être, je suppose, très populaire, et tout ce genre de choses, elle m'a répondu : « Non, ce n'est pas ce que je veux dire. » Elle et sa mère étaient fières du fait que j'étais allé de l'avant et que j'avais fait ce qu'il fallait faire.

On m'avait raconté que Mike Mansfield disait autour de lui combien le Sénat s'était montré discret et sérieux pendant la dernière semaine de négociation, et je notai dans mon Journal : « Il est intéressant que Mansfield ait réagi comme il l'a fait. Naturellement, c'est avant le départ d'Henry qu'ils lui avaient coupé les jambes. »

Il y eut aussi une note discordante ce jour-là.

Extrait de mon Journal :

> Ironie du sort : le jour où l'on a annoncé l'arrêt des bombardements du Vietnam du Nord, les quatre du Watergate ont décidé de plaider coupable! Quand j'ai vu les gros titres du *Times* : « *Les espions plaident coupable dans l'affaire de Watergate* », je me suis rendu compte de ce que la presse aurait écrit s'il n'y avait pas eu une autre nouvelle qui l'éclipsait.
> Il court un nouveau tuyau qui est plutôt curieux. Colson m'a dit que le danger, dans le cas de Hunt et dans toute l'affaire en général, est que des aveux puissent conduire à Haldeman et même à Ehrlichman. Haldeman, pour sa part, m'a raconté ce que les exposés de la revue *Time* et du *New York Times* vont dire : c'est qu'il existait un lien allant de Liddy jusqu'à Colson et Mitchell. On ne pourrait les empêcher de publier cet article que par un ultimatum les menaçant d'un procès en diffamation avec intention de nuire. Franchement, je ne sais comment cela a pu arriver, et cela vaut mieux ainsi, mais mon idée

est que Colson n'était pas aussi au courant que Haldeman et les autres le pensent.

Que Haldeman l'ait été, je ne le sais pas, bien que je pense qu'il aurait été assez intelligent pour se tenir à plus d'un kilomètre d'une aussi stupide initiative.

Il est évident que le juge leur accordera le maximum, et cela créera tout un problème quand il s'agira de les gracier. Il est intéressant de noter que les fonds qui ont été réunis pour les entretenir proviennent d'un Comité de Cubains exilés en Floride, et aussi que Teddy Kennedy se produit, cette semaine, avec un article demandant que nous reprenions des relations avec Castro. Certainement ces hommes n'auraient pas pris de risques aussi énormes s'ils n'avaient pas profondément senti que les McGovernistes et les autres, les Démocrates en général, représentaient une menace pour les institutions et les idées auxquelles ils croient profondément.

Nous étions parvenus à un accord, mais nous avions encore à persuader Thieu de se joindre à nous pour le signer. Thieu n'avait pas perdu son temps depuis octobre, et il était dans une position beaucoup plus forte à l'égard des communistes qu'il n'avait jamais été. J'avais toujours cru que son bon sens et son patriotisme — sinon son instinct de conservation — l'amèneraient à nous rejoindre quand nous aurions atteint la date limite pour signer l'accord avant que le Congrès intervienne et me retire des mains la conduite de la guerre. Nous y étions arrivés, et mon jugement sur Thieu allait être mis à l'épreuve. Bientôt après le retour de Kissinger à Washington le 14 janvier, Haig partit pour Saïgon.

Le matin du 16 janvier, il vit Thieu et lui remit une lettre de moi. Je lui signalais que j'étais irrévocablement décidé à parapher l'accord le 23 janvier et à le signer le 27 janvier : « Je le ferai seul si c'est nécessaire. » Je continuais ainsi :

« En ce cas, il me faudra expliquer publiquement que votre Gouvernement fait obstruction à la paix. Le résultat sera la fin inévitable et immédiate de l'aide économique et militaire des Etats-Unis qui ne peut être prévenue par un changement de personne de votre Gouvernement. J'espère, cependant, qu'après tout ce que nos deux pays ont partagé et souffert au cours du conflit, nous resterons ensemble pour préserver la paix et en cueillir les fruits.

A cette fin, je tiens à vous répéter les assurances que je vous avais déjà données. Au moment de la signature de l'accord, j'expliquerai expressément que les Etats-Unis reconnaissent votre Gouvernement comme le seul gouvernement légal du Vietnam du Sud, que nous ne reconnaissons à aucune troupe étrangère le droit de se trouver sur le territoire du Vietnam du Sud; et que nous réagirons en force si l'accord vient à être violé. Finalement, je tiens à vous assurer de mon engagement en faveur de la liberté et du progrès de la République du Vietnam du Sud. C'est ma ferme intention de maintenir une aide complète économique et militaire. »

Avec cette lettre et cette garantie, je ne pensais pas que je puisse faire plus. Mais je n'avais jamais pensé non plus que je puisse faire moins. La décision appartenait à Thieu.

Il apparut que, fidèle à lui-même jusqu'au bout, Thieu allait jouer le jeu jusqu'à la corde.

Lors de leur deuxième entretien, le 17 janvier, la rencontre d'Haig et Thieu fut brève et émouvante. Thieu lui donna pour moi une lettre scellée. Haig retourna à l'ambassade et lut la lettre. Elle était, comme dit Haig, cassante et intraitable. J'adressai immédiatement une réponse reprenant la lettre de Thieu point par point et je le confrontai avec l'inévitable conclusion : « Nous n'avons qu'une décision devant nous :

allons-nous, oui ou non, poursuivre en temps de paix l'étroite coopération qui nous a tant servi en temps de guerre. »

Le 18 janvier, on annonça à Washington et Hanoï que les négociations de Paris reprendraient le 23 janvier « afin de parachever le texte d'un accord ». La fièvre de la paix éclata partout, et les journalistes déclarèrent carrément, avec une assurance dont ils ne pouvaient savoir qu'elle était justifiée, que l'affaire était dans le sac.

Nous attendions toujours anxieusement des nouvelles de Saïgon. Bunker télégraphia qu'il n'avait pu obtenir un rendez-vous de Thieu parce que celui-ci était pris par des cérémonies religieuses une journée entière à cause du mariage de sa fille. Bunker et Haig pensaient que Thieu adoptait cette politique dilatoire pour pouvoir dire qu'il avait fait tout ce qu'il avait pu. D'après eux, la date limite qu'il s'était fixée était la date de mon entrée en fonction, le 20 janvier.

Entre-temps, Haig était allé à Bangkok et Séoul. Les dirigeants de la Thaïlande et le Président Park n'avaient aucune confiance dans les intentions du Gouvernement du Vietnam du Nord, mais ils comprenaient les réalités politiques de la scène américaine, et ils furent d'accord pour approuver l'accord en public, et pour conseiller à Thieu de le signer en privé.

Après une dernière tentative de résistance et une autre série de lettres entre nous, Thieu se décida finalement à accepter l'accord. Regardant Bunker par-dessus son bureau, il lui dit : « j'ai fait de mon mieux. J'ai fait tout ce que je pouvais pour mon pays. » Bien que sa conduite eût été presque insupportablement agaçante, je ne pouvais qu'admirer son courage.

Il n'y avait plus qu'à attendre les dispositions finales, et que les Vietnamiens du Nord s'engagent irrévocablement à signer l'accord en en faisant l'annonce publique à Hanoï.

Le 20 janvier je prêtai serment pour mon deuxième mandat en tant que trente-septième Président des Etats-Unis. J'avais espéré que cette cérémonie se passerait en temps de paix. Mais les délais inévitables, ajoutés au danger de s'engager publiquement sur une date précise repoussèrent la signature de l'accord au-delà de mon entrée en fonction. Au lieu de décrire, dans mon discours inaugural, les bienfaits de la paix obtenue, je ne pouvais que décrire une paix qui était en voie d'être obtenue, et de parler de ce que nous pourrions tenter en faire quelque chose de plus qu'un entracte entre deux guerres.

Extrait de mon Journal :

> Le matin de la cérémonie, avant de partir, j'entrai dans la chambre de Lincoln et je me tins dans l'endroit où se trouve la proclamation de l'Emancipation, et où, je crois, se trouvait le bureau de Lincoln. J'inclinai la tête un moment, et je priai afin que je puisse donner à ce pays quelque élévation, quelque inspiration, et quelque direction, par le bref discours inaugural que j'avais préparé.

La cérémonie d'entrée en fonction se déroula sans accroc, peut-être la meilleure que j'aie jamais vue. Le système de diffusion publique était parfait. Aucune interruption n'était audible, bien qu'à l'arrière-plan il y eût, je pense, quelques manifestants qui lancèrent des obscénités quand je commençai à parler. Mais ils se calmèrent — à moins qu'on ne les ait calmés...

Madame Agnew embrassa Agnew, mais Pat ne m'embrassa pas, et j'en fus plutôt heureux. Parfois, ces démonstrations d'affection sont à leur place, comme c'était le cas le soir de l'élection, mais à d'autres moments je ne pense pas qu'elles conviennent, et c'était le cas.

Je me suis tenu debout tout le long du chemin en passant la revue. Pat s'est levée environ au dernier tiers du chemin. Quand les manifestants ont commencé à jeter des œufs et des détritus, le Service de sécurité lui a demandé de s'asseoir, mais elle a refusé. Elle a eu raison. Il y eut un incident : un manifestant fit une percée et chargea la voiture. Les hommes du Service de sécurité le coiffèrent en un éclair et le plaquèrent au sol.

Le temps passait lentement dans l'attente du 23 janvier et l'annonce du règlement au Vietnam. Aux premières heures du 22, Lyndon Johnson mourut.

LYNDON JOHNSON

Je pense que Lyndon Johnson est mort le cœur brisé, physiquement et moralement. C'était un homme fier et extrêmement capable. Il voulait désespérément et espérait être un grand Président. Il s'était fixé le but de dépasser son prédécesseur.

Après ma victoire de 1968 et les dernières années de sa vie, je vis ce que certains ont décrit comme « le bon côté » de son caractère. Il était courtois, modéré dans ses propos, et prévenant à tous égards. Il n'était plus le politicien arriviste ou le partisan achevé de ses premières années.

Par-dessus tout, Johnson désirait être aimé. Il voulait s'assurer non seulement l'estime, mais aussi l'affection de tous les Américains. Beaucoup de sa rhétorique excessive et de sa politique intérieure avait ses racines dans cette quête irrésistible pour la popularité. Johnson aurait dû se laisser guider par ses instincts conservateurs qui lui auraient fait éviter tout énorme programme de dépenses à un moment où l'Amérique était engagée dans une guerre coûteuse.

Le slogan de Johnson en 1964 avait été : « *Tout le chemin avec L.B.J.* » Mais il constata qu'en ce qui concernait les libéraux des mass media, et l'aile gauche de son propre parti, l'alternative était : « *Tout le chemin avec eux* », ou : « *Rien du tout* ». Ils applaudirent son programme intérieur libéral et firent des louanges de la Grande Société. Mais le consensus qu'il avait établi avec tant de peine se désintégra quand il ne voulut pas suivre leurs exigences pour un départ précipité hors du Vietnam, et ils se tournèrent contre lui avec un acharnement et une férocité qui le déprimaient et le blessaient profondément. Il les avait entretenus, il avait presque flatté leurs vices, et il ne put les gagner.

Le caractère haineux des attaques portées contre la politique de Johnson au Vietnam était symbolisé par cet affreux slogan, hurlé par les manifestants contre la guerre : « Hé, hé, L.B.J., combien de gosses as-tu tués ce matin? » Tout d'abord, il en fut aigri, puis il fut déçu et finalement il en fut détruit. Comme Herbert Hoover, il eut le malheur d'être Président au mauvais moment. Il aurait pu être un grand Président en temps de paix, mais la combinaison de la guerre à l'extérieur et à l'intérieur fut trop pour lui.

Le 23 janvier à 22 heures, je fis une brève déclaration annonçant qu'un accord avait été réalisé à Paris, et qu'un cessez-le-feu commencerait au Vietnam le 27 janvier.

Après avoir terminé mon émission, j'écrivis une courte lettre :

> « Chère Lady Bird,
>
> Comme j'aurais voulu que Lyndon ait vécu assez pour m'entendre annoncer le règlement de paix au Vietnam ce soir!
> Je sais les injures qu'il a reçues, particulièrement de membres de son propre parti, parce qu'il était resté ferme dans son désir d'une paix dans l'honneur.
> Nous avons obtenu maintenant ce règlement, et nous ferons tout pour qu'il dure, de sorte que lui et les braves qui ont sacrifié leurs vies pour la paix ne soient pas morts en vain. »

A minuit le 27 janvier, le cessez-le-feu entra en vigueur et la tuerie s'arrêta, au moins pour un temps. J'avais toujours pensé que je ressentirais un immense sentiment de soulagement et de satisfaction quand la guerre serait terminée. Mais je ressentis aussi de la tristesse; de l'appréhension et de l'impatience : de la tristesse parce que Johnson n'avait pas vécu quelques jours de plus pour partager ce moment avec moi et en recevoir l'hommage; de l'appréhension parce que je n'avais aucune illusion sur le caractère fragile de l'accord ou les motifs réels qui avaient poussé les communistes à le signer; et de l'impatience, parce que je n'étais que trop conscient de toutes les choses que nous avions retardées ou remises à cause de la guerre.

Message de Richard Nixon pour les calendriers de bureau
datés du 20 Janvier 1973 au 20 Janvier 1977

Every moment of history is a fleeting time, precious and unique. The Presidential term which begins today consists of 1461 days--no more and no less. Each can be a day of strengthening and renewal for America; each can add depth and dimension to the American experience.

The 1461 days which lie ahead are but a short interval in the flowing stream of history. Let us live them to the hilt, working every day to achieve these goals.

If we strive together, if we make the most of the challenge and the opportunity that these days offer us, they can stand out as great days for America and great moments in the history of mankind.

Richard Nixon

*Washington, D.C.
January 20, 1973*

LA PRÉSIDENCE
1973-1974

1973

Dans une interview donnée à la veille de l'élection de 1972, j'avais dit qu'au cours des quatre années à venir, mon Gouvernement s'affirmerait comme le Gouvernement le plus réformateur depuis celui de Franklin Roosevelt en 1932. Mais les réformes auxquelles je pensais seraient très différentes de celles du New Deal. Je dis au journaliste Garnett Horner, du journal *Star* de Washington : « Les réformes de Roosevelt ont conduit à renforcer toujours davantage le pouvoir à Washington. C'était sans doute nécessaire à l'époque... Les réformes que nous allons instituer [...] vont diffuser le pouvoir à travers tout le pays; elles déposséderont le Gouvernement mais, en un sens, elles le rendront plus fort. Après tout, tout Gouvernement important est faible, faible dans le traitement des problèmes. » Dans une brève allocution à mon personnel de la Maison Blanche, je m'exprimai plus simplement : « Il n'y a plus de vaches sacrées, dis-je. Nous piétinerons les plates-bandes. »

Au début de mon second mandat, le Congrès, la bureaucratie et les moyens d'information travaillaient encore ensemble pour maintenir les idées et l'idéologie de l' « Establishment » libéral traditionnel de l'Est des Etats-Unis, qui jusqu'en 1973 étaient tombées du New Deal à la Nouvelle Frontière, puis à la Grande Société. Je voulais maintenant laisser exprimer les valeurs et les convictions plus conservatrices de la Nouvelle Majorité à travers tout le pays et faire emploi de mes pouvoirs pour donner des griffes à ma nouvelle révolution américaine. Je notai dans mon journal : « Ce sera un choc pour l' " Establishment ", mais c'est la seule façon et probablement la dernière occasion de pouvoir maîtriser le Gouvernement avant qu'il ne devienne si important qu'il submerge complètement l'individu et détruise le dynamisme qui a fait du système américain ce qu'il est. »

Pendant mon premier mandat, tous les efforts que j'avais faits pour réorganiser ou réformer le Gouvernement fédéral afin de le rendre plus efficace s'étaient heurtés aux inerties combinées et déterminées du Congrès et de la bureaucratie. Ce fut en partie pour des raisons partisanes : les institutions démocrates résistent naturellement à un Président républicain. Mais c'était aussi parce que les plans et les programmes que je présentais menaçaient les pouvoirs et les privilèges derrière lesquels ces institutions s'étaient retranchées depuis plusieurs décennies dans plusieurs administrations. Pour diverses raisons, j'avais dû subir cette situation et accepter qu'aucune réforme, qu'aucune modération fiscale ne sorte du Congrès pendant mon premier mandat. Maintenant, j'étais armé de ma victoire écrasante. Sachant que je n'avais plus que quatre années pour atteindre mon but, j'avais le projet de forcer le Congrès et la bureaucratie à défendre à découvert devant l'opinion publique leur obstructionnisme et leurs dépenses injustifiées.

Lors de la première conférence de presse de mon second mandat, le 31 janvier 1973, je ne mâchai pas mes mots : « Le problème est que le Congrès désire des responsabilités... Mais si vous en obtenez, il faut vous conduire de manière responsable, et c'est ce que le Congrès n'a pas fait au point de vue financier. La difficulté, naturellement — et j'ai été membre du Congrès —, est que celui-ci représente des intérêts particuliers. »

Pendant mon premier mandat, je m'étais heurté également à l'hostilité croissante des media. Agnew m'avait rappelé quelques vérités premières sur leur puissance et leurs partis pris, mais je devais observer la fiction officielle, suivant laquelle il n'existe aucun rapport naturel d'hostilité entre le Président et les media. Maintenant, au cours du second mandat, j'avais le projet de leur faire comprendre que je n'accepterais plus en silence leurs flèches empoisonnées, et que je ne laisserais pas sans réponse le défi de leur puissance incontrôlée.

Je jetai le gant le 13 janvier au cours de la conférence de presse où j'annonçai le règlement de paix au Vietnam. Je dis que j'avais fait de mon mieux en présence de grands obstacles, et que j'avais finalement réussi à obtenir une paix dans l'honneur :

« Je sais que certains d'entre vous sont écœurés d'écrire cette phrase, dis-je; mais c'est vrai, et la plupart des Américains savent que c'est vrai. »

Pour l'année du Bicentenaire où un nouveau Président serait élu, j'espérais assurer à l'Amérique les débuts d'une nouvelle classe dirigeante dont les valeurs et les aspirations seraient mieux à l'image de celles du reste du pays. Ce n'était pas une perspective uniquement conservatrice. Pat Moynihan avait écrit mélancoliquement en 1969 : « Depuis environ 1840, l'élite cultivée en Amérique a, d'une manière presque générale, rejeté les valeurs et les activités du reste de la population. »

Les craintes que m'inspiraient les classes dirigeantes américaines avaient été confirmées et renforcées par ce que j'avais vu et expérimenté pendant mes quatre premières années de Présidence. En politique, à l'Université, dans les arts et même dans les milieux d'affaires et les Eglises, dominait un négativisme à la mode qui, à mon avis, était l'expression d'une déficience sous-jacente de la volonté, un éloignement à l'égard des conceptions et des comportements traditionnels américains. La guerre du Vietnam avait achevé d'aliéner ce groupe en minant le concept traditionnel du patriotisme.

J'avais suivi la croissance et l'extension de ce malaise au cours de mon premier mandat. Je l'avais aperçu dans la manière dont les mass media glorifiaient les étudiants rebelles et passaient sous silence ou présentaient comme ignorants ou sans culture ceux qui tenaient encore aux valeurs traditionnelles. En 1970, Pat Moynihan avait ajouté une autre note pertinente : « Quelqu'un devrait faire ressortir que lorsqu'un homme de la classe moyenne supérieure sorti des grandes Universités dit quelque chose de particulièrement scandaleux, l'Amérique officielle est censée réagir en disant : " Il s'efforce de nous faire parvenir un message. " Mais si un jeune ouvrier du bâtiment dit quelque chose en réponse, nous devons conclure qu'il est un néo-fasciste et qu'il faut lui fermer la bouche. »

J'apercevais le même phénomène dans les attitudes plus subtiles qui imprégnaient le milieu culturel dominé par les libéraux. Le fait qu'elles semblaient avoir moins d'importance ne me les rendait pas moins inquiétantes. Pendant la campagne, par exemple, j'avais été agacé par un film que nous avions vu un soir à Camp David.

Extrait de mon Journal :

> Nous avons vu, hier, un film intéressant appelé *L'Homme;* et ce qui m'a frappé, c'est le fait qu'ils avaient fourré un drapeau américain à la boutonnière du Secrétaire d'Etat, qui, évidemment, était un personnage très antipathique. Haldeman me dit qu'il avait vu un film intitulé *Le Candidat,* où, là encore, le candidat républicain arborait un drapeau américain. Je dis à Haldeman qu'à partir de maintenant, j'allais porter le drapeau, contre vents et marées. Il dit que MacGregor allait faire savoir aux gens que, puisque le Président portait un drapeau, beaucoup d'entre eux voudraient sans doute faire de même, pour montrer leur attachement au pays et au Président. Naturellement, ceci doit être fait avec soin, de manière à ne pas jeter le doute sur le patriotisme des tenants de l'autre parti. Il est vraiment curieux que des gens en soient venus à décrier leur pays comme ils le font.

Il n'y avait de ma part aucun préjugé politique. Nous étions, à mon avis, à un tournant de l'histoire. Ce que j'en avais étudié m'avait appris que lorsque toutes les institutions dirigeantes d'une nation se laissent paralyser par le doute et les examens de conscience, cette nation ne peut longtemps survivre, à moins que ces institutions ne soient réformées, remplacées ou mises hors circuit. Pour mon second mandat, j'étais décidé à adopter n'importe laquelle de ces méthodes, ou une de leurs combinaisons si c'était nécessaire.

L'Amérique avait besoin, à mon avis, d'un nouveau sentiment, d'un nouvel esprit de fierté, et maintenant que la guerre du Vietnam était finie, je sentais que je pourrais en devenir l'instrument créateur. Tout simplement, la majorité silencieuse des Américains, qui a ses racines dans le Midwest, l'Ouest et le Sud, n'avait jamais été encouragée à contester à l'élite libérale de l'Est la maîtrise des principales institutions de la nation.

Cela peut sembler ironique, en raison du scandale qui allait nous balayer, moi et mon Gouvernement, et mettre fin prématurément à ma Présidence. Mais dans les premiers mois de 1973, j'avais le projet de donner à l'Amérique un exemple positif de direction qui formerait le fond et inspirerait l'élan d'un nouvel optimisme aussi bien que l'esprit de décision et de fierté nationale.

J'avais envisagé trois chapitres de réformes pour mon second mandat : je voulais réformer le budget, mettre fin aux programmes inefficaces et gaspilleurs, et j'avais projeté une réorganisation et une réduction massives de la bureaucratie fédérale et du personnel de la Maison Blanche. Comme l'écrivit plus tard le journaliste Nicolas von Hoffman : « Ce que Richard Nixon a le dessein de faire, c'est de diriger réellement le Gouvernement, chose qu'aucun Président n'a tenté de faire depuis soixante-dix ans. » Je

Notes de Richard Nixon :
propositions de réformes en prévision de son second mandat

1-11-73

Goals for 2d term :

Substance :
- Russia - SALT
- China - Exchanges
- Mideast - Settlement
- Europe - Community - Trade -
- Latin America -

Defense + Intelligence -
Cut duplication
Improve Hardware.
Restore respect.
Int'l Monetary + Trade

Domestic :
- Crime - Drugs -
- Education -
- Health -
- Land Use -
- Race -
- Labor - Management -
- Price + wages - Cut size of govt - make effective
- Growth -
  @ SST ?

3 Reform goals
3 Foreign goals -
3 Domestic goals.

Space T -
Environment ! -

Political :
Strengthen Party -
Better candidates for '74
New Majority -
New establishment.
- Press -
- Intellectual
- Business -
- Social
- arts -

Am. campaign in '74 ?

Personal
Restore Respect for Office -
New idealism, respect for flag - country
Compassion - understanding -

voulais enfin donner une nouvelle vie au Parti Républicain, sur les bases de la Nouvelle Majorité. Je ne m'y trompais pas, je connaissais la réaction que de telles réformes provoqueraient de la part de la bureaucratie ou du Congrès et la façon dont elles seraient traitées par les media. Mais j'étais prêt, j'étais disposé, j'étais apte à me battre pour elles, parce que j'y croyais et parce que je pensais qu'elles seraient bonnes pour l'Amérique.

Avant l'élection, j'avais chargé Caspar Weinberger, directeur du Bureau du budget, et John Ehrlichman de passer en revue les programmes fédéraux d'allocations. Parmi le millier de programmes qu'ils examinèrent, ils en trouvèrent au moins cent quinze lourds de gaspillage. Au total, les suppressions de crédits que je proposais dans le premier budget fédéral de mon second mandat auraient économisé 6,5 milliards de dollars en 1973, et 16,3 milliard en 1974.

Nous décidâmes de réorganiser, réduire ou supprimer les léviathans qui restaient encore de la Grande Société — eux qui avaient fait si peu pour aider les pauvres et servaient surtout les intérêts des bureaucrates fédéraux chargés de les administrer. Sur les 2,5 milliards de dollars que coûtait le Bureau de la chance économique, 85 % étaient absorbés par les salaires et les frais de fonctionnement. Il n'était d'aucune utilité pour les pauvres de maintenir des programmes qui ne fonctionnaient pas; mais j'étais préparé aux inévitables accusations des tenants de ces programmes : en particulier les libéraux du Congrès et les media, qui ne manqueraient pas de dire que nous étions durs et sans cœur en proposant ces suppressions. Je n'eus pas à attendre longtemps. « Le nouveau budget du Président Nixon vous coupe le souffle », écrivait Joseph Kraft, dont la critique suivante était pour moi comme une musique enchanteresse : « Il tend à imposer à toute notre société sa foi en la morale du travail. »

Un an plus tôt, le 24 janvier 1972, j'avais demandé au Congrès de fixer un plafond aux dépenses fédérales. Le Congrès n'avait jamais eu, en effet, de méthode pour respecter les limites d'un cadre budgétaire, lorsqu'il allouait des crédits, de sorte que députés et sénateurs pouvaient voter en faveur de toute mesure réclamée par leur conscience, leurs électeurs, ou leur parti en laissant au Gouvernement fédéral l'impopularité de l'inflation résultant des déficits budgétaires.

En janvier 1973, je sommai le Congrès, non seulement de limiter les dépenses de l'année à 250 milliards de dollars, mais aussi d'accepter une limitation des dépenses jusqu'en 1975. J'avais fait un choix de programmes méritant priorité. Il appartenait au Congrès de faire de même.

Pendant que mon budget, avec sa proposition de limitation des dépenses, provoquait un raz de marée au Congrès, mon plan de réorganisation gouvernementale déclenchait un séisme dans la bureaucratie fédérale. Le Congrès avait contré en 1971 les tentatives que j'avais faites dans ce sens. Aussi avais-je demandé à Ehrlichman et à Roy Ash, le futur directeur du Budget, de constituer un groupe de travail et de consulter des spécialistes du droit constitutionnel pour déterminer ce qu'il m'était possible de réorganiser dans la limite de mes fonctions. En fait, il m'était loisible, selon leurs travaux, de réaliser une organisation très proche de celle que j'avais proposée en 1971.

Nous décidâmes de regrouper six des onze départements ministériels et une partie des centaines d'agences fédérales en quatre groupes principaux : ressources humaines, ressources naturelles, développement de la communauté, affaires économiques. George Shultz prit la tête des Affaires économiques, et pour chacun des autres groupes, l'un des secrétaires du Cabinet devint le Conseiller du Président, responsable devant lui de l'exécution des programmes relevant de sa compétence. A chacun d'entre eux incombait aussi la charge d'éliminer les doubles emplois et les organismes inefficaces.

J'annonçai aussi ma résolution renouvelée de briser la domination que le Gouvernement fédéral exerçait sur le système fiscal de la nation, et de remettre une partie des recettes au niveau local. De 1960 à 1970, le nombre de programmes fédéraux d'allocations dont l'exécution était confiée à des fonctionnaires fédéraux était passé de 44 à plus de 500. En 1969, des sondages avaient révélé qu'une majorité pensait qu'un « gouvernement important » représentait pour le pays un plus grand danger que « les grosses entreprises » ou « les grands syndicats ».

C'est dans cet esprit que, depuis 1969, j'avais introduit des propositions fondées sur le principe du partage des recettes, d'après lequel une part des recettes était mise par le Gouvernement fédéral à la disposition des gouvernements des Etats et des autorités locales pour être dépensée suivant leurs besoins et leurs priorités. Certaines de ces propositions étaient spécialisées, c'est-à-dire qu'elles étaient affectées à des programmes aux buts largement définis. Elles auraient permis la suppression de 125 programmes d'allocations immobilisés par la paperasserie des bureaucrates, mais le Congrès ne les avait pas adoptées. Je les présentai de nouveau en 1973.

Sur le plan politique, de telles propositions exacerbaient à Washington les sentiments hostiles, car elles y menaçaient l'existence de certaines sections de la bureaucratie, où personne n'était désireux de céder la moindre parcelle de pouvoir ou de tutelle.

Immédiatement après l'élection, j'entrepris de diminuer radicalement les dimensions des services du Gouvernement. Quand j'avais pris mes fonctions, le Bureau exécutif du Président comptait plus de 4 700 employés. Nous annonçâmes que, vers la fin de 1973, cet effectif serait réduit de 60 %. Au cours de mon premier mandat, nous avions négligé de confier les postes importants à des personnes fidèles au Président et à son programme. Une étude de Joel Aberbach et Bert Rockman avait constaté en 1970 qu'il n'y avait pas plus de 17 % de Républicains parmi les hauts fonctionnaires de l'exécutif, contre 47 % de Démocrates et 36 % d'Indépendants « qui ressemblaient plus fréquemment à des Démocrates qu'à des Républicains ». Une autre étude, de Bernard Mennis, portant sur le personnel diplomatique, constatait que la proportion des Républicains n'y dépassait pas 5 %.

J'étais décidé à ne plus négliger cette question, et le lendemain de ma réélection j'exigeai la démission de tous les employés non fonctionnaires des services de l'Exécutif. La plupart de ces démissions ne devaient pas être acceptées : mon initiative devait être le symbole d'un nouveau commencement. Dans les semaines qui précédèrent l'élection, en relisant le *Disraeli* de Blake, j'avais été frappé par la description que Disraeli avait donnée de Gladstone et de son Cabinet : « des volcans épuisés ». J'annonçai que mon second mandat ne souffrirait pas de la même maladie; j'étais décidé à ne pas m'installer dans la léthargie qui avait caractérisé le second mandat d'Eisenhower après la victoire écrasante de sa réélection de 1956. Je voulais que les membres de mon Cabinet se sentissent libres de choisir leurs collaborateurs. Dans certains cas, j'avais le projet de transférer dans les départements ministériels des membres du personnel de la Maison Blanche pour veiller à l'observance de notre politique.

Pour autant que j'en aurais le pouvoir, j'étais déterminé à supprimer, pendant mon second mandat, l'emprise que les gens de l'Est exerçaient sur l'Exécutif et le Gouvernement fédéral. Je poussais à ce que l'on aille à la recherche de nouveaux talents dans l'Ouest et le Midwest. Je voulais une administration inspirée par l'esprit de la Nouvelle Majorité de 1972. Je leur indiquai quatre critères de recrutement : loyauté, largeur de vues, créativité... et culot. Je voulais nommer des syndicalistes, des femmes, des membres de groupes nationaux, tels que les Américains d'origine polonaise, italienne ou mexicaine, qui n'avaient pas été convenablement représentés jusqu'ici dans le Gouvernement.

La demande de démission portait sur tout le personnel de la Maison Blanche et les membres du Cabinet. Maintenant, je sais que ce fut une faute. Je n'avais pas tenu compte de l'effet glacial que cette initiative aurait sur le moral de gens qui avaient travaillé si dur pendant l'élection, et qui s'attendaient naturellement à savourer les joies de la victoire, au lieu d'avoir à s'inquiéter de leur situation. La difficulté s'accrut par mon isolement à Camp David où je passai dix-huit jours des quatre semaines qui suivirent l'élection, tenant plus de quarante réunions avec d'anciens et de nouveaux titulaires de fonctions, et dressant des plans pour mon second mandat.

C'était une chose, pour les Démocrates, que de détenir les quatre atouts de Washington : le Congrès, la bureaucratie, la majorité des moyens d'information, et le formidable groupe des juristes et des courtiers du pouvoir qui opèrent derrière la scène dans cette ville. C'en était une autre que de leur donner encore un cinquième atout, sous la forme d'un parti d'opposition timide.

Il était urgent de revitaliser le Parti Républicain, si l'on voulait éviter que la Nouvelle Majorité nous échappe. Nous allâmes même jusqu'à délibérer pendant plusieurs jours de la fondation d'un nouveau parti. Le parti disposait de talents, il n'y avait aucun doute à cela; il comptait, dans ses rangs, certains des hommes et femmes les plus capables et les plus honnêtes de la vie publique. Mais ce dont nous manquions le plus, c'était de la capacité de penser en parti majoritaire, et de prendre des risques, de manifester la sorte de confiance que les Démocrates tiraient simplement de leur nombre.

Nous fîmes des plans pour rajeunir la structure du parti. Je m'entretins avec Bob Dole, George Bush, Clark MacGregor, Barry Goldwater et

Jerry Ford sur la manière de nous assurer les meilleurs candidats pour chaque élection en 1974 et 1976. Il y avait un sentiment croissant d'excitation vis-à-vis de nos possibilités et de nos perspectives; avec notre travail et de la chance, nous pourrions, en 1974, avoir posé les fondations du premier Congrès républicain qui aurait existé depuis vingt ans.

Il était clair que le Congrès était déterminé à se battre. Connally me rapporta que l'humeur sur la colline du Capitole « était la pire que j'aie jamais vue. Ils sont mesquins et bilieux ». A peine l'accord sur le Vietnam avait-il été annoncé que les récriminations commencèrent sur les plans de réorganisation, les suppressions de crédits, le bombardement de décembre, et ce qui fut rapidement baptisé l'attitude et le style de la « Présidence impériale ». Il y avait eu auparavant, depuis la fin de la guerre, des tentatives du même genre de la part du Parlement pour réaffirmer son pouvoir et rétablir ses prérogatives. Avec ces précédents présents à l'esprit, je me préparais à une lutte longue et difficile pour faire passer mon programme et l'exécuter.

La frustration du Congrès fut exacerbée par le sondage Gallup de janvier, qui montra que j'étais approuvé à 68 %. Le respect qu'inspirait le Congrès était tombé à la fin de 1971 au minimum record de 26 %. Walter Lippmann ne croyait pas, disait-il, que le Congrès eût la sagesse nécessaire pour décider des programmes à proposer, ni des méthodes applicables à la direction du pays.

J'étais un parlementaire, et j'en étais fier. Mais en 1973, j'en étais arrivé à la conclusion que le Congrès était peu facile à remuer, indiscipliné, isolationniste, peu conscient de ses responsabilités financières, excessivement sensible aux pressions des minorités organisées, et par trop dominé par les media.

Je savais que, pour une part, mes désillusions étaient le simple résultat de ma position : je voyais les choses dans la perspective du bout de la Pennsylvania Avenue où se trouve la Maison Blanche, et non de celle de la colline du Capitole. Néanmoins, je pensais que des changements considérables s'étaient produits au Congrès depuis vingt-six ans, depuis ma première arrivée à Washington.

En 1947, un parlementaire pouvait encore remplir ses fonctions tout en exerçant sa profession, garder le contact de ses électeurs, et veiller à sa carrière politique. Mais le Gouvernement fédéral était devenu si important, la tâche de gouverner avait pris de telles dimensions que même le parlementaire le plus consciencieux devait déléguer une grande part de ses responsabilités à ses équipes personnelles et à ses comités, dont l'influence et le volume avaient grossi en proportion.

Ensuite, la radio et la télévision avaient donné la preuve de leur pouvoir à faire d'un homme politique une figure nationale, en mettant l'accent davantage sur le pittoresque et la combativité que sur une activité assidue. Cette situation pesait d'un poids très lourd non seulement sur les rapports du Congrès et de la Maison Blanche, mais aussi sur les rapports traditionnels à l'intérieur du Congrès lui-même. De plus en plus de membres se dérobaient à la discipline de leur parti, pour mener leur politique de leur côté.

Le Vietnam avait accéléré le changement peut-être le plus grave et le plus important : l'appui que les deux partis accordaient traditionnellement à la politique extérieure du Président. Les longues années de guerre et de confusion nationale sur le Vietnam avaient usé cette conception. Elles avaient accru la division et dressé le Congrès contre le Président, et les deux Chambres contre elles-mêmes.

Au début de 1973, il me semblait que le Congrès cherchait partout, excepté en lui-même, des solutions à ses problèmes d'incompétence et d'inefficacité. Il était absurde, à mon avis, que les membres du Congrès se plaignent que l'Exécutif leur ait soustrait une part de leur pouvoir. Bien au contraire, les Présidents n'avaient fait que remplir le vide, lorsque le Congrès n'avait pu réussir à se discipliner suffisamment pour jouer un rôle énergique dans la détermination d'une politique.

Le « Président impérial » n'était qu'un fantasme créé par des parlementaires complexés et par des libéraux déçus, qui, au temps de Roosevelt et de John Kennedy, avaient idolâtré l'idéal d'une Présidence forte. Maintenant qu'ils avaient un Président fort en la personne d'un Républicain, qui, de plus, était Richard Nixon, ils révisaient leur position, et prescrivaient le rétablissement du pouvoir parlementaire comme le fortifiant qui devait réanimer la République...

Le Congrès était naturellement anxieux de trouver un bouc émissaire à ses problèmes. La direction démocrate décida que le meilleur moyen d'assurer le pouvoir de sa majorité et de rétablir l'ancien prestige du Congrès était d'arracher quelques morceaux à l'Exécutif. Après mes propositions de plafond budgétaire et de réorganisation du Gouvernement, les journalistes Evans et Novak consultèrent leurs sources parlementaires, et rapportèrent qu'une contre-attaque « venimeuse » était projetée. Hubert Humphrey annonça qu'une « crise constitutionnelle approchait à grands pas ».

Les premières escarmouches apparurent dans la zone en apparence périphérique des prérogatives. Au début de janvier, le groupe démocrate du Sénat décida par 35 voix contre 1 de restreindre la faculté que le Président a, traditionnellement, d'invoquer le privilège de l'Exécutif. Le même jour, un groupe de cinquante-huit sénateurs des deux partis proposa une législation qui, pour la première fois dans notre histoire, limitait les pouvoirs du Président en temps de guerre. Le 5 février, le Sénat vota une motion tendant à s'arroger le droit de confirmer la nomination au poste de directeur du Budget, fonction qui, depuis les cinquante-deux ans de son existence, avait toujours été laissée à la discrétion du seul Président.

Les batailles principales du conflit entre l'Exécutif et le Législatif furent livrées au sujet du blocage des fonds. Depuis Thomas Jefferson, les Présidents avaient considéré que c'était leur prérogative, ou plutôt leur responsabilité, de suspendre la dépense des crédits votés par le Parlement, lorsque les projets qui en faisaient l'objet n'étaient pas encore en état d'être appliqués, ou encore si le taux d'inflation était particulièrement sévère, de sorte que la mise en circulation de moyens monétaires accrus l'aurait aggravé. C'était ce que l'on appelait le blocage. En fait, en janvier 1973, j'avais bloqué 3,5 % du budget. Kennedy en avait bloqué 7,8 % en 1961, 6,1 % en 1962 et 3 % en 1963; Johnson, 3,5 % en 1964, puis, par augmentations successives, jusqu'à 6,7 % en 1967. Le Congrès démocrate n'avait pas critiqué mes prédécesseurs démocrates pour avoir usé largement de cette politique. C'est pourquoi je considérais que la bataille du blocage de 1973 était une attaque nettement partisane menée contre moi.

Malgré mes plaidoyers en faveur de la modération fiscale et mes demandes d'un plafond budgétaire, le Congrès avait déjà préparé en mars quinze propositions de lois de dépenses qui dépassaient déjà de 9 milliards de dollars le budget de 1974. Comme le fit remarquer un article du *Washington Post* du 28 mars, malgré « de pieuses déclarations » sur la nécessité des économies, le Congrès continuait à me refuser toute réduction des crédits. Ce n'était pas d'ailleurs un phénomène réservé à un seul parti. Il y avait, par exemple, très peu de sénateurs républicains à m'appuyer en s'opposant aux propositions les plus coûteuses. Je dis à Hugh Scott que j'allais perdre tout espoir dans l'appui du Sénat, à moins que nous ne pussions rétablir un minimum de solidarité dans nos propres rangs.

Au milieu de cette confrontation croissante entre le Congrès et la Présidence, le groupe démocrate du Sénat réclama une enquête complète sur les pratiques électorales de 1972. Ils voulaient en venir, naturellement, à un examen des pratiques *républicaines,* du Watergate en particulier. Mike Mansfield choisit le sénateur Sam Ervin, de la Caroline du Nord, pour diriger l'enquête.

Quelques membres de mon équipe et certains de mes conseillers pensèrent qu'Ervin était un bon choix pour nous. Ils croyaient que les media auraient des difficultés à faire un héros d'une personne que, d'après ses votes, beaucoup de libéraux considéraient comme un ségrégationniste déclaré. Mais je savais qu'Ervin, en dépit de ses manières onctueuses et de sa prétendue distraction, était un animal politique pénétrant, plein de ressources et de partis pris. L'initiative de Mansfield était une ruse préméditée dans la campagne parlementaire pour mettre la Présidence sur la défensive.

LE RETOUR DU WATERGATE

Au moment de ma réélection, je savais que, pendant six mois, nous avions fait tout ce que nous pouvions pour réduire l'impact de l'effraction du Watergate. John Dean avait traité tous les aspects, et il pensait avoir agir en habile politique, en homme de loi traitant une affaire politique explosive.

Si j'étais certain que nous avions fait tout ce que nous pouvions pour limiter le scandale, j'étais aussi convaincu que nous n'avions pas essayé de l'étouffer. Par exemple, on ne pouvait contester que l'enquête du F.B.I. eût été très approfondie. Mitchell et Colson avaient été interrogés; et même Magruder, au sujet duquel nous avions tous des soupçons, avait témoigné devant le grand jury, et, bien qu'il s'en fût fallu de peu, était passé au travers. Malgré le caractère extrêmement délicat de l'affaire au point de vue politique, je n'avais exercé aucune pression sur le Département de la Justice, comme l'auraient fait, j'en suis sûr, d'autres gouvernements. Après tout, il n'y avait aucune preuve d'une implication d'un membre de la Maison Blanche dans l'effraction du Watergate.

Je pouvais percevoir qu'un nuage de soupçons pesait encore sur la Maison Blanche, mais je l'attribuais à toute la publicité faite, à la veille de l'élection, autour de Segretti et des accusations de corruption de McGovern. Je pensais qu'il s'agissait d'un problème de relations publiques dont la solution relevait du même domaine.

Après l'élection, je décidai que Chuck Colson et Dwight Chapin devaient tous deux quitter la Maison Blanche. Colson attirait les critiques comme la pointe d'un paratonnerre attire la foudre, pour des raisons politiques qui n'avaient rien à voir avec le Watergate, et Ehrlichman avait demandé qu'il s'en aille le plus tôt possible. Je pensais que son départ réduirait notre vulnérabilité politique et nous donnerait un nouvel élan. Colson craignait que son départ ne fût considéré comme l'aveu d'une culpabilité quelconque. Notre solution fut d'annoncer son départ, mais de le retarder jusqu'au mois de mars. J'analysai cette décision dans mon Journal, le 13 novembre et encore le 18 novembre :

Extrait de mon Journal :

> [...] Les affaires de Colson sont probablement en ordre en ce qui concerne le problème. Il n'a pas trempé, je pense, dans le Watergate — à la différence de Segretti. Mais aux yeux de beaucoup de gens, il est devenu *le* problème. C'est une triste constatation qu'un individu meurtri, battu, calomnié, diffamé, finisse par devenir impossible à conserver. Mais c'est, je le crains, la loi commune en politique.
>
> Naturellement, Ehrlichman voudrait aller plus loin encore. Nous aurions perdu maintenant la moitié de notre effectif, s'il avait agi à sa guise, parce qu'il est très fort pour se débarrasser de toute personne qui donne l'apparence d'avoir mal agi. Je répugne profondément sur le plan humain à cette manière de voir les choses.
>
> Quand il y a apparence de mal, je crois que la personne concernée doit obtenir la possibilité de redresser le dossier, de se défendre elle-même. En laissant tomber les gens lorsqu'ils sont attaqués, l'on ne fait qu'encourager les piranhas à se mettre au travail à outrance, et à ne laisser que le squelette.

Le cas de Dwight Chapin fut pour moi encore plus douloureux. Il avait été avec moi depuis les commencements de ma candidature à la Présidence en 1967. Il était jeune, brillant et avec une carrière prometteuse devant lui. Mais son association avec Segretti rendait impossible son maintien à la Maison Blanche. Mes sentiments étaient rendus plus pénibles encore par le fait que j'avais moi-même insisté auprès de Haldeman et des autres pour que, au cours de cette campagne, nous soyons enfin en mesure de rendre à l'opposition les coups qu'elle nous portait. Ils savaient que, cette fois-ci, je voulais que les principaux Démocrates fussent aussi tourmentés, harassés et embarrassés que je l'avais été moi-même dans le passé. Ce qui était arrivé, c'était que Segretti avait été le mauvais choix.

Quand John Dean avait fait son premier rapport sur Segretti au début de novembre, il avait qualifié ses activités d'espiègleries politiques normales. J'avais écrit dans mon Journal que « j'étais heureux de noter, d'après ma conversation d'aujourd'hui avec Haldeman, après son entretien avec Dean, que le groupe Segretti n'était impliqué dans rien d'autre que dans des farces, façon " Dick Tuck "; sans doute étaient-elles mieux organisées que les opérations de Dick Tuck, mais elles avaient été moins efficaces ».

Mais à la mi-novembre, Dean interrogea Segretti pour savoir exactement ce qu'il avait fait, et dans quelle mesure Chapin était vulnérable. Nous avions découvert que ses activités n'avaient pas été aussi innocentes que cela.

Segretti avait loué un avion pour survoler Miami pendant la Convention démocrate, traînant après lui une banderole portant les mots « *Peace, pot, promiscuity, vote for McGovern* » (Paix, marijuana, débauche, votez pour McGovern). Se faisant passer pour l'un des organisateurs, il avait commandé 200 pizzas, des fleurs et des attractions pour un grand dîner Muskie à Washington. Le 1er avril, il avait imprimé des tracts invitant les gens à une réception avec déjeuner et boissons gratuites, à la permanence d'Humphrey à Milwaukee. Il avait payé des gens pour porter des insignes « Kennedy Président » autour des réunions électorales de Muskie. Tout cela restait dans les limites du jeu politique. Mais il avait dépassé les bornes de la plaisanterie quand il avait envoyé de fausses lettres, sur papier paraissant émaner de différentes permanences démocrates, accusant deux des candidats démocrates de mauvaises mœurs, et un autre d'être un instable mental.

Je sentais que la double échelle des valeurs s'appliquait au traitement par les media des cas de Chapin et de Segretti. Je me souvenais, par exemple, que l'on avait peu écrit sur les tracts férocement anticatholiques qui avaient été envoyés, dans des circonscriptions du Wisconsin à population catholique dominante, pendant les primaires de 1960 entre Humphrey et Kennedy. Les lettres expédiées du Minnesota étaient présentées de telle manière qu'elles semblaient provenir de partisans de Humphrey. L'enquête menée par une revue les attribua plus tard à un ami de Bob Kennedy.

Je pensais aussi que les articles du *Post* sur Segretti étaient exagérés et injustes. Il apparut que les journalistes qui avaient révélé l'histoire n'étaient pas au-dessus des procédés malpropres et qu'ils avaient eu recours à des sources privées pour obtenir les notes de téléphone de Segretti, et des informations confidentielles de crédit. Comme Dean le disait quelques mois plus tard : « L'intention qui a présidé à l'engagement de Segretti n'était ni méchante, ni perverse, ni mauvaise, ni rien de tout cela. Ce n'était pas de l'espionnage, ni du sabotage. Ce n'était que de l'espièglerie, et celle-ci est devenue incontrôlable. » Même ainsi, Chapin était irrémédiablement compromis. Je croyais qu'il était de son intérêt de s'en aller plutôt que d'avoir à supporter les attaques de la presse s'il restait à la Maison Blanche. Il put trouver une bonne situation dans l'industrie privée, mais l'expérience avait été triste et pénible.

Le 22 novembre, je lus à Haldeman et à Ehrlichman la lettre qu'un de nos partisans avait écrite à la Maison Blanche, me demandant de faire le grand nettoyage. « La théorie selon laquelle cela va passer tout seul ne marchera pas, dis-je. L'apparence est que j'essaie de cacher quelque chose. » D'ailleurs, des critiques, quelquefois plus dures encore, commençaient à provenir des milieux conservateurs.

J'aurais voulu une sorte de grande déclaration, mettant les choses au point et soulignant que la Maison Blanche n'était pas impliquée. Mais tout le monde n'était pas de mon avis. Dean, en particulier, pensait qu'il fallait laisser les choses à elles-mêmes. Les articles de presse s'étaient faits plus rares, et l'affaire faisant l'objet d'un procès, il fallait éviter tout ce qui pourrait influencer le jury.

C'étaient de bons arguments, mais cette inaction ne me satisfaisait pas. Le 8 décembre, puis encore le 10 et le 11, j'insistai pour que Dean parlât à la presse, ou pour qu'il préparât une déclaration. Mais rien ne vint. Je travaillais avec Haldeman et Ehrlichman à nos projets de réorganisation. Puis, dans les semaines avant Noël, je fus complètement absorbé par les événements du Vietnam.

Tandis que notre attention se concentrait ailleurs, l'affaire du Watergate se compliquait de façon considérable. Dans les dernières semaines de décembre et les premières de janvier, le sol commençait à bouger, si peu que ce soit. Le procès du Watergate allait commencer, et la pression se faisait sentir de plus en plus fort sur les accusés. Les vibrations parvenaient jusqu'à la Maison Blanche, particulièrement en ce qui concerne Howard Hunt, dont le désespoir, à la suite de la mort de sa femme, avait été porté à la connaissance de Colson.

Ce dernier se préoccupait beaucoup de Hunt personnellement; ils étaient amis depuis de longues années. Il est également vrai que le désespoir grandissant de Hunt portait en lui une menace : il pourrait commencer à parler, bien que je n'aie jamais su de quoi il pourrait parler.

Dans cette période, comme dans les jours qui avaient suivi immédiatement l'effraction du Watergate, nous commençâmes à agir d'après des hypothèses non exprimées, des présomptions, des craintes non vérifiées. Chacun commença à exprimer le soupçon que les autres fussent vulnérables. Haldeman et Ehrlichman dirent qu'ils pensaient que Colson était plus engagé qu'il ne le reconnaissait; et Colson disait la même chose de tous les deux. Ce fut à ce moment que Colson alla voir l'avocat de Hunt pour rassurer ce dernier. Nous étions à la veille d'un accord au Vietnam, engagés dans une lutte sans merci avec le Congrès sur le budget, et sur le point de faire face à quelques audiences largement diffusées sur le Watergate. Personne ne souhaitait se mouiller.

Le 8 janvier, je notai dans mon Journal une conversation avec Colson.

Extrait de mon Journal :

> Colson a fait une observation intéressante : ceux qui étaient engagés dans cette activité l'ont fait en pensant que, s'ils étaient appréhendés, nous agirions sur le procureur, quel qu'il fût, et veillerions à ce que rien n'arrive. Naturellement, il m'est difficile de croire qu'ils aient pu se mettre cette idée en tête, mais je suppose qu'ils pensaient à l'époque de Johnson; ce dernier n'avait-il pas fait usage de tous les pouvoirs de sa fonction pour se protéger et protéger les autres lors de l'enquête Bobby Baker?

Le 1er février, j'étais encore soucieux de l'impression largement répandue selon laquelle on étouffait l'affaire. Il y avait peu à faire. Quels que fussent nos soupçons, nous ne savions réellement pas qui était le responsable, et je n'allais pas forcer quelqu'un à modifier son témoignage afin de résoudre un problème de relations publiques me concernant. Mais encore, comme je le dis à Colson : « Il faut arrêter les frais pour le Président, avant qu'on ne pense qu'il couvre une affaire d'étouffement, — puisque aussi bien nous n'étouffons rien du tout. » Colson approuva énergiquement.

Une note de mon Journal, dictée le 14 février, résume la situation telle que je la voyais dans les premières semaines de la nouvelle année.

Extrait de mon Journal :

> L'inquiétude réelle de Colson est que Hunt ne s'effondre. Hunt semble être obsédé par l'idée qu'il a tué sa femme en l'envoyant à Chicago avec de l'argent, où je ne sais ce qu'elle devait faire à ce moment-là. Il ne veut pas recevoir les 250 000 dollars de l'assurance, parce qu'il se sent coupable de la mort de sa femme. Dans ces circonstances, si le juge l'appelle et le menace de trente-cinq ans de prison, je crois bien qu'il sera tenté d'accepter l'immunité et de dire tout ce qu'il sait.
>
> Mais que sait-il? Je ne le sais pas. Ehrlichman et Haldeman disent qu'ils ne le savent pas non plus, et évidemment il en est de même de Colson. Je pense qu'ils sont tous plus au courant qu'ils ne le disent, mais de quoi? Je ne peux le dire. Le vrai problème dans toute l'affaire, c'est Mitchell et, naturellement, le deuxième homme, Magruder.
>
> Je ne sais quelle est la situation, mais il faudra avaler le morceau, et faire passer la chose aussi vite que possible. Je dis aussi vite que possible, bien que la meilleure stratégie soit peut-être de laisser les choses traîner en longueur. J'incline à penser que cette dernière solution serait la meilleure, bien qu'elle semble nous saigner peu à peu, tout le long du chemin.

Après la mort d'Edgar Hoover en mai 1972, j'avais nommé Pat Gray, alors Attorney Général adjoint, directeur par intérim du F.B.I. C'est lui qui avait dirigé l'enquête de l'affaire du Watergate.

Je décidai de le nommer directeur à titre définitif et je le reçus le 14 février. Il était persuadé qu'il pourrait convaincre même les incrédules que le F.B.I. avait mené son enquête sans avoir ménagé personne.

Soudainement, ce fut la fin de février, et la commission Ervin était sur notre dos, alors que nous n'avions même pas décidé du problème décisif de savoir si nous invoquerions le privilège de l'Exécutif pour refuser de laisser témoigner aucun collaborateur de la Maison Blanche. Les efforts d'Haldeman, d'Ehrlichman et de Dean pour mettre au point une stratégie semblaient toujours être dépassés par d'autres choses. Les Républicains du Congrès commençaient à s'inquiéter. Quelques-uns insistaient pour que je fasse quelque chose au sujet du Watergate. J'écrivis dans mon Journal : « Il est difficile de comprendre comment des gens qui vous ont appuyé avec tant de force vont faire les imbéciles en reprenant les clameurs de l'opposition sur une affaire de cette sorte, alors qu'ils savent fort bien qu'il n'y a aucune possibilité d'implication au niveau de la Maison Blanche. » Ehrlichman et moi, nous décidâmes que je travaillerais directement avec Dean au lieu de passer par l'entremise de Haldeman et d'Ehrlichman. Peut-être ainsi parviendrais-je à briser l'obstacle. Depuis des mois, j'avais laissé à d'autres la stratégie et la préparation des plans relatifs au Watergate. Non seulement le problème n'avait pas été réglé ou limité, mais il commençait de plus à faire boule de neige. Je décidai de lui donner mon attention personnelle.

Quand je vis Dean le 17 février, c'était la première fois que je lui parlais depuis le 15 septembre, le jour des inculpations du Watergate.

Extrait de mon Journal :

> La conversation avec John Dean a vraiment été utile. C'est un homme extrêmement capable. Dean raconta une histoire étonnante sur la façon dont Johnson se servait du F.B.I. Il semble que le F.B.I. ait fait des écoutes, ou au moins des recherches de renseignements pour lui, même sur la Convention démocrate de New Jersey (1964).

Et le 28 février, je notai :

Extrait de mon Journal :

> J'ai eu une autre très bonne conversation avec Dean. Il me fait grande impression. Il témoigne d'une force énorme, d'une grande intelligence, de beaucoup de subtilité. Il était remonté en arrière et avait lu non seulement *Six Crises,* mais encore le discours que j'avais fait au Congrès, et cela faisait ressortir précisément les points que j'essayais de faire comprendre ici : que le gouvernement Truman avait fait de l'obstruction quand nous avions essayé de conduire une enquête. Il n'avait pas voulu permettre au F.B.I., au Département de la Justice ou à aucune agence gouvernementale de coopérer avec nous, et il avait l'appui complet de la presse à cette époque.
>
> Je suis heureux de parler maintenant à Dean au lieu de passer par Haldeman et Ehrlichman. Je pense que j'ai fait une erreur en passant par d'autres, quand je peux parler directement avec un homme qui a les capacités de Dean.

En nous dirigeant vers la porte, nous nous demandions quels étaient les gens que la commission Ervin espérait faire comparaître devant elle. Il n'y a rien qu'ils aimeraient davantage que d'interroger Haldeman, Colson et Ehrlichman.

« Ou peut-être Dean », ajouta Dean.

Je le rassurai immédiatement : « Dans votre cas, je pense qu'ils comprennent que vous êtes le conseiller juridique, et ils savent que vous n'aviez absolument rien à faire avec la campagne.

— C'est juste, déclara Dean.

— C'est en tout cas ce que je pense », dis-je.

Dean et moi, nous continuâmes à nous voir pendant les premières semaines de mars. Nous avons discuté de la stratégie de la commission Ervin, et de la déclaration que nous avions publiée le 12 mars, affirmant notre droit de faire appel au privilège de l'Exécutif pour tous les collaborateurs présents et passés de la Maison Blanche. Nous avons parlé aussi des renseignements qu'il rassemblait sur tous les abus politiques des Démocrates. Et le 13 mars, nous avons passé en revue les questions susceptibles de m'être posées au cours de la conférence de presse du 15 mars.

Celle-ci devait être plus agitée encore qu'à l'habitude. Avec autant de naïveté que d'entêtement, Gray avait réussi à faire un désastre de sa comparution devant la commission judiciaire du Sénat. Il avait livré à la commission des dossiers bruts du F.B.I. pour publication, parvenant ainsi à outrager tout le monde, de l'Union américaine des libertés civiles jusqu'à ses subordonnés du F.B.I. A chacune de ses dépositions, il n'avait cessé de mêler le nom de John Dean à la controverse; à un moment, il avait même donné à entendre que Dean avait montré des rapports du F.B.I. à Segretti. Dean fit démentir par le bureau de presse de la Maison Blanche qu'il eût mésusé des rapports du F.B.I., mais les membres démocrates de la commission judiciaire virent qu'ils avaient touché un point vital, et ils commencèrent à insister pour que Dean témoignât avant que la nomination de Gray ne fût confirmée.

J'étais pleinement préparé à défendre Dean, et le 13 mars, nous étions convenus que si j'étais interrogé sur sa comparution éventuelle, je dirais qu'il répondrait aux questions par lettre, sous la foi du serment. Je dis que j'esquiverais les autres questions sur le Watergate en réaffirmant notre intention de coopérer avec l'enquête de la commission Ervin. Dean ajouta que je pourrais dire que nous avions coopéré avec le F.B.I. dans le passé et que nous coopérerions avec une enquête convenable de la commission du Sénat.

« Nous ferons des déclarations, dis-je.

— Et, en vérité, nous n'avons rien à cacher, affirma Dean.

— Puisque nous avons fourni des informations, nous n'avons rien à cacher », répétai-je.

Dean et moi, nous commençâmes à passer en revue les faits, d'abord du point de vue de ma conférence de presse, puis du point de vue des points délicats devant la commission Ervin. Je pensais que je les connaissais tous. Nos principaux sujets d'inquiétude, à mon avis, étaient Magruder et Mitchell. Mais j'étais sûr que la commission chercherait à faire comparaître aussi Haldeman. J'étais encore prêt à affirmer sans équivoque et de défendre sans réserve qu'il n'y avait aucune implication de la Maison Blanche dans l'effraction du Watergate.

Dean me mit en garde : il y aurait de nouvelles révélations pendant les séances de la commission du Sénat, mais il ne pensait pas qu'elles seraient de nature à empêcher toute manœuvre. Je croyais savoir ce qu'il voulait dire. Les Démocrates de la commission, excités par les media, tenteraient d'intensifier le drame en attirant dans l'affaire quelqu'un de plus haut placé. « Regardons les choses en face, fis-je. Je pense qu'ils veulent la peau de Haldeman.

— De Haldeman et de Mitchell », ajouta Dean.

Le problème de Mitchell, dis-je, était Chapin. Haldeman avait donné à Chapin et à Gordon Strachan, un autre collaborateur de Haldeman, son accord pour le lancement de l'opération Segretti, et la presse ne cessait d'associer Segretti au Watergate. Mais Dean me réaffirma que Chapin n'avait rien su du Watergate.

« Et Strachan? demandai-je par acquit de conscience.

— Oui, il savait! » répliqua Dean.

J'étais surpris :

« Il savait?

— Oui...

— Au sujet du Watergate?

— Oui! » répéta-t-il.

J'étais abasourdi. Deux mois auparavant, Strachan travaillait encore à la Maison Blanche. S'il avait été au courant de l'effraction, c'était déjà assez mauvais en soi-même, mais j'aperçus immédiatement le problème plus grave encore que cela poserait. Il était bien connu que l'équipe de Haldeman n'était que le bras de Haldeman; il ne paraîtrait donc pas vraisemblable que Strachan eût connu quelque chose d'aussi important que le plan d'effraction du Watergate sans en aviser Haldeman.

« Eh bien, alors, Bob savait! fis-je. Il l'a sans doute dit à Bob... » Mais, dans le même souffle, j'ajoutai : « Il peut aussi ne pas l'avoir fait. » Dean me rassura sur ce point, en me disant que Strachan était « judicieux » dans les rapports qu'il faisait à Haldeman. C'était un garçon dur comme l'acier. Il avait été déjà interrogé à deux reprises et avait répondu : « Je ne connais absolument rien de l'affaire dont vous parlez. » Dean donnait à entendre, semble-t-il, que Strachan avait menti.

« Je suppose que l'on ne peut pas appeler cela de la justice, remarquai-je. La question est : comment justifiez-vous cela?

— Il n'avait pas à être questionné, répliqua Dean. Il a trouvé tout simplement que c'était la façon dont il voulait traiter la situation. »

Strachan avait été, dans toutes nos réflexions des derniers mois sur le Watergate, une figure tellement secondaire qu'il était difficile de croire qu'il fût soudain devenu un personnage de tout premier plan dans cette affaire.

Il m'était encore difficile d'accepter le fait que Strachan eût été au courant des écoutes du Watergate. Si c'était vrai, alors nos dénégations répétées pendant neuf mois, concernant une non-implication de la Maison Blanche, se trouvaient sapées à la base. Un peu plus tard, Dean sembla modifier les données du problème concernant Strachan. Nous pouvions toujours affirmer en vérité que la Maison Blanche n'était pas impliquée, en ceci que personne n'avait été au courant de l'effraction. Strachan avait été au courant de l'existence de microphones, mais seulement après le fait accompli. Il n'avait donc pas pris part à une association de malfaiteurs. C'était une distinction de juriste, mais, de ce point de vue technique tout au moins, la Maison Blanche n'était pas impliquée. En tout cas, ma première réaction n'était pas d'accuser ou de critiquer, mais de consolider.

Passant en revue la liste des autres personnes qui pourraient être mises en cause, Dean me donna ses conclusions pour chacune d'entre elles. Magruder avait connu plus de choses que Strachan. Colson n'avait rien su de précis. Mitchell était au courant de la recherche générale de renseignements, mais en rien des détails réels de l'effraction. Dean observa que son propre nom avait été cité : il avait été traîné dans l'affaire comme la personne qui avait envoyé Liddy au C.R.P. « C'est vrai, admit-il, mais je ne l'ai fait que parce qu'ils demandaient un juriste, et on m'avait dit que Liddy était un bon juriste. » Il avait donné le renseignement à Magruder, et Liddy avait été engagé.

Nous avions, à la veille d'une investigation partisane du Sénat, à faire face soudainement à de nouveaux dangers, sérieux et indéfinis.

« Eh bien, demandai-je, que diriez-vous de tout déballer... Est-il trop tard pour le faire? » Et je répondis à ma propre question : « Oui, il est trop tard...

— Je pense qu'effectivement, c'est trop tard, rétorqua Dean.

— Je sais qu'Ehrlichman a toujours pensé qu'il faudrait en venir là », dis-je.

Dean affirma qu'il avait convaincu Ehrlichman que lui-même ne voulait pas « tout déballer ». « C'est la fameuse théorie des dominos, m'expliqua-t-il. Il y aura toutes sortes de problèmes si ça commence à tomber. Aussi y a-t-il des dangers, Monsieur le Président! Je serais rien de moins que naïf si je ne vous le disais pas... Il y en a. C'est là une raison pour nous de ne pas aller témoigner. »

Je soulevai encore la possibilité de publier une sorte de déclaration de la Maison Blanche. Mais Dean dit que, sans même considérer la véracité de notre affirmation que la Maison Blanche n'avait pas été impliquée dans l'effraction du Watergate, les Démocrates partisans et les media n'ajouteraient foi à aucune déclaration de notre part. Il me prévint aussi que les gens ne voudraient pas croire ou comprendre la véritable histoire de l'affaire Segretti. « Ils voudront la prendre sous un aspect plus sinistre, dit-il. Quelque chose de plus compliqué, comme si cela avait fait partie d'un plan général. »

Lors de ma conférence de presse du 15 mars, la première question porta sur le Watergate et le rôle de John Dean dans l'enquête.

Je pris la défense de Dean, et je dis qu'il serait sans précédent et impensable que le conseil auprès du Président acceptât une convocation à se présenter devant une commission parlementaire. Dean était couvert non seulement par le privilège de l'Exécutif, mais aussi par l'obligation traditionnelle du secret professionnel. J'étais prêt à l'autoriser à fournir des informations; c'était là plus de coopération encore que la Constitution ou les précédents ne l'exigeaient. Je rappelai que d'autres Gouvernements avaient été beaucoup moins coopératifs que le mien; je rappelai aux reporters que je coopérais d'une façon à laquelle Truman s'était refusé lors de l'affaire Hiss.

Les questions revenaient sur le Watergate avec acharnement, presque avec passion. Je n'avais constaté quelque chose de pareil que pendant les jours les plus agités de la guerre du Vietnam. C'est durant cette conférence de presse que je compris pour la première fois les dimensions du problème qui nous confrontait avec les media et le Congrès au sujet du Watergate : le Vietnam avait trouvé son successeur.

Je sus immédiatement, alors que je répondais aux questions comme nous étions convenus, Dean et moi, que notre approche du problème ne marcherait pas. Nous étions déjà sur la défensive. Nous avions déjà pris du retard. Nous donnions déjà l'impression d'avoir quelque chose à cacher.

Avec la ténacité de celui qui se trouve soudain au milieu d'une tempête déchaînée, je me cramponnais à mon seul amer, bien qu'il ne fût plus ancré, semblait-il, qu'à une distinction technique : que personne à la Maison Blanche n'avait été impliqué dans l'effraction du Watergate. On m'avait dit que Strachan avait été au courant de la pose des micros après le fait accompli, mais il n'avait pris aucune part à la décision. Même si cela était tout ce que nous pouvions dire, je sentais que nous devrions finalement parvenir à trouver le moyen de le dire de manière persuasive. Et nous pourrions commencer à nous défendre sur cette base.

Après ma conférence de presse, je décidai d'insister plus fermement que jamais pour obtenir de Dean une déclaration écrite de sa main, qui reprendrait tout ce qu'il nous avait dit ces derniers mois : qu'il n'y avait aucune preuve contre Colson, Chapin ou Haldeman dans cette affaire.

Quand je revis Dean, le 16 mars, je lui suggérai d'aller à Camp David et de se concentrer uniquement sur la préparation de sa déclaration. J'étais en train d'insister encore auprès de lui pour cette déclaration, lorsqu'il me dit qu'il avait, en personne, assisté à des réunions dans le bureau de John Mitchell au Département de la Justice, au cours desquelles les plans de Gordon Liddy pour la recherche des renseignements avaient été discutés. Dean se hâta alors de souligner que de telles choses ne devaient pas être exposées devant l'Attorney Général. Il avait rendu compte à Haldeman, et lui avait dit que si quelque chose de ce genre était en train, la Maison Blanche devait « s'en tenir à quinze kilomètres de distance, parce que ce n'était pas légal, et nous ne pouvions y avoir aucune part ». Haldeman en était d'accord avec lui. « C'est à ce moment, dit-il, que j'ai cru que l'entreprise avait été décommandée... — Mais vous n'avez pas entendu discuter de la pose de microphones? lui demandai-je. — Eh oui! j'ai entendu parler de cela, me répondit-il; et c'est là ce qui m'a causé pas mal de soucis! » Il expliqua qu'à la réunion, Liddy avait dit qu'il serait nécessaire de placer des microphones. Mitchell n'avait pas donné son accord, mais il était resté là, à tirer sur sa pipe, sans rien dire. Je pouvais voir la scène, et l'attitude impénétrable de Mitchell, celle qu'il adoptait quand il lui fallait supporter des amateurs.

Je dis à Dean qu'il ne devait pas faire mention des conversations sur les microphones en décrivant cette réunion dans sa déclaration. Je me tins ce raisonnement : il avait essayé de s'opposer au plan et Mitchell ne l'avait pas approuvé. Dean ajouta que ce serait une gêne que la Maison Blanche eût eu connaissance d'une opération de renseignements, même si nous pensions qu'elle était légale. Cela ne m'embarrassa pas, et je dis que si nous devions nous en justifier, nous pourrions le faire sur la base de toutes les violences et les manifestations organisées contre nous. Au moins, à la différence de certains gouvernements précédents, nous ne nous étions pas servis du F.B.I.

Je revins plus tard au problème des personnalités vulnérables. Si je comprenais bien, c'étaient, selon Dean, Mitchell, Colson et Haldeman, indirectement et peut-être directement, et, à un autre niveau, Chapin. Dean me dit qu'il ajouterait son propre nom. Je demandai pourquoi. Parce qu'il avait servi de couverture à toutes ces choses, déclara-t-il. Je dis que je le savais, mais que ses activités étaient postérieures à la pose des microphones et que je ne voyais pas le problème. A la différence des autres, il n'avait aucune responsabilité pénale. « C'est juste », confirma Dean.

En revenant à Strachan, Dean sembla modifier ce qu'il m'avait dit quatre jours plus tôt. Il avait affirmé que Strachan n'était pas au courant de l'effraction. Mais il déclarait maintenant que Liddy lui avait dit qu'il n'était pas réellement certain de ce que Strachan savait ou ne savait pas. Liddy avait désigné Magruder comme l'homme qui avait fait pression sur lui pour entreprendre l'effraction. Je demandai qui avait incité Magruder à cela. La théorie de Dean était que Strachan avait probablement poussé les gens, d'une manière générale, à se procurer des renseignements. Une fois de plus, je demandai de quels renseignements il s'agissait. Mais maintenant, neuf mois après l'effraction, Dean ne pouvait encore répondre pourquoi, de tous les endroits du monde, ils avaient choisi le Comité national démocrate. « Cela me déroute complètement », m'avouat-il.

Les choses se compliquaient de jour en jour. Selon certaines rumeurs, Magruder racontait, en privé, que Colson et Haldeman avaient été au courant de l'effraction. Je ne croyais pas que cette accusation fût fondée, mais je pensais que, comme Dean le disait, si Magruder se voyait couler à fond, il essaierait de se raccrocher à tout ce qu'il pourrait attraper. Et il y avait maintenant toutes ces autres associations et implications indirectes. Je dis à Dean que je ne voyais aucun autre moyen que de limiter les pertes en admettant purement et simplement que Liddy et sa bande avaient exécuté l'effraction comme faisant partie de leur boulot. Et j'ajoutai : « Ce n'est pas de loin aussi mauvais que les gens le pensent. »

Dean dit alors qu'une autre difficulté pourrait se présenter. Ehrlichman avait un problème avec Hunt et Liddy. « Ils travaillaient pour lui? » hasardai-je, pensant qu'il pourrait être mis indirectement dans le bain en raison de cette collaboration.

Dean me dit alors que Hunt et Liddy, munis d'équipements de la C.I.A., s'étaient introduits par effraction dans le cabinet du psychiatre de Daniel Ellsberg.

« Mais pourquoi donc? » m'exclamai-je.

D'après Dean, ils l'avaient fait pour essayer de s'emparer du dossier psychiatrique d'Ellsberg, en relation avec l'affaire des papiers du Pentagone. Mais il ne savait pas pourquoi.

« C'est bien la première fois que j'entends parler de cela », répondis-je.

Dean ajouta qu'il était possible qu'Ehrlichman n'ait pas su à l'avance que cette effraction allait avoir lieu.

Le sol bougeait de nouveau. Il n'y avait que quatre jours que Dean m'avait dit que Strachan avait été au courant des microphones de Watergate. Et maintenant, il y avait cela.

Mais j'étais convaincu que rien de ce qui avait trait à Ellsberg ne serait évoqué devant la commission Ervin — ce qui signifiait pour moi que nous avions pour le moment des problèmes plus importants qu'Ellsberg.

Comme auparavant, les atermoiements et l'inertie demeuraient notre fléau dans notre manière de traiter l'affaire du Watergate. Les jours passaient, et nous ne faisions rien. Dean proposa un jour de se défendre par une lettre qu'il enverrait aux comparutions de Gray, disant qu'il avait recommandé Liddy au Comité républicain dans le seul but de rechercher des renseignements et que la Maison Blanche avait pleinement coopéré avec le F.B.I. Je pensais que cette lettre était enfin un pas dans la bonne direction, et je le poussai à en rehausser l'importance en la signant sous la foi du serment. Il n'accueillit pas ma suggestion avec enthousiasme. Bientôt le projet tomba à l'eau.

J'avais un besoin désespéré de me changer les idées. Nous étions confrontés à la possibilité d'avoir à reprendre nos bombardements au Laos, en représailles des manquements des Vietnamiens du Nord qui ne respectaient pas les dispositions du cessez-le-feu de l'accord de Paris. L'économie intérieure était d'une inquiétante irrégularité, et George Shultz était sur le point de reconnaître que le relâchement des contrôles à la phase III de la politique économique avait été une erreur.

Je pensais aussi au besoin de fixer de nouveaux objectifs concernant la politique extérieure à suivre au cours de mon second mandat. Maintenant que la guerre du Vietnam était finie, nous pouvions tourner notre attention vers l'autre région du monde où la guerre était toujours imminente, et où le danger d'une confrontation nucléaire était beaucoup plus grand que dans le Sud-Est asiatique. Le 3 février, j'écrivais dans mon Journal :

Extrait de mon Journal :

Je pousse dur Henry sur le projet du Moyen-Orient. Il veut maintenant le remettre au mois d'octobre, après les élections israéliennes, mais je lui ai dit que si nous ne l'entreprenions pas cette année, rien ne serait fait pendant ma Présidence. L'Egyptien [Hafel Ismaïl, conseiller du Président Sadate] va venir ici... Ce qu'il projette, je n'en sais rien, mais je sens que d'une façon ou d'une autre il faut que nous arrivions à faire sortir les Israéliens de leur position d'intransigeance. Inutile de dire que nous ne pouvons pas adopter la position extrême des Egyptiens ou des Arabes, mais il y a, entre les deux, une possibilité de manœuvre. Le règlement intérimaire est naturellement la seule chose dont nous puissions parler; c'est la seule chose que les Israéliens n'accepteront jamais, et les Egyptiens auront tout simplement à accepter un règlement de ce genre, ou les Arabes, avec l'assurance que nous ferons de notre mieux pour obtenir plus tard un règlement complet.

J'ai parlé à Henry de la nécessité de s'occuper du Moyen-Orient. Pour sa part, Henry a certainement ajourné la chose, objectant que les problèmes politiques y sont trop difficiles. C'est une question qu'il m'appartiendra naturellement de décider. Il a convenu le problème avec les Israéliens en Israël n'est pas de loin aussi difficile que celui de la communauté juive d'ici, mais je suis décidé à avaler la purge, et à agir, parce que nous ne pouvons pas laisser les choses courir, et avoir cent millions d'Arabes qui nous haïssent et fournissent un champ d'action, non seulement aux extrémistes, mais aussi aux Soviétiques.

Henry n'est pas chaud pour entamer les questions relatives au Moyen-Orient à cause, j'en suis sûr, des pressions énormes qu'il aura à subir de la part des groupes juifs dans notre pays.

Il a besoin de s'assigner un objectif important et nouveau. Haig est convaincu que ce devrait être l'Europe. J'ai remarqué que Henry a repris ce thème dans notre dernière conversation. Mais j'ai continué d'insister avec Haig sur la nécessité de faire quelque chose au Moyen-Orient.

Haldeman, comme moi, était déçu que la Maison Blanche ne fît et ne dît rien au sujet du Watergate. Il était particulièrement désireux de mettre fin au silence au sujet de Segretti. Il préconisait de dire exactement ce qui s'était passé, et d'élucider le mystère. Le mardi soir 20 mars, il se plaignit à moi que d'autres continuaient à soutenir que, quoi qu'il pût dire sur Segretti, il porterait préjudice à des gens engagés « du côté du Watergate ».

« Je pense toujours que je suis possédé, que l'on me noircit pour protéger d'autres personnes », dit Haldeman. Et d'ajouter que Chapin, lui aussi prêt à s'expliquer en public au sujet de Segretti, était « plus encore noirci pour protéger d'autres personnes ». Le problème était, à mon avis, que les gens en danger du côté du Watergate étaient nos amis. Haldeman en convint. Il observa que si Segretti pouvait être présenté comme un cas de manque de jugement, le Watergate était un problème sérieux. Dean soutenait que tout l'ensemble était lié : lâcher tout et dire tout sur Segretti pourrait mettre les autres en danger.

Mais cela nous ramenait à une conclusion inacceptable, parce que, en suivant l'avis de Dean et ses conseils de prudence, nous restions figés dans notre position actuelle : ne faire aucune déclaration, lutter avec le Congrès pour le privilège de l'Exécutif, et donner l'impression d'une dissimulation par la Maison Blanche. C'était, pour nous, la pire des situations.

« Ce n'est pas réellement pire, ce n'est pas pire que si John Mitchell allait en prison pour faux témoignage ou complicité », répliqua Haldeman. Je ne pouvais qu'en convenir. Je dis que j'y avais aussi réfléchi. Je m'étais demandé aussi si Magruder aurait fait une chose comme celle-là de son propre mouvement.

Haldeman me fit remarquer que quelles que soient nos conjectures sur l'implication de Mitchell, Dean pensait qu'il était possible que ce dernier n'eût pas approuvé l'effraction. Et Magruder avait soutenu sous serment que lui-même ne l'avait pas approuvée, ce qui était possible si l'on supposait que Liddy agissait dans le cadre d'une large délégation de pouvoirs. Mais il y avait toujours la question de savoir si Liddy tiendrait bon, ou s'il commencerait à rejeter les responsabilités sur d'autres. En tout cas, la méthode Dean consistait toujours à limiter les frais à Liddy. De l'avis de Haldeman, si aucun facteur nouveau — tel que des déclarations de la Maison Blanche — n'intervenait, Dean paraissait penser qu'il y avait une chance pour que Mitchell ne fût pas entraîné dans l'affaire.

Nous étions arrivés au 20 mars, et nous étions exactement au même point que quatre jours après l'effraction, neuf mois plus tôt. Et personne n'était sûr de rien concernant Mitchell ou Magruder, au moins de première main. Mais maintenant les implications indirectes et les vulnérabilités qui entouraient le Watergate étaient si grandes que même de fausses allégations d'un Liddy ou d'un Magruder pourraient être fatales.

A la fin de l'entretien, nous discutâmes encore, Haldeman et moi, l'idée de publier une déclaration d'ordre général. Quand je mentionnai l'argument de Dean que l'on ouvrirait ainsi trop de portes, Haldeman dit que nous devrions faire la déclaration et voir ce qui allait arriver, puisque, de toute façon, les portes allaient évidemment s'ouvrir... C'était exactement ce que je pensais. Si les faits devaient être révélés, il valait autant que nous le fassions nous-mêmes dans la mesure où nous le pouvions. Nous convînmes que la déclaration ne pouvait prétendre être complète, de peur que quelque chose ne puisse survenir plus tard et la dévaluer. Elle devrait plutôt indiquer notre disposition à répondre, d'une manière ouverte, à d'autres questions à mesure qu'elles se poseraient.

Avant la fin de notre entretien, presque comme une réflexion après coup, Haldeman soulève un autre problème que Dean avait discuté avec lui. Il explique que 350 000 dollars en espèces avaient été prélevés sur les fonds de la campagne en 1972 et apportés à la Maison Blanche pour aider à régler les frais de projets politiques tels que des sondages privés. On n'avait pas fait usage de ces sommes qui avaient été restituées au C.R.P. Lorsque je lui eus demandé quel était le problème ainsi posé, il me dit que ce fait rétablirait l'existence de fonds secrets — ce que la presse ne manquerait d'exploiter. « Ce n'est pas que cela m'ennuie, dit-il, ou que cela m'ait jamais ennuyé. Mais peut-être y a-t-il là-dedans plus que je n'y ai trouvé. »

Je téléphonai à Dean peu après le départ d'Haldeman. Il semblait légèrement agité. Il voulait me voir pour passer en revue « toutes les implications possibles de l'affaire ». Il me dit : « Vous comprenez, juste trente minutes, pour que je vous énumère les grandes lignes, de sorte que vous fonctionniez à partir des mêmes faits que tous ceux qui se sont penchés sur la question... Nous n'avons jamais abordé l'affaire sous cet angle. Nous n'en avons jamais eu de vue d'ensemble. Ça a toujours été par pièces et par morceaux. »

Rendez-vous fut donc pris pour le lendemain à 10 heures du matin. Après quoi je revins à ma demande habituelle : qu'il prépare une sorte de déclaration générale que nous pourrions publier de la Maison Blanche.

Je suggérai qu'il pourrait présenter un rapport oral au Cabinet, juste pour leur réaffirmer ce qu'il m'avait dit : que personne de la Maison Blanche n'était impliqué dans l'effraction. Comme d'habitude, à chaque fois que l'idée d'une déclaration était évoquée, la réaction de Dean fut froide. Il me fit savoir de nouveau qu'avant de publier quelque déclaration que ce soit, il devrait me voir personnellement. « Non, je veux savoir. Je veux savoir d'abord où sont les cadavres », répliquai-je. Me rappelant ma discussion avec Haldeman sur la nécessité d'éviter toute déclaration à prétention définitive, je déclarai à Dean que bien que j'eusse pensé à une déclaration complète, il fallait qu'il en fasse une très incomplète, à savoir sans attendus ni considérations, mais seulement assortie de conclusions générales, dans le genre : « Haldeman n'est pas impliqué en ceci, en cela et en telle autre chose. Colson n'a pas fait ceci, etc. » « Limitez-vous, lui recommandai-je, aux choses les plus voyantes. S'il y a d'autres questions, dites-le-moi. »

J'avais appris aussi que le juge de la cour du district était sur le point de rendre son arrêt contre Hunt, Liddy, McCord et les autres personnes arrêtées à Watergate.

Extrait de mon Journal :

> L'un des mes principaux soucis est ce qui arrivera quand le juge agira vendredi. Il semble qu'il sera extrêmement sévère, ce qui ne me surprend pas.
> Ils pensent que, à ce stade, McCord pourrait craquer parce qu'il ne veut pas aller en prison et qu'il pourrait dire au juge qu'il est disposé à tout raconter. La question est de savoir ce qu'il sait. Il connaît certainement beaucoup de choses sur Mitchell. Mitchell est celui qui m'inquiète.
> Tout simplement, Mitchell n'a pas maintenu le gouvernail au moment où il avait tous ces problèmes avec Martha, bien que je ne puisse l'en blâmer. Je sais pourquoi c'est arrivé. Personne ne pourrait avoir un meilleur ami, un meilleur partisan que Mitchell, et personne n'est plus solide dans les ennuis; mais, pour le moment, nous sommes pris au piège, sans savoir réellement comment nous en tirer.

LA CONVERSATION DU 21 MARS

10 heures venaient de sonner lorsque, le mercredi matin 21 mars, John Dean entra dans le Bureau Ovale.

Après quelques remarques sans importance sur la déposition de Gray, il dit qu'il pensait que nous devions nous parler, parce que, dans nos conversations antérieures sur le Watergate, il avait eu l'impression que je ne savais pas tout ce qu'il savait. Il m'était par conséquent difficile de me faire une opinion que, pourtant, il était nécessaire que je me fasse.

« En d'autres termes, dis-je, il me faut savoir pourquoi vous avez le sentiment que nous ne devrions pas aller au fond des choses.

— Je pense.., repartit-il en hésitant, qu'il n'y a aucun doute sur la gravité du problème. Nous avons un cancer, à l'intérieur, tout près de la Présidence, qui ne cesse de croître. Il croît tous les jours, comme des intérêts composés. Il croît en progression géométrique, de lui-même. Cela deviendra clair quand je vous en aurai expliqué en détail les raisons : tout d'abord parce que l'on nous fait chanter, et, ensuite, parce que les gens vont commencer très rapidement à faire de faux témoignages, des gens qui n'ont pas eu à le faire pour protéger d'autres personnes. Et c'est justement cela... et il n'y a pas de certitude...

— ... que ça ne va pas éclater, dis-je en finissant la phrase.

— Que ça ne va pas éclater », répéta-t-il.

Il passa aux détails. J'en avais déjà entendu certains. D'autres n'étaient que des variantes de ceux que j'avais entendus auparavant. Et quelques-uns étaient nouveaux.

Haldeman, commença-t-il, lui avait demandé d'organiser une opération de renseignements « parfaitement légitime » au C.R.P. Dean avait chargé un de ses collaborateurs de dresser un plan « d'inflation normale... par corruption de secrétaires ou par ce genre de choses ». Ehrlichman, Mitchell et les autres tombèrent d'accord pour trouver que le collaborateur en question n'était pas la personne qu'il fallait : c'était un juriste qu'ils voulaient. C'est à ce moment-là, dit-il, qu'il avait reconmmandé Liddy pour s'occuper des affaires de renseignements. C'était la première fois que Dean me racontait cela. Avant, il m'avait dit seulement qu'il avait recommandé Liddy au C.R.P. comme conseiller juridique.

Dean retraça son indignation quand Liddy avait présenté son plan incroyablement bizarre à Mitchell, dans le bureau de l'Attorney Général, et comment il avait dit à Liddy et à Magruder : « Vous n'avez pas le droit de parler ainsi dans ce bureau et... vous devriez réformer tout votre système de pensée! » Il répéta son récit de l'accord de Haldeman, selon lequel Dean et la Maison Blanche devaient prendre des distances vis-à-vis de telles activités. « J'ai pensé, à ce moment-là, que la chose avait été décommandée », dit-il.

C'était là, si j'ai bien compris, que s'arrêtait sa connaissance directe des faits. Il passa ensuite aux détails qu'il n'avait appris qu'après l'effraction, lorsqu'il s'efforçait de reconstituer ce qui s'était passé; nous en venions aux extrapolations et aux conjectures.

Il semble qu'après la réunion dans le bureau de Mitchell, Hunt et Liddy soient allés chez Colson, pour lui demander de les aider à obtenir l'autorisation de poursuivre leurs projets. Colson appela alors Magruder, le pressant de refuser ou d'accepter les propositions de Hunt et de Liddy. Je demandai si Colson avait su exactement quels étaient les plans de Hunt et de Liddy. Dean répondit qu'il supposait que Colson avait « une bonne petite idée de ce dont ils parlaient ».

Colson! Mes premières craintes réapparurent. Jusqu'alors, tout le monde, y compris Dean, m'avait dit que Colson n'était pas impliqué. « Vous pensez donc que Colson est l'homme qui a poussé à l'affaire? » demandai-je. Dean répondit que Colson avait aidé à y pousser. Haldeman avait poussé à l'affaire par l'entremise de Strachan, mais l'intervention de Haldeman en faveur de la recherche de renseignements était fondée sur l'innocente conviction que rien d'illégal n'était envisagé. « Je pense que Bob supposait qu'ils avaient là-bas quelque chose de convenable », affirma Dean. Dean supposait que Magruder avait rendu compte des interventions de Colson et Strachan à Mitchell, et qu'en face de toutes ces pressions Mitchell avait tiré sur sa pipe et répondu : « Allez-y! » sans réfléchir à la question. C'était la théorie de Dean sur la façon dont la pose de microphones au Centre national démocrate avait été lancée. Je sentais que j'avais du mal à me contenir : à peine vingt-quatre heures plus tôt, Haldeman m'avait laissé entendre que Dean pensait que Mitchell n'avait pas approuvé l'effraction.

Après la pose de microphones, Strachan avait reçu une partie des renseignements obtenus ainsi, et avait passé le rapport à Haldeman. Ce dernier pouvait ne pas savoir d'où venaient les renseignements, mais Strachan le savait.

Magruder, selon Dean, était tout à fait au courant et il avait fait un faux témoignage. Il avait monté un « scénario » et l'avait montré à Dean, en lui demandant ce qu'il en pensait. Dean avait répondu : « Je ne sais sais... Si c'est à cela que vous vous accrochez dur, ça va. » En dépit de sa déposition, Magruder avait donné expressément instruction à Liddy de retourner au Centre national démocrate. Mais Dean croyait pourtant, en toute sincérité, que tout le monde à la Maison Blanche l'avait ignoré; mais il ajouta, en apparente contradiction, qu'il pensait que Strachan l'avait su.

Passant aux activités qui avaient suivi l'effraction, Dean précisa que lui-même « avait reçu, de façon suffisamment claire, instruction de ne pas examiner l'affaire de trop près », qu'il avait agi d'après le principe de la limitation des dégâts. Cela concordait avec les propos que Haldeman m'avait tenus la veille, selon lesquels Dean espérait limiter la responsabilité de l'effraction à Liddy, et l'empêcher de remonter à Mitchell.

Dean me dit qu'il avait suivi d'un bout à l'autre les enquêtes du F.B.I. et du grand jury. Aussitôt après les arrestations, les accusés avaient réclamé qu'on leur rembourse les honoraires des avocats... « si vous nous demandez de tenir jusqu'à l'élection ». Des arrangements avaient été pris pour les paiements, à des réunions où Mitchell et lui étaient présents. « Kalmbach y a été mêlé, dit Dean. Il a trouvé de l'argent. » Je lui demandai si ces opérations avaient été faites sous la couverture d'un comité cubain. Dean m'assura que c'était le cas et que l'on s'était servi aussi de l'avocat de Hunt. J'ajoutai : « Je garderai certainement ce comité pour nous en servir à toutes fins utiles. Gardez ce comité. »

Alors, Dean n'y alla pas par quatre chemins : « Bob est compromis dans cette affaire. Il en est de même pour John, de même pour moi et de même pour Mitchell. Et c'est un cas d'entrave apportée à l'exercice de la justice. »

Je ne comprenais pas. Je pensais que Dean dramatisait la situation.

« Comment Bob a-t-il été impliqué? » demandai-je.

Haldeman avait laissé Dean faire usage du fonds de 350 000 dollars déposé à la Maison Blanche, pour faire des paiements aux accusés. Ils avaient décidé, lui, Haldeman et Ehrlichman, qu'aucun prix n'était trop élevé pour empêcher que l'affaire ne nuise à l'élection. C'était une nouvelle version : la veille, Haldeman avait dit que les fonds avaient été restitués intacts au C.R.P. et que le seul problème était que les moyens d'information allaient les qualifier de « fonds secrets ». « Je pense, dis-je, qu'il faut que vous arrangiez cela sans perdre de temps. » Et Dean en convint.

D'après lui, McCord avait parlé à quelqu'un de la Maison Blanche d'une commutation de sa peine : « Et, comme vous le savez, Colson a parlé indirectement à Hunt d'une commutation. Toutes ces choses, c'est mauvais... en ceci qu'elles sont des problèmes, qu'elles sont des promesses, qu'elles sont des engagements. Elles sont le type même des choses que le Sénat va rechercher. »

Dean arrivait maintenant au cœur du sujet, celui qui avait concrétisé sa présente inquiétude : cinq jours plus tôt, un avocat du C.R.P. avait reçu un message de Hunt et l'avait transmis directement à Dean; Hunt réclamait 122 000 dollars pour les honoraires de son avocat et ses dépenses personnelles. En recevant ce message, Dean avait dit à l'avocat du C.R.P. : « Je n'ai rien à voir avec les finances. Je n'y connais rien et je ne peux pas vous aider. »

Le message de Hunt était accompagné d'une menace : « Je mettrai John Ehrlichman à genoux et je le ferai mettre en prison. J'ai fait déjà tant de besognes douteuses pour lui et Krogh qu'ils n'y survivront pas. » La date limite fixée par Hunt expirait la veille au soir. « De quoi s'agit-il, d'Ellsberg? » demandai-je à Dean, qui répondit : « Ellsberg, et probablement d'autres histoires. Je ne sais pas jusqu'où ça va. — Je ne sais rien d'une autre affaire », dis-je, pensant aux raisonnements que Colson m'avait tenus en janvier sur Hunt, qui pourrait compromettre Haldeman ou Ehrlichman, et aux raisonnements que tenaient précisément ces derniers, sur ce que Hunt pourrait faire à Colson. Dean me répondit qu'il en était de même pour lui, et il me parla de tous les gens qui étaient au courant de l'affaire Ellsberg, parmi lesquels les Cubains arrêtés à Watergate et leurs avocats.

La menace de Hunt n'était qu'un exemple, le plus urgent et le plus spectaculaire, des possibilités de chantage continuel qui s'offraient aux accusés. Si nous continuions à payer, nos paiements aggraveraient l'obstruction apportée au cours de la justice. Et de plus se posait la question de savoir où trouver l'argent et comment le remettre sans compromettre la Maison Blanche. Je demandai quelle somme serait nécessaire. Dean estimait que les paiements pour tous les accusés iraient chercher dans le million de dollars à répartir sur les deux prochaines années.

« Cela ne sera pas facile! dis-je. Mais je sais où nous pouvons trouver l'argent. » En fait, je n'avais rien de précis à l'esprit, mais je supposais que si c'était suffisamment urgent, nous pourrions trouver la somme chez les personnes qui avaient financé le parti auparavant.

Dean continua à rendre compte du « cancer en activité » à l'intérieur même de la Présidence. Bird Krogh avait été forcé de donner un faux témoignage au sujet de l'affaire Ellsberg. Cette nouvelle fut un nouveau coup pour moi. C'était l'un de mes favoris parmi les membres les plus jeunes de mon équipe. Je savais que c'était un homme à principes. Il n'en avait pas moins témoigné qu'il ne connaissait pas les Cubains, alors qu'en fait il les connaissait, non pas en liaison avec le Watergate, naturellement, mais avec l'affaire Ellsberg.

« Il est terriblement difficile de prouver qu'un témoignage est faux », fis-je sans beaucoup de conviction.

Nous retournâmes à la menace de Hunt. De tous les nouveaux détails et de la confusion, une chose résultait : Hunt était une bombe à retardement, et la date limite était hier. Dans deux jours, il serait condamné, et il était certain qu'il accomplirait sa menace.

« En ne considérant que le problème immédiat, ne faut-il pas que vous régliez la situation financière de Hunt de toute urgence? » Après quoi j'expliquai mon point de vue : « Il faut maintenir la capsule sur la bouteille aussi longtemps que vous en avez besoin pour faire un choix : il n'y a pas d'autre solution; c'est cela, ou alors laisser toute l'affaire exploser maintenant. — C'est juste », répliqua Dean. Je lui dis de continuer sa version des faits. Après avoir terminé, il revint à ce qu'il appelait la situation en développement. Le danger était que l'affaire du Watergate se transformât en une action pénale contre Haldeman, Mitchell, Ehrlichman et lui-même. Il pensait que tous les quatre devraient parler de toute l'affaire et des mesures à prendre pour ne pas y impliquer la Présidence.

« Vous n'y êtes pas compromis, me dit-il.

— C'est vrai, répondis-je.

— Je le sais, que c'est vrai. Rien que notre conversation suffirait à montrer que ce sont des choses dont vous n'aviez pas connaissance. »

Nous arrivions au cœur du problème : quelles étaient les alternatives? Je posai en hypothèse que, lorsque lui, Haldeman, Ehrlichman et Mitchell se verraient, ils en arriveraient à la conclusion qu'il n'y avait aucun moyen d'empêcher l'affaire d'apparaître au grand jour. Que ferait-on en ce cas? « Allez-vous offrir au public une révélation complète? N'est-ce pas ce qu'il y a de mieux à faire? C'est du moins ce que je pense », dis-je.

Dean fit des objections. Il y aurait une autre possibilité, celle de réunir un nouveau grand jury, avec immunité pour certains témoins. Je croyais tout d'abord qu'il pensait à Magruder, mais il devint clair qu'il pensait à lui-même. Il me fit savoir qu'il envisageait la possibilité d'être emprisonné.

« Diable, non! rétorquai-je avec vivacité. Je ne vois pas comment cela pourrait vous arriver. » D'après son propre récit, il avait repoussé le plan de Liddy, il n'était pas compromis dans la manipulation des fonds, et il n'avait pas promis de grâce ni commis de faux témoignage. Mais comme il était visiblement préoccupé, je lui demandai de m'expliquer de nouveau son problème au sujet de l'entrave apportée à l'exercice de la justice. Je n'arrivais pas à comprendre à quel titre on pourrait le poursuivre. Il m'expliqua qu'il avait été un moyen de transmission pour faire connaître les conditions du chantage.

Pendant qu'il parlait, j'étais tourmenté par l'idée du chantage et du danger de ne pas y céder. « Allons-y franchement, dis-je, je me demande s'il ne faudra pas continuer. » Et je commençai à chercher ma voie à travers ce labyrinthe. Au moins, si nous avions un million de dollars et les moyens de faire parvenir cette somme, cela maintiendrait les choses en l'état un moment. Mais était-ce donc si sûr? Il y avait le problème de Hunt qui attendait sa grâce; l'argent ne le satisferait pas si on lui avait laissé espérer la liberté. Selon Dean, les autres réclameraient aussi leur grâce, et il ajouta :

« Je me demande si vous serez jamais en mesure de les gracier. L'affaire est trop brûlante.

— On ne peut le faire avant la fin des élections de 1974, cela est sûr, dis-je. Mais vous êtes d'avis que même à ce moment-là, ce sera impossible?

— Ce sera impossible. Parce que cela vous compromettrait d'une façon inacceptable.

— J'en suis d'accord avec vous », dis-je.

Et nous nous tûmes. Nous revenions au point de départ.

Dean était visiblement déprimé. Il avoua presque en s'excusant que des fautes de jugement avaient été faites avant l'élection, et que maintenant

Poignée de main historique avec le Premier ministre Chou en-Laï, à Pékin, le 21 février 1972.

Entretien dans la maison du Président Mao à Pékin.

L'un des souvenirs les plus vifs de Richard Nixon, durant son voyage en Chine en 1972, fut ce public — composé d'hommes et de femmes — rassemblé lors d'une exhibition de gymnastique auquelle il assista à Pékin.

Devant la Grande Muraille de Chine en 1972.

Poignée de main avec Leonid Brejnev après la signature des accords S.A.L.T. au Kremlin, le 26 mai 1972.

La campagne de réélection en octobre 1972, à Atlanta, Georgie.

Avec le Premier ministre d'Israël Golda Meir, à la suite d'un dîner donné à la Maison Blanche, le 1er mars 1973.

Au dîner donné pour les prisonniers de guerre, le 24 mai 1973, Irving Berlin dirige le chant *Dieu bénisse l'Amérique*. Sammy Davis Jr. participé au chœur. Le drapeau fabriqué en captivité par un prisonnier est suspendu à l'arrière-plan.

Seconde rencontre au sommet : avec Brejnev, sur le Portique Sud de la Maison Blanche après la cérémonie d'accueil en juin 1973.

Seconde rencontre au sommet : avec Brejnev dans le bureau du deuxième étage de R. N. à La Casa Pacifica de San Clemente, en juin 1973.

Avec Pat et Bebe Rebozo à San Clemente, le 20 août 1973.

Conférence de presse très tendue en octobre 1973, qui suivit la révocation contestée d'Archibald Cox de son poste de procureur spécial du Watergate et après l'alerte militaire durant la guerre du Yom Kippour.

Avec le président de la République égyptienne Anouar el-Sadate, au cours du voyage au Moyen-Orient, en juin 1974.

Troisième rencontre au sommet : promenade en bateau sur la mer Noire, en Crimée, en juin 1974. Brejnev (à droite) et l'interprète Viktor Sukhodrev indiquent Yalta du doigt.

Avec Tricia dans la Roseraie, le
7 août 1974.

R. N. avec Julie après qu'il eut
annoncé à sa famille sa décision
de démissionner, le 7 août 1974.

Entretien avec le Vice-Président Ford le 8 août 1974, le dernier jour de R. N. en tant que Président.

Les adieux de R. N. au personnel du Cabinet et de la Maison Blanche, dans le Salon Est, le matin du 9 août 1974.

elles étaient devenues, pour mon second mandat, un fardeau qui ne s'allégerait pas. J'essayai de le rassurer. Ce n'était pas le temps des récriminations. « Nous sommes tous dans le bain! » Et je lui répétai que je pensais qu'il s'exagérait la possibilité de se voir l'objet d'une poursuite au pénal.

Dean répondit qu'il n'avait pas la solution de tous ces problèmes, mais qu'il pensait qu'il fallait plutôt faire la part du feu qu'aggraver les choses par des paiements. J'en étais d'accord, à une exception près : celle de Hunt. Nous étions déjà en retard, et s'il commençait à lancer des accusations contre la Maison Blanche, il n'y avait pas moyen de savoir quels seraient les dommages subis par mes collaborateurs les plus proches : Colson, Ehrlichman, Haldeman et Mitchell — et par conséquent par moi.

« Mais pour le moment, ne pensez-vous pas que vous feriez mieux d'arranger l'affaire Hunt? lui demandai-je. Cela n'en vaut-il pas la peine, pour le moment?

— Cela nous permettra de gagner du temps, c'est vrai », concéda Dean.

Il fut convenu que ce dernier verrait immédiatement Mitchell, Ehrlichman et Haldeman : « Nous n'avons jamais examiné le fond du problème avec ceux qui ont le plus à perdre », dit-il.

J'appelai Haldeman qui se joignit à nous. Dans notre conversation, Dean m'avait dit que, le matin, il avait parlé à Haldeman des mêmes choses que nous discutions, et j'avais supposé qu'Haldeman comprenait les problèmes tels que Dean me les avait exposés. Mais quand il nous eut rejoints, Haldeman sembla n'avoir jamais entendu parler auparavant du chantage de Hunt, du coup de téléphone de Colson à Magruder qui pouvait avoir déclenché l'approbation du plan du Watergate, et de la promesse apparemment sans équivoque d'une grâce de Noël faite à Hunt par Colson.

Quand Haldeman fut assis, je lui dis que nous étions arrivés au moment décisif. Selon moi, deux possibilités s'offraient à nous. Si nous décidions que les responsabilités pénales pour chacun étaient trop lourdes, nous pouvions ne rien céder, combattre et refuser de témoigner devant la commission Ervin. « Faire le dos rond », comme avait dit un peu plus tôt Dean, étouffer la chose, c'est exactement ce dont nous parlions. C'était indiscutablement tentant, si cela devait marcher. « Et surtout, je ne veux aucune responsabilité pénale, dis-je à Haldeman. Je tiens à cela pour les membres de la Maison Blanche et, j'espère aussi, pour les membres du comité cubain. »

Mais en même temps, cette option nous enfermait dans un cercle vicieux, que je décrivis à Haldeman : le seul moyen d'empêcher les accusés de faire des révélations était de céder à leur chantage en payant; il était possible de le faire; mais même si nous décidions qu'une mesure aussi désespérée était la bonne et valait la peine de courir maintenant quelque risque, nous avions encore à compter avec les demandes de grâce, et c'était là une chose que nous ne pouvions offrir; et nous nous retrouvions encore une fois au point de départ.

D'autre part, quoi que nous décidions, comme je le leur dis, nous allions en fin de compte être saignés à blanc, et tout finirait par se savoir de toute façon. Nous allions au pire, parce que nous n'avions pas d'autre alternative... Et il apparaîtrait que nous avions dissimulé les choses. Nous ne pouvions pas faire cela. C'est la raison pour laquelle nous devions adopter la seconde solution : nous mettre dans la meilleure position possible, soit en demandant de comparaître devant le grand jury ou la commission Ervin, soit en publiant une déclaration. Nous laisserions souffler la tempête; nous saisirions les chances qui nous restaient, et nous tenterions de survivre.

Haldeman se prononça sans équivoque sur la méthode que nous devrions suivre : « Je ne vois pas que nous puissions compromettre la Maison Blanche ou l'un quelconque de ses membres dans une tentative clandestine visant à faire passer cet argent. » Je demandai à Dean si nous n'étions pas tous d'accord pour dire aux accusés : « Je suis désolé, c'est terminé », et pour les laisser parler. Et j'ajoutai : « C'est la façon de le faire, non?... Si nous voulons agir correctement... » Dean ne semblait pas si sûr. Mais Haldeman l'était : « Après tout, si vous le faites, c'est une chose avec laquelle vous pouvez vivre. » Il posa le problème du chantage : c'était une chose de faire le premier paiement. Mais demain, que leur faudrait-il, et l'an prochain, et dans cinq ans? Il rappela qu'il l'avait déjà dit à Dean, les mois précédents, lorsqu'il avait fait allusion à cette question d'argent.

En ce qui concernait les paiements déjà effectués, je dis que l'histoire du comité cubain prenant la défense des accusés pendant les élections serait notre couverture.

« Oui, nous pouvons arranger cela, admit Dean. Evidemment, ce n'est pas tout à fait ce qui est arrivé, mais...

— Je sais, l'interrompis-je; mais c'est de cette manière que cela doit être arrivé... »

Je demandai encore à Dean si cette façon d'agir « par la voie régulière » était aussi la sienne, s'il admettait qu'on pût et qu'on dût laisser les choses aller leur train...

Cette fois-ci, il ne tourna pas autour du pot. Sa réponse fut carrément négative. Il pensait préférable que nos gens aillent devant le grand jury, où, à la différence de la commission sénatoriale du Watergate, les preuves étaient soumises à des règles.

« C'est-à-dire que vous pouvez dire que vous avez oublié, n'est-ce pas? » demanda Haldeman.

Un avocat dit toujours à son client qu'il vaut mieux répondre qu'il ne se rappelle pas et pécher par défaut de mémoire plutôt que de se hasarder à deviner ou à essayer de reconstruire un souvenir. Mais cela ne serait pas d'un grand secours lors des audiences de la commission, où le recours au Cinquième Amendement ou à un défaut de mémoire entraînerait automatiquement une condamnation aux yeux du public. Dean rappela à Haldeman que le grand jury avait aussi ses hasards. C'était une situation où l'on risquait au plus haut point d'être accusé de faux témoignage. Le procès Hiss en avait démontré les dangers.

L'idée du grand jury retenait mes faveurs. Ehrlichman avait recommandé que le grand jury fût convoqué de nouveau pour entendre les témoignages du personnel de la Maison Blanche. C'était là une voie régulière pour nous permettre de présenter les faits. « Il faudrait le faire devant le grand jury, et non sous les projecteurs de la commission », dis-je un peu plus tard.

Je revins au problème de Hunt. Nous convînmes qu'aucun paiement ne devrait être fait aux accusés, mais Hunt était la bombe à retardement. Je dis à Haldeman que le souci que m'inspirait son cas n'avait rien à voir avec la campagne électorale, mais bien avec l'affaire Ellsberg. A supposer que nous options pour la solution du grand jury, nous serions dépassés par les événements si, dans deux jours, lorsque la condamnation des accusés allait être prononcée, Hunt se mettait à table. C'était Hunt qui menaçait de nous priver de tout choix, et même de trancher pour ce qui était raisonnable et juste.

Je me tournai vers Dean :

« C'est pourquoi, dans l'immédiat, vous n'avez pas d'autre choix avec Hunt que de lui verser les 120 000 dollars ou à peu près. Vrai? Si vous convenez qu'il s'agit de gagner du temps, alors vous feriez mieux de régler la chose le plus vite possible.

— Je pense qu'il faudrait lui donner une sorte de signal, pour que de toute façon..., répliqua Dean.

— Eh bien, au nom du Christ, faites-le d'une façon qui... Qui va lui parler? »

Dean répéta que le problème, c'était bien que nous n'avions aucun moyen de faire parvenir l'argent. Nous en discutâmes. Une fois de plus, nous parlâmes d'une convocation du grand jury. Puis je revins à Hunt :

« Essayez donc de voir clair. Nous n'avons pas le choix pour Hunt, si ce n'est de le garder...

— Pour le moment, nous n'avons pas le choix, nous confirma Dean.

— Mais aurez-vous jamais ce choix avec Hunt? C'est la question! »

Une fois de plus, nous étions ramenés au point de départ, l'inévitable cercle était fermé. Même la mesure extrême consistant à payer le prix du chantage n'était pas une solution, elle ne nous ferait gagner que peu de temps.

Alors Dean proposa une troisième solution, qui était un autre moyen de gagner du temps : nous pourrions amener le juge Sirica à remettre de quinze jours son arrêt — ce qui neutraliserait quelque peu la pression que Hunt exerçait sur nous, et nous donnerait le temps nécessaire pour conduire toutes les personnes concernées devant le grand jury. Cette idée me plut immédiatement, et je donnai le feu vert à Dean.

« Je pense qu'il est bon, franchement, de prendre en considération ces diverses options », dis-je à la fin de la réunion. « Je vous laisse décider du plan à adopter, John. Vous aviez déjà trouvé celui qu'il fallait avant l'élection. Et vous l'avez bien appliqué. Vous avez limité les dégâts. Maintenant, après l'élection, il nous faut un autre plan, parce que nous ne pouvons pas, quatre ans durant, vivre avec cette affaire. Elle vous dévorerait peu à peu. Ce n'est pas possible. »

Haldeman en convint. Il fallait éviter toute nouvelle implication, non seulement au plus bas prix possible, mais à tout prix; parce que l'affaire commençait à me concerner personnellement, comme, d'ailleurs, il ne se fit pas faute de me le rappeler :

« L'érosion est inévitablement en train de se faire sentir jusqu'ici, bien que les gens disent que le Watergate n'est pas une chose importante.

— Ce n'est pas important, dis-je; mais ça va le devenir. C'est forcé...

— Nous ne nous pouvons laisser l'affaire vous atteindre » assura gravement Dean.

Je lui fus reconnaissant de son souci, avec lequel j'étais tout à fait d'accord :

« Je dis que la Maison Blanche ne peut se le permettre. Vrai? »

Sur ce, la réunion prit fin.

Deux décisions seulement avaient été prises : Haldeman devait faire venir immédiatement Mitchell de New York pour une conversation avec Dean et Ehrlichman; et Dean allait essayer d'obtenir une remise de l'arrêt.

J'avais ensuite quelques rendez-vous de routine. Mais tout le temps, Hunt, ses menaces et ses demandes d'argent pesaient sur mon esprit.

Aussitôt après, j'appelai Rose Woods et lui demandai si nous disposions de fonds de la campagne inutilisés. Elle me l'assura et s'enquit de la somme disponible. Elle s'élevait à environ 100 000 dollars; et lorsque Haldeman arriva un peu plus tard, je le lui mentionnai. Une fois de plus, il rejeta complètement l'idée de nous engager à continuer à payer : « Vous devez vous tenir à l'écart de tout cela », dit-il.

Plus tard, dans l'après-midi, Haldeman, Ehrlichman et Dean vinrent à mon bureau de l'Exécutif pour un long entretien sur le Watergate. Rétrospectivement, je peux voir que nous raisonnions à partir de bases différentes : d'abord parce que nous n'avions pas la même connaissance des faits, et ensuite parce que nous divergions dans nos appréciations respectives quant à nos vulnérabilités personnelles. Haldeman se préoccupait surtout du danger venant de Magruder : celui-ci pourrait l'accuser faussement d'avoir connu l'effraction à l'avance, et non pas seulement d'avoir été au courant des paiements faits aux accusés, ce qui pour Dean était le danger réel que courait Haldeman. En fait, jusqu'au matin suivant, Haldeman sembla ne pas comprendre la sévérité des conclusions de Dean : je mentionnai que Dean était préoccupé par le fait qu'il était au courant des paiements faits aux accusés, et Haldeman dit d'un ton rêveur que lui et Ehrlichman y avaient travaillé avec Dean. « Peut-être pense-t-il que je suis pris là-dedans moi aussi », dit-il en guise de commentaire.

L'après-midi du 21 mars, Ehrlichman semblait moins bien instruit qu'Haldeman des détails de la situation : il pensait encore que le problème de George Strachan était l'impossibilité où il se trouvait de justifier des paiements faits sur les fonds de la campagne. Il semblait ignorer que Strachan avait été au courant de la pose des microphones. Ces interprétations différentes et les abîmes qu'elles créaient dans notre entente générale sont apparentes aujourd'hui. Mais alors, il semblait seulement que les problèmes fussent très compliqués, et les séances que nous consacrions à l'étude d'une stratégie n'étaient rien que des menuets décevants et inefficaces autour du pot.

Le jour suivant, 22 mars, Haldeman et moi, nous passâmes en revue une fois de plus la situation explosive concernant le Watergate. Quand nous en vînmes à Liddy et à la rumeur très répandue qu'il allait en attraper pour trente-cinq ans, je dis qu'à mon avis il n'avait été que trop juste de réunir de l'argent pour les aider. « Je ne veux pas parler du chantage de Hunt, dis-je à Haldeman, mais nous nous occupons de ceux qui sont en prison, nous les plaignons. Nous le faisons par compassion. » Haldeman fut d'accord. Il lui semblait que Dean n'avait pas à s'inquiéter d'une tentative d'entrave à l'exercice de la justice. Après tout, les accusés avaient plaidé coupables. « Quand un type plaide coupable, fit observer Haldeman, peut-on dire que vous gênez la justice? »

Je ne pouvais, dis-je, comprendre comment Dean se souciait d'être compromis dans une affaire d'entrave à l'exercice de la justice. Après tout, d'après ce qu'il disait, il n'avait pas remis d'argent aux accusés. Je pensais que c'était la raison pour laquelle le chantage de Hunt l'avait troublé de cette façon. « Si Dean avait fourni l'argent, dis-je, cela aurait constitué contre lui une sacrée possibilité de chantage. » Mais puisqu'il ne l'avait pas fait, il n'y avait pas de problème.

Rétrospectivement, il est clair que, le 21 mars, John Dean avait essayé de m'alerter sur le fait que ce que j'avais supposé pendant neuf mois être le principal problème du Watergate — la question de savoir qui avait autorisé l'effraction — avait été dépassé par le nouveau et beaucoup plus sérieux problème de la dissimulation. Au cours de la réunion, je n'avais été qu'inquiété par les nouvelles dimensions de ce qu'il avait décrit, au lieu d'être galvanisé et incité à l'action par l'urgence et le péril de la situation. Dean ne m'avait pas dit toute l'étendue de son rôle actif et conscient pour étouffer l'affaire, et c'est pourquoi je prenais une grande partie de ce qu'il disait pour des conjectures et des déductions, au lieu d'y voir un rapport de première main sur une situation explosive qui déjà n'était plus maîtrisable. Ma réaction était le résultat de ce malentendu : je me précipitais sur chaque option possible. Même le fait que Dean s'obstinait à qualifier d'entrave à l'exercice de la justice l'autorisation de faire des paiements aux accusés m'était apparu plutôt comme un reflet d'une dépression personnelle que comme une déclaration résultant d'une conclusion juridique réfléchie. Ce n'est que trois semaines plus tard, lorsque je vis dans son ensemble la mosaïque entière de la dissimulation, et que je m'aperçus alors du rôle qu'y jouaient les versements faits aux accusés, que je pus comprendre ce que Dean avait réellement voulu me dire.

Le 22 mars après midi, au cours d'une réunion avec Haldeman, Ehrlichman et moi, John Mitchell conseilla de renoncer au privilège de l'Exécutif et de permettre à tous les collaborateurs de la Maison Blanche d'aller déposer devant la commission Ervin. C'était le seul moyen, dit-il, de donner au public une nouvelle image de la Maison Blanche.

Nous décidâmes aussi qu'il était temps d'avoir, de la part de Dean, quelque chose comme un rapport ou comme une déclaration. « Je pense que cela, certainement, devrait être fait », opina celui-ci.

Chacun était d'accord sur la nécessité d'une déclaration ou d'un rapport, mais chacun semblait avoir une idée différente de la raison qui le rendait nécessaire. Je le voulais comme une preuve de la véracité des déclarations publiques par lesquelles j'avais affirmé qu'il n'y avait personne à la Maison Blanche qui fût impliqué dans le Watergate. Je voulais un document qui montrât que je l'avais dit parce que l'on me l'avait dit, et que je l'avais cru. Je ne voulais pas qu'il exposât toutes les théories et conjectures de Dean : juste les réponses aux accusations principales. Mais on parlait aussi du rapport de Dean comme d'un document qui aurait pu être donné à la commission Ervin pour définir le degré d'implication de différents individus, et aider ainsi à limiter le nombre des témoins cités. Enfin, l'on parlait encore d'utiliser le document de façon à détourner certains des éclairs du tonnerre d'Ervin, en exposant des faits nouveaux sur le Watergate d'une manière qui les ferait paraître anciens avant que les dépositions ne commencent. Mais à la fin des fins, l'usage du document ne pouvait être défini que par ce qui s'y trouvait.

Le matin suivant, 23 mars, le juge John Sirica ouvrit la séance publique du tribunal pour rendre l'arrêt sur le Watergate. Peu avant le début de la séance, une lettre de James McCord lui fut remise. Il y disait que des pressions politiques avaient été exercées sur lui pour s'assurer de son silence; que de faux témoignages avaient été commis au cours du procès; et que des offres de remises de peine lui avaient été faites en récompense de son silence. Sirica lut la lettre en séance publique.

J'étais allé en Floride pour le week-end et j'étais dans mon bureau à Key Biscayne quand j'appris la nouvelle. Sirica avait libéré McCord contre caution. Il infligea une condamnation provisoire de trente-cinq ans de prison à Hunt et de quarante ans aux quatre autres. Liddy, qui avait déjà été cité pour outrage au tribunal parce qu'il avait refusé de parler, reçut une condamnation définitive de six ans et huit mois à vingt ans de prison et une amende de 40 000 dollars. Ces condamnations étaient scandaleuses. Des meurtriers avaient été condamnés de façon plus indulgente dans le district de Columbia. Sirica reconnut leur sévérité et la justifia comme une tactique destinée à amener les accusés à parler. Gordon Liddy devait plus tard faire la remarque que Sirica et lui étaient du même genre, parce que tous deux croyaient que la fin justifiait les moyens.

Je dis à Haldeman de voir Colson pour savoir exactement ce qu'il avait dit à Hunt concernant une commutation de peine, y compris si, oui ou non, il avait fait mention de mon nom. Colson dit qu'il avait rencontré l'avocat de Hunt, William Bittman. Celui-ci avait fait allusion au fait que Hunt espérait bien sortir de prison avant la fin de l'année. Colson lui avait répondu qu'il était l'ami de Hunt et qu'il ferait tout ce qu'il pourrait. Il dit qu'il n'avait pas été précis et n'avait pas fait mention de moi. Colson admit que ce que Bittman avait conclu de ses dires pourrait être différent de ce qu'il avait dit.

Haldeman interrogea Colson sur la nouvelle révélation de Dean, selon laquelle l'appel téléphonique de Colson à Magruder, recommandant d'agir d'après les plans formés par Liddy et Hunt pour la recherche de renseignements, était ce qui avait pu précipiter l'effraction du Watergate. Colson parut s'alarmer de la question. Il ne s'était pas aperçu que le fait de son appel téléphonique était généralement connu. Il jura qu'il n'avait pas su ce que Hunt et Liddy avaient réellement proposé.

Haldeman consulta Mitchell sur mon projet de demander la constitution d'un autre grand jury pour examiner l'affaire du Watergate. Mitchell y était opposé. Au point où nous en étions, dit-il, cette initiative corroborerait tout ce que McCord avait dit et nuirait aux autres accusés. Dean était du même avis, et dit qu'il ne fallait pas réagir exagérément. Mais, à ce point, une réaction excessive de notre part n'était guère le problème. La lettre de McCord était explosive, et j'étais à la recherche de ce que je pourrais dire ou faire pour nous mettre en mesure de maîtriser le cours des événements; à défaut d'un autre grand jury, peut-être pourrais-je nommer un procureur spécial. Mais il y avait toujours quelqu'un pour s'y opposer. Le 25 mars, je fis une note sur le jour précédent :

Extrait de mon Journal :

> Nous avons continué hier notre examen de conscience sur le Watergate. J'ai eu une longue conversation avec Haldeman, et il me parla du plan de Dean d'aller devant le grand jury en demandant l'immunité, et de tout lui exposer.

Je ne suis pas sûr que ce soit dans notre intérêt, parce que ce serait renoncer à notre privilège exécutif sur le point où il est le plus justifié. Je dis à Haldeman que toute personne nommée par le grand jury, ou par la lettre de jeudi de McCord, aurait à accepter d'aller immédiatement devant le grand jury et lui dire tout ce qu'il savait.

Haldeman a fini par se rallier — sans réticences — à mes vues : ce que nous avions de mieux à faire était effectivement de comparaître devant le grand jury.

Colson est le plus récalcitrant, et je peux comprendre pourquoi, mais il est peut-être celui qui est le plus capable de s'en tirer devant le grand jury.

Mon souci, c'est que les Cubains peuvent avoir parlé librement à McCord de leurs espoirs et des promesses d'immunité, et que tout cela va ressembler à une tentative d'étouffement de grand style de la part du Gouvernement, ou à une entrave apportée au cours de la justice.

Colson jure que tout ce qu'il a dit à Bittmann se trouve sur un mémoire qu'il a rédigé plus tard, et qu'il s'en est tenu, pour Hunt, au principe de la vieille amitié. Il avait dit qu'il intercéderait pour lui, et qu'il avait des raisons de savoir que l'on écouterait son intercession. C'est naturellement déjà suffisamment mauvais, et là, Colson a quelque peu exagéré.

J'ai parlé à Haldeman de la difficulté de faire jouer une grâce quelconque. Rien ne pourrait, à son avis, se faire avant les élections de 1974, et il restait à voir si on pourrait le faire à ce moment-là, ou seulement juste en fin de mandat. Hunt pourrait constituer un cas exceptionnel, en raison de l'ancienneté de ses services, du fait qu'il n'était pas autant compromis que les autres, et aussi en raison de ses très sérieux problèmes personnels : la mort de sa femme laissait ses enfants sans personne qui puisse s'occuper d'eux. J'ai parlé à Haldeman de la nécessité de nettoyer toute cette affaire. Nous ne serions pas en mesure de gouverner, nous ne pourrions faire notre besogne pour le pays, si nous permettions qu'elle continue. Chacun devait y aller et si quelqu'un était accusé, il devrait se faire mettre en congé. Je pensais à Magruder.

Qu'arrivera-t-il si quelqu'un de la Maison Blanche est accusé? Haldeman a réagit immédiatement : « C'est exactement la chose qu'ils souhaitent : de faire chasser quelqu'un de haut placé de ses fonctions, et d'indiquer ainsi que toute la Maison Blanche est pourrie de corruption. » Et il a raison. Nous devons trouver le moyen de mettre fin à la chose avant qu'elle n'atteigne ce point, parce qu'à mon avis il n'y a pas de question : ni Haldeman ni Ehrlichman ne sont coupables.

En ce qui concerne Colson, il en va autrement. Ce qui arrive de ce côté-là m'inquiète beaucoup, et seul le temps dira s'il peut se sortir de ce qui apparaît comme une situation complexe et difficile.

Ce fut le vendredi 23 mars que McCord eut un entretien privé avec Samuel Dash, avocat-conseil de la commission Ervin. Le 25, Dash tint une conférence de presse et proclama que le récit de McCord avait été « complet et honnête ». Même quelques-uns des reporters présents furent surpris par un geste aussi ouvertement partial; certains d'entre eux formèrent la conjecture que Dash avait eu l'intention de les inciter à rechercher les fuites. Ils les trouvèrent bientôt : la chasse n'avait pas été difficile. Il est caractéristique de « l'impartialité » de la commission Ervin que la substance de l'entretien secret de McCord et de Dash se soit ébruitée immédiatement...

Il apparut que l'une des cibles particulières de McCord était John Dean. Le soir du 25 mars, j'appris que l'édition du lendemain matin du *Times* de San Francisco allait publier une déclaration de McCord aux enquêteurs du Sénat selon laquelle Magruder et Dean avaient connu à l'avance le projet d'effraction du Watergate. Dean dit à Ziegler que cette nouvelle était diffamatoire et que son avoué allait en aviser le journal. Mais elle n'en parut pas moins, sous le titre : *McCord dit que Dean et Magruder étaient au courant à l'avance de la pose de microphones.* Haldeman appela de nouveau Dean, et en reçut un démenti sans équivoque. Je pensai tout d'abord à annoncer que Dean se présenterait devant le grand jury, mais je décidai d'attendre. Quand Ziegler vint me voir avant sa conférence de presse du matin, je lui dis de soutenir Dean, mais d'éviter de faire toute déclaration sur Magruder.

L'article du *Times* de Los Angeles marqua une nouvelle étape dans ma compréhension de la gravité du problème du Watergate.

Extrait de mon Journal :

> Nous avons eu tendance à croire que l'affaire de Watergate n'était pas du tout un problème important dans le pays, que c'était essentiellement une histoire de Washington et New York. C'est maintenant beaucoup plus que cela, et avec l'appui considérable des moyens d'information, cela deviendra pire, si les accusés commencent à craquer et à sortir divers épisodes de leurs souvenirs vrais ou faux. Cela laissera une terrible empreinte de culpabilité sur une partie du personnel de la Maison Blanche. Rogers nous a dit que Roger Mudd a positivement gloussé de joie pendant qu'il faisait rapport de la lettre de McCord.
>
> Le revers de la médaille est que beaucoup de nos amis dans la presse indiquent que ce qui paraissait une escapade en juin apparaît maintenant comme une tentative de dissimulation, qui pourrait laisser une marque sérieuse sur le Président et son Gouvernement pour le reste des quatre années, à moins que nous n'attaquions de front pour nettoyer toute l'affaire.

Haldeman avait parlé à Dean ce jour-là. Dean avait dit à Haldeman que nous devrions reprendre l'idée d'aller devant un grand jury pour parler de tout ce qui s'était passé, sans invoquer le privilège exécutif. Je n'étais pas encore sûr que ce fût la bonne méthode. Dean dit aussi à Haldeman que Mitchell avait suggéré plus tôt que l'on envoyât quelqu'un « prendre le pouls de McCord ». Il était préoccupé parce que lui-même avait appelé Liddy une fois, pour lui réaffirmer qu'il ne devait pas se faire de souci. Mon journal continuait :

Extrait de mon Journal :

> Selon Haldeman, le souci de Dean, s'il doit témoigner devant le grand jury, c'est qu'il ne savait absolument pas quoi répondre s'il était interrogé sur Mitchell, parce qu'il ne disposait d'aucune preuve qu'il pût considérer comme totalement établie en ce qui concernait le rôle de celui-ci.
>
> Il n'avait non plus aucune connaissance approfondie de Magruder parce que celui-ci ne s'était pas confié à lui. La seule relation qu'il avait eue avec Magruder était survenue avant la comparution de ce dernier devant le grand jury. Magruder était venu voir Dean, et lui avait demandé de l'interroger comme le ferait le grand jury, de façon à faire une expérience à blanc, et Dean y avait consenti. Magruder s'en était bien tiré dans ses réponses, mais Dean avait ajouté : « Je n'ai pas entrepris de conversation confidentielle avec Jeb pour en sortir la vérité, de sorte que je ne sais pas à quoi m'en tenir le concernant. »
>
> Dean avait aussi soulevé avec Haldeman la question de George Strachan : il ne savait pas ce que Strachan avait connu des faits.
>
> Haldeman avait demandé à Dean si Strachan avait porté un faux témoignage, et Dean répondit que non. Je fis remarquer à Haldeman que si Dean allait devant le grand jury, ce dernier citerait Haldeman, Mitchell, Colson, Ehrlichman et peut-être d'autres, dont les noms apparaîtraient dans l'interrogatoire de Dean et que, dans ces circonstances, il leur faudrait aller devant le

jury. Haldeman répéta que Colson était très réticent à l'idée de s'exposer au grand jury. Dean avait évité délibérément de l'interroger sur les activités autres que le Watergate qui tourmentaient l'esprit de Colson, parce que Dean ne désirait pas avoir connaissance de ces choses. Je dis à Haldeman que je n'avais jamais entendu dire que Colson eût fait quelque chose d'illégal, à moins qu'il n'ait employé les Cubains à faire je ne sais quoi en quelque autre région. Haldeman répondit : « Il se peut qu'il l'ait fait. » Et moi, de lui demander : « Pensez-vous qu'il l'a fait ? » A quoi Haldeman a répondu : « Je ne sais pas, je ne sais réellement pas. »

Juste à ce moment, Dean appela de Camp David et dit à l'adjoint d'Haldeman, Larry Higby, que son rapport ne serait peut-être pas une bonne défense en ce qui concernait le reste du personnel de la Maison Blanche, mais que c'était une très bonne défense de John Dean.

Tout devenait de plus en plus fluide au sujet du Watergate. J'étais encore à la recherche de quelque initiative qui mettrait la Maison Blanche à la tête de la controverse, de quelques symboles qui démontreraient que, nous aussi, et non pas seulement la commission Ervin, nous étions du côté du droit.

Un moment, je pris en considération l'idée proposée par Dean de nommer une commission présidentielle spéciale, du genre de la commission Warren qui avait enquêté sur l'assassinat du Président Kennedy. Selon Haldeman, Dean aimait cette idée, parce qu'elle permettrait les débats jusqu'après les élections de 1974, et je pourrais alors envisager de faire emploi de mon droit de grâce. Mais Bill Rogers, à qui je demandai son avis sur le Watergate, s'opposa vivement à l'idée d'une telle commission. Il me prévint que tous ses membres chercheraient à se faire un nom, et que, finalement, ce serait la principale chose du Gouvernement Nixon dont on se souviendrait. Je me ralliai finalement à son avis, et je dis à Haldeman et Ehrlichman : « L'idée qu'une commission puisse durer jusqu'après les élections de 1974 ne me séduit pas du tout... Je pense que cette sacrée histoire doit d'une façon ou d'une autre être tirée au clair, et qu'il vaut mieux arrêter les frais maintenant, et l'avoir derrière nous beaucoup plus vite, et franchement, plus brusquement aussi. »

Je suggérai une autre possibilité : je dirais au juge Sirica de faire ce qu'il pensait convenir le mieux : ou convoquer un nouveau grand jury, ou nommer un procureur spécial. Rogers était partisan de cette idée. Mais Colson était contre la nomination d'un procureur spécial en toutes circonstances. Il dit carrément qu'à son avis presque tous les membres de la Maison Blanche, sauf lui, étaient impliqués dans les activités postérieures au 17 juin, et que, par conséquent, nous risquerions d'augmenter notre vulnérabilité. Dean s'opposa aussi au projet Sirica. Il rappela à Haldeman sa solution; nous obtiendrions pour lui l'immunité et nous l'enverrions devant le grand jury. De cette façon, il serait en état de barrer la route à toute implication injuste que Magruder pourrait faire au détriment de quelqu'un d'autre.

Le 27 mars, Dean téléphona à Haldeman. Il dit que lui et Paul O'Brien, l'un des avoués retenu par le C.R.P. pour traiter le procès du Watergate, avaient conclu que Mitchell avait réellement approuvé le projet d'écoute de Watergate. Dean croyait que Mitchell utilisait maintenant la Maison Blanche pour se protéger : Mitchell et Magruder étaient en train de « mêler les oranges et les pommes » pour assurer leur propre protection. Magruder, par exemple, disait que tout le plan de renseignement avait été d'abord concocté par Dean sur les instructions d'Haldeman. Magruder prétendait même qu'une fois Strachan lui avait téléphoné que « le Président voulait que cela soit fait ».

Par une combinaison d'hypersensibilité et de désir de ne pas connaître la vérité, si elle devait se révéler déplaisante, j'avais passé les dix derniers mois à remettre une confrontation avec John Mitchell. Il était maintenant impossible de l'éviter. Je parlais avec Haldeman et Ehrlichman de faire venir Mitchell pour qu'il nous donne son récit personnel de ce qui était arrivé concernant le projet de pose de microphones et l'effraction.

Avant même de pouvoir prendre une décision sur ce point, nous eûmes à traiter d'un autre problème qui était récemment apparu. Dean disait maintenant que s'il allait devant le grand jury, il contredirait le témoignage antérieur de Magruder, et peut-être aussi celui de Mitchell. D'abord, il y avait eu deux réunions dans le bureau de Mitchell au cours desquelles on avait discuté du plan de Liddy. Magruder avait témoigné qu'il n'y en avait eu qu'une, et qu'on y avait traité des nouvelles lois sur le financement des campagnes électorales. Dean n'était pas sûr de la manière dont Mitchell avait déposé sur ce point. Dean et Magruder avaient tous deux indiqué que Mitchell exerçait sur eux une pression pour qu'ils s'en tinssent à la version originale, suivant laquelle il n'y avait eu qu'une réunion sans importance. Haldeman dit qu'il allait conseiller à Magruder d'aller au tribunal, d'y déclarer : « J'ai menti », pour corriger sa déposition. Je demandai si Magruder ne pouvait pas continuer à s'en tenir à la version d'origine, mais Ehrlichman affirma qu'il ne le pouvait pas parce qu'il y avait trop de contre-courants. J'en convins et je me demandai si nous pouvions l'aider à obtenir une immunité.

Le 28 mars, Haldeman arrangea une réunion entre Mitchell, Magruder et Dean, pour voir s'ils ne pouvaient régler leur conflit sur le nombre et le sujet de leurs entretiens avec Liddy.

Mitchell vint d'abord voir Haldeman. Il dit que sa première erreur avait été de ne pas rejeter le plan lorsque Liddy l'avait proposé pour la première fois. Mais, expliqua-t-il, il n'y avait pas attaché beaucoup d'attention à l'époque.

Magruder dit à Haldeman que Liddy avait reçu l'ordre de préparer un plan de recherche du renseignement avant même d'entrer au C.R.P.; il ne savait pas qui avait donné cet ordre. Magruder, cependant, était certain que c'était John Dean qui avait eu l'idée de mentir sur le nombre d'entretiens avec Liddy. Bien que la version de Magruder dût être considérée avec quelque scepticisme, elle nous ouvrait un aperçu sur la façon dont Dean avait manœuvré pour garder sous son contrôle l'affaire du Watergate. Magruder affirma que Dean non seulement lui avait suggéré de dire qu'il y avait eu un seul entretien, mais encore lui avait recommandé de détruire son agenda de bureau où les deux entretiens avaient été notés. C'était Dean aussi, affirmait Magruder, qui lui avait suggéré de mentir sur le sujet des entretiens et de dire qu'ils avaient porté sur les nouvelles lois de financement des campagnes électorales. En fait, dit Magruder, s'il avait déposé comme il l'avait fait, c'était pour protéger Dean. Il fit observer qu'il n'aurait pas nui à sa propre défense s'il avait admis que les entretiens portaient sur les renseignements : mais cette affirmation aurait nui à Dean, en mêlant son nom au réseau s'occupant du plan de renseignement.

Ainsi Magruder avait commis un faux témoignage pour protéger John Dean; et maintenant John Dean allait perdre Magruder en révélant son faux témoignage.

Magruder, dit Haldeman, avait été émouvant, et il s'était enquis d'une possibilité de grâce. Haldeman avait essayé de le rassurer, mais avait dit clairement qu'il ne pouvait prendre aucun engagement.

Après ces réunions avec Mitchell et Magruder, Haldeman reçut Dean, qui dit qu'il ne pouvait faire ce que Mitchell et Magruder lui demandaient — confirmer leur thèse selon laquelle ils n'avaient rien su à l'avance. La seule façon d'éviter ce problème serait pour lui de ne pas témoigner du tout. Quand Haldeman m'annonça cela, je me demandai si nous devrions faire emploi du privilège exécutif pour éviter que Dean eût à témoigner.

Dean dit à Haldeman qu'il avait décidé que nous avions tous besoin d'un avocat spécialiste du droit pénal. Il allait lui-même en chercher un que nous pourrions tous utiliser pour nous conseiller.

La commission Ervin continuait à permettre des fuites qui alimentaient des articles partiaux, et des gros titres proclamaient maintenant que McCord avait mêlé Mitchell à l'approbation préalable du plan. Au même moment, un Républicain avide de publicité, membre de la commission, Lowell Weicker, du Connecticut, commença à attaquer Haldeman, l'accusant d'avoir été « tout à fait au courant » des projets d'espionnage politique. Le doyen républicain de la commission, Howard Baker, du Tennessee, exprima, en privé, sa consternation devant « les comédies » de Weicker, mais il n'y eut rien qu'il puisse, ni que nous puissions faire, lorsque Weicker trouva l'abondante publicité qu'il recherchait.

Les sénateurs républicains conservateurs James Buckley, John Tower et Norris Cotton me demandèrent publiquement de permettre aux collaborateurs et anciens collaborateurs de la Maison Blanche de déposer devant la commission Ervin. George Bush, Président du Comité national républicain, insista, en privé, en faveur de quelque initiative qui nous sortît de la défensive.

Le 29 mars après-midi, je pris la décision de renoncer au privilège de l'exécutif pour les témoignages sur le Watergate et d'envoyer Dean au grand jury. Ehrlichman prépara une page de notes pour le communiqué et nous demandâmes à Ziegler de convoquer une conférence de presse spéciale.

Mais Ziegler éleva des objections d'ordre pratique : la plupart des journalistes avaient déjà quitté la Maison Blanche ce jour-là, et nous n'étions qu'à quelques heures du grand discours télévisé que je devais faire le soir même. J'acceptai la suggestion que me fit Ziegler d'attendre jusqu'au lendemain. Je me suis demandé parfois ce qui serait arrivé si l'annonce avait été faite immédiatement, comme j'en avais eu l'intention. Comme Dean lui-même avait été récemment en faveur de cette idée, il ne m'était pas venu à l'esprit qu'il ait pu changer d'avis en si peu de jours. Mais quand nous lui en parlâmes, il fit de fortes objections, et dit que ses avocats lui avaient recommandé maintenant de ne pas offrir d'aller devant le grand jury.

C'est ainsi que nous eûmes à annuler le communiqué et à laisser tomber ce plan. Un autre jour passa, et rien n'avait été fait.

A la fin du mois, il y eut une nouvelle salve d'articles provenant des « fuites » du Watergate. L'agence Associated Press, dans un article repris par les chaînes de télévision, cita des sources assurant que McCord avait déclaré qu'Haldeman devait avoir été mis au courant du projet d'effraction. Dans le *New York Times,* « des sources dignes de confiance mentionnaient » que McCord n'avait nommé Haldeman que d'après des ouï-dire, mais qu'il avait nettement dit que Colson savait. D'autres sources affirmèrent au *Washington Post* que McCord n'avait pas impliqué Haldeman du tout.

Avant notre départ pour San Clemente, le 30 mars, Ziegler annonça que les membres du personnel de la Maison Blanche coopéreraient entièrement s'ils étaient cités devant le grand jury. Il révéla aussi que des négociations étaient en cours avec la commission Ervin pour un relâchement de notre position sur les privilèges exécutifs.

Je demandai à Ehrlichman de reprendre les responsabilités de Dean pour traiter du problème du Watergate. Dean était l'objet de trop d'attaques, et il allait évidemment en subir plus encore à l'avenir. Afin de fonder un privilège de conseiller juridique à client, Ehrlichman rédigea une lettre soumise à ma signature, le chargeant officiellement de ces responsabilités.

Le 2 avril, le Président Thieu arriva à San Clemente en visite officielle. Il était inquiet de l'évidente mauvaise foi manifestée par les communistes dans leurs violations des accords de Paris. Je partageai entièrement son inquiétude, et je lui réaffirmai que nous ne tolérerions aucune action qui menacerait réellement le Vietnam du Sud. Il m'en fut reconnaissant, mais je savais qu'il devait être préoccupé des effets que la perte d'énergie intérieure due au Watergate aurait sur ma capacité à réagir énergiquement à l'extérieur.

Ehrlichman œuvrait de façon décisive dans son nouveau rôle en tant qu'homme de la Maison Blanche pour le Watergate. Il fit le plan d'une stratégie de négociation pour traiter avec la commission Ervin, et commença une enquête générale pour rechercher les faits.

Le 5 avril, l'avocat du C.R.P., Paul O'Brien, vint à San Clemente pour donner son avis sur l'affaire. Ehrlichman constata qu'O'Brien avait encore une autre version des faits et de la situation. Selon la version d'O'Brien, Magruder disait maintenant que Colson lui avait téléphoné deux fois, et non pas une, pour pousser à l'action d'après le plan Hunt-Liddy. Et alors qu'une semaine seulement plus tôt Dean pensait que selon O'Brien Mitchell avait approuvé le plan, O'Brien disait maintenant à Ehrlichman que Mitchell n'avait rien su de l'effraction à l'avance, mais que Magruder était au courant, c'était l'évidence même...

Le 5 avril, le même jour, nous revînmes au problème des débats du Sénat relatifs à la confirmation de la nomination de Pat Gray au poste de directeur de F.B.I. La commission judiciaire du Sénat voulait troquer cette nomination contre la comparution de Dean devant elle. Les chances d'obtenir la confirmation de Gray étaient minces, et même si nous réussissions à réunir assez de voix sa position serait tellement atteinte que je ne pensais pas qu'il pourrait jamais devenir un directeur efficace. C'est pourquoi je dis à Haldeman de lui téléphoner et de lui demander de requérir le retrait de sa nomination. Gray rappela immédiatement et fit courageusement ce que je lui avais demandé.

Dans l'après-midi, Ehrlichman vit brièvement le juge Matthew Byrne, l'homme que l'Attorney Général Kleindienst et Henry Petersen recommandaient depuis des semaines comme futur directeur du F.B.I. Byrne était un Démocrate et un membre respecté de la magistrature. Le seul inconvénient était qu'une fois la nomination de Gray retirée, il était important de proposer tout de suite quelqu'un d'autre. Si nous décidions de nommer le juge Byrne, il fallait attendre qu'il ait fini de présider le procès intenté à Daniel Ellsberg pour la possession illégale de documents classifiés.

Extrait de mon Journal :

> J'ai reçu un message plutôt étonnant d'Agnew par Harlow, disant qu'il parlerait sur le Watergate, mais à une condition, et cette condition était qu'il aurait à voir d'abord le Président. Je dis à Ehrlichman de faire savoir à Harlow que je ne désirais d'aucune manière demander à Agnew de faire quelque chose qu'il ne sentait pas devoir faire de son propre gré. En ces circonstances, c'était à lui de tracer sa propre route, et c'est naturellement ce que je ferais en ce qui me concernait. J'espère que Bryce a transmis ce message en lui donnant toute la signification que j'avais voulu y mettre.
>
> Je dis à Haldeman qu'il était heureux que ni lui ni moi n'ayons été tenus au courant de l'affaire du Watergate avant qu'elle n'éclate. Je ne suis pas sûr de ce que nous aurions dit, bien que je pense que nous l'aurions rejetée en raison de son extrême stupidité.
>
> Kissinger est arrivé. Il pense que je ne dois pas abandonner Haldeman. Je dis : « Supposez qu'il y ait une apparence de culpabilité? » Il me répond : « Même s'il est coupable en partie, s'ils sont après lui, c'est parce qu'il est l'homme énergique de votre Gouvernement. Il est la personne la plus dévouée, la plus capable que vous ayez, et vous en avez besoin. »

Au début d'avril, Dean nous avisa que ses avocats allaient rencontrer les procureurs des Etats-Unis pour les « tâter », afin de savoir quelles seraient les conséquences de sa comparution devant le grand jury. Puis, le 7 avril, il dit à Haldeman, avec qui il avait été en contact fréquent pendant notre séjour en Californie, qu'il allait avoir un entretien confidentiel avec les procureurs des Etats-Unis la semaine suivante. Selon lui, on ne s'intéressait pas aux activités postérieures à l'effraction. Avant d'être cité devant le grand jury, il voulait voir Haldeman et Ehrlichman dès leur retour à Washington.

Extrait de mon Journal (8 avril) :

> Colson a appelé pour dire qu'il avait la preuve que Mitchell essaierait de faire de Haldeman le bouc émissaire. Je ne permettrai pas que ce travail de division vienne nuire à qui que ce soit des nôtres. Chacun veille à son grain pour des raisons compréhensibles, mais nous ne laisserons pas aller cette tendance jusqu'au point où l'un détruise l'autre.

Haldeman et Ehrlichman virent Dean aussitôt qu'ils furent revenus à Washington. Il leur annonça qu'il allait comparaître devant le grand jury.

Quand je sus cela, je dis que Mitchell devrait décider à ce moment s'il conseillerait à Dean de mentir au sujet des entretiens avec Liddy. Je pensais que John n'allait pas mentir. Ehrlichman dit que la chose la plus adroite que Dean pourrait faire serait d'aller au-devant du Ministère public et de paraître coopératif. « C'est juste », approuvai-je.

Selon Ehrlichman, Dean était convaincu que le moment était venu où « les choses doivent aller leur train ». J'étais tout à fait d'accord.

Le 10 avril, Agnew demanda à voir Haldeman. Il avait un problème et demandait de l'aide : quelqu'un qui avait autrefois travaillé pour lui à Baltimore était interrogé au cours d'une enquête portant sur des commissions clandestines et des souscriptions à des fonds de campagnes électorales. Lui-même n'avait pris part à aucune irrégularité, mais l'homme interrogé avait en sa possession des dossiers retraçant des efforts faits pour solliciter des contributions de ceux qui avaient bénéficié de son gouvernement, et il y avait là une possibilité de complication politique. Agnew se demandait si quelqu'un de la Maison Blanche ne pourrait pas voir le sénateur du Maryland, J. Glenn Beall, le frère du Procureur de Baltimore, et lui faire comprendre que nous ne souhaitions pas voir citer le nom d'Agnew d'une manière embarrassante et inutile.

Haldeman me rendit compte de l'entretien. J'étais très contrarié par la perspective de voir Agnew traîné injustement dans la boue, mais en raison de tous les autres problèmes et de nos relations tendues avec le Capitole, je ne voyais pas ce que nous pourrions faire pour lui. En fait, le climat était tel que tout ce que nous ferions pourrait se retourner contre nous et être présenté comme une tentative d'étouffement. Le 13 avril, Dean dit à Haldeman et Ehrlichman que la Maison Blanche n'était toujours pas une des cibles de l'enquête du grand jury sur Watergate, même si le Ministère public commençait à étudier la période après juin.

Magruder, cependant, semblait croire que ses jours étaient comptés. Il avait écrit à Haldeman auparavant que s'il allait voir les procureurs, son témoignage abattrait John Mitchell. Cela ne pouvait signifier qu'une chose : Magruder allait soutenir que Mitchell avait autorisé la pose des microphones. Il avait demandé l'avis de Haldeman, et celui-ci avait répondu qu'il devait faire ce que ses avocats lui conseillaient, en d'autres termes, qu'il devait aller dans ce sens.

Lorsque Ehrlichman vit Colson et David Shapiro, l'avocat de Colson, ce dernier dit qu'après la déposition de Howard Hunt devant le grand jury prévue pour le lundi suivant, Mitchell et Magruder seraient inculpés. Il semblait que notre retour à Washington eût produit une sorte d'effet de catalyse. Les accusations et les contre-accusations volaient dans tous les sens. Je fis de mon mieux pour réunir tout le monde et limiter les dénonciations réciproques, mais un état de panique s'instaurait, et échappait à tout contrôle. Colson disait que Magruder mettait en circulation une version selon laquelle Haldeman, Mitchell, Colson, Dean et moi avions tous été au courant des projets d'effraction de Watergate. Mais Magruder appela un des collaborateurs d'Haldeman et lui dit que son témoignage nuirait à Mitchell, Strachan et Dean, mais non à Haldeman.

Ce dernier me rapporta que Colson affirmait qu'Ehrlichman et Dean lui avaient dit de promettre sa grâce à Hunt en janvier, mais qu'il était plus malin que cela, et qu'il ne l'avait pas fait. Ehrlichman racontait une autre histoire : il avait donné instruction à Colson de ne pas parler de grâce à Hunt et de ne pas soulever la question avec moi.

Trois semaines s'étaient écoulées depuis que John Dean m'avait dit qu'il y avait un cancer tout près de la Présidence. Depuis, le Watergate avait été au centre de mes préoccupations. En essayant de cerner le problème, j'étais arrivé seulement à constater que les faits n'étaient pas les morceaux d'un puzzle que l'on peut rassembler en une véritable image. Ils ressemblaient bien plutôt aux morceaux d'un kaléidoscope : à un moment, arrangés d'une façon, ils semblaient former un dessin parfait, complet dans tous les détails. Mais le simple choc d'une hypothèse pouvait les disperser et ils venaient alors former une image toute différente.

Par exemple, le 13 mars, Dean me disait que Gordon Strachan avait été au courant de la pose de microphones et avait commis un faux témoignage. Le 17 mars, selon lui, il était possible que Strachan eût été au courant de l'effraction. Le 20 mars, cependant, Haldeman disait que Strachan n'avait pas été mis au courant de l'effraction, et qu'il n'avait pas menti — il avait plutôt « oublié » et n'avait pas été bien interrogé. Le 21 mars, Dean répéta que Strachan était au courant de l'effraction. Le 26 mars, le même disait à Haldeman qu'il ne savait rien de ce que Strachan connaissait exactement, mais qu'il n'avait pas commis de faux témoignage. Le 14 avril, Strachan niait, devant Ehrlichman, avoir eu connaissance du projet d'effraction. A la fin d'avril, cependant, on me dit que Magruder, avait passé avec succès l'épreuve du détecteur de mensonge concernant ce point précis, et que Strachan, soumis au même examen, avait échoué. Mais des années plus tard, Strachan me dit qu'en réalité il avait passé l'épreuve avec succès. Et jamais il n'a été accusé d'avoir connu la pose des micros de Watergate.

La même confusion kaléidoscopique existait au sujet de l'implication de Colson. Au début, Haldeman et Ehrlichman m'avaient dit que Colson n'était impliqué en aucune façon. Puis le 13 mars, Dean assura que Colson ne connaissait pas les détails précis du Watergate, mais que, comme d'autres, « il savait que quelque chose se passait là-bas ». Le 21 mars, Dean me dit qu'un coup de téléphone de Colson avait déclenché la pose des microphones et qu'il supposait que Colson avait « une idée sacrément claire » de ce qu'il recommandait de faire. Le 23 mars, Colson nia absolument avoir rien su de tel. Mais cinq jours plus tard, Magruder et Mitchell, tous deux, supposaient que Colson « avait su ». Le 8 avril, la presse annonça que Colson avait passé avec succès l'épreuve du détecteur de mensonge. Il ne fut jamais accusé d'avoir connu le projet d'effraction. Une question aussi confuse et déterminante mettait Haldeman en cause. Dean et Magruder avaient dit tous deux que Haldeman et Strachan avaient reçu des rapports provenant des écoutes de Watergate. Haldeman, selon lui, avait pu savoir ce que ces renseignements représentaient et d'où ils provenaient. Haldeman me dit que s'il pouvait, en fait, avoir reçu ces rapports, il n'avait rien su de leur origine. Mais il fut établi par la suite que ni lui ni Strachan n'avaient jamais reçu aucun de ces rapports, et que lorsqu'ils en avaient été accusés, ils avaient supposé que les rapports de renseignement normaux qu'ils avaient lus avaient pu provenir de transcriptions des microphones de Watergate.

La question essentielle, et la plus délicate, concernait John Mitchell. Pendant dix mois, chacun s'était demandé s'il avait su à l'avance. Le 21 mars, Dean ne connaissait pas la réponse. Mais le 27 mars, il dit à Haldeman que Paul O'Brien et lui avaient décidé que Mitchell avait approuvé l'effraction. Le 5 avril, cependant, O'Brien disait à Ehrlichman qu'il avait conclu que Mitchell ne l'avait pas approuvée. Le 14 avril, Mitchell disait au même qu'il ne l'avait pas fait. Il n'en fut, non plus, jamais accusé.

Nous pensions que si nous pouvions seulement établir les faits, nous pourrions trouver un moyen de sortir de la situation qui minimiserait, ou même exclurait, toute responsabilité pénale des personnes impliquées. Mais nous ne nous sentîmes jamais sûrs des faits, et toute procédure alternative proposée, qu'il s'agît d'une comparution de tous devant le grand jury ou d'un Procureur spécial, ou d'une Commission présidentielle, se heurtait aux objections de l'un ou l'autre de mes collaborateurs ou de mes amis qui se trouvait soudain exposé à une attaque.

Le résultat fut que trois semaines après le 21 mars, lorsque Dean me mit officiellement en cause au sujet de la tentative de dissimulation, nous n'avions rien fait de plus que cuire dans notre jus et nous faire de la bile à cause de faits insaisissables, et que continuer à rechercher un moyen d'empêcher les dégâts. Le 14 avril, quand tout commença à s'effondrer, tout ce qu'il me restait à faire était de me mettre en mesure de pouvoir soutenir que j'avais trouvé la solution de l'affaire, en essayant de tirer quelque crédit d'une direction que je n'avais pas su exercer.

Je décidai que la mesure à prendre pour témoigner de quelque initiative serait de demander à John Mitchell de venir à Washington. Cela le rendrait conscient du fait que nous étions dans une position où il nous fallait agir. Plutôt que de donner simplement les informations au Ministère public, je désirais que Mitchell ait une chance d'agir de sa propre initiative.

Ehrlichman voulait dire à Mitchell : « Le Président est convaincu que la seule façon de terminer cette affaire en laissant un petit avantage au Gouvernement est que vous fassiez une déclaration dont le contenu essentiel serait : « Je suis responsable à la fois moralement et légalement. » Si Mitchell et Magruder tous deux « se défaussaient », nous n'aurions pas d'autre choix que de leur dire que j'étais en possession d'un ensemble de connaissances des faits qui me forçait à agir.

Pour la première fois, je pouvais envisager et imposer une confrontation sur le Watergate à John Mitchell.

Haldeman ne le croyait pas coupable. « Je ne pense pas que Mitchell ait ordonné la pose de microphones à Watergate, et je ne pense pas non plus qu'il était au courant des détails de l'opération lorsqu'elle a été pratiquée. En toute sincérité, je ne le crois pas », insista-t-il. Je convins que les arguments étaient insuffisants pour me prouver la culpabilité de Mitchell. Mais il y en avait assez pour prouver la nécessité de le faire comparaître devant un grand jury. Haldeman suggérait que, peut-être, si Mitchell y allait et endossait la faute, les enquêteurs et la presse pourraient ne plus s'intéresser à la dissimulation. Pessimiste, je dis qu'ils ne devraient plus s'y intéresser, mais qu'ils ne voudraient pas cesser de le faire.

« L'affaire Mitchell est sacrément pénible », dis-je. Je priai Ehrlichman de prévenir Mitchell que c'était la décision la plus dure que j'eusse jamais prise, plus dure que celles du Cambodge, du 8 mai et du 18 décembre mises ensemble. Je dis à Ehrlichman : « Franchement, John, ce que je suis en train de faire, c'est de vous mettre dans la position même où le Président Eisenhower m'avait mis à l'égard d'Adams. Mais John Mitchell, si je puis le dire, n'ira jamais en prison. C'est ma conviction. Je pense que ce qui arrivera, c'est qu'il présentera une sacrée défense. »

Passant à John Dean, qui était sur le point d'être cité devant le grand jury, Ehrlichman plaida contre le départ de celui-ci. Le rôle de ce dernier dans les activités d'après le mois de juin n'avait pas été d'une telle importance que son départ fût devenu nécessaire. Il pensait aussi que Dean serait mieux traité et mieux considéré par le grand jury s'il travaillait encore à la Maison Blanche. De plus, comme tous nous le sentions bien, mettre Dean hors des murs de la Maison Blanche serait l'inciter à se retourner contre nous.

« Dean a seulement essayé de faire ce qu'il pouvait pour rassembler les sacrés morceaux, dis-je. Et chacun ici savait bien qu'il fallait le faire.

— Ce que Dean a fait était tout à fait régulier, convint Haldeman. Parce que c'était en vue d'un intérêt supérieur. »

Je repris un sujet qu'Ehrlichman avait été le premier à lancer : si Dean était coupable, il ne l'était pas plus que la moitié de notre équipe. « Et franchement, que je ne l'ai été depuis une ou deux semaines », ajoutai-je.

En ce qui concerne Magruder, je demandai à Ehrlichman de lui dire qu'il se trompait s'il croyait servir mes intérêts en gardant le silence. Je dis à Ehrlichman de faire jouer la corde de la grâce qui pourrait aider à diminuer le caractère douloureux de la situation. Je suggérai qu'il parlât à Magruder de mon affection pour lui et pour sa famille. En fait, la nuit précédente, j'avais pensé aux jeunes enfants de Magruder à l'école et à sa femme. « Cela vous brise le cœur. » Je pensais au récit que Haldeman avait fait deux semaines plus tôt du plaidoyer pathétique de Magruder pour obtenir une commutation de peine. Ehrlichman lui dirait que c'était un message douloureux pour moi : « Il faut l'exprimer de façon qu'il comprenne que j'ai pour lui une affection personnelle, précisai-je. C'est de cette manière qu'il faut traiter la question de la grâce. »

Ehrlichman reçut Mitchell le 14 avril à 13 h 40. Après leur entretien, il me dit que Mitchell était un homme innocent de cœur et d'esprit, mais qu'il n'avait manqué aucune occasion de couvrir de boue la Maison Blanche. Il refusait d'admettre aucune responsabilité pour l'effraction.

Mitchell confirmait l'histoire de Magruder selon laquelle c'était Dean qui l'avait amené à mentir au grand jury sur le nombre et le sujet des entretiens avec Liddy. Je fus choqué, d'abord par le fait que Mitchell avait pris part à ces entretiens, et ensuite par la confirmation apportée à l'explication de Magruder.

« Qu'est-ce que Dean a dit là-dessus? demandai-je.

— Il dit que c'étaient Mitchell et Magruder », répliqua Ehrlichman. Et mi-figue, mi-raisin, il ajouta : « Ce fut certainement l'entretien le plus tranquille de l'histoire, car la version de chacun consiste à déclarer que ce sont les deux autres types qui ont parlé. »

Un autre compte rendu d'Ehrlichman était inquiétant : il s'agissait de sa dernière conversation avec Dean, qui disait maintenant que « chacun dans la boutique » allait être inculpé. Il avait fait allusion avec insistance à Ehrlichman en disant que le Ministère public recherchait de plus grosses cibles que John Dean, qu'il visait des objectifs du genre de John Ehrlichman.

Le problème était apparemment l'argent — le fait que Dean avait demandé à Haldeman et Ehrlichman de l'argent pour les accusés du Watergate. L' « hypothèse de Dean », comme l'appelait Ehrlichman, était que la simple approbation donnée par Haldeman et Ehrlichman à l'emploi de Kalmbach pour obtenir des fonds était aussi coupable que l'acte lui-même. Je dis que je ne pouvais croire que le Ministère public accuserait Haldeman et Ehrlichman d'association de malfaiteurs simplement parce qu'on leur avait demandé s'il serait correct de rassembler des fonds tout d'abord. « Techniquement, je suis sûr qu'il le pourrait. Pratiquement, cela me semble extrêmement peu probable, dit Haldeman. Mais c'est peut-être parce que je prends mes désirs pour la réalité. »

Au début de la soirée du 14 avril, je dictai un long passage de mon journal.

Extrait de mon Journal :

Lors de notre entretien de vendredi, j'ai mentionné à Ehrlichman pour la première fois l'idée que Haldeman et Dean soient mis en congé. Il revint pour me dire que cela ne marcherait pas avec Haldeman, et qu'il ne pensait pas que cela marcherait avec Dean, parce qu'il semble maintenant que Dean ait des moyens d'impliquer à la fois Haldeman et Ehrlichman, non de manière qu'ils ne puissent se défendre, mais qu'ils soient dans l'embarras. En tout cas, il y a une raison solide pour ne pas mettre Dean en congé : ce serait en effet reconnaître sa culpabilité avant que la hache ne tombe.

Haldeman dit que lorsque Magruder est venu le voir pour lui faire ses adieux avant d'aller en prison, il semblait un homme tout à fait différent, soulagé d'un poids énorme. Il était résigné à ce qui allait lui arriver, et à accepter son destin.

Selon Magruder, il semble que Colson devienne une cible importante pour le Ministère public. Si Dean craque, Colson y passera. Colson ne dit probablement pas la stricte vérité lorsqu'il soutient qu'il ne savait pas que l'on allait planter des micros à Watergate. Mais d'autre part, il semble profondément impliqué par son insistance en faveur du projet de Liddy, etc. Je ne sais pas ce qu'il entend par « obtenir des documents sur O'Brien », mais Mitchell aussi avait parlé de cela.

Il est clair également que Dean a eu dans l'affaire une part active plus grande que ce qu'il nous a fait croire. Est-ce Magruder qui le présente de cette façon? Dean raconte l'histoire de manière très différente en ce qui concerne la question de savoir s'il a conseillé Magruder ou non pour sa déposition. Sur ce point, Mitchell démolit la thèse de Dean, puisque, selon lui, Dean a dit à Magruder comment témoigner sur la réunion à laquelle Mitchell avait assisté. Dean semble avoir été tout à fait actif à cet égard.

C'est une terrible chose que celle qui arrive à tous ces hommes. Ils ont agi avec les meilleures intentions, avec un grand dévouement, mais ils sont allés juste un peu trop loin et ils ont aggravé toute l'affaire en essayant de la dissimuler. Il est vraiment regrettable que nous n'ayons pas pu y remédier. Pendant la campagne électorale, je suppose que nous étions gênés par le sentiment que nous ne pouvions rien faire, de peur de mettre l'élection en danger. Ce fut une erreur, comme l'ont montré les événements, parce que nous ne faisions que retarder le jour où nous aurions à voir les choses en face. Immédiatement après l'élection, c'était le moment d'agir, mais nous n'avons rien fait pour des raisons que je comprendrai probablement plus tard. Je n'ai pas suivi les choses de près, il n'y avait personne pour « surveiller la baraque ». Nous nous reposions trop sur Dean, Mitchell et les autres.

A la fin de notre conversation d'aujourd'hui, Haldeman a soulevé la question de sa démission. Il a dit carrément qu'il ne désirait pas la donner, qu'il ne pensait pas qu'il devait le faire, mais qu'il pourrait arriver qu'il y fût contraint. Je ne me suis pas engagé sur la question, bien que mon sentiment actuel, comme je l'ai indiqué à Ehrlichman hier et à Kissinger ce matin, soit que nous devons entourer Haldeman et le protéger. Et cela, parce que d'abord il est réellement innocent, malgré ses quelques contacts avec toute l'affaire, et aussi parce que ce serait une telle reconnaissance de culpabilité de la part du Gouvernement qu'il serait vraiment difficile à l'avenir de témoigner de si peu de caractère que ce soit.

Ce sera déjà assez difficile d'avoir Mitchell et la plupart des gens de la campagne électorale impliqués dans l'affaire, avec Dean comme victime supplémentaire possible. Mais que Haldeman en soit, je pense que ce serait le coup décisif.

Ce que nous avions à faire sur ce point, c'était d'enrôler certains Républicains pour qu'ils nous soutiennent. Et cependant, les choses mêmes que j'avais prédites se sont produites, avec des gens comme John Anderson, Johnny Rhodes, George Aiken, Mathias naturellement, comme il fallait s'y attendre, et Saxbe en train de déguerpir. C'est la sorte de chose qui peut s'accélérer et créer une situation générale, comme c'était arrivé avec l'affaire de Sherman Adams lorsque Bridges avait tout attisé.

Agnew a démenti un article le montrant terrifié par la façon dont le Président traitait l'affaire du Watergate. Agnew était préoccupé par l'enquête d'un grand jury du Maryland qui pouvait compromettre l'un de ses collaborateurs. Quelques notes très préjudiciables sur des conversations d'Agnew (en ce qui concerne des contributions à sa campagne électorale avant l'octroi de commandes de l'Etat) étaient rendues publiques. Naturellement, c'est là une pratique courante dans les Etats. Je dis en plaisantant à Haldeman quand il me raconta la chose : « Rendons grâce à Dieu que je n'aie jamais été élu gouverneur de Californie. »

Une note ironique a été fournie par la révélation concernant Harold Lipset ce matin. On a su qu'il avait participé à une pose de microphones en 1966, qu'après avoir été accusé d'acte criminel il avait été condamné pour acte délictueux et obtenu un sursis. Et cependant, il était devenu l'enquêteur en chef de la commission Ervin. La double échelle de valeurs est véritablement criante en ce cas, avec le *Post* qui s'efforce de sauver les apparences, et Dash qui soutient que vous devez avoir comme enquêteur quelqu'un qui a quelque pratique des choses répréhensibles.

Je dis à Haldeman que Rogers ne devait pas s'en aller. Ce sera un coup pour Henry, mais il n'y a rien d'autre à faire. Nous ne devons laisser partir personne quand nous pouvons l'éviter — du moins, tant que nous serons sous le feu dans cette affaire.

La seule chose réconfortante, l'une des rares de ces trois derniers jours, est un sondage Gallup, qui indique 60 approbations contre 33 désapprobations. C'est probablement la dernière fois que nous verrons un taux aussi élevé avant longtemps, à moins que nous n'obtenions quelque répit avant la fin de l'année. Mais ces chiffres montrent que l'affaire du Watergate n'a pas sensiblement ému le public : seulement 5 % semblent avoir été affectés, bien que Gallup soit en train de pratiquer un autre sondage qui montrera probablement que davantage de gens auront été touchés par les articles qui sont parus au cours des derniers jours.

Je ne touchai plus à mon Journal jusqu'à juin 1974. Les événements devinrent si sombres que je n'eus plus ni le temps ni le désir de dicter des réflexions quotidiennes.

Comme mon Journal de janvier l'indique, je savais à ce moment-là que de l'argent allait aux accusés par un comité cubain, au moment où nous espérions que Hunt plaiderait coupable et éviterait la publicité d'un procès. Je ne crois pas que l'on m'ait jamais demandé d'approuver l'enrôlement de Kalmbach pour rassembler des fonds, ni que j'aie su le transfert des 350 000 dollars de la Maison Blanche au comité cubain, et au moins en partie aux accusés. Au début d'avril, Ehrlichman me dit qu'O'Brien, l'avocat du C.R.P., avait dit qu'en droit, c'était le motif qui déterminait la culpabilité ou l'innocence dans l'autorisation de ces paiements. Si l'intention avait été d'assurer le règlement des honoraires des défenseurs et le soutien des familles, les paiements étaient légaux. Si l'intention avait été d'acheter le silence des accusés, il s'agissait d'une entrave apportée à l'exercice de la justice.

Au milieu d'avril, il était clair que ces paiements allaient devenir le problème principal. Quand Haldeman et Ehrlichman tentèrent de reconstituer leurs motifs, ils commencèrent à voir combien l'ombre des dissimulations du Watergate s'était étendue sur tous les événements et rendait impossible de présenter les actions ou les décisions des premiers jours sous leur véritable lumière du moment. Les paiements étaient-ils destinés à acheter le silence des accusés? N'avions-nous pas voulu, comme je le pense, payer les honoraires des défenseurs et soutenir les familles, de peur que les accusés ne s'aigrissent et ne commencent à lancer des accusations? Ces paiements étaient une protection contre la nature humaine, un rempart contre le problème politique, et non l'étouffement d'une connaissance réelle de faits coupables.

Quand on en venait à la question du motif, la réponse réelle se trouvait dans l'esprit et dans la conscience de chacun. Je ne connaissais pas cette réponse, ni ce que chacune des personnes en cause soutenait pour sa part. Je savais cependant que la meilleure chance de s'en sortir intact était que toutes les personnes impliquées dans ce malheureux épisode restent solidaires, et maintiennent la position que les versements n'avaient pas eu pour but d'acheter des silences. Comme ils étaient susceptibles d'être diversement interprétés, il suffirait qu'une seule personne admette qu'il s'agissait de payer des silences pour que les actions des autres, même innocentes ou irréfléchies, devinssent suspectes. C'était ce que Dean ferait, s'il disait que l'argent avait été rassemblé pour aider à protéger les coupables et que tous les participants à la collecte le savaient. « Je voudrais bien tenir Dean à l'écart de tout cela », dis-je à Haldeman et Ehrlichman, en ajoutant que je pensais que toutes les personnes impliquées devraient faire bloc et rester fermement attachées au principe qu'elles n'avaient pas recueilli de fonds pour entraver l'exercice de la justice. Alors que nous en discutions quelques jours plus tard, je dis : « Ce que je veux, ce n'est pas un mensonge, mais une ligne de conduite. »

En rentrant d'un dîner de correspondants de presse de la Maison Blanche, j'appelai Haldeman et Ehrlichman. Je leur exprimai de nouveau combien je souhaitais que ceux qui avaient pris part à la collecte des fonds donnent la même explication de leurs motifs. Il fallait aussi avertir Colson de ce qui était en train de se produire, de sorte que s'il était appelé devant le grand jury, il ne s'exposât pas à être accusé de faux témoignage. Je leur dis aussi que j'en étais venu à la conclusion que le meilleur moyen de traiter la commission Ervin était d'aller de l'avant et d'envoyer tout le monde faire sa déposition. Haldeman était arrivé à la même conclusion et il pensait même que nous devrions accepter des séances télévisées.

Le dimanche après-midi 15 avril, après le service religieux de la Maison Blanche, Dick Kleindienst vint à mon bureau et me dit que Haldeman et Ehrlichman allaient être mêlés au procès du Watergate. Il ne pensait pas que l'on en fût à envisager leur inculpation. Mais indirectement au moins, des questions très sérieuses étaient posées, les accusations venaient de Dean. Ce dernier s'était en effet reconnu coupable d'avoir apporté des entraves à l'exercice de la justice, et il mettait à présent les autres dans le bain. Je demandai s'il y avait dès maintenant assez de preuves pour demander à Haldeman de se faire mettre en congé. Kleindienst dit que non, pour l'instant, mais que cela pouvait arriver d'un jour à l'autre. Il fallait prendre en considération la mise en congé de Haldeman et d'Ehrlichman dès maintenant, en anticipant sur ce qui pourrait arriver.

Kleindienst était très ému, sa voix s'étranglait par moments. Il n'avait presque pas dormi de la nuit et ses yeux étaient rouges de fatigue et de larmes. Il décrivit les accusations. Dean avait prétendu que, peu après l'effraction, Ehrlichman lui avait dit « d'enterrer » des documents du coffre-fort de Hunt et de faire partir ce dernier hors du pays. Haldeman était accusé d'avoir su que les 350 000 dollars renvoyés au C.R.P. étaient destinés à payer les accusés; et la question était posée de savoir si Haldeman avait réellement vu des propositions de budget de Magruder, qui mettaient en évidence les plans de pose des microphones.

Ces charges, fondées sur les accusations de Dean, ne me semblaient pas former des preuves suffisantes pour inculper l'un ou l'autre. Et si je les faisais partir maintenant, pensai-je, ce serait leur mettre une étiquette de culpabilité sur le dos, avant qu'ils aient eu une chance d'établir leur innocence. Je dis à Kleindienst que je voulais plus de détails sur les preuves et un avis concret sur ce que je devrais faire.

Il revint plus tard dans l'après-midi avec Harry Petersen. Ce dernier me fut tout de suite sympathique. C'était un Démocrate qui avait servi pendant vingt-cinq ans au Département de la Justice, d'abord au F.B.I., puis à la division criminelle. Il servait la Loi et non un gouvernement. Kleindienst l'avait trouvé en train de nettoyer son bateau et l'amenait à la Maison Blanche habillé d'un tee-shirt taché, de souliers de tennis et de jeans.

D'après Petersen, Haldeman et Ehrlichman devaient démissionner. Il reconnaissait que les preuves contre eux n'étaient pas solides. Mais il ajouta : « La question n'est pas de savoir si un procès au criminel qui leur serait fait tiendrait ou non devant la Cour, Monsieur le Président. Ce que vous devez comprendre, c'est que ces deux hommes ne vous ont pas servi comme il fallait. Ils vous ont déjà causé, et ils vous causeront à l'avenir des difficultés, à vous personnellement, et à votre Présidence. »

Je les défendis. Haldeman avait nié avoir connu à l'avance la pose de microphones et l'effraction; et tous deux soutenaient l'innocence de leurs intentions au sujet des versements aux accusés. On me demandait, en fait, de les condamner pour des faits que le Ministère public n'était pas en mesure de prouver. On me demandait de préjuger de leur cas, de façon peut-être irréparable aux yeux du public, afin d'éviter des difficultés.

« Je ne peux pas révoquer des gens simplement à cause d'une apparence de culpabilité, dis-je. Il me faut une preuve. »

Peterson se raidit : « Ce que vous venez d'énoncer là, Monsieur le Président, vous fait honneur en tant qu'homme. Mais cela ne vous fait pas honneur en tant que Président. »

Je lui demandai de parler à Haldeman et Ehrlichman et de voir la manière dont ils présentaient les choses. Mais il me dit qu'il voulait d'abord étudier ce qu'il y avait à leur reprocher. Je lui demandai de revenir le lendemain m'apporter par écrit les charges pesant contre eux.

Cinq heures avaient sonné. Bob Rebozo était venu de Floride le matin, et il m'attendait hors de mon bureau. Nous décidâmes d'aller faire de la voile sur le *Sequoia*. C'était une chaude soirée de printemps et, sur le pont, je lui retraçai le profil du dossier du Département de la Justice contre Haldeman et Ehrlichman.

Je lui demandai combien d'argent restait à mon compte. Quoi qu'il arrive, ils m'avaient servi loyalement, et je voulais payer les frais de leur défense. Rebozo rejeta absolument l'idée que je me serve de mes économies. Il pourrait avec Bob Abplanalp réunir deux ou trois cent mille dollars. Il devrait les remettre en espèces à Haldeman et Ehrlichman, et en privé, car il ne pourrait pas faire la même chose pour les autres qui avaient aussi besoin d'aide et qui la méritaient.

Comme le *Sequoia* se préparait à aborder, il me répugnait d'avoir à retourner à la Maison Blanche et à faire face aux mornes choix qui m'y attendaient.

C'est avec une gaieté forcée que j'accueillis Haldeman et Ehrlichman quand ils entrèrent dans mon bureau à 19 h 50 ce même soir.

Pendant que j'étais avec Rebozo sur le *Sequoia,* ils avaient vu Bill Rogers. Celui-ci pensait qu'aucun membre du personnel ne devait être suspendu avant d'avoir fait l'objet d'une accusation formelle. Si une personne était inculpée, elle devait, à son avis, être mise en congé. Rogers avait dit que Dean, qui avait déjà avoué au procureur sa propre participation délictuelle, devait présenter dès maintenant sa démission qui prendrait effet à une date ultérieure; et, en attendant, il devait être mis en position de congé.

Je mis Haldeman et Ehrlichman au courant de mes entretiens avec Kleindienst et Petersen et je leur dis que Petersen avait révélé que le procureur des Etats-Unis avait offert à Dean « ses bons offices » en échange de sa coopération. Ils furent abasourdis, comme je l'avais été, en apprenant que Kleindienst et Petersen pensaient qu'ils devaient quitter la Maison Blanche.

John Dean me fit parvenir un message assurant qu'il avait agi par loyauté, et qu'il était prêt à me rencontrer n'importe quand. Je demandai l'avis de Petersen, puis j'arrangeai un rendez-vous avec Dean. A 21 h 15, Dean entra dans mon bureau. J'étais dans mon fauteuil, et il s'assit sur une chaise en face de moi. Il y avait presque trois semaines que nous n'avions plus parlé ensemble.

Sa voix, comme auparavant, était sans la moindre inflexion. Il dit : « Vous devez savoir que j'avais exposé à Bob et John tous les détails de ce qui arriverait. » Quels qu'aient été leurs motifs, Haldeman et Ehrlichman étaient impliqués dans une tentative d'entrave à l'exercice de la justice. « L'entrave à l'exercice de la justice est une conception aussi vaste que l'imagination de l'homme », observa-t-il avec une pointe d'ironie. Tous deux étaient compromis indirectement dans une association de malfaiteurs. Je fus frappé par le fait que, chaque fois qu'il parlait d'Ehrlichman, sa voix prenait un ton vindicatif.

Comme nous examinions quelques-uns des chefs d'accusation, Dean sembla tout à fait effronté au sujet de sa propre position. De ses commentaires, il ressortait clairement qu'il était sûr que ses avocats réussiraient dans leur marchandage avec le Ministère public. Je compris qu'il entendait pouvoir obtenir l'immunité.

A un moment, je dis que je pouvais voir maintenant que je n'aurais pas dû discuter la question de la grâce de Hunt avec Colson. Il ne répondit pas. A la fin de notre entretien, nous nous serrâmes la main.

Je revis Haldeman et Ehrlichman à 22 h 15. Je les mis au courant du verdict de Dean : association indirecte avec des malfaiteurs; et je passai en revue quelques-unes des autres choses qu'il m'avait dites. Tous deux pensaient que je devais suivre l'avis de Rogers et obtenir la démission de Dean, de sorte que lorsque le marchandage aurait lieu je ne parusse pas excuser ses fautes, mais Petersen insistait pour que je ne révoque pas Dean ou même que je ne le force pas à quitter la Maison Blanche, de peur que cette mesure n'affectât défavorablement pour nous sa décision de coopérer avec le Ministère public.

Je dis à Ehrlichman que Petersen m'avait posé des questions sur le fait que des documents ne concernant pas Watergate, provenant du coffre de Hunt, avaient été remis à Pat Gray tout de suite après l'effraction. Dean soutenait que Gray avait reçu ces documents, mais selon Petersen, Gray niait les avoir jamais reçus. Ehrlichman avait été présent lorsque Dean les avait remis à Gray; ils lui avaient été donnés plutôt qu'aux agents du F.B.I. chargés de l'enquête pour réduire les risques de fuite. Il ne pouvait comprendre pourquoi Gray niait les avoir reçus. Ehrlichman prit le téléphone et fit appeler Gray chez lui. Haldeman et moi nous l'entendîmes questionner Gray sur les documents du coffre de Hunt, et nous le vîmes pâlir en écoutant la réponse de Gray. Après avoir remis le combiné en place, il se tourna vers nous, la bouche amère : « Eh bien, voilà partie ma licence d'exercer une profession juridique! » Pat Gray avait détruit les dossiers de Howard Hunt.

Quand je revis Dean le lundi matin 16 avril, je lui tendis deux projets de lettres : l'un présentait sa démission, l'autre demandait un congé. En accord avec les recommandations de Rogers, je lui demandai de signer les deux lettres, bien qu'aucune ne dût être publiée avant son départ effectif.

Le soir précédent, Dean avait été sûr de lui, et même effronté. Maintenant il était tendu. Il rétorquait à toute question sur sa personne par une autre sur Haldeman et Ehrlichman. Je lui dis qu'ils étaient prêts à se faire mettre en congé sur ma demande. Il dit qu'il prendrait mes projets de lettres et qu'il établirait les siens. A un moment de notre entretien, Dean me regarda : « Je pense, me fit-il remarquer, qu'il y a une croyance mythique... selon laquelle Bob et John n'ont aucun problème. Je ne suis pas sûr que vous croyez qu'ils en ont un. Mais je puis vous l'affirmer, ils en ont un. »

Nous parlâmes de l'entretien où il m'avait averti du « cancer de la Présidence ». Il avait eu lieu le mercredi précédent la condamnation des accusés du Watergate : ce devait être le 21 mars.

Je lui demandai ce qui s'était passé après cet entretien. Il dit que lorsque Mitchell était venu à Washington, Ehrlichman lui avait demandé si l'affaire Hunt avait été « redressée », et Mitchell avait répondu qu'il pensait que le problème était résolu. Haldeman et Ehrlichman avaient une autre version de ce qui était arrivé le 22 mars. Selon eux, c'était Mitchell qui avait demandé à Dean si le problème avait été traité; mais, sans attendre la réponse, il s'était dit persuadé qu'on en avait pris soin. J'étais prêt, et je le lui dis, à assumer quelque responsabilité pour avoir eu connaissance des demandes faites à ce moment-là. Il ne pensait pas cependant que ce fût nécessaire. Je fis remarquer clairement à Dean que je considérais que toutes les questions de sécurité nationale, tels les enregistrements sur bandes de 1969, ressortissaient au privilège exécutif. Il m'assura qu'il était d'accord, et qu'il n'avait aucune intention de les évoquer.

Dean me rappela qu'il m'avait dit une fois qu'il était incapable de mentir. « Mais je veux que vous disiez la vérité, insistai-je avec véhémence. C'est ce que j'ai dit à chacun autour de moi, je leur ai enjoint : " Bon Dieu! Dites la vérité! " Parce que tout ce qu'ils font, c'est de composer avec la vérité. Hiss, ce fils de pute, serait libre aujourd'hui s'il n'avait pas menti sur son espionnage... »

Petersen vint me revoir l'après-midi du 16 avril. Je lui fis savoir que j'avais demandé sa démission à Dean, non pour l'annoncer, mais pour pouvoir m'en servir le cas échéant. Petersen m'assura qu'il n'avait aucun problème de ce côté. Je lui demandai s'il pensait encore que Haldeman et Ehrlichman devaient quitter la Maison Blanche. « Parce que je suis conscient qu'on doit avoir confiance en l'intégrité de vos bureaux, je répondrai : oui. Cela n'a rien à voir avec la culpabilité et l'innocence. » Après ce qu'il venait de me dire, je me demandais comment il pouvait s'attendre à ce que je vive en accord avec moi-même, si j'abandonnais mes amis seulement pour sauver les apparences. Il me tendit sa liste écrite des allégations formulées contre eux. En résumé, les chefs d'accusation étaient pour Ehrlichman : les instructions données visant à « enterrer » des documents et le fait d'avoir fait dire à Liddy par Dean que Hunt devrait quitter le pays; pour Haldeman : Magruder disait que des renseignements budgétaires relatifs au plan de Liddy avaient été donnés à Strachan, ouvrant la possibilité qu'ils aient été transmis à Haldeman. Dean avait parlé à Haldeman des propositions de Liddy après qu'elles eurent été présentées, et apparemment personne n'avait donné instruction de mettre fin au programme. Magruder avait dit qu'il avait fait remettre à Strachan des résumés des transcriptions des écoutes par micro, évoquant ainsi la possibilité qu'ils eussent été montrés à Haldeman.

Toutes mes décisions et discussions de ces jours se déroulaient sur le fond d'un flot montant de pressions exercées par les media et le Congrès. Le Watergate s'était assuré la première place dans les nouvelles télévisées. Presque tous les jours, chaque journal publiait un article fondé sur une fuite relative à un aspect de l'affaire.

Je sentais qu'il fallait faire quelque déclaration, depuis la Maison Blanche. Le 17 avril, j'entrai dans la salle de presse, et j'annonçai que nous étions arrivés à un accord avec le sénateur Ervin, aux termes duquel tous les membres de mon personnel comparaîtraient volontairement pour déposer sous la foi du serment quand la commission en ferait la demande. Ils répondraient à toutes les questions pertinentes, à moins que le privilège exécutif ne soit invoqué. Et j'ajoutai :

« Le 21 mars, à la suite d'accusations sérieuses qui attirèrent mon attention, dont certaines ont été publiées, j'ai commencé d'urgence une nouvelle enquête sur toute l'affaire... Il y a eu des développements majeurs dans ce cas, sur lesquels il ne conviendrait pas d'être plus explicite pour le moment, sauf pour dire qu'un progrès réel a été fait sur la voie de la vérité.

Si un membre quelconque de l'Exécutif ou du Gouvernement est inculpé par le grand jury, ma politique sera de le suspendre sur-le-champ; s'il est condamné, il sera évidemment immédiatement révoqué. »

A la demande d'Ehrlichman, j'exprimai aussi mon opposition personnelle à accorder l'immunité dans ce cas :

« J'ai exprimé aux autorités compétentes mon avis qu'aucune personne occupant ou ayant occupé une position d'importance majeure dans le Gouvernement ne devrait bénéficier d'une immunité de poursuites. La procédure judiciaire se déroulera comme il convient... je condamne toute tentative d'étouffer l'affaire, quelle que soit la personne impliquée. »

C'est avec Petersen que j'avais formulé le passage sur la « non-immunité ». Je lui indiquai seulement que mon souci était d'éviter le mauvais effet qui serait créé au cas où des membres importants du personnel de la Maison Blanche, après avoir reconnu leur participation aux faits délictueux, devaient s'en sortir sans aucune pénalité. Mais ce n'était qu'une partie de mes raisons. Une autre était l'argument d'Ehrlichman et de Colson qui pensaient que si l'on faisait miroiter la perspective de l'immunité aux yeux de Dean, ce dernier serait encouragé à mentir au sujet des autres, certain qu'il serait protégé des conséquences de son propre témoignage; enfin, je faisais le calcul qu'il était moins probable que Dean se retourne contre moi, dans l'espoir que je lui accorderais une grâce éventuelle.

Dean comprit évidemment ce que j'avais fait. Len Garment me fit savoir que le passage de ma déclaration sur l'immunité avait fait que Dean « chargeait sur la Maison Blanche comme une bête sauvage ».

Deux jours plus tard, le *Washington Post* annonça que Magruder avouait tout au Ministère public, et que sa déposition abattrait John Dean. L'article spécifiait qu'il avait accusé Mitchell et Dean d'avoir aidé à préparer l'effraction. Ce rapport, associé à ma déclaration du 17 avril, mit Dean en action. Il appela Ziegler et lui dit, d'une manière menaçante, qu'il allait « commencer à appeler quelques journalistes amis ». Il fit l'après-midi la déclaration que voici : « Certains espèrent peut-être ou pensent que je serai le bouc émissaire de l'affaire du Watergate. Ceux qui croient cela ne me connaissent pas, ne connaissent pas les faits exacts, et ne comprennent pas notre système judiciaire. » Je dis à Ziegler de répondre que nous ne cherchions pas de bouc émissaire, mais la vérité.

Je me rends compte que, bien avant d'avoir consenti à l'admettre de façon consciente, je savais instinctivement que Haldeman et Ehrlichman devaient quitter la Maison Blanche. Je croyais qu'ils avaient de bonnes chances d'être déchargés de toute inculpation, mais que les liens indirects étaient si accablants qu'ils ne pourraient survivre à l'épreuve politique. Je comprenais que s'ils restaient ils nuiraient à la Maison Blanche et à moi-même.

Je me disais que je n'avais pas été impliqué dans les choses qui les exposaient. J'étais certain de n'avoir jamais entendu parler de l'effraction avant qu'elle ait été découverte; je n'avais vu aucun des rapports en provenance des microphones; je n'avais rien su des prétendues instructions d'Ehrlichman à Dean « d'enterrer » les documents du coffre-fort de Hunt. Et j'étais certain que personne ne m'avait demandé d'amener Kalmbach à recueillir des fonds, ou d'utiliser les 350 000 dollars en versements pour les accusés.

Mais il y avait des choses que j'avais connues. J'avais parlé de grâces avec Colson. J'avais aussi soupçonné Magruder de ne pas dire la vérité, mais je n'avais tiré aucune conséquence de mes soupçons. Et j'avais su que des fonds de soutien étaient versés aux accusés; le 21 mars, j'avais même considéré la possibilité de payer un maître chanteur. La différence était que Haldeman et Ehrlichman avaient été piégés par des implications indirectes. Jusqu'ici, cela ne m'était pas arrivé.

J'étais suffisamment égoïste et soucieux de mon propre salut pour souhaiter que Haldeman et Ehrlichman s'en aillent; mais je n'étais pas assez impitoyable pour accepter facilement l'idée de blesser des gens auxquels j'étais si profondément attaché. J'étais préoccupé du choc qu'ils subiraient, s'ils étaient forcés de partir, et j'étais préoccupé du choc que je subirais s'ils restaient. C'est ainsi que les deux semaines suivantes furent dominées par des impulsions contradictoires. J'essayais de les persuader de partir, tandis que j'assurais que je pouvais offrir mes amis en sacrifice. Je me disais que nous devions faire ce qu'il fallait, si pénible que ce fût, tandis que je cherchais tout moyen d'éviter les dommages, même si cela nous menait à la limite de la légalité.

Cet état d'esprit me mettait dans une situation de plus en plus difficile à l'égard de John Dean. Puisque la défense de Haldeman et d'Ehrlichman consistait à contredire Dean, aussi longtemps que je le garderai dans mon personnel, j'apparaîtrais comme prêtant l'oreille à ses accusations contre eux. Je sentais que je ne pouvais faire abstraction de la recommandation privée de Petersen de ne pas renvoyer Dean, mais je connaissais l'effet nuisible qu'elle aurait sur le sentiment que le public ne manquerait d'éprouver quant à la possible culpabilité de Haldeman et Ehrlichman.

Il y avait aussi une considération personnelle que je ne pouvais négliger. Je m'étais déjà aliéné Dean en ayant accepté l'idée de l'empêcher d'obtenir l'immunité. Je savais maintenant que si je me tournais contre lui, il se retournerait contre moi. Je voulais traiter Dean avec précaution.

Je ne pouvais aussi faire autrement que de reconnaître et d'admettre le caractère confus et l'ambivalence du rôle de Dean à qui j'avais donné instruction de limiter les dommages causés par le Watergate. Si personne n'avait compris à temps jusqu'à quelles mesures il lui faudrait aller pour le faire, était-ce sa faute ou la nôtre? Il y avait une différence légale, mais quelle différence réelle pouvions-nous établir entre le fait qu'il avait conseillé Magruder pour sa déposition devant le grand jury, en sachant de première main que Magruder mentait, et le fait que nous avions désiré qu'il aidât Magruder à se sortir du grand jury, alors que nous soupçonnions seulement que Magruder mentait, mais sans rien faire pour confirmer ou dissiper nos soupçons?

A la fin des fins, tout avait dépendu du jugement de Dean. Nous avions désiré que ce dernier fît ce qu'il fallait pour garder la maîtrise de l'affaire, mais en supposant, sans le dire, qu'il le ferait sans nous mettre en danger. Dean avait fait ce qu'il avait cru devoir faire, sans mesurer toutes les conséquences possibles.

Il était trop tard pour se demander si quelqu'un d'autre chargé du même rôle — quelqu'un qui n'aurait pas été exposé, comme l'était Dean du fait de sa participation aux entretiens avec Liddy — aurait reconnu plus tôt le piège où nous allions tomber, lui et nous. Au printemps de 1973, il n'était plus que de faible importance de savoir si Dean avait agi avec la conviction authentique qu'il faisait le nécessaire pour protéger la Maison Blanche, ou s'il désirait surtout se protéger lui-même, ou encore si, en raison des grandes pressions auxquelles il était soumis, il avait jamais été capable de faire la distinction.

Quels qu'aient pu être les motifs de Dean, je croyais aussi qu'il avait été sérieusement soucieux des intérêts de la Présidence, lorsqu'il était venu me voir le 21 mars. D'autres préoccupations avaient contribué à l'amener dans mon bureau : l'attention de la presse éveillée par les débats sur la confirmation de la nomination de Gray; la pression que j'exerçai pour qu'il préparât une déclaration écrite sur le Watergate et pour qu'il répondît aux accusations portées contre lui par une lettre signée sous la foi du serment, une idée née de mon ignorance des conséquences qu'une telle initiative pourrait entraîner pour lui, et l'exigence formulée par Hunt de 122 000 dollars. Quand il entra dans mon bureau, je crois qu'il espérait vraiment sauver la Présidence d'un cancer dévorant. Je suis sûr qu'il espérait que je réagirais fortement et que je prendrais la situation en main. Au lieu de cela, j'avais examiné la possibilité de gagner du temps avec un versement de plus à Hunt, et analysé calmement les problèmes politiques que poserait l'octroi d'une grâce aux accusés avant l'élection de 1974.

Dès le 15 avril, j'avais conçu l'idée que Haldeman et Ehrlichman se mettent en congé, arguant de la fatigue provoquée par les fuites et les accusations de la presse. Je recommençai le 17 avril. Tous deux refusèrent. Ehrlichman prétendait que c'était à Dean de partir. Il demanda si je croyais fondées les accusations de Dean. Je lui affirmai que non, et que je considérais l'implication de Dean comme à un niveau beaucoup plus sérieux que le sien. « C'est bien ainsi qu'il faut voir les choses, dit Ehrlichman. Il m'a chargé d'un tas d'ordures imbéciles qui n'ont pas ajouté la valeur d'une pièce de cinq cents au procès. »

Ehrlichman ajouta qu'il y avait des indices que, pendant les premières enquêtes sur le Watergate, Henry Petersen avait passé des renseignements du grand jury à Dean, qui agissait alors comme conseil de la Maison Blanche. J'appelai Petersen et lui dis de ne donner aucun renseignement provenant du grand jury à personne, à moins qu'il ne pensât que je devais en prendre connaissance.

Malgré leur attitude énergique du début, il n'était pas facile à Haldeman et Ehrlichman de maintenir leur optimisme. Ce soir-là, ils me firent savoir que si leurs avocats ne pensaient pas qu'il y eût contre eux des preuves légalement suffisantes, ils leur avaient dit néanmoins que leur cas risquait d'être difficile du fait qu'il présentait tant de distinctions délicates de motif et d'intention. La jurisprudence sur l'entrave à l'exercice de la justice était très large et confuse. Comme Ehrlichman l'exprima, il leur était possible de « s'en tirer, mais après cela nous serons des marchandises avariées ».

Je voulais les rassurer. Je ne pouvais toutefois rien trouver d'encourageant à leur dire de crédible. « Je pense que nous sommes faits, dit Ehrlichman. Les chances sont contre nous. »

Tous deux échangèrent des sarcasmes sur la nécessité, où ils seraient, de gagner leur vie en plaidant des contraventions de circulation. J'offris de payer les honoraires des défenseurs, mais ils refusèrent après m'avoir remercié.

Sur leur demande, je reçus leurs avocats. Ceux-ci ne pensaient pas que le cas de leurs clients pouvait faire l'objet d'une inculpation; mais ils admirent, de façon réaliste, que le Ministère public faisait du zèle et que tout pouvait arriver. Ils insistaient pour que je n'oblige pas Haldeman et Ehrlichman à quitter la Maison Blanche, parce que ce serait considéré comme une reconnaissance de culpabilité. Ils demandaient au contraire que je fisse une déclaration publique leur exprimant ma confiance et mon soutien. Je ne devrais pas, dirent-ils, faire confiance à Petersen, et ils me recommandèrent de me garder de ses conseils. Plus tard, lorsque Haldeman me rappela ce point, je ne pus que lui dire : « Mais, Bob, il est tout ce qui me reste... »

Ce fut le 19 avril à 19 h 40 que nous fûmes avisés de la première des fuites de presse que Dean et ses avocats avaient organisées pour fortifier sa demande d'immunité. Chaque fuite allait un peu plus loin que la précédente en « relançant les enchères », comme je disais. Dans ce qui devint bientôt une sinistre routine, nous recevions un coup de téléphone du *Washington Post* ou du *New York Times,* juste quelques minutes avant l'heure limite où tombait la première édition, demandant un commentaire immédiat à propos d'un article compliqué sur le Watergate. Si nous ne pouvions faire face au délai limite, les articles seraient imprimés sans notre réponse.

Ce premier soir, le *Washington Post* nous avisa qu'il allait publier la nouvelle qu'un collaborateur de Dean dit qu'il ne se laisserait pas descendre en flammes « et qu'il impliquerait des gens » au-dessous et au-dessus de lui. Ils disaient que Dean accuserait Haldeman d'avoir organisé l'étouffement pour dissimuler l'implication des collaborateurs du Président dans l'affaire de la pose des micros au Comité démocrate, et que le prétendu « rapport Dean » assurant qu'il n'y avait eu aucune implication de la Maison Blanche était de la même eau.

Le matin suivant, le *Post* publiait l'article en première page.

Le même jour, 20 avril, le *New York Times* annonçait, sans donner de source, que, pour la première fois, John Mitchell avait admis en public qu'il avait eu connaissance du projet de pose des micros, mais qu'il l'avait rejeté, et ne savait pas qui avait donné l'ordre de l'exécuter.

Le 20 avril, je tins un conseil de Cabinet sur l'énergie et l'économie, puis je m'envolai pour la Floride afin d'y passer le week-end.

Le soir, Ron Ziegler vint chez moi. « Bob acceptera le fait qu'ils doivent s'en aller si l'inévitable arrive », lui dis-je en contemplant le coucher du soleil sur la baie de Biscayne; « mais il n'acceptera pas que ce soit inévitable. » Ziegler me répondit qu'en trois jours seulement on lui avait posé trois cents questions sur le Watergate dans ses conférences de presse quotidiennes. Je lui demandai d'appeler au téléphone Haldeman, et de le lui dire, comme son sentiment personnel sur la situation. Avant mon départ pour la Floride, Haldeman m'avait adjuré de ne pas me reposer sur l'avis « paniqué » d'un seul côté, pour déterminer ce que je devais faire. Il m'avait enjoint de demander à Pat Buchanan ce qu'il en pensait. Je l'avais fait, et je voulais que Ziegler lût à Haldeman ce que Buchanan m'avait écrit :

> « Une personne qui n'est pas coupable ne doit pas être jetée par-dessus bord... Mais des collaborateurs du Président qui ne peuvent se maintenir en activité devraient se retirer d'eux-mêmes... S'ils le font tôt, c'est considéré comme un acte désintéressé; s'ils tardent trop, l'effet sera qu'ils y ont été forcés.
>
> Howard K. Smith a demandé à la télévision : Nixon sera-t-il l'Eisenhower qui nettoie lui-même sa maison, ou un Harding qui étouffait tout pour son clan. Dans toute sa candeur brutale, c'est la question.
>
> Si Haldeman s'en va sans Ehrlichman, c'est encore un étouffement. On ne peut les séparer. S'il arrive que le nom d'Ehrlichman apparaisse au grand jury, il faut qu'il s'y présente.
>
> Il y a dans le personnel de la Maison Blanche une mentalité du genre *Titanic* ces jours-ci. Nous devons mettre à la mer les radeaux de sauvetage et espérer pouvoir tirer la Présidence hors de la tempête. »

Ziegler me dit que Haldeman avait semblé « pensif ».

Le matin suivant, 21 avril, le *Herald* de Miami cita des « adjoints » de Mitchell qui soutenaient que Magruder était passé au-dessus de la tête de celui-ci pour aller à la Maison Blanche obtenir l'approbation du plan de pose des microphones. Le *Washington Post* assurait que Dean avait des preuves écrites pour appuyer les accusations concernant les microphones et la dissimulation. Et le *New York Times* annonça que Dean avait supervisé des versements de plus de 175 000 dollars aux accusés, ce que Dean démentit.

Le matin de Pâques, il y avait quatre articles différents sur le Watergate dans le *Washington Post*. Selon le plus important, le grand jury recherchait si Haldeman disposait d'un fonds de 350 000 dollars, avec lequel il payait les accusés pour qu'ils se tiennent tranquilles. L'article était attribué à une « source haut placée dans les cadres de l'Exécutif ». Des sources affirmaient que Dean avait essayé d'arrêter les versements, mais qu'il avait reçu de ses supérieurs l'ordre de les continuer. Une source disait aussi que Dean était prêt à impliquer Ehrlichman dans le Watergate.

Le *Star* de Washington disait que Haldeman et Ehrlichman étaient tous deux visés. Il citait aussi des « sources » qui disaient que Mitchell avait approuvé la pose des microphones, tandis que d'autres « sources » proches de Mitchell auraient soutenu que Mitchell croyait que c'était la Maison Blanche qui l'avait fait. Colson, dans une prétendue tentative pour se protéger, aurait fourni au Ministère public des preuves écrites établissant la réalité d'une dissimulation.

Bien qu'aucune accusation d'aucune sorte n'eût été faite directement contre moi, un sondage Gallup révéla que plus de 40 % des gens croyaient que j'avais connu à l'avance le plan de pose de microphones à Watergate. 53 % pensaient que ces écoutes n'étaient rien d'autre « que de la politique, le genre de choses pratiquées par les deux partis ».

Depuis des années, c'était mon habitude à Pâques de téléphoner à mes collaborateurs. Je commençai avec Chuck Colson. Il démentit avec chaleur « les articles déformés » qui avaient paru à son sujet. Il me répéta que le coup de téléphone qu'il avait donné à Magruder, et dont on prétendait qu'il avait précipité tout l'épisode du Watergate, avait été des plus innocents. Je lui dis que je le croyais tout à fait et nous nous souhaitâmes de bonnes Pâques.

Puis, j'appelai Dean : « En ce matin de Pâques, lui dis-je, je veux que vous sachiez que quelqu'un pense à vous. Je forme des vœux pour vous. Nous réussirons à en sortir. Vous aviez dit que c'était un cancer, qu'il fallait l'opérer. Je veux que vous sachiez que je suis votre conseil. »

Dean me remercia de mon appel, et il semblait sincère. Il aimerait, un de ces jours, discuter avec moi de la façon dont il plaiderait. Il ne savait pas s'il devait faire usage du Cinquième Amendement. Je lui dis qu'il devait se sentir libre de venir me voir.

Un moment, Dean ajouta plutôt froidement : « Je sais comment cette ligne est venue dans la déclaration, celle sur l'immunité. » Nous parlâmes de la destruction des documents Hunt par Gray et de la série d'événements qui avaient accompagné la demande de fonds de la part de Hunt — événements qui avaient conduit à notre rencontre du 21 mars.

Je lui dis que je considérais comme normal de nous voir au sujet de sa défense parce qu'il n'avait toujours pas été rayé du personnel de la Maison Blanche : « Vous êtes toujours mon conseil. »

Plus tard, ce jour-là, Ziegler me fit savoir que Dean lui avait téléphoné pour dire combien il avait apprécié mon appel. Ziegler l'avait interrogé sur les articles affirmant que des « sources proches de Dean » assuraient que le « rapport Dean » auquel j'avais fait allusion dans ma conférence de presse du 29 août n'avait jamais été écrit en réalité. « Si j'avais eu une chance de discuter la déclaration avec le Président avant qu'il ne la fît, elle aurait certainement été d'une teneur différente », répliqua Dean à Ziegler. Il ajouta : « J'aurais aimé que quelqu'un m'ait dit alors que je conduisais une enquête. Non, je ne faisais que rendre compte tous les jours à John et à Bob. »

Ces propos irritèrent et déprimèrent Ziegler. Son bureau avait gardé des notes détaillées des appels téléphoniques échangés entre Dean et Jerry Warren, le secrétaire de presse adjoint, qui appelait Dean tous les jours pour savoir comment répondre aux questions sur le Watergate lors de la conférence de presse quotidienne. « Personne de la Maison Blanche n'est impliqué » : telle avait été la réponse type de Dean. Il avait aussi parlé fréquemment de « son enquête » qui, disait-il, avait commencé dès le lendemain de l'effraction. Dean avait aussi donné des instructions très claires à Ziegler sur la façon de le défendre si on l'attaquait. Ziegler devait dire que Dean n'avait eu aucun contact avec Liddy sur la recherche de renseignements; qu'il n'avait montré à personne de documents du F.B.I; et qu'il avait transmis sans aucun délai au F.B.I. le contenu du coffre de Hunt. Maintenant, Dean était en train de contredire complètement Ziegler qui se demandait s'il pourrait encore paraître devant les journalistes et faire la conférence de presse.

Le lundi matin, 23 avril, je tins une réunion le matin pour discuter du départ éventuel de Haldeman et Ehrlichman avec Ziegler, Pat Buchanan et Chappie Rose. J'avais demandé à ce dernier, excellent juriste et un de mes amis personnels du temps d'Eisenhower, de venir jusqu'en Floride pour me donner un conseil impartial.

Si Buchanan se prononçait pour la démission, Rose était moins certain. Il pensait qu'une démission imposée pourrait nuire aux droits de mes collaborateurs. Au cœur du problème, comme je m'en apercevais chaque jour davantage, il y avait la Maison Blanche elle-même. Haldeman et Ehrlichman avaient perdu la confiance du personnel. On ne travaillait plus; chacun était fatigué, épuisé, bouleversé.

Lorsque la séance, qui avait été agitée, prit fin, nous avions tous conclu que Haldeman et Ehrlichman devaient démissionner. Je demandai à Buchanan de téléphoner à Haldeman, mais il pensait que Ziegler était mieux placé pour le faire. Leurs liens personnels étaient plus étroits, peut-être serait-ce moins pénible. Ziegler regardait par la fenêtre. C'était Haldeman qui l'avait fait entrer dans mon personnel; et maintenant on lui demandait de lui faire savoir qu'il devait démissionner. Il ne dit rien.

« Il n'y a pas de bon choix », dis-je, pour nous tous.

Après avoir appelé Haldeman, Ziegler me rapporta que celui-ci avait été plutôt stoïque et correct. Il n'était pas d'accord avec la décision, disait-il, mais il l'acceptait.

Mais quelques heures plus tard, Haldeman rappela Ziegler. Il avait évidemment parlé à ses avocats, et aussi à Ehrlichman qui résistait fortement et avait réussi à persuader Haldeman de changer d'avis. Ehrlichman soutenait que sa situation était différente, et que même si Haldeman démissionnait il ne le ferait pas. Ehrlichman pensait que les charges contre lui étaient plus faibles, et que son cas était donc séparable. En fait, il *souhaitait* qu'il fût séparable...

Haldeman exposa à Ziegler que je réagissais exagérément. « Dans toutes les autres importantes décisions, le Président a réagi à partir d'une position de force, dit-il; mais parce que cette décision est pénible, cela ne veut pas dire qu'elle soit forte. » Il insista pour que je revoie ses avocats. « Ce serait la première victoire réelle de l' " Establishment " sur Nixon », insistait-il. C'est exactement ce que veulent les media, et tôt ou tard ils la présenteront comme un geste factice. Cela ne servira à rien.

Tout en sachant que la décision serait mienne, je recherchai l'avis de plusieurs hommes en qui j'avais particulièrement confiance et que j'estimais : Bill Rogers, qui pensait que Haldeman devait s'en aller, tandis que le cas d'Ehrlichman était plus délicat; John Connally, qui pensait que s'ils ne pouvaient réfuter les allégations faites contre eux, d'une manière qui prouvât leur inexactitude, il n'y avait pas d'autre alternative; Bryce Harlow, qui était pour une solution rapide; Kissinger, qui en était venu à l'idée que quelque chose devait être fait pour briser ce qu'il appelait « les miasmes de l'incertitude » planant maintenant sur le fonctionnement de tout le Gouvernement.

Lorsque j'avais pris mes décisions sur le Cambodge, le 8 mai et le

18 décembre, j'avais toujours su que, si je pouvais présenter toute l'affaire aux gens, ils seraient derrière moi. J'avais agi sur la base de principes solides et identifiables. Avec le Watergate il n'y avait aucune possibilité de s'assurer l'appui du public, même sur le principe de la fidélité à mon personnel ou à mes amis, parce que les arguments indirects contre eux étaient trop forts pour être négligés ou écartés facilement par une explication. Eisenhower ne m'avait pas sauvé lors de la crise des fonds. J'avais été sauvé parce que j'avais été capable de me sauver moi-même. Je ne croyais pas Haldeman et Ehrlichman capables d'intentions répréhensibles. Mais je ne savais pas s'ils pouvaient prouver leur innocence.

Quand Haldeman et Ehrlichman vinrent me voir le 25 avril en fin de matinée, Ehrlichman sembla mal à l'aise et agité pendant notre conversation. Soudainement, il dit qu'il avait réfléchi, il avait décidé qu'il était nécessaire de déterminer franchement la menace que tout ceci comportait pour le Pérsident. « Permettez-moi d'imaginer quelque chose pour vous, dit-il. Probablement quelque chose de très hypothétique. » Si Dean échappait à tout contrôle, il était « tout à fait concevable », à son avis, que j'eusse à faire face à une résolution « d'impeachment » pour le motif que j'avais commis un acte qualifié de crime, et qu'aucune procédure légale n'était possible, si ce n'est — justement — celle de « l'impeachment ». Il connaissait, d'une manière générale, ma conversation du 21 mars avec Dean sur l'effraction et la dissimulation. Pour autant qu'il le sache, ce que Dean avait dans sa manche n'était pas très éloigné de la perpétration d'un tel acte par moi.

« La seule façon que je connaisse de pouvoir en juger, dit Ehrlichman, est que vous écoutiez les enregistrements, que vous sachiez ce qui a été dit réellement à ce moment-là, ou encore que Bob le fasse. » Il suggéra qu'avant de prendre une décision précipitée il vaudrait mieux que je sache ce qu'était l'ensemble de mon jeu.

Je savais que ce qu'il disait, explicitement et implicitement, était vrai. Explicitement, il disait que je devais reconnaître combien je serais exposé si lui et Haldeman étaient forcés de partir, et qu'avant de les y forcer je devais peser les pires conséquences possibles du scandale. Implicitement, il disait que si je reconnaissais que j'étais aussi impliqué qu'eux-mêmes, je devais consulter ma conscience avant de les forcer à s'en aller.

Dans les deux dernières semaines d'avril, je commençai à envisager sérieusement la possibilité de devenir la prochaine cible de Dean. Je lui avais personnellement fourni les munitions nécessaires pendant notre conversation du 21 mars. J'en devins obsédé et je commençai à revenir sur elle continuellement. Après avoir lu la transcription de ces discussions, il est clair que j'en donnais des versions différentes. Dans mes conversations avec Ehrlichman, Dick Moore et Henry Petersen, je m'efforçais de les rendre plus ambiguës qu'elles ne l'avaient été réellement, ou même de les faire passer comme ayant été dites par manière de plaisanteries.

Mais quand j'étais honnête avec moi-même, j'étais bien forcé d'admettre que j'avais vraiment envisagé de payer un maître chanteur, non pas à cause du Watergate, mais en raison de sa menace contre Ehrlichman, au sujet de l'effraction du cabinet du psychiatre d'Ellsberg, et contre le Gouvernement en général. J'avais aussi parlé avec Dean de continuer les paiements aux autres accusés. De plus, dans cette conversation, Dean m'avait fait connaître des paiements aux accusés qui, selon lui, constituaient une entrave à l'exercice de la justice.

Je dis à Haldeman et Ehrlichman que nous ne pouvions accepter le risque de voir Dean utiliser cette conversation pour se tourner contre moi, cela exigeait même qu'on lui accorde l'immunité. Haldeman répliqua que l'on ne pouvait pas non plus laisser Dean maître de me faire chanter à tout moment. Je décidai que Haldeman devait entendre l'enregistrement, de sorte que nous pourrions savoir exactement ce qui avait été réellement dit et décidé au cours de ce fatal après-midi.

Puis une idée obsédante m'envahit, que je n'arrivais pas à chasser : si Dean avait été porteur ce 21 mars d'un petit magnétophone, caché dans son veston, mais capable d'enregistrer chaque mot, il serait en mesure d'utiliser des parties de notre conversation d'une manière très préjudiciable.

L'après-midi du 25 avril, Kleindienst m'appela, pour me demander d'urgence un entretien. Il avait un nouveau problème. Il sentait que le Département de la Justice serait obligé de remettre les documents concernant l'effraction chez le psychiatre d'Ellsberg au tribunal qui examinait le procès intenté à Ellsberg pour avoir soustrait les papiers du Pentagone. Telle avait été la décision prise par le Département; d'ailleurs, s'ils ne révélaient pas qu'ils détenaient ces documents, Dean, sans aucun doute, disposerait de cette arme suspendue sur leur tête.

Le 18 avril, une semaine plus tôt, sur la demande d'Ehrlichman, j'avais parlé avec Henry Petersen de cette effraction. Je lui avais dit de s'en tenir à l'écart : « Votre affaire est le Watergate, alors que ceci concerne la sécurité nationale. » Dean m'avait dit que Krogh avait pensé qu'il agissait en vertu d'un mandat de sécurité nationale, et, dans mon esprit, il n'y avait aucun doute : toute l'enquête Ellsberg s'inscrivait dans une crise de première importance pour la sécurité nationale.

Petersen me demanda si une preuve quelconque avait été obtenue au moyen de l'effraction, n'importe quoi qui aurait dû être présenté à la Cour examinant le procès Ellsberg; je répondis que non : « Ce fut un puits sec. »

Et maintenant, Kleindienst me disait que le Département de la Justice pensait que ce dossier devait être révélé. Sans hésiter, je dis qu'il devait y aller. Et en le disant, je pensais combien les perspectives s'assombrissaient pour Ehrlichman.

A 16 h 40, le 25 avril, Haldeman revint me faire son rapport après avoir passé quelques heures à écouter l'enregistrement de ma conversation du 21 mars avec Dean. Il était intéressant d'apprendre, dit-il, que Dean m'ait donné une version des événements différente de celle qu'il lui avait donnée.

Haldeman confirma que j'avais bien dit à Dean : « Nous pourrions trouver l'argent. » Mais il ajouta : « Vous étiez en train de le faire parler. »

Haldeman était accoutumé à mon habitude de pénétrer les idées des gens par voie indirecte, en m'abstenant à dessein d'indiquer ma propre opinion jusqu'à la fin de la conversation, de peur d'influencer les autres, ou inversement, en affirmant une position extrême pour voir comment les gens réagissaient. Il savait aussi que, dans mes conversations, j'ai tendance à penser tout haut, même quand j'examine des alternatives tout à fait inacceptables pour les éliminer, exercice mental typique du juriste. En ce cas, tous ces facteurs étaient une explication partielle — mais seulement partielle — de certaines des choses que j'avais dites.

Ma seule autre défense concernant la conversation du 21 mars était qu'elle n'avait été suivie d'aucun début d'exécution. Je n'avais pas ordonné de faire des versements aux accusés, et j'avais exclu la grâce.

Je réfléchis au rapport de Haldeman pendant l'après-midi et je l'appelai deux fois chez lui ce soir-là. Je lui dis que je m'étais toujours posé des questions sur notre système d'enregistrement. « Mais je suis sacrément heureux que nous l'ayons. Qu'en pensez-vous? — Oui, Monsieur », me répondit-il, ajoutant que, même la seule section qu'il avait écoutée ce jour-là était « très utile ».

Quoi qu'il en fût, et malgré les passages que j'aurais préféré n'avoir jamais dits, il y aurait aussi de bonnes choses sur la bande, et que ceci compensait cela.

Le 26 avril, les conversations du Ministère public avec Dean avaient échoué. Dean commença immédiatement à envoyer de nouveaux signaux menaçants à la Maison Blanche. Il dit à Len Garment que Watergate n'était que la partie émergée d'un iceberg. Il y avait des choses qui avaient été faites en 1970 et qu'il pourrait révéler. Et il maintint qu'il avait des preuves écrites de la tentative d'étouffement.

Le même jour, le *New York Times* annonçait que Pat Gray avait brûlé des preuves écrites provenant du coffre-fort de Hunt. Selon la source de la fuite, la faute incombait à Dean et Ehrlichman, qui avaient ordonné à Gray de le faire. Quand je fus mis au courant de cet article, je téléphonai à Kleindienst pour lui dire que je pensais que Gray devrait démissionner. Mais auparavant, je voulais connaître l'avis de Petersen.

Celui-ci argua du fait que Gray allait accuser Ehrlichman et Dean de lui avoir donné instruction de brûler les papiers, et jurerait qu'il l'avait fait parce qu'il avait confiance en eux. J'étais furieux. Par la panique réelle qui était apparue sur le visage d'Ehrlichman pendant qu'il téléphonait à Gray, je savais bien qu'il n'avait jamais donné un tel ordre. Je dis à Petersen d'avertir Gray qu'il ne pouvait résoudre son problème au moyen d'un nouveau mensonge. Je demandai que Kleindienst et lui se rencontrent et me suggèrent ce que j'avais à faire dans cette situation.

« Vous devez vous faire mettre en congé », dis-je à Haldeman et Ehrlichman. Je leur conseillai de préparer des lettres demandant leur mise en congé pour samedi. Ils devaient s'en aller les premiers, de sorte qu'il soit clair qu'ils n'y avaient pas été contraints comme Dean le serait.

Pat Gray appela pendant que j'étais dans le Mississippi pour une inauguration. Il avait décidé de démissionner. William Ruckelshaus, chef de l'Agence pour la protection de l'environnement, accepta de prendre le poste de Gray à titre temporaire. Les articles révélaient que parmi les documents détruits par Gray se trouvait un télégramme falsifié, impliquant le Président Kennedy dans l'assassinat de Diem. Cette information provenait évidemment de Dean, qui avait vu le dossier avant de le remettre à Gray. Je demandai à Ehrlichman de me dresser une liste de toutes les activités reliées à la sécurité nationale qu'il pensait que Dean pourrait révéler. Sur l'avion qui nous ramenait à Washington, il m'en cita trois : Ellsberg, les bandes magnétiques de 1969 et l'épisode du sous-officier d'administration lors de la guerre indo-pakistanaise. Ehrlichman n'était pas sûr que la liste fût complète, parce que Dean avait eu accès aux dossiers les plus secrets.

Ziegler vint dans ma cabine pour me dire que le *Washington Post* publiait un nouvel article, de « source autorisée » affirmant que « quelqu'un » avait parlé au Ministère public et m'avait impliqué directement dans la dissimulation. Quand nous arrivâmes à Washington, le *New York Times* avait téléphoné que Dean m'avait impliqué. Plus tard, le *Times* de Los Angeles demanda un commentaire de la Maison Blanche sur la même nouvelle.

J'appelai Henry Petersen et je lui demandai de venir. Ce fut une séance agitée. Je voulais savoir si les articles étaient vrais : Dean m'avait-il impliqué? Petersen alla vérifier dans ses bureaux et quelques minutes plus tard, il vint me dire que ces articles étaient faux. Plus tôt dans la semaine, l'avocat de Dean avait dit : « Nous mêlerons le Président, non à cette affaire, mais en d'autres matières. » En l'entendant, le Ministère public avait cru qu'il s'agissait d'une simple vantardise, d'une comédie faisant partie des efforts entrepris pour assurer à Dean l'immunité. Et, en fait, ils n'avaient encore présenté aucun témoignage m'impliquant. J'appelai Ziegler pour lui dire de démentir l'article immédiatement.

Avant de partir, Petersen me recommanda d'agir maintenant au sujet de Dean. Une pression accrue de ma part renforcerait la position du Gouvernement contre lui. Et il demanda une fois de plus le départ d'Haldeman et Ehrlichman.

Quand Haldeman vint plus tard, il me dit que ses avocats pensaient qu'on abusait de lui et d'Ehrlichman parce qu'ils étaient loyaux et que Dean ne l'était pas. « Ils pensent que Dean et Petersen se jouent de vous. » Notre plan, dis-je, c'était que lui et Ehrlichman prennent un congé à partir de dimanche ou même samedi. Lundi, j'annoncerais la révocation de Dean. Je demandai que Ray Price commence à préparer pour moi une allocution, en me laissant la possibilité d'annoncer des congés ou de réelles démissions.

LA DÉMISSION DE HALDEMAN ET D'EHRLICHMAN

Le vendredi 27 au soir, je partis pour Camp David. Bill Rogers arriva le samedi à 11 h 30. Il démontra avec pertinence que la mise en congé n'était plus une réponse suffisante, la démission était le seul choix. J'estimai son opinion, parce qu'au cours des années j'avais appris qu'il avait un excellent jugement politique et juridique, et, qu'en ami loyal, il me dirait ce dont j'avais besoin, et non ce que je désirais entendre. J'en étais venu, lui dis-je, à la même conclusion. Autrement, nous nous préparions pour l'avenir une séparation beaucoup plus sordide et pénible qu'aujourd'hui.

Ce soir-là, Ehrlichman m'appela. Il fut cordial mais brutalement direct. Il pensait que je devais reconnaître ma propre responsabilité. Toutes les actions illégales étaient finalement venues de moi, directement ou indirectement. Il insinua que j'en avais été l'inspirateur, et mentionna des choses telles que le télégramme falsifié sur Diem. Il laissa entendre aussi que je devrais démissionner.

J'étais assis dans le salon après son appel quand Ziegler entra. Il venait d'apprendre que le *Washington Post* du lendemain publierait un article de « sources dignes de confiance », selon lesquelles Dean pouvait prouver, documents en main, qu'il était sous la direction de Haldeman et Ehrlichman quand il s'était engagé dans la tentative d'étouffement, et qu'il avait eu aussi connaissance « d'activités illégales » remontant à 1969.

Je demandai à Ziegler d'appeler Colson et de trouver ce qui était arrivé au sujet du télégramme sur Diem. Il revint quelques minutes plus tard et dit que Colson avait juré qu'il n'avait jamais été au courant de la falsification. « Le Président, avait ajouté Colson, ne connaissait rien de tout cela. »

Tôt le dimanche matin, j'appelai Haldeman et lui demandai s'il voulait bien venir à Camp David. Il dit qu'il le ferait volontiers et qu'il en irait de même pour Ehrlichman, mais qu'ils préféreraient être reçus séparément. Je savais qu'il avait compris ce que j'allais lui dire, qu'il savait que nous étions arrivés au bout.

Haldeman arriva au début de l'après-midi. Je lui dis que la démission était la meilleure chose pour lui. C'était, pour moi, la plus dure décision que j'aie jamais prise. La nuit précédente, en allant au lit, j'avais espéré ne pas me réveiller le matin suivant, et j'avais presque prié pour cela.

Je savais que ce n'était pas juste. Mais je ne voyais pas d'autre possibilité. Je me sentais coupable. Je savais que la responsabilité et — en grande partie — la culpabilité de ce qui était arrivé pesaient sur moi. C'est moi qui avait nommé Mitchell et beaucoup des activités de Colson avaient été stimulées par moi.

Même à ce moment-là, l'effort de Haldeman fut de me réconforter. Il était fier et assuré. Il acceptait ma décision, même s'il n'était pas d'accord avec elle, et je devais savoir que je pouvais toujours compter sur lui. « Ce que vous devez vous rappeler, dit-il c'est que rien de ce qui est arrivé dans la pagaille du Watergate n'a changé ce qu'a été votre mandat dans les autres domaines. C'est ce qui compte. C'est ce qu'il faut vous rappeler. »

Quand Ehrlichman arriva, je lui serrai la main et lui dis : « Je sais que c'est un jour terriblement difficile pour vous. Je suis sûr que vous comprenez que c'est aussi un jour difficile pour moi. » Quand je lui parlai de ce que j'avais ressenti la nuit précédente, il me mit le bras sur l'épaule : « Ne parlez pas ainsi, ne pensez pas ainsi. »

Je désirais, lui dis-je, l'aider par tous les moyens possibles, y compris une assistance financière pour le fardeau qu'il allait avoir à supporter, non seulement en raison des besoins de sa famille, mais aussi des honoraires des hommes de Loi.

Il se raidit, et dit rapidement : « Il y a seulement une chose que j'aimerais que vous fassiez : c'est d'expliquer tout cela à mes enfants. »

Avec une amertume retenue, il dit que ma décision était mauvaise et que je la regretterais. « Je n'ai pas d'autre choix que de l'accepter, et je le ferai, mais je pense encore que je n'ai rien fait qui n'ait eu votre approbation implicite ou directe. — Vous avez toujours été la conscience du Gouvernement, lui répondis-je. Vous avez toujours été partisan de mener les choses par les moyens les plus purs. — Si j'ai été la conscience, alors je n'ai pas été très efficace. »

Kleindienst vint me voir plus tard dans l'après-midi. Sa collaboration étroite avec Mitchell rendait impossible son maintien au Département de la Justice où sa situation était intolérable. Nous étions d'accord pour qu'il démissionnât. Elliot Richardson, alors secrétaire à la Défense, devait le remplacer. Je regrettais que le départ de Kleindienst coïncidât avec celui des deux autres; cela donnait à tort l'impression qu'il était plus ou moins impliqué dans l'affaire du Watergate.

Quand Haldeman et Ehrlichman revinrent avec leurs lettres de démission, Ehrlichman me demanda d'utiliser les termes précis : « John Dean a été renvoyé », dans mon allocution télévisée. Je comprenais ce qu'il ressentait. Il avait été loyal et avait voulu défendre mon Gouvernement. Dean était déloyal et ne considérait que son propre intérêt. En permettant à Dean de « démissionner », j'obligerais Haldeman et Ehrlichman à partager le mépris public qui allait frapper leur dénonciateur.

Je restai à Camp David pour travailler avec Ray Price à la rédaction finale de l'allocution que j'allai donner le lendemain soir, le lundi 30 avril. En lui remettant le projet, je lui dis : « Ray, vous êtes l'homme le plus honnête, le plus calme, le plus objectif que je connaisse. Si vous pensez que je dois démissionner, je suis prêt à le faire. Vous n'avez pas besoin de le dire. Il suffit que vous le mettiez dans le projet. »

Il me rétorqua que je ne devais pas démissionner, que j'avais le devoir d'achever ma tâche. J'avais été élu pour le faire. Il savait combien déchirante avait été ma décision au sujet de Haldeman et Ehrlichman, mais j'avais fait ce que je devais. J'avais l'impression de m'être coupé un bras, et puis l'autre. L'amputation était peut-être nécessaire pour survivre, mais ce que j'avais dû faire me laissait si angoissé et attristé qu'à partir de ce jour la Présidence perdit tout attrait pour moi.

Avec mon discours du 30 avril 1973, je m'adressai pour la première fois au peuple américain pour lui parler du Watergate. Nous avions beau assurer le contraire : à peine Haldeman et Ehrlichman avaient-ils démissionné, que les gens les supposèrent coupables, au moins partiellement, des accusations qui pesaient sur eux. La lumière des projecteurs se tourna automatiquement sur moi : les gens attendaient une réponse nette à la question de savoir si j'étais impliqué aussi dans le Watergate. C'était ce qu'ils espéraient de mon discours du 30 avril. Je pris la décision d'y répondre, moins sur la base d'un raisonnement logique que sur celle de l'instinct politique. C'est ce que je fis, sans m'arrêter à considérer que ce discours allait marquer un tournant, et que ma réponse, une fois donnée, me suivrait à travers tout ce qui arriverait désormais.

Une réponse totalement honnête aurait été de dire *oui et non*. Si j'avais donné la vraie réponse, j'aurais dû dire que, sans apercevoir toutes les implications de mes actions, je m'étais peu à peu profondément empêtré dans le filet compliqué des décisions, des inactions, des malentendus et de motivations opposées qui composaient la tentative d'étouffement du Watergate. J'aurais dû admettre que je ne connaissais pas encore toute l'histoire, et donc que je ne connaissais pas toute l'étendue de mon implication dans cette affaire. Et il m'aurait fallu indiquer les détails défavorables de ce que je connaissais, en laissant ouverte la possibilité que d'autres pourraient venir s'y ajouter plus tard.

Je sentais que la façon inepte dont nous avions traité le Watergate nous avait tellement réduits à la défensive, qu'une explication si compliquée et si tardive de ma part n'aurait pas été tolérée. Je craignais que le fait de reconnaître une faute de ma part fût utilisé pour laisser couver la question du Watergate pendant tout le reste de mon mandat, ce qui rendrait impossible mon rôle de direction présidentielle. Etant donné cette situation, je décidai de répondre *non*, à la question de savoir si j'étais aussi impliqué dans le Watergate.

Mon allocution du 30 avril donnait l'impression que je n'avais rien su des tentatives de dissimulation jusqu'à mon entretien du 21 mars avec Dean. J'indiquais, qu'une fois mis au courant, j'avais agi avec diligence et impartialité pour y mettre fin. En réalité, j'avais connu des détails de la dissimulation avant le 21 mars; et quand j'en avais discerné les implications, au lieu d'exercer mes pouvoirs pour la mettre au jour, j'avais cherché avec un désespoir croissant le moyen de limiter les dégâts pour mes amis, mon Gouvernement et moi-même.

Je parlai en termes de responsabilité : « Le fait est que l'homme qui se trouve au sommet doit porter la responsabilité, et je l'accepte. » Mais ce n'était qu'une abstraction, et les gens s'en aperçurent. Finalement, je me raccrochais à des excuses. Le fait que je croyais à ces excuses faisait peu de différence. Elles ne rendaient pas compte de mon rôle. Elles n'expliquaient pas pourquoi un Président des Etats-Unis s'était laissé mettre de manière si maladroite, dans une telle situation. C'était ce que les gens voulaient savoir, mais mon discours et toutes les autres déclarations sur le Watergate que je fis au cours de la Présidence ne parvinrent pas à leur faire comprendre.

Ce fut comme si Washington avait été saisi de convulsions. La réserve qui avait gouverné les mœurs politiques et professionnelles pendant des décennies fut soudain abandonnée. Au F.B.I. et au Département de la Justice se produisit une véritable hémorragie de fuites portant sur des témoignages confidentiels, des dossiers du grand jury et des hypothèses étudiées par le Ministère public. Et au Capitole, il semblait que tout pouvait fuir et que tout était permis, sous le déguisement de l'indignation vertueuse provoquée par le Watergate.

En commentant mon discours, les membres de la presse de Washington étaient enflammés d'une colère personnelle. Ils sentaient qu'ils s'étaient mis dans l'embarras, en rapportant sans critique, pendant des mois, les démentis de la Maison Blanche. Aussi cherchaient-ils frénétiquement à montrer leur indépendance en exprimant leur scepticisme à l'égard de toutes les explications officielles. Dans leur volonté de prouver qu'ils n'étaient pas les outils de la Maison Blanche, ils passèrent à l'extrême opposé et se firent les sicaires des auteurs sans nom et sans visage des fuites.

En décembre 1971, le *Washington Post* avait fièrement annoncé une nouvelle politique : il insisterait toujours sur la responsabilité des informations portant sur les affaires publiques; il ne permettrait pas à des fonctionnaires de s'exprimer sous le masque d'une « source ». Mais, au printemps 1973, le *Post* garantit l'anonymat à tous ceux qui pouvaient fournir une histoire ou une fuite excitante et exclusive sur le Watergate. D'autres journaux suivirent cet exemple, répondant à une combinaison de pression commerciale et de concurrence professionnelle. Ils appelaient cela du « journalisme investigateur »; mais ce n'était pas du tout cela.

Il n'y a rien d'investigateur à publier des fuites provenant de sources du F.B.I., du Département de la Justice ou de commissions parlementaires, qui ont un accès facile aux documents confidentiels. C'est un « journalisme de rumeurs », dont certaines sont vraies, d'autres fausses, d'autres un mélange de vrai et de faux, toutes partiales. Que ce soit une forme dangereuse de journalisme, cela aurait dû être compris par le *Post,* dont le rédacteur en chef, Ben Bradlee, a observé depuis : « Nous n'imprimons pas la vérité. Nous imprimons ce que nous savons, ce que les gens nous disent. C'est ainsi que nous imprimons des mensonges. »

Une relation de symbiose se développait d'une part entre les auteurs des fuites de la commission Ervin et son personnel, ajouté aux auteurs de fuites des bureaux du Ministère public, et d'autre part les publicistes des media. Les journalistes se réunissaient chaque jour à la porte des salles de la Commission ou accrochaient les bureaucrates dans les couloirs pour obtenir un gros titre sur le Watergate. Le sujet avait déjà engendré une nouvelle férocité dans le reportage : les journalistes faisaient la chasse aux membres du grand jury, ce qui porte en soi-même une possibilité de délit; dans certains cas, des ordures politiques étaient déterrées et échangées contre des renseignements sur le Watergate. L'important était d'obtenir un article, n'importe lequel, avant qu'un autre puisse l'avoir. La concurrence pour les articles sur le Watergate corrompit les règles professionnelles ordinaires du journalisme. Les reporters ne se sentaient plus obligés de vérifier la vérité d'une information avant de la publier. Ils rejetaient leur responsabilité professionnelle traditionnelle sur la personne accusée, qui avait maintenant l'obligation de leur prouver que l'information n'était pas vraie et de le faire avant un terme fixé si elle voulait les convaincre de supprimer l'article.

Beaucoup de reporters soutenaient que, parce que l'on avait tenté d'étouffer le Watergate, l'on ne pouvait plus croire au bon fonctionnement de l'organisation judiciaire, si elle était laissée à elle-même. Très rapidement, cet argument devint l'autojustification rationnelle d'un commando de vigilance de « sources » anonymes et de reporters concurrents qui s'arrogeaient l'application de la Loi. Louis Nizer dit pendant cette période : « Je crains un macarthysme à l'envers. Avec des gros titres, on détruit des gens alors qu'il n'y a encore aucun fait prouvé présenté à un jury au cours d'un procès... C'est une chose que de découvrir des informations, et même de les remettre au Ministère public pour qu'il poursuive, et c'en est une autre de s'enivrer de victoire au point de se saisir de simples rumeurs pour les écrire en titres... C'est le moment d'être prudent. Voyez-vous, il est facile d'accepter une violation des droits civiques quand le type qui en est la victime est précisément celui que nous avons tant de plaisir à voir en victime. »

Mais ni les avertissements de leurs collègues consciencieux, ni les critiques d'observateurs atterrés ne pouvaient arrêter la ruée des journalistes.

Le *New York Times* donna au moins un article sur le Watergate chaque jour, sauf un, pendant les mois de mai, juin et juillet 1973. Une étude ultérieure montra qu'une moyenne de 52 % de la première page des principaux journaux américains était réservée au Watergate lors des séances de la commission Ervin; la moyenne était de 35 % quand la commission ne siégeait pas. Les réseaux de la télévision consacraient au Watergate entre le tiers et la moitié de leur temps d'émission.

Dans bien des cas, la quantité même des articles sur le Watergate venait de la nature du sujet lui-même : chaque nouvelle révélation semblait en allumer une autre, comme dans un feu d'artifice. Dans d'autres cas, elle était la conséquence des méthodes journalistiques : la concurrence pour les articles engendrait un mouvement qui se perpétuait lui-même. Un jour sans un titre sur le Watergate était un jour sans soleil. Souvent, les mêmes articles se répétaient sans le moindre changement, ou se contentaient encore, en fin de semaine, de ressasser des « analyses » ou des « mises à jour » sur l'affaire...

Parfois, la presse engendrait les monstres qu'elle dénonçait. Par exemple, ce fut la presse de Washington qui créa l'idée des « Plombiers » en tant que force de police répressive de la Maison Blanche. Bien des gens furent stupéfiés d'apprendre que l'unité des « Plombiers » se composait seulement de quatre hommes qui avaient travaillé ensemble un peu plus de deux mois en 1971.

Au début d'avril 1973, l'on avait fait état d'allégations selon lesquelles les sénateurs Muskie, Percy, Proxmire et Javits avaient été surveillés par la Maison Blanche. *Newsweek* affirma que les bureaux des sénateurs Mansfield et Fulbright avaient été truffés de microphones. Les deux articles étaient faux. Le 3 mai, le *Washington Post* affirma que le Gouvernement Nixon faisait écouter les téléphones d'au moins deux reporters dans le cadre de l'enquête sur les Papiers du Pentagone et que les écoutes avaient été supervisées par Hunt et Liddy. Ces derniers, disait-on, dirigeaient un prétendu « commando de vigilance », et, suivant l'article du *Post,* il avait été décidé au cours de la campagne électorale que certains des membres de ce commando serait dévolus à l'écoute des candidats démocrates à la Présidence. L'article était faux. Le 17 mai, le *Post* assura qu'une « vaste opération secrète du grand vieux Parti » (républicain) avait commencé en 1969, et affirma que les effractions du Watergate et d'Ellsberg étaient une partie de « la campagne raffinée et continuelle d'opérations secrètes illégales ou quasi illégales mise en place par le Gouvernement Nixon depuis 1969 ». L'autorité invoquée pour une aussi renversante accusation était « des sources haut placées dans la branche exécutive ». L'article nous accusait, entre autres, d'avoir été en possession du dossier médical du sénateur Eagleton avant qu'il ait fait l'objet d'une fuite (ce qui n'était pas vrai); d'avoir utilisé des provocateurs payés pour attiser les violences au cours des manifestations contre la guerre au début de mon premier mandat et pendant la campagne de 1972 (également faux); et d'avoir entrepris des actions politiques secrètes, dirigées par des « commandos de suicide » du F.B.I. contre des gens considérés comme ennemis du Gouvernement (aussi faux). Les reporters prétendaient qu'il y avait eu plus de cas d'effractions et de poses de microphones qu'il n'en avait été révélé (faux). Ils disaient qu'un groupe d'extrémistes, de journalistes, de collaborateurs de la Maison Blanche et de Démocrates étaient soumis à un même régime d'écoutes, d'espionnages, d'infiltrations et d'effractions (faux).

Au début de juin, le *Post* fit état de l'accusation d'une « source du Sénat » qui prétendait avoir des preuves de plusieurs autres effractions de la Maison Blanche, et savoir qui y avait participé et par qui ils avaient été dirigés. L'accusation était fausse; les preuves alléguées ne furent jamais produites. *Newsweek* dit que le Gouvernement disposait d'une force de police secrète qui entreprenait des écoutes non autorisées et des effractions contre des extrémistes (faux). Le correspondant légal de la N.B.C., Carl Stern, assura que des écoutes « massives » avaient été pratiquées par le Département de la Justice sur les lignes téléphoniques de McGovern, ostensiblement pour surveiller les appels d'extrémistes, mais en fait pour fournir des renseignements au C.R.P. (faux). Le *Sun* de Baltimore prédit que des dépositions devant la commission Ervin révéleraient l'existence d'un réseau national d'écoutes utilisées pour renseigner le C.R.P. sur les Démocrates (faux). Le *Washington Post* révéla que les téléphones d'Ellsberg et des reporters du *New York Times* Neil Sheehan et Ted Szulc étaient écoutés, et les rapports d'écoute fournis aux « Plombiers » (faux). Le *New York Times* assura que nous avions planté des micros chez les amis de Mary Jo Kopechne, qui était morte dans la voiture de Teddy Kennedy à Chappaquiddik. Aucune de ces histoires n'était vraie.

Quand Bob Haldeman et John Ehrlichman avaient quitté la Maison Blanche, nous savions que leurs possibilités de défense devant le grand jury et les tribunaux dépendraient de la possibilité de montrer que leurs motifs n'avaient été ni criminels ni corrompus. Les jugements sur les motifs dépendent inévitablement des impressions délicates et souvent intangibles que l'on se forme de la crédibilité personnelle de l'intéressé. Après le traitement qu'ils reçurent du Parlement et des media dans les premiers jours de mai, ils ne pouvaient espérer bénéficier d'un procès équitable.

Le soir de leur départ de la Maison Blanche, John Chancellor, de la N.B.C., proclama qu'ils étaient « de loin les plus impopulaires des deux millions et demi de fonctionnaires fédéraux », et il cita des « sources » parlementaires qui disaient que l'on avait « dansé dans des couloirs » en réjouissance de leur chute. A.B.C. dit que la réaction du Capitole « n'aurait pu être plus satisfaite », parce que tous deux étaient « unanimement détestés ». Hugh Sidney les avait déjà insultés dans sa colonne de *Time*.

Fin avril, les nouvelles étaient remplies de fuites provenant des accusations portées contre eux par Dean, et d'imputations « d'étouffement » venant de sources parlementaires anonymes. Mais celles-ci n'étaient pas les seules accusations malveillantes. Le 25 avril, un gros titre du *New York Times* accusa : « *Renseignements d'écoutes transmis à la Maison Blanche.* » Cette accusation venait « d'enquêteurs fédéraux » anonymes, qui disaient avoir établi que les fonctionnaires de la Maison Blanche étaient régulièrement tenus au courant des informations recueillies par les microphones du Watergate. Et ils mentionnaient Haldeman comme destinataire. L'accusation était fausse.

Le 27 mai, le *Times* disait qu'il était prouvé que Haldeman était lié à l'effraction Ellsberg. C'était faux. Le 17 juin, le *Washington Post* donna un grand article en première page assurant que George Strachan allait révéler que Haldeman avait reçu les plans de l'opération du Watergate. Le jour suivant, le *New York Times* raconta la même histoire. Strachan ne fit jamais une telle déclaration. Ehrlichman fit l'objet d'un traitement aussi sauvage. Le 13 juin, le *Washington Post* rapporta que « les procureurs du Watergate » possédaient un *mémo* qui avait été envoyé à Ehrlichman et qui « décrivait en détail » les plans d'effraction du cabinet du psychiatre d'Ellsberg. L'article contredisait les déclarations insistantes d'Ehrlichman, suivant lesquelles il n'avait pas eu connaissance à l'avance du projet. Il n'y avait jamais eu de *mémo*.

Daniel Schorr, de C.B.S., décrivait la situation en quelques mots, lorsqu'à l'automne de 1973 il commentait :

> Cette dernière année, une nouvelle espèce de journalisme s'est développée, et je me suis trouvé faisant, d'après une routine quotidienne, des choses que je n'aurais jamais faites auparavant. Il y avait eu une investigation déficiente, et la presse a commencé à juger des hommes devant le tribunal le plus efficace du pays. Les hommes impliqués dans l'affaire du Watergate ont été condamnés par les mass media, d'une façon peut-être plus significative que la peine de prison qu'ils vont éventuellement recevoir.

A mesure que les mois passaient et que les fuites continuaient, quelques voix s'élevèrent pour protester. Le sénateur démocrate William Proxmire compara au macarthysme la couverture donnée par la presse à l'affaire. Elliot Richardson recommanda aux journalistes d'adopter un code d'équité en ce qui concerne l'utilisation des fuites. Et le procureur spécial Archibald Cox accusa la presse de se prendre pour le quatrième pouvoir du Gouvernement. Il dit qu'il avait été assez peu rassuré par le rôle de la presse dans l'affaire du Watergate. Harry Reasoner de l'A.B.C. dénonça *Time* et *Newsweek* dans un commentaire radiodiffusé consacré à la façon dont ces hebdomadaires avaient traité l'affaire du Watergate; il dit : « Semaine après semaine, leurs éditoriaux sur ce sujet ont été beaucoup plus du style de la pire guerre de pamphlets que de celui du journalisme objectif; du fait qu'il s'agit d'organes de notre profession très réputés et normalement très respectés, ils nous embarrassent et nous discréditent tous. »

Quelques mois plus tard, au moment de l'enquête sur Agnew en septembre 1973, James Reston écrivait :

> Il est aisé de comprendre pourquoi les Agnew et les Ehrlichman s'irritent de tout cela, car ils ont été condamnés avant même d'être en état de se défendre, et ils ont évidemment un grief justifié. Les journaux n'ont pas résolu, ni même attaqué le problème efficacement. Ils savent qu'ils ont le devoir de protéger le fonctionnement du grand jury, mais ils ne l'ont pas fait. La presse esquive le problème, mais elle ne peut continuer à le faire. Elle ne peut prétendre à surveiller le pouvoir du Gouvernement sans se surveiller elle-même.

La conduite des media pendant cette période a été dépourvue de tout sens des responsabilités. Cependant, faisant montre jusqu'à ce jour de la même arrogance. ils sont prompts à dénoncer les autres institutions. La plupart des journalistes préfèrent la bonne conscience à l'examen de conscience, quand il est question du Watergate.

Le 2 mai, Bob Haldeman vint me voir. Il avait réfléchi à la décision que j'avais prise de ne pas le remplacer, et de diriger moi-même mon Cabinet. Il voulait me recommander de changer d'avis. J'étais arrivé à la même conclusion. Nous avions tous deux le même homme en tête : Al Haig, qui avait quitté Kissinger en janvier pour devenir sous-chef d'état-major de l'armée. Ce fut Haldeman qui fit la première approche.

Quand Haig vint me voir le lendemain à midi, je lui dis que je connaissais le grand sacrifice que je lui demandais. Avec ses capacités, il aurait certainement été en position de devenir chef d'état-major et peut-être même chef d'état-major interarmes.

Un jour plus tôt, Connally avait courageusement annoncé qu'il transférait son affiliation et son allégeance au Parti Républicain; c'était, dit-il, sa patrie idéologique. Le 7 mai, il accepta de revenir à la Maison Blanche comme conseiller sans traitement.

Les semaines suivantes, nous commençâmes à reprendre du poids en reconstruisant le Gouvernement. Je nommai William Colby directeur de la C.I.A. et fis passer James Schlesinger de la C.I.A. au Pentagone comme secrétaire à la Défense. Je donnai aussi un nouveau chef énergique au F.B.I. en la personne de Clarence Kelley, le chef de la police de Kansas City. Mel Laird et Bryce Harlow acceptèrent de revenir comme conseillers auprès du Président et Haig amena Fred Buzhardt, conseiller général au secrétariat à la Défense, pour aider Len Garment à traiter l'affaire du Watergate.

Beaucoup de critiques sur le Watergate s'étaient concentrées sur le bureau de presse de la Maison Blanche. Tous, nous pensions que Ron Ziegler devait le quitter. Il n'y avait rien contre lui personnellement, mais nous pensions que sa crédibilité auprès des journalistes avait subi d'irréparables dégâts. Je savais que c'était vrai, mais que c'était injuste pour Ziegler.

Il n'y avait guère de candidats pour envier sa succession à la conférence de presse quotidienne. Son adjoint, Jerry Warren, commença à occuper le podium, tandis que Ziegler devenait davantage mon conseiller. Malgré sa jeunesse et son impétuosité occasionnelle, Ziegler était un esprit solide qui pouvait analyser les problèmes d'une manière franche et incisive.

Nous avions encaissé des coups sévères, mais nous reprenions des forces et commencions à retomber sur nos pieds. Beaucoup d'amis, aux Etats-Unis et à l'étranger, nous offraient leurs réflexions et leur appui. Je reçus des messages amicaux de Harold MacMillan, du Premier ministre japonais Sato. Au cours d'une audience accordée à notre ambassadeur en Italie, le pape Paul VI lui dit sa sympathie :

> Sa Sainteté me dit que l'histoire se souviendra que vous avez fait plus que tout autre pour vous assurer le respect du monde en tant que pacificateur efficace au cours des quatre dernières années. Il me dit qu'il ne pouvait comprendre comment des Américains écrivant dans la presse peuvent déchirer aussi brutalement leur pays et leurs institutions. Il est certain, cependant, que vous aurez la possibilité de surmonter cette période difficile et de poursuivre votre belle œuvre pour la paix du monde. Le Saint Père m'a dit qu'il offrirait ses prières et une messe à votre intention.

Pendant les mois de mai, juin et juillet, j'eus des entretiens avec onze dirigeants étrangers différents, je présidai quatorze réunions parlementaires au sujet de lois importantes, quatre conseils de Cabinet, treize grandes séances sur l'économie et l'énergie; je prononçai quatre discours en public et je me préparai à la prochaine rencontre au sommet avec Brejnev.

Pendant cette période, nous avons préparé un nouveau plan de réforme électorale, pris des mesures pour accroître la production alimentaire, et à la mi-juin réimposé un contrôle de prix limité pour raffermir l'économie. Nous avons établi un nouvel Office pour la politique de l'énergie, et avec Agnew, qui put jeter dans la balance des voix son vote décisif, nous fîmes passer au Sénat le projet de loi vital sur l'oléoduc de l'Alaska. Nous poursuivions nos efforts de réforme budgétaire et de réorganisation gouvernementale; en juin, nous avons réellement accompli ce que nos critiques avaient tenu pour impossible : nous avons maintenu les dépenses fédérales au-dessous de 250 000 milliards de dollars. Et bien que le coût en termes d'usure politique fût fort élevé, chacun des veto que j'avais dû opposer à des propositions de loi destructrices de l'équilibre budgétaire fut maintenu. Malgré cette activité visible et productive, nous étions hantés par le spectre de la paralysie. Cette menace apparaissait tous les jours; les media me tâtaient le pouls et affirmaient que le Watergate avait sapé mes facultés de commandement. J'étais toujours dans la situation du « non gagnant ». Si je n'avais pas annoncé un programme officiel un certain jour, l'on signalait que j'étais isolé, paralysé, un rêveur mélancolique; si, au contraire, j'avais un programme chargé, l'on disait que je feignais l'activité pour ne pas apparaître paralysé; si je parlais sur le Watergate, on me décrivait comme voulant me sortir d'une fondrière; si je n'en parlais pas, j'étais accusé de perdre le contact avec la réalité; si j'essayais de rassembler la nation autour des problèmes économiques ou de la politique extérieure, je cherchais à détourner son attention du Watergate. Cette affaire était devenue le centre de l'univers des media et durant la dernière année de ma Présidence, ceux-ci s'efforcèrent d'obliger toutes choses à tourner autour d'elle.

LE RETOUR DES PRISONNIERS DE GUERRE

Nos prisonniers de guerre avaient été courageux dans l'action; ils le furent plus encore en captivité. C'était là une des raisons pour laquelle, à la fin de la guerre, je persistai à m'opposer à une amnistie pour les réfractaires et les déserteurs. Je dis au cours d'une conférence de presse : « Je ne peux pas imaginer plus grande insulte à la mémoire de ceux qui ont lutté et qui sont morts, à la mémoire de ceux qui ont servi et aussi à nos prisonniers de guerre, que de devoir leur dire que nous allons maintenant amnistier ceux qui ont déserté leur pays ou refusé de le servir. »

Les premiers des 591 prisonniers furent libérés à Hanoï le 12 février. Ils furent conduits par avion directement de Hanoï à la base aérienne de Clark dans les Philippines. Je voulais que le drapeau flottât haut et fier le jour où le premier prisonnier retrouverait le sol américain. C'est pourquoi j'appelai Lady Bird Johnson pour lui demander si nous pourrions interrompre la période de trente jours de deuil national pendant laquelle tous drapeaux étaient en berne en l'honneur du Président Johnson. Elle dit qu'elle désirait y réfléchir et qu'elle me rappellerait. Quand elle le fit, elle me donna son accord : elle dit qu'elle était sûre que Lyndon l'aurait désiré.

La scène à la base aérienne de Clark fut extraordinairement émouvante, lorsque les hommes descendirent la rampe un à un, marchant ou clopinant sur des béquilles et saluant le drapeau. Certains firent des déclarations éloquentes. D'autres tombèrent à genoux pour embrasser le sol.

Le premier à sortir du premier avion, un officier de marine, s'arrêta devant les microphones et dit : « Nous sommes honorés d'avoir eu l'occasion de servir notre pays dans des circonstances difficiles. Nous sommes très reconnaissants à notre Commandant en chef et à notre nation en ce jour. Dieu bénisse l'Amérique. »

Les jours suivants, certains parlèrent aux journalistes. Le colonel d'aviation James Kasler dit : « Nous sommes allés au Vietnam faire un travail qui devait être fait. Et nous étions disposés à rester jusqu'à ce qu'il soit terminé. Nous voulions rentrer chez nous, mais avec honneur. Le Président Nixon nous a ramenés chez nous avec honneur. Dieu bénisse ces Américains qui ont aidé notre Président pendant cette longue épreuve. »

Le 6 mars, le capitaine Jerry Singleton et le major Robert Seffrey, tous deux de l'Armée de l'Air, vinrent me voir à la Maison Blanche.

Extrait de mon Journal :

> A dix heures, j'ai rencontré pour la première fois deux prisonniers de guerre. Ce fut une expérience émouvante que de les voir tous deux, décharnés, maigres, calmes, confiants, avec une foi énorme dans le pays, en Dieu, et en eux-mêmes. Ils n'avaient cessé, semble-t-il, d'être exposés à la propagande ennemie, et ils n'avaient jamais cédé. On leur montrait, par exemple, des photos de grandes foules manifestant contre le Président. Ils entendaient aussi des messages enregistrés de Ramsey Clark, Jane Fonda, et d'autres groupes pacifistes, mais ils n'avaient que du mépris pour eux.

Il n'y eut pas longtemps à attendre pour que les prisonniers de retour confirment l'emploi étendu de la torture dans les camps de prisonniers. Certains avaient été torturés pour avoir refusé de poser pour des photos de propagande. Mademoiselle Fonda traita de menteurs les prisonniers qui faisaient de telles déclarations. L'un d'entre eux avait eu un bras et une jambe cassés parce qu'il avait refusé de rencontrer Mademoiselle Fonda. Ce fut pendant son voyage au Vietnam du Nord en 1972, alors que de la radio de Hanoï, elle demandait aux pilotes américains de cesser leurs vols de bombardements sur le Vietnam du Nord.

Le 12 mars, j'eus de longs entretiens avec le colonel Risner et le capitaine Denton.

Extrait de mon Journal :

> Je demandais à Risner comment il avait pu supporter tout ce qu'il avait subi. Je n'avais pas bien compris qu'il avait passé quatre ans de réclusion solitaire. Il me répondit : « Ce n'est pas facile pour moi de le dire. » Sa voix se brisa et il dit : « C'était la foi de Dieu et la foi en mon pays. »
> C'est un homme qui a subi les tortures des damnés. Il m'expliqua certains détails de la torture qu'il avait dû endurer, mais il n'en fit pas une montagne.
> ... Je le questionnais sur les effets du bombardement sur les prisonniers. Il me dit que tous applaudissaient, poussaient des cris, se donnaient l'accolade pendant que le bombardement était en cours. Les gardiens pensaient qu'ils étaient fous. Un peu de plâtre tomba des murs par suite des chocs. Un gardien entra et leur dit : « Ne comprenez-vous pas qu'ils essaient de vous tuer ou de

tuer des civils ? » Ils répondirent que ce n'était pas du tout le but recherché et qu'ils savaient que le bombardement visait des objectifs militaires.

Denton souligna que les Vietnamiens du Nord disaient que l'ennui avec Nixon est qu'il fait la culbute. Ceci était un compliment, non une condamnation. Les Vietnamiens du Nord savaient que Nixon est un type énergique et il était convaincu que c'était la connaissance de ce fait qui les avait amenés à un règlement.

Le 3 mars, nous donnions une soirée à la Maison Blanche, pour laquelle nous avions demandé à Sammy Davis de chanter. Il suggéra d'organiser une soirée de gala en l'honneur des prisonniers de guerre. J'en discutai avec Pat et elle dit que nous devrions faire bien les choses et donner aussi un dîner en l'honneur des hommes et de leurs familles.

Cela posait des problèmes de taille. Dans le passé, le plus grand nombre d'hôtes à qui on ait jamais servi à dîner à la Maison Blanche avait été de 231, mais il était question maintenant de 1 300 personnes. Certains membres du personnel conseillaient de faire la réception dans une des salles de bal de la ville qui serait équipée pour faire face à un tel nombre de gens, mais Pat et moi nous sentions que l'aspect essentiel de cette soirée était que la réception fût à la Maison Blanche. Puisque nous ne pouvions placer à l'intérieur plus de quelques centaines de personnes, Pat fit monter sur la pelouse du Sud une tente qui était plus grande que toute la Maison Blanche. C'est le 24 mai qu'eut lieu notre grand dîner. Quand il fut à sa fin, je me levai pour les toasts. « La décision la plus difficile à prendre depuis mon élection à la Présidence a été prise le 18 décembre dernier », dis-je. Et je fus interrompu par un tonnerre d'applaudissements. « Et il y eut beaucoup d'occasions dans la période de dix jours qui a suivi ma décision, où je me suis demandé s'il y avait quelqu'un dans le pays qui m'approuvât réellement. Mais je peux vous dire ceci : après avoir rencontré chacun de mes hôtes ce soir, après leur avoir parlé, je pense que tous se joindront à moi pour applaudir les braves qui ont conduit leurs B-52 là où il fallait et fait le travail, parce que, comme vous le savez tous, s'ils ne l'avaient pas fait, vous ne seriez pas ici ce soir. »

Le général Flyn répondit à mon toast : Monsieur le Président, au sujet de votre décision du 18 décembre, je voudrais vous assurer que nous savions que vous étiez dans une position très isolée. La décision était contestée, mais j'aimerais aussi vous apprendre que lorsque nous avons entendu les bombes de gros calibre tomber à Hanoï, nous avons commencé à préparer nos bagages, parce que nous savions que nous allions rentrer chez nous, et rentrer avec honneur. »

LA DÉCLARATION DU 22 MAI

Les accusations de John Dean contre Haldeman et Ehrlichman qui faisaient sensation dans la presse ne réussirent pas à lui assurer l'immunité de poursuite.

Plus tard, il assura qu'il avait pris grand soin de ne pas plaider son dossier dans la presse, et c'est en ce sens qu'il témoigne devant la Commission Ervin. Mais le *New York Times* fit savoir nettement que l'avoué de Dean était à l'origine de la fuite.

Le 4 mai, Dean informa le juge Sirica qu'il avait un coffre rempli de documents provenant de la Maison Blanche qu'il comptait utiliser pour sa défense. Nous n'avions aucune idée des documents dont il s'agissait. Les seuls pistes étaient fournies par les correspondances de presse qui signalaient que l'un d'entre eux avait quarante-trois pages et était revêtu d'une des classifications de sécurité les plus élevées. Fred Buzhardt, à l'aide de ces indications, se mit à la recherche du document en question, et acquit la certitude qu'il s'agissait du rapport de renseignements inter-agences de juin 1970, le plan Hudson.

En avril, Dean m'avait catégoriquement promis qu'il ne révélerait rien qui eût trait à la Sécurité nationale, mais maintenant il semblait désireux de renier cette promesse, si cela pouvait l'aider à obtenir l'immunité de poursuites.

Les fonctionnaires du Département de la Justice qui avaient vu ce document disaient qu'il concernait une question de sécurité nationale sans aucun rapport avec le Watergate. Mais le sénateur Ervin sauta sur l'occasion de faire parler de lui. Il dit aux journalistes qu'il s'agissait « d'une opération pour espionner le peuple américain en général », et il cita ce document comme une preuve écrite de la « mentalité gestapo » du Gouvernement. Même dans ces conditions, j'étais soulagé de savoir que c'était là le document sensationnel de Dean, parce que j'étais certain que nous pourrions nous défendre parfaitement et l'expliquer d'une manière que les gens comprendraient.

Quelques jours plus tard, le général Vernon Walters, directeur adjoint de la C.I.A., nous fit savoir que plusieurs de ses comptes rendus de conversations, datant de juin 1972, étaient sur le point d'être requis par la commission des services armés du Sénat, qui enquêtait sur l'implication de la C.I.A. dans l'effraction du Watergate et ses suites. L'un des comptes rendus couvrait la conversation tenue entre Helms, Haldeman, Ehrlichman et lui-même le 23 juin 1972. D'autres concernaient des conversations ultérieures avec John Dean et avec Pat Gray. Le sujet de tous ces comptes rendus était le Watergate. Walters les apporta à la Maison Blanche pour savoir si le privilège exécutif leur était applicable. Dès le premier coup d'œil, nous sûmes que nous aurions un problème.

Le compte rendu de Walters de sa conversation du 23 juin avec Haldeman et Ehrlichman notait que Haldeman avait fait des commentaires sur l'embarras causé par le Watergate. Puis il avait dit que je désirais que Walters allât voir Pat Gray pour lui suggérer de ne pas pousser l'enquête plus loin, en particulier en ce qui concerne les fonds mexicains qui avaient financé l'effraction.

Ces comptes rendus étaient d'autant plus embarrassants que Walters était l'un de mes vieux amis. Il ne les aurait pas trafiqués pour me nuire. De plus, sa mémoire quasi photographique était proverbiale, et partout il était respecté comme un homme scrupuleux et honnête.

Buzhardt, cependant, remarqua que le compte rendu du 23 juin n'avait pas été rédigé le 23, mais cinq jours plus tard, le 28. Pendant ces cinq jours, Dean avait approché Walters pour lui demander si la C.I.A. pourrait aider à fournir une caution afin de faire mettre les accusés en liberté provisoire, et si elle pourrait payer leurs salaires, s'ils étaient condamnés. Il avait aussi demandé indirectement si la C.I.A. pourrait assumer la responsabilité de l'effraction. Walters avait été atterré et inquiété par les ouvertures de Dean. Il avait refusé, déclarant avec insistance qu'il ne ferait rien à moins de recevoir un ordre direct de moi. En fait, Dean avait entrepris cette démarche auprès de Walters sans m'en avoir averti, et il laissa tomber sa demande.

Buzhardt supposa que, le 28 juin, lorsque Walters rédigea le compte rendu sur l'entretien du 23, il avait inconsciemment reconstruit la conversation à partir de la perspective de ce que Dean lui avait semblé essayer de faire, plutôt que d'après ce que Haldeman et Ehrlichman lui avaient dit réellement.

Presque un an s'était écoulé depuis la conversation. Tant de choses étaient arrivées depuis! Mais j'étais certain que l'intention ne pouvait avoir été aussi purement politique qu'elle paraissait. Qu'avions-nous bien pu penser? Sans doute à la concurrence éternelle entre le F.B.I. et la C.I.A. Haldeman vint me voir le 11 mai et de nouveau le 18. Il était absolument certain que tel avait bien été notre motif.

En avril déjà, j'avais parlé à Haldeman et Ehrlichman de la difficulté de se rappeler les événements datant de plusieurs mois. « Comment se souvenir si loin?... Vous ne vous souvenez que des choses dont vous désirez vous souvenir. » Et maintenant, nous raisonnions sur les conséquences des comptes rendus de Walters : confusément, nous reconstruisions des événements autour du souvenir que nous avions de notre intention : nous nous rappelions ce que nous voulions nous rappeler.

J'étais soulagé par la certitude d'Haldeman. Je lui demandai s'il pouvait se souvenir de la moindre trace d'une préoccupation politique à la base de sa visite à la C.I.A. Il fut formel. Il n'y avait eu aucune préoccupation politique d'aucune sorte.

Au milieu de mai, nous fûmes submergés de nouvelles accusations. Aux allégations et accusations sur le Watergate, s'ajoutaient maintenant publiquement les écoutes de 1969 et 1970; il en était de même du groupe des « Plombiers » et nous savions que Dean avait un exemplaire du Rapport des renseignements interagences. Aucune distinction n'était faite entre les soucis légitimes de la sécurité nationale et les problèmes concernant exclusivement le Watergate. Dans mon allocution du 30 avril, j'avais traité de façon très générale des vastes concepts de la responsabilité et de la faute. Je pouvais m'apercevoir maintenant qu'il nous faudrait répondre de manière détaillée aux nombreuses allégations précises faites au sujet du Watergate.

Dans une déclaration publiée de la Maison Blanche le 22 mai, je décrivais les écoutes de 1969 et les événements qui les avaient rendues nécessaires. Je parlais aussi du rapport des renseignements interagences et de la création des « Plombiers ». Puis, je passais au Watergate. Je niais toute connaissance préalable de l'effraction, et je donnais un démenti général à toute connaissance d'une tentative d'étouffement et à toute participation de ma part à cette initiative. Je disais que nous avions fait appel à la C.I.A. pour être certain qu'aucune opération de cette agence ne risquait d'être découverte par l'enquête sur le Watergate et que cette enquête ne conduirait pas à des recherches sur l'Unité spéciale d'enquête. Je déclarais : « Je n'ai certainement pas eu l'intention, et je n'ai pas souhaité, que l'enquête sur l'effraction de Watergate ou sur les faits connexes soit entravée en quoi que ce soit. » Je précisais que ce n'était qu'après avoir connu les résultats de ma propre enquête que j'avais appris l'existence de collectes de fonds en faveur des hommes qui avaient été condamnés pour l'effraction du Centre national démocrate. Et je disais que je n'avais autorisé de promesse de grâce pour aucun des accusés. C'est ainsi que je me posai à moi-même des pièges, que les bandes magnétiques déclenchèrent quelques mois plus tard.

La déclaration du 22 mai choqua l'opinion publique américaine. C'était la première fois qu'un Président des Etats-Unis admettait publiquement qu'il existait des choses telles qu'une effraction approuvée par le Gouvernement. A cette époque, les activités qui furent plus tard révélées par le rapport de 1975 du Sénat sur le renseignement n'étaient pas encore largement connues en dehors de quelques cercles politiques ou journalistiques de Washington. L'effet amortisseur d'une préparation, le contexte d'une information et d'une approbation publiques n'existaient donc pas pour me soutenir quand j'affirmais que ce que j'avais approuvé dans le plan Hudson et au sujet des écoutes était non seulement justifiable, mais fondé sur les précédents de décisions et de pratiques présidentielles qui remontaient jusqu'au Président Roosevelt. En 1973, *Newsweek* dit du plan Hudson que c'était « l'opération de police secrète la plus vaste qui ait jamais été autorisée ». William V. Shannon écrivit plus tard dans le *New York Times* : « Il n'y avait réellement rien de nouveau ou de sans précédent dans les méthodes proposées par le plan de 1970. »

L'on alla même jusqu'à nier l'existence de précédents. Le *Washington Post,* par exemple, indiqua que Kennedy et Johnson avaient jugé que les écoutes étaient trop répréhensibles pour qu'on en fasse l'emploi. Après une conférence de presse où je répondis à des questions posées sur l'histoire des effractions autorisées par les Gouvernements, les Attorneys généraux de Johnson, Nicolas Katzenbach et Ramsey Clark, dirent qu'ils n'avaient jamais entendu parler de telles choses. Et Sam Ervin utilisa le forum, télévisé dans le pays entier, de la commission du Watergate pour proclamer — sous forme de dogme — une erreur; que Edgar Hoover n'aurait jamais autorisé une effraction. Ainsi, l'on maintenait intactes les piétés conventionnelles et l'on dévaluait mes explications.

En raison de l'accueil favorable que reçut ma déclaration du 22 mai, je décidai de révéler toutes les écoutes qui avaient été pratiquées par les Gouvernements précédents. C'était Robert Kennedy qui avait autorisé les premières écoutes de Martin Luther King. Finalement King avait été l'objet de cinq écoutes téléphoniques et quinze micros avaient été placés dans ses chambres d'hôtel. Les Kennedy avaient fait écouter des journalistes. Ils avaient fait écouter un certain nombre de personnes qui pouvaient faire passer un projet de loi sur l'importation du sucre qu'ils considéraient comme important. Je voulais rendre publics des détails sur l'emploi politique du F.B.I. par Lyndon Johnson. Il avait disposé de trente agents du F.B.I. à la Convention démocrate pour enregistrer les débats et surveiller les écoutes de Martin Luther King. Le Parti Démocratique de la Liberté du Mississippi, un groupe qui risquait de lui poser un problème politique, fut écouté, et les rapports étaient transmis directement à la Maison Blanche. Le secrétaire de presse du Président avait demandé un contrôle nominatif des partisans de Goldwater. Son Attorney général avait autorisé l'écoute d'un auteur qui écrivait un livre sur Marilyn Monroe et Bobby Kennedy. Le collaborateur de Hoover, William Sullivan, avait écrit : « Autant que je sache, les deux gouvernements qui se sont le plus servi du F.B.I. dans des desseins politiques ont été ceux de Roosevelt et de Johnson. Une coopération complète et consentante leur avait été accordée. » Je voulais que l'on dévoilât tout sur les Démocrates. Mon Cabinet me résista, et pendant plusieurs semaines, nous en discutâmes dans tous les sens. Je me sentais comme un lutteur auquel on aurait lié une main dans le dos : la plupart de mes conseillers soutenaient que si je révélais les activités de mes prédécesseurs, je semblerais vouloir détourner l'attention en salissant d'autres personnes. Mais si je ne le faisais pas, je craignais d'apparaître comme ayant délibérément rompu avec la pratique ancienne, je serais condamné pour l'utilisation légale et légitime des mêmes tactiques que mes prédécesseurs avaient utilisées non seulement d'une manière plus étendue, mais aussi pour des desseins ouvertement politiques. On me persuada enfin et je ne fis rien.

Si la réaction publique à ma déclaration du 22 mai fut négative, celle des correspondants aux conférences de presse fut presque violente. Len Garment aidait Ziegler, et les reporters les interrompaient constamment, en criant et en ricanant.

Quand l'été arriva, la Maison Blanche et l'organisation de ma campagne électorale étaient soumises aux enquêtes du F.B.I., de la commission Ervin et de quatre autres commissions parlementaires, du bureau de la comptabilité générale, d'une commission de la Chambre, de quatre grands jurys à Los Angeles, New York, en Floride et au Texas, et du bureau du procureur à Miami. Plus d'une douzaine de procès étaient en cours. Nous avions maintenant un procureur spécial, Archibald Cox, dont la seule responsabilité était l'enquête sur le Watergate.

La commission Ervin disposait d'un effectif de 92 personnes. Le procureur spécial, de 80. Nous avions moins de dix personnes : Fred Buzhardt et Len Garment qui supportaient à plein temps le gros du travail; Charles Alan Wright, un universitaire distingué, spécialiste du droit constitutionnel de la faculté de Droit de l'Université du Texas, qui nous aidait à temps partiel, et de jeunes juristes pour les épauler. En comparaison des forces coalisées contre nous, nous étions une équipe de lycéens en course pour le championnat du monde.

Fin mai, il apparut clairement que les efforts de Dean pour obtenir l'immunité du Ministère public avaient échoué. Tout ce qui lui restait à faire était d'insister plus énergiquement pour obtenir l'immunité devant le Sénat, en espérant que sa déposition devant la commission Ervin renouvellerait en sa faveur des pressions qui obligeraient le Département de la Justice à reconsidérer sa décision.

Le dimanche matin, 3 juin, apparurent en première page du *New York Times* et du *Washington Post* de gros titres : « *Dean va parler de quarante entretiens avec Nixon en 1973* » et « *Dean prétend que Nixon était au courant du projet d'étouffement* ». Je lus rapidement l'article du *Post*. Il commençait ainsi : « Selon des sources dignes de confiance, l'ancien conseiller du Président, John W. Dean, a déclaré à des enquêteurs du Sénat et aux procureurs fédéraux qu'il avait discuté de l'étouffement du Watergate avec le Président Nixon ou en sa présence, au moins en trente-cinq occasions entre janvier et avril. » L'article du *Times* rapportait de manière similaire que Dean avait dit n'avoir rencontré seul ou en petits groupes plus de quarante fois entre janvier et avril. Au cours de ces entretiens, j'avais manifesté « un grand intérêt » à m'assurer que « l'on prenait soin » des choses.

Je continuai à lire le *Post* et je ressentis une certaine appréhension en arrivant à une autre partie de l'article. « L'une des plus graves accusations » selon le *Post,* était l'affirmation de Dean selon laquelle, en mars 1973, peu avant la condamnation des auteurs de l'effraction du Watergate, je l'avais vu pour lui demander combien il faudrait payer les accusés pour s'assurer de leur silence complet. Dean affirmait qu'il m'avait répondu que les frais supplémentaires s'élèveraient à environ un million de dollars, à quoi j'aurais répliqué qu'il n'y aurait aucune difficulté à payer ce montant. Dean soutenait qu'après le 1er janvier, j'avais commencé à l'appeler personnellement pour m'enquérir de l'état de l'étouffement. Le 21 mars, continuait-il, il m'avait prévenu que « pour sauver la Présidence », il serait nécessaire que Haldeman, Ehrlichman et lui-même révèlent pleinement leur participation à l'affaire du Watergate. Après cette conversation, je me serais entretenu avec Haldeman et Ehrlichman, puis je lui aurais dit que je ne tolérerais aucune division dans les rangs de la Maison Blanche, et je l'aurais averti qu'il se retrouverait seul s'il allait voir les procureurs.

Je me sentis fatigué, épuisé, et soumis à une pression intolérable. Je demandai à Haig si je ne devais pas démissionner. Sa réponse fut un non vigoureux, et il m'encouragea à m'armer de courage, prendre le temps et faire l'effort nécessaires pour écouter l'enregistrement de mes entretiens avec Dean, et construire sur cette base une défense inébranlable. J'acceptai de voir ce que nous pourrions faire à cet égard, et Haig dit qu'il prendrait les dispositions nécessaires.

Un contrôle de mon emploi du temps montrait que j'avais vu Dean vingt et une fois, et fait ou reçu de lui treize appels téléphoniques entre le 27 février et avril 1973. Sauf en ce qui concerne la conversation du 21 mars, je ne me souvenais que peu ou pas du tout de tout le reste. En examinant cette liste, j'eus un sentiment de malaise en me demandant de quoi nous avions bien pu parler au cours de nos conversations.

Ce fut le lundi 4 juin que j'entendis pour la première fois un des enregistrements. Steve Bull apporta un magnétophone à mon bureau de l'Executive Office Building, et y introduisit la première bande pour moi. Je mis les écouteurs, et j'appuyai sur le bouton. Le rouleau commença de se dévider. Des sons naissaient et s'éteignaient; des voix se chevauchaient. Progressivement, à mesure que mes oreilles s'habituaient, je comprenais de mieux en mieux. J'écoutai, conversation après conversation, celles de février et de mars, jusqu'à celle du 21 mars comprise. A la fin de la journée, j'étais à la fois épuisé et soulagé.

Je savais qu'il y aurait des difficultés, mais j'étais sûr de pouvoir les expliquer. J'avais dit que je n'avais rien su de l'étouffement avant le 21 mars, et les enregistrements montraient qu'avant cette date, nous avions parlé du Watergate, de la commission Ervin, du privilège de l'Exécutif, de représailles politiques contre les Démocrates, comme de problèmes purement politiques. Dean m'avait dit que personne dans la Maison

Blanche n'était impliqué dans l'effraction. Il m'avait réaffirmé que, du point de vue de la Maison Blanche, le Watergate et Segretti n'étaient pas aussi mauvais que l'on voulait bien le représenter. Il était convenu avec moi que lui-même n'avait rien eu à voir avec ma campagne électorale. Et il ne m'avait certainement pas révélé avant le 21 mars son rôle propre dans l'étouffement.

J'appelai Haig et Ziegler pour leur faire part des bonnes nouvelles; je pensais que les enregistrements prouvaient que Dean avait menti. Car, un moment après avoir lu tous les articles des journaux, je m'étais demandé avec inquiétude si, peut-être, Dean et moi, nous n'avions pas réellement parlé de l'étouffement de l'affaire. Mais maintenant que j'avais passé les enregistrements en revue, je dis à Ziegler que je me sentais très soulagé. « Réellement, ce sacré dossier n'est pas si mauvais, n'est-ce pas? » dis-je presque joyeusement.

Le jour qui était fixé pour le début des dépositions de John Dean était celui où Leonid Brejnev devait arriver à Washington pour commencer le deuxième sommet américano-soviétique. A la dernière minute, Ervin « avec quelque hésitation », comme il le dit lui-même, remit d'une semaine la comparution de Dean, soit après la fin du sommet.

LA SECONDE RENCONTRE AU SOMMET

Au début du printemps 1973, les Soviétiques semblaient se diriger à fond vers la poursuite de la détente. Selon les correspondances de presse et les renseignements, Brejnev avait purgé sans bruit le Politburo, pour se débarrasser, semble-t-il, des récalcitrants, opposés à la détente. En février, il m'écrivit une lettre esquissant ce qu'il attendait d'une conférence au sommet, disant qu'il était impatient de signer un traité sur le non-emploi des armes nucléaires, de discuter utilement du Moyen-Orient, de mettre au point un nouvel accord S.A.L.T., de signer des accords économiques et commerciaux et des accords de coopération scientifique, technique, sanitaire et sur l'usage pacifique de l'énergie nucléaire, de discuter des relations entre les deux Allemagnes, et de parler avec moi de la sécurité européenne et d'une rédaction mutuelle et équilibrée des forces en Europe. Des progrès considérables avaient déjà été accomplis sur la base des accords de coopération dans l'économie et les autres domaines non militaires que nous avions conclus à Moscou en 1972. Les perspectives d'un sommet fructueux paraissaient bonnes.

Mais des problèmes commençaient à se poser à l'intérieur; même à part Watergate, pendant l'année écoulée entre le premier et le second sommet, des forces politiques diamétralement opposées avaient fusionné dans une étrange coalition. Kissinger la décrivit par la suite comme une conjoncture exceptionnelle, en quelque sorte une éclipse de soleil. Les libéraux et les sionistes américains avaient d'une part décidé qu'il était temps de s'en prendre à la politique restrictive d'émigration de l'Union Soviétique, surtout en ce qui concerne les Juifs soviétiques. D'autre part, les conservateurs étaient traditionnellement opposés à la détente, parce qu'elle menaçait leur hostilité idéologique à tout contact avec les pays communistes. Lorsqu'en avril 1973 je demandai l'accord du Congrès pour accorder à l'Union Soviétique la clause de la nation la plus favorisée, cette question devint le point de ralliement des deux groupes : les libéraux ne voulaient accepter l'octroi de cette clause que si la politique d'émigration s'humanisait; les conservateurs n'en voulaient à aucun prix parce que, pour eux, la détente était une mauvaise chose.

Je n'ai jamais nourri la moindre illusion sur le caractère brutalement répressif de la société soviétique. Mais je savais que plus nous exercerions une pression publique sur les dirigeants soviétiques, plus ils deviendraient intransigeants. Je savais aussi qu'il était tout à fait irréaliste de croire que le système soviétique pourrait subir un changement fondamental parce que nous refuserions de lui appliquer la clause de la nation la plus favorisée.

A mon avis, nous pouvions agir beaucoup plus efficacement en faveur de l'émigration juive en en parlant avec les Soviétiques qu'en ne leur en parlant pas. Comme je le dis à un groupe de dirigeants juifs d'Amérique : « Les murs du Kremlin sont très épais. Si vous êtes à l'intérieur, il y a une chance qu'ils vous écoutent; si vous êtes dehors, ils ne vous entendront même pas. » C'est l'approche que nous avions choisie. Sans contester publiquement l'affirmation soviétique que ces questions relevaient du domaine de la politique intérieure soviétique, nous les posions tout de même, Kissinger et moi, de manière officieuse à Brejnev, Gromyko et Dobrynine. Nous avions obtenu des résultats. En mars 1973, Dobrynine fit savoir à Kissinger que la lourde taxe de sortie versée par ceux qui voulaient s'en aller avait été supprimée — cette taxe était censée représenter le remboursement des frais d'éducation. Ce n'était plus qu'un droit purement nominal qui était exigé des candidats à l'émigration vers Israël. Et cette attitude serait maintenue à l'avenir. Brejnev m'envoya une note assurant que 95,5 % des demandes de visas d'émigration vers Israël avaient été satisfaites en 1972. Que cette affirmation ait été ou non exagérée, les statistiques fournissent la preuve d'un indiscutable succès : de 1968 à 1971, pas plus de quinze mille Juifs avaient été autorisés à émigrer. En 1971 seulement, le nombre saute à 31 400. En 1973, dernière année complète de ma présidence, presque 35 000 Juifs furent autorisés à partir : ce chiffre n'a pas encore été dépassé.

Le 11 décembre 1973, la Chambre des Représentants adoptait une proposition qui avait pour effet d'interdire l'application de la clause de la nation la plus favorisée à l'Union Soviétique en raison de sa politique d'émigration restrictive. Je vis Dobrynine le 26 décembre et je lui dis le profond mépris que m'inspirait l'alliance qui avait été combinée pour faire échouer mon projet. Mais nous ne devions pas laisser des échecs temporaires, si décourageants qu'ils fussent, empoisonner ou gêner les relations des deux superpuissances qui tenaient encore l'avenir du monde entre leurs mains. Finalement, l'initiative du Congrès eut, malheureusement mais comme il était prévisible, un effet exactement contraire à celui qui avait été recherché : le nombre de Juifs autorisés à émigrer descendit de 35 000 en 1973 à 13 000 en 1975.

L'avion de Brejnev atterrit à la base d'Andrews dans l'après-midi du 16 juin. Nous avons décidé de ne pas commencer la conférence officiellement avant le lundi. Aussi suis-je allé en Floride pour le week-end. Je l'appelle de Key Biscayne peu après son arrivée à Camp David, où il doit passer deux jours à se reposer et à s'ajuster au décalage horaire entre Washington et Moscou. Je ne l'ai jamais entendu aussi amical et naturel qu'il le fut au téléphone cet après-midi-là. Je dis que je voulais lui souhaiter la bienvenue aux Etats-Unis. Même avant que Dobrynine, qui était sur un autre poste comme interprète, ait pu faire la traduction, Brejnev dit à trois ou quatre fois : *Thank you* en anglais.

Je lui conseille de bien se reposer, car je sais par expérience qu'il faut quelque temps pour se remettre du retard horaire des avions à réaction. Il me remercie d'avoir mis, avec tant de prévenance, à sa disposition un endroit aussi tranquille et confortable que Camp David. Il regrette que sa femme n'ait pu l'accompagner. Je dis que nous serons heureux, Pat et moi, de l'accueillir lorsqu'elle l'accompagnera dans deux ans pour la quatrième conférence au sommet qui doit avoir lieu en Amérique. Au moins en ce qui concerne l'atmosphère, le sommet n° 2 était bien parti.

Les Soviétiques étaient parfaitement au courant de Watergate, mais ils n'essayaient guère de cacher qu'ils n'y comprenaient pas grand-chose. Dobrynine dit à Kissinger qu'il était tout à fait déconcerté par la façon d'agir des Américains dans toute cette affaire. C'était un beau gâchis, disait-il : aucun autre pays ne se permettrait de se déchirer ainsi en public.

Le témoignage de Dean devant la Commission Ervin avait été remis après le départ de Brejnev, mais la propagande faite autour des fuites et des accusations provenant de Dean et de ses complices anonymes et de diverses sources anonymes de la Commission Ervin ne cessait pas. Le jour de l'arrivée de Brejnev, le *Washington Post* publia en première page un article révélant que, selon certaines « sources », j'allais abandonner à leur sort Ehrlichman et Haldeman dans un dernier effort pour me sauver. L'histoire était toute inventée, mais sans doute plus que d'autres elle contribua à donner l'impression que la Maison Blanche de Nixon était un centre de cynisme pervers et que j'étais disposé à livrer mes collaborateurs les plus proches pour sauver ma peau. Le démenti que nous opposâmes à cette fabrication fut relégué à la cinquième page du numéro du lendemain. Archibald Cox choisit également le jour de l'arrivée de Brejnev pour tenir une conférence de presse, au cours de laquelle il affirma, en réponse à la question d'un journaliste, qu'il était en train d'étudier s'il pouvait ou non m'inculper avant que l' « impeachment » ait été déclarée. Il se hâta d'ajouter que, naturellement, une étude de ce genre était purement théorique.

Juste avant onze heures, le lundi matin, la voiture de Brejnev arrivait par la courbe qui conduit au portique sud de la Maison Blanche. Mon allocution d'accueil fut chaleureuse : « Les espoirs du monde reposent sur nous en ce moment, et sur les entretiens que nous allons avoir. » Sa réponse fut tout aussi cordiale : « Moi et mes collègues qui sont venus avec moi, nous sommes préparés à travailler avec énergie pour faire en sorte que nos entretiens (...) justifient les espoirs de nos peuples et servent les intérêts d'un avenir pacifique de l'humanité. »

Après ces brefs discours, nous traversâmes la prairie mouillée de pluie pour passer en revue la garde d'honneur. Nous étions passés devant le premier rang des troupes et étions sur le point de voir le deuxième rang lorsque Brejnev ne put plus contenir sa vivacité et sa jovialité. Il fit de grands signes des bras aux spectateurs qui applaudissaient et agitaient des drapeaux américains et soviétiques. Il se dirigea vers eux, tout comme un homme politique américain l'aurait fait pour travailler la foule lors d'un comice agricole. Il serra la main de plusieurs d'entre eux et souriait largement, jusqu'à ce que je lui rappelle que la cérémonie n'était pas terminée. En revenant vers le portique sud, il mit son bras sur mes épaules : « Vous voyez, fit-il : nous faisons déjà des progrès. »

Notre premier entretien dans le Bureau Ovale est secret. Seul Viktor Sukhodrev y assiste en tant qu'interprète, comme en 1972. Brejnev commence par m'assurer qu'il parle au nom de tout le Politburo. Je réponds que malgré les difficultés intérieures, je parle au nom de la majorité des Américains. Il approuve d'un vigoureux hochement de tête.

Nous passons en revue le programme général et l'agenda des jours suivants. Il s'anime à mesure que nous parlons. Plusieurs fois, il prend mon bras et le serre pour insister sur la question dont il parle. Je ne peux m'empêcher de penser que la dernière fois que cette diplomatie « tactile » a été employée dans la même pièce, ç'a été par Lyndon Johnson.

Brejnev devient très sérieux en expliquant ses vues sur les rapports des deux pays. Il dit : « Nous savons qu'en ce qui concerne la puissance et l'influence, il n'y a que deux nations au monde qui comptent réellement, l'Union Soviétique et les Etats-Unis. Quoi que nous décidions entre nous, les autres nations du monde auront à s'y conformer, même si elles ne sont pas d'accord. » Bien qu'il n'ait pas mentionné la Chine, il est clair qu'il veut que ce sommet démontre que les rapports Etats-Unis/ Union Soviétique étaient plus importants que les rapports Etats-Unis/Chine, et que si nous devions choisir entre les deux, nos liens avec l'Union Soviétique prévaudraient.

Je réponds que, tout en reconnaissant la réalité de notre supériorité en tant que superpuissances nucléaires, nous avons tous deux des alliés. « Ce sont des peuples fiers, dis-je, et nous ne devons jamais agir d'une manière qui paraisse négliger leurs intérêts. »

A 12 h 30, notre entretien privé prend fin, et les autres participants entrent. Brejnev cite un proverbe russe qu'il invoquera plusieurs fois au cours de sa visite. « La vie est toujours le meilleur maître. La vie nous a conduit à la conclusion que nous devons établir de meilleurs rapports entre nos pays. » Il se tourne vers les autres personnes présentes pour leur annoncer qu'il m'a déjà invité à revenir en Russie en 1974 et que j'ai accepté son invitation.

Je me souviens de 1959, quand j'étais assis dans la même pièce pour la première rencontre d'Eisenhower et de Khrouchtchev. Ce dernier savait qu'il parlait à partir d'une position de faiblesse et pensait qu'il lui fallait prendre une attitude très agressive et fanfaronne. Depuis, un équilibre des puissances relatif s'était établi, surtout lorsque avait été comblée la lacune dans le domaine décisif du développement et des possibilités nucléaires. Brejnev pouvait se permettre de parler plus calmement. En 1973, l'avance des Etats-Unis était encore sensible, mais Brejnev pouvait plaisanter, rire, et passer du grave au cordial, en raison de la confiance qui lui donnait la possession de très bonnes cartes.

Ce soir-là, il y eut un grand dîner officiel à la Maison Blanche. Lui et moi, nous recevions les hôtes qui défilaient dans la Chambre bleue;

il était visiblement impressionné et quelque peu surpris par la grande variété des personnalités de la politique, des affaires et du travail, dont beaucoup étaient opposées au point de vue politique, mais qui s'étaient rassemblées sous le toit du Président pour rencontrer le chef soviétique. Cela me rappelait à quel point les Russes sont encore isolés par l'histoire et la géographie aussi bien que par leur idéologie communiste. Brejnev me demanda plusieurs fois : « Sont-ils tous partisans de la nouvelle initiative américano-soviétique? » Mon toast lui répondit : « Non seulement dans cette pièce, mais dans tout le pays, quelle que soit l'organisation à laquelle ils appartiennent, l'énorme majorité des Américains appuient le principe de l'amitié américano-soviétique. »

Nos premiers entretiens avec Brejnev offrirent peu de surprises. Il exprima sa déception de constater que nous n'avions pas été en mesure d'accorder à son pays la clause de la nation la plus favorisée, mais il comprenait que la faute en revenait au Congrès, hors de mes pouvoirs. Les Soviétiques n'étaient pas disposés à admettre des limitations sur la production de leurs missiles à têtes multiples; c'est pourquoi il refusait absolument l'extension des accords S.A.L.T. au cours du présent sommet. Il céda cependant, mais à regret, devant mon insistance, en acceptant de fixer à la fin de 1974 au lieu de 1975 la date limite de conclusion d'un accord S.A.L.T. permanent.

Lors des cérémonies officielles, le comportement de Brejnev demeure très animé. Il éprouve visiblement du plaisir aux attentions dont il est l'objet, et en acteur consommé il sait occuper le centre de la scène. Lors d'une cérémonie de signature, il boit à l'événement avec tant d'énergie qu'il répand du champagne sur son veston, et se cache la figure dans son mouchoir, en exagérant tout exprès sa confusion. A une autre signature, il mime une course avec moi pour voir qui finira le premier à signer les différents documents.

Le mardi soir, nous faisons une promenade en mer à bord du *Sequoia,* puis, par hélicoptère, nous nous rendons à Camp David pour y continuer nos discussions. Je lui fais cadeau d'un blouson portant le sceau présidentiel d'un côté et « Leonid I. Brejnev » de l'autre. Il en fut ravi et le porta souvent pendant son séjour, y compris devant les photographes de presse... Je lui remets également le cadeau officiel commémorant sa visite en Amérique : une voiture Lincoln bleu foncé offerte par le constructeur. Elle est capitonnée de velours noir, et le tableau de bord porte en lettres gravées : « Meilleurs vœux et compliments. » Brejnev, qui collectionne les voitures de luxe, n'essaie pas de dissimuler sa satisfaction. Il veut l'essayer immédiatement. Il se met au volant avec enthousiasme et me fait signe de prendre place. Le chef de mon Service de sécurité pâlit lorsque je monte dans la voiture et que Brejnev se met à dévaler l'une des routes étroites qui suit le pourtour de Camp David. Brejnev est habitué à la conduite sans obstacles sur les avenues centrales des grandes artères de Moscou, et je ne peux qu'imaginer ce qui se passerait si une jeep du Service de sécurité ou de la Marine surgissait subitement à un tournant sur cette route à une seule voie!...

Sur le parcours, il y a une pente très rapide avec un signal : « Lentement, virage dangereux. » Même lorsque je conduis ma petite voiture pour terrain de golf, je dois freiner pour éviter de sortir de la route au tournant aigu qui se trouvait en bas de pente. Brejnev fait plus de quatre-vingts kilomètres à l'heure lorsque nous approchons de la descente. Je lui touche le bras et le supplie : « Ralentissez, ralentissez! » Mais il n'en tient aucun compte. En bas, les freins gémissent à grand bruit lorsqu'il les bloque avec violence pour prendre le virage. Après notre promenade, il me dit :

« C'est une très bonne voiture. Elle tient fort bien la route.

— C'est que vous êtes un excellent conducteur! Jamais je n'aurais été capable de réussir à prendre ce tournant à la vitesse à laquelle nous roulions... »

La diplomatie n'est pas toujours chose aisée.

Nos entretiens de Camp David comprenaient de longues séances sur S.A.L.T., la sécurité européenne, et la réduction mutuelle et équilibrée des forces, en ce qui concerne les pays de l'O.T.A.N. et du pacte de Varsovie.

Le sujet le plus difficile et le plus significatif que nous ayons eu à négocier au sommet n° 2 avait trait au projet d'accord pour la prévention de la guerre nucléaire. Lors des contacts préliminaires, Brejnev avait fortement insisté pour que nous acceptions un traité de renonciation à l'emploi des armes nucléaires. Mais Kissinger et moi, nous avions compris que l'effet pratique d'un tel traité aurait été de nous empêcher d'employer des armes nucléaires pour la défense de nos alliés ou de nos intérêts vitaux, ou tout au moins de nous faire hésiter beaucoup. En fait, nous pensions qu'une des raisons essentielles de Brejnev dans ce projet de traité était qu'il nous soupçonnait d'être sur le point de conclure un accord militaire avec Pékin. Dans son idée, une renonciation à l'emploi des armes nucléaires aurait compromis l'utilité de notre appui aux Chinois au cas d'une guerre sino-soviétique. Mais un traité, tel qu'il le voulait, aurait eu des effets désastreux chez nos alliés de l'O.T.A.N. en Europe et dans les pays comme Israël et le Japon qui dépendaient de notre protection nucléaire contre la menace d'une attaque soviétique.

En mai, Kissinger avait rédigé une formule qui satisfaisait en partie la proposition soviétique sans sacrifier nos alliés ou les autres nations qui feraient appel à nous si elles faisaient l'objet d'une attaque soviétique. Plutôt qu'une renonciation aux armes nucléaires en cas de guerre, Kissinger proposait que nous renoncions tous deux à employer la force, non seulement entre nous, mais aussi entre nous et les puissances tierces, et que nous acceptions de nous consulter au cas où le danger d'emploi des armes nucléaires paraîtrait imminent. Je savais que cette formule ne pouvait satisfaire pleinement Brejnev, car elle n'empêchait pas une évolution future de nos relations avec Pékin. Mais c'était mieux que rien, et il accepta. L'accord fut signé le vendredi 22 juin dans la Chambre de l'Est à la Maison Blanche.

Le même après-midi, nous volons vers la Californie. En passant au-dessus du Grand Cañon au coucher du soleil, l'*Air Force One* décrit une courbe à faible altitude pour permettre à notre hôte de voir les admirables jeux de lumière et d'ombre sur les murs du Cañon. « J'ai déjà vu beaucoup d'images de cet endroit dans des films d'actualités ou de cowboys, dit Brejnev.

— Oui, répondis-je, John Wayne... »

Soudain, il saute hors de son siège, arrondit ses épaules, met les mains aux hanches et tire deux pistolets imaginaires d'étuis, on s'en serait douté, également imaginaires...

Sur le court trajet en hélicoptère d'El Toro à San Clemente, je place Brejnev près de la fenêtre, pour qu'il puisse bien voir le réseau d'autoroutes et le paysage de banlieue au-dessous de nous. Mon sentiment est qu'il est impressionné par la quantité des voitures sur les routes et le grand nombre de maisons individuelles. Je lui dis que certaines de ces maisons du front de mer sont la propriété de personnes fortunées, mais que la plupart des autres appartiennent à des gens qui travaillent dans les usines ou les bureaux, et qu'elles sont typiques de ce qu'il verrait s'il avait le temps de voyager dans d'autres parties du pays.

C'est par un beau soir d'été que nous arrivons à San Clemente. J'emmène donc Brejnev en promenade dans ma voiture de golf. Nous avions proposé qu'il séjourne dans la grande maison du Commandant de la base navale du Camp Pendleton, mais il insiste pour demeurer chez nous. Je pense qu'il entend par là mettre l'accent sur nos relations personnelles. Notre maison à San Clemente est très belle, mais elle est petite si l'on tient compte des habitudes des dirigeants soviétiques qui disposent des datchas et villas des nobles du temps des tsars. En outre, elle n'est pas du tout équipée pour recevoir des hôtes officiels. Les seules chambres inoccupées étaient celles de Julie et de Tricia. Comme celle de Tricia avait été récemment retapissée, nous y logeons Brejnev. La pièce n'a qu'à peu près trois mètres cinquante sur cinq, et Tricia a choisi un papier mural avec un grand motif à fleurs dans les tons bleu et lavande. C'est amusant de s'imaginer cette espèce de grand ours de Brejnev blotti dans un décor aussi féminin, aussi intimiste...

Pendant nos conversations de Washington à Camp David, Brejnev avait été très discret sur la Chine. Dans mon bureau à San Clemente, cependant il en parla pendant plusieurs minutes avec une inquiétude mal dissimulée. Il craignait encore, semble-t-il, que nous envisagions quelque accord militaire secret, peut-être un traité de défense mutuelle avec les Chinois.

Je l'assurai que tout en poursuivant notre politique de communication avec la Chine, nous ne ferions jamais avec la Chine ou le Japon aucun arrangement qui ne serait pas conforme à l'esprit de l'accord sur la prévention de la guerre nucléaire que nous venions de signer à Washington. Je savais que ce n'était pas cela qu'il attendait de moi, mais je ne pouvais me permettre d'accepter, dans mes relations, l'obligation de le tenir au courant de toutes nos tractations avec les Chinois.

Je lui dis que je ne croyais pas que son inquiétude concernant les Chinois était justifiée. Il me demanda pourquoi et je lui répondis que ce jugement n'était pas fondé sur les conversations que j'avais eues avec les dirigeants chinois, mais sur les réalités de la puissance militaire. Je pensais qu'il faudrait au moins vingt ans aux Chinois avant qu'ils pussent acquérir des moyens ntcléaires suffisants pour prendre le risque d'une agression contre l'Union Soviétique ou toute autre puissance nucléaire majeure.

Brejnev dit qu'il n'était pas d'accord sur ce point.

« Dans combien de temps, la Chine pourra-t-elle, à votre avis, devenir une puissance nucléaire majeure? »

Il leva ses deux mains. Je crus d'abord qu'il faisait un signe d'ignorance, mais il tendit les doigts :

« Dix ans, dans dix ans ils auront des armes égales à celles que nous avons aujourd'hui. Nous aurons alors accompli de nouveaux progrès, mais nous devons leur faire comprendre que cela ne peut pas continuer indéfiniment. En 1963, pendant le congrès du Parti, je me souviens que Mao a dit : « 400 millions de Chinois mourront, il en restera 300 millions. » Telle est la psychologie de cet homme. »

Brejnev me donna l'impression qu'il ne s'attendait à aucun changement dans la politique chinoise, même après la mort de Mao : il était certain que toute l'équipe dirigeante chinoise était agressive d'instinct.

Je dirigeai la conversation sur le Cambodge, un sujet que j'avais déjà plusieurs fois abordé pendant nos entretiens. Je soulignai que le renouveau d'activité militaire des Vietnamiens du Nord constituait une grave menace pour la paix mondiale. « Si cela continue, dis-je, la réaction de beaucoup de gens de ce pays sera de penser que ce sont des armes soviétiques qui l'ont rendue possible. » Brejnev s'agita dans son fauteuil et nia avec force qu'aucun équipement militaire soviétique nouveau eût été envoyé au Vietnam. Il dit que l'Union Soviétique était à 100 % en faveur d'une fin des hostilités au Cambodge et au Laos, et il me promit de parler énergiquement aux Vietnamiens du Nord. En ce qui concerne les nouvelles armes apparues dans la région, Brejnev pensait que c'étaient les Chinois qui, non seulement les avaient fournies, mais encore avaient répandu le faux bruit qu'elles provenaient des Soviétiques.

A la fin de l'entretien, Brejnev insista, aussi diplomatiquement que son inquiétude visiblement forte le lui permettait, pour nous détourner de conclure un accord militaire avec la Chine. L'Union Soviétique s'était abstenue de soulever la question en 1972, mais il était maintenant inquiet pour l'avenir. Il affirma que l'Union Soviétique n'avait pas l'intention d'attaquer la Chine. Mais si la Chine concluait un accord avec les Etats-Unis, dit-il, « cela compliquerait singulièrement le problème ».

Des rigueurs idéologiques du différend sino-soviétique, nous passons à un cocktail donné près de la piscine. La liste des invités ressemble au Bottin mondain d'Hollywood, et nous avons formé une ligne d'accueil afin que Brejnev ait une chance de parler avec chacun. Tandis qu'un orchestre mariachi fait résonner le crépuscule de sa musique alerte, Brejnev salue cordialement chaque invité, et, à plusieurs reprises, il témoigne d'une connaissance des films anciens telle que l'on peut en conclure, ou qu'il est fort bien documenté, ou qu'il a passé de nombreuses heures dans les salons de projection privée du Kremlin.

« Il y a parmi les invités, dis-je dans mon allocution, beaucoup de cowboys et de stars de cinéma, mais je pense vous assurer qu'ils ont laissé pistolets et étuis au vestiaire. » Sa réponse est un très aimable petit discours : « Je suis ici dans la maison du Président et de Madame Nixon, et je me sens heureux. »

Après la réception, nous lui donnâmes un dîner intime. Il n'y a que dix places dans notre salle à manger, et le dîner fut, à dessein, sans aucune cérémonie afin qu'il se sentît comme chez lui. Je rappelai, en lui portant un toast à sa santé, que, selon ses confidences, il mangeait généralement très peu aux grands dîners officiels et rentrait chez lui pour souper avec sa femme, une excellente cuisinière. Ce dîner intime chez nous était plus significatif que les banquets officiels et cérémonieux auxquels nous devions si souvent prendre part. Il était le premier visiteur étranger qui eût jamais séjourné avec nous dans notre maison; il dormait dans la chambre de Tricia tandis que Dobrynine et Gromyko se partageaient la petite maison d'invités qu'occupaient David et Julie lorsqu'ils venaient nous voir. « Vous le voyez, Monsieur le Secrétaire Général : ceci n'est pas une grande maison. En telle occasion, nos pensées se détournent des affaires publiques pour se diriger vers nos familles et ceux que nous aimons, où qu'ils puissent être. » Et j'ajoutai : « Je veux que nos enfants grandissent dans un monde pacifique, et, j'en suis certain, vous désirez la même chose pour vos enfants et vos petits-enfants. Nos entretiens de l'an dernier et de cette année contribuent à atteindre ce but. Je ne souhaite qu'une chose : que les Russes et les Américains des générations à venir puissent se rencontrer de même que nous le faisons, comme amis, en raison de nos sentiments d'affection les uns pour les autres, et non plus seulement dans des réunions officielles provoquées par la nécessité de régler les différends qui pourraient exister entre nos pays. C'est pourquoi je lève mon verre, non seulement à votre santé et à celle des autres invités, mais, plus encore, à la santé de Madame Brejnev, de vos enfants et des nôtres, et de tous les enfants du monde qui, nous en sommes sûrs, jouiront d'un avenir plus heureux et pacifique grâce à ce que nous avons fait. »

Pendant la traduction de mon toast, les yeux de Brejnev se remplissent de larmes. Impulsivement il se lève de table et vient vers moi. Je fais de même. Il me donne une forte accolade, me serrant dans ses bras, et porte avec éloquence un toast à la santé de Pat, de nos enfants et de tous les enfants du monde.

Après dîner, il demande aux invités de nous excuser pour un moment. Il nous prend alors, Pat et moi, à l'écart, et dit : « Nous avons déjà échangé des cadeaux officiels, mais j'ai apporté quelque chose qui est pour vous et Madame Nixon personnellement. » Il donne à Pat une écharpe qui a été tissée à la main par les artisans d'un village. « C'est un cadeau modeste, nous fait-il remarquer; mais chaque point de ce morceau d'étoffe représente l'affection et l'amitié que le peuple de l'Union Soviétique a pour le peuple des Etats-Unis et que Madame Brejnev et moi nous avons pour vous et le Président Nixon. » Et une fois de plus, les larmes lui montrent aux yeux.

Après ce dîner plutôt émouvant, Brejnev dit qu'il est fatigué, en raison du décalage horaire de trois heures entre Washington et San Clemente, et qu'il désire se coucher de bonne heure. Je l'accompagne jusqu'à la chambre de Tricia et je lui souhaite une bonne nuit. J'avais décidé moi aussi de me coucher tôt, et j'étais en train de lire en pyjama dans mon lit lorsqu'à 10 h 30 on frappe à ma porte. C'est un agent du Service de sécurité avec un message de Kissinger : les Russes veulent nous parler.

Je demande à Manolo d'allumer un feu dans mon studio à l'étage, et j'ai juste fini de m'habiller quand Kissinger entre :

« Que se passe-t-il donc? me demande-t-il.

— Il dit qu'il veut nous parler.

— Est-ce parce qu'il ne peut dormir, ou y a-t-il quelque astuce là-dessous?

— Sait-on jamais avec eux? »

Nous pénétrons dans le studio, où Brejnev, Dobrynine et Gromyko viennent bientôt nous rejoindre.

« Je ne pouvais pas m'endormir, Monsieur le Président, dit Brejnev avec un large sourire, comme pour s'excuser de me déranger à cette heure.

— Vous ne me dérangez pas le moins du monde, répondis-je en me mettant dans mon fauteuil. Et de plus, c'est une bonne occasion pour nous de parler à cœur ouvert. »

Nous eûmes au cours des trois heures suivantes une séance qui rivalisa, en intensité émotionnelle, avec celle de la datcha sur le Vietnam au cours du sommet n° 1. Cette fois-ci, il s'agissait du Moyen-Orient. Brejnev voulait me contraindre à imposer à Israël un règlement fondé sur les conditions arabes. Il ne cessa d'enfoncer le clou de ce qu'il décrivait comme la nécessité d'un accord à deux, ne serait-ce qu'un accord secret, sur une série de principes pour imposer un règlement au Moyen-Orient. Comme exemples de ces principes, il citait le retrait des troupes israéliennes de tous les territoires occupés, la reconnaissance des frontières nationales, le libre passage des bateaux à travers le Canal de Suez et des garanties internationales pour le règlement.

Je déclarais que je ne pouvais adhérer en aucune façon à aucun de ces principes sans préjuger des droits d'Israël. La chose importante était de faire démarrer les négociations entre Arabes et Israéliens. Si nous fixions à l'avance des principes controversés, les deux parties refuseraient de parler et, dans ce cas, les principes n'atteindraient pas le but recherché.

Brejnev était brutal et intransigeant; s'il n'obtenait pas de moi un accord, au moins officieux, sur ces principes, il sortirait les mains vides de cette rencontre au sommet. Il insinua même qu'à défaut d'un tel accord de principe, il ne pouvait pas garantir que la guerre ne reprendrait pas.

A un moment, il fit semblant de regarder sa montre; et, le front soucieux : « Peut-être suis-je en train de vous fatiguer, dit-il; mais nous devons absolument arriver à une entente. »

Aussi fermement qu'il me demandait un accord sur ces principes (en fait il demandait que nous imposions ensemble un règlement qui aurait favorisé largement les Arabes), aussi fermement je le lui refusai, répétant que ce qui importait c'était de faire démarrer les négociations entre les parties elles-mêmes.

Cette exaspérante séance de minuit était comme un mémento des immuables et éternels desseins communistes dissimulés sous le vernis des relations diplomatiques de la détente. Brejnev était au courant des progrès, lents mais continus, que nous avions faits pour rétablir les lignes de communication entre Washington et les capitales arabes; et il savait que si l'Amérique se montrait en mesure de contribuer à un règlement pacifique du différend entre Arabes et Israéliens, nous porterions un coup sérieux à la présence et au prestige des Soviétiques au Moyen-Orient. A ce point de vue, par conséquent, l'emploi de sa tactique d'assaut pendant la réunion en apparence inopinée dans mon studio à San Clemente était un risque calculé. Brejnev ne pouvait raisonnablement espérer que j'allais saisir le maigre appât qu'il me tendait en échange de l'abandon d'Israël. S'était-il déjà engagé à soutenir les Arabes dans une agression contre Israël? Ce n'est pas clair, mais je suis persuadé que la fermeté que j'ai manifestée cette nuit-là a renforcé le poids du message que j'adressai aux Soviétiques quatre mois plus tard, en ordonnant la mise en état d'alerte des forces armées pendant la guerre du Yom Kippour.

Dans le communiqué commun que nous signâmes, Brejnev et moi le jour suivant, aucun effort ne fut fait pour cacher, dans un langage diplomatique ambigu, que nous n'avions pu trouver un terrain d'entente sur ce sujet difficile. Le court paragraphe sur le Moyen-Orient indiquait : « Chacune des parties a exposé sa position sur ce problème. »

Nous nous fîmes, Brejnev et moi, nos adieux devant une série de microphones dans le jardin voisin de la maison. Il dit qu'il me verrait à Moscou la prochaine fois. Il conclut sa visite par un « *Good bye!* » (en anglais) qui me montrait qu'il entendait bien ne point rompre les relations entre Moscou et Washington.

Après le départ de Brejnev, je tâchai de revoir le sommet n° 2 dans sa perspective. Après les accords S.A.L.T. en 1972, il était trop tôt pour réaliser une nouvelle percée en ce domaine, mais j'avais rendu évident, en tout cas, que 1974 serait l'année de la décision; cette année-là, il nous fallait faire des progrès, en mettant fin à nos divergences, surtout en ce qui concerne les armes offensives. Je savais que les Soviétiques avançaient plus vite que nous en ce domaine. A moins d'obtenir rapidement un accord, nous pourrions avoir à affronter une situation telle que nous serions plus faibles que les Soviétiques aux yeux de nos alliés, de nos amis et des neutres. Aussi, non seulement j'avais amené Brejnev à l'idée qu'un nouvel accord était nécessaire dès 1974, mais j'avais spécifié aussi que nous parlerions de réduction, et non pas seulement de limitation des armes nucléaires.

Plusieurs accords importants signés lors du deuxième sommet couvraient des domaines précis : les transports, l'agriculture, l'océanographie, les impôts, l'aviation commerciale, l'usage pacifique de l'énergie atomique et le commerce. Ils continuaient l'œuvre entreprise en 1972 pour construire un réseau de relations solidaires capables d'accroître l'intérêt que les Soviétiques pouvaient porter à la stabilité et à la coopération.

Ce sommet m'avait aussi donné l'occasion de connaître mieux Brejnev, et d'essayer d'en prendre la mesure en tant que chef et en tant qu'homme. J'avais passé 42 heures avec lui en 1972 et maintenant 35 heures en 1973. Si superficielle que puisse être cette sorte de contacts personnels, elle pouvait tout de même offrir d'intéressants aperçus.

J'avais trouvé Brejnev plus intéressant et plus remarquable que lors de notre première rencontre. Loin des contraintes du Kremlin, il était capable de céder quelque peu aux côtés les plus humains et les plus politiques de sa personnalité. A l'une des cérémonies de signature, alors que ses bouffonneries attiraient l'attention générale, je dis en plaisantant : « C'est le meilleur homme politique de cette pièce. » Il sembla accepter cette affirmation comme un éloge suprême.

Son comportement, son humour lors de plusieurs de ses apparitions en public furent presque espiègles. Autant que possible, je me fis son compère dans ces occasions, mais il était parfois difficile de concilier la politesse avec la dignité.

Brejnev témoignait de la combinaison typiquement russe d'une grande discipline à certains moments et d'une absence totale de celle-ci à d'autres. Un amusant exemple de cette inconsistance était son nouvel étui à cigarettes muni d'un mécanisme d'horlogerie qui le rationnait à une cigarette à l'heure. C'était pour lui le moyen de cesser de fumer les cigarettes à la chaîne. Quand l'heure sonnait, il prenait solennellement la cigarette qui lui était attribuée et fermait son étui. Puis, quelques minutes plus tard, il cherchait dans son veston et tirait une autre cigarette du paquet ordinaire qu'il avait en poche. Ainsi, il lui était possible de continuer à fumer les cigarettes à la chaîne jusqu'à ce que l'heure vint où il lui était permis de prendre, dans son étui, la cigarette de la vertu.

Au sommet n° 1, je n'avais pu m'empêcher de comparer Brejnev et Khrouchtchev. Pendant le deuxième sommet, cependant, j'avais eu la possibilité d'observer et d'analyser plus en profondeur et dans le détail les différences entre les deux hommes. Ce qu'ils avaient de commun, c'était d'être tous les deux des chefs tenaces, durs et réalistes. Tous deux truffaient leurs conversations d'anecdotes. Khrouchtchev était souvent tout à fait vulgaire. Brejnev n'était que terre à terre. Alors que Khrouchchev était grossier et bravache, Brejnev se montrait expansif et plus courtois. Tous deux avaient un bon sens de l'humour, mais Khrouchtchev semblait l'exercer plus souvent aux dépens de son entourage. Khrouchtchev semblait plus vif dans ses réflexes mentaux. Dans les discussions, Brejnev frappait dur, il était incisif mais toujours très réfléchi, tandis que Khrouchtchev avait tendance à exploser et était plus impulsif. Tous deux étaient des caractériels doués d'une grande émotivité. Je fus frappé par l'expression de fierté qui vint sur les traits de Brejnev, lorsqu'il me dit qu'il allait être arrière-grand-père, et que nous avions ainsi une nouvelle génération pour qui il fallait défendre la paix.

Malgré la brièveté de son séjour, je pensais que Brejnev avait pu voir tout un échantillonnage de la vie américaine auquel aucun guide, aucune étude ne pouvait l'avoir préparé. Je savais qu'il rentrait en Russie avec une bien meilleure compréhension de l'Amérique et des Américains qu'auparavant.

Le jour où Brejnev quitta Washington, le 25 juin, la Chambre des Représentants donna son accord à une proposition de loi du Sénat supprimant les crédits pour les bombardements des Etats-Unis au Cambodge. L'effet de cette proposition de loi était de me refuser les moyens de faire respecter les accords de paix du Vietnam. Nous étions menacés de devoir abandonner l'appui que nous accordions aux Cambodgiens qui essayaient de contenir les Khmers rouges communistes, ravitaillés et aidés par les Vietnamiens du Nord en violation de l'accord de paix. Les Cambodgiens étaient, d'une manière compréhensible, complètement désorientés; ils ne pouvaient comprendre pourquoi, subitement, nous les abandonnions, d'autant plus que du point de vue militaire le courant semblait se retourner en leur faveur.

Le Parlement, cependant, n'était pas disposé à infléchir sa position, et il était déterminé à aller de l'avant, quelles que fussent les conséquences. Cette incompréhension parlementaire s'était symboliquement manifestée quelques semaines auparavant, alors que Kissinger se préparait à partir pour voir Le Duc Tho au sujet des violations de l'accord sur le cessez-le-feu. Nous avions plaidé auprès du Congrès pour que Kissinger ne fût pas envoyé à Paris dépourvu de tout moyen de pression diplomatique. Mais la réponse de Mike Mansfield fut typique : il exprima sa « sympathie » mais rien de plus. Coup sur coup, deux commissions du Sénat décidèrent de couper les crédits pour les opérations militaires.

La proposition correspondante passa le 25 juin. Je lui opposai mon veto, et dans la déclaration qui l'accompagnait, je disais : « Après plus de dix pénibles années d'efforts et de sacrifices [...], il serait pour le moins tragique qu'une grande réussite, payée du sang de tant d'Asiatiques et d'Américains, dût être anéantie par une initiative parlementaire. » La Chambre des Représentants accepta mon veto le jour même, 27 juin, mais il semblait clair qu'une nouvelle proposition similaire serait présentée, et je ne pourrais indéfiniment gagner ces batailles. C'est pourquoi, sous forme de compromis, j'acceptai de mettre fin aux bombardements le 15 août 1973, et je requis l'approbation du Congrès pour le financement d'opérations militaires des Etats-Unis dans toute l'Indochine. Cela au moins, nous laissait plus de temps, mais l'encouragement à l'agression, que représentait n'importe quelle date limite, demeurait sans changement.

J'étais déterminé à ce qu'un document historique établît les responsabilités du Congrès dans cet acte irréfléchi, et le 3 août, avant la date limite prévue, j'écrivis au Président de la Chambre Carl Albert et au chef de la majorité du Sénat, Mike Mansfield :

> « Cet abandon d'un ami aura de profondes répercussions dans d'autres pays, tels que la Thaïlande, qui ont fait confiance à la constance et à la détermination des Etas-Unis, et je désire que le Congrès soit pleinement conscient des conséquences de son action... En particulier, je désire que le courageux peuple cambodgien assiégé sache que la fin du bombardement au Cambodge ne signifie pas l'abdication de l'Amérique dans sa détermination à œuvrer pour une paix durable en Indochine...
> Je ne puis qu'espérer que les Vietnamiens du Nord ne tireront pas de l'initiative du Congrès la conclusion erronée qu'ils sont libres de lancer une offensive militaire dans d'autres régions d'Indochine. Le Vietnam du Nord ferait une grande erreur, s'il prenait la fin des bombardements au Cambodge pour un encouragement à commettre de nouvelles agressions ou de nouvelles violations des accords de Paris. Le peuple américain saurait répondre à de telles agressions avec les moyens appropriés. »

Je savais que, puisque le Congrès avait supprimé la possibilité d'une action militaire, mes menaces n'étaient que des mots. Les communistes le savaient aussi. Pendant cette période, Kissinger eut, avec Dobrynine, l'un de leurs déjeuners réguliers. Lorsque Kissinger souleva la question des violations communistes du cessez-le-feu au Cambodge, l'ambassadeur soviétique demanda avec mépris ce que nous pouvions espérer, maintenant que nous n'avions plus de moyen de pression diplomatique, en raison de l'arrêt des bombardements imposé par le Congrès. Kissinger essaya d'être aussi menaçant que possible, bien qu'il sût parfaitement que Dobrynine avait raison :

> « Ne vous y trompez pas, dit-il. Nous n'oublierons pas qui nous a mis dans cette situation inconfortable...
> — En ce cas, répliqua Dobrynine, adressez-vous au sénateur Fulbright. »

Pendant plus de deux ans après l'accord de paix, le Vietnam du Sud a résisté aux communistes. Cela a prouvé la volonté et le courage du peuple du Vietnam du Sud, et son désir de vivre en liberté. Cela prouve aussi le succès de la vietnamisation. Quand le Congrès a renié les obligations que nous imposaient les accords, les communistes, comme il était prévisible, se sont rués pour profiter de la brèche. L'arrêt des bombardements imposé par le Congrès, associé à la limitation des pouvoirs présidentiels résultant de la Résolution sur les pouvoirs de guerre de novembre 1973, a déclenché la série d'événements qui a mené à la prise de pouvoir par les communistes au Cambodge et, le 30 avril 1975, à la conquête du Vietnam du Sud par les Vietnamiens du Nord.

Le Congrès a refusé, à moi d'abord, puis au Président Ford, les moyens de faire respecter les accords de Paris à un moment où les Vietnamiens du Nord les violaient ouvertement. D'une manière plus désastreuse, plus inexcusable encore, le Congrès commença en 1974 à réduire l'aide militaire au Vietnam du Sud au moment où les Soviétiques accroissaient leur aide au Vietnam du Nord. Le résultat fut que, lorsque les Vietnamiens du Nord lancèrent leur offensive à outrance vers le Sud au printemps de 1975, ils avaient la supériorité des armes, et la menace d'une action américaine pour faire respecter l'accord n'existait plus. Un an après la chute du Vietnam du Sud, le commandant en chef de l'offensive finale de Hanoï cita la réduction de l'aide américaine comme un facteur important de la victoire du Vietnam du Nord. Il fit la remarque que Thieu « était alors obligé de faire une guerre de pauvre », avec une puissance de feu réduite de 60 %, et une mobilité amputée de moitié par manque d'avions, de véhicules et de carburant.

La guerre et la paix d'Indochine, que l'Amérique avait gagnées au prix si élevé de douze années de sacrifice et de combat, furent perdues en quelques mois lorsque le Congrès refusa de remplir nos engagements. Et c'est le Congrès qui doit porter la responsabilité des tragiques résultats. Des centaines de milliers de Vietnamiens du Sud et de Cambodgiens ont péri de la main des conquérants qui les ont massacrés ou fait mourir de faim, et le bain de sang continue.

L'initiative tragique et dépourvue de sens des responsabilités du Congrès, qui a mortellement saboté la paix que nous avions gagnée en Indochine, fut enterrée au milieu de la préoccupation essentielle des moyens d'information : celle de la déposition de John Dean devant la commission Ervin. Le lundi 25 juin, quand Dean comparut à la barre, à travers tout le pays, et même dans l'enceinte de San Clemente, la monotonie hypnotique de sa voix attira les foules vers leurs postes de télévision. Les trois chaînes de télévision couvrirent intégralement ces séances.

LA DÉPOSITION DE JOHN DEAN

La déposition de John Dean allait durer cinq jours. Il lui fallut une journée entière pour lire les 245 pages de sa déclaration préliminaire où se trouvaient contenues, pour la plupart, les accusations qu'il portait contre moi. La pierre angulaire de sa déposition était de m'accuser d'avoir exercé, pour au moins six mois et en tout état de cause depuis notre réunion du 15 septembre 1972, une complicité active dans les actions entreprises pour étouffer le Watergate. Le lendemain de cette première journée, le *Washington Post* titrait : « *Dean déclare à la commission que le Président a discuté de l'étouffement de l'affaire en septembre, en mars et en avril.* » De son côté, le *New York Times* annonçait : « *Dean témoigne que Nixon a participé à l'étouffement du Watergate pendant huit mois.* »

Je ne suivais pas à la télévision le déroulement des débats de la commission, mais les rapports que j'en lisais me remplissaient de frustration et de colère. Dean, je le sentais bien, recréait l'histoire selon les besoins de sa propre défense.

Dean témoigna que, le 15 septembre 1972, il avait expressément discuté avec moi des moyens d'étouffer l'affaire du Watergate. Il déclara m'avoir spécifiquement prévenu qu'il ne pouvait me donner aucune garantie que le « pot aux roses » ne serait pas découvert un jour ou l'autre et qu'il avait, d'autre part, exprimé la crainte que « le couvercle ne pourrait être maintenu fermé indéfiniment ». Il affirma m'avoir dit qu'il n'avait rien fait d'autre « qu'aider à garder cette affaire en dehors de la Maison Blanche » et que je lui avais exprimé mes remerciements pour le difficile travail qu'il accomplissait. Dean m'aurait alors dit que d'autres — et il pensait au faux témoignage de Magruder — avaient fait des choses bien plus difficiles que lui.

Comme l'enregistrement de notre conversation le démontre, Dean ne m'a jamais touché mot de ces « autres » censés avoir fait des choses « plus difficiles », ni de ses efforts pour garder l'affaire « en dehors de la Maison Blanche ». Jamais, non plus, n'a-t-il fait alusion à un « pot aux roses » risquant d'être découvert. Cet enregistrement prouve, en fait, qu'il m'avait affirmé exactement le contraire. « Il y a trois mois, disait-il, j'aurais été incapable de vous prédire notre position actuelle. Aujourd'hui, je crois pouvoir vous assurer que, d'ici cinquante-quatre jours, aucune surprise désagréable ne devrait nous tomber dessus. »

Il y a, certes, des déclarations ambiguës dans cet enregistrement. Ainsi j'avais parlé d'un « barrage où il faut mettre nos doigts partout où nous décelons des fuites ». Mais il ne s'agissait, dans mon esprit, que des nombreuses enquêtes parlementaires et judiciaires en cours, dont Dean était chargé de suivre le déroulement, et qui pouvaient avoir des conséquences politiques. L'écoute de cette bande prouve clairement que, tandis que Dean concentrait son attention sur les questions judiciaires où nous pouvions être vulnérables, je ne m'occupais au contraire que de celles risquant de devenir politiquement embarrassantes.

Dean témoigna que, au cours de notre entretien du 28 février 1973, il m'avait fait part de ses propres problèmes juridiques et d'une possibilité d'inculpation « d'entrave à la justice ». Il a dit m'avoir donné un « tableau d'ensemble » de sa conduite et de ses activités et m'avoir informé en détail du rôle qu'il jouait dans « l'étouffement de l'affaire ». Sur ce point, également, l'enregistrement démontre qu'il s'est passé exactement le contraire. Au cours de cette entrevue, j'avais dit à Dean que lui, au moins, n'était pas vulnérable aux coups du comité d'enquête : « Je crois, lui avais-je précisé, qu'ils se rendent compte que vous n'êtes que l'avocat, et ils savent bien que vous n'avez rien eu à faire dans la campagne électorale.

— C'est exact », avait répondu Dean.

L'enregistrement démontre également que j'avais dit que le fait le plus important de toute cette malheureuse affaire était que je n'y étais en rien mêlé. « Et cela, heureusement, n'est que la pure vérité, avais-je conclu.
— Je le sais bien, Monsieur », avait approuvé Dean.
Or, quatre mois plus tard, il venait déclarer que c'était au cours de cette conversation qu'il avait acquis la conviction que j'étais mêlé jusqu'au cou à l'effort entrepris pour étouffer l'affaire.

Dean témoigna m'avoir parlé, le 13 mars, des sommes versées aux inculpés du Watergate. Si c'était vrai, cela contredirait ma propre assertion selon laquelle je n'avais entendu parler de l'étouffement du Watergate que le 21 mars. Dean se trompait ou, plutôt, il me semble qu'il a délibérément altéré les vraies dates. En effet, au cours de notre conversation du 16 avril 1973, il s'était souvenu que nos discussions sur « le cancer qui ronge la Présidence » avaient eu lieu « le mercredi précédant leur condamnation »... c'est-à-dire le 21 mars.

Dans la partie de sa déposition couvrant notre rencontre du 17 mars, Dean commit une « omission », trop lourde de conséquences pour être purement fortuite. C'est ce jour-là qu'il m'avait parlé du cambriolage commis dans les bureaux du psychiatre d'Ellsberg. Comme l'enregistrement le démontre, j'avais réagi avec stupeur. Mais Dean voulait apparemment créer l'impression que ma connaissance du cambriolage Ellsberg avait constitué l'un des mobiles m'ayant poussé à me mêler à l'étouffement du Watergate. Dans sa déposition, il déclara que cette entrevue avait surtout consisté en une « conversation désordonnée et générale », au cours de laquelle il avait été brièvement question des séances de la commission devant confirmer la nomination de Pat Gray, ainsi que des problèmes auxquels la Maison Blanche devait faire face en général. C'est ce jour-là que je lui avais fait observer que, contrairement aux autres, il n'avait pas participé à ce cambriolage et n'avait donc pas de responsabilité pénale.
« C'est exact », avait approuvé Dean.

Dean témoigna que, le 21 mars 1973, il m'avait finalement mis au courant de tout. Répondant à une question, il se borna à déclarer : « Le 21 mars, j'ai informé le Président de tout ce que je savais à ce moment-là. » Comme l'enregistrement le prouve, toutefois, il ne me dévoila pas l'étendue de sa propre participation à la subornation des faux témoins, aux promesses de clémence ni à la divulgation de renseignements confidentiels du F.B.I. aux avocats du Comité Républicain. Il se garda bien de préciser, à moi comme à la commission d'enquête, qu'il avait détruit des documents soustraits du coffre de Howard Hunt. Il minimisa son rôle dans la collecte des fonds secrets et dit simplement que son problème le plus sérieux était d'avoir servi « d'intermédiaire informateur » pour le paiement des sommes exigées par les inculpés pour prix de leur silence. Ainsi mis au courant, je ne pouvais donc qu'estimer que Dean se trouvait entraîné dans cette affaire par hasard, injustement et, pour ainsi dire, « par la bande ». Le 26 mars, j'avais même dicté dans mon journal que Dean avait toujours rempli son rôle de conseil juridique de son mieux et donné son avis

« en évitant tout ce qui pourrait être considéré comme des pratiques douteuses ou illégales ».

Dans ses déclarations, Dean sous-entendit également que, dès les premiers jours ayant suivi l'effraction, tout le monde à la Maison Blanche avait compris que la pose des micros clandestins au Watergate avait été effectuée sous la « couverture » de la Maison Blanche, bien qu'il n'y ait eu aucune participation directe ni aucun ordre formel justifiant l'effraction du 17 juin. Je fus pourtant stupéfié par l'affirmation de Dean : selon ce dernier, Gordon Strachan était au courant de l'existence des micros. Je ne fus pas moins étonné en apprenant que l'opération avait pu être déclenchée par un coup de téléphone de Colson. Et cela, neuf mois après la pose de ces micros clandestins.

Dean sous-entendait aussi que, depuis le début, il était formellement au courant des activités de Magruder et de son faux témoignage et que, comme lui, tout le monde le savait. Pourtant, sur un enregistrement du 22 mars, Haldeman dit ceci en parlant de Magruder : « D'autre part, nous n'avons pas la preuve, nous ne pouvons même pas prouver qu'il a fait un faux témoignage. C'est uniquement l'opinion de Dean. » Le 26 mars, ce dernier répétait d'ailleurs qu'il ne savait pas de manière certaine ni « officieuse » si Magruder était vraiment impliqué dans la pose des micros, et que par conséquent il ne pouvait pas affirmer avec certitude que Magruder avait effectivement commis un faux témoignage.

Au printemps, Haldeman et moi-même avions insisté auprès de Dean pour qu'il expose la totalité de ce qu'il savait sur Segretti, et il avait régulièrement renâclé à le faire. Maintenant, il venait dire que les efforts de la Maison Blanche pour étouffer l'épisode Segretti étaient « significatifs des autres efforts entrepris par la Maison Blanche pour étouffer les suites du Watergate ». De même, il se mettait désormais à clamer que nos efforts pour repousser une initiative partisane d'instituer, avant les élections, une commission d'enquête sur les écoutes du Watergate étaient une tentative n'ayant pour but que d'esquiver « la découverte du pot aux roses ». A l'époque, je me souviens pourtant d'avoir commenté le problème de cette enquête parlementaire en mentionnant qu'il s'agissait là d'une simple opération de relations publiques. « En effet, avait approuvé John Dean, c'est tout ce que ça représente. »

Dean prétendit en outre que, durant les mois de mars et avril, Haldeman et Ehrlichman avaient essayé de se protéger à ses dépens alors que tout ce qui l'intéressait était de faire éclater la vérité. Le plus ironique, c'était qu'à cette même époque, c'était lui, Dean, qui faisait tous les tripotages. En mars, il avait minimisé la gravité des problèmes que sa déposition allait causer aux autres, sans doute dans l'espoir de s'assurer la bénédiction de la Maison Blanche dans sa recherche de l'immunité judiciaire. « Disons que c'est le Président qui m'envoie déposer, dit-il le 21 mars dans l'après-midi. A qui pourrais-je causer du tort, pour qui pourrais-je soulever des problèmes dans ces conditions? A première vue, et en voyant les choses sur un plan pratique, personne ou presque. » Après ses premiers contacts avec l'accusation, il poursuivit ses appels téléphoniques à Haldeman, garda les apparences du souci qu'il se faisait pour leur cause mutuelle, continua à se référer à des problèmes « possibles » pouvant se manifester dans l'affaire, problèmes qu'il pensait pouvoir résoudre sans difficulté. Ce ne fut qu'au milieu d'avril, quand ses négociations avec l'accusation étaient déjà très avancées, qu'il déclara ouvertement considérer Haldeman et Ehrlichman comme ses « otages » et qu'il avait préparé ses positions pour retirer le maximum de leur destruction.

Telle que je l'ai comprise, la déposition de John Dean sur l'affaire du Watergate a été un habile mélange de vérités et de mensonges, de malentendus peut-être sincères et de distorsions parfaitement conscientes des faits. Pour s'efforcer d'y minimiser son rôle, il a attribué à d'autres sa complète connaissance de l'affaire, ses inquiétudes, ses paroles. Pour paraître n'y avoir été qu'un simple figurant, il a fondu en un seul les différents degrés de connaissance, de compréhension ou d'implication que possédaient ceux qui l'entouraient. Et pourtant, à peine Dean avait-il terminé sa déposition que je commis à nouveau l'erreur qui avait été la mienne depuis le début : me tromper de problème. Je suis parti sur une tangente en concentrant notre attention et nos ressources sur une réfutation de Dean, en faisant ressortir ses exagérations, ses altérations des faits, ses incohérences. Au moment même où nous nous y attaquions, le fond du problème avait déjà changé : peu importait que la déposition de Dean ait été en partie vraie ou fausse. Ce qui comptait, c'était qu'il y ait eu même une *fraction* de sa déposition qui ait été exacte. Et la manière dont il avait rapporté la réunion cruciale du 21 mars avait été plus exacte que la mienne. Je ne m'en étais pas rendu compte sur le moment; mais ce qui importait à long terme n'était pas de prouver que j'étais moins impliqué dans l'affaire que ne le prétendait Dean. Ce qui comptait, c'était que Dean avait réussi à prouver que j'y étais plus impliqué que je ne l'avais prétendu.

La déposition de Dean nous avait également pris au dépourvu dans un autre domaine. D'après les rapports de la presse, les membres démocrates de la Commission Ervin avaient demandé à Dean de ménager ses effets en bourrant sa déclaration préliminaire d'anecdotes sur la Maison Blanche — anecdotes qui, en faisant « couleur locale », accréditeraient ses déclarations. Dean accéda volontiers à leur requête et, plus encore que ce qu'il raconta par la suite sur le Watergate proprement dit, c'est de cela que nous ne pourrions plus nous relever. Car c'est là-dedans que les opposants politiques allèrent puiser ce dont ils n'auraient pas pu rêver autrement : le moyen de mêler le Watergate aux autres domaines de mon gouvernement. John Dean alla ramasser toutes les épluchures de la cuisine politique qu'il put dénicher dans les coins et les présenter comme un portrait fidèle de tout ce que nous faisions. Il promut une image de la défense — qui consistait essentiellement en ceci qu'il n'était qu'une innocente victime du milieu où il vivait — et il en sortit un film entièrement dépourvu, tant dans son scénario que dans ses principaux acteurs, de rêves, d'idéaux, de travail sérieux ou d'objectifs ambitieux. Il ne parla que de mes tentatives de faire contrôler nos opposants politiques par le fisc, sans mentionner que cette pratique avait été systématisée par les Démocrates eux-mêmes auparavant. Le fait que nous ayons engagé les services d'un enquêteur politique était considéré comme une sinistre innovation, alors que le contrôle de l'opposition fait partie des habitudes politiques depuis que le monde est monde. Nous payions notre enquêteur avec des fonds de notre parti, alors que d'autres avaient utilisé aux mêmes fins le F.B.I. aux frais des contribuables. Dean exhiba même une « liste des ennemis » qui, comme il l'a lui-même reconnu depuis, a été inconsidérément surexploitée par les media. Et comme si cela ne suffisait pas, il ajouta à la mixture une bonne dose d'activités liées à la sécurité de l'Etat, de nature essentiellement discutable comme elles le sont partout et depuis toujours : telles que les dix-sept écoutes téléphoniques destinées à traquer les fuites touchant à la politique étrangère, le « Plan de Houston » ou les « Plombiers ». Il attribua tout cela à notre tempérament paranoïaque et ne fit pas le moindre effort pour évoquer les soucis, pourtant bien réels, qui avaient été à l'origine de ces mesures.

Si la déclaration du 22 mai constitua la première introduction du public américain aux activités secrètes du gouvernement dans l'intérêt de la Sécurité nationale, la déposition de John Dean fut un coup de projecteur dans les obscurs bas-fonds de la politique comme on l'a de tout temps pratiquée à la Maison Blanche. De la manière dont il s'y prit, tout fut arrangé de façon idéale pour les Démocrates qui purent prendre ainsi leurs distances vis-à-vis de leur propre passé au pouvoir et clamer à tous les échos que c'est mon gouvernement qui avait inventé le péché originel...

La commission Ervin — baptisée précédemment Commission sénatoriale d'enquête sur la campagne présidentielle — constitua un sujet fascinant (ô combien!) pour l'étude des faiblesses de la nature humaine en général et des faiblesses de la nature parlementaire en particulier, notamment de son esprit partisan quand cette dernière est soumise à une dose massive de publicité. Les sénateurs et leurs assistants firent très vite la découverte enivrante que tout ce qu'ils disaient — ou laissaient « fuir » — était matière à manchettes et communiqués. Le résultat ne se fit pas attendre : bientôt, il y eut un flot constant de « fuites » généralement destinées à miner la défense de témoins potentiellement gênants, tels qu'Haldeman, Ehrlichman et Mitchell. Cela alla si loin que Mike Mansfield dut réprimander publiquement la commission. Archibald Cox compara plus tard ses méthodes à celles de la commission McCarthy. Le sénateur James Buckley émit la suggestion de faire interroger les membres de la commission et leurs employés sous serment, pour tenter de localiser les fuites, mais Sam Ervin répliqua que cela pourrait nuire à leur moral! Il y eut un exemple de fuite détectée et punie qui montre bien avec quelle équité se comportait la commission : le Conseiller de la Majorité, Samuel Dash, mit à pied un assistant pour avoir proféré des commentaires défavorables à... Samuel Dash!

Les accusateurs dépendant du ministère de la Justice se plaignaient que les agissements de la commission, tant par les « fuites » abusives que par les séances publiques, portaient préjudice à leurs dossiers. Le procureur spécial Archibald Cox demanda même à Ervin de suspendre les séances publiques pour ne plus mener que des débats à huis clos, car la publicité ainsi faite interdisait à tout inculpé potentiel d'être jugé par un jury impartial. Earl Warren, ancien Premier Président de la Cour Suprême, avait même qualifié de « justice du Far West » la pratique de faire comparaître des prévenus devant une commission en séance publique. A cela, Ervin répliquait qu'il fallait que la vérité éclate au grand jour. Il n'allait pas falloir longtemps pour se rendre compte à quel genre de vérité il faisait allusion.

Ainsi, parmi les documents remis par Dean à la commission Ervin, il y avait deux rapports écrits par l'adjoint de Herbert Hoover, William

Sullivan. Ces documents décrivaient les abus flagrants commis par de précédents gouvernements démocrates dans l'utilisation du F.B.I. à des fins politiques. L'adjoint du sénateur Ervin déclara simplement que la commission ne se pencherait pas sur les problèmes ainsi soulevés car les allégations contenues dans ces rapports étaient « infiniment trop personnelles » et sans fondement. « Il s'agit de basses vengeances personnelles, déclara-t-il à cette occasion; et elles sont plutôt répugnantes. »

Le texte original du rapport définitif de la commission contenait un passage qualifiant certains aspects de la répartition des fonds du Comité électoral McGovern, après les élections, de « violation apparente de l'esprit de la Loi ». Sur la protestation de McGovern, Ervin fit disparaître le passage litigieux.

En 1964, le secrétaire parlementaire et protégé de Lyndon Johnson, Bobby Baker, avait été inculpé de trafic d'influence. Le scandale, à l'époque, avait terni et même compromis plusieurs sénateurs, y compris Johnson qui était alors Président. La majorité démocrate du Congrès avait émis un vote pour que le dossier Baker ne soit examiné qu'à huis clos et s'était refusé à citer des membres du cabinet présidentiel à comparaître pour témoigner. Trois membres de la commission Ervin avaient, à l'époque, officiellement demandé à sept reprises que toute enquête parlementaire sur le cas Baker soit ajournée. Ces mêmes sénateurs ont sans doute pensé, par la suite, que le Watergate méritait des mesures d'exception...

Quand le premier groupe de témoins apparut devant la commission, le traitement qui leur était réservé dépendait de la bonne volonté qu'ils mettaient à médire et à impliquer les autres. S'ils relevaient la tête et voulaient se défendre, ils étaient l'objet de rebuffades et d'humiliations. S'ils faisaient preuve, au contraire, d'un esprit d'autocritique, on leur faisait un sermon moralisateur suivi d'un éloge flatteur. Le correspondant politique du *London Times*, Bernard Levin, écrivit à ce propos :

> La conduite du président (de la commission), le sénateur Sam Ervin, est si déplorable que l'absence de toute protestation sérieuse envers son comportement est, en elle-même, une indication de l'abrutissement dont souffrent actuellement tant d'éminents Américains, dans le monde de la presse, de l'Université ou même de la politique, qui auraient naguère, dans des circonstances comparables, fait vigoureusement campagne pour ramener [Sam Ervin] à une plus juste notion de son rôle...
>
> Il y a toutefois pire que l'anarchie que le sénateur fait régner dans les débats : c'est la manière dont il a manifestement préjugé que, parmi ceux qui comparaissent devant lui sous l'accusation de divers méfaits, il y a des héros et des traîtres. Cette tactique est exactement la même que celle utilisée, en son temps, par le sénateur Joseph McCarthy...
>
> Ce qui est foncièrement vicieux dans toute cette inquisition, c'est qu'elle se pare des apparences d'une enquête judiciaire alors qu'elle n'est que politique... Des hommes s'y font détruire leur réputation sous les yeux de millions de téléspectateurs; pire encore, des hommes qui auront peut-être bientôt à faire face à un tribunal voient leur cause jugée d'avance et se retrouvent condamnés sans même avoir pu bénéficier des sauvegardes offertes par une véritable procédure judiciaire.

Les Démocrates siégeant à la commission n'ont pu pratiquer de telles tactiques que parce qu'ils étaient membres de la majorité parlementaire, et parce que les Républicains étaient, comme on peut le comprendre, gênés de la situation. A l'exception de Weicker, les membres républicains se livraient malgré tout à des efforts sincères et diligents pour explorer toutes les pistes permettant de rétablir l'équilibre. Mais ils ne disposaient ni des fonds ni du personnel ni d'une presse objective et impartiale leur permettant d'exécuter leur travail et de rendre publics les résultats obtenus.

L'illusion de l'objectivité de la commission Ervin et de la rigueur des critères qu'elle appliquait fut irrémédiablement assassinée, et son épitaphe dérisoire écrite, par le sénateur Ervin en personne. Le 10 mars 1974, l'agence de presse U.P.I. (United Press International) rapporta une interview où Ervin lui-même avait déclaré que, pour justifier une révocation, le Président devrait avoir commis un délit pénal caractérisé et que « ... aucune preuve n'a été produite devant la commission sénatoriale d'enquête sur le Watergate pouvant justifier la révocation ». Un autre reporter, assistant au même moment à la même interview, écrivit le même communiqué dans des termes identiques; il ne pouvait donc y avoir aucun doute quant à la fidélité avec laquelle les propos du sénateur avaient été rapportés. Peu après, on fit comprendre à Ervin l'impact que sa déclaration avait sur le plan politique et les conséquences négatives qu'elle aurait sur la procédure de révocation entreprise par les parlementaires démocrates. Se trouvant ainsi pris au piège entre des impératifs politiques et des principes de morale juridique, il n'hésita pas à faire un choix : en dépit des preuves tangibles qui le réfutaient, il préféra replâtrer les dégâts en démentant avoir jamais fait une telle déclaration.

Pour la plupart, les Américains se sont résignés à ce que la politique s'accommode d'une certaine dose d'hypocrisie. Je suis toutefois convaincu, et les historiens de leur côté arriveront à la même conclusion, que malgré la gravité des questions soulevées par le Watergate, et les abus qui y ont été dévoilés, rien ne peut justifier les abus de pouvoir qui ont été commis par les membres de la commission Ervin. En pratiquant aussi systématiquement les « fuites » préjudiciables, le principe « deux poids, deux mesures », en se comportant comme des cabotins moralisateurs, ils n'ont fait que confirmer mon sentiment qu'il ne s'agissait bien que d'une attaque partisane, d'un effort prémédité et résolu de gonfler des incidents mineurs aux proportions d'un scandale national. Et c'est contre cela que nous avions à nous battre.

D'abondants précédents historiques permettaient aux collaborateurs de la Maison Blanche de refuser à témoigner devant la commission Ervin. Mais je ne pouvais pas ignorer que, compte tenu de l'ambiance chargée de sentiments émotifs entourant désormais toute l'affaire du Watergate, l'opinion publique n'aurait pas compris ni toléré que je les invoque. Je me suis par conséquent désisté des privilèges de l'exécutif et j'ai donné à mes assistants la permission d'aller se soumettre aux interrogatoires de la commission Ervin. Cette décision entraîna une coopération sans précédent du pouvoir exécutif aux travaux d'une enquête parlementaire : 118 heures de dépositions publiques de la part de collaborateurs passés ou présents de la Maison Blanche, sans compter des centaines d'heures passées en séances officieuses ou en conversations privées. Malgré cela, les membres de la commission n'étaient pas encore satisfaits. Il leur fallait accéder librement aux dossiers de la Maison Blanche.

Selon la Constitution, les trois branches du gouvernement (l'exécutif, le législatif et le judiciaire) constituent en quelque sorte les trois pieds d'un tripode : chacun compense, complète et contrôle les deux autres. Mais aucune des branches n'a le droit de dominer les autres, par exemple en exigeant la remise des documents de travail internes de l'une d'elles. Cette interprétation est soutenue par des précédents remontant à George Washington qui, pendant sa Présidence, refusa de remettre des documents appartenant à l'exécutif à la Chambre des Représentants qui les lui demandait.

Sam Ervin lui-même a défendu le principe de l'immunité parlementaire contre des citations signifiées par une autre branche du gouvernement en 1972, après que le sénateur démocrate de l'Alaska, Mike Gravel, eut lu des extraits classés « *Secret* » de documents du Pentagone pour qu'ils soient inclus dans le compte rendu officiel des débats parlementaires, le *Congressional Record*. La question dont la Cour Suprême eut à débattre à cette occasion était de savoir si l'un des assistants de Gravel pouvait légitimement être contraint à témoigner sur la lecture que le sénateur avait fait de ces documents sans y être autorisé. Ervin avait alors soumis à la Cour des conclusions tendant à prouver qu'une branche du gouvernement n'avait pas le droit d'exiger un témoignage portant sur les affaires internes d'une autre. Dans ses conclusions, il insistait notamment sur le point suivant : « Si un assistant parlementaire doit avoir l'impression que l'avis qu'il soumet, la connaissance qu'il acquiert ou l'aide qu'il procure à son sénateur peut être soumis à des investigations du pouvoir exécutif, alors il sera tenté de se dispenser d'intervenir en des occasions où précisément les questions traitées sont les plus délicates et où le sénateur aura le plus grand besoin de son assistance. »

Ervin avait par ailleurs manifesté la même attitude sur le problème de la séparation des pouvoirs dans une affaire touchant à l'un de ses amis démocrates. Au cours de l'enquête parlementaire menée après la nomination d'Abe Fortas au poste de Premier Président de la Cour Suprême par Johnson, Ervin s'enquit auprès de Fortas d'une conversation qu'il avait eue avec le Président, tout en s'empressant d'ajouter aimablement : « Je n'insisterai pas pour avoir votre réponse, car je sais bien qu'il s'agit du privilège de communications au sein du pouvoir exécutif. » Il n'était plus si aimable ni si empressé quand il eut l'occasion d'exercer un avantage partisan à l'encontre d'un Président républicain pendant l'affaire du Watergate.

Le 7 juillet, j'écrivis à Ervin avant même de recevoir sa requête formelle de soumettre les dossiers de la Présidence à la commission. Dans ma lettre, je faisais observer que, au vu des précédents historiques, notre coopération à l'enquête était déjà extraordinaire. Comme il y avait par ailleurs des rumeurs disant que la commission voulait me citer personnellement à comparaître, je lui rappelai que Harry Truman avait refusé de se plier à une telle exigence quand, en 1953, il avait été cité par une commission parlementaire.

Je déclarai donc aux membres de la commission que, à l'exemple de Truman, je refuserais de comparaître et que je ne leurs communiquerais aucun document. Voici ce que j'écrivis :

> « Aucun Président ne peut exercer ses fonctions si les documents privés de son cabinet, préparés par ses collaborateurs personnels, sont soumis à un examen public. Les impératifs de la formulation d'une politique nationale exigent que le Président et ses collaborateurs puissent communiquer entre eux

en toute franchise, que leurs jugements et opinions préliminaires, leurs recherches de solutions, leurs commentaires privés sur des questions et des personnalités nationales et étrangères demeurent strictement confidentielles. »

En dépit de la véhémente défense qu'il faisait du principe de la séparation des pouvoirs et du privilège des communications confidentielles, Ervin dénonçait maintenant mes « arguments abstrus sur la séparation des pouvoirs et les privilèges de l'exécutif ». Le 12 juillet, il écrivit à la Maison Blanche en déclarant qu'il redoutait que nos positions « ... présentent la très grave possibilité d'une crise constitutionnelle... » Il demandait une rencontre pour essayer d'éviter un tel conflit. Comme d'habitude, bien sûr, la lettre qu'Ervin m'adressait fit d'abord l'objet d'une « fuite » au bénéfice de la presse avant même qu'elle me parvienne. Nous en avons pris connaissance par les dépêches d'agences.

RÉVÉLATION DE L'EXISTENCE DES BANDES MAGNÉTIQUES DE LA MAISON BLANCHE

Le 12 juillet, je me suis réveillé à 5 h 30 avec une douleur à la poitrine ressemblant à des coups de poignard. Elle avait sourdement commencé quand je m'étais couché, pour devenir insupportable. Cette douleur me rappelait ce que j'avais éprouvé quand je m'étais cassé une côte en jouant au football à Whittier. J'allumai la lumière et essayai de lire, mais je me sentis vite trop mal à l'aise pour me concentrer sur ma lecture. Aussi j'éteignis pour rester étendu dans le noir, sans pouvoir me rendormir jusqu'au matin.

Les médecins de la Maison Blanche m'auscultèrent sommairement et parvinrent à des diagnostics contradictoires. Pour le Dr Tkach, il s'agissait d'une pneumonie; le Dr William Lukas pensait, de son côté, que ce n'était qu'un simple trouble digestif. Ils ne se mirent d'accord que pour me soumettre à une série d'examens plus approfondis.

Vers midi, me retournant toujours nerveusement dans mon lit, je vis entrer Haig qui me dit que le sénateur Ervin était au téléphone et voulait me parler de sa lettre. Notre conversation dura seize minutes. Je parlais d'une voix étouffée tant chacune de mes respirations me causait une vive douleur.

Ervin commença à me dire que sa commission m'avait envoyé « un petit mot ».

« J'ai déjà entendu parler de votre lettre, répondis-je. Votre commission a des fuites, vous savez. »

Il me répondit qu'il ignorait comment sa lettre avait pu parvenir aux journaux et que, même si ses collaborateurs ne voulaient pas provoquer de conflit ouvert entre nous, ils restaient persuadés que le privilège du secret exécutif ne couvrait pas des actes délictueux ou simplement à caractère politique.

« Vous voulez que vos collaborateurs examinent les dossiers de la Présidence, lui dis-je. Ma réponse est toujours non. Nous ne sommes pas d'accord sur ce point. Mais je réfléchirai à votre lettre. »

Il me répondit qu'il croyait que ses collaborateurs pourraient régler les détails particuliers, mais il me réitéra la formule totalement inacceptable utilisée dans la lettre, à savoir qu'il exigeait tous dossiers présidentiels « concernant toutes matières sur lesquelles la commission est autorisée à enquêter ». Comprise littéralement, cette formule voulait dire que son personnel pourrait examiner *tous* les dossiers pour pouvoir déterminer lesquels ils avaient l'intention d'exiger.

Malgré la douleur, j'élevais légèrement la voix :

« Votre attitude depuis le début de l'enquête est assez claire. On ne peut avoir aucun doute sur qui vous voulez mettre la main.

— Nous ne voulons mettre la main sur rien d'autre que la vérité, Monsieur le Président », répondit-il.

En me rappuyant sur les oreillers, je lui répétais que nul parmi ses collaborateurs ne pourrait mettre son nez dans les dossiers de la Maison Blanche. Je lui dis également que j'étais disposé à ce qu'il y ait une rencontre, mais strictement entre lui et moi.

« Une conversation d'homme à homme pourrait être utile, lui dis-je. Je coopère déjà dans toute la mesure du possible, mais j'ai également la responsabilité de défendre la fonction présidentielle, de la même manière que vous vous sentiez obligé de défendre le principe de la séparation des pouvoirs devant la Cour Suprême. Si vos objectifs sont toujours les mêmes que ceux que vous aviez dans l'affaire Gravel, nous nous entendrons fort bien. »

Il parut alors un peu pris de court et se borna à dire qu'il n'était pas optimiste en ce qui concernait nos possibilités d'accord à l'amiable. Il me dit enfin qu'il ferait son rapport à la commission et conclut en me répétant qu'elle ne cherchait pas à « avoir » quelqu'un à tout prix.

Je me tournais alors vers Haig et Ziegler, qui étaient restés dans ma chambre pendant la conversation. Je leur dis que c'était sans doute la fièvre qui m'avait empêché de répondre à Ervin avec le calme qu'il aurait fallu garder pour le bien de notre cause.

« Toutefois, ajoutai-je, j'ai dit ce que je pensais. »

Je me suis alors levé et habillé et, malgré ma température qui était de près de 39°, décidai d'honorer mes rendez-vous de la journée. A chaque fois qu'un Président souffre de la plus légère indisposition, cela fait une affaire d'Etat. C'est pourquoi je voulais reculer jusqu'à la dernière minute tout indice pouvant faire croire que je ne me sentais pas bien. J'ai eu une entrevue d'une demi-heure avec le ministre des Affaires étrangères de R.F.A., Walter Scheel. Ensuite, Bill Timmons vint discuter de questions législatives. Enfin, j'étudiais un rapport soumis par la commission que j'avais nommée pour l'étude des problèmes de prévention des incendies.

Une fois mon programme rempli, l'on me prit une radiographie des poumons qui confirma le diagnostic de Tkach : il s'agissait bien d'une pneumonie virale. Ce même soir, on m'emmena à l'hôpital de Bethesda.

Mais j'étais résolu à prouver que, même d'un lit d'hôpital, j'étais toujours capable d'accomplir mes devoirs de Président. Pendant mes traitements et mes examens médicaux, je ne cessais à aucun moment de recevoir des appels et les visites de Haig et de Ziegler. Je téléphonais à Henry Kissinger, passais en revue avec Shultz le programme de la quatrième phase de notre politique économique. Le plus pénible, dans une attaque de pneumonie, est la douleur qui empêche de dormir. Je passais mes nuits éveillé, à compter les minutes qui filaient. Je restais au téléphone tardivement pour me tenir au courant des événements de la journée et laisser mes instructions.

Le dimanche 15 juillet, ma température était enfin retombée en dessous de 38°. Pour la première fois depuis mon arrivée à l'hôpital, je pus enfin manger un repas complet. J'avais même réussi à dormir deux heures pendant la nuit du samedi.

Le lundi matin de bonne heure, Haig m'appela pour me dire que l'ancien assistant de Haldeman, Alexander Butterfield, avait révélé à la commission Ervin l'existence du système d'enregistrement de la Maison Blanche et que la nouvelle allait être rendue publique dans le courant de la journée.

Ce fut pour moi un choc. Bien que cela paraisse impossible à croire maintenant, j'avais toujours pensé que l'on ne révélerait jamais l'existence de l'installation d'enregistrement des conversations mise en place à la Maison Blanche. J'aurais au moins pensé qu'un de nos collaborateurs aurait invoqué le privilège du secret de l'exécutif avant de confirmer l'existence de cette installation.

L'effet produit par cette révélation fut stupéfiant. Le *New York Daily News* titra avec la manchette : « *Nixon espionnait ses propres bureaux.* »

Fred Buzhardt écrivit à Ervin pour confirmer l'existence de l'installation décrite par Butterfield, tout en faisant remarquer qu'elle était similaire à celle utilisée par l'exécutif précédent. La lettre de Buzhardt provoqua de vives réactions chargées de la plus vertueuse indignation. « *Les collaborateurs de Johnson démentent l'existence des magnétophones* » titra le *Washington Post*. Joseph Califano, ancien conseiller de politique intérieure de Johnson, déclara : « Il s'agit là d'une infâme calomnie à la mémoire du Président disparu. » Arthur Schlesinger Jr dit de son côté qu'il aurait été « inconcevable » que John Kennedy autorise la mise en place d'un tel système d'espionnage. Dave Power, ancien collaborateur de Kennedy et conservateur de la bibliothèque Kennedy à ce moment-là, démentit formellement la présence de micros clandestins sous la Présidence de Kennedy. Pourtant, les techniciens militaires des Transmissions qui avaient procédé à l'installation du système mis en place par Johnson firent parvenir à Fred Buzhardt des dépositions écrites sous serment précisant les emplacements des appareils et des micros; quelques jours plus tard, l'archiviste de la bibliothèque Johnson d'Austin confirma lui aussi l'existence des bandes magnétiques de L.B.J. Le lendemain, la bibliothèque Kennedy admit qu'il existait bien, dans ses archives, 125 bobines et 68 bandes de dictaphone contenant les enregistrements de diverses conversations de vive voix et téléphoniques.

J'ai passé plusieurs heures avec Haig, dans ma chambre d'hôpital, à considérer les conséquences de cette révélation. Je me suis alors rappelé avec une ironie amère qu'à peine quelques mois auparavant, le 10 avril, après ma conversation avec deux prisonniers de guerre, j'avais dit à Haldeman de se débarrasser de tous les enregistrements sauf ceux portant sur des questions importantes de Sécurité nationale. J'en avais même fait mention dans mon journal.

Extrait de mon Journal :

> Rencontré aujourd'hui Stockdale et Flynn. Conversation aussi émouvante que les précédentes avec Risner et Denton. J'espère que nous avons pu faire des enregistrements de ces conversations.
> En fait, j'ai eu une bonne discussion avec Haldeman au sujet des bandes magnétiques. Décidé de les reprendre depuis le début et de détruire toutes celles ne concernant pas les problèmes de Sécurité nationale ayant trait au Cambodge, le 8 mai et probablement le 18 décembre. Autrement, nous serions les seuls, lui et moi, à pouvoir les réécouter et décider de ce que nous pourrions garder et cela nous prendrait des mois et des mois.

Mais cette décision avait été prise alors que le Watergate nous causait tant de soucis. Haldeman n'avait pas eu le temps ni l'occasion de la mettre à exécution. Trois semaines plus tard, il n'était même plus là pour le faire.

C'est à l'hôpital que j'ai émis l'idée de détruire les bandes sur-le-champ. Haig dit qu'il en parlerait aux avocats mais qu'en tout état de cause le système d'enregistrement proprement dit devrait être démantelé et enlevé.

Pendant les trois jours qui suivirent, tandis que les médecins s'efforçaient de restreindre mes visites au minimum, je discutai de la question avec Haig, Ziegler, Buzhardt et Garment. Légalement, les bandes magnétiques ne pouvaient pas être considérées comme une preuve avant qu'elles fassent l'objet d'un mandat ou d'une requête dans les formes. Toutefois, comme nous pouvions nous attendre à ce que la commission Ervin ou les services du procureur spécial exigent leur production d'un moment à l'autre, il serait éminemment critiquable de les faire disparaître dans ces circonstances. Malgré tout, Buzhardt considérait que ces enregistrements étaient ma propriété personnelle et favorisait leur destruction. Garment, lui, pensait au contraire que les bandes constituaient un élément de preuve au sens juridique et, tout en préférant ne pas avoir à les communiquer, déclara sans ambiguïté qu'il s'opposerait fermement à toute initiative tendant à les faire disparaître. Haig souleva le véritable problème, à savoir que, mis à part les problèmes juridiques qu'elle pourrait provoquer, la destruction des bandes magnétiques aurait pour effet d'ancrer définitivement dans l'opinion publique l'impression que nous voulions dissimuler des preuves de culpabilité. Par contre, quand Ted Agnew vint me rendre visite, il me dit que je devrais les détruire.

Nous avons alors pris contact avec Haldeman pour lui demander son avis sur ce que je devrais faire. Son opinion était claire : selon lui, il fallait invoquer le privilège du secret de l'exécutif, rester inébranlables et ne pas céder d'un pouce sur les principes devant la « chasse aux sorcières » entreprise par Ervin et sa commission. Haldeman ajouta que les enregistrements constituaient sans doute notre meilleur élément de défense et qu'il ne fallait surtout pas les détruire.

Quand j'étais entré à l'hôpital, le 12 juillet, j'avais hâte de mettre en œuvre toutes nos forces pour sortir de la fondrière où la déposition de Dean nous avait enfoncés. Alors que je me préparais à quitter l'hôpital, le 20 juillet, la révélation de l'existence des enregistrements avait tout bouleversé. De bonne heure, le 19 juillet au matin, j'avais écrit la note suivante sur le bloc que je gardais à mon chevet :

« Il faut continuer coûte que coûte à nous occuper des affaires du gouvernement pour les trois ans qui viennent. C'est la seule façon de supporter les épreuves que nous sommes en train de traverser. Nous ne devons pas permettre à cette inquisition continuelle qu'elle nous touche, comme la révélation de l'existence des enregistrements qui a tant affecté Garment et quelques autres des collaborateurs. Nous devons être forts et compétents. Nous devons aller de l'avant.

Ces bandes auraient dû être détruites après le 30 avril 1973. »

Quand je regagnai la Maison Blanche, il faisait un splendide temps d'été. Presque tout le personnel était venu m'accueillir dans la « Roseraie »; et, alors que je gravissais les marches menant au Bureau Ovale, je me suis retourné pour leur adresser la parole. Cette brève allocution reste ma préférée de toutes celles que j'ai prononcées au cours de cette période difficile :

« Ce que je pense à l'instant même où je vous parle, c'est que nous disposons de si peu de temps dans les positions que nous occupons tous, et que nous avons tant de choses encore à faire!... Quand, à la fin des trois ans et demi qui viennent, nous regarderons en arrière et nous nous souviendrons de ce qui a risqué de se défaire en un seul jour, nous éprouverons la pire des frustrations si nous n'avons pas à l'esprit que notre véritable enjeu, et la raison même de notre existence, c'est la paix dans le monde et, dans notre pays, une vie meilleure... »

J'évoquais ensuite les commentaires prévisibles que mes collaborateurs n'allaient pas manquer d'entendre : tels que, par exemple, ma maladie et les assauts impitoyables auxquels j'étais soumis qui devraient me convaincre à ralentir mes activités ou à démissionner. La réponse, je la donnais en me servant d'une des expressions favorites de mon père : « Poppycock! » (Fichaises!) Je parlais ensuite de tout ce que nous pourrions accomplir ensemble : la prospérité dans la paix, l'abaissement de la criminalité, de la drogue, l'élargissement des chances individuelles. Enfin, je concluais :

« Telles sont certaines des grandes causes pour lesquelles nous avons été élus en novembre dernier et qui nous ont fait triompher. Et ce pour quoi nous avons été élus, nous le ferons. Laissons d'autres patauger dans le Watergate et s'y complaire. Nous autres, nous ferons notre devoir. »

Si j'avais vraiment été le conspirateur que l'on m'accusait d'être, je me serais aperçu dès 1973 que les enregistrements contenaient des conversations susceptibles d'être interprétées comme étant compromettantes. Je me serais donc rendu certain que, si je voulais survivre, il fallait les faire disparaître.

Ma décision de ne pas détruire les bandes magnétiques a été influencée par de nombreux facteurs. Quand je les ai écoutées pour la première fois le 4 juin 1973, j'ai bien dû reconnaître que, en ce qui me concernait, elles contenaient des éléments pour le moins mélangés. On y trouvait des conversations pouvant être politiquement gênantes, de nombreuses ambiguïtés. Mais on y trouvait avant toute la preuve indiscutable que l'accusation fondamentale proférée par Dean, à savoir que j'avais conspiré avec lui depuis plus de huit mois pour entraver le cours de la justice, était sans fondement. Je n'avais pas écouté moi-même l'enregistrement du 21 mars : c'était Haldeman qui l'avait fait. Alors que je savais que cette conversation serait probablement difficile à expliquer dans une atmosphère hostile et critique, il m'assura qu'elle pourrait l'être, et j'ai préféré croire qu'il avait raison.

J'avais aussi été convaincu par Haig que son raisonnement était juste et que la destruction des bandes aurait créé une impression indélébile de culpabilité à notre endroit. Or, je ne pouvais absolument pas imaginer que dévoiler mes actes et mes paroles, quels qu'ils soient, puisse être aussi désastreux que de laisser s'accréditer une telle impression. Le samedi 21 juillet, j'avais souligné dans une note les fondements de ce raisonnement: « Si j'avais vraiment discuté de mesures illégales, je n'aurais pas enregistré ces conversations. Si j'avais enregistré des conversations où il était question de mesures illégales, j'aurais détruit les enregistrements dès le début de l'enquête. »

Finalement, je me suis convaincu que ces enregistrements constituaient ma meilleure assurance contre un avenir chargé d'incertitudes. J'étais désormais prêt à croire que d'autres, et même des gens de mon entourage proche, se retourneraient contre moi comme Dean venait de le faire. Dans ce cas, les enregistrements m'accorderaient au moins une certaine protection.

Une fois que j'eus décidé de ne pas détruire les bandes magnétiques, il fallait décider de les remettre ou non à la commission Ervin et au procureur spécial, ou au contraire prendre l'initiative de se retrancher derrière le privilège du secret de l'exécutif. Quand le président Andrew Jackson reçut une demande du Parlement d'avoir à communiquer un document de la Maison Blanche qui avait été lu à un conseil de Cabinet, il avait répondu : « Je pourrais aussi bien être requis de donner connaissance au Sénat des termes de conversations privées tenues avec les ministres sur toutes sortes de sujets touchant à l'exécution de leurs fonctions ou des miennes. » Jackson avait cité cet exemple comme un cas extrême, donc absurde; pourtant, c'est ce même cas — tout aussi absurde — qui devait constituer la position la plus modérée adoptée par la commission Ervin et le procureur spécial.

Je sais que, pour la plupart, les gens ont pensé que le « privilège exécutif » n'était qu'une sorte de manteau dont je m'enveloppais pour échapper à la divulgation de mes prétendus méfaits. Mais le fait que je cherchais à me protéger n'altère en rien ma croyance profonde et inébranlable en la validité du principe invoqué; j'étais sincèrement convaincu alors, comme je le suis aujourd'hui, qu'il est à la base même d'une Présidence forte et viable. Même si l'application de ce principe à ce cas précis était affaiblie par la nature et l'étendue de mes intérêts personnels en cause, je ne voulais à aucun prix être le premier Président dans l'histoire à s'incliner devant une tentative d'adultération et d'affaiblissement du principe.

Il y avait également d'autres raisons, moins abstraites celles-là, s'opposant à la remise des enregistrements. Je sentais bien, moi aussi, ce dont Agnew et Buzhardt étaient certains; l'existence même de ces bandes magnétiques constituait un appât irrésistible pour l'opposition. Du point de vue des Démocrates, mener le combat pour obtenir les enregistrements était aussi gratifiant, sur le plan politique, que de le gagner. Pourtant, si nous lâchions une bande, nous ne ferions qu'attiser leur soif d'en exiger deux. Dans sa plaidoirie éloquente devant la Cour d'Appel, notre spécialiste en droit constitutionnel Charles Adam Wright compara les pressions exercées pour obtenir ces enregistrements à celles de la « force hydraulique » :

« Quand un trou apparaît, si petit soit-il, sous la ligne de flottaison d'un navire, la formidable pression hydraulique de la mer l'agrandit en une brèche, et le navire est en danger de perdition.

Et c'est ce qui se produira également si les pressions du Watergate permettent d'autoriser, ou simplement de tolérer, la plus minime exception à la règle du privilège confidentiel dont tous nos présidents ont toujours joui depuis George Washington. »

Peu après que j'eus appris les révélations de Butterfield, j'avais noté sur le bloc-notes à mon chevet : « Bandes magnétiques. Quand cela commence, cela ne s'arrête plus. »

Enfin, je n'étais simplement même pas sûr de ce qui figurait sur toutes ces bandes. Si j'avais été certain qu'elles étaient toutes sans la moindre ambiguïté et me présenteraient en train de m'exprimer comme l'image même du Président idéal n'ayant à cœur que de voir inlassablement triompher la justice, je suppose que j'aurais trouvé le moyen de faire taire mes répugnances à les rendre publiques. Mais elles ne se conformaient pas à cette utopie, en ce qui concernait au moins les quelques-unes que j'avais entendues, et je ne pouvais que redouter ce qu'il pouvait y avoir sur les autres que je n'avais pas écoutées et que j'avais oubliées. C'est pourquoi j'ai invoqué le principe du « privilège de l'exécutif » pour prévenir la divulgation de ces enregistrements. Le 23 juillet, je fis parvenir au sénateur Ervin une lettre l'informant que je ne fournirais aucun enregistrement à sa commission.

Ervin convoqua la commission dès réception de ma lettre et en obtint un vote unanime pour émettre un mandat de produire cinq des conversations enregistrées ainsi qu'une masse de documents concernant directement ou indirectement les « activités, participations, responsabilités et autres agissements » de quelque vingt-cinq personnes impliquées dans « toute action délictueuse commise à l'occasion des élections présidentielles de 1972 ». De son côté, Cox émit le mandat d'avoir à produire neuf conversations enregistrées.

Je crois maintenant que, à compter du jour où fut révélée l'existence des bandes magnétiques et où je pris la décision de ne pas les détruire, ma Présidence n'avait que peu de chances de durer jusqu'à la fin de son mandat. Mes réflexes, malheureusement, n'étaient pas aussi aiguisés à l'époque, et je n'avais pas compris que tandis que la destruction pure et simple des bandes aurait pu paraître comme une reconnaissance implicite de culpabilité, le fait de me retrancher derrière le bouclier du « privilège exécutif » pour éviter de les divulguer au public en arrivait sensiblement au même résultat. A long terme, mon refus obstiné de plier porta préjudice au principe même que je croyais ainsi défendre. J'étais le premier Président à porter le principe de ce privilège devant la Cour suprême et, en voulant le défendre sur un terrain aussi risqué et une base aussi fragile — car ma décision risquait d'être portée au compte de ma propre vulnérabilité —, j'ai très probablement provoqué ma défaite. A partir du moment où le public a eu l'impression que j'avais quelque chose à cacher, les tentatives de Cox et d'Ervin pour mettre la main sur les enregistrements étaient assurées du soutien de l'opinion publique.

Et puis, sans même considérer la teneur de ce que ces enregistrements contenaient, leur existence même et la lutte qui s'était engagée pour leur possession allaient provoquer ce que je redoutais plus que tout depuis le début : la paralysie de la Présidence.

Après avoir entendu la déposition de Dean, la commission Ervin avait suspendu ses séances pour une semaine. Quand celles-ci reprirent en juillet, les media s'étaient considérablement désintéressés de la question et les témoins — en réfutation de Dean — qui comparurent alors furent loin d'avoir le même impact sur l'opinion. Seul Dean avait eu droit à la retransmission complète et en direct de sa comparution par les trois chaînes de télévision. Un responsable anonyme des informations télévisées avait assez bien résumé la situation dans un article écrit pour le *Los Angeles Times,* quand il disait que les chaînes considéraient ces séances de commission comme des « dramatiques » et que, tant qu'elles faisaient du bon théâtre et provoquaient les discussions, elles seraient diffusées. Personne ne se souciait vraiment d'impartialité ni d'équité. Comme ce responsable disait en conclusion : « En termes d'intérêt des spectateurs, un homme sur la défensive ne fera jamais le poids en face d'un autre sur l'offensive. »

La commission commença enfin à ralentir et à s'essouffler. Elle continuait son audition de témoins, mais elle n'offrait plus aux téléspectateurs de spectacles d'une qualité comparable à ceux dont ils s'étaient régalés. La lassitude s'installait.

Son coup de grâce lui fut publiquement porté par Pat Buchanan. Comparaissant en qualité de témoin, il donna aux sénateurs des réponses incisives, combatives et pleines de bon sens, fournissant des exemples parfaitement documentés que l'on devait aux Démocrates la mise en pratique des « coups fourrés » dans la vie politique américaine. Ervin en fut visiblement secoué et, paraît-il, furieux contre ses collaborateurs, qui l'avaient exposé ainsi à de telles indignités.

Il ne fallut plus longtemps pour que les membres de la commission cherchent un prétexte à conclure leurs travaux. Ils trouvèrent enfin une raison leur permettant de sauver la face : ils annoncèrent hypocritement qu'ils ne voulaient pas compromettre la cause des inculpés dans des actions judiciaires.

Le 7 août, au bout de 37 jours de séances publiques ayant bénéficié de plus de 325 heures de retransmission télévisée, la partie de l'enquête consacrée au Watergate par la commission Ervin fut déclarée close. De toutes ces heures d'antenne, plus de 20 % furent consacrées au seul John Dean. Quand le maillet du sénateur Sam Ervin s'abattit pour la dernière fois, sa commission avait bénéficié de 22 heures de programmes d'informations télévisées et d'une couverture intégrale chaque jour de la semaine depuis le début des séances.

Le 15 août, je fis mon second discours à la nation sur l'affaire du Watergate. Je développais ce que j'avais qualifié de « question primordiale : la leçon que notre nation peut retirer de cette expérience et ce qu'elle doit faire désormais ». J'ai ensuite ajouté : « Le moment est venu de confier l'affaire du Watergate aux tribunaux, seuls habilités à juger de l'innocence ou de la culpabilité. Le moment est également venu pour que les autres, tous les autres, se consacrent enfin aux véritables priorités nationales. »

Je répétai une fois de plus ce que j'appelais « la pure vérité », à savoir que j'ignorais tout de l'effraction du Watergate avant qu'elle soit commise, que je n'avais eu aucune connaissance ni aucune participation aux efforts subséquents pour étouffer l'affaire et que, enfin, je n'avais donné à mes subordonnés aucun encouragement ni aucune autorisation à se livrer à des pratiques douteuses ou illégales dans le cadre de la campagne électorale. Pour finir, je déclarai que, loin de m'efforcer de dissimuler les faits, je m'étais efforcé constamment de « les porter au grand jour et de les soumettre aux autorités judiciaires compétentes, afin que justice soit rendue et que les coupables soient sanctionnés ».

Cet appel à confier le Watergate aux tribunaux éveilla des échos favorables. Le volume des télégrammes et appels téléphoniques qui inondèrent la Maison Blanche après sa diffusion dépassait le total le plus élevé atteint au cours de ma série de discours sur le Vietnam. Le public était las du Watergate.

J'étais alors convaincu, comme je le suis toujours, que la majorité démocrate au Congrès s'était servie du scandale du Watergate comme d'un prétexte pour justifier sa politique systématique de mépris et de contournement des vœux de l'écrasante majorité populaire qui, à l'élection de 1972, m'avait donné mandat de mettre en œuvre mes programmes et ma philosophie. La manière dont j'ai traité le problème du Watergate n'a fait, hélas! que servir les desseins de mes adversaires.

TENTATIVES DE NOUS REGROUPER

Au bout de trois mois — pendant lesquels le Watergate parut être plongé dans la torpeur —, le travail du Congrès sur les affaires intérieures et extérieures s'était ralenti au point qu'il n'avançait plus. La colère que j'éprouvais en face de cette situation se fit jour dans l'allocution que je prononçai au dîner officiel donné en l'honneur du Premier Ministre japonais, M. Tanaka, en juillet :

> « Il est trop facile, ces temps-ci, de penser en d'autres termes, de penser en ces termes de politique mesquine qui, je crois, nous tentent tous de temps à autre et tentent ceux qui représentent le peuple de nos deux pays — gagner une escarmouche ici et là, se retrancher dans la boue de la politique partisane; mais ce qui compte réellement est ceci : après que nous aurons occupé, pendant notre bref passage, l'immense scène du monde, qu'allons-nous laisser derrière nous?
>
> Laisserons-nous le souvenir des combats où nous aurons lutté, des adversaires que nous aurons vaincu, de la hargne que nous aurons suscitée? Ou bien laisserons-nous peut-être non seulement le rêve mais aussi la réalité d'un monde nouveau, d'un monde dans lequel des millions de jeunes enfants [...] pourront grandir dans la paix et l'amitié?...
>
> C'est pourquoi nous laisserons les autres passer leur temps à trafiquer des petites choses mesquines, boueuses, hargneuses et vicieuses. Nous avons passé — et nous continuerons à consacrer — le nôtre à l'édification d'un monde meilleur. »

J'étais plus que jamais déterminé à ne pas abandonner le mandat que les électeurs m'avaient confié. C'est pourquoi, dès l'automne de 1973, je décidai de prononcer un second discours sur l'état de l'Union afin de rappeler au Congrès et au peuple américain les points essentiels qui figuraient toujours à l'ordre du jour des affaires nationales et qui avaient été laissés à l'abandon pendant le printemps et l'été du Watergate. Ce discours du 10 septembre avait été « lancé » à l'occasion d'une conférence de presse le 5 septembre, au cours de laquelle j'avais fait un tour d'horizon des principaux sujets intéressant la nation tout entière : l'inflation, la défense nationale et l'énergie.

En 1973, nous étions parvenus à restreindre les dépenses et, en dépit du Watergate, nous avions réussi à maintenir tous mes veto opposés aux projets de lois inflationnistes sur le budget. Mais le Congrès menaçait maintenant de voter des textes ayant pour effet d'augmenter le volume du budget d'au moins six milliards de dollars. Je lançais par conséquent un appel pour que les dépenses soient maintenues dans les limites du budget, afin de réduire le taux de l'inflation et d'abaisser le niveau des prix.

En dollars constants, les dépenses militaires de 1973 étaient en fait inférieures de dix milliards de dollars à celles de 1964, juste avant le début de la guerre du Vietnam. On avait abrogé la conscription et nos forces armées étaient numériquement plus réduites qu'elles ne l'avaient jamais été depuis la guerre de Corée. Pourtant, le Sénat s'apprêtait à réduire nos forces stationnées outre-mer d'un contingent supplémentaire de 25 %, sans pour autant exiger des Soviétiques un effort correspondant. Nous ne disposions que d'une marge infime au Congrès dans le débat sur le financement du sous-marin nucléaire *Trident* ainsi que sur d'autres armements essentiels pour renforcer notre position de négociation dans les conférences S.A.L.T.

Au cours des trois années écoulées, j'avais envoyé au Congrès sept projets de lois traitant des problèmes de l'énergie. Le Congrès n'avait encore rien fait sur aucune de ces propositions. Une telle inaction, disais-je en guise d'avertissement, nous laissait à la merci des producteurs de pétrole du Moyen-Orient, et je demandai que l'on prête immédiatement attention à ce domaine vital pour nos intérêts nationaux et pour le monde entier.

Le discours couvrait également la plupart des cinquante projets de lois et autres programmes que j'avais communiqués au Congrès dans la seule année 1973 et qui avaient été ignorés ou dédaigneusement repoussés. On y trouvait pourtant un nouveau programme de logements sociaux à financement fédéral, des propositions pour une réforme du commerce extérieur, des propositions de réforme fiscale et, en particulier, d'exonération des impôts fonciers au bénéfice des retraités, des projets de lois sur l'environnement, l'éducation, la santé publique et les relations humaines, ainsi que des projets concernant la prévention de la criminalité et sa répression.

Le 22 août, j'avais annoncé que je comptais nommer Henry Kissinger pour succéder à Bill Rogers au Département d'Etat. Le 22 septembre, la cérémonie de la passation des pouvoirs se déroula dans le Salon de l'Orient *(East Room)*. Après que le Premier Président Burger eut recueilli le serment de Kissinger, ce dernier fit une allocution où il évoqua la discussion que nous avions eue cinq ans auparavant, rappelant mon insistance à ne pas nous laisser aveugler par des préjugés ou à reculer devant de nouvelles orientations tant qu'il s'agissait de promouvoir la cause de la paix. Il déclara que notre objectif majeur, bâtir une paix solide, était le même aujourd'hui qu'il y avait cinq ans :

> « Ce que nous voulons, ce n'est pas un monde qui a réussi à étouffer superficiellement ses conflits, mais bien à les éliminer, un monde fondé non pas sur la force mais sur la justice, des relations internationales fondées sur une vraie coopération plus que sur l'équilibre des forces...
> Dans aucun autre pays au monde, ajouta-t-il de manière émouvante, serait-il concevable qu'un homme de mon origine puisse être ici, aux côtés du Président des Etats-Unis? »

Au cours de cette période, je fis le point de la situation qui régnait au sein du personnel de la Maison Blanche. Ce que j'y découvris me causa de graves soucis, mais je ne pouvais y apporter de solution. Malgré ma détermination à ce qu'il n'en soit pas ainsi, Haig était à son tour jusqu'au cou dans le Watergate. A chaque fois qu'il essayait de s'en libérer pour se mettre au travail sur les problèmes sérieux de la politique intérieure ou internationale, il s'y enlisait toujours un peu plus comme dans des sables mouvants.

Al Haig, j'en suis sûr, serait le premier à reconnaître qu'il avait renforcé les défenses de la Maison Blanche. La presse aurait sans doute été bien surprise d'apprendre, de la bouche des ministres et de mes collaborateurs, que derrière la façade de courtoisie affable et accessible de Haig se cachait un administrateur infiniment plus inflexible que Bob Haldeman. De fait, Haig avait volontairement organisé les structures de la Maison Blanche sur des bases aussi rigides car, à son avis, notre premier quadriennat avait été marqué par de grosses erreurs sur des choses minimes. Le Watergate en constituait la meilleure preuve : si le problème avait été traité efficacement dès le début, jamais il n'en serait arrivé à ce point-là. Et Haig avait la détermination de ne plus permettre que ce genre d'erreurs soient à nouveau commises. Pour y parvenir, il était obligé d'assumer lui-même une autorité et des responsabilités toujours croissantes.

L'un des problèmes dont il dut s'occuper dès sa prise de fonctions était le moral du personnel de la Maison Blanche, qui s'était détérioré de façon sérieuse. Pour beaucoup, il s'agissait simplement d'un surmenage allant jusqu'à l'épuisement. Ceux qui avaient déjà l'habitude de travailler dix heures par jour devaient maintenir assurer des journées de douze ou quatorze heures, voire dix-sept dans certains cas, pour participer à la défense du Watergate en plus de leurs obligations normales. Mais le vrai problème était que nous ressentions de plus en plus amèrement l'inutilité ou la futilité de nos efforts. Chaque contre-attaque entraînait automatiquement une nouvelle attaque qui exigeait une riposte... Le Watergate était devenu un abîme sans fond. Nous avions maintenant douze collaborateurs travaillant à plein temps sur cette seule affaire, quand nos adversaires en avaient deux cents! Nous ne disposions pas de forces comparables en chercheurs et enquêteurs que nous puissions leur opposer. Nous avions le plus grand besoin d'une stratégie d'ensemble, cohérente et soigneusement préparée, alors que nos avocats avaient à sauter de dossier en dossier sans même avoir le temps de réfléchir et de prévoir plus loin que la tactique du lendemain. Et je savais bien, en outre, qu'il se répandait parmi mes collaborateurs et mes avocats une troublante incertitude sur la vérité et le fond du problème : ils s'apercevaient que certaines de mes défenses étaient sans valeur aux yeux de la logique et du simple bon sens; il était donc compréhensible, dans ces conditions, qu'ils hésitent à s'engager à fond pour développer des arguments auxquels ils ne croyaient pas.

John Connally devint vite déçu du rôle qu'il jouait à la Maison Blanche. Nous avions voulu accorder ses fonctions à ses talents; mais, toujours à cause du Watergate, nous n'avions jamais eu le temps de le faire et ses fonctions de conseiller de la Présidence étaient restées indéfinies. Au mois de juin, alors que nous étions à San Clemente, Connally m'avait prévenu qu'il n'allait pas tarder à nous quitter. Bien qu'il m'assurât toujours de son soutien, il sentait néanmoins que sa place n'était plus avec nous. Je m'efforçai de le convaincre de rester, mais le cœur n'y était pas. Comment demander à un homme que j'aimais et que je respectais — et qui, je l'espérais, me succéderait à la Maison Blanche en 1976 — de se lier aussi étroitement à mes propres ennuis?

Dans la conférence de presse qu'il tint au moment de son départ, Connally dit aux journalistes ce qu'il pensait de leur attitude à mon égard : « Je crois franchement que s'il partait demain pour la Lune, vous trouveriez encore le moyen de dire que ce n'est pas du courage mais que c'est la peur qui l'a fait fuir jusque-là!... »

Les signes de mécontentement que je découvris chez Shultz, Laird et Harlow me causèrent également du souci. Shultz était découragé par l'évolution défavorable de l'économie et déçu de la manière dont je réagissais au Watergate. Je le considérais comme l'un des plus capables parmi les membres du Cabinet et je lui demandais de rester. Il y consentit pour six mois, pour me déclarer finalement : « Je ne peux plus, Monsieur le Président. J'en ai par-dessus la tête. » Je le comprenais, et je ne pouvais pas me résoudre à insister ,pour qu'il reste au cœur de l'incendie qui faisait rage tout autour de nous. Laird et Harlow, eux, trouvaient que je ne leur demandais pas suffisamment leur avis sur le Watergate. Il y avait deux raisons à mes réticences à leur parler de cette question. Tout d'abord, je préférais éviter le plus possible de mêler trop de mes collaborateurs dans cette affaire. Ensuite, et beaucoup plus simplement, c'était pour moi un sujet trop pénible pour que j'aime en parler avec n'importe qui. Au bout d'un certain temps, je pris même trop facilement l'habitude de me reposer presque exclusivement sur Haig, Ziegler et les avocats chargés de l'affaire, bien que je me rende compte de ce que cette attitude pouvait ajouter de rancœurs et de frustrations à des hommes comme Laird, Harlow et d'autres qui se sentaient isolés.

Le 29 août, le juge John Sirica rendit sa décision contre nous dans l'action intentée par le procureur spécial pour la production des neuf enregistrements. Jamais dans notre histoire un tribunal n'avait encore forcé un Président à produire des documents qu'il était décidé à ne pas divulguer. A cause du principe de la séparation des pouvoirs, un tribunal a sans doute le droit de signifier une décision, mais un Président a le droit — certains disent même la responsabilité — de surseoir à cette décision si elle enfreint les prérogatives inhérentes à la branche indépendante du gouvernement que constitue la Présidence. J'étais persuadé alors, comme je le suis toujours, que j'avais parfaitement le droit de repousser la décision de Sirica. Je l'aurais sans doute fait en toutes autres circonstances. Mais je ne pouvais pas ne pas tenir compte de la situation politique créée par l'affaire du Watergate. Aussi, au lieu de défier le juge Sirica sur le terrain du droit constitutionnel, je préférais me conformer à la procédure régulière de notre système judiciaire et faire appel de sa décision auprès d'une juridiction supérieure.

Dès que l'on m'en eut fait la suggestion, j'avais objecté au principe même de la création d'un procureur spécial pour le Watergate. En premier lieu, j'estimais qu'une telle mesure serait un camouflet pour le Ministère de la Justice, jugé incapable d'assumer ce travail. En outre, il deviendrait rapidement inévitable que, sous la chaleur conjuguée des projecteurs de l'actualité et de la flatterie adulatrice de l' « Establishment » de Washington, le zèle de ce procureur s'épanouirait jusqu'à prendre une vie propre et se perpétuer à tout prix.

Dans mon discours du 30 avril, j'avais malheureusement déclaré que j'accordais à Elliot Richardson « l'autorité absolue de prendre toutes décisions concernant l'instruction de l'affaire du Watergate et de tous dossiers s'y rapportant ». En fait, je venais — comme les événements allaient le prouver par la suite — de remettre entre ses mains la survie de mon gouvernement. Dès le début des débats de la commission parlementaire devant confirmer la nomination de Richardson au poste de Ministre de la Justice (Attorney Général), il devint évident que le Sénat allait marchander sa nomination en échange de la création d'un procureur spécial chargé du Watergate. Richardson fut obligé de céder aux pressions et entreprit des recherches pour trouver un candidat convenant à ce poste. Il lui fallut quinze jours pleins, et essuyer plusieurs refus, avant qu'il choisisse finalement le professeur Archibald Cox, de l'école de droit de Harvard.

Si Richardson avait fait exprès de dénicher l'homme à qui j'aurais fait le moins confiance pour mener une enquête aux conséquences politiques particulièrement délicates, il n'aurait pas pu mieux choisir qu'Archibald Cox. Dans le portrait qu'il fit de lui, le *Washington Post* soulignait « les liens qu'il entretenait de longue date avec la famille Kennedy ». Le *Boston Globe* rapporta même que c'est Teddy Kennedy qui avait recommandé Cox à Richardson. Pendant la campagne de 1960, Cox avait été chargé de la rédaction des professions de foi de John Kennedy. Il avait été aussi délégué pour Muskie à la Convention démocrate de 1972 et avait publiquement fait état de son vote en faveur de McGovern. Moins de quinze jours avant sa nomination, Cox avait dirigé, au cours d'une interview, des critiques particulièrement acerbes contre John Mitchell, lui reprochant particulièrement son « insensibilité » à la cause des libertés individuelles et mentionnant les profondes divergences « philosophiques et idéologiques » l'opposant à mon gouvernement. Kissinger fut profondément choqué en apprenant la nomination de Cox à ce poste. « Cox représente un véritable désastre, me dit-il à cette occasion. Je le connais depuis des années et il a toujours été fanatiquement anti-Nixon. »

Cox prêta son serment de procureur spécial le 24 mai. Parmi ses invités à la cérémonie, on remarquait la présence de Teddy Kennedy et de Mme Robert Kennedy.

De par ses fonctions, le procureur spécial était censé superviser l'instruction du dossier du Watergate et entreprendre des poursuites si elles étaient justifiées. Peu après sa prise de fonctions, toutefois, Cox révéla, peut-être inconsciemment, quels étaient ses véritables objectifs en racontant à des journalistes que son arrière-grand-père avait été l'un des défenseurs d'Andrew Jackson pendant son procès en révocation. L'article mentionnait même qu'il avait souri en faisant observer que cette anecdote de l'histoire de sa famille « comportait un curieux retour des choses ou, comme je devrais plutôt dire, pourrait comporter un curieux retour des choses ».

Que Richardson ait confié un tel poste à Archibald Cox était déjà assez catastrophique. Mais il allait encore aggraver son erreur en approuvant les statuts réglementant les pouvoirs conférés aux services du procureur spécial. Au lieu de limiter ces pouvoir au seul domaine de l'affaire du Watergate, le texte en question donnait virtuellement carte blanche au procureur pour mettre son nez dans les affaires de l'exécutif. A cause de la distance que nous avions dû prendre vis-à-vis du procureur spécial, si nous voulions préserver sa crédibilité d'enquêteur indépendant, nous n'avions pas eu notre mot à dire dans la formulation de ce texte. Il débutait, de la manière la plus appropriée, en accordant au titulaire du poste « tous pouvoirs pour instruire et poursuivre toutes offenses commises contre les Etats-Unis à l'occasion de la pénétration illégale effectuée dans les locaux du Comité National Démocrate dans l'immeuble du Watergate ». Mais il se poursuivait en comprenant « toutes offenses commises à l'occasion de la campagne électorale présidentielle de 1972, pour lesquelles le procureur spécial pourra estimer convenable et nécessaire d'assumer pleine et entière responsabilité [en instruisant] toutes allégations concernant le Président, des membres du personnel de la Maison Blanche, des titulaires de postes soumis à la nomination présidentielle, et tous autres sujets que (le procureur spécial) accepte de se voir confier par le Ministre de la Justice ». Les services ainsi créés se voyaient attribuer des fonds en quantité pratiquement illimitée et la durée de leur mandat n'était pas non plus soumise à une limitation dans le temps. Il était même expressément spécifié que le procureur spécial ne pourrait être révoqué que s'il se rendait coupable « de fautes d'une gravité exceptionnelle ».

En apprenant la teneur de ce texte, je fus saisi de stupeur et de colère. Haig en parla à Richardson qui voulut le rassurer en insistant que la phrase « ... toutes allégations concernant le Président, etc. » ne devait être comprise que dans le contexte délimité par la référence précédente à la campagne de 1972. Les choses, naturellement, ne se passèrent pas ainsi et Richardson dut admettre, plus tard, qu'il n'avait pas prévu les problèmes que soulèverait l'octroi au procureur spécial de pouvoirs sans limites.

Il ne fallut pas longtemps pour que mes craintes les plus vives se voient confirmées. Sur les onze collaborateurs de haut rang choisis par Cox lui-même, sept avaient eu des liens étroits avec John, Bobby ou Teddy Kennedy. D'après le *Chicago Tribune,* un seul Républicain figurait parmi les dix principaux collaborateurs de ces services très spéciaux. Mais les jeunes employés étaient encore bien plus redoutables. Pour la plupart, il s'agissait de jeunes juristes aux dents longues, excités par leur premier contact avec le pouvoir et qui s'en donnaient à cœur joie en intimidant et en menaçant mes amis personnels et mes collaborateurs.

Immédiatement après sa nomination, Cox entreprit ses recherches sur les dossiers de la Maison Blanche. Le 30 mai, il s'informa de l'état de huit dossiers; le 5 juin, il en ajouta six autres à sa requête. Le 11 juin, il demanda par écrit la communication de l'enregistrement de la conversation que j'avais eue le 15 avril avec John Dean, sans compter, pour faire bonne mesure, l'inventaire de douze dossiers. Il voulut ensuite se faire communiquer mes carnets de rendez-vous journaliers pour retrouver trace de mes rencontres avec quinze personnes différentes. Il exigea ensuite des documents de I.T.T. ainsi qu'une déposition orale de ma part. En juillet, une fuite en provenance de ses services m'apprit qu'il commençait à s'intéresser à l'acquisition de ma maison de San Clemente, pour s'assurer que je ne m'étais servi d'aucun fonds d'origine syndicale, industrielle ou politique. Ses services s'intéressaient aussi aux écoutes téléphoniques, et s'efforçaient de prendre contact avec des agents des services de Sécurité pour vérifier leurs opérations en détail. Cox lui-même finit par admettre que tout cela allait trop loin.

Bien que le texte réglementant les activités de Cox le restreignît à l'instruction des faits liés à la campagne de 1972, il n'en institua pas moins une enquête portant sur les fonds ayant financé les élections (législatives) de 1970. Il se mit également à enquêter sur la manière dont les agents des services de Sécurité traitaient les manifestants, bien que Richardson lui ait fait observer que le Ministère de la Justice couvrait déjà ces problèmes. Allant toujours plus loin dans ses recherches, Cox se mit alors à étudier les activités des « Plombiers », avant de lancer ses « chercheurs » de choc contre mon ami Bebe Rebozo.

Le 12 octobre, quatre mois après le début de ses activités, le procureur spécial n'avait réussi qu'à exhiber une seule inculpation, sans aucun rapport d'ailleur avec l'affaire du Watergate. Il ne fallait pas longtemps pour se rendre compte que les pouvoirs qui lui avaient été conférés pour instruire « toutes les offenses commises à l'occasion de la campagne de 1972 » s'exerçaient principalement contre tous ceux s'étant rendus suspects de sympathie envers Nixon. Ainsi, par exemple, les services du procureur spécial laissèrent la prescription jouer en 1974 en faveur du trésorier démocrate Robert Strauss, coupable d'une violation caractérisée des lois sur le financement des campagnes électorales. Quand, par contre, on découvrit que le trésorier républicain, Maury Stans, s'était rendu coupable de la même infraction, les services de Cox demandèrent aux tribunaux une prorogation de la prescription jusqu'à la fin de l'instruction de son dossier.

Aucune Maison Blanche dans l'histoire n'aurait pu résister au genre d'opération montée par Cox. S'il était aussi résolu que je le croyais à avoir ma peau, il ne lui fallait qu'un peu de patience pour que ses collaborateurs et lui finissent par ronger toute la branche exécutive comme des termites. La pire frustration que j'éprouvais était de les voir tels qu'ils étaient, des fanatiques partisans abusant du pouvoir que je leur avais moi-même donné pour me détruire injustement, alors que les media les portraituraient au public comme les gardiens du feu sacré de la justice américaine contre un Président diabolique flanqué de son gouvernement corrompu. A chaque fois que je m'efforçais de faire entendre mon point de vue, il était inévitablement rejeté sous prétexte d'intérêt personnel et d'interprétation tortueuse. Je n'aurais jamais pu imaginer un autre Président que moi permettant à un homme qui tenait tous ses pouvoirs de la Maison Blanche de s'en servir à son gré pour mener des investigations à des fins partisanes aux dépens du gouvernement même qui l'avait mis en place. Et je n'avais certes pas l'intention d'être le premier. C'est pourquoi, à l'automne, un conflit était devenu inévitable. Grâce aux statuts que Richardson avait imprudemment signés, Cox était devenu si puissant que l'issue en était dangereusement douteuse.

AGNEW SUR LA SELLETTE

Les problèmes de Ted Agnew avec le procureur fédéral de Baltimore ne représentaient pour moi qu'un souci mineur depuis qu'en avril 1973 Haldeman ne m'en avait parlé que comme d'une « situation pouvant devenir embarrassante ».

Au mois de juin, Elliot Richardson avait informé Haig que Ted Agnew se trouvait en butte à des rumeurs qui, dès le milieu du mois, s'étaient transformées en accusations précises : alors qu'il était gouverneur du Maryland, Agnew aurait accepté des pots-de-vin pour l'attribution de marchés de l'Etat. L'on soutenait également qu'il avait continué à bénéficier de certains de ces paiements depuis qu'il était devenu Vice-Président. Agnew était persuadé que les jeunes substituts du Maryland cherchaient à se faire une réputation à ses dépens et fit même observer que l'un d'eux avait activement participé à la campagne de Muskie en 1972 — ce qui n'était certes pas l'indice ni la garantie d'une sereine objectivité.

Fin juillet, Haig reçut un nouveau rapport de Richardson et, cette fois, le doute n'était plus permis. D'après Richardson, l'affaire était d'une limpidité parfaite : Agnew était passible de plus de quarante inculpations.

Le 1er août, Haig adressa à Agnew une lettre où il l'informait qu'il était l'objet d'une enquête portant sur des présomptions d'extorsion de fonds, corruption, association de malfaiteurs et fraude fiscale. Quand Haig m'en fit part, je me sentis obligé d'intervenir. Je pris rendez-vous avec Richardson pour le lundi 6 août, mais, auparavant, je demandai à Buzhardt et à Garment de le rencontrer pour me donner leur propre analyse du dossier. Je savais qu'il s'agissait là d'une situation explosive sur le plan politique et qu'il fallait que je m'entoure d'un maximum de précautions pour l'évaluer à sa juste mesure. Après avoir rencontré Richardson, Buzhardt et Garment me donnèrent un avis extrêmement pessimiste : Richardson avait raison, il s'agissait bien d'un des dossiers les plus solides qu'ils aient jamais vus de leur carrière.

John Mitchell m'avait déjà fait savoir qu'Agnew avait la certitude que Richardson essayait de le « scier » : il s'était vivement opposé à sa nomination en 1968 et, depuis, les deux hommes avaient constamment exprimé leurs désaccords au cours des séances du Conseil des affaires intérieures. Agnew était également convaincu que Richardson avait des ambitions du côté de la Présidence.

Une demi-heure avant le début de ma rencontre avec Richardson, le lundi 6 août au matin, le service de presse de la Maison Blanche reçut sa première demande de renseignements sur les rumeurs qui couraient au sujet du Vice-Président. Nous avons alors compris qu'il ne s'en faudrait plus de longtemps avant que l'histoire n'éclate dans le public.

Richardson me fit un tableau d'ensemble des présomptions pesant sur Agnew et me dit que, pour la plupart, les témoins étaient dignes de foi et possédaient même des documents irréfutables. Il me dit également qu'il y avait sans doute des preuves que certains paiements s'étaient poursuivis depuis qu'Agnew occupait la Vice-Présidence. Si je devais, objectivement, reconnaître la valeur des preuves que me présentait Richardson, je ne pouvais néanmoins m'empêcher de prendre, sur le plan affectif, le parti d'Agnew. J'aurais préféré le croire, lui. Je me contentai donc de dire à Richardson que j'attendais de lui qu'il prenne la responsabilité de s'assurer qu'Agnew ne serait pas lésé dans ses droits par des substituts partiaux ou par une presse avide de déchirer ses proies.

Le lendemain matin, 7 août, le *Wall Street Journal* sortait son « scoop » : d'après des « sources bien informées », Agnew était l'objet d'une enquête pénale. Haig me fit savoir qu'Agnew était encore hésitant : allait-il se battre ou démissionner?

J'eus cet après-midi-là une conversation d'une heure et demie avec Agnew. Il entra dans mon bureau du même pas dégagé et confiant qu'il avait toujours eu et me déclara d'emblée qu'il était totalement innocent de ce dont on l'accusait. Il m'assura que ces accusations s'effondreraient devant un tribunal et que, si les choses devaient même aller si loin, il n'aurait pas de mal à y faire éclater son innocence. Il me répéta enfin sa conviction que les gens du parquet de Baltimore seraient un jour démasqués.

Je lui répondis que j'avais toujours confiance en son intégrité, que je le croyais et que je resterais à ses côtés à moins qu'une preuve indiscutable du contraire ne me soit fournie. Quand il m'annonça avoir prévu une conférence de presse pour le lendemain, je le pressai d'observer la plus grande prudence en préparant ses déclarations et de ne rien dire qui puisse, un jour, revenir planer sur lui comme une ombre menaçante.

Dès le 8 août, les journaux et la télévision commençaient à faire état des fuites, et les attaques contre Agnew avaient pris un tel ton que le *New York Times* et le *Washington Post* en étaient arrivés à critiquer, dans leurs éditoriaux, les abus commis dans leurs propres pages sous la rubrique « informations ».

Le 8 août, également, Agnew arriva dans la salle de presse d'un air indigné pour dénoncer le caractère calomniateur de ces fuites. « Je n'ai pas l'intention de me laisser ainsi poignarder dans le dos, déclara-t-il. Je n'ai rien à cacher. » Il démentit vigoureusement l'accusation selon selon laquelle il touchait 1 000 dollars par semaine de pots-de-vin et la traita de « mensonge indigne ». On lui demanda s'il n'avait jamais eu de fonds politiques secrets alimentés par l'association des entrepreneurs de travaux publics de Baltimore, ou s'il n'avait jamais touché, pour son usage personnel, des fonds provenant d'individus ou d'entreprises traitant des affaires avec l'Etat du Maryland ou le gouvernement fédéral. « Jamais », répliqua-t-il.

Haig et Buzhardt vinrent ensuite me dire que la conférence de presse d'Agnew semblait n'être qu'un succès politique à court terme. Par rapport aux preuves qui ne pouvaient manquer de faire surface tôt ou tard, les démentis d'Agnew ne pourraient que provoquer un désastre. Buzhardt hochait la tête, disant qu'il ne comprenait pas comment Agnew avait pu se contenter de proférer des dénégations aussi catégoriques. Jamais, conclut-il, elles ne tiendraient devant les faits.

Je me trouvais alors face à un dilemme impossible. Je savais que les accusations portées contre Agnew étaient fondées et convaincantes pour les gens de bonne foi. Mais j'étais presque seul à le savoir. L'attitude irresponsable de la presse, la réaction d'Agnew et ses protestations véhémentes avaient réussi à convaincre nombre de personnes qu'il s'agissait d'une vendetta dirigée contre lui. Si je prenais activement sa défense et que les accusations soient indubitablement prouvées ultérieurement, je n'aurais réussi qu'à compromettre un peu plus ma propre crédibilité, déjà fortement atteinte. Si je restais neutre, les partisans d'Agnew pourraient penser que je le laissais tomber. Je me décidai enfin pour cette dernière attitude, la plus raisonnable, et me préparai à subir les critiques qui n'allaient pas manquer de pleuvoir de tous côtés.

Agnew ne ralentit pas sa contre-attaque. Le 21 août, il publia une déclaration accusant certains hauts fonctionnaires de la Justice de préférer l'accuser dans la presse faute de preuves solides pour soutenir leurs allégations. Elliot Richardson dut paraître à la télévision pour démentir; plus tard, il admit toutefois que certaines fuites provenaient effectivement de son ministère.

L'unanimité des attaques menées par la presse contre Agnew me parut toutefois assez suspecte pour reconsidérer ma croyance que l'enquête de Baltimore était fondée. Dans une conférence de presse du 22 août, je lançai un avertissement à tous les fonctionnaires pour leur dire que tout responsable de fuites serait congédié sur-le-champ.

Le 1er septembre, Agnew vint me mettre au courant de la situation. Il n'avait plus la sérénité des jours précédents. Avec amertume, il me dit comment le parquet exigeait qu'il exhume toutes ses archives personnelles jusqu'en 1962. Il me dit également qu'il se demandait s'il ne valait pas mieux qu'il choisisse la procédure de révocation par la Chambre que d'avoir à subir un procès devant un tribunal fédéral.

C'est au cours de cette conversation que j'en arrivai à comprendre comment Agnew voyait la manière dont il avait exercé ses fonctions de gouverneur. Les salaires, aux postes gouvernementaux d'un Etat, sont maigres. Il était convaincu que les trois quarts des autres gouverneurs faisaient la même chose que lui, c'est-à-dire : accepter des donations versées par des entreprises dans les caisses de son comité électoral. A ses yeux, le dossier que l'on constituait contre lui était une extrapolation abusive de l'usage qu'il avait fait de ces fonds pour lui-même et sa famille dans l'exercice de ses activités officielles. Il soutenait qu'il n'avait attribué aucun marché public à des entreprises non qualifiées et que la passation de ces marchés n'avait jamais été subordonnée à la perception de donations. Enfin, il démentit vigoureusement avoir jamais touché un sou depuis qu'il était Vice-Président.

J'éprouvais une profonde sympathie envers Agnew en de telles circonstances et partageais son souci de l'effet traumatisant qu'une telle polémique pouvait avoir sur sa famille et ses proches. Je l'assurai que je ne voulais ni ne pouvais me faire juge de ses actes, mais qu'en tant que juriste, je ne pouvais que lui conseiller d'analyser son affaire le plus objectivement possible. Ce n'est qu'à ce prix qu'il serait en mesure de prendre des décisions conformes à ses intérêts.

Je vis bien alors qu'il n'était plus aussi sûr que la première fois que les accusations portées contre lui ne résisteraient pas à un procès. Il se borna à faire la réflexion désabusée qu'il n'y aurait sans doute aucun tribunal entre Washington et le Maryland où il pourrait être jugé avec impartialité.

Le 10 septembre au matin, Fred Buzhardt et Al Haig informèrent Agnew des dernières positions du Ministère de la Justice. Selon les responsables du dossier, Agnew serait certainement inculpé, condamné et devrait probablement purger une peine de prison. La gravité de la situation impressionna sans doute Agnew car, quelques jours plus tard, son avocat prit ses premiers contacts avec le Ministère pour entamer des négociations.

Je revis Agnew alors que les négociations étaient déjà engagées. Il avait bien changé depuis notre première conversation, six semaines auparavant, où il protestait inconditionnellement de son innocence. Il me demandait maintenant mon avis sur ce qu'il devait faire et me parla en termes poignants de sa chute imminente et d'un nouveau départ dans la vie.

Les jours qui suivirent furent marqués par un redoublement des fuites et des attaques de la presse contre lui. Enragé par leur tournure vicieuse, Agnew voulut rompre les négociations et reprendre le combat judiciaire. Richardson et Petersen, que j'avais convoqués le lundi 25 septembre au matin, me confirmèrent qu'ils avaient contre Agnew un dossier « en béton » et qu'il serait certainement condamné à une peine de prison. Je demandai toutefois à Richardson de faire préparer un rapport circonstancié sur la question de savoir s'il était conforme à la Constitution d'inculper devant une instance pénale un Vice-Président en exercice. La Constitution prévoit, en effet, qu'un Président ne peut être révoqué qu'à l'issue d'une procédure parlementaire; puis, s'il est convaincu d'agissements illégaux, il est traduit devant un tribunal. Bien que la Constitution reste muette sur le cas du Vice-Président, je pensais que la question valait d'être étudiée, Agnew se trouvant dans une situation comparable.

Agnew arriva quelques instants plus tard et m'annonça qu'il allait voir le président Carl Albert pour lui demander d'instituer devant la Chambre des Représentants une procédure de révocation. Le lendemain Carl Albert rejetait sa demande. Le même jour, le Ministère de la Justice me faisait savoir que, selon les conclusions de leur étude, s'il était impossible d'inculper un Président en exercice sans l'avoir régulièrement révoqué au préalable, cela ne s'appliquait pas au cas d'un Vice-Président. J'informai Agnew de ce que j'avais appris. Il partit avec sa famille, le même soir, pour réfléchir et probablement, me dit Haig, préparer sa démission.

Les problèmes d'Agnew avaient déjà soulevé de graves conséquences. La presse nous noyait sous un déluge d'attaques et faisait apparaître l'affaire du Watergate sous un jour encore plus sombre qu'elle ne l'était déjà. Les collaborateurs d'Agnew, de leur côté, nous reprochaient amèrement notre prudence dans toute l'affaire, car ils ne se rendaient pas compte du caractère sérieux des accusations qui pesaient contre lui. La confiance du public dans le gouvernement — et particulièrement sa confiance en moi —, déjà sérieusement blessée par le Watergate, s'évanouissait désormais de plus en plus. Tandis que j'éprouvais toujours une profonde sympathie personnelle envers Ted Agnew, je me sentais de plus en plus mal à l'aise, depuis ces derniers jours, devant ses efforts pour prolonger un état de choses dont on ne pouvait que distinguer la fin inéluctable, et je pensais qu'il devait se résoudre à démissionner.

Le samedi après-midi, alors que j'étais à Camp David, Haig me téléphona pour m'informer des derniers événements. Agnew avait fait un discours devant un cercle féminin républicain à Los Angeles et, sous les acclamations de son auditoire qui brandissait des pancartes telles que : « Spiro est mon héros! » il avait violemment protesté de son innocence, attaqué les fonctionnaires du Ministère de la Justice et proclamé enfin : « Je ne démissionnerai pas, même si je suis inculpé! »

Quand cet appel de Haig me parvint, je venais de finir un entretien avec Rose Woods, qui m'avait rejoint dans la matinée pour commencer à dactylographier les conversations enregistrées sur les bandes requises par le procureur spécial.

Je m'attendais déjà à ce que nous perdions notre appel sur la remise de ces enregistrements. Pour éviter de prolonger la paralysie qu'entraînaient les incessantes batailles juridiques, j'avais envisagé un compromis: remettre des transcriptions écrites expurgées de toutes références à des questions portant sur la sécurité de l'Etat, ou autres sujets n'ayant rien à voir avec le Watergate.

J'avais donc demandé à Rose de passer rapidement en revue les bandes exigées par le procureur spécial et la commission Ervin et de nous en donner un rapide résumé, sans perdre son temps à les transcrire entièrement. Elle est d'une telle rapidité en dactylographie que je croyais qu'elle aurait largement le temps de faire ce travail en deux jours. Mais elle s'aperçut que la qualité des enregistrements était si mauvaise, les voix si peu audibles, qu'elle était obligée de s'y reprendre à plusieurs fois, de repasser inlassablement certains passages pour y distinguer des mots incompréhensibles et que son travail n'avançait pas. Je voulus écouter moi-même pour m'en rendre compte. Je n'entendis, en effet, qu'un bredouillis inintelligible où des phrases entières étaient oblitérées par le choc d'un verre sur une table ou le froissement des papiers compulsés. Je n'avais certes pas pensé que nous nous heurterions à une difficulté de ce genre.

Pour compliquer encore les choses, la requête du procureur faisait état de bandes ou de conversations ne correspondant pas aux références que nous avions. Aussi, quand nous repartîmes pour Washington le dimanche soir, Rose avait passé vingt-neuf heures à sa machine avec un magnétophone sans avoir pu faire mieux qu'un fragment de conversation entre Ehrlichman et moi.

Le lundi 1er octobre, après avoir eu une réunion avec Ziegler, Haig, Laird et Kissinger, rencontré le président de la Communauté européenne, assisté à une cérémonie militaire et ratifié des lois, je retournai à mon bureau dans le bâtiment de l'exécutif (E.O.B.), où Rose me rejoignit. Elle était bouleversée.

Elle me dit avoir effacé une brève portion de la conversation que j'avais eue avec Haldeman le 20 juin. Je m'empressai de la rassurer : cet enregistrement n'avait pas été demandé par les enquêteurs, elle n'avait donc pas à s'en inquiéter.

Elle m'expliqua toutefois comment les choses s'étaient passées. A Camp David, elle se servait d'un magnétophone Sony à commande manuelle. A Washington, on avait mis à sa disposition un appareil beaucoup plus perfectionné, un Uher 5000 actionné par une pédale lui permettant de garder les mains libres et de taper sans interruption. Tandis qu'elle se familiarisait avec le fonctionnement de cet appareil, elle répondit au téléphone et s'aperçut, en raccrochant, que le magnétophone avait continué à tourner. Sans qu'elle puisse expliquer ce qui s'était passé, la portion de bande défilant à ce moment-là ne faisait plus entendre qu'un bourdonnement aigu.

Par acquit de conscience, je vérifiai avec Haig et Buzhardt. Ce dernier confirma que cet enregistrement n'avait pas fait l'objet d'une demande de remise au procureur et que, par conséquent, cet incident ne posait aucun problème. Rassuré, je repris alors avec Haig une longue conversation sur un sujet autrement inquiétant à mes yeux, celui d'Agnew. A côté d'une telle situation, l'effacement accidentel de quelques minutes d'enregistrement sur une bande magnétique semblait un incident bien insignifiant.

Pendant une conférence de presse, le 3 octobre, je dus encore faire de la corde raide en évoquant le problème Agnew. Je m'efforçai de prendre sa défense en mettant l'accent sur l'injustice qu'il y avait à le juger et à le condamner dans la presse et l'opinion avant qu'il ait reçu un jugement impartial, mais je ne cherchai pas à cacher qu'à ma connaissance les accusations paraissaient être sérieuses.

J'allai ensuite passer le week-end en Floride où j'appris, par l'avocat d'Agnew, que ce dernier revenait sur sa position extrême de Los Angeles et était à nouveau disposé à reprendre les négociations. Je repoussai l'idée de lui conserver un rôle de conseiller de la Présidence pour qu'il complète les annuités lui donnant droit à une retraite fédérale, dont l'échéance était proche. Mais je promis de faire en sorte qu'il conserve pour quelque temps encore la protection du Service de sécurité et que ses collaborateurs soient recasés dans d'autres emplois au mieux de nos possibilités.

OCTOBRE 1973

Ce même samedi matin, nous avons reçu un télégramme de Ken Keating, notre ambassadeur à Tel-Aviv, nous disant que Golda Meir lui avait déclaré que la Syrie et l'Egypte terminaient leurs préparatifs de guerre. Israël était sur le point de se faire attaquer simultanément sur deux fronts : par les Syriens au nord, par le plateau du Golan; et par les Egyptiens au sud, par la péninsule du Sinaï.

La nouvelle de ces attaques imminentes contre Israël nous prit totalement au dépourvu. La veille encore, un rapport de la C.I.A. estimait qu'une guerre au Proche-Orient était hautement improbable et que les mouvements de troupes, importants et inhabituels, observés en Egypte étaient simplement dus aux grandes manœuvres annuelles. De même, l'accroissement récent des activités militaires des Syriens devait être interprété comme de simples mesures de précautions causées par le fait que les Israéliens avaient récemment abattu trois avions syriens.

Déçu par l'insuffisance et l'incompétence de nos services de renseignements, je fus stupéfait de constater l'échec essuyé par les Israéliens dans ce domaine. Bien qu'ils soient parmi les meilleurs du monde, ils avaient eux aussi été pris par surprise. Pour la première fois depuis 1948, les Israéliens allaient s'engager dans une guerre sans avoir au préalable eu la possibilité de mettre leur matériel en position et leurs troupes en alerte. Ces événements tombaient aussi au moment de la fête de Yom Kippour, la fête religieuse la plus sacrée du calendrier juif, pendant laquelle les Israéliens — y compris ceux sous les drapeaux — passeraient la journée chez eux, en famille, ou en prière dans les synagogues. S'il y avait un jour dans toute l'année où Israël était le moins prêt à se défendre, c'était bien celui-là.

Il était certes tragique de voir la guerre venir endeuiller une partie du monde où elle ne sévissait déjà que trop. Mais ces nouvelles posaient surtout un point d'interrogation aux implications encore plus inquiétantes, celui du rôle joué par l'Union Soviétique. J'avais peine à croire que l'Egypte et la Syrie agissent sans en avoir informé les Soviétiques, sinon avec leurs encouragements directs.

Au cours des quelques heures précédant le début des combats, Kissinger prit contact avec les Israéliens, les Egyptiens et les Soviétiques pour s'efforcer de prévenir le déclenchement des hostilités. Mais il était déjà trop tard. A huit heures, ce matin-là, les Syriens lancèrent leur attaque au nord et l'Egypte développa son offensive au sud.

A la fin de la première journée, les Egyptiens avaient traversé le canal de Suez et progressaient dans le Sinaï. Au nord, les Israéliens repoussaient les troupes syriennes dans le Golan mais ne parvenaient pas à les mettre en déroute comme en 1948 et en 1967. Israël subissait de lourdes pertes. Mme Meir ne perdait pas toutefois confiance, car si, selon elle, Israël pouvait disposer de trois ou quatre jours pour préparer sa contre-offensive, le cours des événements serait complètement renversé sur les deux fronts. Nous avions appelé, dès le début des combats, une session du Conseil de Sécurité des Nations Unies, mais aucun des belligérants n'était disposé à négocier un cessez-le-feu. De leur côté, les Soviétiques soulevaient de vives objections à notre convocation du Conseil de Sécurité. Ils paraissaient convaincus que les Arabes seraient capables de gagner la guerre sur le terrain s'ils avaient seulement le temps de consolider leurs premiers succès. La France et la Grande-Bretagne, membres elles aussi du Conseil de Sécurité, s'efforçaient de garder leurs distances. Elles n'entretenaient pas, avec Israël, des rapports aussi étroits que les nôtres et redoutaient, par ailleurs, que le pétrole arabe soit mis en jeu dans l'issue de ce conflit.

Du point de vue américain, je ne voyais pas d'intérêt à imposer un cessez-le-feu négocié dont ne voulait aucun des deux camps en présence, et dont on ne pouvait guère s'attendre à ce qu'il soit respecté. Il valait mieux attendre que la guerre suive son cours jusqu'au stade où aucun des ennemis ne disposerait sur l'autre d'un avantage militaire décisif. En dépit du scepticisme exprimé par les « faucons » israéliens, j'étais convaincu que, seul, un équilibre des forces sur le champ de bataille offrirait une fondation assez solide pour que l'on y base le début de négociations utiles, et que l'on y édifie un projet de règlement cohérent. Dans cette perspective, j'exprimais donc ma conviction que nous ne devions pas gaspiller notre influence à vouloir imposer un cessez-le-feu tant qu'un déséquilibre trop sensible entre les parties empêcherait l'ouverture de négociations menant à un règlement permanent. Je redoutais également que, dans le cas où les Arabes commenceraient à reculer et à perdre cette guerre, les leaders soviétiques ne se sentent obligés d'intervenir pour ne pas laisser leurs alliés subir une défaite aussi humiliante que celle de 1967.

Notre position vis-à-vis de l'Egypte était particulièrement délicate. Depuis février 1973, nous avions entrepris une série de contacts officieux avec les dirigeants égyptiens afin de renouer et d'améliorer nos relations avec ce pays. Tandis que nous devions accorder une large priorité à l'aide consentie à Israël, victime d'une agression, je conservais l'espoir que ce soutien pourrait néanmoins s'exercer dans des conditions telles qu'elles n'entraîneraient pas de rupture irrémédiable avec l'Egypte, la Syrie et les autres pays arabes. Nous devions aussi tenter de prévenir une intervention des Soviétiques pour ne pas avoir à les affronter directement.

Enfin, nouvel élément périlleux venant se greffer sur une situation déjà terriblement embrouillée, se dressait la menace des représailles économiques que pourraient exercer les Arabes contre nous en imposant un embargo sur le pétrole.

Cette situation explosive ne pouvait pas tomber dans une conjoncture plus mauvaise sur la scène nationale. Agnew terminait avec la justice les négociations devant mener à sa démission, et il fallait que je pense à lui choisir un successeur. Les media nous assenaient quotidiennement de nouveaux coups dans l'affaire du Watergate. Nous venions d'entreprendre une revue complète des enregistrements qu'il allait falloir soumettre au procureur spécial. Et le Congrès choisissait l'occasion d'affirmer son autorité en votant une loi tendant à limiter les pouvoirs du Président en temps de guerre. Pendant quinze jours, les soucis ne cessèrent de se succéder en s'aggravant. A peine une crise était-elle réglée dans un domaine qu'il en surgissait un autre ailleurs, en un crescendo incessant qui allait culminer en nous amenant au bord d'une guerre nucléaire.

A la fin du troisième jour de la guerre du Kippour, il devenait évident que les Israéliens avaient trop présumé de leurs capacités à s'assurer une victoire rapide. Les premiers combats avaient tourné à leur désavantage. Ils avaient déjà perdu un millier d'hommes — alors que la guerre de 1967 n'avait fait que 700 victimes au total dans leurs rangs. Ils étaient déjà pratiquement amputés d'un tiers de leurs forces blindées. Dès le mardi 9 octobre, quatrième jour de la guerre, nous pouvions voir que si les Israéliens devaient poursuivre les combats, il fallait que nous leur fournissions des avions et des munitions pour remplacer leurs pertes du début. Je n'avais aucun doute ni la moindre hésitation sur la conduite que nous devions adopter. Je rencontrai donc Kissinger pour lui dire de faire savoir aux Israéliens que nous les réapprovisionnerions et je lui demandai de mettre en place la logistique nécessaire.

A six heures du soir, ce jour-là, Steve Bull m'annonça l'arrivée du Vice-Président. Ted Agnew était venu m'informer officiellement de ce que je savais déjà : il avait décidé de démissionner.

Je lui dis combien j'appréciais la difficile décision qu'il avait ainsi prise et le remerciai de l'aide qu'il m'avait apportée pendant les précédentes campagnes, de la manière parfaite dont il avait rempli ses fonctions et les missions que je lui avais assignées. Il me fit part de son amertume devant l'hypocrisie de certains parlementaires qui, ayant été gouverneurs, avaient fait pire que ce qui lui était actuellement reproché. Il réitéra ses protestations d'innocence et me fit part de ses inquiétudes pour l'avenir en me demandant d'intervenir auprès d'entreprises où j'avais des relations pour y trouver un poste de conseil extérieur. Je lui promis de faire de mon mieux et l'assurai de mon amitié personnelle.

Le lendemain, Agnew se présenta devant le tribunal fédéral de Baltimore. Conformément au compromis négocié avec le parquet, il plaida coupable sur un chef d'inculpation pour fraude fiscale. Le juge le condamna à trois ans de probation et une amende de 10 000 dollars.

La démission de Ted Agnew avait été une tragédie pour sa famille et pour lui, mais également un drame pour le pays entier. Le 10 octobre, jour de sa démission, je lui écrivis les lignes suivantes :

« Votre patriotisme inébranlable, votre profond dévouement aux intérêts de la nation ont servi d'exemple à ceux qui vous ont approché comme à des millions de citoyens dans le pays.

J'ai été profondément peiné par ces tristes événements et je forme le vœu que votre famille et vous-même soyez soutenus, à l'avenir, par une fierté légitime de ce que vous avez accompli pour la nation que vous avez servie comme Vice-Président. »

Le 10 octobre au matin, j'eus une réunion avec les chefs des groupes parlementaires démocrate et républicain. Je leur déclarai que notre objectif était de promouvoir la paix au Proche-Orient sans pour autant compromettre les relations que nous avions nouées tant dans le camp arabe que dans le camp israélien. Jusqu'à présent, notre politique avait été couronnée de succès et nul ne nous reprochait d'avoir manifesté de parti pris ou de l'impartialité. Il était évident, tandis que je leur parlais, que ces hommes — et même les plus ardents partisans d'Israël — n'envisageaient qu'avec la plus grande répugnance un engagement des Etats-Unis dans ce conflit. Mike Mansfield me dit même : « Nous ne voulons pas d'un nouveau Vietnam, Monsieur le Président. »

Un peu plus tard dans la matinée, l'ambassadeur d'Israël vint à la Maison Blanche pour me porter un message de Golda Meir. Elle m'écrivait :

« J'ai été informée ce matin de votre décision de nous approvisionner sans délai en matériel de guerre. Cette décision aura un effet inappréciable et hautement bénéfique sur nos possibilités de combattre. Je sais qu'en cette heure de besoin, Israël peut se tourner vers vous et compter sur votre profonde sympathie et votre compréhension.

> Nous nous battons contre un ennemi puissant, mais nous gardons toute notre confiance en la victoire. Quand elle viendra, nous saurons nous souvenir de ce que vous avez fait pour nous. »

J'avais suivi heure par heure avec Kissinger l'évolution de nos expéditions. Ses rapports étaient pessimistes.

« La Défense nous met des bâtons dans les roues », me dit-il. Le Secrétaire à la Défense, James Schlesinger, était en effet soucieux de ne pas vexer les Arabes et s'opposait à ce que des appareils d'El-Al se posent sur des terrains militaires. Kissinger avait finalement réussi à vaincre ses réticences en détournant les avions par New York où l'on passait de la peinture sur leurs signes distinctifs. Je convenais qu'il ne fallait sans doute pas offenser inutilement les Arabes, mais nous recevions au même moment des rapports faisant état d'un pont aérien soviétique livrant des armes à la Syrie et à l'Egypte, ainsi que de la mise en alerte de trois divisions aéroportées soviétiques. Tandis que les Arabes faisaient tout pour consolider leur victoire, je jugeais inconcevable qu'Israël risque de perdre la guerre faute d'armes et de munitions pendant que nous perdions notre temps à badigeonner des étoiles de David sur des carlingues. « Dites à Schlesinger qu'il se dépêche », répondis-je à Kissinger.

La situation se compliqua davantage quand nous apprîmes que notre fidèle allié, le roi Hussein de Jordanie, avait décidé d'envoyer un contingent de soldats jordaniens combattre aux côtés des Syriens. L'adjoint de Kissinger appela l'ambassadeur d'Israël pour exprimer notre espoir que son pays n'élargirait pas le conflit en lançant une attaque contre la Jordanie.

C'est au milieu de cette crise du Proche-Orient que je dus accorder mon attention au choix d'un nouveau Vice-Président.

Plusieurs parlementaires vinrent à la Maison Blanche pour m'en parler. Comme on pouvait s'y attendre, les Démocrates redoutaient particulièrement l'élévation d'un Républicain doté d'un important soutien populaire à un poste où il bénéficierait d'un avantage appréciable pour l'élection de 1976, où je ne pouvais me représenter. Ils insistaient sur la nomination d'un simple « bouche-trou », qui ne feraient que remplir le mandat d'Agnew jusqu'à son expiration.

Quand les noms de personnalités telles que Connally, Rockefeller ou Reagan se glissèrent dans la conversation, Mike Mansfield m'indiqua que de tels candidats rencontreraient probablement une « vive opposition » au Parlement. Ce qui voulait dire que la majorité démocrate leur bloquerait systématiquement le passage... Je me bornai à répondre que seules m'intéressaient les qualifications du candidat et, à titre d'exemple, mentionnai le nom de Jerry Ford. Mansfield tira deux ou trois bouffées de sa pipe sans faire de commentaire.

Le 11 octobre dans l'après-midi, je partis pour Camp David en emportant les suggestions et recommandations que m'avaient fait remettre les dirigeants du Parti Républicain. Deux noms arrivaient en tête de la liste, pratiquement à égalité : ceux de Rockefeller et Reagan. Connally arrivait troisième et Ford quatrième. Il était toutefois largement en tête du classement opéré par les parlementaires, et c'était d'eux que dépendrait la confirmation de la nomination que je devais faire. Cela laissait donc Jerry Ford seul en piste.

Dès le début de mes recherches, j'avais soigneusement établi les critères selon lesquels je choisirais l'homme qui deviendrait Vice-Président. Les principaux étaient au nombre de quatre : d'abord, être qualifié pour exercer les fonctions de Président; ensuite, il devait y avoir entre nous des affinités idéologiques; je devais pouvoir compter sur sa loyauté; enfin, il devait être « confirmable ». En ce qui concernait Jerry Ford, je croyais sincèrement qu'il possédait les qualités lui permettant de remplir, sans difficulté, le poste de Président si, pour une raison quelconque, je ne pouvais aller jusqu'au bout de mon mandat. Je savais qu'il avait des opinions très proches des miennes sur les problèmes de politique intérieure et étrangère. Il possédait un esprit d'équipe qui en ferait un coéquipier dévoué. Enfin, il serait incontestablement, de tous les autres candidats, celui qui obtiendrait le plus facilement la confirmation du Congrès.

Je rentrai à la Maison Blanche le vendredi 12 octobre au matin et fis immédiatement part de ma décision à Haig et à Connally. Ils approuvèrent mon choix sans hésitation.

Peu après, Hugh Scott et Jerry Ford arrivèrent pour examiner avec moi l'agenda parlementaire des jours suivants. Je ne leur dis rien de ma décision sur le nouveau Vice-Président. D'après certains journalistes, Ford espérait apprendre sa nomination au cours de cette visite et je m'amusai beaucoup à lire les articles parus ensuite, décrivant Gerald Ford comme « déprimé » en quittant la Maison Blanche.

Je devais apprendre dans le courant de l'après-midi que nos programmes d'expédition de matériel militaire à Israël subissaient de graves retards. Du fait qu'Israël se trouvait dans une « zone d'hostilités », aucune compagnie d'assurances ne voulait délivrer de polices couvrant les risques encourus par des avions de transport civils. Afin de résoudre ce problème, nous avons examiné avec le Pentagone la possibilité de mobiliser une partie dc la flotte aérienne de la réserve civile. Nous avons aussi considéré la solution consistant à envoyer les fournitures jusqu'aux Açores où elles seraient transbordées. Après bien des discussions, nous avons réussi à convaincre le gouvernement portugais de nous y autoriser, ce qu'il fit de très mauvaise grâce. Pendant ce temps, le pont aérien soviétique atteignait des proportions tellement gigantesques, la pénurie de munitions dont souffrait Israël était tellement grave que j'en déduisis que tout retard supplémentaire devenait inacceptable. Je décidai donc d'utiliser des appareils militaires américains et même, si nécessaire, d'acheminer directement nos fournitures jusqu'en Israël. Je demandai en conséquence à Kissinger de faire part de ma décision au Pentagone et de leur faire préparer un plan d'application immédiate. Je fus choqué et stupéfait quand il vint me dire que le Pentagone ne proposait que l'envoi de trois avions-cargos C-5A. Selon leur version, l'envoi d'un très petit nombre d'avions soulèverait moins de difficultés avec les Egyptiens, les Syriens et les Soviétiques. D'après moi, au contraire, nous serions tout autant critiqués pour l'envoi de trois avions que de trente.

J'appelai donc Schlesinger pour lui dire que je comprenais sans doute les soucis qui le préoccupaient et que j'appréciais sa prudence comme il convenait. Je l'assurai que j'étais parfaitement conscient de la gravité de ma décision, dont j'assumerais seul la pleine et entière responsabilité si, à la suite de son application, nous encourions l'hostilité des Arabes et devions nous faire couper nos approvisionnements pétroliers. Mais je lui confirmai que, si nous ne pouvions pas nous servir d'avions de transport civils, nous devions utiliser nos appareils militaires, et sans délai.

Peu après, Kissinger vint me dire que le Pentagone n'arrivait pas à se décider sur le modèle d'avion à utiliser pour le pont aérien. Je laissai alors exploser mon exaspération : « Bon dieu! m'écriai-je. Qu'ils se servent de n'importe quoi en état de voler, mais qu'ils envoient ce matériel! »

Peu après 19 heures, le vendredi 12 octobre, je dis à Haig d'appeler Jerry Ford chez lui pour lui apprendre que je l'avais choisi comme Vice-Président. A 21 heures, la nouvelle fut officiellement annoncée à la télévision, au cours d'une cérémonie dans le Salon de l'Orient. Je dînai ensuite avec la famille et j'avais à peine avalé un steak que Haig arriva pour me parler du dernier message soviétique, parvenu à la Maison Blanche un peu plus tôt dans la soirée.

Ce message déclarait simplement que les Soviétiques avaient entendu dire que nous fournissions à Israël des bombes, des missiles air-air, des avions et des chars. Ils nous disaient également avoir entendu des rumeurs selon lesquelles 150 pilotes militaires allaient se rendre en Israël déguisés en touristes. Sans proférer ouvertement de menaces, le ton de ce message sous-entendait assez clairement son intention de nous intimider. Il ne faisait naturellement pas la moindre allusion au pont aérien que les Soviétiques avaient eux-mêmes mis en place et qui livrait, à l'Egypte et à la Syrie, des quantités d'armes et de munitions estimées à 700 tonnes par jour.

Ce message, en tout état de cause, était prématuré. Notre propre pont aérien n'avait pas encore commencé au moment où il avait été rédigé. Toutefois, le lendemain samedi 13 octobre à 15 h 30, trente avions-cargos C-130 prenaient l'air en direction d'Israël.

Dès le mardi suivant, nous acheminions ainsi 1 000 tonnes par jour. Au cours des semaines qui suivirent, plus de 550 missions furent ainsi accomplies, faisant de cette opération la plus importante depuis le pont aérien de Berlin en 1948-49. Elle le dépassait même d'assez loin.

Les Israéliens avaient déjà commencé à reprendre le dessus. Grâce aux renforts de matériel que nous leur avions fait parvenir, ils avaient réussi leur percée jusque dans les faubourgs de Damas et étaient à deux doigts d'encercler les forces égyptiennes dans le Sinaï.

Il me fallut attendre jusqu'au samedi matin pour avoir le temps de me pencher sur la décision rendue par la Cour d'Appel au sujet des neuf bandes magnétiques réclamées par le procureur spécial.

La décision avait beau nous être contraire, elle n'était pas entièrement négative. La Cour reconnaissait, en effet, que cette requête ne pouvait être valable que dans des circonstances « exceptionnelles et pour un objet délimité », sans toutefois aller jusqu'à admettre que seul le Président avait le pouvoir de décider si de tels documents étaient ou non considérés comme couverts par le privilège de la confidentialité.

Cette décision était surtout un rude coup qui m'était porté personnellement. Certes, la commission Ervin s'essoufflait et l'humeur du Congrès semblait s'adoucir. Mais les sondages ne cessaient de baisser à mon détriment. L'opinion publique s'était-elle irrémédiablement endurcie? Avait-elle dépassé le point de non-retour?

Pendant ce temps, la situation était toujours aussi intolérable. Quatre mois s'étaient écoulés depuis la démission de Haldeman et d'Ehrlichman, quatre mois depuis que Cox avait pris ses fonctions. Rien pourtant n'avait été résolu. Les rumeurs selon lesquelles Cox voulait toujours m'inculper étaient plus persistantes que jamais. Ses collaborateurs et lui fouinaient toujours partout. Les plus conservateurs des parlementaires, ainsi que la plupart de mes collaborateurs, estimaient qu'il était devenu un dangereux parasite, sapant l'exécutif jour après jour, de plus en plus dangereusement. Le congédier paraissait désormais la seule solution pour débarrasser le gouvernement de cette vipère partisane et sectaire que nous avions réchauffée nous-mêmes dans notre sein. Porter l'affaire des neuf enregistrements devant la Cour Suprême ne servirait de rien : le lendemain, Cox allait revenir à la charge et en exiger d'autres.

Tout cela survenait au pire moment : nous étions plongés dans une sérieuse crise internationale au Proche-Orient; le pays se relevait à peine du traumatisme provoqué par la démission du Vice-Président. Mais rien de tout cela n'importait aux yeux du jugement de la Cour d'Appel. Nous avions jusqu'au vendredi minuit pour nous incliner ou pour nous pourvoir devant une juridiction supérieure.

La nomination du procureur spécial avait été une très grosse erreur, à laquelle il allait être difficile et coûteux de porter remède. Aussi, dans l'hypothèse où je pourrais négocier un compromis acceptable sur la remise des enregistrements, j'étais décidé à congédier Cox et à remettre le dossier du Watergate au Ministère de la Justice, où il avait été considéré comme résolu à 90 % plusieurs mois auparavant, et où, de plus, les instructeurs n'avaient pas le même intérêt que Cox et ses collaborateurs à perpétuer leurs fonctions en les alimentant de tout et de rien.

Je m'étais entre-temps mis d'accord avec une personnalité impartiale et insoupçonnable, le sénateur John Stennis, Démocrate du Mississippi et président d'une commission sénatoriale, pour qu'il se charge de vérifier l'exactitude des transcriptions d'extraits d'enregistrements que je pouvais divulguer sans, à mes yeux, compromettre le principe de l'indépendance de la Présidence. Stennis avait accepté le dimanche 14 octobre.

Le lendemain, lundi 15 octobre, Haig fit venir Elliot Richardson. Officiellement, Cox était subordonné à Richardson et il appartenait donc à ce dernier de lui signifier son congédiement. Mais je savais que Richardson pouvait avoir des réactions imprévisibles. S'il avait publiquement reconnu le bien-fondé de mon refus de communiquer les enregistrements, il s'était également engagé, devant le Sénat lors de sa confirmation à son poste, à ne congédier Cox que pour « fautes graves ». Il se sentirait probablement tenu à démissionner pour ne pas trahir sa promesse au Sénat. C'est d'ailleurs ce que Haig me confirma après leur entrevue. En outre, on ne pouvait plus ignorer la réalité des faits : Cox était devenu, dans l'opinion publique, un véritable héros du Watergate.

Nous voulions pourtant éviter à tout prix la démission de Richardson. Avec Haig, je m'efforçai donc de mettre au point un compromis — le dernier que j'étais décidé à accorder à Cox —, aux termes duquel nous n'exigerions pas son départ si nous pouvions poursuivre la solution de vérification des enregistrements par Stennis. Richardson jugea cette proposition raisonnable, approuva le choix de Stennis pour cette mission et se fit fort, si Cox refusait de se rendre à ses raisons, de prendre mon parti dans le conflit qui s'ensuivrait. Richardson ne prévoyait aucun problème avec Cox, son ancien professeur de droit à Harvard, avec qui il avait toujours entretenu des relations amicales.

Fort de ces assurances, je confirmai donc à Stennis qu'il se chargerait de vérifier mot à mot la fidélité des transcriptions et certifierait que les passages omis ne portaient que sur des sujets confidentiels ou n'ayant rien à voir avec le Watergate.

Le 17 octobre, je recevais dans le Bureau Ovale une délégation de quatre ministres des Affaires étrangères de pays arabes. A la fin de notre entretien, le ministre saoudien me déclara : « Nous pensons que l'homme qui a su terminer la guerre du Vietnam, l'homme qui aurait pu ramener la paix dans le monde, peut facilement jouer un rôle déterminant dans le retour de la paix au Moyen-Orient. »

Le jeudi 18 octobre, à 20 h 45, on nous informa d'une proposition soviétique tendant à soumettre au Conseil de Sécurité un projet de résolution pour un cessez-le-feu. Les succès israéliens et notre pont aérien avaient formé une combinaison à laquelle les Arabes et leurs commanditaires soviétiques ne pouvaient apparemment pas résister. C'est pourquoi les Russes soumettaient cette proposition basée sur trois principes : cessez-le-feu sur les positions occupées, repli immédiat des Israéliens jusqu'aux frontières définies par la résolution 242 des Nations Unies — c'est-à-dire jusqu'aux frontières d'avant la guerre de 1967 —, et engagement de consultations pour la formulation d'un traité de paix.

Ces conditions ne faisaient que refléter l'insistance habituelle des Soviétiques à exiger, avant le début de toute négociation de paix, l'abandon par les Israéliens des territoires conquis pendant la guerre de 1967. Une telle exigence était parfaitement contraire à tout réalisme. Les Israéliens, en effet, ne considéraient pas ces territoires comme de simples atouts pour une négociation mais bien comme des éléments essentiels de leur protection et des garants de leur sécurité nationale. En outre, les succès qu'ils venaient de remporter sur le terrain ne les disposeraient sûrement pas à accepter de leur plein gré les conditions que les Arabes auraient voulu leur imposer s'ils avaient été les vainqueurs.

Je préparai donc une réponse où, sans nous engager formellement à accepter la proposition soviétique, je mettais l'accent sur la nécessité de poursuivre nos consultations. Je déclarai également que la détente ne s'accomplirait jamais pleinement entre nos deux pays tant que la paix ne serait pas revenue au Moyen-Orient, et que nous avions tous deux un rôle à jouer pour parvenir à ce but.

Pendant ce temps, les choses ne progressaient pas dans la conclusion du compromis avec Cox. Les réunions succédaient aux conciliabules, les suggestions s'amoncelaient sans que nul puisse nous faire prévoir les réactions de Cox, dont les exigences ne semblaient pas vouloir s'amoindrir. Selon Haig, toutefois, Richardson paraissait certain que si Cox finissait par rejeter la solution Stennis, il démissionnerait en signe de protestation.

Le 19 octobre, alors que nous tentions de déterminer la meilleure manière de s'y prendre avec Cox, je reçus une lettre de Brejnev. Il me disait que la situation au Proche-Orient devenait de plus en plus dangereuse. Comme ni les Etats-Unis ni l'Union Soviétique ne souhaitaient voir leurs relations se détériorer, il me disait que nous devrions faire l'un et l'autre tout notre possible pour prévenir une aggravation de la situation. Il concluait en suggérant que Kissinger se rende à Moscou pour des conversations de vive voix.

La conjoncture, en effet, était devenue critique. Les Arabes étaient au bord de la défaite et l'on devait redouter que, dans les jours à venir, les Soviétiques ne soient forcés à une intervention. Cet après-midi-là, je fis parvenir au Congrès une demande pour débloquer 2 milliards 200 millions de dollars à titre d'une aide d'urgence à Israël. L'avant-veille, 17 octobre, l'O.P.E.P. avait décidé de réduire la production de brut. A peine quelques jours après la présentation de ma demande au Congrès en faveur d'Israël. Abou Dhabi, la Libye, l'Arabie Saoudite, l'Algérie et le Koweit imposaient un embargo total sur toutes les livraisons de pétrole aux Etats-Unis. En dépit de ces événements, je persistais à croire que nous ne pouvions pas faire moins pour Israël à un moment aussi critique de son histoire.

Dans l'après-midi du 19 octobre, Haig me fit part d'une plainte « assez tiède » de Richardson sur certains termes de notre projet concernant le sort de Cox. « Mais cela ne devrait pas soulever de problème », ajouta Haig.

A 17 h 25, Sam Ervin et Howard Baker arrivèrent à mon bureau. Quand je les informai de ce que j'appelais désormais le « compromis Stennis », ils me parurent soulagés et approbateurs.

Ervin fit preuve des plus grands égards à mon endroit. Vers la fin de notre conversation, quand je lui présentai des excuses pour ma brusquerie envers lui dans notre conversation téléphonique du mois de juillet, il me donna les siennes à son tour en disant qu'il n'était pas au courant de ma maladie. Ainsi assurés de l'accord de Baker et d'Ervin sur le compromis Stennis, nous voulûmes faire part de la bonne nouvelle à tous les membres du Cabinet et à Jerry Ford. Tout le monde en fut enchanté.

Je fis, ce soir-là, une déclaration pour confirmer la nouvelle, mettant l'accent sur la conjoncture internationale et sa nature particulièrement délicate en ce moment :

> « Ce qui compte avant tout, c'est que nous soyons capables d'agir, et d'agir de manière à garder le contrôle des événements, non d'être paralysés ni submergés par eux. L'affaires du Watergate a pris, dans notre pays, la tournure d'un conflit politique partisan. Certains, sur la scène internationale, pourraient être tentés de profiter de nos difficultés internes et d'en tirer une interprétation abusive en y voyant une absence de résolution ou d'union du peuple américain face aux défis qui lui sont lancés. »

Je fis ensuite une description du compromis Stennis et confirmai que les transcriptions authentifiées par lui seraient remises au juge Sirica et à la commission Ervin. J'énonçai ensuite publiquement mes instructions à Cox d'avoir à cesser ses expéditions de pêche en eaux troubles :

> « Bien que je ne souhaite par interférer dans les décisions que doit prendre, en toute indépendance, le procureur spécial, je considère qu'il est devenu nécessaire de lui rappeler que, comme employé du pouvoir exécutif, il n'a plus de raisons de prendre de nouvelles mesures pour se faire communiquer de nouvelles conversations présidentielles. Avec la déclaration qui va être remise aux tribunaux, je suis convaincu que nous aurons ainsi satisfait à toutes les requêtes légitimes du procureur spécial qui sera alors en mesure de prononcer les inculpations nécessaires à l'encontre de ceux ayant commis des délits... »

La réaction initiale du Congrès et de l'opinion publique au compromis Stennis fut extrêmement favorable. Les parlementaires des deux partis exprimèrent leur confiance envers leur collègue pour l'accomplissement de sa mission.

J'avais immédiatement été d'accord avec la suggestion de Brejnev d'envoyer Kissinger à Moscou. Le 20 octobre, je lui fis parvenir une réponse très ferme. Mais, pour adoucir ce que le texte avait d'inflexible, j'y ajoutai une note manuscrite où je lui transmettais, pour lui et à Mme Brejnev, les meilleurs souvenirs personnels de Pat et de moi. Je savais que Brejnev comprendrait la signification de cet alliage : s'il voulait bien s'attaquer sérieusement à une tentative de paix, je voulais bien fermer les yeux sur les fournitures d'armes soviétiques et considérer que nos relations personnelles n'en étaient pas affectées.

Peu après son arrivée à Moscou, Kissinger me fit parvenir une lettre de Brejnev qui faisait écho à la fermeté de la mienne, mais qui contenait elle aussi un post-scriptum manuscrit : « Mme Brejnev vous remercie de votre aimable pensée et se joint à moi pour vous prier de partager avec Mme Nixon nos meilleurs sentiments. »

Au début de l'après-midi du samedi, Cox convoqua une conférence de presse. Adoptant la mine effarée du professeur distrait et modeste, il déclara qu'il se trouvait bien embarrassé d'avoir à se conduire ainsi vis-à-vis du Président des Etats-Unis, mais qu'il n'aimait pas qu'on lui dicte ce qu'il avait à faire. Par conséquent, il réitérait sa requête sur les bandes magnétiques malgré le compromis que je lui avais offert. Il ajouta même qu'il ne pensait pas qu'il puisse recevoir d'ordre de qui que ce soit, à l'exception d'Elliot Richardson.

Je ne pouvais pas laisser Cox défier ouvertement un ordre présidentiel. Que penseraient Brejnev et les Soviets si, au beau milieu de l'épreuve de force où nous étions engagés avec eux, j'avais à m'incliner devant les exigences d'un de mes employés? Je trouvais également que Cox avait délibérément outrepassé les limites de son autorité. Il s'attaquait à moi personnellement, et je voulais le renvoyer.

Peu après 14 heures, Haig appela Richardson et lui demanda de congédier Cox. Richardson répondit qu'il n'en ferait rien et qu'il voulait me voir pour me remettre sa démission. Des rumeurs commençaient d'ailleurs à courir sur le fait que Richardson s'efforçait de se dégager de sa propre participation à la formulation du compromis Stennis et à la directive de « se soumettre ou se démettre » signifiée à Cox.

Quand Richardson arriva à la Maison Blanche, Haig tenta d'infléchir sa décision, le pressa d'attendre pour remettre sa démission que la crise du Proche-Orient soit au moins terminée. Sa désertion, au moment même où Kissinger était à Moscou, risquait d'avoir des effets désastreux, non seulement sur la manière dont les Soviétiques seraient tentés d'interpréter notre véritable force politique, mais aussi sur le moral du Cabinet. Richardson resta inébranlable. Comme je le dis plus tard à Len Garment : « Si je ne peux même pas faire exécuter un ordre par un de mes ministres, comment puis-je envoyer des armes à Israël? »

Son adjoint, William Ruckelshaus, était normalement le premier en ligne pour lui succéder au poste. Mais Ruckelshaus nous fit immédiatement savoir qu'il démissionnerait lui aussi plutôt que de congédier Cox. Je compris tout de suite que nous allions sans doute avoir à faire face à des démissions en chaîne sans pouvoir prévoir où cela s'arrêterait. Mais j'étais désormais déterminé à aller jusqu'au bout.

Le troisième homme du Ministère de la Justice était le *Solicitor General*, Robert Bork. La démission de ses deux supérieurs directs le plaçait dans une position délicate. Certes, Bork n'était pas homme à plier sous la contrainte. Mais, tout en étant personnellement opposé à ma décision de me débarrasser de Cox, il était avant tout un spécialiste de droit constitutionnel et devait admettre que, selon la Constitution, j'en avais parfaitement le droit. Il était donc de son devoir d'exécuter mes ordres, et il répondit qu'il congédierait Archibald Cox.

A 20 h 22, le samedi 20 octobre, Ziegler se rendit à la salle de presse de la Maison Blanche et annonça que Cox était congédié, que Richardson et Ruckelshaus avaient démissionné, et que les services du procureur spécial pour le Watergate étaient supprimés et leurs fonctions rendues au Ministère de la Justice.

Les chaînes de télévision interrompirent leurs programmes réguliers pour diffuser des bulletins spéciaux qui frisaient l'hystérie. Des émissions spéciales furent diffusées, plus tard dans la soirée, sur toutes les stations. Les commentateurs décrivaient les événements en termes d'apocalypse, les présentant comme un véritable coup d'Etat de l'exécutif pour éliminer toute opposition. Déjà, on baptisait cette soirée « La Nuit des longs couteaux », dans un parallèle de mauvais goût avec la purge sanglante exécutée par Hitler en 1934. Sous vingt-quatre heures, toutefois, l'ensemble de la presse et de la télévision s'était mis d'accord sur le titre, plus court mais non moins infamant, de « Massacre du samedi soir ».

Dès le mardi 23 octobre, vingt et une résolutions étaient en cours d'examen au Parlement pour instituer la procédure de ma révocation. Les journaux les plus favorables à ma cause exigeaient désormais ma démission. Le 30 octobre, la Commission de la Justice de la Chambre se donnait le pouvoir de lancer des citations à comparaître devant elle. Le 15 novembre, la Chambre votait un crédit d'un million de dollars pour entamer la procédure de révocation.

J'avais beau m'attendre à des réactions défavorables au renvoi de Cox, j'avais été pris par surprise devant l'ampleur et la férocité de ce qui se passait dans la réalité. Pour la première fois, je m'apercevais de la profondeur de l'empreinte laissée dans l'opinion par le Watergate. Je découvrais enfin jusqu'où son effet corrosif avait rongé la moelle de l'Amérique tout entière. En apprenant les réactions affolées, quasi hystériques, de gens connus par ailleurs pour leur caractère pondéré, je comprenais combien rares étaient ceux qui étaient capables de voir les choses de mon point de vue, combien les nerfs du peuple américain étaient tèndus, au point de craquer. Ignorant la réalité de cette situation, j'avais donc agi en commettant une série de graves erreurs de jugement. Mais si l'on tenait compte du fait que la présence de Cox au poste de procureur spécial était devenue intolérable, je sentais que je n'avais quand même pas eu d'autre choix que de prendre la décision que j'avais prise.

A Moscou, le dimanche 21 octobre, Kissinger et Brejnev finirent la rédaction d'un projet d'accord de cessez-le-feu. Brejnev devait en informer Sadate et Assad tandis que Kissinger partit pour Tel-Aviv le soumettre aux Israéliens. Pendant qu'il était en chemin, j'envoyai à Mme Meir une lettre où j'exprimais mes regrets de n'avoir pas disposé de plus de temps pour nous consulter avant d'exposer les grandes lignes du projet :

1. Un cessez-le-feu sur les positions occupées.

2. Un appel général pour l'application de la résolution 242 des Nations Unies après le cessez-le-feu.

3. Des négociations entre les parties dans le but de jeter les bases d'un règlement pacifique durable au Proche-Orient.

Ces conditions méritaient particulièrement d'être remarquées car c'était la première fois que les Soviétiques avaient été d'accord pour recommander des négociations directes entre les parties, sans conditions préalables. C'était également la première fois qu'ils avaient accepté un « appel général » à faire appliquer la résolution 242 sans exiger au préalable que les Israéliens évacuent les territoires occupés avant le début de toute négociation.

Les Arabes et les Israéliens acceptèrent — sans enthousiasme, il faut bien le dire — les termes de ce projet, et le cessez-le-feu entra en vigueur le lundi 22 octobre. Quelques heures plus tard, toutefois, les Israéliens accusèrent les Egyptiens de l'avoir violé, reprirent l'offensive et terminèrent l'encerclement des 20 000 hommes de la IIIᵉ Armée égyptienne sur la rive Est du canal de Suez.

De retour à Washington, Kissinger reçut un message des Soviétiques accusant les Israéliens d'avoir rompu le cessez-le-feu et l'informant de la suggestion de Sadate de faire intervenir les Etats-Unis et l'Union Soviétique pour séparer les forces armées égyptiennes et israéliennes. Vingt minutes plus tard, ce même 23 octobre à 11 heures du matin, je recevais un message urgent de Brejnev sur la ligne directe Moscou-Washington. Bien qu'il s'ouvre par les mots : « Cher et estimé Président », la teneur en est extrêmement froide et dure. Brejnev affecte d'ignorer les provocations égyptiennes et rejette entièrement la faute sur les Israéliens pour la rupture du cessez-le-feu. Il exige que les Etats-Unis interviennent pour faire cesser ces violations et laisse même entendre, de manière insultante, que nous avions sans doute été de connivence avec Israël.

Dans ma réponse, je lui déclare que c'est l'Egypte qui, à notre connaissance, avait été la première à violer le cessez-le-feu. Je lui dis que ce n'est pas le moment d'ergoter sur une telle question et que nous avions immédiatement fait pression sur Israël pour suspendre les hostilités. Je presse

Brejnev d'en faire autant du côté égyptien. Enfin, je lui rappelle que nous étions, lui et moi, parvenus à un accord historique le week-end précédent et qu'il ne fallait pas le laisser si tôt retourner au néant.

L'après-midi même, Brejnev répondait que les Egyptiens étaient prêts à un nouveau cessez-le-feu si les Israéliens étaient d'accord. Je lui en accusai immédiatement réception en le priant d'intervenir de même auprès de la Syrie et concluais en disant : « Je suis plus que jamais convaincu que vous et moi avons rendu un immense service à la cause de la paix. »

Ce même mardi 23 octobre, Charles Alan Wright devait comparaître devant le juge Sirica pour lui annoncer ma décision sur la remise des enregistrements. Mais, à la suite de la tempête soulevée par le renvoi de Cox, le compromis Stennis avait volé en éclats. C'est pourquoi, avant que Wright ne parte, je tins une conférence avec lui, Haig, Garment et Buzhardt pour mettre au point notre décision définitive.

Nous devions agir vite si nous ne voulions pas risquer de voir la procédure de révocation nous prendre de vitesse. Cette seule menace plaidait en faveur de la remise des bandes magnétiques. Mais je savais aussi les résultats qu'aurait une telle capitulation tant sur le principe du privilège exécutif que sur ma propre situation. Je pourrais en référer à la Cour Suprême, mais une décision négative me laisserait sans recours.

Je devais aussi considérer d'autres éléments. Ainsi, certains parlementaires m'avaient fait comprendre que la confirmation de Ford pourrait dépendre de ma soumission dans la remise des enregistrements. J'avais enfin le sentiment qu'il devenait impératif de trouver une solution à cette crise intérieure afin que les Soviétiques ne soient plus tentés d'en profiter pour exploiter à leur avantage la crise du Proche-Orient. Tous les participants à cette réunion tombèrent d'accord : il fallait que je donne les enregistrements. Je me consolais de cette pénible obligation en sachant qu'elle aurait au moins l'avantage de prouver que Dean avait menti sur mon compte dans sa déposition. Cet après-midi-là donc, Wright se présenta devant le tribunal et déclara : « Le Président ne défie pas la loi. »

Le second cessez-le-feu du Proche-Orient prit effet le 24 octobre. Mais nous recevions des renseignements alarmants : sept divisions aéroportées soviétiques, fortes de 50 000 hommes, avait été mises en état d'alerte; et une flotte de quatre-vingt-cinq navires soviétiques, dont des péniches de débarquement et des porte-hélicoptères transports de troupes, croisaient en Méditerranée.

Dans l'après-midi, Sadate demanda publiquement que Brejnev et moi envoyions des forces de maintien de l'ordre dans la région. Les Soviétiques sauteraient manifestement sur une occasion leur donnant un prétexte pour rétablir leur présence militaire en Egypte. Des rumeurs circulaient également à l'O.N.U. que les Soviétiques faisaient pression sur les pays non alignés pour soutenir une proposition de résolution imposant l'envoi d'une force conjointe U.S.A.-U.R.S.S., que nous le voulions ou non.

Je me décidai donc à me servir des contacts récemment rétablis avec l'Egypte pour envoyer à Sadate un message :

« Je viens d'apprendre qu'un projet de résolution pourrait être soumis au Conseil de Sécurité tendant à l'envoi d'une force de maintien de l'ordre américano-soviétique. Il est de mon devoir de vous informer que, dans une telle éventualité, les Etats-Unis y opposeraient leur veto pour les raisons suivantes : il serait impossible de rassembler des forces assez puissantes pour s'opposer de manière efficace aux forces locales actuellement en présence dans la région; par ailleurs, le recours aux deux grandes puissances nucléaires introduirait un élément potentiellement très dangereux pouvant mener à une confrontation directe de ces deux puissances dans votre région. »

Un nouveau message de Brejnev me parvint à 21 heures ce soir-là. Il disait avoir reçu des renseignements sérieux que l'armée israélienne se battait contre les forces égyptiennes sur la rive Est du canal de Suez. Or nous savions que ce n'était pas vrai et que la journée avait été calme. Il y avait donc manifestement une arrière-pensée dans les déclarations de Brejnev, et nous ne pouvions qu'attendre et voir ce qu'il avait en tête.

Un nouveau message arriva une heure après. Kissinger appela immédiatement Dobrynine pour le lui lire et s'assurer qu'il n'y avait pas erreur, car la teneur de ce message représentait sans doute la menace la plus grave faite aux relations américano-soviétiques depuis la crise des missiles de Cuba, onze ans auparavant. Brejnev y réitérait ses accusations contre Israël de violer le cessez-le-feu imposé par le Conseil de Sécurité. Il demandait en conséquence que les Etats-Unis et l'Union Soviétique expédient immédiatement des contingents de troupes dans la région. Il exigeait une réponse immédiate en ajoutant que, si nous refusions d'adhérer à l'action conjointe qu'il proposait ainsi, l'Union Soviétique envisagerait alors une intervention unilatérale.

Je réunis immédiatement Haig et Kissinger pour formuler une réplique ferme à la menace d'intervention soviétique. Mais il nous fallait plus que des mots pour nous faire comprendre. Il nous fallait des actes, jusques et y compris la mise en alerte de nos forces armées.

Cette nuit-là, j'envoyai un nouveau message à Sadate pour lui exposer les grandes lignes de la proposition soviétique et lui rappeler pourquoi j'estimais une telle intervention inacceptable :

« Je vous ai déjà demandé de soupeser les conséquences qu'aurait, pour votre pays, un affrontement sur son sol des deux grandes puissances nucléaires. Je vous demande maintenant de considérer l'impossibilité où nous nous trouverions de prendre des initiatives diplomatiques, devant débuter par la visite du Dr Kissinger au Caire le 7 novembre, si les forces armées d'une seule des grandes puissances nucléaires se trouvaient militairement engagées en territoire égyptien... »

Pendant ce temps, une conférence se déroulait dans la salle d'état-major de la Maison Blanche. Les participants recommandèrent à l'unanimité de placer en état d'alerte l'ensemble de nos forces conventionnelles et nucléaires. Peu après minuit, l'ordre était transmis à toutes les bases et unités navales américaines dans le monde.

Une fois sûr que les Soviétiques avaient repéré cette mise en alerte, je fis parvenir à l'ambassade d'U.R.S.S. une lettre pour transmission immédiate à Brejnev. Sous les aménités du style diplomatique, je n'y mâchais pas mes mots :

« Monsieur le Secrétaire Général,
J'ai soigneusement étudié l'important message que vous m'avez fait parvenir dans la soirée. Je suis d'accord avec vous pour estimer que nos efforts concertés pour le rétablissement de la paix ont la plus grande valeur et que nous devons nous efforcer de mettre notre accord en pratique dans la situation complexe qui se présente à nous.
Je dois toutefois vous dire que votre proposition portant sur un type particulier d'intervention conjointe, à savoir l'envoi de troupes soviétiques et américaines en Egypte, ne me paraît pas appropriée aux circonstances présentes.
Selon les renseignements dont nous disposons, rien n'indique qu'il y ait des violations du cessez-le-feu...
Dans ces conditions, nous devons considérer votre suggestion d'intervention unilatérale comme un sujet de la plus haute gravité, susceptible d'entraîner des conséquences incalculables.
Il est clair que les forces capables d'imposer les conditions du cessez-le-feu aux deux antagonistes devraient être considérables, et que l'opération envisagée exigerait une étroite coordination afin d'éviter toute effusion de sang. C'est non seulement manifestement infaisable mais, surtout, inapproprié à la situation présente. »

Je poursuivais en disant que nous envisagerions peut-être l'envoi de contingents soviétiques et américains dans la région, mais en aucun cas à titre de forces combattantes. Ces troupes, à la rigueur, pourraient être incorporées dans des forces des Nations Unies en les renforçant. Toutefois, ce genre même de solution ne pourrait être réalisée que suivant des principes soigneusement formulés :

« Il serait entendu qu'il ne s'agirait là que d'une mesure extraordinaire et temporaire, prise dans le seul but de fournir des renseignements précis sur la manière dont les belligérants observent les conditions du cessez-le-feu. Si telle est votre interprétation de l'envoi de contingents, nous sommes disposés à la considérer favorablement.
Dans l'esprit de nos récents accords, le moment est venu pour nous d'agir non pas unilatéralement mais en parfaite harmonie et en conservant notre sang-froid. Je suis persuadé que ma proposition est conforme à l'esprit et à la lettre de nos accords et saura garantir une prompte mise en vigueur du cessez-le-feu...
Il faut toutefois que vous sachiez que nous ne pourrons, en aucun cas, accepter d'intervention unilatérale... Comme je vous l'ai déclaré ci-dessus, une telle intervention pourrait entraîner des conséquences incalculables, qui ne pourraient être que contraires aux intérêts de nos deux pays et qui porteraient le coup de grâce aux résultats positifs que nous nous étions tant efforcés d'acquérir. »

Le 25 octobre, à 7 h 15 du matin, je reçus un message du président Sadate me disant qu'il comprenait notre position et qu'il allait demander aux Nations unies d'envoyer une force de maintien de l'ordre internationale.
A 9 heures, après une réunion avec Haig et Kissinger, je recevais une délégation parlementaire des deux partis et les informais du déroulement des événements. A leur départ, les chefs des groupes parlementaires m'exprimèrent leur accord total sur les actions que j'avais entreprises et la politique que j'avais suivie, y compris la mise en alerte de nos forces armées.
Tandis que nous attendions la réponse de Brejnev, Kissinger fit une conférence de presse. A son réveil, l'Amérique avait été choquée d'apprendre que son armée avait été placée en alerte dans le monde entier et quatre des questions posées à Kissinger demandaient si une telle décision n'avait

pas été prise dans l'affolement, et avait même bien été nécessaire sur le plan militaire. Comme le fit observer l'un des journalistes : « ... On peut se demander si cela n'a pas été provoqué autant par la situation intérieure que par les véritables impératifs de notre diplomatie au Proche-Orient. »

Kissinger était stupéfait de se heurter à une ambiance aussi hostile, et il répliqua d'un ton glacé : « C'est un triste symptôme du mal dont souffre notre pays que de pouvoir supposer que les Etats-Unis prendraient une mesure aussi grave pour des raisons de politique intérieure... Je sais qu'une fois les faits portés à la connaissance du public, l'on pourra clairement voir que le Président n'avait pas d'autre ligne de conduite à adopter... » Un peu plus tard, il devait lancer un avertissement : « Il dépend de vous que la crise de confiance [...] ne s'étende pas au domaine vital de la politique étrangère... »

Pendant que Kissinger faisait front à ces attaques, la réponse de Brejnev nous parvint. En quelques phrases brèves, il annonçait que l'Union Soviétique allait envoyer quelques « observateurs » individuels au Proche-Orient, ce qui était loin du contingent armé dont il parlait dans ses précédents messages. Je lui répondis sur le même ton conciliant, sans pour autant réitérer ma très vive opposition à l'envoi de qui que ce soit dans la région, même des « observateurs isolés » :

> « Je vous propose que nous laissions au Secrétaire Général le soin de décider de la composition de la délégation d'observateurs des Nations Unies. Nous ne pensons pas qu'il soit nécessaire d'avoir des observateurs opérant dans la région pour le compte de certains pays en particulier... »

A mon avis, le comportement soviétique pendant la crise du Proche-Orient illustre non pas l'échec de la détente, mais bien plutôt un exemple de ses limites — limites dont j'avais toujours eu conscience. Le 25 octobre, j'avais dit aux représentants des groupes parlementaires : « Je n'ai jamais prétendu que les Soviétiques soient devenus des " braves types ". Ce que j'ai toujours dit, par contre, c'est que nous devons nous efforcer de ne pas les affronter inutilement. »

L'Union Soviétique agira toujours selon ses seuls intérêts, les Etats-Unis aussi, d'ailleurs. La détente n'y changera rien. Tout ce que nous pouvons en attendre c'est que cette politique contribue à minimiser les affrontements se produisant dans des zones ou sur des sujets marginaux et qu'elle puisse offrir, à tout le moins, un choix d'alternatives sur les questions primordiales.

En 1973, ayant subi un recul dans leur implantation au Proche et au Moyen-Orient, les Soviétiques craignaient d'y perdre complètement la tête de pont réduite qu'ils avaient réussi à y maintenir. A mesure que nos ouvertures en direction de l'Egypte et d'autres pays arabes étaient accueillies avec une faveur grandissante, les Soviétiques haussaient le ton de leurs provocations anti-israéliennes. C'est cela sans doute qui encouragea certains pays arabes, dans leur fanatique détermination à reconquérir les territoires occupés par Israël, à solliciter des Soviétiques qu'ils leur en donnent les moyens. Bien que Brejnev l'ait démenti quand j'abordai avec lui la question au cours de nos rencontres de Moscou en juin 1974, les Soviétiques avaient même sans doute été plus loin et directement encouragé les Arabes à l'attaque, leur faisant miroiter la perspective d'une victoire éclair due à l'effet de surprise et à leur écrasante supériorité numérique. Les Soviétiques avaient probablement aussi compté sur la crise intérieure des Etats-Unis, qui aurait pour effet de nous retarder ou de nous empêcher de fournir à Israël une aide aussi importante que celle assurée dans le passé.

Tous ces espoirs furent déçus par la contre-offensive israélienne rendue possible par le pont aérien américain. Pour la deuxième fois en six ans, les forces arabes perdaient la plus grande partie de l'équipement fourni par les Soviétiques. En outre, et pour la première fois dans un conflit israélo-arabe, les Etats-Unis avaient adopté une attitude qui devait non seulement préserver mais encore renforcer nos liens avec les pays arabes, alors même que nous fournissions un matériel considérable aux Israéliens. Une fois qu'ils eurent admis que la victoire leur échappait encore, sans doute pour plusieurs années, les dirigeants syriens et égyptiens furent prêts à s'engager sur la voie de la négociation. Grâce à la nouvelle politique de contacts directs avec les capitales arabes que nous avions soigneusement développée, les dirigeants arabes pouvaient désormais se tourner ailleurs que vers Moscou.

Le Watergate était devenu une telle obsession dans la presse que certains n'hésitèrent pas à m'accuser d'avoir provoqué ou simplement encouragé le développement de la crise au Proche-Orient pour démontrer que j'étais toujours capable d'exercer mes fonctions et de prendre des responsabilités. De telles insultes, ajoutées à la manière dont le renvoi de Cox avait été commenté dans la presse, me poussèrent à tenir une conférence de presse le 26 octobre pour repousser ces attaques avec indignation.

A la fin d'octobre, le « téléphone rouge » se remit à sonner. Brejnev se plaignait de ce que les Israéliens interceptaient les fournitures de vivres et de médicaments destinées à la IIIe Armée égyptienne, toujours encerclée, et exprimait sa surprise devant l'alerte des forces américaines, déclarant que cela n'avait pas contribué à la détente.

Dans ma réponse, après l'avoir rassuré sur les approvisionnements de la IIIe Armée égyptienne, je lui rappelai la menace d'intervention unilatérale qu'il m'avait faite et lui dis que « nous l'avions prise au sérieux », ce qui justifiait que nous ayons placé nos troupes en alerte.

Je lui confirmai ce message par une lettre du 3 novembre, en rappelant la nécessité impérieuse d'une coopération pour la cause de la paix. Il me répondit trois semaines plus tard, indiquant son désir de reprendre le dialogue, et en terminant sur une réflexion personnelle qui me toucha : « Nous vous souhaitons le courage et le succès sur le plan humain et personnel, afin que vous puissiez surmonter toutes sortes de complications qui sont malaisées à comprendre de loin. »

Golda Meir vint à Washington au début de novembre et m'exprima sa gratitude pour l'aide que nous lui avions apportée. Je lui dis combien il me paraissait souhaitable qu'Israël exerce désormais une politique de modération et recherche un règlement pacifique plutôt que de poursuivre une politique intransigeante risquant « de transformer les gagnants en perdants ». Mme Meir comprit que ce que je lui disais n'était dicté que par le bon sens.

Le 5 novembre, Kissinger partit pour le premier des nombreux voyages qu'il allait entreprendre au Proche-Orient. Le 7 novembre, au bout de six ans d'éloignement et de tensions, l'Egypte et les Etats-Unis renouaient officiellement leurs relations diplomatiques.

Après avoir renvoyé Archibald Cox, je m'attendais à ce que ce soit Henry Petersen et ses collaborateurs du Ministère de la Justice qui reprennent l'affaire, puisque c'étaient eux qui l'avaient commencée et que cela tombait dans le cadre de leurs fonctions. Mais il devint vite évident que le Congrès était déterminé à mettre en place un nouveau procureur spécial. Il était non moins évident que ma position politique ne me permettait pas de m'y opposer.

Après quelques recherches menées par Robert Bork, ministre par intérim, Haig m'informa du choix que ce dernier avait fait de Leon Jaworski. Avocat réputé de Houston, ancien bâtonnier du barreau des Etats-Unis, Démocrate de vieille date, Jaworski présentait toutes les garanties nécessaires. Haig prit l'initiative de le contacter et nous en vînmes rapidement à un accord mutuel : Jaworski acceptait le poste si nous étions d'accord pour laisser les tribunaux trancher nos différends éventuels. Nous lui garantissions qu'il ne pourrait être révoqué qu'avec l'accord du Congrès.

Ainsi, moins de dix jours après le renvoi de Cox, je me retrouvais forcé d'accepter la nomination d'un nouveau procureur pour le Watergate. Mais il y avait une différence de taille : contrairement à Cox, Jaworski avait la réputation d'être un homme impartial et scrupuleux. Ses amis démocrates tenteraient de lui faire prendre des mesures partisanes, mais il n'était pas homme à se lancer dans des escarmouches juridiques pour le plaisir de s'entourer de publicité. Enfin, il voulait se débarrasser des anciens collaborateurs de Cox, d'un anti-nixonisme sectaire, pour s'entourer d'hommes de son choix, sachant concentrer leurs efforts sur les sujets qui en valaient la peine. Haig retira une excellente impression de ses rapports avec Jaworski et me dit que s'il allait être un procureur sans complaisance, il ne se laisserait pas non plus aveugler par les passions partisanes. Le 1er novembre, nous avons donc annoncé la nomination de Leon Jaworski au poste de procureur spécial.

Il fallait aussi que je remplace le Ministre de la Justice. La situation politique créée par la démission de Richardson exigeait que, pour être confirmé par le Congrès, le candidat de mon choix soit insoupçonnable de préjugé en ma faveur. William Saxbe, sénateur de l'Ohio, jouissait d'une réputation d'indépendance solidement établie. Sa nomination fut annoncée le même jour que celle de Jaworski.

NOUVEAUX RECULS, NOUVEAUX EFFORTS

A la fin de septembre, alors que nous préparions le « compromis Stennis », nous nous étions aperçus que le système de classement des bandes magnétiques était, à tout le moins, chaotique et que certains enregistrements semblaient avoir été perdus. D'autres conversations, réputées enregistrées, ne l'avaient pas été.

C'est pourquoi, le 30 octobre, Buzhardt avait dû informer le juge Sirica que deux des enregistrements dont il avait requis la production n'avaient jamais existé. Nous avons proposé qu'une commission d'experts soit désignée pour authentifier nos explications, que les enregistrements absents soient remplacés, si possible, par mes notes manuscrites ou tous autres documents. J'étais convaincu que des explications de bonne foi suffiraient à mettre les choses au point. Mais je n'avais pas compris jusqu'où l'impatiente curiosité du public était montée et ce que l'on attendait de la production de ces neuf bandes au tribunal. Avec du recul, je comprends maintenant qu'elle n'était que le résultat de la chute vertigineuse de ma propre crédibilité.

Les nouvelles des « enregistrements disparus » soulevèrent immédiatement une vague d'indignation et de colère dans l'opinion. L'utilisation du mot « disparu » était absolument injuste et mensongère, car elle sous-entendait l'existence préalable de ces bandes magnétiques. De plus en plus, les gens avaient l'impression que j'abusais de leur patience et que je me moquais d'eux.

Pour la première fois depuis le début de l'affaire du Watergate, le *New York Times* parla dans un éditorial de mon devoir de démissionner. *Time Magazine,* dans le premier éditorial qu'il publiait depuis plus de cinquante ans, déclarait aussi que je devais me démettre. Certains de mes plus fidèles partisans commençaient eux-mêmes à exprimer leurs doutes. Dans le sillage de l'ouragan soulevé par les deux bandes « disparues », Edward Brooke, sénateur du Massachusetts, fut le premier Républicain à déclarer qu'il fallait que je démissionne.

Je n'avais pas idée que nos problèmes ne faisaient que commencer.

Un week-end de réflexion que je passais à ce moment-là en Floride marqua un tournant dans ma compréhension du problème du Watergate et de la manière dont il fallait s'y attaquer. Tout en comprenant dans quel abîme nous étions tombés, je me rendais compte qu'il n'y avait qu'un seul moyen de s'en sortir. Exposés aux attaques incessantes de nos adversaires, nous voyions peu à peu nos partisans déserter notre camp. C'est cet effritement qu'il fallait avant tout faire cesser. « Il faut prendre des mesures draconiennes, dis-je à Ziegler, des mesures désespérées. Et cette fois, nous ne pouvons plus nous permettre la moindre erreur. »

Il fallait d'abord répondre à tous ceux qui exigeaient ma démission d'une manière de plus en plus pressante. Le 7 novembre, à la fin d'une allocution télévisée sur la crise de l'énergie, je reposai le texte du discours que je venais de prononcer et pris les notes manuscrites rédigées quelques heures plus tôt pour déclarer ceci :

> « Je n'ai pas la moindre intention d'abandonner les responsabilités pour lesquelles j'ai été élu. Tant que j'en serai physiquement capable, je continuerai à travailler seize heures par jour pour faire triompher la cause de la paix dans le monde, celle de la prospérité sans inflation ni guerre dans notre pays. Dans les mois qui viennent, je ferai tout pour effacer les doutes qui ont pu survenir sur l'intégrité de celui qui occupe la première magistrature de ce pays...
> [...] Le peuple américain comprendra enfin que je n'ai pas trahi la confiance qu'il a placée en moi en m'élisant Président. Je fais ce soir le serment solennel que je ferai tout pour rester digne de cette confiance. »

Je voulus ensuite rencontrer divers groupes parlementaires jusqu'à ce que j'aie personnellement parlé à chaque élu républicain et à chacun de mes partisans du côté démocrate. Il ne s'agissait pas simplement de leur présenter ma version du Watergate et de répondre à leurs questions; je voulais surtout prendre cette occasion de rebâtir les ponts et rouvrir les lignes de communication entre le Congrès et moi, qui avaient été les premières victimes du Watergate. En neuf séances de deux heures étalées sur la semaine suivante, je rencontrai ainsi 241 Républicains et 46 Démocrates, députés et sénateurs. A chaque rencontre, je passais en revue toutes les accusations portées contre moi et reprenais les arguments de défense déjà exposés dans mes déclarations publiques. J'expliquais que mon refus de démissionner était motivé par la crainte de porter un préjudice irréparable à l'édifice politique américain. Je me souviens, le jour où je recevais les doyens du Sénat, que Jim Eastland se pencha vers moi et m'interrompit en disant : « Nous ne sommes pas venus entendre vos excuses, Monsieur le Président. Nous ne voulons même pas entendre parler du Watergate. Dites-nous simplement ce que nous pouvons faire pour vous aider. » Alors, du haut de ses soixante-dix ans, John Stennis se tourna vers Eastland : « Tais-toi donc, Jim. Laisse parler ce garçon. »

Je dis également aux parlementaires que nous comptions publier des « Livres Blancs » sur les principales accusations. Je les informai également que nous envisagions de publier des transcriptions ou des résumés des enregistrements remis aux tribunaux, mesure qu'ils me demandaient depuis longtemps.

Certains me suggéraient d'enterrer une bonne fois le Watergate par un geste grandiose, capable de dissiper tous les doutes et d'exorciser tous les démons à la fois. D'autres émettaient l'idée que je me présente volontairement devant une session extraordinaire du Congrès pour répondre à toutes les questions des élus. L'intention était louable, mais je savais qu'aucun geste, si spectaculaire soit-il, aucun discours, si convaincant puisse-t-il être, ne parviendrait à faire reculer tant d'ombres accumulées. Comme je l'expliquais à un groupe de Républicains qui me pressaient d'accepter cette suggestion : « Si je déclare que je suis innocent, les Démocrates s'empresseront de dire : " L'enfant de salaud nous ment "; et les Républicains se gratteront la gorge, l'air gêné, en disant : " Il ment probablement, mais cet enfant de salaud est des nôtres. " »

A tous, je disais de retrouver le sens de la mesure. « Je sais, leur disais-je, que je ne devrais pas parler de mes rencontres avec Brejnev ou Mao, car cela n'intéresse personne en ce moment. Mais ce qui comptera vraiment, dans vingt-cinq ans et plus, c'est que les livres d'histoire puissent dire que, de 1969 à 1976, le Président des Etats-Unis a changé la face du monde. »

Toujours en quête d'une idée simpliste pour qualifier des événements complexes, les media avaient vite adopté le vocable inventé par *Newsweek*. Dans un article relatant mes déclarations télévisées et les autres efforts que j'avais entrepris pour combattre le mouvement cherchant à me faire révoquer, le magazine avait baptisé cette campagne « Opération Franchise ». L'intention évidente était de ridiculiser mes efforts et de laisser sous-entendre que la franchise n'était, dans mes mains, rien d'autre qu'un robinet que l'on pouvait ouvrir ou fermer à volonté. Très vite, certains journalistes négligèrent de mettre ce qualificatif entre guillemets ou d'expliquer qu'il avait trouvé son origine dans le cerveau fertile de l'un des leurs. C'est ainsi que le 2 décembre, dans un éditorial, le *New York Times* se permettait de déclarer : « La contre-offensive du Président Nixon sur le Watergate, baptisée " Opération Franchise " par la Maison Blanche, est manifestement vouée à l'échec. »

LE « TROU » DE 18 MINUTES ET DEMIE

C'est au cours d'une de ces séances avec les parlementaires que l'on me posa la question : « Faut-il encore s'attendre à d'autres tuiles? — En ce qui concerne la culpabilité du Président, avais-je répondu, aucune. Mais si une nouvelle tuile devait nous tomber dessus, je serai là pour la rattraper! »

Plus tard, dans l'après-midi, Haig vint me rejoindre dans le Bureau Ovale. Il avait l'air soucieux. Il m'apprit alors qu'après avoir collationné la réquisition du juge Sirica et l'inventaire des enregistrements, les enregistrements à produire comprenaient bien celui de ma conversation du 20 juin avec Haldeman — la bande dont Rose Woods avait effacé une portion par erreur.

Je me retrouvais en plein cauchemar. Comment diable, me demandais-je, avions-nous pu nous tromper sur quelque chose d'aussi élémentaire et d'aussi essentiel que de savoir quels étaient les enregistrements demandés et ceux qui ne l'étaient pas? Haig dit qu'il essaierait de retrouver les notes prises par Haldeman et de reconstituer la conversation. Ces notes n'arrangeaient pas les choses : la conversation tournait surtout autour de l'impact du Watergate sur le plan politique :

> « Notre contre-attaque : offensive de relations publiques pour noyer l'affaire.
> Faire ressortir les activités identiques de l'opposition.
> « Faire taire les libertaires qui soulèvent l'opinion : ce que nous avons fait est-il moins justifiable que d'avoir volé les dossiers du Pentagone, etc.
> Nous devons attaquer, créer des diversions. »

Dans l'après-midi, les nouvelles allèrent en empirant. Buzhardt m'informa que la partie effacée n'était pas seulement celle, longue des quatre ou cinq minutes, dont Rose m'avait parlé, mais durait 18 minutes et demie. Personne ne pouvait dire pourquoi ni comment cela s'était produit, ni ce qui expliquait la présence des bourdonnements aigus qui se faisaient entendre de temps en temps sur la portion effacée de la bande.

Quand nous sommes partis en Floride le 17 novembre, Buzhardt resta à Washington pour voir s'il pouvait reconstituer électroniquement la conversation effacée et retracer les circonstances de son effacement.

En rentrant à Washington, le mardi 20 novembre, je fis un détour par Memphis, Tennessee, pour assister à une séance du congrès des gouverneurs républicains. Au cours d'une réunion officieuse et au ton très libre, on me demanda s'il allait y avoir de nouvelles bombes dans l'affaire du Watergate. Je pensai immédiatement à la bande magnétique avec son « trou » de 18 minutes et demie : cela pouvait, en effet, passer pour une bombe! Mais je n'avais pas eu de nouvelles de Buzhardt ni du succès éventuel de ses tentatives pour reconstituer la conversation. Si je parlais d'une bombe, il faudrait que je dise de quoi il s'agissait — et je n'en savais rien moi-même à ce moment-là.

C'est pourquoi je répondis : « S'il y en a, je ne suis pas au courant. »

Dans l'avion du retour, Haig me dit que Buzhardt lui avait confirmé que la portion effacée de la bande était bien irrécupérable et qu'il n'avait pu trouver aucune explication logique ni à l'effacement proprement dit, ni au bourdonnement aigu que l'on y entendait.

Dans tous les journaux du lendemain matin, les manchettes citaient ma déclaration qu'il n'y aurait « plus de bombes dans l'affaire du Watergate ». Au même moment, Buzhardt annonçait à Jaworski et à Sirica la découverte du « trou » de 18 minutes et demie. Peu après, Sirica le rapportait à la presse.

Je sais que, pour la plupart des gens, mon incapacité à fournir une explication du « trou » de 18 minutes et demie a été vue comme l'élément le plus invraisemblable de tout le Watergate, celui où je laissais éclater le plus ouvertement mon mépris envers l'intelligence du public. Pour cette raison, je me rends parfaitement compte que c'est sur ma relation de cet incident que l'on jugera ma franchise et ma crédibilité sur tout ce que j'écris par ailleurs du Watergate. Je sais trop bien aussi que la seule explication ayant des chances d'être acceptée sans discussion est que j'ai effacé la bande moi-même, ou que Rose Mary Woods l'a fait volontairement, soit de sa propre initiative, soit sur mon ordre direct ou indirect.

Je sais pourtant qu'il n'en a rien été. Je ne mets nullement en doute la parole de Rose quand elle m'affirme qu'elle ne l'a pas fait. Je ne puis que raconter l'histoire des mystérieuses 18 minutes et demie — si incomplète et si peu satisfaisante qu'elle puisse être — du point de vue de celui qui a vu cet incident rabaisser sa réputation et sa Présidence à des niveaux jamais encore atteints dans la confiance et l'estime du public.

Quand ils découvrirent le « trou », Garment et Buzhardt furent en proie à la panique. Ils soupçonnaient tout le monde, y compris Rose et moi. Un esprit de suspicion avait désormais envahi la Maison Blanche. J'en arrivais même à me demander si Buzhardt n'avait pas accidentellement effacé cette portion de la bande après les quatre ou cinq minutes dont Rose avait cru être elle-même responsable. Si l'on se basait, en outre, sur le critère de déterminer qui avait accès à ces enregistrements, on trouvait de nombreux suspects en puissance. Haig et les autres avaient beau plaisanter sur les « puissances maléfiques » à qui imputer ce malencontreux effacement, nous pouvions quand même nous poser des questions sur les innombrables agents et techniciens des Services de sécurité. Ils avaient librement et journellement accès à ces enregistrements, et c'est eux qui avaient procuré à Rose, une demi-heure avant sa découverte du « trou », l'appareil Uher, neuf mais apparemment défectueux, dont elle s'était servie. Nous nous posions même des questions sur Alex Butterfield, celui qui avait révélé l'existence de l'installation. Il avait, lui aussi, librement accès à ces bandes magnétiques et il lui était même arrivé d'en écouter des passages au hasard pour vérifier le fonctionnement des appareils. Il fallait malgré tout être obnubilé par la psychose des complots pour aller imaginer que quelqu'un se serait donné la peine d'effacer 18 minutes et demie d'une bande magnétique dans le seul but de me mettre dans une position embarrassante.

Après une enquête qui ne mena à aucune conclusion, le dossier du « trou » fut remis au parquet et à un groupe d'experts nommés par le tribunal. A mon avis, l'histoire des activités de ces experts constitue l'un des scandales les plus flagrants, bien que le plus méconnu, de tout ce qui a trait au Watergate. La Maison Blanche y a une part de responsabilité, car nous avons accepté sans discuter les experts nommés par le tribunal. Si nous avions vérifié plus soigneusement, nous nous serions aperçus qu'il s'agissait d'experts en acoustique ne connaissant rien à la technique de l'enregistrement magnétique.

Dans leur rapport, soumis au mois de janvier, ces experts concluaient que les bourdonnements avaient été occasionnés par « l'effacement et le réenregistrement de cinq à neuf sections continues ou séparées, à l'aide des boutons de contrôle manuel de l'appareil ». Ces conclusions furent largement reproduites dans la presse. Ce qui en revanche ne bénéficia d'aucune publicité fut la réfutation immédiate que ce rapport provoqua chez de nombreux spécialistes de l'enregistrement magnétique.

L'un de ces étranges experts avait dû admettre qu'au cours de son examen de l'appareil Uher dont s'était servie Rose, il avait « été obligé de démonter l'appareil et de resserrer plusieurs vis pour assurer de meilleurs contacts qu'auparavant ». Quand il tombait sur une pièce défectueuse, il la remplaçait et jetait la mauvaise pièce. Après avoir ainsi travaillé sur l'appareil, celui-ci ne faisait plus entendre le bourdonnement que les experts avaient remarqué!

A cette déclaration ahurissante, l'avocat de Rose demanda : « Ainsi, vous avez détruit les preuves dont on aurait pu avoir besoin pour vérifier les conclusions de votre rapport? — Oui, en grande partie », répondit l'expert.

Le tribunal régla des honoraires de 100 000 dollars aux six experts pour le travail qu'ils avaient accompli. Sans doute, leur rapport n'avait aucune valeur juridique. Mais il en avait une, inestimable, pour les manchettes des journaux et les articles à sensation écrits contre nous.

Rose Woods déposa sous serment pour raconter sa version du « trou » de 18 minutes et demie. Le 17 juillet 1974, au bout d'innombrables heures d'interrogatoires et d'audiences du tribunal, Jaworski fit savoir à son avocat que Rose était relaxée de tous chefs d'inculpation et qu'il n'existait aucune preuve contre elle. Malheureusement, Jaworski ne jugea pas utile de faire cette même déclaration à la presse. Si bien qu'il se trouve encore, jusqu'à aujourd'hui, des gens pour croire que Rose Woods n'a été exonérée que par le bon vouloir du procureur spécial.

A la fin de l'année 1973, après la bombe du « trou » de 18 minutes et demie, nous pouvions penser qu'il ne pourrait rien se produire de pire. Et pourtant, quelque chose de bien pire allait arriver.

PROBLÈMES FISCAUX ET FORTUNE PERSONNELLE

Depuis le début de ma carrière politique, j'avais toujours apporté les soins les plus scrupuleux au maniement des fonds publics. J'avais grandi dans une famille où la conversation roulait souvent sur la politique et où l'on exprimait le plus profond mépris pour les concussionnaires. Marqué par cette leçon, j'avais toujours été bien au-delà de ce que faisaient d'habitude les gens en place pour la justification et la gestion des deniers publics, tant pour les fonds électoraux que pour ceux du Trésor. C'est pourquoi les accusations d'indélicatesse financière lancées contre moi en 1952 m'avaient si profondément blessé et m'avaient laissé si amer.

Après mon élection de 1968, j'avais décidé de vendre tout mon portefeuille d'actions et de valeurs. Bien que cela ne soit pas imposé par la loi, je pensais qu'il valait mieux agir ainsi pour éviter même une simple aparence de conflit entre mes intérêts privés et les devoirs de ma charge. Je réinvestis alors le plus gros du capital dégagé par la vente de mon portefeuille boursier et celle de notre appartement de New York dans l'achat de deux maisons en Floride et d'une en Californie.

La propriété de San Clemente comportait une superficie totale de 26 acres (environ 3 hectares). Personnellement, je n'avais les moyens d'acheter que la maison et le terrain qui l'entourait, soit environ 5000 m². Afin de garder le contrôle de la totalité des terrains adjacents, j'achetai l'ensemble grâce à un prêt de mon ami Robert Abplanalp. En décembre 1970, je revendis ce terrain, augmenté d'une parcelle achetée entre-temps, à mes amis Rebozo et Abplanalp, ne me réservant que la maison et ses jardins. En 1973, Rebozo revendit sa part à Abplanalp.

Nous avions préféré — ce qui semble maintenant amèrement ironique — garder ces transactions entre nous. Non pas parce qu'elles comportaient quelque malhonnêteté, mais parce que je ne savais que trop bien à quelles interprétations se livrerait la presse de Washington en apprenant que j'acquérais une propriété d'une telle importance et d'un tel prix avec des fonds avancés par mes amis. A partir du moment où le Watergate fit boule de neige, et où les journalistes se mirent à scruter les moindres de mes faits et gestes, cette innocente discrétion dans mes affaires personnelles allait provoquer des soupçons qu'il me serait impossible de dissiper.

Le 13 mai, selon des « sources » proches de la commission Ervin, un journal californien eut vent d'une fuite selon laquelle j'aurais utilisé « jusqu'à un million de dollars de fonds électoraux » pour acheter ma propriété de Californie. Même quand Ervin déclara qu'il n'avait jamais entendu parler d'une chose pareille, le journal ne voulut pas se rétracter et son information fut promptement reprise par les agences de presse dans tout le pays. Au début de juillet, une autre fuite émanant, celle-là, des bureaux de Cox signala que les services du procureur se livraient, de leur côté, à une enquête pour déterminer si j'avais utilisé des fonds provenant d'organisations syndicales, d'entreprises privées ou de caisses électorales pour l'acquisition d'une ou plusieurs de mes maisons. Immédiatement après, d'autres journaux rejoignirent le torrent de « fuites » qui se répandait, y ajoutant que ma propriété de San Clemente avait été estimée au-dessous de sa valeur pour l'assiette des impôts fonciers. Les services de l'enregistrement du Canton d'Orange, où se trouve situé San Clemente, démentirent peu après cette information, mais elle avait eu le temps de laisser des traces. Je me rendis alors compte que si nous ne faisions pas tout pour faire immédiatement cesser ces rumeurs, mon honnêteté personnelle allait rapidement se trouver sous le même nuage de critique et de suspicion que mon intégrité politique.

Je n'avais rien à cacher de mes finances personnelles et je crus, par conséquent, que la meilleure parade contre ce genre d'attaques était de tout étaler au grand jour. Nous avons donc donné, à l'administration des Services Généraux, des instructions pour rassembler toutes les pièces justificatives des dépenses couvertes par les finances publiques dans mes propriétés. Le 25 mai, nous avons publié une déclaration donnant les détails de mes acquisitions de San Clemente et Key Biscayne, appuyés d'un contrôle comptable indépendant, et l'ensemble de ces rapports fut communiqué à la presse.

En dépit de toutes ces précisions, les histoires les plus fantaisistes continuèrent à courir. On évoqua les spectres de Howard Hughes et de comptes suisses numérotés. *Newsweek* accusa même ma fille Tricia d'avoir rempli des fausses déclarations de revenus. Pour la troisième fois dans ma carrière, je me rendais compte que quelqu'un, dans la bureaucratie fiscale, avait sciemment violé le secret professionnel en communiquant mes déclarations d'impôts à la presse. Le journaliste qui basa ses articles sur cet acte illégal fut récompensé d'un Prix Pulitzer en 1974...

A la fin de novembre, j'annonçai que j'allais publier l'ensemble de mes déclarations fiscales. De son côté, le fisc — qui avait pourtant vérifié à deux reprises et approuvé mes déclarations de 1971 et 1972 — nous informa que, du fait de la publicité qui les entourait, ils allaient reprendre leurs contrôles précédents. Pendant ce temps-là, le député démocrate Jack Brooks mit sa sous-commission au travail sur les dépenses engagées par les finances publiques dans mes propriétés.

Depuis ces dernières décennies, il n'est pas un seul Président qui n'ait pas entretenu une propriété en dehors de Washington, afin d'y rechercher le calme et l'intimité dont il est cruellement privé dans la capitale. Johnson partageait régulièrement son temps entre trois résidences, et Kennedy entre cinq. J'en possédais deux — à San Clemente et Key Biscayne — et allais parfois passer quelques jours chez Bob Abplanalp dans les Bahamas. Dans mon cas, comme dans celui de tous les autres Présidents, le Gouvernement engageait quelques dépenses dans ces résidences régulières afin d'assurer ma sécurité dans le travail comme dans le repos. Au moment de ma prise de fonctions, quatre de mes trente-cinq prédécesseurs à la présidence avaient été assassinés et plusieurs autres avaient échappé de peu à des attentats. Le jour où Robert Kennedy fut tué, le Congrès vota une nouvelle loi instituant des mesures extraordinaires de protection des Présidents et Vice-Présidents en exercice ainsi que des candidats à ces charges. Je fut le premier Président à bénéficier de cette sécurité renforcée. A la requête des Services de sécurité, l'administration des Services Généraux et Domaines fit donc procéder à l'installation de systèmes d'alarme électroniques perfectionnés pour garder l'accès de mes maisons; leurs fenêtres furent équipées de vitres pare-balles et les alentours dotés de systèmes d'éclairage spéciaux. On aménagea également des postes intérieurs et extérieurs à l'usage des agents des Services de sécurité qui, par ailleurs, firent redessiner les jardins en fonction de leurs impératifs.

L'administration des Domaines dépensa un total de 68 000 dollars pour ma maison de San Clemente. La majeure partie de cette somme avait été consacrée aux installations électriques et électroniques, à la protection contre l'incendie et au remplacement de l'installation de chauffage au gaz — moins onéreux et que j'avais fait installer moi-même — par un chauffage électrique que les Services de sécurité avaient estimé plus sûr. J'avais moi-même dépensé 217 000 dollars pour les aménagements et l'ameublement de cette maison.

Dans mes deux maisons mitoyennes de Key Biscayne — l'une utilisée comme résidence familiale et l'autre servant de bureaux —, les Domaines investirent 137 000 dollars — dont 130 000 pour le seul verre blindé des fenêtres et baies vitrées! — tandis que je consacrais moi-même 76 000 dollars aux aménagements intérieurs et extérieurs de la propriété.

En plus des sommes destinées à la protection des maisons proprement dites, les Domaines consacrèrent 950 000 dollars à l'aménagement des abords : installation des systèmes d'alarme et d'éclairage, construction de murs et de postes de garde, travaux de jardinage pour la remise en état des lieux. Ainsi, les finances publiques avaient dépensé un total de un million cent mille dollars pour l'aménagement de mes propriétés de Floride et de Californie, dépenses que je n'avais aucune raison de prendre à ma charge puisqu'elles devaient être assurées par le Gouvernement. Une vérification opérée par le *General Accounting Office* (l'équivalent de la Cour des Comptes) prouva que, à une minime exception près, ces frais avaient bien été justifiés par les demandes présentées par les Services de sécurité et qu'ils avaient été consacrés à des installations de protection.

Quand un Président se déplace, il est toujours accompagné d'une foule de personnel, tant pour son escorte de sécurité que pour les servitudes techniques de communications et de transports. A ma demande, le G.A.O. entreprit une vérification de ces frais et de toutes les autres dépenses couvertes par les finances publiques pour assurer ma sécurité et celle des membres de ma famille. Ce seul travail de paperasserie exigea 20 000 heures et plus de 300 000 dollars de frais... pour satisfaire la curiosité de la presse et du Congrès!

La ventilation finale donna les chiffres suivants : $ 1,100 million pour les maisons et leurs abords; $ 2,400 millions pour les bureaux et installations officielles aux alentours; $ 5,600 millions en équipement de communications — qui restait la propriété de l'Etat et servirait à mes successeurs; enfin, $ 211 000 de matériel destiné aux agents du Service de sécurité. Ce rapport fut publié le 6 août.

Le lendemain matin, le *Washington Post* et le *New York Times* affichaient presque la même manchette : « *DIX MILLIONS DE DOLLARS POUR LES MAISONS DE NIXON!* » Le reste de la presse écrite et télévisée reprit le thème avec ensemble. Il n'était donc pas étonnant que la majorité du public croie que j'aie fait dépenser de telles sommes pour faire aménager mes propriétés.

Au cours des mois suivants, nous avons fait de notre mieux pour corriger cette fausse impression et rappeler, notamment, que plus de 90 pour cent de ces sommes n'avaient nullement bénéficié ni à moi ni au confort de mes résidences. Mais c'était une bataille perdue d'avance.

Le député Brooks, de son côté, était fermement décidé à exploiter le sujet au maximum à la tête de sa sous-commission. Ses projets ambitieux furent à peine ralentis quand deux membres de son groupe, dont un Démocrate notoirement anti-Nixon, vinrent visiter ma propriété de San Clemente, visite à l'issue de laquelle ils estimèrent les dépenses justifiées.

Avant moi, les demandes d'engagement de dépenses pour les propriétés présidentielles étaient généralement faites verbalement. J'appris, à ce moment-là, que Brooks — qui avait été très proche de Lyndon Johnson — avait soigneusement fait disparaître les dernières traces des engagements de dépenses demandées par Johnson. Pourtant, d'après les éléments permettant de les reconstituer en partie, ces dépenses avaient dépassé cinq millions de dollars. Le témoignage le plus effarant recueilli par la sous-commission Brooks allait toutefois porter sur les dépenses effectuées par le Président Kennedy. Les comptes en étaient tenus par son attaché naval. Quand la sous-commission lui demanda de les produire, il répondit qu'il les avait laissés accidentellement tomber par-dessus bord alors que son navire était soit au large des côtes européennes, soit en vue des Philippines!

En reprenant le bilan des dépenses effectuées pour mon compte, Brooks y ajouta les salaires de tout le personnel ayant, de près ou de loin, travaillé pour les services de la Présidence à l'occasion de chacun de mes déplacements. C'est ainsi qu'il prit en compte les salaires de femmes de ménage qui, de toute façon, faisaient partie des effectifs. Il parvint ainsi ou total de 17 millions de dollars qui, inclus dans un rapport étiqueté « Confidentiel », fit immédiatement l'objet d'une « fuite » au bénéfice du *New York Times*. Commencés à l'automne de 1973, les travaux de la sous-commission Brooks s'achevèrent en mai 1974 — juste à temps pour la séance d'ouverture de la commission de la Justice de la Chambre siégeant pour décider de ma révocation.

Je croyais toujours, avec la même naïveté, que tous les soupçons, toutes les rumeurs concernant mes impôts se dissiperaient une fois les faits étalés au grand jour. C'est dans ce but que nous préparions mes déclarations fiscales pour les publier. Il n'y avait pas d'autre moyen, à mes yeux, de faire taire une fois pour toutes les critiques malveillantes sur la manière dont j'avais acquis mes biens et payé mes impôts.

Le 18 novembre, dans une conférence de presse, je fis un tableau complet de l'évolution de ma situation financière. Je rappelai qu'au bout de quatorze ans passés à la Chambre, au Sénat puis à la Vice-Présidence, je ne possédais pour toute fortune que 47 000 dollars et une Oldsmobile 1958 qui avait grand besoin de réparations. L'argent que j'avais gagné depuis, je ne le devais qu'à mon seul travail, en dehors de toute activité publique. En conclusion, je déclarai ceci :

> « J'ai pu parfois commettre des erreurs. Mais dans toute ma vie publique, je n'ai jamais profité, jamais profité indûment de ma position officielle. Chaque sou que je gagnais était bien mérité. Jamais, dans toute ma vie publique, je n'ai entravé le cours de la justice. Et je puis dire aussi que je suis heureux d'être soumis à un tel examen de ma vie publique, car les citoyens doivent savoir si oui ou non leur Président est un malhonnête homme. Eh bien, je ne suis pas malhonnêtre. Tout ce que j'ai gagné, je le mérite. »

Il ne s'agissait pas là d'une improvisation. Les attaques auxquelles mon honnêteté était en butte étaient bien plus douloureuses, pour moi et ma famille, que toutes les critiques dont on m'abreuvait par ailleurs. J'avais cru qu'il fallait exprimer ma défense en des mots simples, accessibles à tous. Mais j'avais apparemment commis une nouvelle erreur. A compter de ce jour-là, les mots « Je ne suis pas malhonnête » devinrent le thème d'une nouvelle volée d'attaques et de tentatives de me ridiculiser.

Les premières réactions de la presse à la publication de mes dossiers financiers et fiscaux ne purent que reconnaître son caractère exceptionnel : « En publiant ses déclarations fiscales, ses actes notariés, ses hypothèques, ses relevés de comptes bancaires et autres documents, le Président Nixon a présenté la justification la plus complète de ses finances personnelles que l'on ait jamais enregistrée dans l'histoire de ce pays. » A peine quelques heures plus tard, toutefois, de nouveaux articles se plaignirent que « les points essentiels n'étaient toujours pas éclaircis ». Ii ne me fallut pas longtemps pour comprendre que la publication de mes déclarations de revenus avait été une erreur. Comme toujours, ceux qui avaient le plus vociféré pour l'exiger ne s'intéressaient nullement à y trouver la preuve que les « fonds secrets » pour l'achat de mes maisons, ou les « investissements clandestins » qu'on me prêtait n'existaient nulle part. On se rua sur le fait que j'opérais d'importantes déductions fiscales, comme s'il était immoral de ne pas payer plus d'impôts que n'en exige la loi. On ne voulait que maintenir à toute force l'ambiance de suspicion contre moi et pêcher n'importe où le moindre indice que j'avais quelque chose à me reprocher.

Deux points, en particulier, suscitèrent une vive controverse malgré leur caractère compliqué et légitimement discutable. L'un portait sur les plus-values que j'aurais (paraît-il) dû déclarer au moment de la revente des terrains de San Clemente à mes amis Abplanalp et Rebozo. L'autre sur la valeur des dossiers et documents dont j'avais fait donation aux Archives Nationales, en répartissant la valeur de ces donations sur plusieurs années pour bénéficier des déductions fiscales les plus favorables. La plus importante de ces donations avait été effectuée en mars 1969.

Or, en décembre 1969, le Congrès avait voté un amendement à mon projet de loi sur la réforme fiscale, retirant à de telles donations leur caractère de déductibilité fiscale. L'effet de cet amendement était rétroactif au 25 juillet 1969.

J'avais fait confiance aux experts fiscaux chargés de la préparation de mes déclarations pour tenir compte de cette mesure et croyais donc que tout était en ordre. Quelle ne fut pas ma stupéfaction de découvrir, en 1973, qu'il n'en avait rien été. Le fisc emboîta le pas à la presse pour me signifier que les déclarations en cause n'étaient pas conformes à la nouvelle date limite de juillet 1969 et qu'il fallait reprendre toutes mes déclarations en conséquence. Au bout de nombreuses tractations avec le fisc et la commission parlementaire des affaires fiscales, je confirmai à son président, Wilbur Mills, que j'étais naturellement prêt à régler tout arriéré d'impôts pouvant être dû à l'issue de ces vérifications. Le 13 décembre, la commission répondit qu'elle allait étudier l'affaire et reprendre mes déclarations de 1969 à 1972. Le même jour, dans une interview au *New York Times,* Wilbur Mills déclarait qu'il ne pouvait pas approuver le principe des déductions fiscales que j'avais opérées, même si elles étaient parfaitement légales. « Toute personnalité officielle qui remplit une déclaration fiscale doit se placer au-dessus de tout soupçon », dit-il en conclusion.

Ainsi, comme je le redoutais, nous avions donné tête baissée dans un nouveau piège. En temps normal, la commission aurait sans doute examiné objectivement le dossier. Mais rien n'était normal, en ces temps-là. Le 8 mars 1974, avant même que la commission ait dégagé ses conclusions, son président, Wilbur Mills, déclarait publiquement que je ne pourrais pas faire autre chose que de démissionner quand son rapport serait rendu public. Le 18 mars, il alla même jusqu'à prédire que j'aurais à être chassé de mon poste d'ici le mois de novembre tant ma situation fiscale était « consternante ».

La commission, en fait, ne siégea que deux fois : la première, le 13 décembre 1973, pour accepter d'étudier mon dossier fiscal. Et la deuxième, en avril 1974, pour se faire remettre le rapport de mille pages rédigé par ses collaborateurs. La majorité de ses membres ne se donna même pas la peine de lire ce rapport ni, à plus forte raison, d'écouter la présentation de mes explications sur les points litigieux. Le sénateur du Nebraska, Carl Curtis, jugea avec sévérité le travail accompli par le personnel de la commission : « Il n'est pas un contribuable dans ce pays qui ait jamais été traité aussi impitoyablement que l'a été le Président des Etats-Unis dans ce rapport. »

Outre les décisions rendues à mon encontre sur les questions importantes, comme celle des plus-values ou de la déduction de mes donations, le rapport de la commission alla loin dans les vexations. Ainsi, je devais, selon les rapporteurs, rembourser les frais de voyage de Pat et des membres de ma famille quand ils m'accompagnaient à bord d'*Air Force One* sans participer expressément à des fonctions officielles. Jamais aucun Président n'avait ainsi eu à rembourser le passage des membres de sa famille dans des véhicules officiels! Les rapporteurs de la commission me déniaient également les déductions que j'avais opérées pour la quote-part de mes maisons de Floride utilisées à usage de bureaux. Selon eux, je n'avais pas à me servir d'une propriété personnelle pour y travailler, car le Gouvernement aurait pu me faire construire des bureaux sur place!

Les Républicains membres de la commission exprimèrent leur indignation devant de tels abus, promirent à mes conseillers fiscaux que l'ensemble du dossier serait rendu à la direction des impôts, plus sérieuse et plus objective. Mais les pressions politiques étaient trop fortes et ils durent presque tous finir par s'incliner.

Le plus ironique de cette histoire est que, tandis que le fisc et la commission me disaient que ma donation était sans valeur légale, les Archives Nationales, de leur côté, la considéraient comme parfaitement valide et refusaient de me rendre mes papiers. Autrement dit, j'avais tout perdu : les documents et la déduction fiscale qu'ils représentaient!

Mes conseillers et mes avocats me poussaient à contester cette décision inique et à porter l'affaire devant les tribunaux. Mais à quoi bon? Aux yeux de l'opinion publique, le procès était jugé d'avance et c'était là le plus important à mes yeux. Par ailleurs, je m'étais engagé à me soumettre à la décision de la commission et je ne pouvais plus revenir là-dessus.

Je fis une brève déclaration le 3 avril, dans laquelle je disais avoir entendu dire que la commission avait décidé de publier son rapport avant même d'avoir siégé et étudié les termes de ce rapport. Je dis que je paierais néanmoins les impôts et arriérés réputés dus tant sur les plus-values que sur l'annulation des déductions.

Au cours des jours suivants, il nous parvint 47 000 dollars de citoyens de toutes conditions voulant m'aider à payer ces impôts. Pat et moi en fûmes profondément touchés et, naturellement, rendîmes l'argent aux généreux donateurs.

Au bout du compte, 36 personnes appartenant à diverses administrations, à deux commissions parlementaires, à la Maison Blanche et même aux

Services de sécurité avaient consacré 67 jours de travail à l'enquête sur mes maisons de Key Biscayne; 33 personnes avaient passé 137 jours sur ma propriété de San Clemente; des 23 collaborateurs de la commission des affaires fiscales, 6 avaient été employés à plein temps pour scruter mes affaires financières, en liaison avec 5 inspecteurs du fisc. Je n'avais pourtant commis aucune fraude, aucune infraction. Mais cette malheureuse affaire fiscale, arrivant au moment crucial où la commission de la justice commençait à envisager d'entamer la procédure de ma révocation, nous fit l'effet d'un coup de grâce.

LES ATTAQUES DEVIENNENT PERSONNELLES

C'est Eugene McCarthy qui avait une fois comparé la presse à une volée de moineaux sur un fil télégraphique. Ils s'envolent, reviennent, repartent sans que l'on sache qui est resté et qui s'est déplacé. De même, quelques mots en l'air proférés au sein de la profession journalistique, surtout à Washington, iront se répandre un peu partout. Avant longtemps, ils seront répétés, triturés, analysés et enjolivés sans qu'on ne sache plus comment ils sont apparus ni d'où ils se sont envolés.

Pour illustrer ce phénomène, reportons-nous à ces chaudes journées étouffantes de l'été 1973. Quelques représentants de la presse de Washington, sans doute les plus sérieux, avaient décrété que je commençais à ne plus tourner rond. Certaines de mes décisions, comme celle de ne répondre aux attaques lancées contre moi qu'après la fin des sessions de la commission Ervin, ou ma répugnance à rencontrer les journalistes, constituaient autant de preuves que j'étais coupé des réalités. Un peu plus tard, quand j'exprimai le désir de pouvoir faire des promenades solitaires et tranquilles, sans être suivi à chaque pas d'une meute de journalistes ni harcelé par les photographes — désir que Johnson avant moi et Carter depuis ont pu voir exaucé —, on y vit la preuve irréfutable de mon aliénation mentale.

A partir du moment où ces idées furent admises, la presse ne pouvait manquer de se précipiter sur l'explication évidente de mon coup de colère contre Ron Ziegler à La Nouvelle-Orléans. Ce voyage constituait l'une de mes premières apparitions publiques depuis les séances de la commission sur le Watergate, et nous comptions sur la présence des foules enthousiastes que l'on nous avait annoncées pour dissiper, aux yeux de l'opinion, l'impression que le Watergate m'avait isolé et m'avait rendu impopulaire. Tandis que nous étions à bord d'*Air Force One,* un rapport du Service de sécurité nous parvint, selon lequel il y avait une menace d'attentat qu'il fallait prendre au sérieux. Personnellement, j'aurais été prêt à prendre le risque, mais je ne pouvais pas mettre la foule en danger. C'est pourquoi je fis mon entrée en ville par un itinéraire différent de celui initialement prévu.

Cela m'avait mis de mauvaise humeur. Aussi, en arrivant au local où je devais prononcer un discours, je ne pus maîtriser mon irritation en voyant Ziegler arriver en tête d'une meute de journalistes qui prétendaient s'introduire à ma suite dans le salon d'accueil. J'exprimai mon énervement en envoyant à Ziegler une solide bourrade accompagnée de l'ordre expressif d'aller parquer les journalistes dans la salle de presse préparée à leur intention. Bien entendu, je présentai mes excuses à Ziegler immédiatement après, mais l'incident avait surexcité les représentants de la presse. Ils interprétèrent cet éclat de mauvaise humeur comme le geste de désespoir d'un homme au bout du rouleau. Le journal télévisé de la C.B.S. le fit passer deux fois, et au ralenti!

Ce fut John Osborne qui, dans son article du lendemain dans *New Republic,* allait pour la première fois mettre noir sur blanc les rumeurs circulant déjà parmi ses confrères. Ils avaient unanimement remarqué « quelque chose d'indéfinissable mais d'incontestablement anormal » dans mon comportement, ma démarche et mes gestes à La Nouvelle-Orléans. Pour certains, je devais être ivre. Osborne, toutefois, n'alla pas jusque-là et se contenta de juger qu'à son avis « la tension devait commencer à devenir excessive ».

Quelques semaines plus tard, la même idée surgit à nouveau sous la plume de plusieurs reporters et commentateurs et servit à expliquer ce qui m'avait poussé, dans un coup de folie, à fabriquer de toutes pièces les conditions de l'alerte générale de nos forces armées à l'occasion de la guerre du Kippour. Si j'avais pris une telle mesure, c'était parce que je me trouvais dans une situation personnelle et politique désespérée. Considérant la multitude de pressions que je subissais alors, le Watergate, la démission d'Agnew, la crise économique, l'embargo pétrolier et la pénurie de carburant, les journalistes jugèrent que je ne pouvais que me trouver dans un état d'épuisement mental. Au début de décembre, le *New York Times* publia un article sous le titre : « *L'état de santé de Nixon constitue un élément de l'affaire du Watergate qui ne doit pas être perdu de vue.* » Aux « briefings » quotidiens de la Maison Blanche, les journalistes commencèrent à demander si j'étais en train de subir un traitement psychiatrique, si je me droguais, si je croyais toujours en l'efficacité de la prière. On répandit même le bruit que je me maquillais pour dissimuler les symptômes d'une maladie mortelle. Ceci laissait d'ailleurs entrevoir la nouvelle théorie selon laquelle je faisais exprès de devenir gravement malade pour m'en servir comme excuse à ma démission. Toute cette psychanalyse farfeluc allait, peu avant et après mon départ, culminer dans la thèse que je souffrais d'un complexe d'autodestruction. Je faisais exprès d'accumuler les problèmes pour disparaître enfin, au milieu des flammes et des fumées, dans une tragédie wagnérienne!

Et tout cela avait été conçu, développé, analysé et diffusé par une poignée de journalistes, jouissant d'une influence considérable, ne vivant que dans l'atmosphère artificielle et raréfiée d'un Washington obsédé par le Watergate, et ne se nourrissant que de leurs propres idées, reproduites et multipliées par un processus incestueux et débilitant.

Pendant tout ce temps, Pat fut admirable de courage, comme elle l'avait toujours été, en dépit des attaques de plus en plus vicieuses qu'elle eut à soutenir elle-même. Ainsi, un échotier alla jusqu'à l'accuser de garder pour elle les bijoux et autres cadeaux offerts à l'occasion de nos voyages officiels ou des visites des chefs d'Etat. Elle affectait, en public, un mépris et un détachement qu'elle ne ressentait pourtant pas au fond. « Que nous veulent-ils, enfin? Quand tout cela va-t-il s'arrêter? » me disait-elle parfois d'une voix désespérée.

Mes filles et mes gendres n'étaient pas non plus à l'abri de la boue dont on nous éclaboussait. Tricia ne paraissait pas en public, à l'époque, mais ne cessait de me réconforter de sa présence et de ses encouragements. Julie, se laissant aller à ses instincts combatifs, alla à plusieurs reprises porter la contradiction à des réunions publiques dans tout le pays. Quand je la mettais en garde de ne pas se laisser entraîner trop loin dans cette dangereuse bagarre, elle me répondait toujours, avec indignation : « Mais voyons, papa, il faut se battre! »

Ma proche famille ne fut pas seule à souffrir des circonstances. Mes frères, Don et Ed, furent interrogés plusieurs fois. Tous ceux qui me touchaient de près ou de loin, tous mes amis et fidèles étaient soumis à des vexations indignes, et je pense en particulier à Bob Adplanalp et Bebe Rebozo.

Ce dernier dut subir une enquête de dix-huit mois, au cours de laquelle toutes ses affaires, même les plus confidentielles, furent jetées en pâture au public. On lui reprocha de sinistres complots, des escroqueries, des complicités inavouables où Howard Hughes était censé jouer un rôle douteux. On l'accusa de se livrer à des trafics financiers portant sur des sommes fabuleuses et même de dissimuler des fonds secrets pour mon compte. Quand il fut enfin reconnu totalement innocent de toutes ces calomnies — au bout d'une enquête ayant coûté deux millions de dollars aux contribuables! —, personne n'eut la décence de publier officiellement un communiqué l'exonérant de toutes charges, ni de s'excuser des préjudices considérables qu'il avait subis. Son seul crime avait été d'être un ami de Richard Nixon.

Pendant mes rencontres avec les parlementaires, au mois de novembre, j'avais annoncé mon intention de publier les transcriptions et résumés des enregistrements réclamés par la commission Ervin et le procureur spécial. Pat Buchanan fut chargé de collationner ces transcriptions avec la déposition de Dean et me confirma dans mon espoir que la lecture de ces transcriptions établissait clairement les mensonges de Dean dans ses accusations contre moi. Toutefois, compte tenu de la nature ambiguë des conversations de l'enregistrement du 21 mars, je réunis certains de mes collaborateurs pour discuter avec eux de la décision définitive à prendre sur la publication de ces transcriptions.

Ils ne partageaient pas mon optimisme. Sans doute, les enregistrements apportaient la preuve des mensonges de Dean. Mais ils risquaient, par ailleurs, de nous porter des coups fatals. Certaines conversations étaient d'un réalisme politique trop cru pour la consommation du public.

Je me ralliais toutefois à l'optimisme de Buchanan. Une fois le premier choc passé, le public finirait par comprendre qu'il y a loin des paroles aux actes. Il verrait surtout la preuve indiscutable que Dean avait menti. Finalement, ce furent les pessimistes qui l'emportèrent. En dépit des espoirs soulevés de tous côtés à l'annonce de notre publication des enregistrements, je pris la décision de ne pas les publier.

En décembre 1972, j'avais écrit dans mon Journal la réflexion suivante : « 1973 sera une meilleure année. » Le 23 décembre 1973, à Camp David, j'écrivis cette question désabusée : « Est-ce notre dernier Noël ici? »

1974

Il semblait difficile à croire que huit mois seulement s'étaient écoulés depuis que Haldeman et Ehrlichman m'avaient quitté, huit mois seulement depuis que le tourbillon du Watergate avait commencé à m'emporter dans sa fureur. En mai, je croyais encore pouvoir renouveler, rebâtir, récupérer. Maintenant, j'en étais réduit à contempler ma situation sous le jour le plus sombre, celui de la simple survie.

Ce ne fut qu'au cours du week-end ayant suivi le renvoi de Cox que je réfléchis sur ce que mes actes avaient entraîné. Je m'étais fait les notes suivantes, sous le titre « Analyse » :

« 1. Cox devait partir. Richardson s'en irait inévitablement en même temps que lui. Sinon, si j'avais attendu que Cox commette une faute grave qui, aux yeux du public, aurait justifié son congédiement, cela aurait voulu dire qu'il aurait fallu attendre que Cox nous attaque.

2. L'incident Richardson doit nous servir de leçon pour savoir sur qui nous pouvons compter. Les membres de l' " Establishment ", comme Richardson, ne sont pas ceux dont nous pouvons attendre qu'ils restent avec nous quand on est au pied du mur et qu'il leur faut choisir entre leurs ambitions politiques et le soutien au Président grâce à qui, pourtant, ils ont pu occuper les postes élevés — dont ils démissionnent ostensiblement.

3. En ce qui concerne les bandes magnétiques, il faut que nous présentions les documents définitifs dans la meilleure perspective du point de vue des relations publiques. Ne pas manquer de faire savoir qu'il n'y a pas eu de " tripotage " des bandes.

4. Il faut comparer notre situation actuelle avec ce qu'elle était au 30 avril. La décision de renvoyer Haldeman, Ehrlichman, Gray, Dean et Kleindienst n'avait pas suffi à écarter les nuages pesant sur le Président ni à dissiper l'impression qu'il était coupable. Loin de satisfaire nos critiques, cela leur a donné le goût du sang et les a mis en appétit pour en goûter bien davantage. Depuis le 30 avril, nous avons enregistré un recul considérable. A cette date, les sondages nous accordaient 60 pour cent d'opinions favorables alors que, maintenant, nous en avons 30 pour cent au mieux.

5. La question est maintenant de savoir si la remise de nos enregistrements, ou de leurs transcriptions, peut suffire à dissiper le nuage de doutes. Du côté positif, la crise du Proche-Orient qui, si les sondages sont à peu près corrects, nous a été utile en montrant que la politique étrangère a besoin de Richard Nixon.

6. Nos adversaires vont maintenant s'y mettre de toutes leurs forces. La question essentielle est de savoir si, oui ou non, les pressions en faveur de la révocation ou de la démission seront assez fortes pour l'emporter sur le facteur positif noté au paragraphe ci-dessus. »

A 1 h 15, dans la nuit du 1ᵉʳ janvier 1974, j'avais noté : « La question essentielle est la suivante : vais-je me battre jusqu'au bout, ou vais-je commencer dès maintenant le long processus menant à un changement, c'est-à-dire en fait à ma démission? »

Depuis les derniers mois, j'avais évoqué ma démission avec ma famille, certains proches, ainsi qu'avec Haig et Ziegler. Mais l'idée m'en paraissait sacrilège. J'étais convaincu que démissionner ainsi, sous la contrainte, entraînerait un bouleversement de notre forme de Gouvernement. Ce bouleversement n'apparaîtrait peut-être pas tout de suite; mais, une fois qu'un Président se serait incliné devant des attaques, il aurait constitué un précédent donnant une arme redoutable aux adversaires des Présidents qui lui succéderaient. Car il n'est pas difficile d'imaginer une situation où le Congrès, face à un Président qui lui déplaît, le paralyse complètement en bloquant systématiquement toutes ses initiatives de politique intérieure ou étrangère, en refusant d'entériner ses nominations. Alors, une fois le pays lassé de cet immobilisme forcé, le Congrès n'a plus qu'à déclarer que le Président doit démissionner dans le bien du pays. Et c'est le cas de Nixon qui sera cité comme un précédent! En manœuvrant ainsi pour forcer un Président à la démission, le Congrès pourra se laver les mains de toute responsabilité et regarder sereinement le jugement de l'histoire, attitude qu'il ne pourrait pas adopter en prenant l'initiative d'une révocation.

Mes notes de cette nuit-là se poursuivaient ainsi :

« Réponse : se battre. Se battre parce que, si je suis contraint à démissionner, la presse va prendre un pouvoir excessif, pas seulement pendant mon gouvernement mais pour des années. Se battre parce que ma démission créerait un précédent, provoquant ainsi un changement permanent et extrêmement néfaste dans l'ensemble de notre système constitutionnel. Se battre parce que ma démission pourrait entraîner un effondrement de notre politique étrangère. »

Le 5 janvier, à 5 heures du matin, je notais encore les pensées suivantes :

« Avant tout : dignité, autorité, foi, la tête haute, sans crainte. Edifier nouvelle résolution, énergie renouvelée, agir comme un Président, comme un gagneur. Les adversaires sont des prédateurs sauvages, destructeurs, remplis de haine. Temps de se servir de toute la puissance du Président pour repousser les forces coalisées contre nous. »

Telle que je voyais la situation, la révocation ne serait pas décidée en s'appuyant sur le droit ou les précédents historiques. Ce serait un exercice, une compétition à celui qui saurait le mieux influencer le public. Tandis que je m'efforcerais de restaurer la confiance des citoyens dans mes capacités à les diriger, l'opposition essaierait tout pour convaincre l'opinion qu'il fallait me chasser de mon poste.

LA DERNIÈRE CAMPAGNE

J'avais cru que 1972 allait marquer la fin de mes campagnes électorales. Malgré cela, je me rendis compte, au début de 1974, que j'allais devoir entreprendre la campagne de ma vie.

J'étais convaincu que, quelles que soient les questions soulevées par la tentative de révocation, ce serait l'aspect politique de la situation qui finirait par en déterminer l'issue. A chaque pas, les Démocrates allaient certainement prendre la température politique de leurs partisans et s'efforcer de déterminer comment les Républicains s'en tireraient, aux élections législatives de 1974 et présidentielles de 1976, s'ils avaient dans leur camp un Président discrédité, mais toujours en exercice, ou au contraire un nouveau Président, mais pliant sous le fardeau de la révocation ou de la démission de son prédécesseur.

De nombreux parlementaires républicains voyaient maintenant la révocation comme un problème d'ordre strictement politique, dont il fallait tenir compte en fonction des seuls impératifs des élections désormais toutes proches — et où ils avaient en jeu des intérêts à court terme évidents. De leur point de vue, toutefois, la révocation était une arme à double tranchant. Car s'ils avaient hâte de se débarrasser de moi, maintenant que j'étais devenu un handicap risquant de ruiner les chances du parti en 1974 et 1976, ils devaient compter avec la vive opposition de très nombreux militants à l'idée même de révocation. L'opinion publique, par ailleurs, risquerait d'attribuer leur empressement à voter ma révocation à des intérêts peu reluisants auxquels ils seraient prêts à sacrifier la solidarité du parti.

Ainsi, comme je le comprenais de plus en plus clairement, la plus forte menace d'être révoqué provenait bien de l'opinion publique et de la manière dont elle accepterait ou repousserait le principe même de ma révocation. On en arrivait donc, en d'autres termes, à une compétition pour s'assurer le soutien de l'opinion, c'est-à-dire à rien d'autre qu'une campagne électorale. Mais cette fois, il ne s'agissait pas simplement de faire campagne pour un poste politique quelconque. Je devais faire campagne pour ma survie politique.

En décembre, les sondages montraient que l'opinion était encore indécise. Il y avait 54 pour cent de gens opposés à ce que l'on me contraigne à abandonner mes fonctions. Mais 45 pour cent déclaraient qu'ils me respecteraient davantage si je démissionnais de mon plein gré pour que le pays puisse enfin se pencher sur d'autres problèmes que le Watergate. Ainsi, l'élément même que j'espérais voir jouer en ma faveur s'était retourné contre moi. En avril 1973, j'avais pensé que, dans sa lassitude du Watergate, le public ferait pression sur le Congrès et les media pour passer à des sujets plus importants. Mais les attaques inlassables que ces derniers avaient menées contre la Maison Blanche m'avaient si bien impliqué dans toute l'affaire que, pour l'opinion, c'était moi désormais qui constituait l'obstacle et empêchait le pays de s'occuper enfin d'autre chose. Cette lassitude devenait si profonde que les citoyens commençaient à y céder et à vouloir se débarrasser du gêneur que j'étais devenu. A moins que je ne puisse faire quelque chose pour renverser ce courant, il menaçait de me balayer.

Comme je l'avais toujours fait au début de chacune de mes campagnes, je soupesais mes points forts et mes points faibles. Les Démocrates avaient l'avantage de la majorité numérique. Par conséquent, la révocation était une *possibilité,* quoi que je fasse pour tenter de m'y opposer. Elle devenait une *probabilité* si, de leur côté, les Républicains décidaient de ne plus me soutenir ou, plus simplement, ne m'aidaient pas suffisamment.

A Washington, le nombre de mes alliés Républicains s'effritait régulièrement. A la fin de 1973, tandis que le spectre de la révocation se précisait et que les élections se rapprochaient — promettant de devenir un baromètre d'une redoutable précision sur l'état de l'opinion publique à mon égard —, le gros du groupe parlementaire républicain, y compris ses leaders, me faisait parvenir des messages plus ou moins explicites que, si je n'arrivais pas à renverser spectaculairement la vapeur, ils se verraient obligés de prendre leurs distances avec moi. J'avais beau me plaindre qu'il s'agissait là d'une réaction typique d'une minorité parlementaire toujours timorée, je devais bien admettre que c'était en très grande partie ma faute. Nombreux avaient été ceux qui s'étaient portés à mon secours et s'y étaient brûlés les doigts; désormais, ils avaient perdu leur confiance ou, plus simplement, ne voulaient plus prendre de risques à cause de moi.

En outre, mes relations avec mes partisans au Parlement étaient devenues malaisées. Aucun parlementaire ne pouvait plus se permettre de s'afficher trop ouvertement à mes côtés sous peine d'être accusé de partialité — alors que mes adversaires ne cherchaient même pas à s'en défendre. Des coups de téléphone parfaitement innocents, des réunions de travail à la Maison Blanche faisaient désormais l'objet de critiques dans la presse et étaient présentés comme des tentatives menées pour influencer les votes. De moins en moins discrètement, les parlementaires me faisaient savoir qu'ils préféreraient ne plus avoir aucun contact avec moi jusqu'à la fin de la procédure de révocation.

Cela me privait d'un des éléments essentiels de ma stratégie. Pour mener ma campagne, je devais désormais me reposer exclusivement sur la démonstration que je faisais mon travail comme il le fallait et poursuivre, simultanément, mes efforts pour faire comprendre que le Watergate avait infiniment moins d'importance que la manière dont je remplissais mes fonctions. Pendant ce temps, de sévères tensions internes commençaient à se manifester entre l'aile libérale et l'aile conservatrice du parti. Leurs nerfs mis à vif par des mois de Watergate et la perspective des élections, les membres des deux groupes avaient tendance à prendre la moindre de mes initiatives politiques comme une concession faite aux autres et comme un simple effort de me concilier des voix en prévision du vote sur la révocation.

Dans tout le pays, on vit alors apparaître des groupements, petits mais déterminés, faisant campagne pour ma défense et, à travers moi, celle de la fonction présidentielle menacée. Les membres de mon Cabinet firent preuve, eux aussi, d'une remarquable fermeté en continuant à faire leur devoir en dépit des pressions continuelles auxquelles ils étaient soumis. Quant à mes collaborateurs de la Maison Blanche, ils étaient admirables. Jamais je ne pourrai assez remercier tous ceux qui, en cette période si difficile, ont eu le courage de ne pas m'abandonner. Mais tout le monde était au-delà de l'épuisement. La valeur dont ils faisaient preuve ne pouvait compenser l'écrasante infériorité numérique dont nous souffrions par rapport à nos adversaires.

Melvin Laird m'annonça qu'il devait nous quitter pour s'engager dans une nouvelle carrière dans le secteur privé. Jerry Ford avait été intronisé le 6 décembre et pouvait donc prendre en compte une grande partie des fonctions de Laird, dans les domaines de la politique intérieure et des rapports avec le Parlement. Mais le *Washington Post* préféra écrire que le départ de Laird signifiait pour les Républicains qu'ils étaient déliés de leur obligation de protéger le Président.

Dès la fin de 1973, mes adversaires politiques les plus résolus se mirent à redoubler d'efforts pour s'assurer de ma révocation. L'*American Civil Liberties Union* (Association des Droits de l'homme) distribua une brochure de 56 pages décrivant les moyens à mettre en œuvre pour hâter et garantir ma révocation. Le porte-parole de l'A.C.L.U. ne se cacha d'ailleurs pas les mobiles de son association : « Il n'y a pas (en ce moment) de mouvements revendicatifs. Il n'y a pas de guerre. Il n'y a pas de mouvements sociaux... Mais nous avons la révocation. » Après le renvoi de Cox, l'organisation de Ralph Nader entreprit une campagne téléphonique dans tout le pays pour promouvoir ma révocation. Les syndicats A.F.L.-C.I.O. annoncèrent que l'on ne pouvait plus éviter la révocation et lancèrent une campagne nationale soutenue par des millions de brochures et de tracts. La décision des syndicats de soutenir la révocation était d'autant plus sérieuse que l'on connaît les liens du Parti Démocrate avec la centrale syndicale, liens allant jusqu'à fournir d'importantes contributions financières aux campagnes de 19 des 21 membres de la commission de la Justice, y compris son président, Peter Rodino.

Il incombait à la commission de la Justice de la Chambre des Représentants de débattre de la recevabilité de la demande en révocation et de vérifier la valeur des preuves soumises à l'appui de cette demande. Il suffisait de prendre connaissance de la liste de ses membres pour comprendre que le jeu était faussé dès le départ. Sur ses 38 membres, il y avait 21 Démocrates et 17 Républicains. Des 21 Démocrates, 18 appartenaient à l'aile libérale du parti ou avaient une réputation de sectarisme bien établie. Les observateurs politiques les plus objectifs de Washington reconnurent, dès le début, que ces 18 Démocrates allaient naturellement voter pour la révocation, malgré leurs pieuses protestations d'impartialité.

Les 3 autres étaient des sudistes conservateurs et constituaient le seul élément de doute au sein de la majorité démocrate de la commission. Ils m'avaient souvent soutenu dans le passé, généralement contre les directives de leur parti, sur des questions de défense nationale et de limitations budgétaires.

L'on pensait également que, sur les 17 Républicains, il y en aurait 11 à prendre mon parti. Parmi les 6 autres, il y avait quelques libéraux m'ayant rarement soutenu dans les votes de politique générale, et d'autres qui, devant faire face à des réélections difficiles, voudraient prendre leurs distances. D'autres enfin m'avaient exprimé leur opposition depuis le début du Watergate.

Ainsi, mon seul espoir d'éviter que la commission fasse à la Chambre une recommandation favorable à ma révocation était de m'assurer les voix des Républicains et de rallier à ma cause les Démocrates conservateurs. Ce n'était pas impossible, mais c'était extrêmement hasardeux.

S'il y avait eu seulement à s'inquiéter de l'adversaire de l'extérieur !... Mais il y avait surtout un ennemi à l'intérieur : les bandes magnétiques. Le pire danger que je prévoyais pour l'année qui venait de s'ouvrir, c'était que le procureur spécial et la commission de la Justice se mettent à exiger un enregistrement après l'autre — en disant à chaque fois que ce serait le dernier. Ainsi il n'y aurait jamais de fin à ces exigences, jusqu'à ce que toutes les 5 000 heures d'enregistrements aient été remises entre leurs mains. Cette enquête-là avait pris une dimension, une vie qui lui était propre, et je n'arrivais pas à comprendre pourquoi personne ne s'en rendait compte. Les enquêteurs n'essayaient même plus de vérifier la véracité de l'une ou l'autre des accusations lancées contre moi. Ils en étaient arrivés à vouloir tout examiner, tout passer au crible, suivre toutes les pistes, même les plus invraisemblables, jusqu'à ce qu'ils parviennent à trouver quelque chose qui, à leurs yeux, justifierait mon éviction. Et pour moi, le cauchemar sans fin que me causaient ces bandes magnétiques consistait en ce que, si on leur donnait suffisamment de temps et d'enregistrements, ils finiraient sans doute par trouver ce qu'ils cherchaient.

Il fallait que cela cesse. J'avais naguère déjà commis l'erreur impardonnable de dire qu'il fallait que cela cesse sans, pour autant, y parvenir. Alors, après avoir politiquement payé le prix de la résistance, nous avions baissé les bras à chaque fois que les pressions devenaient trop fortes. Je regrettais de n'avoir suivi mes instincts dans le passé; je voulais, désormais, les suivre sans plus de retard. Je parlais même de détruire enfin ces enregistrements. Je déclarais que la meilleure stratégie consisterait à jeter le gant au Congrès en lui disant que l'affaire n'avait que trop duré. Je voulais le faire dans mon discours du 30 janvier sur l'état de l'Union, où j'annoncerais que je ne fournirais plus rien ni à la commission de la Justice, ni au procureur spécial.

On parvint à m'en dissuader en me faisant observer que me servir du discours sur l'état de l'Union pour prendre une position de force et provoquer un affrontement ne pourrait que renforcer l'argument en faveur de la révocation, tout en rejetant à l'arrière-plan les importants problèmes de la politique nationale évoqués dans le discours.

C'est ainsi que les bandes magnétiques restèrent à leur place. Celles que j'avais déjà réécoutées étaient, en elles-mêmes, assez catastrophiques; mais c'était ce qu'il pouvait y avoir d'enregistré sur les autres qui nous donnait à tous des cauchemars. Je me rappelais alors une réflexion de Churchill et la manière dont elle s'appliquait à moi : « Plus on vit, plus on s'aperçoit que tout dépend du hasard. Quelqu'un qui regarde en arrière, même si ce n'est que sur dix ans de sa vie, verra que ce sont des incidents minuscules, parfaitement insignifiants en eux-mêmes, qui auront décidé en fait de tout le cours de sa fortune et de sa carrière. »

Je n'avais aucun moyen de me rappeler ce qu'il y avait d'enregistré sur ces bandes, mais j'étais presque sûr qu'il devait s'y trouver bien d'autres réunions politiques au franc parler — comme celles qui nous avaient déjà valu la situation désastreuse où nous nous trouvions. J'aurais certes pu survivre à la plupart de ces révélations, mais leur accumulation constituerait une masse telle qu'elle finirait par m'écraser.

Tant de gens avaient déjà pris tant de risques pour m'aider! Et je connaissais mieux qu'eux la gravité de certains de ces risques... Si nous voulions poursuivre le combat, les risques allaient devenir de plus en plus sérieux, leurs victimes de plus en plus nombreuses : Haig, Ziegler, mes avocats, les députés et sénateurs prenant ma défense au cours des séances de révocation, mes collaborateurs de la Maison Blanche... Il fallait que je remonte le moral de tous avant la bataille, alors même que je savais combien la cause était peu digne de les inspirer. Ce qui me permit de justifier le combat et de leur demander de se battre pour moi et avec moi, c'était que, si *ma* cause était douteuse, *la* cause, comme je m'en étais convaincu, était une cause noble et d'une importance capitale.

Cette cause, comme j'en étais arrivé à la comprendre, mettait en jeu la nature même du principe du commandement et de la responsabilité dans la vie politique américaine. Je croyais que si l'on pouvait me chasser de mes fonctions à cause d'un scandale politique comme celui du Watergate, le système américain serait bouleversé et transformé dans sa totalité. Je n'avais jamais cru un seul instant que les accusations portées contre moi étaient de nature à justifier légalement ma révocation. Aucune d'entre elles ne répondait à la définition de « trahison, corruption et autres crimes et délits » qu'en donnait la Constitution. Si je m'étais senti réellement coupable d'un délit légalement justifiable de la révocation, je n'aurais jamais laissé personne se compromettre pour prendre ma défense et j'aurais immédiatement démissionné. Mais cette procédure de révocation allait être un phénomène purement politique, et la preuve en fut amplement démontrée quand la commission de la Justice ne parvint même pas à s'entendre sur la définition constitutionnelle de la révocation. En décembre, le *New York Times* avait écrit que les deux tiers des membres de la commission croyaient que, pour justifier une révocation, il n'était même pas nécessaire d'invoquer une quelconque infraction aux lois. Plus tard, au lieu de délibérer jusqu'à ce qu'ils atteignent un consensus, les membres décidèrent que chacun aurait la liberté de décider pour lui-même de la nature de ces accusations pendant le déroulement des débats! S'il existait encore un doute dans l'esprit des gens, cette décision prouvait avec une clarté aveuglante que ce seraient bien des critères politiques, et non légaux, qui gouverneraient la procédure de révocation ainsi engagée.

J'avais la conviction qu'en ce qui concernait les éléments les plus importants de la fonction présidentielle, j'avais encore beaucoup à apporter à l'Amérique et au monde entier. Même handicapé comme je l'étais par le Watergate, et comme j'allais certainement le rester jusqu'à l'expiration de mon mandat, j'avais quand même plus d'expérience que Jerry Ford, qui venait à peine de prendre ses fonctions de Vice-Président. Et il fallait un homme d'expérience au poste de commande. Le Nord-Vietnam se préparait ouvertement à lancer une nouvelle offensive contre le Cambodge et le Sud-Vietnam pour éprouver notre résolution à appliquer les termes du traité de Paris. Les Soviétiques faisaient traîner les négociations S.A.L.T., et il fallait que les Etats-Unis fassent preuve de fermeté pour les remettre dans le droit chemin. A l'intérieur, l'économie était chancelante après les expériences dirigistes qu'elle avait subies et l'embargo pétrolier imposé par les Arabes préparait un long hiver froid pour l'occupant de la Maison Blanche. La tentation de riposter trop durement contre les Arabes devait impérativement être réprimée, si nous ne voulions pas perdre les bénéfices remarquables que nous avait valus notre politique pendant la guerre du Kippour.

Je me rendais bien compte que la manière dont j'avais traité, jusqu'à présent, le problème du Watergate, ainsi que les faiblesses de ma défense avaient mis en danger les choses mêmes qui, à mon avis, exigeaient que je me maintienne dans mes fonctions. Je me rendais compte que, pour beaucoup de gens, j'avais paru mépriser les principes de la sécurité de l'Etat et du privilège de l'exécutif en les invoquant pour couvrir, croyaient-ils, ma propre culpabilité. Je me rendais compte également que nombreux étaient ceux à croire de bonne foi que je portais irréparablement préjudice à la Présidence en persistant dans ma détermination à rester un Président fort malgré ma faiblesse provoquée par le Watergate.

Mais je n'étais pas d'accord là-dessus. A tort ou à raison, je m'étais persuadé que j'étais attaqué par de vieux adversaires pour les mêmes vieilles raisons. D'instinct, je m'étais préparé à combattre pour ma survie. Après avoir vécu et combattu si longtemps dans l'arène politique, je ne considérais même pas la possibilité d'abandonner et de quitter la Présidence à cause de quelque chose comme le Watergate. J'allais me battre, et faire et dire tout ce que je croyais indispensable pour rallier mes troupes et regonfler leur confiance pour gagner cette dernière campagne.

Le 8 janvier 1974, alors que je passais quelques jours chez des amis à Palm Springs, je reçus un appel téléphonique de John Connally. Connally n'est pas homme à s'alarmer facilement ni inutilement, et pourtant il avait l'air extrêmement agité en me parlant. Il revenait de Washington où il avait rencontré un de ses amis proches, source des renseignements les plus dignes de foi et toujours vérifiés depuis de longues années. Cet ami lui avait dit qu'un groupe de parlementaires républicains, parmi lesquels certains dirigeants du parti, s'étaient réunis en privé et avaient atteint la conclusion unanime que mon maintien à la Présidence porterait un grave préjudice à tous les candidats républicains aux élections de 1974. Parmi eux, me précisa Connally, il y avait des hommes m'ayant loyalement soutenu dans le passé et que, me précisa-t-il, « vous croyez être de très bons amis ».

La stratégie supposée de ce prétendu groupe était de retarder le vote de la commission de la Justice jusqu'à la fin du sommet avec les Soviétiques en juin. Il déléguerait ensuite à la Maison Blanche quelques leaders républicains qui me sommeraient de démissionner dans l'intérêt du parti, du fait que beaucoup de mes partisans à la Chambre perdraient leurs sièges si j'étais toujours en place en novembre, au moment des élections. Connally me dit également que sa source bien informée lui avait précisé que Jerry Ford ignorait tout de l'existence de ce groupe et de ses projets.

En conclusion, Connally me répéta la véracité et la crédibilité de son informateur et insista pour que je ne prenne pas ce renseignement à la légère. Ce n'était pas seulement une vague rumeur, et je devrais soigneusement vérifier. Je lui dis que je le ferais.

Quand j'en parlai à Haig, il resta sceptique et je convins avec lui qu'il s'agissait bien du genre de bruits à courir dans tout Washington en de pareils moments. Il prit contact avec Goldwater, qui le rassura sur son soutien indéfectible en ma faveur.

Je ne pouvais pas croire, non plus, à l'existence d'un complot organisé de la part des Républicains pour m'évincer de mon poste. En politique, toutefois, ce qui compte avant tout, c'est de survivre. Washington est gouverné par la seule loi de la jungle; à partir du moment où vous êtes en difficulté, mieux vaut ne pas compter longtemps sur la générosité ou la magnanimité des autres. Trop souvent, une sorte d'accord instinctif se fait pour se débarrasser d'un blessé pouvant ralentir ou mettre en danger le reste de la meute.

Mon discours sur l'état de l'Union était prévu pour le 30 janvier à 21 heures. Dans la voiture qui nous emmenait de la Maison Blanche au Capitole, Pat et moi restions silencieux. Elle savait aussi bien que moi combien la situation était tendue. Nous avions discuté en famille de l'attitude qu'allait adopter le Congrès, et nous demandions si les membres de la Chambre et du Sénat allaient accueillir le discours avec courtoisie ou, au contraire, me recevoir avec des démonstrations d'hostilité.

A peine avais-je passé la porte de la salle des séances qu'un tonnerre d'applaudissements déferlait, ponctué de cris d'encouragement. Le groupe de nos partisans républicains et démocrates, peu nombreux mais bruyants, avait fait éclater une telle ovation que leurs collègues se sentirent obligés, sinon de les imiter, du moins de se lever à mon entrée.

Ce message de 1974 sur l'état de l'Union devait être le dernier exposé de mes activités à la tête de la nation. En guise d'introduction, je pouvais annnoncer : « Ce soir, pour la première fois depuis douze ans, un Président des Etats-Unis peut déclarer au Congrès que l'Union est en paix avec tous les pays du monde. »

S'il n'y avait pas eu le Watergate, je suis convaincu que l'état de l'Union américaine en 1973 aurait constitué la preuve irréfutable de la validité de la philosophie politique qui m'avait fait réélire en 1972. Les événements de 1973 semblaient presque conçus à dessein pour faire toucher du doigt combien la politique de la gauche aurait été inadaptée pour traiter les problèmes auxquels nous avions dû faire face, et que nous avions résolus avec succès. La guerre du Proche-Orient, par exemple, qui transforma comme par miracle les « colombes » les plus résolues de la guerre du Vietnam en farouches « faucons » dès que la sécurité et la survie d'Israël furent en jeu. La rechute inflationniste démontra les conséquences désastreuses qu'aurait eues sur l'économie la politique financière du traditionnel libéralisme démocrate. Teddy Kennedy et Wilbur Mills eux-mêmes durent discrètement le reconnaître en révisant leur projet d'assurances sociales obligatoires, objet d'une tonitruante publicité, pour le rapprocher de mes propres propositions. Quant aux dures réalités de la crise de l'énergie, elles avaient entraîné une réévaluation réaliste des thèses, à la mode mais utopiques, des soi-disant défenseurs de l'environnement.

Le pays que j'avais été élu pour diriger cinq ans auparavant avait failli être mis hors de combat par la discorde et les luttes intestines. Ses villes avaient été incendiées et mises en état de siège. Les campus universitaires avaient été transformés en champs de bataille. La criminalité croissait dans des proportions alarmantes. La drogue se répandait comme une épidémie. La conscription avait étendu son ombre menaçante sur les vies des jeunes Américains en bouleversant leurs projets. La nature et l'environnement n'étaient protégés par aucun programme cohérent. Il y avait encore des domaines essentiels, dans les réformes sociales et le fonctionnement du Gouvernement, qui exigeaient l'attention et la prise de mesures nécessaires.

Pendant les cinq ans du Gouvernement Nixon, nous avons obtenu des succès dignes d'être remarqués. Les villes avaient retrouvé le calme. Les Universités étaient redevenues le siège de l'éducation et du savoir. La hausse de la criminalité avait été freinée. Le problème de la drogue avait été massivement attaqué, à l'étranger tout comme dans notre pays. La conscription avait été abrogée. Et nous avions soumis au Congrès le premier programme de défense de l'environnement conçu dans le pays, sans parler de projets d'importance capitale dans les domaines de la santé publique et des assurances sociales, de la réforme de l'éducation, de la participation et de la réorganisation administrative. Dans mon discours sur l'état de l'Union, je définis dix objectifs primordiaux que je croyais possibles à atteindre en 1974. Nous pouvions briser le cercle vicieux de la crise énergétique et jeter les fondations d'un programme destiné à trouver notre énergie dans nos propres ressources. Nous pouvions faire appliquer un règlement juste et durable pour la paix au Proche-Orient. Nous pouvions freiner la hausse des prix sans provoquer de récession. Nous pouvions mettre en œuvre mon programme de lois sociales offrant à chaque Américain une protection efficace contre la maladie, d'une manière respectant la dignité humaine et à un prix raisonnable. Nous pouvions rendre les autorités locales et régionales plus sensibles aux besoins des résidents locaux. Nous pouvions faire faire des progrès considérables aux transports en commun. Nous pouvions réformer les modalités des subventions fédérales à l'éducation d'une manière permettant d'accorder une aide supérieure à ceux qui en avaient le plus besoin. Nous pouvions nous attaquer au problème de la définition et de la protection du droit de chaque Américain à ne pas souffrir d'atteintes à sa vie privée. Nous pouvions, avec un retard qui en accusait l'urgence, entreprendre la réforme des systèmes d'aide sociale. Et nous pouvions enfin commencer à établir le cadre d'une organisation économique internationale où chaque Américain pourrait bénéficier d'une participation plus équitable et plus abondante.

A mesure que je prononçais ce discours, j'étais surpris et touché de la chaleureuse réception qui lui était faite. Quand j'en arrivai à sa conclusion, j'avais été interrompu plus de trente fois par les applaudissements. A un certain moment, je prononçai une phrase qui, à mes yeux, n'avait pourtant rien d'exceptionnel. Alors que j'exposais notre objectif essentiel d'instaurer une paix durable et solidement structurée dans le monde, j'avais dit : « Cela a été et restera ma priorité essentielle et l'héritage que j'espère léguer des huit ans que j'aurais passés à la Présidence. » Soudain, les travées parurent s'ébranler. La quasi-totalité des Républicains et bon nombre de Démocrates s'étaient levés pour applaudir et crier leur approbation. Ma famille, vers qui je jetai un coup d'œil, ne pouvait réprimer sa joie.

Arrivé au terme du discours, j'en repliai le texte et prononçai ces quelques mots en guise de conclusion :

« Je voudrais maintenant ajouter un commentaire personnel sur un sujet qui, depuis maintenant un an, préoccupe tous les Américains. Je veux dire, bien sûr, la soi-disant affaire du Watergate.

Comme vous le savez, j'ai fourni de mon plein gré un nombre considérable de documents au procureur spécial. Je crois lui avoir fourni tout ce qui lui est nécessaire pour mener ses enquêtes à leur terme, engager les poursuites contre les coupables et exonérer les innocents.

Je crois que le moment est venu de mettre fin à toutes ces enquêtes et toute cette affaire. Un an de Watergate, cela suffit.

Et le moment est venu, chers collègues, pour que non seulement l'exécutif, le Président, mais aussi les membres du Congrès, tous ensemble, nous joignions nos efforts et consacrions nos énergies aux vastes problèmes que j'ai évoqués devant vous ce soir, et qui intéressent de tant de façons le bien-être de tout le peuple américain et la cause de la paix dans le monde.

Je sais que la commission de la Justice de la Chambre exerce des responsabilités particulières dans ce domaine, et je veux vous dire à cette occasion que j'assure la commission de ma coopération dans ses travaux. Je coopérerai afin qu'elle puisse conclure son enquête, prendre sa décision et je coopérerai avec elle de toutes les manières compatibles avec mes responsabilités vis-à-vis de la fonction présidentielle.

A ceci, je n'apporterai qu'une seule limite. Je me conformerai aux précédents établis et défendus par tous les Présidents des Etats-Unis, de George Washington à Lyndon B. Johnson, c'est-à-dire que je ne ferai rien qui puisse avoir pour conséquence d'affaiblir la fonction présidentielle en elle-même, ou handicaper la liberté des futurs Présidents à prendre comme ils l'entendent les grandes décisions indispensables à la conduite de ce pays et aux affaires du monde entier.

Un dernier point, enfin, que j'aimerais évoquer brièvement. Comme tous les membres de la Chambre et du Sénat assemblés ici ce soir, j'ai été élu au poste que j'occupe. Et, de même que tous les membres de la Chambre et du Sénat, je savais, en étant élu, que je l'étais afin d'accomplir une tâche donnée et de l'accomplir de mon mieux. C'est pourquoi je veux vous dire que je n'ai nullement l'intention d'abandonner le travail et les responsabilités que les électeurs m'ont confiés et qu'ils m'ont chargé de faire pour le peuple des Etats-Unis.

Il va naturellement sans dire qu'il serait absurde de ne pas vouloir admettre que 1973 a été, pour moi et ma famille, une année difficile. Et, comme je l'ai déjà indiqué, de graves problèmes se présentent à nous en 1974, mais aussi des chances immenses.

C'est pourquoi, chers collègues, laissez-moi vous dire ce que je crois. Je crois qu'avec l'aide de Dieu, qui a si richement répandu ses bénédictions sur cette terre, avec la coopération du Congrès et avec le soutien du peuple américain, nous pourrons et nous voudrons faire de cette année 1974 une année de progrès sans précédent en direction de nos objectifs : édifier une paix durable dans le monde, assurer un renouveau de la prospérité dans la paix pour les Etats-Unis d'Amérique. »

De retour à la Maison Blanche, je trouvai ma famille transportée de joie par l'accueil réservé à mon discours, et surtout par l'ovation ayant salué ma phrase sur mes « huit ans à la Présidence ». Chacun y voyait le signe encourageant que je disposais toujours d'un solide soutien parlementaire.

Le discours fut d'ailleurs généralement bien accueilli. Pour un moment, il parut même nous avoir enfin donné l'élan tant recherché pour nous permettre de sortir des marécages du Watergate où nous nous enlisions. « *Nixon retrouve confiance* », titrait le *New York Times*.

Je voulus alors profiter de cette situation tant qu'elle durait et entrepris plusieurs voyages en province. Régénéré par le succès de mes apparitions publiques, regonflé par l'enthousiasme sincère que manifestaient les gens que je rencontrais, je décidai alors en mon for intérieur de soumettre directement ma cause au pays dès la fin du sommet prévu avec les Soviétiques au mois de juin.

Et pendant ce temps, distrait de ses devoirs par la procédure de révocation, le Congrès n'avait voté qu'à peine la moitié des lois votées au cours de la même période de l'année précédente.

Le 21 décembre 1973, le Secrétaire Général des Nations Unies, Kurt Waldheim, avait déclaré ouverte la conférence de Genève sur la paix au Proche-Orient. La Syrie s'abstint d'y participer, mais l'Egypte, Israël, la Jordanie, les Etats-Unis et l'U.R.S.S. y avaient envoyé leurs représentants. Le 22 décembre, les conversations préliminaires se terminaient avec des instructions à l'Egypte et à Israël pour que les deux pays engagent sans délai des négociations pour le dégagement de leurs troupes le long du canal de Suez.

Du 10 au 17 janvier 1974, Kissinger inaugura ce que l'on baptisa par la suite sa « diplomatie baladeuse ». Le Président Sadate avait demandé à Kissinger de l'aider à aplanir les différends entre l'Egypte et Israël pour le dégagement des troupes. Grâce au succès remporté par notre politique, Kissinger était devenu le trait d'union entre les deux pays, un homme à qui les deux camps pouvaient accorder leur confiance, un homme qui représentait un Gouvernement que, des deux côtés, on s'accordait à considérer comme une garantie d'équité et d'objectivité. Le fait d'ouvrir de telles négociations, avec Kissinger pour intermédiaire, représentait un extraordinaire acte de foi de la part de Golda Meir et une preuve de courage exceptionnel de celle d'Anouar el-Sadate. Kissinger se montra digne des deux chefs d'Etat en consacrant des efforts inlassables à concilier graduellement leurs points de vue, jusqu'à la conclusion d'un accord capable de former l'ouverture raisonnable à une atténuation des divergences entre l'Egypte et Israël.

L'accord sur le dégagement des troupes intervint le 17 janvier. Ce succès constituait un tribut rendu à l'extraordinaire énergie déployée par Kissinger, à sa très vive intelligence et, dans une proportion au moins égale, à son charme personnel. Le succès qu'il venait de remporter ainsi n'en était que plus admirable quand on sait qu'il avait contre lui le handicap d'un Président affaibli par les attaques qu'il subissait chez lui.

Après l'annonce du dégagement des troupes, j'appelai Mme Meir au téléphone. Elle paraissait soulagée d'un grand poids. J'appelai ensuite le Président Sadate. A mes félicitations, ils répondirent tous deux par de sincères éloges à l'adresse de Kissinger et du rôle essentiel qu'il avait joué dans la négociation.

LA CRISE DE L'ÉNERGIE

L'hiver 1973-1974 allait apporter à l'Amérique une préfiguration de l'avenir. Pour la première fois, la nation ouvrait les yeux sur le fait inquiétant que nos ressources énergétiques, depuis si longtemps considérées comme inépuisables, connaissaient de sévères limites.

Pourtant, cette crise n'était pas apparue du jour au lendemain. La situation qui se dévoila brutalement en 1973 était le résultat de décennies de politiques à courte vue par les gouvernements et d'habitudes de gaspillages généralisées.

Avec 6 % seulement de la population de la terre, les Etats-Unis consommaient un tiers de toute l'énergie qui s'y dépensait. Et les réserves allaient en s'amenuisant.

Dès 1971, j'avais accordé toute mon attention aux moyens de promouvoir la production d'énergie nucléaire. J'avais donné l'ordre d'entreprendre la construction du premier surgénérateur américain au printemps de la même année.

Le 4 juin 1971, à l'issue d'études nous ayant montré que les problèmes énergétiques allaient se poser de manière imminente, j'avais adressé à la nation le premier message présidentiel de son histoire sur l'énergie. J'y encourageais la poursuite du développement des surgénérateurs; je prenais l'engagement d'instituer un programme de conversion du charbon en carburants gazeux propres, et d'accélérer la vente des concessions de forage de pétrole et de gaz naturel sur le plateau continental au large des côtes. J'y proposais également que tous les programmes fédéraux de développement des ressources énergétiques — il y en avait une quinzaine — soient regroupés sous la responsabilité d'un seul organisme. « Ce message, disais-je, indique la voie à suivre par l'Amérique — au prix d'investissements coûteux certes, mais urgents et indispensables, donc justifiés — pour découvrir de nouvelles sources d'énergie, mais d'une énergie propre qui ne polluera pas l'air, qui ne polluera pas l'environnement. »

Le 18 avril 1973, j'avais fait tenir au Congrès cinq projets nouveaux et importants sur nos programmes énergétiques. Au cours des vingt-deux mois qui s'étaient écoulés depuis mon premier message, la détérioration de notre situation énergétique était pratiquement restée ignorée. De sa propre initiative et avec ses seuls moyens, mon gouvernement avait pu augmenter de près de 50 % les fonds mis à la disposition de la recherche expérimentale et du développement, mais il fallait instituer une législation cohérente pour prévenir la pénurie que nous pouvions prévoir et pallier ses effets.

Je demandais au Congrès de libérer les prix du gaz naturel et de les laisser évoluer en fonction du marché, afin que le secteur privé puisse accroître ses bénéfices et y trouve le moyen de se livrer à des recherches et des exploitations supplémentaires. Je demandais également des détaxations pour les recherches pétrolières, approuvais le report et l'extension des limites imposées abusivement par les règlements sur l'environnement et abrogeais les quotas obligatoires sur les importations. Par décret de l'exécutif, je triplais les surfaces de recherche et d'exploitation de pétrole et de gaz au large des côtes. Je présentais de nombreuses demandes pour faire activer la recherche et le développement de l'énergie nucléaire, géothermique, ainsi que l'exploitation des schistes bitumineux. J'annonçais également la création d'une Agence pour la conservation de l'énergie et proposais la mise en place d'un nouveau secrétariat d'Etat exclusivement consacré aux problèmes de l'énergie, le Ministère de l'Energie et des Ressources naturelles.

Au milieu du mois de mai, nous avons insisté pour faire appliquer des mesures volontaires de partage des stocks de produits raffinés entre les grandes chaînes de distribution et les détaillants indépendants. Le 29 juin, j'annonçais la nomination de John Love, gouverneur du Colorado, à la tête de la nouvelle agence de l'énergie. Je renouvelais enfin mes appels au Congrès, lui demandant un crédit de dix milliards de dollars pour un programme de recherches énergétiques sur cinq ans, crédit destiné à faire le pendant aux deux cents milliards de dollars que le secteur privé prévoyait d'investir pendant le même laps de temps.

Je demandais aux automobilistes de réduire volontairement leur vitesse à 80 km/h : cette seule mesure permettrait de réaliser 25 % d'économies par rapport aux consommations exigées par une vitesse de 110 km/h. J'annonçais que le gouvernement réduirait la consommation d'énergie du secteur public de 7 % au cours de l'année à venir et demandais au public de réduire sa consommation privée d'au moins 5 %.

Je lançais un nouvel appel au Congrès le 10 septembre, en le pressant de voter sept lois dont celle autorisant la construction du pipeline de l'Alaska, et d'autres concernant l'aménagement de ports en eaux profondes pour faciliter nos importations futures, la libération des prix du gaz naturel et les nouvelles réglementations minières.

Les premiers bruits d'embargo pétrolier commencèrent à se faire entendre au printemps de 1973. Dès le milieu de l'été, le roi Fayçal d'Arabie Saoudite nous lançait un avertissement : si nous ne modifiions pas notre politique envers Israël, il y aurait des réductions importantes dans les tonnages de pétrole qui nous étaient destinés. Mais nous sommes restés fermes et, au cours d'une conférence de presse le 5 septembre, je déclarais : « Les deux camps doivent engager des négociations. Telle est notre position. Nous ne sommes ni pro-israéliens ni pro-arabes parce que les uns ont du pétrole et les autres non. Nous ne sommes que pour la paix, et il est de l'intérêt de toute cette région du monde que les négociations commencent au plus tôt. »

Après que la guerre eut éclaté le 6 octobre, la position arabe se durcit et, à la fin d'octobre, nous avions à faire face à un embargo total. Il devint clair, au mois de novembre, que nous allions être courts d'un dixième de nos besoins en énergie, chiffre qui risquait de monter à 17 % pendant l'hiver selon les conditions météorologiques.

Le 7 novembre, je faisais un discours télévisé pour apprendre au peuple américain ce que j'appelais la « dure vérité » : nous allions subir la plus grave pénurie d'énergie que nous ayons connue depuis la Deuxième Guerre mondiale.

Je conviais la nation tout entière à appliquer un programme d'économies en trois points, programme requérant l'intervention de toutes les instances officielles à tous les niveaux. Dans les bâtiments fédéraux, le chauffage devrait être réduit entre 16 et 18 degrés, température que les particuliers devraient eux aussi respecter dans toute la mesure du possible. Je demandais aux automobilistes de se regrouper pour partager leurs voitures et aux autorités locales et régionales d'imposer des limitations de vitesse à 80 km/h. Je demandais au Congrès de voter une législation d'urgence me donnant pouvoir de lever, en fonction des cas particuliers, les restrictions imposées par l'environnement et imposant des restrictions spéciales sur l'utilisation des ressources naturelles. Je demandais enfin le retour à l'heure d'été et la généralisation des limitations de vitesse à toutes les routes et autoroutes fédérales.

Je me rappelais, à cette occasion, le dévouement et l'unité d'action qui avaient marqué de grandes opérations telles que l'Opération Manhattan (création de la première bombe atomique) ou le programme Apollo, et qui avaient assuré leur succès. Quand le peuple américain décide d'atteindre un objectif et y consacre ses forces, nul obstacle ne peut l'arrêter. C'est dans cet esprit que j'annonçais le lancement de l'Opération Indépendance, ayant pour but d'assurer l'indépendance énergétique absolue de l'Amérique pour 1980.

Malheureusement, deux seulement de mes propositions — le retour à l'heure d'été et l'abaissement des limitations de vitesse — eurent le temps d'être débattues et votées par le Congrès avant les vacances parlementaires de Noël. A l'exception de la loi sur la construction du pipeline d'Alaska, exception importante, certes, et que j'avais signée le 16 novembre, le Congrès n'avait entériné aucune des principales législations sur l'énergie dont je lui avais soumis les projets.

Malgré la réaction décevante du Parlement, le peuple américain fit preuve d'un beau civisme pendant le long hiver 1973-1974. Mais si les économies étaient bien appliquées, la crise n'était pas résolue pour autant. Le 25 novembre, je fus obligé de renforcer les restrictions : interdiction des ventes d'essence le dimanche, réduction des éclairages extérieurs publics et privés, avertissement enfin que nous allions devoir réduire de 15 % les allocations d'essence afin de consacrer le pétrole par priorité à la fabrication de fuels domestiques.

Cette année-là, l'arbre de Noël de la Maison Blanche fut réduit des quatre cinquièmes de son éclairage habituel. Et au lieu d'utiliser *Air Force One* pour aller passer les vacances en Californie, nous empruntâmes, Pat et moi, un avion d'une ligne régulière.

En dépit de l'effort vaillamment consenti par le pays, ce long hiver fut celui du mécontentement. Devant les stations-service, les queues s'allongeaient. On devait se lever tôt pour aller, en grelottant dans les heures froides du petit matin, prendre sa place pour acheter l'essence indispensable. Il arrivait souvent que des stations n'ouvrent pas faute d'avoir reçu leur contingent de carburant. Et, même quand elles le recevaient à temps, il s'épuisait souvent trop vite.

Il ne fallut pas longtemps pour que la crise de l'énergie débouche sur une nouvelle et grave crise économique. Dès le printemps de 1973, les prix de l'essence avaient bondi à des sommets encore jamais atteints, pour un taux d'augmentation le plus fort depuis vingt-deux ans. Les pays producteurs de pétrole avaient une arme et s'en servaient. Le Conseil national du Pétrole déclara redouter que la crise pétrolière ne mène à une récession économique. Partout, l'incertitude faisait boule de neige. Selon un sondage Harris, 47 % de la population prévoyait une récession. La Bourse, qui avait atteint un indice record de plus de 1 000 au début de mon second quadriennat, était retombée à près de 800. Les rumeurs les plus folles étaient écoutées : l'essence allait valoir un dollar le gallon (1,25 F le litre environ), le pain cinq francs la livre. L'indice des prix de gros augmenta de 18,2 % en 1973; et celui du coût de la vie connut sa plus forte poussée depuis 1947. Dans leur très grande majorité, ces augmentations étaient dues à la hausse des prix alimentaires et des produits pétroliers.

Il n'était pas facile de désigner qui en blâmer. On sentait même un doute, chez la plupart des Américains, quant à la réalité de la crise. Pourtant, les rapports que je recevais de tous côtés m'assuraient que la crise n'avait pas été fabriquée de toutes pièces par les compagnies pétrolières. La responsabilité de ces hausses semblait clairement définie : le coût du pétrole importé était passé de 4 à 12 dollars le baril et les compagnies pétrolières répercutaient la hausse sur les consommateurs.

On ne pouvait pas non plus prendre pour bouc émissaire une quelconque théorie économique et ses fidèles. Walter Heller, conseiller économique

ayant servi sous plusieurs Présidents démocrates, déclara à cette occasion :
« La crise de l'énergie nous a pris au dépourvu... Cette année a consacré
la honte des économistes et de ceux qui prétendaient prédire les taux
d'inflation. Il y a simplement trop d'éléments dont nous ne savons rien. »

Tandis que la situation empirait, les exigences se faisaient plus impé-
rieuses pour que l'on prenne des mesures encore plus radicales, et notamment que l'on impose un rationnement pur et simple. Mais j'y restais résolument opposé. Le rationnement fonctionne déjà mal en temps de guerre,
quand le patriotisme impose une certaine discipline aux citoyens. En temps
de paix, il ne ferait que favoriser l'apparition du marché noir. L'énorme
bureaucratie qu'il faudrait mettre en place coûterait des sommes exorbi-
tantes et serait par trop tentée de se perpétuer longtemps après que le
besoin temporaire de ses services aurait disparu. Le remède serait
devenu pire que le mal.

Le 19 janvier, je pouvais faire état de résultats réellement encourageants. Pendant le mois de décembre, la consommation de gaz avait baissé
de 9 % et celle d'électricité de 10 % au-dessous des économies prévues.
J'avais institué, par décret, un Office fédéral de l'Energie, à la tête duquel
j'avais nommé l'ancien Secrétaire au Trésor, William Simon. Simon
s'attela à sa tâche avec une telle énergie qu'il mérita bientôt le sobriquet
de « Tsar de l'énergie ».

Quand le Congrès revint de ses vacances parlementaires, je repris mes
demandes pour des lois d'urgence et des mesures prioritaires. Dans mon
discours sur l'état de l'Union, prononcé à la fin janvier, je répétais mon
avertissement que la crise de l'énergie était devenue l'objet prioritaire
devant préoccuper le Parlement.

Dès le début de l'embargo pétrolier, nous avions immédiatement
entrepris d'y mettre fin. Kissinger discuta du problème avec le roi Fayçal et
le président Sadate. A l'issue de l'une de ses rencontres avec ce dernier
au mois de décembre, il me fit parvenir un rapport où il m'expliquait
comment il avait rappelé à Sadate la part que nous avions prise dans le
retour de la paix au Proche-Orient :

> « Sadate m'a promis qu'il ferait lever l'embargo dans la première quinzaine
> de janvier. Il m'a dit qu'il demanderait cette mesure dans une déclaration où
> il louerait le rôle que vous avez personnellement joué pour faire asseoir les
> belligérants à la table des négociations et les faire progresser ensuite. »

Je fis suivre l'intervention de Kissinger par une lettre que j'écrivis à
ndate le 28 décembre :

> « De mon côté, je promets de faire tout ce qui est en mon pouvoir pour
> assurer que mon second mandat de Président restera dans les mémoires comme
> la période au cours de laquelle les Etats-Unis auront développé des relations
> nouvelles et positives avec l'Egypte et le monde arabe.
> Mais la décision parfaitement discriminatoire prise par les producteurs de
> pétrole peut profondément altérer la contribution que les Etats-Unis étaient
> disposés à apporter dans les prochains jours. C'est pourquoi, Monsieur le Pré-
> sident, je dois vous dire en toute franchise qu'il faut impérativement que
> l'embargo sur les expéditions, et les restrictions imposées à la production du
> pétrole à l'encontre des Etats-Unis soient levés sans délai. On ne peut attendre
> pour ce faire l'issue des négociations actuellement en cours sur le dégagement
> des forces armées. »

Quelques semaines plus tard, après que le dégagement des troupes fut devenu effectif en janvier, nous avons repris nos pressions auprès de Sadate pour insister afin qu'il intervienne pour faire lever l'embargo. A la fin du mois, il m'écrivit pour me dire qu'il avait dépêché un envoyé spécial auprès du roi Fayçal et d'autres chefs d'Etat arabes qui avaient donné leur accord dans ce sens. Une réunion devait se tenir en février, au cours de laquelle la décision serait annoncée. Malheureusement, cette réunion tourna court et l'embargo fut maintenu.

Vers le milieu de mars, nous avons enfin entendu dire que l'embargo serait levé sous certaines conditions, en fonction de la politique étrangère adoptée par les Etats-Unis. Finalement, le 18 mars — au bout de près de six mois —, sept des neuf pays arabes donnèrent leur accord pour lever l'embargo. Cette décision n'était plus liée à des conditions portant sur notre politique étrangère, mais était susceptible d'une révision au mois de juin.

L'embargo pétrolier provoqua une baisse dans la production économique de l'Amérique atteignant 15 milliards de dollars pour le premier trimestre de 1974. Mais on peut dire qu'il a eu au moins une conséquence bénéfique : celle d'avoir éveillé la conscience du peuple américain au rôle primordial de l'énergie.

Quand l'embargo pétrolier fut enfin levé, Kissinger reprit le cours de sa « diplomatie baladeuse ». L'objectif qu'il s'était fixé était d'obtenir, avec la Syrie, ce qu'il venait de réussir avec l'Egypte. Nous nous rendions compte, lui et moi, qu'il fallait faire très vite avant qu'un incident, involontaire ou provoqué, ne vienne durcir les Syriens et les Israéliens sur leurs positions et ne risque de ramener les Egyptiens dans le conflit. Nous devions aussi agir vite, devant les doutes que ressentaient de plus en plus vivement certains leaders de la région, avant que la tempête soulevée par ma révocation menaçante ne finisse de saper complètement ma position.

UNE GUERRE D'USURE

Le vendredi 1ᵉʳ mars, John Mitchell, Bob Haldeman, John Ehrlichman, Chuck Colson, Robert Mardian, Gordon Strachan et Kenneth Parkinson — qui avait été l'un des avocats du Parti Républicain — furent officiellement inculpés, selon les cas, d'association de malfaiteurs, d'entrave au cours de la justice et de faux témoignage. Le 7 mars, Colson, Ehrlichman, Liddy et trois autres furent inculpés pour le cambriolage avec effraction des bureaux du psychiatre de Daniel Ellsberg.

Ces inculpations n'étaient pas une surprise, mais elles ne m'en causèrent pas moins un choc. Ces hommes allaient devoir être jugés dans une ville où il serait virtuellement impossible de dénicher de quoi constituer un jury impartial. Un sondage effectué récemment à Washington donnait un résultat de 84 % de gens pensant qu'ils étaient coupables.

Les perspectives de réélection pour les parlementaires républicains devant faire face au verdict des urnes en novembre continuaient à empirer. J'étais persuadé que les deux grandes questions, la prospérité de l'économie nationale et la paix dans le monde, allaient finalement faire pencher la balance en notre faveur, comme elles l'avaient toujours fait depuis mes débuts dans la vie politique. Pourtant, la plupart des candidats semblaient penser que le Watergate pèserait plus lourd que tout le reste et qu'ils auraient de meilleures chances d'emporter la majorité avec Jerry Ford comme Président.

Cinq élections partielles devaient se dérouler pendant les premiers mois de 1974. Habituellement, ces élections ne recueillent qu'une attention limitée; mais, dans l'ambiance surchauffée de cette époque, elles attirèrent tous les regards. Les media dirent même qu'elles revêtaient une importance particulière en ce qu'elles devaient être considérées comme des votes de confiance ou de défiance à mon égard. Sur les cinq sièges à pourvoir, un seul fut emporté par un Républicain.

Le 19 mars 1974, le sénateur républicain de New York, James Buckley, fut le premier de mes partisans conservateurs à demander ma démission. Il craignait, dit-il aux journalistes, que le « mélodrame » d'un procès au Sénat ne transforme la Chambre haute en « une sorte de Colisée romain où les acteurs du drame seraient jetés aux lions électroniques ».

Quelques jours auparavant, au cours d'une interview à Chicago, j'avais déclaré que, quelles que puissent être les raisons politiques paraissant exiger mon départ, il n'était pas digne d'un Président des Etats-Unis de fuir ses responsabilités et j'avais cité l'exemple du sénateur Fullbright qui, en son temps, avait demandé à Truman de démissionner alors que ses sondages de popularité étaient au plus bas. « Certaines des meilleures décisions prises par des Présidents, dis-je en conclusion, l'ont été parfois quand ils étaient impopulaires. »

En mars et avril, j'avais compris que la possibilité que je croyais encore avoir, toute ténue qu'elle soit, de bloquer la procédure de révocation à la commission de la Justice s'était maintenant bel et bien évanouie. Quand son président, Peter Rodino, s'était adressé à la Chambre le 6 février, avant le vote de ratification du début de la procédure en commission, il avait déclaré : « Nous ferons notre tâche avec diligence et équité... Quel qu'en soit le résultat, quoi que nous y apprenions ou que nous en déduisions, nous procéderons avec honneur et honnêteté... afin que la majorité du peuple américain et ses enfants puissent dire : " Ils ont fait leur devoir. Ils n'en avaient pas d'autre. "

Parmi les membres de la commission qui siégeaient dignement pendant que Rodino prononçait ces paroles, on relevait la présence de John Conyers, du Michigan, qui allait déclarer au *Washington Star*, le 17 mars, que « ... toutes ces histoires de conscience, de preuves, de facteurs constitutionnels, c'est de la merde... ». On voyait aussi le père Robert Drinan, du Massachusetts, qui faisait une croisade pour ma révocation depuis plus d'un an et ornait fréquemment sa soutane d'un badge portant le slogan : « Révoquez Nixon ». Robert Kastenmeier, député du Wisconsin, s'était contenté de décorer ses bureaux de la Chambre de papillons proclamant la même chose. Charles Rangel, représentant New York, avait été cité par l'Associated Press comme ayant déclaré : « Pour moi, il n'y a aucun doute. Le Président des Etats-Unis est un criminel. » Et Jerome Waldie, de la Californie, avait commencé une circulaire à ses électeurs par ces mots : « Merci de me soutenir dans mes efforts pour révoquer le Président Nixon. » Voilà quels étaient certains des membres de la commission que son président, Peter Rodino, assurait siéger avec... « équité, honneur et honnêteté » pour déterminer si les preuves contre moi justifieraient la poursuite de la procédure de révocation devant le Congrès.

En mars, mon avocat, James St. Clair, prit contact avec le conseil juridique de la majorité, John Doar, pour lui demander d'assister aux séances et d'interroger les témoins. Avec beaucoup de réticences, la commission lui accorda finalement ce qu'il demandait. Mais quand St. Clair demanda à prendre connaissance du dossier d'instruction constitué par le juge Sirica, on lui refusa ce droit.

Comme je l'ai dit dans une note que j'adressais à Haig le 7 mars, il n'était plus question de droit mais d'une opération de relations publiques. C'était cela qu'il fallait absolument faire comprendre à St. Clair, à Buzhardt et à nos autres avocats, pour qu'ils sachent bien contre quoi ils allaient se battre.

Avoir refusé de me servir du discours sur l'état de l'Union pour imposer une fois pour toutes ma détermination de ne plus fournir aucun enregistrement à personne avait été l'erreur que je n'aurais pas dû commettre. Jaworski d'un côté, la commission de la Justice de l'autre insistaient maintenant à qui mieux mieux pour en obtenir toujours davantage. La commission Ervin, dont les tribunaux avaient rejeté la requête initiale portant sur cinq conversations, revenait elle aussi à la charge en exigeant 500 bandes magnétiques et des milliers de documents.

Nous avions volontairement fourni quelques enregistrements à l'occasion d'un procès intenté au civil par Ralph Nader. Son avocat, William Dobrovir, avait fait une copie de l'une de ces bandes et l'avait fait passer, « pour s'amuser », pendant un cocktail à Georgetown. Les services du procureur spécial exprimèrent leur indignation et Dobrovir s'excusa. Mais non sans avoir fait aussi écouter la bande à un reporter de la C.B.S.

Malgré son équité et son souci de ne pas outrepasser ses droits, Jaworski poursuivait de plus belle ses demandes. Plus de trois mois se passèrent en constantes escarmouches qui, si elles savaient conserver un ton courtois, constituaient une perpétuelle source d'inquiétudes et d'énervement. Malgré certaines déclarations, où il disait « tout savoir désormais sur le Watergate », Jaworski réclamait toujours de nouveaux enregistrements. On ne pouvait prévoir la fin de ce processus épuisant. L'escalade paraissait vouloir toujours continuer.

La commission de la Justice ne voulait pas être en reste. Je dus lui remettre tous les documents dont le procureur spécial n'avait, disait-il, plus besoin ainsi que des caisses pleines de nouveaux dossiers. Je dus répondre, par écrit et sous serment, à toutes les questions qu'il plaisait à la commission de me poser. Je finis par lui faire savoir que, si elle le jugeait nécessaire, j'étais disposé à venir témoigner oralement.

Car les enquêtes de la Commission couvraient, désormais, un éventail de sujets extrêmement étendu, allant des bombardements secrets du Cambodge en 1969 aux délibérations du Conseil du coût de la vie déterminant le prix du bœuf haché. Et la liste était loin d'être close.

Je rencontrai alors le chef du groupe parlementaire républicain à la Chambre, John Rhodes, et il fut d'accord pour reconnaître que les demandes de la commission allaient trop loin. Il me dit même confidentiellement que plusieurs des membres de la commission n'étaient même pas au courant de tout ce que faisait John Doar, son conseil juridique. Mais Rhodes fut formel pour me dire que, aussi injuste que soit l'attitude de la commission, il n'y aurait aucun député républicain qui se permettrait de prendre la défense de la Maison Blanche si je refusais de fournir les documents exigés par la commission.

Il me fallait donc voir les choses en face : j'étais réduit à l'impuissance et la faiblesse de ma situation politique donnait pleine licence à la commission d'aller pêcher à son gré dans mes affaires. Je n'avais pas le choix, il faudrait m'incliner devant ses exigences car, si je refusais, la commission voterait un blâme pour « outrage au Congrès ». Le 22 mars 1974, à deux heures du matin, j'avais écrit la note suivante : « Le point le plus bas. Outrage au Congrès égale révocation ».

Depuis le début de l'année, l'affaire de ma révocation avait été comme une mer changeante. Tantôt elle était calme, et nous semblions retrouver toutes nos chances de survie. Tantôt elle devenait tourmentée, et nous étions en grand péril de sombrer. A la fin mars, toutefois, le temps était journellement fixé à la tempête. A New York, John Mitchell et Maury Stans étaient au milieu du procès qui leur avait été intenté sur l'affaire Vesco. D'après certains rapports de presse, Dean maintenait fermement son témoignage tandis que les deux inculpés paraissaient hésiter et portaient préjudice à leur cause. Plus tard, Stans et Mitchell furent acquittés et des jurés déclarèrent même à la presse qu'ils n'avaient pas cru un mot de ce que disait Dean. Mais nous ne le savions pas encore au moment où les séances de la commission se préparaient à agir.

Le coup de tonnerre des 400 000 dollars que le fisc me condamnait à payer, du fait de l'annulation des déductions opérées au moment de ma donation aux Archives nationales, ébranlait encore tous les échos. La sous-commission de Brooks venait à peine de prétendre que 17 millions de dollars en fonds publics avaient été dépensés pour mon compte dans mes propriétés. Les « experts » nommés par le tribunal venaient, eux aussi, de publier un de leurs rapports sur le « trou » de 18 minutes et demie dans l'un des enregistrements. Et John Ehrlichman, qui passait en jugement en Californie pour le cambriolage Ellsberg, venait d'obtenir une citation à me faire comparaître à la barre.

Nous venions aussi d'apprendre que John Connally était sur le point d'être soumis à une enquête au sujet de prétendues donations illégales faites à son profit par les organismes professionnels de la laiterie. En temps normal, le ministère de la Justice n'aurait rien entrepris contre un ancien secrétaire d'Etat au Trésor, trois fois gouverneur du Texas et ministre de la Marine, sur les seules allégations d'un indicateur douteux — qui d'ailleurs en profita pour faire enterrer des inculpations très graves qui allaient lui être signifiées sur un sujet totalement différent. Mais nous ne vivions pas dans un temps normal. Quand je rencontrais Connally, il balayait ses propres ennuis d'un geste de la main. Il était innocent, affirmait-il, et il n'y avait pas moyen qu'on ne finisse pas par s'en apercevoir. Bien sûr, il avait raison, et il fut totalement exonéré en 1975. Mais c'était encore un coup très dur, dans un tel contexte. « Une seule fois, dis-je à Ziegler un soir, n'aurons-nous donc pas une seule fois une seule chance de récupérer ? »

Le 13 avril, pour la première fois, un sondage Harris fit état d'une faible majorité — 43 % contre 41 — en faveur de ma révocation.

Nous avons alors décidé, Haig, Buzhardt, St. Clair et moi, de tenter un compromis avec la commission de la Justice sur ses demandes réitérées pour des enregistrements. Nous lui remettrions des transcriptions littérales des bandes magnétiques d'où seuls les passages sans rapport avec le Watergate auraient été éliminés. Ces transcriptions allaient devenir le *Livre bleu*, un épais recueil de 1 300 pages sous le titre officiel *Enregistrements de conversations présidentielles soumis à la Commission de la Justice de la Chambre des Représentants par le Président Richard Nixon*. Nous espérions que la constitution de ce document servirait enfin, par son volume imposant, à faire comprendre au public le genre de choses que l'on exigeait de moi.

Il devint assez vite évident qu'il y avait de nombreux passages à l'interprétaiton douteuse ou ambiguë dans ces conversations — passages non pas sans aucun rapport avec le Watergate, comme ce nom était désormais compris —, mais plutôt sans rapport avec ma connaissance des faits et mes agissements supposés pour étouffer l'affaire, seules questions réellement soumises à l'appréciation de la commission.

Buzhardt suggéra de faire figurer la phrase « Passage sans rapport avec les actes présidentiels — non reproduit », à chaque fois qu'une transcription figurant au *Livre bleu* était tronquée par nos soins. Afin de vérifier le bien-fondé de notre sélection, nous avons même invité Peter Rodino et le doyen des députés républicains de la commission, Edward Hutchinson, à venir écouter les bandes originales de leur choix.

Avant même que nous ayons pu achever la composition du *Livre bleu*, pour satisfaire à la requête de la commission sur la remise de 42 bandes magnétiques, elle nous écrivit à nouveau pour en exiger 142 de plus ainsi qu'une masse de documents portant non seulement sur le Watergate proprement dit, mais encore sur le Plan Houston, sur l'affaire Daniel Ellsberg, sur les écoutes téléphoniques et la visite que m'avait rendue le juge Byrne à San Clemente. Peu après cette demande, Peter Rodino nous avertit que la commission s'apprêtait à requérir de nouveaux enregistrements et d'autres documents portant sur mes impôts, ma propriété de San Clemente, la campagne électorale et d'autres sujets encore.

Le 20 avril, peu avant minuit, j'écrivais la note que voici :

« 1. Remettre encore des bandes équivaudra à détruire la Présidence.
2. Laisser le problème en suspens équivaudra à encourager de nouvelles exigences abusives.
3. Mieux vaut se battre et perdre en défendant la Présidence que capituler et remporter une victoire personnelle ayant des conséquences à long terme désastreuses pour la Présidence. »

Le 29 avril à 21 heures, je prononçais une allocution télévisée pour annoncer que j'allais remettre les transcriptions des enregistrements à la commission de la Justice, afin qu'elle puisse rendre son jugement en connaissance de cause, et aussi pour que le peuple américain soit mis au courant des faits auxquels il a droit et des preuves à l'appui de ces faits. J'ajoutais que j'espérais, en violant ainsi le principe du secret des communications de l'Exécutif, être en mesure de le restaurer dans l'avenir.

Je déclarais aussi que les transcriptions que j'allais publier comportaient tous les passages significatifs des conversations exigées par la commission et les tribunaux, « le brut et le poli, les discussions stratégiques, l'examen des options, l'estimation des coûts d'une décision en termes humains et politiques... Ajoutés à ceux déjà publiés, ces documents dévoileront toute l'histoire. »

Je disais ensuite ceci :

> « Je me rends parfaitement compte que ces transcriptions vont servir de pâture à la presse à sensation. On y trouvera des passages qui sembleront se contredire entre eux, d'autres qui paraîtront démentir certains des témoignages portés à la commission sénatoriale d'enquête sur le Watergate.
>
> Si j'ai fait preuve de réticence pour publier ces enregistrements, ce n'est pas seulement parce qu'ils peuvent être gênants, pour moi comme pour mes interlocuteurs, ni parce qu'ils peuvent donner naissance à des spéculations ou au ridicule, ni enfin parce que mes adversaires, dans la presse ou la vie politique, y trouveront des arguments faciles pour me combattre.
>
> Si j'ai fait preuve de réticence, c'est parce que — au cours de ces conversations comme à l'occasion de toutes celles s'étant déroulées dans mon bureau — mes interlocuteurs ont parlé librement, se sont exprimés avec franchise sans jamais pouvoir se douter que ce qu'ils disaient serait un jour, en tout ou en partie, le sujet de l'attention nationale ou l'aliment de controverses...
>
> En vous confiant ces documents, avec le pire et le meilleur, je mets toute ma confiance dans le profond sentiment de justice et d'équité du peuple américain.
>
> Je sais, du fond de mon cœur, qu'il y verra que, tout au long du difficile et douloureux processus dévoilé dans ces transcriptions, je ne faisais que m'efforcer, à ce moment-là, de découvrir la vérité et de faire ce qui était juste. »

Il est impossible d'exprimer ce que l'on ressent en voyant des conversations oubliées resurgir sous forme de longues pages imprimées. Notre conditionnement nous fait toujours penser au mot écrit comme à une forme de communication planifiée, travaillée. Quand on couche sur le papier les mots d'une conversation ordinaire, ils y acquièrent une rigidité qui, malgré l'exactitude littérale de la reproduction de ce qui était dit, est incapable de transmettre ou de réfléchir l'esprit de la rencontre ou de la conversation telle qu'elle s'était déroulée. Une simple remarque prend les dimensions d'une intention réelle; un commentaire négligent peut paraître prémédité; une idée exprimée en passant peut frapper le lecteur comme un ordre formel. A voir ces mots, dépouillés de leur vie et alignés en caractères noirs sur le papier blanc, on comprend qu'il n'y a pas moyen d'expliquer comment ni pourquoi, à un certain moment, l'un des interlocuteurs peut jouer le rôle de l'avocat du diable et défendre, le moment d'après, une position diamétralement opposée. L'observateur qui ne voit que les mots de ces conversations sur le Watergate ne peut rien deviner ni rien comprendre des soucis, de l'étendue des préoccupations qui en formaient la toile de fond inexprimée. Bien plus que dans leur substance même, ces conversations allaient susciter les critiques dans la forme qu'elles avaient adoptée.

L'impact le plus puissant de l'affaire du Watergate, au cours de l'année écoulée, venait de la découverte que faisait le peuple américain de pratiques pudiquement ignorées telles que les écoutes téléphoniques et les effractions de bureaux ou de domiciles, le système d'enregistrement de la Maison Blanche, l'utilisation du fisc à des fins politiques. Même si ce genre d'activités se pratiquaient de longue date et que l'on en ait soupçonné l'existence, j'étais seul à porter la honte d'en avoir dévoilé les détails et confirmé les soupçons.

C'est ce qui se produisit encore avec les transcriptions du *Livre bleu*. Le mythe bien américain selon lequel leurs Présidents sont toujours des modèles de dignité et qu'ils siègent dans le Bureau Ovale en proférant des mots historiques exprimant des sentiments nobles et élevés ne mourra sans doute jamais — et il ne devrait jamais mourir, car ce mythe reflète l'un des meilleurs traits du caractère américain.

Mais les réalités quotidiennes de la politique et de l'exercice du pouvoir sont bien éloignées de cette image idéale. C'est un jeu dur, impitoyable, et les hommes que j'ai connus, capables de se hisser au sommet, ne l'ont fait qu'en sachant jouer rudement quand il le fallait pour dominer la mêlée. Certes, le Bureau Ovale entend — plus souvent qu'on ne le croit — prononcer des paroles nobles et exprimer des idéaux élevés. Mais ses murs se font plus souvent l'écho des soucis, des frustrations, des grossièretés parfois et, surtout, de l'expression brutale d'un pragmatisme sans fard exigé par les impératifs de la vie et de la survie politique.

En publiant les transcriptions du *Livre bleu*, j'allais encore une fois livrer au public américain des vérités qu'il ne voulait pas apprendre.

Les réactions au *Livre bleu* se firent curieusement attendre. Le 3 mai, quatre jours après sa publication, j'assistais à une réunion politique à Phoenix où une foule de 15 000 sympathisants m'accueillit chaleureusement et fit taire, sans indulgence, une poignée de manifestants hostiles. Barry Goldwater et John Rhodes vinrent ensuite m'exprimer leur soutien et leur fidélité.

Mais ce ne fut qu'en revenant à Camp David que l'on enregistra les premières réactions négatives à la publication du *Livre bleu*. Hugh Scott décrivit son contenu comme un ramassis d'attitudes et de propos « déplorables, honteux, répugnants et immoraux de la part de tous ceux qui y figurent ». Dans un éditorial, le *Wall Street Journal* reconnut qu'on n'y trouvait aucun élément pouvant légalement justifier une mesure de révocation. « Toutefois, ajoutait l'article, il devrait exister une certaine morale du pouvoir... C'est cela que M. Nixon a sacrifié pour toujours. » Dans sa quasi-unanimité, la presse redoubla ses attaques et la plupart des journaux, y compris certains de mes plus fidèles partisans, prirent position en faveur de la révocation. Jerry Ford se sentit obligé de faire, lui aussi, un commentaire et déclara : « Personne n'y joue le rôle d'un petit saint... » tout en disant qu'il avait été déçu par les transcriptions.

Les Républicains, parlementaires ou dirigeants du parti, prenaient de plus en plus position en faveur de ma démission. John Rhodes, faisant une volte-face par rapport à ce qu'il me disait quelques jours auparavant à Phoenix, me dit qu'il verrait ma décision de démissionner d'un œil favorable. Selon lui, mes chances se réduisaient inexorablement à la Chambre, où il y avait maintenant une majorité de 51 % en faveur de la révocation. Certains parlementaires suggérèrent que j'invoque le 25ᵉ Amendement pour me retirer temporairement de mon poste jusqu'à ce que la preuve de mon innocence soit faite.

J'étais déterminé à ne pas céder à la panique. Sans doute, je comprenais le point de vue de mes interlocuteurs, je savais apprécier la valeur des impératifs qu'ils invoquaient. Mais je ne voulais pas capituler. Haig était stupéfait de l'ampleur de cette vague de critique. Il y voyait un effort concerté pour me chasser de mon poste. Il était en outre préoccupé d'une conversation « officieuse » que Jerry Ford venait d'avoir avec des journalistes et où ceux-ci lui auraient entendu exprimer sa préoccupation devant mon « autorité amoindrie », situation dont il redoutait que les Soviétiques ne cherchent à tirer avantage. Ford aurait déclaré en outre que l'affaiblissement de mon influence était illustré par le succès rencontré par Teddy Kennedy dans sa tentative de faire réduire par le Congrès le montant de l'aide accordée au Vietnam. Ford disait encore qu'il avait exprimé ses craintes à Kissinger mais qu'il ne m'en avait pas parlé. Ford eut beau publier une mise au point, le mal était fait.

Bientôt, on se mit à entendre les rumeurs les plus invraisemblables au sujet de ma démission. Les unes faisaient état de ce que Ford aurait mis ses collaborateurs en « alerte rouge », sans doute pour se ruer à ma place; d'autres prétendaient que Kissinger allait revenir en toute hâte du Proche-Orient pour recevoir ma lettre de démission. On disait même que je venais d'avoir une attaque et que j'étais moribond.

Afin de faire taire ces rumeurs, Haig précisa aux journalistes que je n'envisagerais de démissionner que si les intérêts supérieurs du pays étaient en jeu. Ziegler confirma par la lecture d'une déclaration que j'avais personnellement approuvée.

Le *Livre bleu* avait apporté la preuve irréfutable que je ne savais rien de l'effraction du Watergate à l'avance et que Dean avait menti en disant que je lui avais parlé d'étouffer l'affaire pendant des mois. On y trouvait, par contre, une sorte de démenti de ce que j'avais laissé entendre dans mes déclarations publiques, à savoir que j'avais réagi avec la sévérité d'un procureur dès que j'en avais eu vent. Rien, toutefois, de ce qui figurait sur ces enregistrements ne pouvait constituer la preuve d'un délit de nature à justifier ma révocation, même si quelques-uns des propos tenus me portaient un certain préjudice.

Mais la situation évoluait si vite qu'on ne pensait déjà plus à l'incident du Watergate proprement dit. Le tribunal de l'opinion publique n'avait que faire de mes preuves, il me jugeait sur tout autre chose. L'affaire était devenue purement politique. Et, politiquement, le *Livre bleu* m'acculait dans une impasse étroite, et les Républicains avec moi. C'est pourquoi les parlementaires avaient désormais moins à décider de ce qui était passible d'une révocation que de ce qui était politiquement intolérable.

Le *Livre bleu* finit par être lui-même dépassé dans l'actualité quand, au début de juillet, la commission de la Justice publia ses propres transcriptions, après avoir laissé entendre que nous avions délibérément omis de reproduire les passages les plus compromettants.

En fait, les différences entre la version de la commission et la nôtre étaient minimes. Elles s'étaient surtout manifestées parce que la commission disposait de matériel d'écoute permettant d'amplifier électroniquement les bandes, ce qui avait permis d'entendre des mots ou des segments de phrases que nous avions dû remplacer par la mention « inaudible ». Pour la plupart, d'ailleurs, les mots et phrases ainsi restitués jouaient plus au bénéfice de notre cause qu'à son détriment.

Le 5 mai, en plein milieu des controverses soulevées par le *Livre bleu,* Al Haig eut une entrevue avec Leon Jaworski à la Maison Blanche. Celui-ci lui apprit que le grand jury (jury des mises en accusation) m'avait cité comme prévenu à titre de « complice non inculpé » dans l'affaire du Watergate. Si c'était vrai, Jaworski n'avait donc pas dit la vérité quand, en février, il assurait à Haig que personne à la Maison Blanche ne serait cité dans l'affaire.

Nous savions que Jaworski avait des doutes sur son habilité à m'inculper tant que je serais Président en exercice. Mais il savait que, en me faisant donner la qualité de prévenu « non inculpé », il disposait ainsi d'un atout puissant devant les tribunaux quand il aurait besoin de faire produire de nouveaux enregistrements et de s'en servir à l'occasion des procès du Watergate. Peu après, si incroyable que cela paraisse, Archibald Cox lui-même dénonça le caractère déloyal de la manœuvre de Jaworski qu'il qualifia de « ruse pour (me) poignarder dans le dos ». En me faisant comparaître devant un grand jury, instance n'ayant pas pouvoir de me juger, il jetait un très grave préjudice sur ma cause avant qu'elle ne soit soumise à la commission de la Justice de la Chambre, instance qui avait, elle, tous pouvoirs pour décider de mon sort.

C'est alors que Jaworski fit à Haig une proposition de compromis. Si nous lui remettions 18 des 64 enregistrements qu'il avait demandés, en laissant la possibilité aux autres inculpés de demander la production des bandes qu'ils feraient requérir pendant le cours de leurs propres procès, il retirerait ses demandes pour le solde et ne divulguerait pas ma citation à comparaître à titre de « complice non inculpé ». Si nous refusions, il annoncerait officiellement ma comparution devant le grand jury pour renforcer les présomptions qui pesaient contre moi.

Même après avoir reçu tant de coups bas de tous les côtés et depuis si longtemps, j'étais stupéfait que Jaworski puisse se rabattre sur ce que je considérais comme une sorte de chantage. Mais la perspective de voir la fin des escarmouches judiciaires sur les enregistrements me fit l'effet du chant des sirènes. Haig partageait mon point de vue. De son côté, toutefois, St. Clair s'opposait à ce soi-disant compromis; capituler au point où nous en étions, pensait-il, serait un abandon de nos positions.

Haig insista pour que je ne repousse pas l'offre de compromis sans avoir au moins écouté les 18 bandes en question. J'allais donc m'enfermer dans mon bureau à 20 heures le 5 mai 1974.

Je m'y consacrai jusque tard cette nuit-là et recommençai le lendemain matin pour plusieurs heures. Après une interruption vers midi, j'en arrivai enfin à l'enregistrement de ma conversation du 23 juin 1972 avec Haldeman — ce même enregistrement qui, trois mois plus tard, allait publiquement faire surface pour être considéré comme le « pistolet fumant » dans la main de l'assassin. Haldeman m'y disait que Dean et Mitchell avait imaginé un moyen de résoudre le problème de l'enquête qui commençait à s'orienter dans des directions où ne voulions pas qu'elle aille. Ce moyen était de faire intervenir Helms et Walters de la C.I.A. pour qu'ils neutralisent le F.B.I.

En poursuivant mon écoute, je m'entendis demander si Mitchell était « au courant de cette chose à un degré quelconque ». « Je crois, oui. Je ne sais pas s'il était au courant en détail, mais il était au courant », avait répondu Haldeman. Il n'avait pas l'air très convaincu en me répondant, mais les mots étaient pourtant bien là. Une semaine après l'effraction du Watergate, Haldeman me disait que Mitchell devait être au courant.

Dans toutes mes déclarations publiques, j'avais souligné que notre seule motivation, en faisant intervenir la C.I.A., était de sauvegarder les impératifs de la sûreté de l'Etat. Maintenant, il ne pouvait plus y avoir de doute : ce dont nous avions parlé ce matin-là n'était que de nature politique. Je me rappelai alors mes conversations avec Haldeman sur ce même sujet, en mai 1973, quand il affirmait que nous ne pensions alors qu'à la sûreté de l'Etat en craignant que les enquêtes du F.B.I. ne dévoilent des opérations montées par la C.I.A. A ce moment-là, je l'avais cru aussi sincèrement que lui. Maintenant, plus personne ne pourrait y croire. J'essayai de me consoler en me disant qu'il devait y avoir d'autres éléments qui n'apparaissaient pas sur ces enregistrements, des éléments qui expliqueraient et justifieraient notre conviction d'avoir agi pour le bien de l'Etat. On parlait maintenant partout en ville de ce que la C.I.A. semblait avoir été au courant de l'effraction du Watergate bien avant son exécution, et on posait d'innombrables questions sur ses activités et sa participation à l'étouffement de l'affaire. Nous n'avions sûrement pas pu commettre une erreur aussi énorme que d'avoir exclusivement invoqué la sûreté de l'Etat alors qu'il n'en était pas question le moins du monde. Il devait y avoir quelque chose, sur une autre bande magnétique, qui pourrait nous aider à le prouver...

Ce n'était pas le contenu de la bande du 23 juin 1972 qui, finalement, me poussa à refuser le compromis de Jaworski. Il s'agissait simplement d'un nouvel exemple d'erreur de jugement en ne reconnaissant pas, dans cette bande, la présence du « pistolet fumant » qu'elle allait constituer. Sans doute, je me doutais qu'elle nous ferait du tort. Mais ni plus ni moins que tant d'autres dont nous nous étions remis. Il se pourrait aussi que les tribunaux décident, entre-temps, en notre faveur. En tout cas, je ne pensais pas qu'il était opportun de faire écouter cette conversation à d'autres et je ne voulais pas avoir à répondre à leurs questions sur ce point.

Avec le recul, je me rends compte qu'il aurait mieux valu faire écouter ces trois conversations de juin à Buzhardt, lui demander son opinion objective et les publier ensuite, bien qu'elles contredisent ce que Haldeman et moi avions dit de ces conversations telles que nous nous les rappelions. Sans doute, leurs publications nous aurait porté préjudice, mais bien moins gravement que quand nous avons été forcés de le faire après que la Cour Suprême m'y ait contraint.

Le mercredi, je fis donc part à mes collaborateurs de ma décision de ne plus donner aucun enregistrement. « C'est peut-être le début de l'Apocalypse, dis-je à Ziegler, mais je préfère ne pas me retirer sans m'être battu pour le principe. » Ce même après-midi, St. Clair appela Jaworski pour lui notifier mon refus. Le 22 mai, j'écrivis à la commission de la Justice pour lui dire que je ne lui fournirais plus aucun enregistrement. Les positions étaient prises, les camps délimités. Cette date du 22 mai allait marquer un tournant décisif. Je savais que je m'engageais désormais sur la dernière portion de la route du Watergate.

En janvier 1973, les observateurs politiques avaient calculé que je disposais d'une marge de 74 à 125 voix à la Chambre en cas de vote sur ma révocation. En mars 1974, cette avance avait été sévèrement réduite par les accusations lancées contre moi par la commission de la Justice et la publicité faite autour de mes affaires financières. Après la publication du *Livre bleu,* on me rapportait une nouvelle défection de 25 députés. Vers le milieu de mai, Jerry Ford déclara en public que mes chances étaient probablement de moitié-moitié. L'atmosphère qui régnait favorisait l'éclosion de toutes sortes de rumeurs. Maintenant qu'on ne se souciait plus guère de savoir qui avait vraiment donné l'ordre de pénétrer dans le Watergate, on racontait que les Démocrates eux-mêmes étaient au courant à l'avance et que des gens d'Howard Hughes avaient pu être dans le coup. Des alliances incongrues se faisaient et se défaisaient. A cette même époque, je reçus un coup de téléphone de John Connally. Il avait bien connu Jaworski au Texas et m'appelait pour me faire passer une réflexion que Jaworski venait de lui faire. « Le Président n'a pas d'amis à la Maison Blanche », lui avait-il dit.

C'est alors que la marée parut refluer et le mois de juin débuta sous l'apparence de bons auspices. Parmi les raisons que nous avions de retrouver un certain optimisme, la plus importante était que les tactiques manifestement partiales et injustes mises en œuvre par la commission de la Justice commençaient à se retourner contre elle. Les tollés et les remous soulevés par la publication du *Livre bleu* étaient déjà presque retombés. Le 5 juin, j'apprenais même que l'un des Républicains siégeant à la commission avait dit confidentiellement que les preuves dont elle disposait n'avaient rien d'assez convaincant pour justifier une révocation. Un autre Républicain disait même, avec peut-être un peu trop d'optimisme, que les voix étaient partagées à égalité : 11 pour la révocation, 11 contre et 16 encore indécises. John Rhodes m'appela même pour me signaler un renversement de tendance à la Chambre depuis une semaine. On voyait de plus en plus souvent apparaître, dans le pays, des comités de militants et de partisans qui se constituaient pour prendre ma défense devant l'opinion. Enfin, Haig commençait à organiser les collaborateurs de la Maison Blanche en « commandos » pour se battre contre la révocation.

Le 7 juin 1974, je recommençais à dicter des notes détaillées pour mon Journal, en résumant notamment la situation telle qu'elle se présentait au début de cet été. En voici quelques extraits :

Teddy White dit que, il y a quinze jours, la Chambre aurait sans doute voté la révocation mais que nous aurions pu gagner au Sénat par une marge de cinq ou six voix. Aujourd'hui, croit-il, la Chambre retrouverait une légère majorité contre la révocation.

Ce qui motiverait les députés, à mon avis, serait la crainte de prendre le risque d'endosser la responsabilité de tout ce qui pourrait aller mal, en politique intérieure ou étrangère, en cas de révocation. Ils considèrent aussi, du point de vue démocrate, qu'en me révoquant ils installent à ma place Jerry Ford qui, au moment des prochaines élections, bénéficiera de l'aide du parti réunifié et de la position favorable du Président sortant...

Al Haig m'a dit que la commission sénatoriale sur le Watergate avait reçu des rapports dévastateurs sur Humphrey et sur Mills. Naturellement, aucun sénateur républicain ne veut s'abaisser à divulguer ces rapports. Le problème des Républicains est celui de tous les conservateurs, qui sont des gens responsables et jouent « fair-play », tandis que les libéraux font le contraire.

Tandis que nous sommes accusés de tous les péchés, alors que nous n'avons rien fait de pire que nos prédécesseurs démocrates, la presse est devenue si partiale qu'elle gonfle hors de toutes proportions tout ce que font les conservateurs et le Président tandis qu'on étouffe du jour au lendemain ce qui ressort sur les Démocrates.

Le 20 mai 1974, le tribunal de première instance rendit sa décision en faveur de Jaworski pour la remise des 64 bandes qu'il exigeait. J'interjetai immédiatement appel de la décision mais Jaworski décida de court-circuiter la Cour d'Appel en portant directement la cause devant la Cour Suprême. Le 21 mai, la Cour déclara la requête de Jaworski recevable. Ce qui voulait dire qu'un jugement sans appel serait rendu dans à peine un mois.

Fin mai, Kissinger avait passé trente-deux jours à faire la navette entre Jérusalem et Damas pour essayer de conclure un accord de désengagement entre les troupes syriennes et israéliennes. Le désengagement entre l'Egypte et Israël avait été infiniment plus facile à obtenir à cause de l'attitude qu'avait adoptée Sadate pour qui, une fois réglés les points mineurs, le reste le serait à la conférence de Genève. Mais la haine entre Syriens et Israéliens était trop profondément ancrée pour leur permettre de raisonner de la même façon.

Le 16 mai, Kissinger me fit savoir qu'il s'apprêtait à revenir. Ce qu'il avait déjà fait était surhumain, mais ce n'était pourtant pas encore assez. Je lui répondis en l'encourageant à essayer une dernière fois. Je savais qu'il était épuisé, mais il était trop près du but pour laisser s'évanouir l'élan qu'il avait donné aux négociations.

Le 22 mai, j'écrivis à Madame Meir en la pressant « de faire un suprême effort pour atteindre un compromis permettant la conclusion d'un accord de désengagement des forces en présence dans le Golan, et de faire faire à tous un pas de plus à l'écart du sang et de l'hostilité... »

Le 29 mai, enfin, nos efforts furent couronnés de succès. L'impossible avait été accompli. La Syrie et Israël avaient accepté les propositions que nous leur soumettions et l'accord de désengagement fut signé le 31 mai.

Le stade suivant de l'effort diplomatique américain était de s'efforcer de consolider ces résultats et de prolonger le dialogue qui s'était ouvert ainsi. Comme il fallait agir vite, on prépara une série de sommets au Proche-Orient. Je décidai alors de me rendre personnellement en Egypte, en Syrie, en Arabie Saoudite, en Jordanie et en Israël pour aider à renforcer les gains que nous avions obtenus et préparer la voie à de nouveaux progrès dans l'avenir.

Tandis que Kissinger s'efforçait de résoudre le problème israélo-syrien, la commission de la Justice de la Chambre se penchait sur les problèmes des écoutes téléphoniques et des « Plombiers ». Kissinger avait déjà témoigné devant la commission sénatoriale des Affaires étrangères sur ces deux sujets et la commission de la Justice de la Chambre avait, depuis longtemps, eu connaissance de tous les documents nécessaires.

La commission entreprit alors une série de fuites systématiques pour laisser entendre qu'il y aurait eu des différences et des contradictions dans les dépositions de Kissinger. Certains membres de la commission sénatoriale eurent beau protester et affirmer que Kissinger avait dit la vérité, la presse s'empara de l'affaire et en fit ses choux gras. Dès le début de sa première conférence de presse, au retour de son marathon triomphal du Proche-Orient, Kissinger dut faire face à un barrage de questions malveillantes et de soupçons injurieux. On l'accusa même ouvertement de faux témoignage.

Une attaque aussi brutale et aussi soudaine sur son honnêteté morale, s'ajoutant à l'épuisement des aller retour incessants entre Israël et la Syrie, faillirent avoir raison des nerfs de Kissinger. Il parvint à se dominer jusqu'à la fin de la conférence de presse; mais, quand elle fut finie, il était secoué et démoralisé. La situation, telle qu'il la voyait, faisait de lui le symbole le plus visible des succès remportés par la politique étrangère du Gouvernement Nixon. Alors même que les attaques se déchaînaient contre moi pour me chasser de la Présidence, il avait eu l'audace de montrer au pays et au monde entier que les Etats-Unis, sous ma direction, étaient toujours capables de commander le respect du monde et d'obtenir des succès flatteurs, en dépit du handicap du Watergate. Et les forces de l'opposition, dans leur voracité, ne pouvaient pas supporter que cet état de choses continue.

MON VOYAGE AU PROCHE-ORIENT

Peu avant mon départ, prévu pour le 10 juin, j'avais dicté quelques notes pour faire le point de la situation.

Extrait de mon Journal

> J'ai l'impression que les choses sont peut-être en train de changer, bien qu'il faille me méfier de ces impressions trop souvent démenties par les faits.
> Je pense qu'il faut prendre chaque jour comme il vient et ne plus constamment se soucier de l'avenir... C'est difficile quand il faut toujours repousser de nouvelles attaques ou colmater une brèche imprévue.
> Tout bien considéré, le pire dans cette tragédie est sans doute d'avoir pratiquement perdu un an et demi... Mais il faut aller au bout de cette épreuve.

Le 5 juin, j'avais reçu quelques leaders de la communauté juive d'Amérique. Ce que je considérais comme leurs courtes vues et leur étroitesse d'esprit m'avait effaré.

Extrait de mon Journal

> Je leur ai fait remarquer que se contenter d'envoyer de l'équipement à Israël était une politique qui était peut-être valable il y a cinq ans, mais pas aujourd'hui. Il fallait qu'il comprenne bien que chaque nouvelle guerre devenait de plus en plus coûteuse, car leurs voisins apprenaient à se battre et ils étaient toujours plus nombreux. Il ne fallait pas oublier non plus qu'à l'avenir, et c'est ce que nous avions déjà fait en 1973, quelqu'un devait pouvoir écarter une intervention russe.
> En fait, la survie d'Israël à long terme au cœur de centaines de millions d'Arabes hostiles pourrait être mise en doute. A long terme, le seul espoir

réside dans la conclusion d'un accord à obtenir dès maintenant, alors qu'Israël est dans une position de force, et que nous semblons en mesure d'éloigner les Arabes de l'influence soviétique.

Le 9 juin, après dîner, je dictais encore quelques notes pour faire le point des problèmes et des ouvertures qui se présentaient à nous à l'occasion de ce voyage historique :

Extrait de mon Journal :

> Ce ne sera pas seulement ce voyage, ni les deux ans et demi que je passerai ensuite à la Présidence, qui suffiront à consolider nos gains dans l'objectif de paix durable que nous avons poursuivi. Après moi, il faudra des Présidents forts jusqu'à la fin du siècle. Qui sait ce qui arrivera ensuite?
> Je dois tout faire pour laisser derrière moi un édifice solide, à partir duquel mes successeurs pourront bâtir. Un édifice fondé sur la puissance militaire, le raffinement de la diplomatie, l'exactitude des renseignements et, naturellement, des idéaux puissants capables de nous faire aller de l'avant en surmontant les obstacles accumulés sur le chemin d'une paix durable dans cette région du monde.
> En ce jour, 9 juin, je m'engage dans ce voyage en sachant d'avance l'importance capitale qu'il aura sur l'avenir, non seulement pour le Proche-Orient, mais aussi pour la position de l'Amérique dans le monde.

Je me rendais également compte avec lucidité que c'était du succès ou de l'échec de ce voyage que dépendrait la possibilité que j'aurais d'exercer mes fonctions présidentielles, à l'intérieur et à l'étranger, en dépit des assauts impitoyables du Watergate.

Pendant que nous volions en direction de Salzbourg, notre première étape, Haig me fit part de l'indignation de Kissinger au sujet d'un éditorial du *New York Times* du matin, où on l'accusait d'avoir menti au cours de sa déposition devant la commission sénatoriale qui l'interrogeait sur les écoutes téléphoniques de 1969. Kissinger voulait faire une conférence de presse à Salzbourg pour se disculper de cette accusation.

« Un éditorial du *Times* n'est pas une accusation dont il faille se disculper, dis-je à Haig. Ce n'est rien d'autre qu'un article de journal et cela n'a aucune valeur. S'il fait une conférence de presse, il ne fera que jouer leur jeu et leur donner le prétexte de glisser le Watergate dès les premiers reportages de ce voyage. »

J'ajoutai que si vraiment Kissinger se croyait obligé de faire une conférence de presse, il devrait au moins ne pas se tenir sur la défensive mais affirmer, au contraire, que les écoutes téléphoniques étaient parfaitement légitimes et nécessaires.

Mais Kissinger n'était pas d'humeur à m'écouter. Il ouvrit sa conférence de presse par une longue déclaration où, après avoir repris en détail les termes de ses témoignages, il introduisit une note d'émotion personnelle empreinte de colère : « Quand on écrira l'histoire, on se souviendra peut-être des vies que nous avons contribué à sauver, des mères qui ont pu retrouver un sommeil paisible. Mais ce que je me refuse à laisser derrière moi, c'est le souvenir que mon honneur ait été mis en doute. »

La bombe allait éclater pendant les questions et les réponses qui suivirent sa déclaration préliminaire. « Je crois, dit-il, qu'il est impossible

de mener la politique étrangère des Etats-Unis dans de pareilles conditions, quand l'honnêteté et la crédibilité du secrétaire d'Etat sont mises en cause. Si elles ne sont pas clairement reconnues, je démissionnerai. »
Je n'avais pas été d'accord avec la réaction de Kissinger, qui ne faisait que gonfler inutilement l'affaire. Et la menace de sa démission me semblait n'être qu'une bombe désamorcée. Mais les premières réactions furent très largement en sa faveur. Quelques jours plus tard, toutefois, quelques-uns de ses partisans admettaient discrètement que la scène de Salzbourg correspondait à une simple crise de nerfs, tandis qu'une poignée de critiques obstinés prétendaient qu'il s'était agi d'une manœuvre préméditée pour détourner l'attention des accusations portées contre lui.
A la fin, pourtant, sa menace de démissionner eut l'effet qu'il en attendait et mis ses assaillants sur la défensive. La commission des Affaires étrangères du Sénat déclara, peu après, que l'intervention de Kissinger au cours de l'enquête avait été irréprochable et qu'il n'avait rien dissimulé. Cela parut enfin mettre le point final à cette affaire.
Nous avons passé une nuit à Salzbourg pour nous habituer au changement d'heure.

Extrait de mon Journal :

Ce matin, je me sentais bien sauf que ma jambe présentait exactement les mêmes symptômes qu'à Hawaï, quand on avait diagnostiqué la présence d'un caillot de sang...
Je ne permettrai pas aux médecins de faire quoi que ce soit pouvant retarder ou bouleverser le déroulement du voyage.

Je subissais une attaque de phlébite. Après m'avoir examiné, le Dr Lukash me rappela les dangers de la phlébite où le caillot de sang peut, s'il atteint les poumons, causer une embolie fatale. D'après lui, heureusement, le danger semblait écarté mais il me dit de prendre les plus grandes précautions et d'éviter de rester debout trop longtemps.
J'appelai Haig peu après et lui recommandai de faire respecter le secret le plus absolu.

Nous avons atterri au Caire le 12 juin sous les chauds rayons du soleil de l'après-midi. Le Président Sadate et sa femme étaient venus nous accueillir à l'aéroport et ils m'impressionnèrent très favorablement tous les deux. Sadate est un bel homme, plus grand que je ne m'y serais attendu d'après ses photos. Dans la voiture, il se tourna vers moi et me déclara, avec une profonde sincérité : « C'est un grand jour pour l'Egypte. »
A peine nous étions-nous engagés sur la route du Caire que j'eus un avant-goût de ce qui allait être l'accueil sans doute le plus tumultueux et le plus enthousiaste jamais réservé dans le monde entier à un Président américain. Sur les kilomètres et des kilomètres, des deux côté de la route, la foule se pressait en rangs d'une incroyable densité. Au Caire même, les rues et les places débordaient littéralement. Les estimations les plus raisonnables faisaient état de plus d'un million de personnes ce jour-là.
Mais plus impressionnante encore que sa masse était l'évidente sincérité

avec laquelle cette foule manifestait son émotion. Sadate dut deviner ce que je ressentais, car il se pencha vers moi et me cria dans l'oreille pour couvrir le tumulte : « Cet accueil vient du cœur. Ces gens sont venus parce qu'ils le veulent. On peut déplacer des foules, mais on ne peut pas les forcer à sourire comme elles le font. » Nous passions sous des arcs de triomphe qui barraient les rues, décorés de grandes photographies de Sadate et de moi avec des inscriptions proclamant : « Deux grands hommes dévoués à la cause de la Paix et du Progrès. » Un million de voix remplissaient l'air d'acclamations assourdissantes en scandant : « Nik-son, Nik-son, Nik-son! »

Quand le cortège arriva enfin au palais où nous devions séjourner, Sadate me proposa de retarder d'une heure ou deux nos premiers entretiens. Je croyais qu'il le faisait par courtoisie envers moi, pour me laisser le temps de me reposer de l'heure que nous venions de passer debout sous le soleil de plomb, à lever les bras pour répondre aux acclamations de la foule. Mais un peu plus tard, Mme Sadate m'apprit que son mari faisait la sieste tous les après-midi. Il avait déjà subi deux crises cardiaques, la dernière datant de 1970, et prenait des précautions.

Au cours de nos entretiens, Sadate fit preuve d'une grande subtilité et d'une remarquable intelligence. En privé, il ne me força pas dans nos retranchements au sujet des relations entre Israël et les États-Unis, bien qu'il eût fait de fermes déclarations publiques sur l'évacuation des territoires occupés, les droits des Palestiniens et le statut de Jérusalem. Quand on en vint à parler des Soviétiques, il me dit qu'il leur avait demandé leur assistance militaire avant le début des hostilités d'octobre mais qu'ils n'avaient rien fait. « Il n'y a plus rien à en tirer », me dit-il avec une surprenante franchise.

Les foules grossissaient chaque jour. Elles étaient si denses qu'elles arrêtèrent presque notre train, qui mit trois heures à parcourir la distance séparant Le Caire d'Alexandrie. Debout dans un wagon ouvert, Sadate et moi répondions aux acclamations. Il faisait chaud, l'air était saturé de poussière et ma jambe enflée devenait de plus en plus douloureuse à force de rester ainsi debout. Mais je savais l'importance qu'attachait Sadate à ce que nous soyons ainsi vus ensemble, confirmation vivante des nouvelles relations d'amitiés unissant l'Egypte et les Etats-Unis.

Parmi les journalistes à bord du train spécial, l'un d'eux demanda à Sadate quelle serait, à son avis, la manière la plus importante dont les Etats-Unis pourraient contribuer au retour de la paix au Proche-Orient. Dans sa réponse, il se référa à certaines des pancartes manuscrites que nous avions vu brandir le long de notre chemin : « Il faut avant tout ne pas laisser l'élan s'affaiblir. Vous avez vu ce qu'ont écrit certains de mes concitoyens : " Nous faisons confiance à Nixon. " Le Président Nixon n'a jamais donné sa parole sans la tenir... C'est pourquoi, si l'élan se maintient vers la paix, nous y parviendrons. »

Dans mon Journal, j'avais noté les réflexions inspirées par ces foules phénoménales : « Je crois que les estimations de six à sept millions de personnes sont à peu près correctes. On peut se demander si tous ces gens se sont déplacés simplement parce qu'ils croyaient que nous leur amenions des gros sacs d'argent pour résoudre leurs problèmes. Il y a certainement dû y avoir un peu de cela. Mais je crois que, pour une large part, il y avait aussi ce que Sadate m'avait dit, un sincère sentiment d'affection envers les Américains. En partie, bien sûr, à cause de l'irritation que leur inspirent les Russes. »

L'Egypte est la clef du monde arabe : grâce à Sadate et à l'Egypte, le voyage s'ouvrait sous les meilleurs auspices. Nos objectifs étaient de soutenir l'Egypte et de l'encourager à poursuivre son chemin sur la route de la modération, de soutenir Sadate et de l'encourager dans son double rôle de leader dans son pays et d'élément influent et constructif dans les négociations futures sur le Proche-Orient. A la fin de notre visite, j'ai fait une déclaration établissant les principes de nos relations et de notre coopération avec l'Egypte, tant en ce qui concernait les bases de notre collaboration pour le retour de la paix dans la région que les conditions de notre coopération économique. Nous allions aussi négocier les termes d'un accord pour la fourniture à l'Egypte de réacteurs nucléaires civils pour la production d'électricité.

Quand nous avons atterri à Djeddah, en Arabie Saoudite, il faisait plus de 40° à l'ombre. Malgré tout, le roi Fayçal était venu nous accueillir à l'aéroport. Il paraissait bien plus âgé que ses soixante-sept ans officiels — que nous savions, en fait, être plutôt soixante-douze ans...

Fayçal se voyait entouré de complots sionistes et communistes. Il croyait même dur comme fer à ce qui, dans le genre, est le comble du délire politique : selon lui, les sionistes soutenaient en sous-main les terroristes palestiniens! Malgré ces obsessions, et grâce à son intelligence et à sa longue expérience du pouvoir, le roi Fayçal était l'un des chefs d'Etat les plus sages et les plus avisés de tout le Moyen-Orient.

L'Arabie Saoudite n'était pas directement engagée dans les négociations en cours, mais la stature de Fayçal dans le monde arabe, l'aide financière substantielle qu'il procurait à l'Egypte et à la Syrie lui conféraient un rôle vital dans le maintien et le renforcement de l'élan qui se manifestait en faveur de la paix. J'ai pu également discuter avec lui des graves conséquences qu'avait, pour le monde entier, les hausses du prix du pétrole provoquées par le récent embargo, et je le pressai de choisir la modération en ramenant les prix pétroliers à des niveaux plus raisonnables.

J'allais être aussi surpris que les journalistes quand, au cours des cérémonies précédant mon départ, Fayçal déclara : « Tous ceux qui se dressent contre vous, Monsieur le Président, tant à l'intérieur qu'à l'extérieur des Etats-Unis, ou qui se dressent contre nous, vos amis dans cette partie du globe, n'ont manifestement qu'un objectif en tête, celui de provoquer des dissensions, une mauvaise polarisation du monde, celui de fomenter des troubles pour compromettre la cause de la paix. C'est pourquoi nous invoquons le Tout-Puissant pour qu'Il nous accorde Son aide à tous deux afin que nous puissions avancer, main dans la main, épaule contre épaule, vers les nobles buts que nous partageons, c'est-à-dire la paix, la justice et la prospérité dans le monde. »

Ma visite en Syrie exigeait l'application de la diplomatie la plus délicate de tout mon voyage. La Syrie était l'un des plus radicalement prosoviétique, anti-israélien et antiaméricain de tous les pays arabes.

Les problèmes que soulevait ma visite au Président Assad se trouvèrent résumés dans l'anecdote qu'il me raconta sur son fils, âgé de huit ans. Le petit garçon avait regardé à la télévision les cérémonies de mon arrivée à l'aéroport, et quand son père était rentré ce soir-là, il lui avait demandé : « N'était-ce pas Nixon, celui dont tu nous a répété depuis des années qu'il était un homme diabolique, qui dirige les sionistes et nos ennemis? Comment as-tu pu le recevoir et lui serrer la main? » Avec un sourire, Assad ajouta alors : « Cette question, mon peuple entier va la poser. C'est pourquoi nous ne pouvons progresser que pas à pas et avec la plus grande prudence pour développer nos relations dans l'avenir. Pendant des années, le peuple syrien a appris à haïr les Américains et, depuis que vous êtes au pouvoir, le Nixon qui représente les capitalistes qui ont toujours soutenu les Israéliens. Le Nixon qui a sauvé les Israéliens en 1973! »

L'accord d'armistice dans le Golan avait représenté un succès considérable et je voyais ma visite comme un moyen d'encourager, de soutenir et d'alimenter les nouvelles relations américano-syriennes dont Kissinger avait jeté les bases. J'étais persuadé que, quand bien même Assad continuerait d'assumer en public une attitude intransigeante, il se conformerait en privé au proverbe arabe qu'il m'avait cité pendant une de nos conversations : « Mieux vaut ne voir que d'un œil que ne pas voir du tout. » Le Président Assad m'avait fait une profonde impression.

Extrait de mon Journal :

> Assad dépasse mes attentes, d'après l'idée que je m'en étais fait dans les conversations que j'avais eues avec Kissinger. Comme Henry me l'avait dit, Assad est un négociateur coriace; mais il possède quelque chose de mystique, une énergie considérable et énormément de charme. Il rit volontiers, et je peux voir qu'il fera un leader dynamique s'il sait contrôler son jugement. Dans notre dernière conversation, il s'est fortement prononcé contre une paix séparée. Mais il était très raisonnable, par contre, pour juger les diverses tentatives que nous faisions dans la région. Tout bien considéré, Assad est un homme de poids et si, à son âge — quarante-quatre ans —, il réussit à échapper à un attentat ou à un coup d'Etat, il deviendra un leader avec qui il faudra compter dans cette partie du monde.

A Damas, capitale de la Syrie, les drapeaux américains flottaient pour la première fois depuis sept ans. Partout, des foules considérables et amicales se formaient pour nous saluer, bien que l'itinéraire de nos déplacements ne fût pas communiqué à l'avance par les autorités syriennes. Je voyais ces manifestations spontanées comme une mesure de la puissance du désir populaire d'exprimer son amitié envers l'Amérique, comme l'expression d'un choix pour remplacer les Soviétiques, d'un choix pour la paix.

Dans l'allocution qu'il prononça au cours du dîner officiel donné en mon honneur, le Président Assad dit notamment : « Tournons une nouvelle page, entamons une nouvelle phase des relations entre nos deux pays. » Pour le chef de la Syrie, il s'agissait là d'une déclaration d'une portée incalculable. A la fin de mon séjour, nous avons annoncé la reprise de relations diplomatiques entre nos deux pays, et j'indiquai que nous étions également disposés à reprendre nos échanges culturels et à participer à la croissance économique de la Syrie.

Quand je fis mes adieux à Assad à l'aéroport, il m'embrassa sur les deux joues, le plus beau compliment qui puisse être fait à un visiteur étranger, et surtout un geste d'une importance exceptionnelle de la part d'un homme qui, à peine quelques mois auparavant, avait été le plus virulent de nos adversaires dans le monde arabe.

Les réceptions que l'on m'avait faites en Egypte et en Syrie, mes conversations avec Sadate et Assad me confirmaient l'importance du rôle que les Etats-Unis pouvaient jouer dans la restauration de la paix dans le monde arabe. Si nous étions capables d'ouvrir la voie, ces deux hommes, patriotes et pragmatiques tous deux, seraient disposés à accepter un règlement de compromis avec Israël afin de mieux accorder leur attention et leurs soins au développement de leurs propres pays. Je trouvais aussi encourageant de voir l'hostilité que les Soviétiques avaient suscitée chez leurs anciens protégés et, plus significatif encore, que les populations étaient au moins aussi désabusées que leurs leaders.

Notre arrivée en Israël donna lieu à une réception qui, pour être chaleureuse, n'en était pas moins la plus mesurée de tout le voyage. Cela était dû, en partie, au fait qu'Israël connaissait des problèmes de politique intérieure. Golda Meir avait démissionné moins de deux mois auparavant et Yitzakh Rabin était devenu Premier ministre, à la tête d'une fragile coalition. Compte tenu de l'impopularité que soulevait ma politique au Proche-Orient dans certains milieux israéliens, Rabin était naturellement peu disposé à me manifester plus de chaleur qu'il n'était indispensable. Mais il fit surtout preuve d'une impatience non déguisée à savoir sur quelle aide il pouvait encore compter de notre part.

Le but principal de mes rencontres avec Rabin et ses principaux ministres était de leur préciser que, tandis que nous ne comptions nullement reculer sur le principe de notre appui total à Israël pour la défense de sa sécurité, nous insisterions pour qu'ils jouent leur rôle avec sérieux et sincérité afin de ne pas ralentir l'élan imprimé par Kissinger, et renforcé par mon voyage, aux négociations pour un règlement pacifique. Outre des conversations approfondies sur les besoins économiques et militaires d'Israël et un tour d'horizon des mesures à prendre pour le rétablissement de la paix, nous proposions la publication d'un communiqué conjoint, à la fin de nos rencontres, selon lequel nous annoncerions la préparation d'un accord sur la fourniture de réacteurs nucléaires civils, similaire à celui que nous avions conclu avec le Président Sadate.

Au cours du dîner officiel donné à la Knesset, après avoir porté un toast en hommage à Golda Meir, je fis une allocution où j'évoquais les tâches qui s'offraient au nouveau Premier ministre et au parlement :

> « Deux voies s'ouvrent désormais devant vous. L'une, la plus facile, est celle du statu quo. Toute initiative comporte des risques. Par conséquent, on est tenté de résister aux initiatives prises par ailleurs pour ouvrir des négociations pouvant mener à une paix juste et durable.
> L'autre, j'en suis convaincu, est la bonne voie, la seule bonne. Cette voie ne met pas en danger la sécurité de votre pays, car elle ne doit jamais être mise en cause. Mais cette voie reconnaît que les hostilités continuelles qui se poursuivent dans la région ne représentent pas la meilleure solution pour la survie d'Israël. Il serait surtout impensable que tout ne soit pas tenté pour éviter la guerre, dans l'intérêt même de l'avenir de ces jeunes et de ces enfants que nous avons vus, par milliers, se presser dans les rues de Jérusalem. »

Notre dernière étape au Proche-Orient était la Jordanie. Une fois de plus, je fus frappé par l'intelligence et le charme qui se dégageaient de la personnalité du roi Hussein. Nous avons passé deux heures en tête-à-tête à discuter du rôle unique qu'il avait à jouer pour aider au règlement des conflits. Depuis longtemps, il était invariablement resté un ami loyal des Etats-Unis, parfois au risque de graves périls, et il m'assura qu'il continuerait à faire tout son possible pour faire prévaloir la modération et la raison jusqu'au bout de la longue route qui restait à parcourir.

Dans le toast qu'il me porta au dîner officiel offert en mon honneur, Hussein brossa généreusement le tableau du voyage que j'avais entrepris et de sa signification profonde : « Nous sommes avec vous, Monsieur le Président, dans tous les espoirs que vous avez fondés en entreprenant ce mémorable " Pèlerinage pour la Paix ", et le monde arabe vous est profondément reconnaissant de vous y être engagé... Vous avez parfaitement choisi le moment de venir nous rendre visite, pour ne pas laisser se ralentir l'élan vers la paix imprimé par l'Amérique sous votre direction qui doit être, pour nous tous, une inspiration. »

En conclusion à mon propre toast, je lui dis : « Je ne puis vous dire ni où ni quand ce pèlerinage s'arrêtera. L'important, c'est qu'il ait commencé. »

Une foule assez considérable s'était assemblée sur la pelouse de la Maison Blanche pour nous accueillir, Pat et moi, à notre retour. A la tête de la délégation officielle des membres du Cabinet, Jerry Ford me déclara : « Il y a une dizaine de jours, j'étais venu avec beaucoup d'autres vous souhaiter l'aide de Dieu. Nos prières vous ont toujours suivi et je crois que le moment est particulièrement propice à ce que nous vous souhaitions, aujourd'hui, cette parole de la Bible : " Béni soit celui qui porte la Paix. " »

Pendant les quelques jours qui suivirent, tandis que je me préparais à mon troisième sommet avec Brejnev, je rendis compte de mon voyage aux leaders parlementaires et leur exposai les chances que nous avions désormais d'exercer une influence prépondérante pour la pacification du Proche-Orient. Voici quelques extraits des notes prises à ce moment-là sur les réflexions que m'inspirait mon voyage au Moyen-Orient et les conséquences pratiques des réactions qu'il avait entraînées.

Extrait de mon Journal :

Nous avons dû bénéficier d'une amélioration, bien qu'il semble impossible de remonter dans les sondages... Comme je le disais à Ziegler, qui me parlait des cinq ou six minutes que les chaînes de télévision accordaient à la couverture de notre voyage chaque jour : « Comparez donc cela aux huit ou dix minutes pendant lesquelles, tous les jours depuis un an, tout le monde entend parler du Watergate! » Je ne pouvais toutefois pas me plaindre des reportages... On ne pouvait pas trouver le moyen de minimiser les effets de ce voyage, et il avait eu un impact sur l'opinion. Dans quelle mesure, seul le temps nous le dirait...

Le sentiment le plus important ramené de ce voyage est celui de l'amitié entre les Américains et les Arabes, amitié « naturelle » comme n'ont cessé de le répéter tous mes interlocuteurs. C'est désormais à nous de faire ce qu'il faut pour leur prouver que cette amitié est justifiée et qu'ils ne la regrettent pas...

J'ai indiqué aux leaders parlementaires qu'il fallait rendre Israël assez fort pour n'avoir pas peur de négocier, mais pas fort au point de ne plus avoir envie de le faire...

Ce voyage m'a aussi permis de remettre toute l'affaire du Watergate à sa place et la voir à ses justes proportions. Comparé à ce que nous avons accompli et à ce que nous pourrons faire dans l'avenir, non seulement pour le retour de la paix au Proche-Orient mais aussi pour le bien de l'humanité entière, tout cela est négligeable. C'est ce que nous ne devons plus jamais perdre de vue, quoi qu'il arrive.

Le 13 juin, pendant que j'étais en Egypte, Fred Buzhardt fut victime d'une crise cardiaque. Après que je me fus assuré qu'il s'en sortirait bien, je m'efforçai d'évaluer les conséquences de sa maladie sur notre situation judiciaire, à un moment particulièrement inopportun où les problèmes s'amoncelaient. A part la préparation de nos conclusions pour la Cour Suprême, il y avait une douzaine d'actions en cours devant diverses juridictions. Et, comme si cela ne suffisait pas, la commission Ervin reprenait ses exigences, Kissinger devait repasser devant la commission sénatoriale des Affaires étrangères, et la commission de la Justice faisait toujours preuve d'autant de voracité. L'absence de Buzhardt allait se faire durement sentir.

Il y avait néanmoins quelques sujets de satisfaction. On faisait état de dissensions au sein de la commission de la Justice. Les fuites étaient devenues si fréquentes et si abusives que les membres démocrates eux-mêmes exprimaient leur désapprobation. Un membre devait même déclarer anonymement au *Washington Post :* « Nous sommes gênés de ce que nous avons fait. »

Le 21 juin, deux jours après mon retour, la commission conclut ses séances après avoir recueilli tous les témoignages oraux et toutes les preuves écrites des accusations portées contre moi. Cela représentait 7 000 pages formant 38 gros recueils. Mais si le volume en paraissait écrasant, la qualité et la valeur en étaient, à tout le moins, faibles et douteuses. La plupart de ces « preuves » n'avaient même rien à voir avec moi, même indirectement.

John Rhodes, par ailleurs, était cité par la presse comme reprenant ouvertement position en ma faveur. Les Démocrates anti-révocation s'efforçaient d'obtenir un vote de la Chambre le plus rapidement possible, car ils se rendaient compte que la lenteur de la commission avait laissé retomber le mouvement d'hostilité contre moi.

Le 22 juin, j'appelais Joe Waggonner, député démocrate de la Louisiane. Parlementaire vétéran, il dirigeait un groupe dont la force atteignait parfois la centaine et qui m'avait souvent soutenu sur des projets de loi importants. Je savais pouvoir compter sur son esprit réaliste pour ne pas me donner de fausses espérances. Il m'apprit qu'il disposait de 70 voix contre la révocation et que le seul élément pouvant me porter préjudice serait une condamnation d' « outrage à la Cour Suprême ». En raccrochant, il me dit, comme il le faisait depuis près de trente ans : « Dieu vous bénisse! »

Ainsi, pensais-je, si Waggonner avait 70 voix du côté démocrate, il me suffirait de 150 voix chez les Républicains pour repousser la révocation. Ce n'était ni utopique ni impossible à obtenir. Des possibilités commençaient même à se manifester au sein de la commission de la Justice elle-même.

Extrait de mon Journal :

Dieu merci, quelques Républicains commencent à relever la tête devant la commission. C'est peut-être là le facteur décisif qui changera la situation — étant entendu, bien sûr, que la décision de la Cour Suprême ne nous mette pas le dos au mur.

J'espère toujours, malgré tout, que la Cour considère avant tout l'avenir du pays, de la Présidence — et d'elle-même, également —, et ne prenne pas le risque de créer un précédent aussi dévastateur. Mais les membres de la Cour vivent à Washington. Ils sont, malgré eux, empoisonnés par le venin que distille quotidiennement le *Post*. Il est presque impossible de ne pas finir par se laisser influencer.

Tout va désormais se jouer dans les trente jours qui viennent. Ou bien nous resterons à notre poste, ou bien nous serons forcés de refuser de nous conformer à la décision de la Cour Suprême, décision constituant une violation des principes constitutionnels que j'ai mis en avant... Il ne faut plus que vivre ces trente jours comme ils viennent et se montrer digne des responsabilités qui nous incombent...

Nous ne pouvons que remercier Dieu de la force qu'Il donne à la famille, à nos proches, et de la volonté de fer d'Al Haig, le plus fort de tous ceux qui m'entourent.

Quand je repense à mon moment de faiblesse, la nuit dernière, en évoquant la décision de la Cour Suprême nous poussant pratiquement à la révocation, je pense à tous ceux qui doivent subir bien pire encore sans avoir la résistance physique et les facultés morales que j'ai. Il est vraiment admirable d'avoir tant de gens autour de nous à avoir résisté aux coups terribles qui se sont abattus sans discontinuer depuis si longtemps...

Telles que je vois les choses, en ce pluvieux dimanche 23 juin, nous sommes probablement dans une position meilleure qu'il y a deux mois. Nous allons maintenant voir ce qui se passe à notre départ pour la Russie et à notre retour, quand toute la tension va se porter certainement sur la procédure de révocation. Mon voyage au Proche-Orient avait réussi à détourner l'attention sur autre chose; la presse elle-même se lasse de l'autre sujet. Mais je crois que nos adversaires vont maintenant redoubler d'efforts, car ils cherchent désespérément à se débarrasser de moi.

Ma famille et moi, nous nous efforcions de rendre aussi joyeux et insouciants que possible les moments que nous passions ensemble. Mais j'étais constamment soucieux au sujet de mes filles. Elles étaient jeunes, elles avaient besoin de liberté pour mener leurs propres vies; et malgré tout, il leur fallait se trouver mêlées à mes combats, jour après jour. Leur affection constante, s'exprimant avec une touchante discrétion, était pour moi une source de réconfort. Souvent, Julie laissait un exemplaire du Nouveau Testament ouvert sur ma table de nuit à un passage consolant ou approprié à mes épreuves. A mes moments les plus profondément découragés, Tricia venait s'asseoir à côté de moi, tandis que je lisais ou que je travaillais, pour m'apporter silencieusement l'expression de son amour et de son soutien.

Mes gendres n'étaient pas en reste et ne laissaient jamais passer une occasion pour me manifester leurs sentiments. Pour eux non plus, la vie n'était pas facile. A cause de son travail, Ed devait habiter New York avec Tricia. Les échotiers se ruèrent sur cette situation et fabriquèrent de toutes pièces des rumeurs selon lesquels une « fissure » s'élargissait entre eux et nous, ou même entre Ed et Tricia, au point qu'elle dut publier un communiqué pour démentir ces rumeurs. Pourtant, plus ils subissaient d'avanies, plus Ed et Tricia étaient proches l'un de l'autre. En mars, sans m'en avoir prévenu, ils écrivirent ensemble un article courageux et éloquent pour prendre ma défense.

Julie et David se trouvèrent pris dans le tourbillon de la tourmente pendant toute la dernière année de ma Présidence. Mais ils avaient beau être jeunes, courageux et faire preuve d'une résistance exceptionnelle, ils n'auraient pas été humains s'ils n'avaient pas fini par éprouver les conséquences de plus de 160 apparitions en public, y compris d'épuisantes séances de l'enquête sur le Watergate. En février 1974, David m'écrivit une lettre admirable pour m'exposer les raisons de son découragement passager et ses raisons d'espérer et de reprendre le combat.

Mais je souffrais de voir Julie se replier de plus en plus sur elle-même. Elle ne laissait pourtant que rarement échapper devant moi des signes de son désespoir. Avec la capacité de récupération dont jouit la jeunesse, elle décida même de faire une conférence de presse une semaine après la publication du *Livre bleu,* alors que les appels à ma démission se faisaient plus insistants et provenaient autant de mes amis que de mes ennemis.

Au cours de cette conférence de presse, un reporter de la C.B.S. fit une allusion aux « enfants qui portent le poids du péché de leur père ». Il voulait sans doute par là sous-entendre que Julie n'avait tenu cette conférence que pour détourner sur David et elle l'attention des journalistes et me protéger. Mais elle sut dominer sa colère et conclut sa réponse par ces mots : « Je n'essaie pas de répondre à sa place. Je prie simplement pour avoir autant de courage que lui. »

Comme d'habitude, Pat était la plus forte de tous. Elle faisait toujours tout pour remonter le moral de sa famille tout en montrant au monde, de manière éclatante, que sous le sourire de la femme universellement appréciée pour sa chaleur, son élégance naturelle et son génie de communiquer et de comprendre les autres, il y avait une force de caractère n'ayant jamais, à ma connaissance, eu d'égale dans l'histoire de la politique américaine.

Le 11 mars, elle fit son dernier voyage de représentation à l'étranger. Elle visita le Brésil et le Venezuela où elle captiva tous ceux qui l'approchaient. Et pourtant, dans l'avion du retour, les journalistes l'accablèrent de questions indiscrètes, voulant savoir combien le Watergate l'avait fait souffrir, quels avaient été ses pires moments. Elle refusa de leur répondre, se bornant à répéter ce qu'elle leur avait toujours dit : qu'elle m'aimait et qu'elle savait que j'étais un homme d'honneur, dévoué à ses devoirs.

Elle donnait l'exemple de la dignité et de la fermeté sous les attaques. Et ils se refusaient à respecter ses désirs.

LE TROISIÈME SOMMET

En janvier 1974, les Soviétiques avaient marqué leur accord pour annoncer la date de la troisième rencontre au sommet, qui devait se tenir à Moscou pendant l'été. J'avais considéré cette décision soit comme un acte de foi de leur part (ils avaient peut-être l'idée que j'allais réussir à repousser les efforts qu'on faisait pour me révoquer), soit comme une indication de leur intérêt à voir poursuivre la politique de détente, quel que soit le Président occupant la Maison Blanche.

La bataille la plus importante et la plus acharnée de cette rencontre allait toutefois se dérouler non pas à Moscou mais à Washington, où l'agitation des forces anti-détente devint de plus en plus fébrile pour culminer au moment où je m'apprêtais à partir pour l'Union Soviétique. Les libéraux poussaient des clameurs assourdissantes sur le sujet, désormais à la mode, du scandale de la répression des dissidents politiques et des restrictions imposées à l'émigration des juifs d'U.R.S.S. Les conservateurs des deux partis étaient toujours alliés dans leur détermination, soit de limiter le commerce avec les Soviétiques, soit de l'interdire purement et simplement. Les militaires, et leurs nombreux partisans au Congrès et dans le pays, s'étaient mobilisés farouchement à la pensée que ce sommet risquait de faire progresser les négociations sur la limitation des armements nucléaires offensifs, ou même sur une limitation des essais nucléaires.

Une telle convergence de forces opposées à la détente se serait produite quelle qu'ait été la situation intérieure et la présence de problèmes politiques. Mais le Watergate avait sévèrement affaibli mes moyens de briser ou, du moins, de tourner cette coalition.

Quand Kissinger se rendit à Moscou le 24 mars, pour préparer l'ordre du jour de mes discussions avec Brejnev, il en revint en me disant que le Premier soviétique paraissait confronté à des problèmes d'opposition comme nous en connaissions du côté des militaires, résolus à torpiller tout accord permanent de limitation des armements nucléaires offensifs. Ainsi, nous pouvions prévoir, dès le début, qu'il serait extrêmement difficile de réussir une percée importante vers un accord S.A.L.T. au cours de ce sommet.

L'opposition du Pentagone à un nouvel accord S.A.L.T. se manifesta avec éclat au cours d'une réunion du Conseil National de Sécurité le 20 juin, quand le secrétaire à la Défense Schlesinger présenta son projet. Celui-ci adoptait une attitude inflexible pour s'opposer à la conclusion de tout accord S.A.L.T. ne garantissant pas à l'Amérique une supériorité écrasante. C'était là une proposition que les Soviétiques ne pourraient que rejeter sans même l'examiner.

Après que chacun eut soutenu ses arguments, j'intervins pour dire : « Je pense que nous devrions concevoir une solution plus pratique à ce problème. La proposition du secrétaire Schlesinger n'a pas la moindre chance d'être acceptée par les Soviétiques. Il nous faudrait donc essayer de formuler quelque chose de conforme à nos intérêts et qui leur soit acceptable. »

Il y eut un moment de silence. Enfin, Schlesinger, qui était assis à côté de moi, me dit : « Monsieur le Président, tout le monde se souvient de l'effet que vos pouvoirs de persuasion ont eu sur Khrouchtchev, lors de votre discussion dans une cuisine. Je suis sûr que si vous mettiez en action votre habileté bien connue, vous arriveriez à les persuader d'accepter notre proposition. »

J'ai noté dans mon Journal, ce soir-là : « La réunion du C.N.S. m'a profondément choqué, surtout en ce qui concerne la manière dont se sont conduits les chefs d'état-major, et encore plus Schlesinger. Venir me dire qu'il savait que j'avais impressionné Khrouchtchev avec mes " pouvoirs de persuasion " et que, en sachant m'en servir, je pourrais faire avaler son idée aux Russes est une véritable insulte à l'intelligence de tout le monde, et à la mienne en particulier. »

Jerry Ford brisa enfin le silence qui suivit la remarque de Schlesinger et dévia la conversation sur le sujet plus général du budget de la Défense nationale. Au bout de quelques minutes, je fis un commentaire sur la manière dont je concevais le développement de la détente pendant les deux ans qui me restaient à passer à la Maison Blanche.

Extrait de mon Journal :

> Ford se met maintenant à clamer à cor et à cri qu'il nous faut une forte augmentation du budget de la Défense et que cela renforcera notre position dans les négociations avec les Soviets. Il a raison dans un sens, bien sûr, mais il a tort dans l'autre, parce que nous n'allons pas être capables de les bluffer dans ce cas particulier.
>
> Mon principal souci, comme je l'ai dit pendant la réunion, c'est que celui qui me succédera n'ait pas le courage de se lancer dans les batailles sanglantes où j'ai dû me battre pendant cinq ans et demi — pour les missiles A.B.M. (missiles antimissiles), l'augmentation des budgets de la Défense, le sous-marin *Trident,* etc. Nous pourrions nous retrouver avec quelqu'un (à la Présidence) qui, malgré toutes les belles paroles sur les Etats-Unis qui doivent toujours être en tête, baisserait les bras devant les campagnes des pacifistes défaitistes que la presse de l' « Establishment » ne manquera pas d'entreprendre une fois qu'ils auront mis un des leurs dans la place.
>
> C'est pourquoi il est si important d'obtenir, dès maintenant si nous le pouvons, quelque espèce de prise sur les Soviétiques. Parce que si nous nous trouvons, plus tard, entraînés dans une course effrénée avec eux, ils pourront très bien y aller sans contraintes tandis que nous serons, nous, ralentis par nos entraves. Comme j'ai essayé de le faire comprendre à la réunion du C.N.S., quand le Président des Etats-Unis prend une décision, ce n'est pas du tout la même chose que quand une décision est prise par le Secrétaire Général de l'Union Soviétique. Nous pouvons être certains que sa décision à lui pourra être appliquée et le sera. Il n'a pratiquement pas à se soucier de son opinion publique. Quand le Président des Etats-Unis décide quelque chose, il ne peut jamais être sûr que sa décision sera exécutée. C'est leur certitude contre notre incertitude qui, sans affaiblir vraiment notre position de négociateurs, rend du moins indispensable que nous en tenions compte à chaque fois que nous traitons avec eux. Car si nous concluons un accord qui nous contraigne tous deux, cela veut dire qu'ils n'accepteront de se contraindre que pour quelque chose qu'ils feraient de toute façon. Tandis que pour nous, il se peut que nous nous restreignions dans un domaine où nous ne le voulons pas. Telle était exactement la situation concernant les accords de 1972.
>
> Il vaut sans doute mieux, toutefois, que nous ne nous battions pas sur ce problème en ce moment. Et si nous trouvions exactement les mots qu'il faut pour que nous puissions négocier tout cela en octobre ou novembre, et obtenir aussi des Soviets qu'ils s'accordent sur quelques chiffres convenables, je pense que, dans ces conditions, nous aurons rendu un grand service à la cause de notre sécurité nationale ainsi qu'à un équilibre des forces en général.
>
> Beaucoup de gens, à la Défense, ne veulent pas d'accords du tout, car ils souhaitent aller de l'avant à tout prix avec tous les programmes de défense qu'ils peuvent lancer et sans la moindre restriction. La situation est encore aggravée par le fait que Henry n'a pas encore pu s'en occuper. Il a eu tant à faire avec le Proche-Orient qu'il n'a simplement pas trouvé le temps de s'attaquer à ce problème-ci. C'est peut-être aussi bien, après tout, car comme je le disais, nous ne sommes pas prêts à engager cette bagarre-là.

Le combat où je me retrouvais avec les militaires n'était pas le seul problème à affecter la rencontre au sommet. Pour la première fois depuis le début du Watergate, Brejnev exprima sa préoccupation sur mes capacités à pouvoir prendre des décisions et les faire respecter. Il était allé très loin sur la route de la détente et, comme on peut le comprendre, se souciait d'une éventualité de mon départ brutal qui le laisserait dans une position gênante et vulnérable vis-à-vis de sa propre hiérarchie.

En avril 1974, nous avons reçu un rapport de Walter Stoessel, notre ambassadeur à Moscou, me rapportant un entretien avec Brejnev où celui-ci avait semblé particulièrement préoccupé de ce que nos problèmes de politique intérieure risquent d'exercer une influence néfaste sur le cours des événements. « Brejnev, m'écrivait Stoessel, m'a dit qu'il respectait le Président pour son courage, qu'il qualifiait de trait de caractère digne d'un homme d'Etat, et m'a exprimé sa stupéfaction devant le fait que les Etats-Unis aient atteint un stade où l'on puisse tracasser leur Président sur les impôts qu'il paie. Il considère les adversaires du Président comme des insensés. »

Quand Gromyko vint me voir le 11 avril, il me rassura en me disant tout d'abord qu'en dépit des articles antisoviétiques parus dans la presse américaine, les Soviétiques restaient fermement partisans de la détente. Ensuite, dans une manifestation inattendue de sentiments personnels, Gromyko me dit qu'il tenait à m'exprimer son admiration pour ma fermeté « face à des difficultés que nous connaissons. Nous vous admirons sur le plan humain ».

Le reste de notre entretien se passa à ergoter sur les chiffres en cause dans les négociations S.A.L.T., me donnant un avant-goût de ce qui m'attendait à Moscou. Jusqu'à présent, les Soviétiques ne fléchissaient pas d'un pouce. Nous non plus. Quand je raccompagnai Gromyko à la porte du vestibule Ouest, il me dit : « Vous savez, j'en suis sûr, que nous désirons votre visite et que rien ne doit se mettre en travers des conversations que vous allez avoir. »

Je lui répondis que je le savais, puis j'ajoutai : « Nous serons maudits par les générations futures si nous échouons. Nous devons réussir. »

Nous avons quitté Washington le 25 juin. Notre première escale était prévue à Bruxelles, où je devais assister aux cérémonies marquant le vingt-cinquième anniversaire de l'O.T.A.N. Je croyais qu'il serait particulièrement bien venu de mettre ainsi l'accent sur la viabilité de l'alliance atlantique avant de m'asseoir en face de Brejnev. Dans mon discours adressé au Conseil de l'O.T.A.N., je déclarai que la détente nous offrait des chances immenses, mais pouvait aussi nous jeter dans de graves dangers. Il fallait regarder en face le fait que la politique européenne avait complètement changé depuis le début de l'alliance. Il nous fallait accepter le fait que la crainte du communisme ne constituait plus une motivation suffisamment forte pour l'O.T.A.N. Si celle-ci voulait survivre, il faudrait trouver des liens plus forts pour conserver sa cohésion.

Ce fut juste avant mon départ pour Bruxelles que l'histoire de mon attaque de phlébite pendant mon voyage au Proche-Orient éclata dans la presse américaine. Les journalistes se mirent immédiatement à scruter le moindre de mes gestes et le moindre indice trahissant que je boitais ou que je souffrais. De fait, ma jambe était toujours enflée et douloureuse, mais j'étais déterminé à n'en rien laisser voir.

Extrait de mon Journal :

> C'est extraordinaire que ma santé soit si bonne et, comme je le disais à Ziegler, l'essentiel au sujet de ma jambe est de ne pas laisser les journalistes s'emparer encore de cette histoire pour qu'ils s'imaginent que le Président est handicapé aussi bien physiquement que moralement. Pour le moment, je crois que nous sommes arrivés à garder le contrôle, mais il faut être sûrs que les gens n'aillent pas se figurer que le Président est dans le même état qu'Eisenhower pendant ses derniers mois, ou comme Roosevelt, ou même comme Johnson quand tout le monde disait qu'il était sur le point de craquer, qu'il buvait trop, etc. On pourra l'éviter si nous faisons ce qu'il faut.

Notre rencontre au sommet débuta sous les meilleurs auspices avec notre réception à l'aéroport de Moscou le 27 juin. Brejnev était venu en personne, traversant les pistes d'un pas allègre pour aller m'accueillir. Une foule relativement importante avait eu la permission de se masser derrière des barrières et brandissait des petits drapeaux de papier. Contrairement à ma visite de 1972, je pus voir également des rassemblements se former dans les rues le long de notre parcours jusqu'au Kremlin.

Peu après notre arrivée, Brejnev m'invita à le rejoindre dans son bureau pour une conversation privée. Il me parla de sa récente rencontre avec Teddy Kennedy et Averell Harriman et me dit qu'ils étaient tous deux en faveur de la détente. Je lui ai répondu qu'il était excellent qu'il ait ainsi des rencontres avec les leaders des deux partis d'ici à 1976, car nous souhaitions tous les voir prendre position en faveur de la détente. « Engrossons-les tous un peu de cette idée », dis-je.

Brejnev me dit encore qu'il suivait de près la situation politique aux Etats-Unis et que, pour sa part, il était convaincu que je resterais en place jusqu'en 1976.

Ce soir-là, après le dîner officiel, je suggérai à Kissinger et à Haig de nous retrouver dans ma voiture où nous pourrions parler sans risquer d'être entendus. Kissinger avait eu l'air déprimé toute la journée. Comme je m'en doutais, les harcèlements qu'il avait subis sur l'affaire des écoutes téléphoniques le préoccupaient encore; mais il se souciait également de la conversation qu'il avait eue avec Gromyko dans l'après-midi, au cours de laquelle il s'était rendu compte que notre position avait été sérieusement compromise, dans la négociation, par toute l'agitation anti-détente au sein même du Gouvernement.

Le problème de l'interaction des essais nucléaires fut abordé dès le premier jour de nos rencontres officielles. Comme par le passé, les Soviétiques se refusaient aux contrôles au sol indispensables. J'étais convaincu qu'en l'absence de procédures de contrôle rigoureuses pour vérifier qu'ils en respecteraient les conditions, un accord portant sur une interdiction totale comporterait trop de risques pour être envisagé. Nous devions aussi tenir compte du fait qu'un tel accord avait considérablement perdu de la valeur qu'il avait quand nous n'étions encore que les deux seules puissances nucléaires au monde, et, même à ce moment-là, les Soviétiques ne voulaient déjà pas en entendre parler. Maintenant, ni la France ni la République Populaire de Chine — envers qui les Soviétiques étaient particulièrement sensibilisés — n'acceptaient de mettre fin à leurs essais nucléaires, quoi que nous puissions faire; de même, l'Inde et Israël refusaient d'interrompre leurs recherches dans le domaine nucléaire.

Au cours de la visite préliminaire que Kissinger fit à Moscou au mois de mars, les Soviétiques avaient suggéré un accord d'interdiction comportant la notion de « seuil ». Aux termes d'un tel accord, on pourrait continuer à procéder aux essais d'armes atomiques à condition qu'elles ne dépassent pas un certain seuil de dimension et de puissance. Du fait que les infractions à ces conditions pourraient être détectées par les équipements sismographiques dont chaque pays disposait, les vérifications sur place perdaient leur caractère de nécessité. C'est alors que, dès la session de l'après-midi du premier jour de nos rencontres, Brejnev suggéra soudain qu'au lieu de perdre notre temps à ergoter sur les seuils d'un accord d'interdiction partielle, nous résolvions le problème en nous mettant d'accord sur un programme complet d'interdiction des essais nucléaires.

Voici ce que j'avais noté dans mon Journal : « Pendant cette séance, Brejnev s'est montré coriace, comme il l'avait été en 1972 quand nous avons parlé du Vietnam dans sa datcha. Aujourd'hui, il a bouleversé le scénario et aucun de nous n'y était préparé; car c'était leur idée à eux, dont ils avaient discuté avec Kissinger en mars, que nous réglions la question par un accord d'interdiction partielle avec des seuils. »

Comme il n'y avait aucun moyen d'éluder cette proposition, si Brejnev était déterminé à poursuivre sur la tangente où il venait de nous engager, je me suis donc dit que la seule façon de la contrer était d'une manière franche et pragmatique. Si Kossyguine et les autres s'attendaient à me voir louvoyer maladroitement, ils allaient être déçus par le ton et la teneur de ma réponse : « Nous avons déjà discuté de cette question en profondeur avant mon arrivée, répondis-je. Il est vrai que, parmi nos sénateurs, il y en a qui sont en faveur d'un accord d'interdiction complète. Mais, à l'autre extrémité de l'éventail, il s'en trouve autant à s'opposer à toute limitation, compte tenu des problèmes soulevés par les contrôles. Nous nous sommes efforcés de refréner les deux extrêmes en proposant un accord fondé sur un seuil très bas. C'est la seule façon pour obenir le soutien de la majorité de notre Congrès. Nous ne pouvons pas revenir vers une interdiction complète. »

Après quelques joutes verbales, je ramenai la discussion sur le sujet : « Pour parler très franchement, la situation aux Etats-Unis prend une tournure ironique, à mesure que nous nous rapprochons de 1976, en ce qui concerne la détente. Ceux qui, au cours des deux dernières années, applaudissaient le plus bruyamment à nos efforts dans ce sens sont maintenant, pour des raisons plus partisanes qu'idéologiques, ceux qui voudraient nous y voir échouer. C'est pourquoi je ne me ferais pas d'ennemis si, aujourd'hui, je me montrais intraitable sur ce point.

« Je ne dis pas cela, poursuivis-je, pour prétendre que je ne fonde ma position que sur ces considérations politiques. Si je poursuis mes efforts en faveur de la détente, c'est parce qu'elle est indispensable à la paix du monde et c'est pourquoi nous recherchons tous accords pouvant être conclus et appliqués de manière réaliste.

« Je suis dans une position unique, repris-je, pour amener le public américain à prendre parti pour la détente. Nos soi-disant " faucons ", je peux m'en arranger, mais je ne peux le faire que pas à pas et je ne veux pas que ce processus soit interrompu ou intermittent. Je veux qu'il se poursuive de manière continue. »

Je tendis alors la main vers les lourdes portes dorées qui fermaient la pièce : « Si nous regardons ces portes, dis-je, nous pouvons dire que nous voulons tous aller vers elles. Mais nous n'y arriverons pas si nous voulons le faire d'un seul pas. Nous trouverons toujours, Monsieur le Secrétaire Général, des factions aux Etats-Unis et dans d'autres pays qui, pour diverses raisons, voudraient voir la détente échouer. Et nous, pour notre part, nous ne voulons pas prendre une mesure sans nous assurer au préalable qu'elle sera soutenue. Sinon, nous ferions pour ainsi dire exprès de la faire repousser. »

Ces paroles de simple bon sens brisèrent le labyrinthe de rhétorique qu'ils étaient en train d'édifier. Brejnev répondit qu'il allait devoir consulter ses collègues et que nous en reparlerions plus tard. Nous nous sommes tournés ensuite vers la question de savoir à quelle heure nous allions quitter Moscou pour la Crimée afin d'y arriver avant le coucher du soleil, pour que je puisse profiter du paysage.

Nous sommes montés, Pat et moi, dans l'avion de Brejnev pour nous rendre en Crimée, où nos discussions se poursuivaient dans sa villa de la banlieue de Yalta, sur la mer Noire. A cause des souvenirs défavorables attachés au nom de Yalta, nous avons décidé d'appeler notre rencontre le « sommet d'Oreanda », d'après le nom du quartier où la villa était située.

En cours de route, Brejnev appela sa femme à l'aide du téléphone de l'avion, et je pris la note suivante pour mon Journal : « Pour ce genre de choses, il est comme un enfant avec un nouveau jouet. » Il me passa l'appareil et je dis à Madame Brejnev : « Ochen priatno », mots de bienvenue en russe que j'avais appris, et qui parurent lui faire plaisir.

Extrait de mon Journal :

> Pendant que nous étions en avion, j'ai dit à Brejnev que les cérémonies au tombeau du Soldat Inconnu, tant à Washington qu'à Moscou où j'avais déposé une gerbe, me faisaient ressentir la grande importance de la tâche que nous accomplissions. « Voilà le véritable objet de nos négociations », lui dis-je.
> Brejnev parla ensuite du terrible spectacle qu'offraient les milliers de morts tués à la guerre. En hiver, me dit-il, il était particulièrement horrible de les voir, gelés dans des positions grotesques. « Comme un ballet macabre », dis-je. Gromyko ajouta alors : « C'est tout aussi affreux en été, quand il fait chaud et que les cadavres pourrissent. »
> Ces gens-là ont dû passer par des expériences terribles.

L'humeur devint plus gaie pendant les cent kilomètres que nous avons parcourus en voiture de l'aéroport à Oreanda. Brejnev me parla de mon aide de camp, le lieutenant-colonel de Marines Jack Brennan. « Je l'aime beaucoup, me dit-il. Il est jeune, fort et beau. — Les filles sont toutes du même avis », lui répondis-je. Brejnev se mit à rire pendant un moment, puis reprit son sérieux et se tourna pour me regarder en face : « Bien que vous et moi, nous soyons plus âgés, me dit-il, nous ferons sans doute davantage pour donner la paix à nos peuples que n'importe lequel de ces jeunes gens. »

Pendant l'heure et demie que dura le trajet, nous voyions par la portière le paysage avec ses ondulations verdoyantes couvertes de fleurs bleu et or. De temps en temps, on apercevait la mer dans le lointain.

Brejnev ne cachait pas combien il aimait se retrouver en Crimée. Il m'emmenait faire des promenades à pied dans la végétation luxuriante entourant sa villa à flanc de coteau ou le long du muret séparant le parc de la mer. Le premier jour après notre arrivée, nous sommes allés jusqu'à un petit bâtiment à demi construit dans le rocher, avec de grandes baies vitrées dominant la mer, et qu'il appelait sa cabane. Nous y sommes entrés, avons ôté nos vestes et avons parlé, seul à seul, pendant plus d'une heure avant que les autres nous rejoignent pour une séance plénière.

Extrait de mon Journal :

> Nous avons eu une discussion très franche sur des sujets dont, apparemment, il voulait m'entretenir en privé. Il avait le regard fixé vers le large et me montra un hydroglisseur. Il griffonnait des dessins, quelque chose qui ressemblait à un cœur percé d'une flèche. C'est là qu'il aborda pour la première fois son idée d'un traité américano-soviétique, auquel d'autres pourraient adhérer, selon lequel chaque pays viendrait au secours de l'autre si l'un des deux pays ou ses alliés subissaient une attaque. Ceci, bien sûr, sent le « partage » de la manière la plus impudique.

Le plus intéressant de cette conversation dans la « cabane » fut le revirement complet de Brejnev au sujet de la Chine. En 1973, il avait exprimé les graves préoccupations qu'elle lui causait mais, ce jour-là, il affectait de s'en désintéresser totalement. « Mao est un dieu, me dit-il, un dieu très vieux. Quand il mourra, il sera remplacé par un nouveau dieu. » Gromyko adopta toutefois un point de vue diamétralement opposé à l'occasion d'une conversation privée que nous eûmes pendant un dîner. Il voulait me prévenir que la Chine représentait une sérieuse menace pour la paix, car elle avait une population tellement gigantesque qu'elle envisagerait de tout sacrifier, jusqu'à ses villes et à son peuple, pour atteindre ses objectifs.

Extrait de mon Journal :

> Pour en revenir à ma conversation privée avec Brejnev, je lui ai fait observer que si la détente est mise en échec en Amérique, ce seraient les « faucons » qui prendraient le dessus et non les « colombes ». C'est pourquoi je lui demandai de faire un geste pour l'émigration des juifs, ne serait-ce que pour couper l'herbe sous le pied de Jackson et autres critiques dans la presse. Il sortit alors des statistiques d'un dossier et me dit qu'il les donnerait à Dobrynine pour qu'il les transmette à Kissinger.

Notre conversation aborda un vaste éventail de sujets, allant du projet de conférence sur la sécurité européenne à la limitation des armes nucléaires.

Extrait de mon Journal :

> Il me fit remarquer en passant que ses prédictions sur le Proche-Orient s'étaient vérifiées. Il me précisa, toutefois, qu'il ne s'attendait absolument pas à une attaque arabe quand il m'avait averti de la tournure explosive que prenait la situation. En fait, les Soviétiques avaient fait tout ce qu'ils avaient pu pour empêcher qu'elle ne se déclenche. Pour mieux souligner ses paroles, il fit des gestes expressifs, me prenant le bras pour illustrer sa résolution à « les retenir »... Mais, me dit-il en conclusion : « Nous en avons été incapables. »

Quand les autres nous rejoignirent à la cabane, la conversation revint sur l'impasse où nous étions au sujet des missiles M.I.R.V. à têtes multiples. J'avais compris que Brejnev avait voulu laisser une tournure presque officieuse à cette conversation bien qu'elle constitue le dernier « round » S.A.L.T. au cours de ce sommet.

Je laissai Kissinger mener le débat et adopter une position de départ intransigeante : les chiffres avancés par les Soviétiques, dit-il, étaient inacceptables car ils nous forceraient à stopper la fabrication des missiles sous un an, alors que l'U.R.S.S. pourrait poursuivre ses programmes pendant quatre ans. Il présenta ensuite sa contre-proposition qui, sans aller jusqu'aux exigences exprimées par le Pentagone, constituait quand même une augmentation sensible par rapport aux propositions russes. « Nous limitons nos propres possibilités bien plus que nous n'exigeons que vous limitiez les vôtres », fit-il observer.

Le marchandage se poursuivit ainsi pendant près d'une heure. A la fin, Brejnev me lança un regard de l'autre côté de la table. « Monsieur le Président, me dit-il d'une voix forte, si ce que vient de dire le Dr Kissinger représente votre dernier mot sur la question, je n'y vois aucune base d'accord entre nous. »

Bien qu'il ait affecté de reprendre immédiatement la discussion avec Kissinger, j'avais compris qu'il n'y avait plus aucun espoir d'accord S.A.L.T. au cours de ce sommet. Enfin, après avoir passé une note à Kissinger pour lui dire de clôturer le débat, j'intervins pour suggérer que nous respections l'horaire prévu et que nous allions nous embarquer pour la promenade en bateau que Brejnev avait préparée à notre intention.

« Je suis tout à fait d'accord », dit-il en se levant. Puis il nous guida jusqu'à l'embarcadère où nous attendait le yacht de la marine soviétique mis à sa disposition.

Extrait de mon Journal :

La promenade en bateau fut vraiment de grand style. Au début, la mer était un peu agitée et, à un moment donné, des assiettes tombèrent même de la table. Mais, après que nous nous soyons tous assis, Brejnev était en pleine forme et les toasts se déroulèrent plutôt bien.

Après le déjeuner, Brejnev me rejoignit à l'arrière et nous sommes restés assis l'un près de l'autre à parler. Il me montrait Yalta, la Montagne de l'Ours et autres endroits intéressants. Puis il laissa son émotion prendre le dessus. Il voulait, me dit-il, que ce sommet soit aussi mémorable que les autres événements qui s'étaient déroulés au même endroit, faisant ainsi allusion, naturellement, à la conférence de Yalta.

Il me dit, en m'entourant de son bras : « Nous devons faire quelque chose d'une grande importance historique. Nous voulons que les Américains et les Russes deviennent des amis et puissent se parler comme nous le faisons en ce moment. »

Je lui parlai alors, juste pour voir sa réaction, du danger qui menaçait les pays développés — parmi lesquels je sous-entendais naturellement l'Union Soviétique — et qui était l'amollissement du caractère. Brejnev m'exprima son accord et me dit que les sociologues et les psychiatres (d'U.R.S.S.) étaient précisément en train d'étudier ce phénomène. Le mal, selon lui, c'était que lorsque les gens possèdent davantage de biens matériels, ils ne sont plus poussés par le besoin, ils perdent leur ambition et deviennent presque complètement obsédés par le moi, l'égoïsme et toutes sortes d'idées abstraites.

Après être revenus à terre, tandis que nous marchions vers la datcha, j'avais Gromyko sur ma droite et j'étais content de cette occasion de lui parler. D'après son analyse, me dit-il, ma situation politique s'améliorait sensiblement aux Etats-Unis. « C'est beaucoup de bruit pour rien, toute cette affaire », dit-il en conclusion.

Peu après, je lui dis que la Crimée avait été le théâtre d'une guerre au XIXᵉ siècle et que nous devrions en faire le berceau de la paix au XXᵉ.

Quand nous étions encore sur le bateau, j'avais dit à Brejnev que notre but primordial devait être la limitation des bombes atomiques et Brejnev m'avait répondu : « Nous devons annihiler ce monstre que nous avons créé. » Puis il me répéta que je serais toujours le bienvenu en Union Soviétique, même après 1976.

La longue promenade en mer, venant après la marche à pied du matin et la séance de l'après-midi, m'avait beaucoup fatigué. Ce soir-là, Pat et moi avons dîné seuls sur le balcon de notre chambre.

Extrait de mon Journal :

Tandis que nous regardions la mer, on pouvait voir la lune à son dernier quartier. Depuis qu'elle était petite, me dit Pat, elle ne voyait pas le visage d'un homme sur la lune, elle n'y voyait que le drapeau américain. Cela, bien sûr, se passait de longues années avant que nul n'imagine qu'il y aurait un jour des hommes sur la lune, encore bien moins le drapeau américain.

Elle leva le doigt pour me le montrer et, juste comme elle le disait, je pus voir le dessin du drapeau américain sur la lune. Naturellement, on peut voir dans la lune tout ce que l'on a envie d'y voir.

Le lendemain matin, Brejnev et moi, nous allâmes dans la même voiture jusqu'à l'aéroport. Il profita du long trajet pour m'importuner encore sur le Proche-Orient. Il me dit que tandis que Sadate avait comme politique de mettre l'Egypte avant tout, Nasser faisait appel à un sentiment plus fort, celui du panarabisme. Je renonçai à lui répéter mon analyse de la position de Sadate, position que je tenais pour remarquable, parce que le chef de l'Etat égyptien s'efforçait, selon moi, de rester avec souplesse entre ces deux extrêmes que représentent d'une part le nationalisme étriqué et d'autre part le panarabisme nassérien.

Extrait de mon Journal

Je me suis contenté de lui répondre : « Ne laissons pas le Proche-Orient devenir les Balkans des Etats-Unis et de l'Union Soviétique. Ne laissons d'ailleurs aucune partie du monde, que ce soit le Sud-Est asiatique, le Proche-Orient ou les Caraïbes, devenir une pomme de discorde entre nous, alors qu'il existe tant de sujets plus importants qui pourraient nous rapprocher. » Je m'étais servi de cet argument en lui rappelant comment Roosevelt, Churchill et Staline s'étaient si bien entendus — mettant d'ailleurs l'accent sur les rapports entre Roosevelt et Staline pendant la guerre — parce qu'ils n'avaient pas permis à leurs divergences (sur ce que la paix devrait être) de se mettre en travers du but qu'ils poursuivaient : vaincre les nazis.

Naturellement, je crois que, sur le plan historique, c'était une erreur. Churchill avait raison d'insister pour poursuivre les discussions à ce moment-là : nous aurions dû parvenir à quelque compromis pour éviter que l'Europe se retrouve divisée de la manière dont elle l'a été.

Il fut ensuite question de religion et Brejnev me dit : « Que diable, quelle importance cela peut-il avoir quel Dieu adorent les Américains? Nous reconnaissons l'existence de toutes les religions. Tout ce qui nous intéresse, c'est qu'elles soient pour la paix. » Puis il m'expliqua à nouveau sa politique sur l'émigration des juifs. « En ce qui me concerne, me dit-il, je dirais volontiers de laisser partir tous les juifs et Dieu avec! »

Il parla ensuite du danger de destruction de toute civilisation dans une guerre nucléaire et répéta ce que Khrouchtchev disait quinze ans auparavant : que nous ne devions pas perdre de vue que, dans une telle guerre, la race blanche serait annihilée et que les Jaunes et les Noirs resteraient seuls pour gouverner le monde.

Pendant que nous roulions, je lui suggérai un « mini-sommet » avant la fin de l'année. Brejnev manifesta son accord avec enthousiasme. Nous étions également d'accord pour qu'il ne se déroule ni à Washington ni à Moscou, mais quelque part à mi-chemin. C'est lui qui mentionna la Suisse. Je soulignai ensuite combien il était essentiel que nous nous mettions d'accord sur les armements offensifs avant la fin de l'année, sinon le Congrès voterait un budget renforcé pour la défense. Il hocha la tête avec conviction.

Nous nous sommes séparés à l'aéroport, Brejnev retournant à Moscou tandis que Pat et moi prenions le chemin de Minsk. Tout au long de notre voyage, les foules que nous rencontrions paraissaient sincèrement et spontanément chaleureuses et amicales. J'avais remarqué que, à chaque fois que nous avions l'occasion de bavarder, avec des officiels ou des passants, la conversation tournait toujours autour de trois sujets principaux : le désir de paix et d'amitié dans l'égalité avec les Etats-Unis, les ravages subis par la Russie pendant la guerre et la fierté des Russes pour leur héritage culturel, y compris les palais de l'époque tsariste. A Minsk, en particulier, les gens étaient plus ouverts et plus chaleureux encore. Certains avaient les larmes aux yeux et je ne pouvais pas croire que de telles manifestations soient ignorées des dirigeants. « A la fin, avais-je écrit dans mon Journal en exprimant un espoir réservé, il faudra bien que les leaders de la Russie finissent par satisfaire les désirs de leur peuple. »

Avant de nous quitter, Brejnev et moi nous étions mis d'accord pour que Kissinger et Gromyko fassent une dernier essai pour parvenir à un accord sur la limitation des armements offensifs. Dès notre retour de Minsk, Kissinger vint me rejoindre dans ma chambre du Kremlin pour me dire qu'il n'avait pas pu accomplir le moindre progrès. Gromyko avait passé son temps à ergoter et semblait ne pas vouloir, ou ne pas pouvoir, discuter sérieusement.

Afin de parler librement, nous sommes, Kissinger et moi, descendus faire quelques pas dans la cour. Kissinger était soucieux parce que nous allions rentrer aux Etats-Unis les mains vides en ce qui concernait les accords S.A.L.T. Mais la volte-face de dernière minute du Pentagone nous avait interdit toute souplesse dans la négociation. Si nous avions même pu revenir avec un accord discutable, Kissinger était convaincu que nous aurions été capables de le faire accepter en l'expliquant à l'opinion. « Sans compter, ajouta-t-il, qu'il vaudrait bien mieux parler de ça que du Watergate. » Pourtant, malgré sa déception sur le désarmement, il considérait le sommet comme un succès et ne croyait pas que je pourrais être révoqué après cela.

« Eh bien, Henry, lui dis-je tandis que nous remontions les escaliers, nous devons faire ce qu'il faut, sans nous arrêter à l'interprétation qu'en donne la presse ou aux conséquences politiques. Vous avez fait un travail admirable dont vous pouvez être fier. Nous ne pouvons plus qu'attendre pour voir où les événements vont nous entraîner. En attendant, nous aurons fait de notre mieux. »

Il était donc déjà évident que ce sommet n'allait pas être l'occasion de nouvelles spectaculaires sur le désarmement. Dans la presse, des voix s'élevaient déjà pour attribuer cet échec à mes problèmes du Watergate, sous-entendant que les Soviétiques avaient durci leurs positions, soit dans l'espoir de me voir faire des concessions — pour me ménager un succès de politique étrangère destiné à faire oublier mes ennuis de politique intérieure —, soit parce qu'ils prévoyaient ma chute prochaine et espéraient obtenir mieux de mon successeur.

En temps normal, cette rencontre au sommet aurait été saluée comme un succès. Il en était sorti l'accord de limitation des essais nucléaires au-dessous du « seuil » maximum, des limitations supplémentaires sur les missiles antimissiles A.B.M., des accords pour le contrôle de la guerre météorologique, des accords de coopération dans le domaine de l'énergie, des accords pour l'ouverture de consulats supplémentaires dans les deux pays et, le plus important, mon accord verbal avec Brejnev pour un mini-sommet avant la fin de 1974 où nous devions discuter d'un accord sur la limitation des armements nucléaires offensifs.

A mon avis, les problèmes du Watergate et la procédure de révocation ne jouèrent pas un rôle important dans ce sommet. Nos renseignements antérieurs — ainsi que mes impressions directes pendant mon séjour en Union Soviétique — confirmaient que Brejnev était décidé à tout mettre en œuvre en faveur de la détente et misait tous ses atouts sur mon maintien en exercice et ma capacité à tenir les engagements que j'avais pris. C'étaient les fluctuations de la politique américaine, dès avant le début du Watergate, qui avaient jeté les doutes les plus sérieux sur ma crédibilité et ma fiabilité. Mon échec à obtenir pour l'U.R.S.S. le statut de « nation la plus favorisée » en commerce extérieur, les remous qui se produisaient toujours sur le sort des juifs soviétiques et leur émigration avaient rendu difficile, pour Brejnev, la défense de la détente vis-à-vis de ses propres conservateurs. De même, l'appareil militaire dans les deux pays protestait contre la réalisation, se dressant soudain dans leur chemin, d'une limitation puis d'une réduction effective des armements si la détente devait progresser. Ces problèmes se seraient posés de toute façon, avec ou sans l'affaire du Watergate.

Extrait de mon Journal

Certains, bien sûr, vont rendre responsable le Watergate de notre échec à conclure un accord sur les « nukes » (armements nucléaires) offensifs; mais, par ailleurs, je crois que cela ne s'est pas si mal passé. Nous avons été aussi loin que nous avons pu, dans les circonstances présentes, sans soulever aucun problème qui aurait risqué de nous faire perdre une partie de nos fidèles partisans conservateurs, et nous avons fait à peu près le maximum de ce que le contexte permettait de faire. En fin de compte, il vaut sans doute mieux que nous n'ayons pas pu conclure un accord avec les Russes dans le domaine nucléaire, car un tel accord en ce moment aurait sans doute fait qu'il aurait fallu nous opposer à certains de nos meilleurs amis juste avant le vote sur la révocation.

En fait, personne n'était prêt à faire un pas de plus. Je crois que Brejnev et moi l'avions compris dès le début des conversations, et c'est ce qui expliquait son comportement personnel aussi chaleureux à mon égard. Nous avions tous deux compris que si le processus de détente pouvait être, en quelque sorte, « mis au frais » jusqu'à notre prochaine rencontre, nous aurions alors été capables de faire des progrès beaucoup plus significatifs à ce moment-là.

Le 2 juillet, dernière soirée du sommet, nous avions organisé un dîner à la résidence de notre ambassadeur à Moscou. Brejnev y était plus détendu que je ne l'avais jamais vu. Même Madame Brejnev, habituellement assez empruntée et mal à l'aise comme toutes les épouses des officiels soviétiques à l'occasion de réceptions occidentales, était beaucoup plus ouverte et parlait librement de sa famille.

Extrait de mon Journal

> Au dîner, Brejnev me parla très chaleureusement en me prenant par le bras. Il aborda notre mini-sommet prévu avant la fin de l'année, puis me réitéra son invitation à me rencontrer après 1976. Même si je n'étais plus au pouvoir, je serais toujours le bienvenu en U.R.S.S.
> La petite-fille de Brejnev est ravissante, et son gendre est très bel homme. Madame Brejnev parla de Tricia, qui était venue en Russie, et me dit que, quand elle l'avait vue sortir de l'avion, elle avait cru voir une fleur des neiges. A un moment, Brejnev me parla de son arrière-petite-fille, qui avait un an et demi. Madame Brejnev dit qu'elle avait fait ses premiers pas à l'âge de dix mois et je répondis que c'est toujours le premier pas le plus difficile à faire. « C'est vrai », me répondit-il en ajoutant que, pour ne pas tomber, le plus sûr était de courir. Et il compara cet exemple aux relations entre l'U.R.S.S. et les Etats-Unis.

Pendant ma dernière matinée à Moscou, Brejnev et moi eûmes une dernière conversation privée dans son bureau. Je lui répétai ma conviction de la nécessité pour nous de conclure un accord S.A.L.T. avant la fin de l'année, afin que les Etats-Unis ne s'engagent pas dans un nouvel effort d'armement à un rythme accéléré. Je lui exprimai aussi mon désir accru de voir s'établir davantage de communications entre nous, pour que nous réglions au mieux des problèmes comme ceux du Moyen-Orient.

A la séance plénière précédant la cérémonie officielle des signatures dans le salon Saint-Vladimir, je déclarai qu'il ne fallait pas être découragés parce que nous n'avions pas résolu tous les problèmes cette fois-ci. Ce qui comptait, c'était de continuer à parler et à négocier. Le reste de cette séance fut de pure forme.

Pour marquer la fin de la conférence, les Soviétiques avaient organisé des cérémonies à grand spectacle. A l'issue de la cérémonie de signature des accords, tout le monde se rendit dans le salon Saint-Georges où se dressait un buffet dépassant en somptuosité celui qui avait clôturé la première rencontre au sommet. Il occupait deux immenses tables qui faisaient toute la longueur de cette énorme pièce. Tandis que nous parlions et que nous portions mutuellement des toasts, je remarquai que le petit orchestre, niché sur un balcon, jouait la musique qui avait été choisie pour le mariage de Tricia.

A mon agréable surprise, Brejnev, Gromyko, Podgorny et Kossyguine montèrent tous en voiture avec moi pour m'accompagner jusqu'à l'aéroport. Brejnev était assis sur le strapontin devant moi. Il resta silencieux la plupart du temps, laissant Podgorny et Kossyguine faire les frais de la conversation. Une fois à l'aéroport, il y eut les traditionnelles cérémonies d'adieu. Enfin, Brejnev et moi, nous prîmes ensemble la direction d'*Air Force One*.

Extrait de mon Journal :

> Tandis que nous marchions vers l'avion, je lui dis que mon seul regret était de ne pas le remmener avec moi aux Etats-Unis. En fait, me répondit-il, il y avait pensé pendant que nous roulions vers l'aéroport. Je crois qu'il éprouvait sincèrement de la tristesse à me voir partir et regrettait que ma visite eût été aussi courte. Il y avait tant pensé à l'avance, s'y était tant préparé, espérant que nous pourrions y accomplir tant de choses... Et maintenant que tout était fini, il ressentait le vide de la séparation.
>
> Il s'était rendu compte que ces conversations n'avaient pas été un triomphe, et pourtant nous y avions accompli quelques progrès. Nous y avions surtout préparé notre prochaine rencontre, probablement en novembre.
>
> Je me suis alors demandé si je voyais Brejnev pour la dernière fois. Par moments, il avait l'air en parfaite santé, à d'autres extrêmement fatigué. Il commençait ses journées très tard, vers 10 h 30 ou 11 heures, du moins à chacune de nos rencontres.
>
> J'étais déçu, moi aussi, de n'avoir rien pu conclure sur les négociations S.A.L.T. Je craignais que les chances d'y parvenir plus tard ne soient beaucoup plus réduites.
>
> Quand je fus à bord de l'avion, je parcourus la cabine en disant : « Eh bien, nous voilà revenus chez nous! » Je me rappelais notre voyage de 1953 où, à chaque fois que nous remontions en avion après quelque escale pénible, nous nous jetions avec joie sur la nourriture plutôt simple qu'on y trouvait parce que, au moins, elle était propre et saine, et, à chaque fois, nous disions : « Eh bien, nous voilà revenus chez nous! » Je suis sûr que tout le monde ressentit la même chose en remontant en avion cette fois aussi.

L'ÉTÉ DE LA RÉVOCATION

Pendant toute la durée de notre séjour en Union Soviétique, la bataille pour ma révocation avait continué comme avant. Quelques jours après mon retour, la commission de la Justice de la Chambre publia le premier des recueils compilés par Doar — le conseil juridique de la commission — sur les preuves de l'effraction du Watergate et des efforts entrepris ensuite pour étouffer l'affaire, s'assurant ainsi que le Watergate allait dominer toutes les autres nouvelles jusqu'au jour, à quelques semaines de là, où allait intervenir le vote de la commission. La commission Ervin ne voulut pas être en reste et commença à faire fuir, puis à publier ouvertement, des accusations extraites de son rapport prétendument secret.

En dépit de la publicité dont on les faisait bénéficier, ces soi-disant « preuves » étaient toutefois généralement considérées comme peu convaincantes. La chaîne de télévision A.B.C. ouvrit l'un de ses journaux télévisés par la déclaration : « Pas de nouvelles bombes ». « Aucune découverte sensationnelle », disait N.B.C. de son côté. La C.B.S. faisait chorus en admettant qu'il n'y avait « aucune révélation choquante ni même surprenante ». Ce devait être Jack Germond, du *Washington Star,* qui allait résumer le calme régnant sur le front du Watergate en écrivant : « Il reste encore à trouver le pistolet fumant dans la main du Président Nixon. »

Que la plupart des accusations soient sans fondement était, certes, un sujet de satisfaction. Mais la situation n'en était pas parfaitement rassurante pour autant. Le 5 juillet, je résumais ainsi la manière dont je la voyais :

Extrait de mon Journal :

> Je me souviens que Harlow me disait, il y a à peine un an, que tout cela finirait par s'essouffler tout seul. Il n'avait peut-être pas tort à ce moment-là; mais, depuis, il est venu s'y greffer tant d'autres choses — mes impôts par exemple —, on a suscité tant de doutes sur tant de problèmes qu'on ne sait vraiment plus où on en est.
>
> Je me vois en train de me faire du souci, comme cela arrive de temps en temps, à me demander ce qui va se passer, à avoir cette sensation au creux de l'estomac, comme si on coulait, et à passer des nuits blanches. Et je pense à des gens comme Kalmbach, Porter et d'autres, menacés d'être jetés en prison pour quinze ou vingt ans et tout le reste.
>
> J'ai parlé de tout cela avec Bebe (Rebozo). Pat m'a dit qu'il était presque, non, qu'il était même profondément déprimé. Tout cela, naturellement, n'a pour but que de discréditer, de détruire, de harceler tout l'entourage du Président.
>
> Pat et Bebe ont aussi parlé de Rose (Woods, ma secrétaire) et ont dit qu'elle était vraiment une bagarreuse. Je suis heureux que Pat s'en soit rendu compte quand elles ont bavardé dans l'avion qui nous ramenait de Moscou, car cette pauvre Rose a vécu un enfer dans toute cette affaire des 18 minutes effacées, et elle a su faire preuve d'une grande force de caractère et d'un grand courage.
>
> Quand j'ai dit à Bebe combien j'étais navré qu'il ait autant souffert, avec d'autres honnêtes gens, de toute cette déplorable affaire, il m'a répondu que c'était la force de caractère dont je faisais preuve qui les avait tous soutenus dans cette épreuve. Pour ma part, je pense que je n'ai pas fait preuve d'autant de courage et de résistance que j'aurais pu ou dû le faire, mais je dois dire que quand on est entouré de gens comme eux il est impossible de les laisser tomber, et je sais que je dois me battre pied à pied, jusqu'au bout.
>
> En tout cas, si nous parvenons à passer le cap difficile du jugement de la Cour Suprême et du vote de la commission, alors nous aurons deux ans devant nous pour faire de grandes choses pour le pays et en faire le plus possible. Ce qu'il faut, en attendant, c'est rester ferme pendant la période difficile des deux prochains mois.

Le 27 juin 1974, Peter Rodino déclara à un groupe de journalistes que les vingt et un Démocrates de la commission allaient tous voter en faveur de la révocation. En disant cela, il confirmait ce que nul n'avait osé dire en public, à savoir que les votes étaient déjà acquis avant même que la commission n'ait entendu un témoin ou ouvert un dossier. Rodino s'en fit réprimander par des membres des deux partis et essaya immédiatement de se couvrir et d'étouffer le scandale. Il déclara même à la tribune de la Chambre qu'il n'avait pas fait la déclaration en question. Mais les reporters du *Los Angeles Times* et d'A.B.C., qui étaient présents et l'avaient entendu, confirmèrent l'exactitude de la nouvelle.

Arrivé à ce point, il n'y avait plus de doute dans mon esprit que la commission de la Justice allait émettre un vote pour recommander à la Chambre de me révoquer. Mais c'était l'importance de la marge avec laquelle ce vote se ferait qui constituait l'élément crucial, car il allait avoir une influence directe sur la répartition des voix à la Chambre dans son ensemble. Les voix particulièrement critiques étaient celles des six Républicains indécis et des trois Démocrates sudistes conservateurs. Selon la manière dont ces hommes voteraient, je pourrais en déduire si oui ou non je serais révoqué par la Chambre. Selon une formule presque mathématique, chaque voix que nous perdrions à la commission représenterait cinq voix dans le groupe habituel de nos partisans à la Chambre.

Dans le courant de la première semaine de juillet, Timmons me dit qu'à son avis nous gagnerions au moins l'un des trois Démocrates et perdrions au moins deux des six Républicains. Si nous pouvions réduire nos pertes à ce niveau-là dans la commission, nous pourrions alors voir les choses avec un certain optimisme dans la Chambre en séance plénière. Cet optimisme mesuré paraissait trouver des renforts de divers côtés. Ainsi, le *Christian Science Monitor* mentionnait que le Watergate disparaissait peu à peu des conversations. Le correspondant du *New York Times* dit à Henry Kissinger que, selon sa rédaction, je devrais surmonter la crise. John Osborne, du *New Republic,* fit observer de son côté à Ziegler qu'il ne croyait pas que la Chambre voterait la révocation.

D'autres signes encourageants se manifestaient dans les milieux politiques. Le président du comité directeur du Parti Républicain, George Bush, appela la Maison Blanche pour dire qu'il aimerait que je participe à une émission télévisée préélectorale. Et John Rhodes dit qu'il me soutiendrait à moins qu'on ne lui soumette une preuve indiscutable pour l'en dissuader. Haig me rapporta aussi que, dans ses conversations avec les membres du Cabinet, il sentait le vent tourner. Et il y avait de plus en plus de bonnes volontés offrant leur soutien. Tout cela m'encourageait, mais sans que j'en tire un optimisme exagéré.

Le 12 juillet, je signais la loi instituant le contrôle du budget et des engagements de dépenses par le Congrès. Je considérais le passage de ce projet de loi comme un triomphe personnel et un grand bien pour le pays. Au bout de cinq ans de discussions, de marchandages, de plaidoiries, et en dépit de l'affaiblissement de mon autorité à cause du Watergate, j'avais enfin obtenu le passage d'une législation qui allait mettre le Congrès face à ses responsabilités pour le respect du budget fédéral et son maintien aux niveaux voulus.

Après la cérémonie de la signature, Jerry Ford vint près de moi en arborant son grand sourire confiant. « Ne vous inquiétez plus, Monsieur le Président, me dit-il, vous avez gagné. Nous disposons d'une solide majorité de cinquante voix à la Chambre, et on va travailler à l'élargir. »

Je ne demandais pas mieux que de partager tout ce bel optimisme; mais je connaissais trop bien Washington pour ne pas m'attendre à ce que toutes les forces alignées contre moi refusent si facilement la bataille ou même capitulent. Vingt-cinq ans de réflexes politiques me disaient que, malgré les apparences, les choses n'étaient pas si bonnes qu'elles en avaient l'air. En fait, mon instinct me criait de plus en plus fort qu'il existait quelque part, à un niveau encore souterrain, un violent courant politique qui allait brutalement émerger et que ce courant était dirigé contre moi.

Je m'efforçais de mieux cerner les raisons de mon appréhension. L'une d'elles portait sur le nombre de voix que l'on me disait être en ma faveur. Selon la plupart des sources, il y avait une centaine de députés fermement de mon côté, environ soixante-quinze ouvertement hostiles et le reste « sans opinion ». Or, je savais d'expérience que dans presque tous les cas, quand un député dit à quelqu'un de la Maison Blanche qu'il est « sans opinion » sur un sujet donné, cela signifie généralement qu'il est contre et qu'il essaie poliment de ne pas exprimer son opposition avant le vote.

Une autre raison de me faire du souci, c'était que je savais combien l'appareil parlementaire des Démocrates était puissant, organisé et persuasif, et quelle rage désespérée les prendrait s'ils sentaient que le vote sur la révocation leur échappait. Après avoir amené les choses à un tel point, ils pourraient légitimement redouter un retournement de l'électorat contre eux, les citoyens s'apercevant alors que toute la campagne lancée à grand bruit pour ma révocation n'était qu'une manœuvre partisane.

Autre facteur de taille qui demeurait inconnu : la Cour Suprême. Elle avait à rendre sa décision sur la requête de Jaworski portant sur 64 enregistrements. St. Clair était plutôt optimiste, car légalement notre dossier était inattaquable. Mais on pouvait craindre que la Cour n'adopte une décision politique. Si je la défiais ouvertement, la révocation était certaine. Je pouvais aussi *m'incliner* devant la décision sans m'y *conformer,* par exemple en ne livrant que des extraits des enregistrements. Mais cela ne résoudrait vraiment rien. Sans avoir écouté toutes les bandes, je craignais qu'il ne s'y trouve quelque chose de si préjudiciable que je ne voulais simplement pas m'en déssaisir. Il y avait aussi l'exemple précis de la bande du 23 juin qui m'inquiétait toujours. Le 21 juillet, j'avais noté dans mon Journal : « Il sera naturellement difficile de régler le problème de la bande du 23 juin, car je ne vois pas le moyen d'en extraire convenablement des passages. »

Ainsi, la décision de la Cour Suprême allait avoir des conséquences formidables — et presque certainement dommageables — sur le cours suivi par la procédure de ma révocation.

Si je n'avais au Congrès que des partisans tièdes et désorganisés, les collaborateurs de la Maison Blanche ne valaient guère mieux. La tentative de la onzième heure entreprise par Haig pour organiser un groupe capable de mener le combat à partir de la Maison Blanche avait été handicapée dès le début par les distances que nos partisans parlementaires voulaient ostensiblement garder vis-à-vis de nous. Je savais aussi qu'ils souffraient d'un autre handicap, moral celui-là, du fait de leurs propres doutes sur la validité de ma cause, leur crainte de voir à tout instant une nouvelle mine leur exploser sous les pieds et celle non moins grande d'être en première ligne et d'en souffrir de douloureuses blessures.

L'état de l'économie me préoccupait également beaucoup. Dans leur majorité, les électeurs la considéraient comme le sujet n° 1 de leurs préoccupations et elle chancelait encore des effets de l'embargo pétrolier et des mesures de gel des prix que nous avions dû prendre. L'indice Dow-Jones des cours de la Bourse était à son niveau le plus bas depuis quatre ans. Sachant que l'état de l'économie affectait la confiance du pays et avait une répercussion sur l'attitude des citoyens envers ma révocation, il y avait là de quoi se faire les plus graves soucis. Il ne paraissait malheureusement rien y avoir à faire pour résoudre ce problème. J'avais convoqué d'innombrables réunions sur ce sujet et les experts semblaient tous d'accord pour dire que le mieux était d'attendre que les choses finissent par se rétablir.

Enfin, il y avait les media. J'étais sûr que, consciemment ou non, ils avaient intérêt à me voir révoquer. Après avoir passé des mois à répandre des accusations, des insinuations, à trompeter les moindres fuites et les rumeurs les plus folles, les media risquaient de trop perdre si je devais être exonéré de tout. C'est pourquoi, jour après jour, nous avions à subir des coups redoublés de leur part et à engager contre eux des combats perdus d'avance. Déjà, le voyage au Proche-Orient et le sommet avec Brejnev étaient interprétés, par certains, comme de simples opérations de relations publiques, destinées à donner l'illusion d'une activité présidentielle au moment où tout le monde était convaincu que j'étais paralysé par le Watergate et assommé par la menace de ma révocation. Pour la plupart, les journalistes et commentateurs ne rapportaient plus les nouvelles qu'après les avoir déformées dans le moule de leurs idées préconçues. Ainsi, Dan Rather de la C.B.S. disait que la « stratégie » de la Maison Blanche était de « montrer le Président » en train de travailler. Douglas Kiker de la N.B.C. commentait, de même, que la Maison Blanche essayait de « donner l'impression d'un Président affairé [...] à peine revenu d'une mission capitale et épuisante en faveur de la paix » et s'efforçant de faire son travail malgré les harcèlements injustifiés de la commission de la Justice.

Telles étaient certaines des raisons pour lesquelles mon instinct était plus pessimiste que celui de la plupart de mes conseillers quant à l'issue de la tentative de révocation menée contre moi. Je pensais souvent à une remarque que Tricia avait faite quelques mois auparavant et qui décrivait parfaitement notre problème. Elle avait dit que le Watergate était devenu une guerre de tranchées; on avait beau attaquer inlassablement, payer le lourd prix du sang, revenir sans cesse et s'efforcer d'aller de l'avant, il était simplement impossible de progresser.

Le 12 juillet, nous avons quitté Washington pour aller passer quinze jours en Californie. C'est à bord d'*Air Force One* que j'appris que John Ehrlichman avait été jugé coupable de faux témoignage et de complicité dans le cambriolage des bureaux du psychiatre de Daniel Ellsberg. L'amère ironie de cette condamnation me plongea dans une profonde dépression. Ellsberg, qui avait publié des documents « top-secret » après les avoir volés, se retrouvait libre et blanchi. Ehrlichman, qui n'avait fait que son devoir en s'efforçant de colmater de telles fuites, était condamné comme un criminel.

Quant Pat, Ed, Tricia et moi, nous sommes arrivés à San Clemente dans l'après-midi du 12 juillet, tout avait l'air dans le même état que d'habitude. Nous nous sommes baignés dans la piscine et avons dîné de bonne heure. Il faisait une belle nuit claire et fraîche, et Ed et Tricia voulurent aller faire une promenade avant de se coucher. Ils traversèrent le jardin, contournèrent la piscine et arrivèrent au terrain de golf. Quand j'avais acheté la maison, en 1969, un groupe de sympathisants locaux avait formé une association, baptisée « Les Amis du Président », et avait collecté des fonds pour l'aménagement et l'entretien d'un petit terrain de golf de trois trous sur le terrain appartenant à Bob Abplanalp, contigu au mien.

Dans le journal que Tricia écrivait à cette époque, elle a décrit l'impression que son mari et elle ont ressentie devant l'aspect du terrain de golf cette nuit-là :

« A l'abandon, hideux, mort : le golf des " Amis " du Président a disparu. Le spectacle est affreux, moins par lui-même que par ce qu'il signifie. Déserté. Assassiné. Le terrain de golf. L'homme pour qui il avait été créé.

Nous sommes, Ed et moi, tombés dessus dès le début de notre promenade, et le sentiment de l'irrévocable, du définitif qui s'en dégageait nous a donné un choc presque physique. Ed a bien essayé de détendre l'atmosphère avec un rire qui sonnait faux : " On dirait qu'on a oublié d'arroser le golf. " Mais nous savions tous deux qu' " on " avait au contraire pensé à ne plus l'arroser. Nous nous sommes efforcés, avec papa, de le prendre à la légère, de lui dire que nous préférions le terrain à l'état sauvage, comme à notre première visite à San Clemente. Mais il n'en fut pas dupe. Il nous dit poliment que nous avions raison. Il essayait de nous épargner. Nous tâchions de l'épargner. Mais personne ne fut épargné. »

En dépit de ce contrepoint de tristesse, les premiers jours de notre séjour continuèrent de voir affluer les rapports optimistes de Washington. Je m'efforçais de les prendre avec un certain scepticisme, de m'en détacher, mais j'étais irrésistiblement ramené à mon Journal où je formulais mes projets pour l'avenir.

Extrait de mon Journal :

Je crois qu'il faut passer le cap des élections et prendre ensuite les problèmes à mesure qu'ils se présentent. Nous n'avons pas pu faire tout ce que nous voulions en 1973, à cause du Watergate qui nous a fait perdre un an. Mais 1975 sera notre dernière chance de pouvoir accomplir les grandes choses dont le pays a besoin : remettre l'économie sur la bonne voie, traiter d'autres grands problèmes selon notre philosophie. C'est peut-être la dernière fois qu'un point de vue conservateur pourra prévaloir sur le radicalisme gauchiste que McGovern et ses collègues ont essayé de faire triompher, sans succès.

Nous devrons garder présente à l'esprit la philosophie de Tricia : porter ses regards en avant, voir le bout de la route et comprendre que tout finira bien; puis regarder en arrière et comprendre qu'il n'y avait pas de raisons de se soucier de tout à mesure que nous avancions. C'est difficile, sans doute, mais c'est le seul moyen de traverser ces temps difficiles.

Tandis que je suis assis dans ma bibliothèque du premier étage, je regarde un très beau portrait au-dessus de la cheminée, celui de ma mère quand elle avait douze ans. Elle est née en 1885, ce qui veut dire qu'elle aurait quatre-vingt-dix ans maintenant. Elle ressemble à un mélange de Tricia et de Julie, l'air sérieux, pensif, très mûre pour une fillette de douze ans. C'était une sainte. Un jour, il faut que j'écrive l'histoire de sa vie, qui pourrait être très émouvante.

Le 15 juillet, un violent conflit éclata dans l'île de Chypre. L'affrontement entre les populations grecques et turques paraissait imminent. J'appelai Kissinger pour lui suggérer d'envoyer sur place son adjoint, Joe Sisco, pour suivre les événements de près. Je notai dans mon Journal ce que voici : « Les événements de Chypre nous rappellent une fois de plus que le monde étant dans la situation où il est, la paix étant si fragile dans tant de parties du monde, l'ébranlement de la Présidence américaine, un changement de Président ne pourront qu'avoir des conséquences traumatisantes à l'étranger comme dans le pays. »

Le 18 juillet, James St. Clair obtint enfin, et à grand-peine, l'autorisation de soumettre à la commission de la Justice des conclusions pour ma défense. Il fit un travail remarquable et sa comparution eut un effet extrêmement positif. Mais nous avons entendu dire immédiatement après que cela avait aggravé la panique des Démocrates de la commission qui, peu après, votèrent pour interdire à St. Clair de paraître à la télévision au cours des séances publiques.

Ce même jour, voici la manière dont j'évaluais la situation :

Extrait de mon Journal :

> Aujourd'hui, j'ai la curieuse impression d'aborder le stade tant attendu où je dois raffermir mes pensées en prévision de la bataille d'août et même, si les plus pessimistes ont raison, celle du restant de l'année au Sénat.
>
> J'ai commencé à penser à toute cette procédure de révocation très froidement et objectivement. Tout bien considéré, elle semble possible, sinon probable, avec un vote pour la révocation à une forte majorité en commission mais plus serré à la Chambre. Cela rejette complètement dans l'ombre ce qui me causait tant de souci au début de la semaine, la décision de la Cour Suprême.
>
> Nous sommes à l'aube d'une bataille décisive, et je crois en avoir rendu tout le monde conscient. Haig compte et recompte les troupes dont il croit que nous disposons à la Chambre. D'après lui, une victoire est toujours possible.
>
> Au fond, c'est comme une campagne électorale. Il faut prendre des risques quand on met tout en jeu.

Le 19 juillet, John Doar intervint devant la commission pour leur faire un exposé passionné et, selon tous ceux qui l'avaient entendu, magistral en faveur de ma révocation. La commission avait poursuivi sans relâche sa « *blitzkrieg* » en livrant aux media des montagnes de documents sur tous les sujets possibles et imaginables en une offensive devant culminer avec le début des séances publiques prévu pour le 24 juillet. Le mouvement s'accélérait, et nous nous rapprochions du moment où les séances publiques se termineraient par le vote.

Extrait de mon Journal :

> J'ai bien l'intention de passer la semaine prochaine sans souffrir mille morts. Telle a toujours été ma philosophie au cours de ma vie politique. Les lâches meurent mille fois. Les braves ne meurent qu'une fois.
>
> Le mois qui vient sera sans doute le plus dur de ce que nous aurons jamais à vivre, mais nous serons soutenus par deux certitudes : d'abord, celle de savoir que nous avons raison — car notre bataille est menée pour repousser l'assaut lancé contre le système de gouvernement tout entier. Ensuite, celle de savoir que tout sera bientôt terminé, d'une manière ou d'une autre, et que nous aurons à l'accepter.
>
> Gardons l'espérance du meilleur et préparons-nous au pire.

Le week-end du 20 juillet marqua la fin du temps où nous pouvions encore garder quelque espoir. Le 21 au soir, nous sommes allés à un dîner chez de vieux amis californiens, les Roy Ash, qui avaient organisé une réception dans leur maison de Bel-Air. La description qu'a faite Tricia de cette soirée en résume admirablement le caractère :

> « Il y a des moments semblables à ceux où l'on se trouve dans " l'œil " d'un cyclone. Tout est calme, silencieux et, si on ferme les yeux, on ne remarque pas l'obscurité anormale où on est plongé. On rêve à un passé joyeux. Mais

quand on ouvre les yeux, on ne voit plus que le noir, celui de la tempête. Le soleil a brillé pour nous la dernière fois au dîner chez les Ash. Leur maison de Bel-Air semblait être à des milliers d'années-lumière de la tourmente où nous étions plongés. Nous étions entre amis, et tout le monde était heureux. »

Au début de la semaine du 22 juillet, la commission n'avait ni trouvé ni produit de nouveaux éléments de preuve depuis la fin juin, moment où tout le monde s'accordait pour reconnaître qu'ils ne suffisaient pas à justifier une révocation. Rien n'avait changé dans les faits; c'était l'ambiance politique qui se détériorait. A un moment, nous entendions dire que John Rhodes nous gardait son soutien, à d'autres qu'il nous le retirait. On nous dit que Goldwater allait me demander ma démission; quand Haig l'appela pour lui demander de confirmer cette information, Goldwater éclata de rire et affirma qu'il n'avait dit ni ne dirait jamais rien de tel. Le plus préoccupant, sans doute parce que c'était le plus vraisemblable, était d'apprendre que les Démocrates conservateurs de la commission vacillaient sous les pressions que leurs collègues exerçaient sur eux. Les gens, pour la plupart, ne s'en souviennent pas; mais, bien avant que la « nouvelle preuve accablante » que constituait la bande magnétique du 23 juin fît son apparition, le consensus politique était déjà fermement déterminé. Et ce consensus politique était résolument pour la révocation.

« LE NADIR DE LA PRÉSIDENCE »

Le matin du mardi 23 juillet, la veille de l'ouverture des séances publiques de la commission, Lawrence Hogan, l'un des Républicains conservateurs siégeant à la commission, tint une conférence de presse. D'une voix chargée d'émotion, il annonça qu'il s'était décidé à voter pour ma révocation. La plupart de ses collègues, et même de nombreux journalistes, virent dans « l'avant-première » à grand spectacle de Hogan un coup de publicité pour donner du tonus à sa propre campagne électorale, plutôt vacillante, pour le siège de gouverneur du Maryland. De San Clemente, nous avons essayé de minimiser les dégâts causés par l'intervention de Hogan en soulignant, comme le faisaient bien d'autres, les motivations douteuses qui l'y avaient poussé. Mais le coup n'en était pas moins redoutable. Plus tard, le même jour, Bill Timmons nous appela de Washington pour confirmer ce que nous redoutions : les trois Démocrates sudistes de la commission étaient perdus pour nous.

Ce coup m'assomma. Je m'étais préparé à en perdre un, deux peut-être. Mais les trois d'un coup, cela voulait incontestablement dire une défaite à la Chambre. La révocation.

J'exprimai avec amertume à Haig ma déception sur les résultats de sa politique de « discrétion » vis-à-vis des parlementaires. Nous n'aurions pas pu avoir pire en faisant ouvertement campagne pour nous les rallier. Il fallait au moins faire quelque chose pour regagner l'un des trois Démocrates.

Haig m'indiqua alors que l'un des collaborateurs de George Wallace avait dit qu'il suffisait d'appeler Wallace si j'avais besoin d'un coup de main. C'était donc l'occasion rêvée de mettre la proposition de Wallace à l'épreuve des faits : le gouverneur de l'Alabama pourrait appeler Walter Flowers, député de son Etat, et lui rappeler que la discipline du parti n'exige pas nécessairement qu'on chasse un Président de son poste. Cela valait au moins la peine d'essayer et Haig me dit qu'il allait demander la communication.

A 15 h 52, je décrochai le téléphone de mon bureau de San Clemente. George Wallace était déjà en ligne.

Extrait de mon Journal :

> Wallace essaya d'abord d'éluder la question, me dit que la communication était mauvaise et qu'il m'entendait mal, puis qu'il ne s'attendait pas à ce que je l'appelle et que personne ne l'avait prévenu.
>
> Il me dit ensuite qu'il n'avait pas eu l'occasion d'étudier le dossier. Qu'il faisait des prières pour moi. Qu'il était désolé que je sois soumis à une telle épreuve. Qu'il pensait que ce ne serait pas convenable pour lui, le gouverneur, de faire des pressions sur Flowers et que ce dernier pourrait s'en formaliser mais que, s'il changeait d'avis, il me tiendrait au courant. En raccrochant, je savais déjà qu'il n'allait pas changer d'avis.

La conversation ne dura que six minutes. En raccrochant, je me suis tourné vers Haig : « Eh bien, Al, c'en est fini de la Présidence », lui dis-je.

Mais Haig ne voulait pas capituler. Il insista pour que j'appelle James Allen, sénateur de l'Alabama, pour lui demander s'il pouvait faire quelque chose au sujet de Flowers. Je pus joindre Allen à Washington. Il me fit part de sa sympathie, mais il était trop honnête pour me laisser de faux espoirs. Il fallait bien que je me résigne : les trois Démocrates de la commission étaient bel et bien perdus.

J'appelai ensuite Joe Waggonner. Avec la défection des trois sudistes de la commission, il me dit ne plus guère pouvoir compter que sur trente à trente-cinq voix dans son groupe. Ainsi, je ne disposais plus d'un nombre de voix suffisant à la Chambre. « A mon avis, avais-je alors noté dans mon Journal, l'état-major démocrate a dû prendre la décision de se débarrasser de moi pour mettre Ford à ma place et pouvoir le massacrer et gagner en 1976. »

Cette nuit-là, assis dans mon bureau, j'essayais de préparer le discours sur l'économie que je devais prononcer à la télévision deux jours plus tard. Mais je n'arrivais pas à me concentrer ni à organiser mes pensées. Elles revenaient toujours aux événements de l'après-midi et le sentiment de désespoir que j'éprouvais ne cessait de grandir pour finalement me submerger.

Je n'avais désormais plus qu'un choix : démissionner ou me faire révoquer. J'avais à prendre la dure décision d'abandonner volontairement la Présidence ou de forcer le pays à affronter pendant six mois la rude perspective de voir son Président jugé par le Sénat.

Au cours des dernières semaines, j'avais évoqué ma démission à plusieurs reprises avec Haig et Ziegler. Haig soutenait que la démission ne serait pas seulement considérée comme un aveu implicite de culpabilité, mais qu'elle représenterait une victoire dangereusement facile pour les radicaux, victoire sur moi, mais surtout sur l'ensemble du système.

Je devais aussi tenir compte de facteurs personnels. Ma famille avait déjà vécu un enfer depuis près de deux ans. Mais si je démissionnais, il fallait m'attendre à un déluge de procès qui me coûteraient des millions de dollars et me feraient passer des années devant les tribunaux. Sans doute, comme je l'avais dit à Haig, ce ne sont pas les considérations personnelles qui doivent être décisives. Mais il est difficile de séparer les considérations personnelles des intérêts politiques et nationaux.

Dans la marge du brouillon de mon discours, je notais ces pensées : « Minuit. La Présidence est à son nadir. Et il reste encore la décision de la Cour Suprême. »

Je n'allais pas l'attendre longtemps.

Le lendemain matin, je fis la grasse matinée pour la première fois depuis des années. J'avais travaillé sur mon discours jusqu'à 2 h 30 et je fus réveillé peu après 9 heures par le téléphone de ma table de chevet. Haig me dit d'une voix tendue : « Les choses ne vont pas bien, Monsieur le Président. Je ne voulais pas vous réveiller avant d'avoir le texte complet, mais la Cour suprême a rendu sa décision ce matin. A l'unanimité. »

Le jugement rendu dans l'affaire *Etats-Unis contre Nixon* allait être largement représenté comme l'un des grands moments de la Cour Suprême dans son rôle de gardienne de la Justice. Selon un commentateur de la télévision, « les Etats-Unis avaient triomphé ». J'avais beau comprendre les raisons de cette décision, elle représentait au contraire, à mes yeux, une défaite pour les Etats-Unis. Et la Présidence était la victime de cette défaite.

Haig et St. Clair vinrent quelques minutes plus tard me rejoindre dans mon bureau. Ce dernier avait l'air particulièrement abattu. Le pire n'était pas d'avoir perdu, mais d'avoir perdu de manière si définitive. Nous espérions que la décision de la Cour laisserait quelque marge de manœuvre, comprendrait au moins une clause exemptant les documents intéressant la sûreté de l'Etat de l'obligation de les produire au procureur spécial. Nous comptions au moins sur le désaccord d'un des juges avec ses collègues. Pendant quelques minutes, nous avons considéré la possibilité de nous *plier* à cette décision, comme Jefferson l'aurait fait. Mais après avoir consulté certains de nos sympathisants les plus sûrs à Washington, il fallut nous rendre à l'évidence : nous n'avions pas d'autre choix que de nous conformer absolument aux termes de la décision.

Je demandai à St. Clair combien de temps il nous faudrait, à son avis, pour remettre les 64 enregistrements en cause. Il répondit qu'en tenant compte du temps nécessaire pour les écouter et préparer les transcriptions, nous pouvions compter avoir environ un mois devant nous, peut-être un peu plus.

Il fallait, à mon avis, évaluer immédiatement l'étendue des dégâts. Quand Haig appela Buzhardt pour lui parler de la décision de la Cour, je lui demandai d'écouter la bande du 23 juin et de faire part de ses conclusions à Haig le plus tôt possible. C'était l'enregistrement que j'avais écouté en mai, dans lequel Haldeman et moi avions discuté de la possibilité de faire coiffer le F.B.I. par la C.I.A. pour étouffer l'enquête, décision prise pour des raisons politiques et non, comme je l'avais prétendu dans chacune de mes déclarations publiques, pour des raisons dictées par la Sûreté de l'Etat. La première fois que j'avais écouté cet enregistrement, j'avais tout de suite compris qu'il nous poserait un problème s'il était rendu public. Il fallait maintenant déterminer la nature et la gravité du problème.

Buzhardt écouta la bande au début de l'après-midi. Quand il rappela Haig, il nous dit que si nous pouvions nous défendre sur le plan légal, il n'en était pas de même en pratique ni sur le plan politique : cette conversation constituait bien le « pistolet fumant » que nous redoutions de voir apparaître. Haig et St. Clair firent remarquer que Buzhardt avait toujours eu tendance à être alarmiste. Haig rappela donc Buzhardt et lui demanda de réécouter l'enregistrement du 23 juin. Quand Buzhardt fit à Haig son deuxième rapport, ce dernier essaya de rester brave devant moi, mais fut bien obligé d'admettre que cet enregistrement était « gênant » pour nous. « On doit quand même pouvoir s'arranger », dit-il. « Après tout, fit observer St. Clair, vous avez donné l'ordre à Gray de reprendre son enquête moins de quinze jours après. »

Le soir même du jugement de la Cour suprême, la commission de la Chambre tint sa première séance publique télévisée. Les Démocrates y jouèrent une honteuse comédie, prétendant qu'ils ne savaient pas encore comment ils allaient voter. Mes partisans furent éloquents — mais ils s'engageaient dans un combat perdu d'avance. Et derrière tout cela, comme la mèche d'une bombe prête à exploser, il y avait l'enregistrement du 23 juin.

Le 17 juillet, pendant que je prenais un bain dans le Pacifique à Red Beach, à côté de San Clemente, la commission de la Justice de la Chambre vota le premier « Article de Révocation ». J'y étais accusé d'avoir « adopté une conduite » où j'avais à dessein fait obstruction à l'enquête menée sur le délit commis au Watergate. Les voix s'étaient partagées exactement de la manière que je redoutais : contre moi, tous les Démocrates, y compris les trois sudistes conservateurs, auxquels s'étaient joints six des dix-sept Républicains. Cet Article passa par 27 voix contre 11.

J'étais en train de me rhabiller dans ma caravane quand le téléphone sonna et Ziegler m'apprit la nouvelle. C'est ainsi que j'appris que je devenais le premier Président depuis cent six ans à faire face à sa révocation : debout dans une caravane sur la plage, pieds nus, vêtu de vieux pantalons, d'une chemisette et d'un « coupe-vent » bleu orné du sceau présidentiel.

Ce soir-là notre dîner de famille ne fut pas triste mais incontestablement plus calme que d'habitude. Dans la soirée, retiré dans mon bureau, j'écrivis quelques pensées sur Pat :

Extrait de mon Journal :

> Pendant que nous revenions de la plage, Tricia m'a dit que sa mère était vraiment une femme admirable. Et j'avais vivement acquiescé. Durant les vingt-cinq années que nous avons passées dans la politique, elle a vécu bien des moments difficiles. Et pourtant, tant ici qu'à l'étranger, elle a toujours eu une attitude si pleine de dignité. Mais, grand Dieu, comment peut-elle résister à tout cela, je n'arrive pas à le comprendre.

Cette nuit-là et la suivante, je veillai très tard pour tâcher de saisir la nouvelle situation et de décider le meilleur pour y faire face.

Extrait de mon Journal :

Ainsi, nous serons rentrés lundi. St. Clair, Haig et les autres auront écouté les enregistrements et je peux prévoir qu'ils viendront me trouver pour me dire : « Nous n'y pouvons plus rien. »

Je vais avoir à prendre une décision dure et difficile. Ou bien je serre les dents et je démissionne. Ou bien je continue à me battre jusqu'au vote de la Chambre et je démissionne à ce moment-là en disant que je ne peux pas imposer au pays les mois d'épreuve pendant lesquels durera le procès en révocation.

En fait, je me sens calme et fort depuis le début de cette période. Cela vient peut-être en partie du fait que, ayant réalisé que j'ai perdu la partie depuis la défection des Démocrates sudistes, il fallait faire face à un procès de six mois devant le Sénat. Mais je crois surtout que ce calme et cette force me viennent d'ailleurs, de quelque part dans mes origines — sans doute de mes parents.

Quelque chose était aussi apparu dans mon esprit, quelque chose que je gardais délibérément pour moi, sans même en faire part à mes plus proches collaborateurs : le pays n'a pas les moyens d'avoir à sa tête pendant au moins six mois un Président paralysé.

Extrait de mon Journal :

Il faut désormais faire de notre mieux pour passer les derniers moments qui nous restent à la Présidence et vivre décemment après cela.

Quand je considère l'avenir, je me rends compte que nous devrons aborder le sérieux problème de nos dépenses personnelles auxquelles il va falloir faire face. Il faudrait que je puisse vendre un livre, ou des articles ou je ne sais quoi pour trouver les fonds nécessaires à l'entretien d'un personnel suffisant au bureau et dans la maison. Pour le moment, je suis tenté de vendre la propriété de Floride pour avoir de l'argent sous la main. En ce qui concerne San Clemente, il va falloir décider si nous gardons ou non la maison. Nous ferions peut-être mieux d'acheter un appartement convenable quelque part et d'y finir nos jours.

Comment allons-nous faire pour conserver un personnel minimum, comme Manolo et Fina — nos domestiques —, et même Rose et deux ou trois secrétaires pour travailler avec moi sur le livre, Dieu seul le sait. Mais à quoi bon se tracasser pour le lendemain. Aujourd'hui, nous sommes engagés dans une lutte pour la vie. Cette lutte menace aussi le pays. Le plus triste, comme le dit Eddie, c'est que ce sont les méchants qui vont gagner. Ce qu'il veut dire, c'est qu'il sera triste pour le pays que je sois forcé de démissionner.

Henry est venu me voir. Il avait l'air lugubre, mais ce cher homme ne se laisse guider que par son cœur. C'est particulièrement inhabituel chez quelqu'un qui, comme lui, est doué de capacités intellectuelles aussi extraordinaires. Sa femme, m'a-t-il annoncé, lui avait dit qu'il ne faudrait pas quatre ans pour qu'aux yeux de l'histoire le Président redevienne un héros. Quant à Haig, bien entendu, il m'a répété maintes fois que l'histoire finira par démontrer que j'ai été un très grand Président.

Nous sommes repartis pour Washington le dimanche 28 juillet. Tricia a noté la scène :

« Nous avons dit au revoir à papa et à maman sur le palier du premier étage de la Maison Blanche, car Ed et moi devions repartir pour New York. Papa était plus prêt de laisser éclater son émotion que je ne l'avais jamais vu quand il nous a dit combien il avait été touché que nous ayons été avec lui en Californie. Sans qu'il s'en dise davantage, je sentais que ces mots marquaient la fin d'une époque. C'était un véritable adieu. Une page tournée pour toujours. »

Le lundi 29 juillet était le premier vrai jour de notre retour à Washington. Je fus choqué de voir combien les choses avaient changé en à peine quinze jours. La ville entière était saisie par l'hystérie de la révocation. Le personnel de la Maison Blanche était drapé dans une sorte de deuil. Il était douteux que l'on parvienne à redonner confiance à ces hommes et ces femmes marqués par la lassitude.

Le mardi, St. Clair revint d'un long week-end au Cap Cod où il avait été se reposer. Dès avant mon voyage en Californie, Haig m'avait prévenu que St. Clair était fatigué et énervé, et qu'il faudrait prendre des précautions si nous voulions le garder avec nous. St. Clair alla écouter la bande du 23 juin avec Buzhardt et son optimisme d'avant s'effaça d'un coup. Non seulement il était de l'avis de Buzhardt en reconnaissant qu'il s'agissait bien là du « pistolet fumant », mais il alla jusqu'à dire que cet enregistrement constituait une telle contradiction des arguments qu'il avait soutenus devant la commission de la Justice qu'il risquait lui-même de devenir complice d'une entrave à la justice si la bande n'était pas rendue publique.

Pendant que nous soupesions les dégâts qu'allait provoquer la bande du 23 juin, la commission votait deux nouveaux Articles de Révocation. Le premier, voté le 29 juillet, m'accusait d'avoir commis un délit passible de la révocation en abusant des pouvoirs de la Présidence. On y passait en revue divers chefs d'inculpation allant de l'utilisation de l'administration fiscale à des fins politiques aux écoutes téléphoniques de 1969 ordonnées pour la sécurité extérieure de l'Etat. L'Article 3, voté le 30 juillet, disait que j'avais commis un délit passible de la révocation en refusant de me soumettre aux réquisitions de la commission de lui communiquer des enregistrements et autres documents. Après avoir repoussé deux autres Articles, l'un sur les bombardements du Cambodge et l'autre sur mes affaires financières, la commission suspendit ses travaux: Le stade suivant allait donc être le débat général à la Chambre des Représentants et son vote sur les trois Articles de Révocation soumis par la commission. Le débat devait s'ouvrir le 19 août.

La nuit du 30 juillet allait pour moi être une nuit blanche. Après m'être retourné dans mon lit pendant des heures sans pouvoir trouver le sommeil, je me décidai enfin à rallumer la lumière et je pris un bloc-notes sur la table de chevet. Au haut de la page, j'inscrivis le jour et l'heure — 31 juillet, 3 h 50 — et je me mis à résumer les options qui me restaient. Elles n'étaient plus que trois : démissionner tout de suite; attendre le vote de la Chambre et démissionner si elle votait la révocation; poursuivre le combat jusqu'au Sénat et rester jusqu'au bout.

Pendant près de trois heures, j'alignai le pour et le contre de chacune de ces solutions : que valait-il mieux faire pour moi, pour ma famille, pour mes amis et mes partisans? Que valait-il mieux faire pour le pays?

Il y avait de puissants arguments contre la démission. D'abord et avant tout, je n'étais pas, et n'avais jamais été, homme à capituler. La seule idée d'abandonner mon poste et de finir ma carrière dans la peau d'un lâche me répugnait. Pour la plupart, les gens verraient dans ma démission l'aveu de ma culpabilité. Ma démission constituerait aussi un dangereux précédent, court-circuitant les processus constitutionnels normaux qui prévoient la révocation. Je devais aussi prendre en considération les souhaits de ma famille et de mes proches qui s'attendaient à ce que je me batte et qui se trouveraient blessés et déçus de me voir abandonner avant la fin du combat.

Les arguments en faveur de ma démission étaient tout aussi convaincants. Je savais qu'au bout des deux ans pendant lesquels il avait été divisé et distrait des vrais problèmes par le Watergate, le pays avait plus que tout besoin de retrouver un esprit d'unité et de détermination pour faire face aux graves problèmes qui l'attendaient et qui ne pouvaient rester en suspens pendant les six mois d'un procès devant le Sénat. En outre, je serais voué à l'impuissance politique à partir du moment où la Chambre aurait voté la révocation, et je ne savais pas si je pouvais imposer au pays l'épreuve d'avoir à subir une Présidence exsangue pendant des temps si troublés et si périlleux. D'un point de vue pratique, il fallait aussi que je considère en face l'issue prévisible et inéluctable de ce combat : j'en sortirais vaincu et déshonoré, le premier Président dans notre histoire à avoir été révoqué avant d'être condamné pour des délits pénaux.

Il y avait un autre aspect positif à ma démission, aspect que je savais occuper une place prioritaire dans l'esprit de la plupart des Républicains : cela libérerait le parti du lourd devoir que représentait ma défense. Les élections de 1974 ne seraient pas considérées comme un référendum sur Nixon et le Watergate, et leurs campagnes ainsi que leurs sièges ne seraient plus les otages de ma destinée politique.

Le jour commençait à poindre quand je finis d'écrire ces notes. Mais mes instincts reprirent le dessus et je retournai la page pour écrire au dos : « Finir carrière en se battant ».

Tous mes instincts, mon intuition la plus profonde, me disaient que c'était là ce qu'il fallait faire. Si désastreux qu'ait été le Watergate, il serait bien pire d'établir le précédent d'une démission présidentielle, même si l'autre terme du dilemme était la révocation de ce Président à cause d'un scandale politique. « Finir en se battant »... comme j'avais commencé. Au fond, c'était vraiment ainsi que je voulais finir.

Avec Buzhardt et St. Clair désormais favorables à la démission, l'attitude de Haig allait être décisive. J'aurais besoin de lui pour rallier les derniers fidèles et continuer à faire tourner la Maison Blanche si je décidais de ne pas démissionner et de faire face à un procès au Sénat.

Le mercredi 31 juillet, Haig lut les transcriptions de la conversation du 23 juin. C'était la première fois qu'il voyait les mots noir sur blanc.

« Alors qu'en pensez-vous? lui demandai-je quand il eut terminé sa lecture.

— Monsieur le Président, répondit-il, j'ai peur qu'il ne me faille me ranger à l'avis de Fred (Buzhardt) et de Jim (St. Clair). Je ne vois vraiment pas comment nous pourrons nous sortir de ce pétrin. Je peux très bien imaginer les circonstances et je sais ce qu'il se passait en réalité. Je sais aussi ce que vous en pensez vous-même et ce que vous ressentez. Mais il faut regarder les choses en face. Nos collaborateurs ne tiendront pas le choc. Une fois ces bandes publiées, l'opinion publique ne tiendra pas non plus.

Cet après-midi-là, Ron Ziegler écouta la bande à son tour. D'après ses réactions, j'avais déjà compris que la situation était désormais désespérée.

DÉMISSION : LA DÉCISION

Le jeudi 1ᵉʳ août, j'informai Haig de ma décision de démissionner. Si nous ne pouvions pas trouver le moyen d'expliquer les circonstances de l'enregistrement du 23 juin, je ne pouvais pas demander à mes collaborateurs de l'expliquer et de le défendre.

Je lui dis que j'allais emmener ma famille à Camp David pendant le week-end pour la préparer à ma décision, que je comptais annoncer dans une allocution télévisée le lundi soir. Je passerais ensuite une quinzaine de jours à Washington pour tout mettre en ordre avant de partir pour San Clemente.

Haig me répondit que nous pouvions régler ces détails-là de la manière qui me conviendrait le mieux, mais il me dit qu'il serait sans doute préférable que je démissionne plus tôt, peut-être dès le lendemain soir, vendredi 2 août. Comme la bande du 23 juin faisait partie de celles qu'il avait remises au juge Sirica ce matin-là, Haig pensait qu'il vaudrait mieux que j'aie déjà démissionné et que je me sois retiré de la scène avant que la bande soit livrée au public. A ce moment-là, me dit-il, l'attention se serait portée sur le nouveau Président et les conséquences préjudiciables de l'enregistrement auraient eu le temps de s'étouffer.

Je lui dis que j'y penserais et, entre-temps, de bien vouloir demander à Ray Price de me préparer un projet de discours de démission. J'y admettrais que j'avais commis des erreurs, mais je ne voulais pas que Price en fasse un mea-culpa ni que j'y donne l'impresssion de ramper. Je voulais simplement déclarer que je n'avais plus, au Congrès ni dans le pays, le soutien que je jugeais indispensable pour gouverner efficacement.

Je demandai également à Haig d'aller voir Jerry Ford et de lui dire que je pensais à démissionner, sans lui préciser quand. Haig le préviendrait simplement qu'il devrait se tenir prêt à assumer mes fonctions dans les jours à venir. Je lui recommandai d'insister auprès de Ford sur la nécessité absolue de garder le secret. Il s'agissait d'une décision qu'il fallait que je prenne pour et par moi-même jusqu'au dernier moment. Je ne voulais pas me trouver dans une position humiliante si le président du Parti Républicain ou une délégation parlementaire venaient me trouver pour insister afin que je démissionne. Dans un tel cas, je le savais, mes instincts reprendraient le dessus car, de ma vie, je n'avais accepté de plier sous des pressions politiques.

Tôt dans l'après-midi, je me rendis à mon bureau de l'Exécutif. Maintenant que la décision était prise, je sentais que je pourrais plus facilement me concentrer sur les autres décisions à prendre et les devoirs douloureux à accomplir dans les jours à venir.

Je demandai à Ron Ziegler de venir me rejoindre. Dès qu'il entra, je vis sur son visage que Haig l'avait mis au courant de ma décision et je la lui confirmai.

Il y eut un long silence. Ziegler était, comme moi, un battant, un indomptable. Il dit enfin : « Je sais que ce que vous voulez de moi, Monsieur le Président, c'est que je soutienne votre décision. Soit, je la soutiens. »

Je lui ai parlé ensuite de Jerry Ford dont je savais qu'il n'avait aucune expérience en politique étrangère : « Mais c'est un homme bon et honnête, ajoutai-je, et c'est ce dont le pays a besoin en ce moment. »

Quand je répétai à Ziegler l'avis que m'avait donné Haig d'agir vite et de démissionner dès le lendemain soir, il objecta énergiquement : une telle façon d'agir était trop précipitée. Il fallait au moins le temps de s'y préparer convenablement. Je me suis alors rendu compte qu'il avait raison, même si ce n'était que parce que j'avais le devoir de laisser à mes amis et sympathisants une chance de réagir à la publication de la bande du 23 juin et de se dégager pendant que j'étais encore en fonction, plutôt que de les laisser seuls derrière moi à ramasser les pots cassés. Ils méritaient au moins une chance de retourner leurs positions s'ils le voulaient. C'est pourquoi je pris la décision d'attendre au moins jusqu'au lundi suivant pour démissionner.

Après le départ de Ziegler, je lus quelques rapports de Timmons sur ce qui se passait au Parlement et écoutai le dernier lot des bandes qui devaient être remises à Sirica la semaine d'après. Vers 18 heures, on me prévint que Bebe Rebozo venait d'arriver de Miami. Je demandai à Haig de faire préparer un dîner sur le yach présidentiel, le *Sequoia*. Une heure plus tard, nous remontions le Potomac sous le ciel embrasé du crépuscule.

« Cela ne va pas te faire plaisir, dis-je à Rebozo, mais j'ai décidé qu'il valait mieux que je démissionne. »

Je n'oublierai jamais l'expression bouleversée de Rebozo quand il m'entendit lui dire ces mots.

« Tu ne peux pas, répondit-il. Ce serait une grave erreur. Il faut que tu continues à te battre. Tu ne te doutes pas du nombre de gens qui sont encore derrière toi. »

Je lui parlai alors de la bande du 23 juin et je lui dis que, une fois qu'elle serait rendue publique, je n'échapperais pas à un procès devant le Sénat et qu'il se terminerait très probablement par une condamnation. Il insista alors pour que je fasse écouter la bande litigieuse à Russell Long et à d'autres leaders sénatoriaux, sans me reposer uniquement sur l'opinion d'une poignée de mes collaborateurs.

A cela, je lui répondis que même si j'avais une chance au Sénat, le pays ne pouvait simplement pas se permettre de passer six mois avec son Président en train de subir un procès.

Tandis que nous retournions vers Washington, je demandai à Rebozo de m'aider en prenant mon parti vis-à-vis de ma famille. Il me dit qu'il ferait tout ce qu'il pouvait à condition que je lui promette de ne pas prendre irrévocablement ma décision jusqu'à ce que nous ayons fait une dernière tentative de monter une contre-attaque. Touché par tant de courage et de fidélité, je lui dis que j'étais d'accord. Mais je savais bien, au fond, que c'était déjà sans espoir.

Une fois revenu à la Maison Blanche, j'allai m'enfermer dans le salon Lincoln. La journée avait été longue et dure.

Le 2 août dans l'après-midi, Haig me fit savoir que, d'après ses renseignements, le vote de la révocation ne faisait plus de doute à la Chambre et au Sénat. Il ajouta que dès que les bandes seraient publiées, nous perdrions tous les Républicains de la commission, à l'exception peut-être de deux ou trois. Selon le député républicain qu'il avait interrogé, je devrais me préparer à une démission immédiate, à moins que je n'invoque le

Cinquième Amendement pour ne pas soumettre les bandes au tribunal, ce qui ne vaudrait pas mieux.

Ce soir-là, j'entrepris la pénible tâche de mettre ma famille au courant de l'existence de la bande du 23 juin et de la préparer aux conséquences que sa publication allait avoir sur mes chances de rester en fonction. Voici la manière dont Tricia a noté l'événement dans son journal :

« Ce matin, Julie m'a appelée, très déprimée. Elle m'a dit que papa avait eu avec elle une sérieuse conversation mais ne voulut pas en dire plus au téléphone. Je lui ai immédiatement répondu que je venais.

Quand j'arrivai à La Guardia avec mon escorte d'agents du Service de sécurité, un groupe d'employés d'Eastern Airlines, rassemblés autour de leurs véhicules sur la piste, m'accueillirent par un déluge d'injures et d'obscénités. Je voulus tout de suite me précipiter vers ces lâches et leur répondre, mais mes anges gardiens se sont interposés. Bien sûr, il valait mieux ne pas manquer l'avion et traiter ces gens par le mépris.

Dès mon arrivée à la Maison Blanche, je me suis précipitée dans la chambre de Julie. Calmement, je lui ai demandé ce dont papa lui avait parlé hier.

« Il croit qu'il doit démissionner, me répondit-elle.

— Mais pourquoi ?

— Parce qu'il n'a pratiquement plus personne derrière lui.

— Julie... Non ! Je ne peux pas y croire, c'est un cauchemar !... »

Julie m'apprit ensuite que maman n'avait pas été mise au courant de la décision de papa. J'allai la retrouver, assise à son bureau. C'est étrange comme on s'efforce de protéger ceux qu'on aime des soucis, bien qu'ils le sentent très vite et qu'il vaudrait sans doute mieux leur dire ce dont ils se doutent déjà. Mais je ne dis rien, pour tenter d'épargner à maman quelques heures de peine. Papa, naturellement, s'efforce toujours de protéger tout le monde sauf lui. Je parlai à maman en tâchant de ne rien lui révéler et nous avons discuté de choses et d'autres.

Après cela, je suis allée dans ma chambre et appelai Edward à son bureau en passant par le standard. Comme je ne le fais jamais d'habitude, il se douta tout de suite qu'il se passait quelque chose. Sans entrer dans les détails, je lui ai dit que ce serait « charmant » qu'il vienne dîner à Washington ce soir. Le mot « charmant » est un code dont nous nous servons entre nous pour dire qu'il y a des ennuis. Nous n'avions pas encore eu l'occasion de trouver un code pour le mot « désastre ».

Je suis allée ensuite retrouver papa dans le salon Lincoln. Il était assis dans son fauteuil marron, les pieds sur un pouf, en train de tripoter sa pipe. « Quand donc es-tu arrivée ? » me demanda-t-il avec surprise. Puis il commença à me décrire clairement l'enregistrement du 23 juin et les conséquences que cela aurait sur sa position. Je ne l'interrompis que quand il se mit à dire qu'il fallait qu'il démissionne pour le bien du pays. Je lui ai répondu que s'il pensait au bien du pays, alors il devrait rester en place.

En partant, je me suis penchée vers lui, je l'ai serré dans mes bras en l'embrassant sur le front. Et puis, d'un coup, j'ai éclaté en sanglots. D'une voix entrecoupée, je n'ai pu que lui dire : « Tu es la personne la plus honnête que j'aie jamais rencontrée. »

D'habitude, j'arrive toujours à contrôler les manifestations de mes émotions. Mais quand papa m'a dit : « J'espère ne pas vous avoir fait trop de mal », la tragédie de son effroyable position me donna un tel coup que je me suis effondrée.

Maman, Julie, Bebe, David et moi, nous avons rejoint papa dans le salon Lincoln. Papa nous parlait déjà depuis une vingtaine de minutes quand Ed est arrivé. Juste avant, papa avait demandé à Al Haig de lui apporter plusieurs exemplaires de la transcription de l'enregistrement en question. Nous nous sommes alors retirés tous les quatre pour lire attentivement ces mots si chargés de menaces. Ed et moi étions d'accord, à la fin, pour convenir qu'ils pouvaient être interprétés de manière entièrement différente, selon les préjugés de celui qui les lisait.

Nous sommes ensuite retournés au salon et chacun de nous exprima son opinion à tour de rôle. Ed, Julie et moi étions résolument opposés à ce que papa démissionne, David était moins sûr de lui. Mais nous étions tous d'accord pour dire à papa qu'il fallait qu'il fasse ce qu'il croyait devoir faire. Il nous expliqua alors que la démission était la seule solution pour le pays, qu'il croyait qu'un Président affaibli et menacé de révocation serait un désastre Que n'oseraient pas tenter les Soviétiques dans une telle situation? Les récents événements au Proche-Orient étaient un exemple et un avertissement.

Finalement, nous ne pouvions plus rien dire pour le dissuader et nous l'avons laissé seul, assis dans son fauteuil, les yeux fixés sur le feu dans la cheminée. Nous espérions encore qu'il ne démissionnerait pas. Mais il nous avait bien dit que, pour lui, l'avenir se résumait à un choix : démissionner ou être révoqué de son poste par le Sénat.

Quand nous nous sommes retrouvés ensemble, pour dire bonsoir à David et Julie, nous avons éclaté en sanglots. Tous embrassés, en un grand cercle de douleur, nous avons pleuré longuement. Sans rien dire.

Cette nuit-là, je suis resté assis, seul, dans le salon Lincoln, à réfléchir pendant de longues heures sur la meilleure ligne de conduite à adopter.

Le courage dont ma famille avait fait preuve m'avait profondément ému. Ils avaient déjà tant souffert et, pourtant, ils voulaient poursuivre la lutte jusqu'au bout. Pat, qui avait laissé les autres parler, me dit ensuite qu'elle était plus résolue que jamais à se battre.

Je pris finalement la décision de suspendre ma démission, de publier la bande du 23 juin et de voir quelles allaient être les réactions. Si elles étaient aussi mauvaises qu'on s'y attendait, alors nous reprendrions le compte à rebours de la démission. Si, par miracle, les réactions étaient mitigées et qu'il reste une possibilité que je puisse continuer à gouverner pendant les six mois que durerait mon procès au Sénat, alors nous pourrions reconsidérer une fois de plus nos options. Dans mon subconscient, je savais que ma démission était inévitable. Mais, plus d'une fois au cours des jours qui allaient suivre, je me laissai emporter par mes instincts combatifs et je me hérissais à mesure que je sentais l'inévitable se rapprocher.

Le samedi après-midi, je me dis qu'il valait mieux s'éloigner de Washington et aller passer le week-end à Camp David. Et pourtant, même dans les montagnes, il faisait presque aussi chaud et humide. Aussi, en arrivant, nous nous sommes tous plongés dans la piscine. Une fois rhabillés, nous nous sommes assis sur la terrasse à contempler les vallées et les sommets qui s'étendaient à perte de vue. Tout en nous laissant pénétrer de la mystérieuse beauté qui émane de cet endroit, nous ne pouvions pas non plus ignorer les effluves d'histoire qui s'en dégagent et ne pas ressentir la tragédie que constituait pour nous ce week-end passé ensemble.

A chaque fois qu'ils en trouvaient le prétexte, les jeunes m'encourageaient à poursuivre le combat. Le samedi soir, pendant le dîner, nous avons examiné la situation une fois de plus et tout le monde insista pour que je retarde au moins ma décision jusqu'à la publication de la bande, le lundi, et je leur donnai satisfaction sur ce point.

Le dimanche après-midi, certains de mes collaborateurs vinrent me rejoindre. Nous avions décidé qu'il valait mieux accompagner la publication de la bande du 23 juin d'un communiqué écrit plutôt que d'une allocution, et ils étaient venus en mettre avec moi le texte au point. Je voulais y souligner le fait que, dès que Gray m'avait fait part le 6 juillet 1972 de ses préoccupations au sujet des interventions de la Maison

Blanche, je lui avais dit de poursuivre son enquête avec diligence. Mais les juristes avaient préparé un projet où, loin de mettre l'accent sur le contenu de l'enregistrement et son interprétation, le communiqué soulignait le fait que j'avais omis de les informer de son existence.

Je fis passer à Haig une feuille de mon bloc-notes où j'avais écrit l'essentiel de l'information que je voulais voir communiquée dans la déclaration. En voici le texte : « Le 6 juillet, au cours d'une conversation téléphonique, le directeur général du F.B.I. Pat Gray m'a exprimé ses préoccupations sur des tentatives douteuses faites par du personnel de la Maison Blanche pour limiter le champ de l'enquête entreprise par ses services sur l'affaire du Watergate. Je lui ai demandé s'il avait discuté de cette question avec le général Walters (directeur général de la C.I.A.). Il m'a répondu que oui. J'ai voulu savoir si Walters et lui étaient d'accord. Il a également acquiescé. Je lui ai alors dit de faire avancer son enquête avec diligence. Cela prouve de manière indiscutable que quand j'ai été informé de ce qu'aucun élément intéressant la sécurité de l'Etat ne s'opposait à une enquête du F.B.I., j'ai immédiatement ordonné la reprise de cette enquête sans m'arrêter à des considérations politiques ou autres. »

Haig parcourut rapidement mes notes des yeux et me dit : « Cela ne servira à rien, Monsieur le Président. Nous avons passé tout l'après-midi à travailler sur ce texte et c'est ce que nous avons trouvé de mieux. Je ne peux plus rien y changer maintenant. Si je le faisais, St. Clair et les autres juristes nous laisseraient tomber. Ils répètent qu'ils n'avaient pas été mis au courant de l'existence de cette conversation et qu'ils ont fondé toutes les conclusions qu'ils ont soumises à la commission de la Justice sur des éléments fallacieux. »

Je ne voulais pas m'engager dans une discussion avec Haig sur ce sujet. « Au diable toute cette histoire, lui dis-je. Cela n'a finalement aucune importance. Qu'ils fassent ce qu'ils veulent, ma décision est déjà prise de toute façon. »

LES DERNIERS JOURS

Le lundi 5 août au matin, le « briefing » quotidien à la presse fut retardé à plusieurs reprises. A 13 h 30, il fut annulé avec promesse de communiqué à 15 heures. Déjà, la salle de presse bourdonnait de rumeurs sur ma démission. Finalement, le communiqué et la longue transcription de la bande du 23 juin qu'il accompagnait furent remis à la presse à 16 heures.

J'étais revenu à la Maison Blanche depuis le matin et avais fait le nécessaire pour que, ce soir-là, ma famille dîne à bord du *Sequoia*. Je ne voulais pas qu'ils subissent l'épreuve de regarder les journaux télévisés du soir. Je me doutais trop bien de ce que cela allait être.

Ed avait dû retourner à New York. C'est pourquoi, seuls, Pat, Julie, David, Tricia et Rose me retrouvèrent dans le Salon des Ambassadeurs. Pendant que nous marchions vers les voitures, une centaine de jeunes employés, pour la plupart des dactylos et secrétaires, nous attendaient en faisant la haie. A notre passage, ils se mirent tous à applaudir. Tandis que je leur serrais la main, ils me prodiguèrent des mots d'encouragement, tels que: « Tenez bon! » « Nous sommes derrière vous! » « Dieu vous bénisse, Monsieur le Président! »

Une fois sur l'eau, le temps était splendide. La brise rafraîchissait l'air étouffant et nous nous sommes assis sur le pont pour contempler le soleil couchant. Quand nous passions près du rivage ou sous les ponts, des grappes de photographes se précipitaient, certains s'accrochant dangereusement aux parapets, pour mieux nous dévisager ou prendre des photos.

Chacun s'essaya vaillamment à rendre la soirée aussi gaie que possible. On parla du temps qu'il faisait cet été, d'un film que David et Julie avaient été voir. On évoqua en riant la manière dont Rose rabrouait les journalistes impertinents. On parlait de tout, sauf de ce que tout le monde avait en tête. Il ne fut pas question une seule fois de démission, ce soir-là; mais j'allais apprendre plus tard que, le lendemain matin, Pat avait commencé à préparer nos affaires pour qu'il n'y ait plus qu'à les mettre dans les valises.

Après le dîner, le bateau vira de bord pour rentrer. Je ne me faisais pas d'illusions sur ce qui nous attendait. Je savais que, tandis que nous voguions sur le fleuve paisible, toute la ville de Washington était déjà en proie à l'excitation frénétique provoquée par la divulgation de la bande du 23 juin. Déjà, tout le monde devait se ruer pour prendre une position. Il devait y en avoir bien peu, si seulement il y en avait, qui m'étaient favorables.

Je demandai à Rose d'appeler Haig pour qu'il nous donne un aperçu des premières réactions, puis je descendis à ma cabine et m'étendis sur la couchette, ma jambe gauche surélevée comme les médecins me l'avaient prescrit.

Quelques minutes plus tard, Rose descendit me rejoindre pour me lire les notes qu'elle avait prises en sténo de sa conversation avec Haig. « Dites-lui que cela se passe à peu près comme nous l'avions prévu, lui avait dit Haig. Ceux que nous espérions être bien le sont restés. Les autres, aux échelons inférieurs, lâchent tout. Celui à qui Dean Burch a parlé régulièrement (il voulait sans doute dire Goldwater) va se tenir tranquille. Plusieurs sénateurs et députés restent derrière lui mais s'inquiètent des conséquences que cela peut avoir pour eux. Rhodes a dit que c'était pire que tout, mais n'a pas précisé ce qu'il allait faire. Du côté du Cabinet, tout va bien. Ils tiennent le coup. »

Quand Rose eut terminé, j'éteignis la lumière et je fermai les yeux.

Depuis que nous étions revenus de San Clemente, j'avais voulu convoquer un conseil de Cabinet. Lundi, tard dans la soirée, j'avais demandé à Haig de voir s'il pouvait en organiser un pour le mardi 6 août au matin.

Bien que je sois devenu conscient de l'inévitabilité de ma démission, aucun projet concret n'avait encore été mis en branle. Une fois la démission annoncée, tout irait vite et serait définitif. Mais j'avais l'intention, jusque-là, de jouer mon rôle de Président à fond et jusqu'à la dernière limite. Jusqu'à l'annonce de ma décision, le Gouvernement devait impérativement rester ferme et stable, car aucun pays dans le monde ne devait croire que l'Amérique était privée de son chef. Il fallait également que les membres du Cabinet et du personnel de la Maison Blanche ne perdent pas de vue que leurs fonctions restaient leur responsabilité prioritaire et qu'ils avaient avant tout le devoir d'assurer sans interruption le fonctionnement du gouvernement.

Je connaissais bien les hommes composant mon Cabinet et, malgré les rapports de Haig sur leur fermeté, je savais qu'ils étaient soumis aussi bien à des pressions extérieures qu'à des tentations compréhensibles de prendre position en faveur de ma démission. Il fallait que je les en empêche si je le pouvais. J'étais fermement déterminé à ne pas paraître démissionner simplement à cause de l'insistance de mon Cabinet ou de mes collaborateurs, ou sous la pression de mon entourage. Pour moi, tout comme pour le pays, je croyais profondément que ma démission devait être comprise comme une décision prise seul et de mon plein gré.

Cette nuit-là, je fus incapable de trouver le sommeil. Vers deux heures du matin, je quittai mon lit pour aller dans le salon Lincoln. Comme il n'y avait pas de bûches prêtes dans la cheminée, j'en mis quelques-unes, les allumai avec du papier et je me suis assis dans mon grand fauteuil, pensif devant les flammes qui commençaient à s'élever. Quelques minutes plus tard, perdu dans mes pensées, j'entendis soudain la porte qui s'ouvrait brusquement, des pas précipités et un cri de stupeur. Deux gardiens de nuit me dévisageaient bouche bée : « Monsieur le Président! » s'exclamèrent-ils avec ensemble.

Tout le monde, apparemment, me croyait au lit et mon feu avait déclenché une alarme. Les deux gardiens vérifièrent que tout allait bien et se retirèrent, encore mal remis de leur surprise.

Ils allaient passer la porte quand le plus jeune se retourna vers moi et me dit : « Monsieur le Président, je voulais juste vous dire que nous prions pour vous. » Et il referma précipitemment la porte derrière lui.

Mes pensées étaient maintenant dirigées vers ces deux hommes, et les employés de nos bureaux qui m'avaient fait une ovation spontanée cet après-midi, et des millions d'autres comme eux, dans tout le pays. En démissionnant, j'allais tous les laisser tomber, les décevoir.

Je retournai me coucher vers trois heures du matin. Nous avions traversé le premier front de la tempête, mais celle-ci continuait, plus furieuse que jamais. Et je savais aussi qu'elle allait me poursuivre pour le restant de mes jours.

L'ambiance, au conseil de Cabinet du mardi matin, fut tendue et silencieuse. A chacune des crises précédentes, mon entrée dans la salle du conseil avait été saluée par des applaudissements. Ce jour-là, le Cabinet se leva en silence tandis que j'entrais dans la pièce et que je me dirigeais vers mon fauteuil, au milieu de la grande table oblongue.

Je commençai par dire que nous avions à traiter un certain nombre de questions importantes, mais que je savais que le problème qui les préoccupait davantage était celui du Watergate. C'était donc de celui-ci que j'allais parler en premier.

Je comprenais, leur dis-je, que nombreux étaient ceux qui avaient été choqués ou bouleversés par la révélation de la bande du 23 juin. Je savais que cela portait un coup très dur à ma cause car cet enregistrement dévoilait clairement que nous avions envisagé de faire intervenir la C.I.A. à des fins politiques. Je tenais à remercier les membres du Cabinet pour leur soutien, qu'ils ne m'avaient jamais ménagé dans le passé; et je savais que, bien souvent, il ne leur avait pas été facile de prendre ouvertement mon parti. Je leur en étais reconnaissant. Autour de moi, les visages restaient tendus, fermés, impénétrables.

J'avais considéré la possibilité de démissionner, poursuivis-je. Ma démission me déchargerait certainement d'un lourd fardeau. Mais je devais aussi penser à la Présidence elle-même. Je devais donc tenir compte du fait que démissionner maintenant, à cause des pressions insoutenables qui s'exerçaient sur moi, établirait un précédent susceptible de lancer l'Amérique sur la pente d'un régime de type parlementaire, où l'Exécutif ne peut rester au pouvoir qu'aussi longtemps qu'il peut gagner les votes de confiance du Législatif. J'ajoutai que je ne demandais à aucun membre du Cabinet de faire quoi que ce soit de personnellement embarrassant ou de politiquement préjudiciable. J'avais seul la responsabilité de mes propres problèmes et je ne leur demandais simplement que de diriger leurs départements et ministères avec un soin tout particulier au cours des semaines et des mois à venir.

Quand je marquai une pause, Jerry Ford intervint, d'une voix anormalement basse, pour dire que sa situation était particulièrement délicate. Il devenait évident que le vote de la Chambre allait m'être défavorable et, dit-il, malgré l'admiration et l'affection qu'il avait envers moi, il avait décidé de ne plus dire un mot à partir de maintenant sur le sujet de ma révocation. Je lui répondis que sa prise de position était juste et valable et ajoutai qu'aucun membre du Cabinet ne devrait non plus faire ou dire la moindre chose risquant de compromettre ses capacité à assumer ses responsabilités présentes et futures, dans le cas où je quitterais mon poste.

J'insistai enfin sur le fait qu'aucun d'eux ne devait être mêlé à la controverse sur ma révocation, mais qu'ils devaient au contraire accorder toute leur attention à la direction des administrations dont ils avaient la charge. Si, leur dis-je, je devais être accaparé par un procès devant le Sénat, je voulais que ce soient les membres du Cabinet qui deviennent en fait les dépositaires des pouvoirs du Président et assurent le gouvernement du pays.

Après un nouveau silence plein de malaise, je dis que je voulais, pour le reste de cette séance, que nous examinions les sujets que les sondages montraient comme les soucis primordiaux du peuple américain : l'inflation et l'état de l'économie.

Il y eut alors une brève discussion de la nouvelle loi sur les crédits accordés à l'agriculture, loi dont je dis qu'il fallait y opposer mon veto car elle occasionnait un dépassement budgétaire de 450 millions de dollars. La conversation passa ensuite à une proposition de concertation entre le Congrès et l'Exécutif dans un avenir proche. Saxbe intervint alors pour dire qu'il vaudrait mieux, peut-être, attendre : nous devrions avoir suffisamment de pouvoir pour faire appliquer les mesures économiques que nous examinions. Comme s'il n'attendait que ce signal, George Bush demanda la parole.

La voix profonde de Kissinger le coupa sèchement : « Nous ne sommes pas ici pour discuter du Président. Nous sommes ici pour nous occuper des affaires de l'Etat. » Il y eut un silence embarrassé tout autour de la table. Enfin, la discussion de politique économique reprit jusqu'à la fin de la séance.

Quand tout le monde se fut séparé, je restai seul avec Kissinger dans le Bureau Ovale. Je lui dis combien j'avais apprécié le soutien qu'il me donnait et, surtout, la manière dont il s'était occupé de la politique étrangère depuis ces derniers mois. Je lui dis ensuite que je sentais que ma démission était une nécessité. En tant qu'ami, me répondit-il, il devait reconnaître que c'était sans doute la meilleure solution. Si je décidais de me battre au Sénat, j'y serais probablement mis en pièces et traîné dans la boue, et la politique étrangère du pays n'y survivrait sans doute pas. Que le Président soit en butte à des offensives politiques, comme je l'étais depuis bientôt deux ans, c'était une chose. Mais c'était tout autre chose pour le Président de se retrouver au banc des accusés pendant six mois ou plus, avec en corollaire ses chances de se maintenir à son poste réduites pratiquement à néant.

Je lui dis que j'étais entièrement d'accord avec son analyse de la situation et le remerciai de sa loyale amitié.

Après le départ de Kissinger, je demandai à Bill Timmons un rapport sur les dernières défections au Congrès. La situation était aussi mauvais que je m'y attendais. Deux jours auparavant, nous avions estimé que je pourrais presque sûrement compter sur les trente-quatre voix dont j'avais besoin pour éviter une condamnation au Sénat. Aujourd'hui, me dit Timmons, il n'y avait plus que sept sénateurs dont je pouvais être sûr qu'ils resteraient dans mon camp si je décidais de rester et de me battre. Il me dit également que comme ancien porte-étendard du parti, Barry Goldwater avait été contacté par les leaders républicains qui lui avaient demandé de me transmettre personnellement leur estimation de la situation, qu'ils jugeaient désespérée. Je demandai à Haig d'arranger un rendez-vous avec Goldwater pour mercredi après-midi et d'inviter Hugh Scott et John Rhodes à l'accompagner.

Haig me dit aussi qu'il avait reçu un coup de téléphone de Haldeman, qui était vivement opposé à ma démission. Si, toutefois, ma décision était irrévocable, Haldeman estimait qu'il serait dans mon intérêt de lui accorder, ainsi qu'à tous les autres inculpés du Watergate, une grâce présidentielle générale avant de me désister de mes fonctions. Pour qu'une telle potion se laisse avaler, sur le plan politique, il avait suggéré de faire passer les grâces du Watergate avec une amnistie générale pour les déserteurs et objecteurs de la guerre du Vietnam. Le lendemain, j'allais apprendre qu'Ehrlichman avait, de son côté, appelé Rose ou Julie pour leur faire la même suggestion.

Avant que nous puissions en discuter davantage, on m'annonça que le Rabbin Korff était arrivé. Fondateur et animateur des associations de soutien au Président les plus dynamiques, ayant mené des campagnes à grand retentissement dans tout le pays, il avait été l'un des premiers que j'avais fait prévenir de mon intention de démissionner. A ma demande, Ziegler l'avait instamment prié de ne pas s'efforcer de me faire changer d'idée. Pourtant, dès que nous fûmes ensemble, le Rabbin Korff fit usage de son éloquence habituelle et me déclara que, tout respectueux qu'il voulait être de mes décisions, il se sentait obligé de me dire ce qu'il pensait. « Vous commettriez un péché contre l'histoire, me dit-il, si vous laissiez la cabale partisane du Congrès et les hyènes des media vous chasser de votre poste! » Il me parlait avec la flamme d'un prophète de l'Ancien Testament, mais il dut bien finir par se rendre à l'évidence que je ne changerais pas d'avis. En conclusion, il m'adjura, si vraiment je voulais démissionner, de ne pas décevoir mes sympathisants en m'esquivant comme un voleur, mais de m'en aller la tête haute.

Après son départ, je fis venir Rose. Je lui dis que j'avais besoin de son aide pour dire à ma famille que je ne voulais pas qu'ils souffrent inutilement en continuant à regarder les nouvelles télévisées, apportant d'heure en heure de nouvelles additions à la liste déjà interminable des défections à ma cause. Il fallait qu'ils cessent de se tourmenter pour quelque chose où nous ne pouvions plus rien faire. « Dites-leur qu'il n'y a plus que des déserteurs et que nous n'avons plus aucun moyen de les rallier ni de les empêcher de fuir », lui dis-je. Je lui demandai aussi de bien préciser que le soutien qu'on m'avait accordé était désormais inexistant et qu'il m'était impossible de gouverner dans ces conditions. La démission était la seule solution s'offrant maintenant à moi.

Quand Rose sortit de mon bureau, je pris un bloc-notes. En haut de la première page, j'écrivis les mots « Discours de démission ». Puis je couvris rapidement plusieurs pages de notes et de projets.

Ensuite, je fis venir Haig et Ziegler à mon bureau de l'Exécutif. « Les choses vont aller vite, maintenant, leur dis-je. Mieux vaut donc agir plus tôt que plus tard. J'ai donc décidé de démissionner jeudi soir, et de le faire sans rancœur et dans la dignité. Je vais le faire de bonne grâce. » Haig me dit que mon départ se ferait de manière aussi digne que la conduite de mes adversaires avait été indigne.

Il y eut un long silence. Enfin, je relevai la tête et leur dis, en les regardant dans les yeux : « Eh bien, j'ai vraiment bien tout foutu en l'air, hein? » Mais ce n'était pas une question que je posais.

Ensuite, je leur dictai quelques éléments supplémentaires que je voulais inclure dans le texte de mon discours. Je voulais dire que les temps avaient été difficiles pour tout le monde et que la situation en était arrivée au point où il était devenu évident que je ne disposais plus du soutien indispensable à la conduite du Gouvernement de la manière la plus conforme aux intérêts du pays. Je voulais ausi inclure un passage disant que je comprenais les motivations de ceux qui ne pouvaient plus se tenir à mes côtés et que ceux qui le faisaient avaient mérité ma reconnaissance éternelle.

Pendant que nous revenions tous les trois du bâtiment exécutif à la Maison Blanche, des journalistes se précipitèrent pour nous regarder sous le nez.

« Il y aura au moins une bonne chose, mon vieux Ron, dis-je à Ziegler. On n'aura plus besoin de tenir des conférences de presse et on n'aura même plus à s'en excuser! »

En arrivant au bout de la Roseraie, je regardai Haig. Et je vis alors la lassitude qui avait envahi ses traits. Je compris combien toutes ces tensions politiques avaient sapé la résistance de ce glorieux soldat. « Allons, du courage! » lui dis-je en l'admonestant. Et je lui entourai les épaules d'un bras que, malgré moi, je sentais protecteur.

Nous nous sommes séparés devant l'ascenseur. En appuyant sur le bouton d'appel, je me tournai vers eux une dernière fois : « Ainsi, c'est décidé. Ce sera pour jeudi soir. »

Julie avait invité à dîner les parents de David, de passage à Washington, et ils étaient restés dans leur appartement. Je retrouvai le reste de la famille dans le solarium. Voici la manière dont Tricia décrivit cette journée dans son Journal :

> « Une journée de larmes. Je ne pouvais même plus maîtriser leur flot. Je n'essayais même plus.
> Maman, papa, Rose et moi sommes restés un moment dans la chambre de maman avant le dîner. De nous tous, papa était le seul à pouvoir contrôler ses émotions.
> De retour dans ma chambre, j'ai commencé à vider mes tiroirs de tous les souvenirs accumulés depuis cinq ans, et le sens de ce que je faisais me frappa durement. Dans des boîtes, je jetais n'importe comment des coupures de presse, des lettres, des souvenirs. Ces boîtes, je les ai scellées de mes larmes. Je ne les rouvrirai sans doute plus pour de longues années.
> Cet après-midi, Rose est venue nous rejoindre en larmes dans le solarium et nous a dit, à maman, à Julie et à moi, que papa était irrévocablement décidé à démissionner. Nous devons désormais être aussi stoïques qu'il est humainement possible de l'être, lui montrer que sa décision a nos bénédictions, le louer de l'avoir prise et lui manifester surtout que nous l'aimons plus que jamais. Nous ne devons pas nous écrouler devant cette épreuve. Nous ne devons ni l'abandonner ni le décevoir. »

Ce soir-là, les nouvelles étaient encore pires que lundi. Les journalistes citaient une phrase que Goldwater aurait prononcée en privé : « Il y a un point au-delà duquel on n'admet plus les mensonges que l'on vous a fait, et il est temps de prendre position une fois pour toutes. On m'a assez menti. » Del Latta, l'un de mes plus fidèles supporters de la commission, avait paraît-il déclaré qu'après avoir écouté la bande du 23 juin, il se sentait « ... comme si je m'étais fait écraser par un camion ».

Je suis resté dans le salon Lincoln jusqu'à deux heures du matin à réfléchir à mon discours de démission. Quand je rentrai dans ma chambre, je trouvai un petit mot de Julie sur mon oreiller. Elle avait dû venir me l'apporter après le départ de ses beaux-parents.

Mais même cela ne pouvait plus me faire changer d'avis. J'avais dépassé ce stade. Non pas parce que je cédais à la lassitude, encore moins parce que je baissais les bras; mais bien parce que je sentais, au plus profond de mon cœur, que j'avais pris la meilleure, la seule décision valable pour le bien du pays. Je pris soigneusement le mot de Julie et le mis dans mon porte-documents, pour qu'il ne se perde pas dans le bouleversement du déménagement qui était sur le point d'intervenir.

Quand j'entrai dans le Bureau Ovale à dix heures du matin, le mercredi 7 août, le compte à rebours de ma démission se déroulait sans anicroche. Ce matin-là, Haig avait prévenu Jerry Ford de se tenir prêt à assumer la Présidence à tout moment. Le brouillon de mon discours de démission était sur mon bureau. Ray Price, son auteur, y avait agrafé une petite note où il me disait que ma démission, bien qu'attristante, était une décision nécessaire. Il me disait aussi son espoir de me voir quitter la Maison Blanche aussi fier de ce que j'y avais accompli qu'il était fier d'avoir participé au travail de mon équipe et du mien. Il terminait simplement par ces mots : « Que Dieu vous bénisse — et Il vous bénira. »

Je pris le texte du discours et me rendis au bâtiment de l'Exécutif. Tandis que je traversais l'aile Ouest, j'entendais le téléphone sonner dans tous les bureaux. Le standard était inondé d'appels de tous ceux qui étaient restés derrière moi à travers toutes ces épreuves. Beaucoup avaient écrit des lettres touchantes à ma famille et à moi. D'autres avaient rassemblé des signatures sur des pétitions. D'autres avaient envoyé de l'argent, pour contribuer aux frais de ma défense. Et maintenant, ils appelaient pour dire de ne pas arrêter le combat. La décision que j'avais prise, devais-je me répéter, était bien prise. Je ne voulais plus y revenir, et je ne voulais pas savoir ce qui se disait dans ces appels téléphoniques.

Tandis que je passais dans les couloirs, mes collaborateurs paraissaient mettre une dose supplémentaire de bonne humeur courageuse dans les : « Bonjour, Monsieur le Président! » qu'ils m'adressaient en me voyant. Quand j'arrivai dans le passage privé qui sépare la Maison Blanche du bâtiment de l'Exécutif, la foule qui attendait derrière les grilles reflua pour se rapprocher dès qu'elle me vit paraître. Ed, mon gendre, appelait cette curiosité une veillée mortuaire morbide. Mais je croyais, pour ma part, qu'il ne s'agissait pas d'une simple curiosité malsaine. Tous ces gens devaient être attirés ici par le sentiment que des événements historiques étaient en train de se dérouler, et ils voulaient se trouver en contact avec l'histoire. Sentant la nervosité des agents du Service de sécurité, je pressai le pas et montai rapidement les larges marches de pierre du perron.

J'appelai Bob Haldeman en Californie, car je sentais que je lui devais au moins d'écouter son appel de la onzième heure. Quelques minutes plus tard, j'avais au bout du fil sa voix familière, toujours aussi énergique et pleine de confiance en soi. Je lui dis que j'avais décidé de démissionner et que, tout déchiré que je me sentais par les conflits de principes que cela entraînait, c'était néanmoins une décision qui serait bénéfique pour le pays. Il me répondit que je devrais y réfléchir davantage mais que, si j'étais déterminé à le faire, il aimerait que j'accorde une grâce plénière à tous les inculpés du Watergate. Il me dit que le pays bénéficierait de cette décision, et qu'il valait mieux que cette affaire ne traîne pas encore pendant des années avec d'interminables procès. Avec le même détachement qu'il affectait quand nous parlions de problèmes tels que celui des crédits budgétaires en faveur des collectivités locales, il ajouta qu'une mesure d'amnistie en faveur des réfractaires de la conscription au Vietnam amortirait les critiques soulevées par la grâce accordée aux inculpés du Watergate.

Tandis qu'il me parlait, mon esprit évoquait les souvenirs de la campagne électorale, de ses fonctions à la Maison Blanche où ses manières, pleines de fierté et de brusquerie envers les gens, avaient suscité de la crainte chez certains et une loyale admiration chez d'autres. Et je ne pouvais pas m'empêcher de rapprocher ces souvenirs de ce qu'il me disait et de partager le désespoir qui perçait sous ses propos. J'avais espéré pouvoir, après les élections législatives de 1974, accorder la grâce qu'il me demandait, mais je n'aurais jamais pu prévoir la manière dont les choses évolueraient. Nous avons conclu notre conversation sans que je lui donne une réponse ferme sur ce point.

Ziegler me fit ensuite son rapport sur les nouvelles de la matinée.

Lettre de Julie Nixon à son père

THE WHITE HOUSE
WASHINGTON

August 6

Dear Daddy —

I love you. Whatever you do I will support. I am very proud of you.

Please wait a week or even ten days before you make this decision. go through the fire just a little bit longer. You are so strong! I love you.

Julie

Millions support you.

Il m'apprit que Charles Sandman, un autre de mes fidèles supporters à la commission de la Chambre, avait dit que la bande du 23 juin constituait un obstacle insurmontable et que je ne pouvais pas compter désormais sur plus d'une douzaine de voix dans toute la Chambre. A son avis, le Sénat émettrait indubitablement un vote en faveur de ma condamnation.

Sur l'insistance de Julie, j'ai reçu Bruce Herschensohn, l'un de mes collaborateurs parmi les plus dévoués. D'une voix tremblante d'émotion, il essaya de plaider contre une décision qu'il sentait pourtant être irrévocable. Avec une profonde conviction, il me dit que l'exemple d'un Président faisant face à ses ennemis jusqu'au bout et se sacrifiant plutôt que de se rendre ferait plus de bien au peuple américain que le soulagement immédiat, mais sans lendemain, que le point final de l'affaire du Watergate lui apporterait jamais « Dans cinquante ou soixante-quinze ans, me dit-il, quand un jeune devra faire face à des difficultés insurmontables ou à un devoir sans espoir de succès, je veux pouvoir me retourner vers votre exemple et lui dire : " Le Président Nixon n'a jamais abandonné, et tu ne le feras pas non plus! " »

Je remerciai Herschensohn de sa franchise et lui dis qu'il avait sans doute raison. Ma décision était difficile à prendre mais, dans une situation comme celle-ci, il n'y avait plus de décisions faciles ou difficiles, il n'y avait que des décisions nécessaires.

Un peu plus tard, Tricia m'appela pour me demander si Ed et elle pouvaient venir me voir. Voici comment elle a noté notre rencontre dans son journal :

> « Nous avons déjà décidé de soutenir papa, quelle que soit sa décision. Mais du fait qu'il ne l'a pas encore annoncée en public, nous voulions l'avertir une dernière fois et lui demander s'il était bien sûr que sa démission soit la seule mesure qu'il puisse prendre. Nous avions peur que, dans un moment de faiblesse ou de découragement, il prenne la mauvaise décision pour mettre fin à l'insoutenable persécution qu'il connaît. Car elle ne cessera pas avec sa démission. Il va être impitoyablement traqué et pourchassé, même après avoir quitté la Présidence, il devra faire face à des poursuites, des procès. Nous avions peur que, le lendemain de son départ, il rouvre les yeux et s'aperçoive qu'il avait commis une erreur irréparable en démissionnant. Papa a combattu seul la plupart du temps, presque seul d'autres fois. Mais il arrive parfois un moment où se battre seul revient à se battre contre soi-même. »

Quelques instants après, Ed et David revinrent tous les deux et plaidèrent l'argument que je devrais surseoir à ma décision, ne serait-ce que pour quelques jours. Je leur répondis que l'autorité de la Présidence serait si gravement atteinte par un vote de la Chambre en faveur de la révocation, suivi d'un long procès devant le Sénat, qu'il me deviendrait pratiquement impossible de gouverner.

Ed répliqua que le rôle le plus important du Président est celui qu'il joue dans la politique étrangère et que, même handicapé par la menace de révocation, je resterais infiniment plus fort et plus crédible que Ford ne le serait jamais. Il ajouta que, sur un plan personnel, ma démission ne résoudrait rien. Il avait travaillé assez longtemps dans les bureaux du parquet fédéral à New York et, me dit-il : « Je les connais, ces gens-là. Ils sont intelligents mais sans scrupules. Ils vous haïssent. Ils vont vous persécuter, vous poursuivre avec des actions civiles, pénales, ils vous pourchasseront dans tout le pays jusqu'à la fin de vos jours si vous démissionnez. »

Après que Ed eut exposé son point de vue, je lui ai répondu que ce qui m'arrivait était comparable à une tragédie grecque : on ne peut pas interrompre la représentation au milieu du deuxième acte. La tragédie doit se dérouler jusqu'à son dénouement, quel que soit celui que le destin aura ordonné.

David fut d'accord avec moi pour dire que, si j'avais la volonté d'aller jusqu'au bout de l'épreuve, je devrais m'en tenir à ma décision. Mais il éleva une vigoureuse protestation quand, dans le courant de la conversation, je dis que le Parti Républicain bénéficierait lui aussi de ma démission. « Vous ne devez strictement rien au parti! explosa-t-il. Grand-père s'en fichait bien, du parti, et vous devriez en faire autant. Faites au mieux pour vous-même et pour le pays. » Avant de me quitter, ils me dirent tous deux que la famille était prête à tout accepter et à me soutenir dans tout ce que je déciderais.

Il était déjà 16 heures passées. Dans moins d'une heure, Goldwater, Scott et Rhodes allaient arriver. Je repris alors le brouillon de mon discours et ajoutai une note au bas de la première page :

> « Paragraphe à insérer : J'ai rencontré les leaders de la Chambre et du Sénat ainsi que mes plus fidèles partisans dans les deux partis. Leur avis unanime est que, du fait de la manière dont a évolué l'affaire du Watergate, je ne dispose ni ne disposerait du soutien du Congrès pour les difficiles décisions à prendre en ce qui concerne la paix dans le monde et nos efforts pour combattre l'inflation, élément primordial de la vie quotidienne de chaque famille américaine. »

Avant que je m'en rende compte, il était déjà 17 heures. Mes visiteurs étaient installés dans le Bureau Ovale quand je les y rejoignis. Barry Goldwater, le patriarche du Parti Républicain sous sa chevelure argentée; Hugh Scott, le chef du groupe républicain au Sénat, et John Rhodes, son homologue de la Chambre des Représentants. Au fil des années, j'avais partagé bien des succès et bien des déceptions avec ces trois hommes. Aujourd'hui, ils étaient venus me confirmer l'état désespéré de la situation, m'avertir de l'étroitesse de la marge dont je disposais encore. Quand ils se furent rassis, je repoussai mon fauteuil, posai mes pieds sur la table et leur demandai de dire ce qu'ils étaient venus me dire.

Scott me dit qu'ils avaient choisi Goldwater comme leur porte-parole. Celui-ci commença d'une voix mesurée : « Monsieur le Président, ce que nous avons à vous dire n'est guère plaisant. Mais vous voulez que nous vous informions de la situation, et celle-ci est mauvaise. »

Je lui demandai alors de combien de votes je pouvais disposer au Sénat. « Une demi-douzaine? » hasardai-je.

Goldwater me répondit entre seize et dix-huit. En tirant sur sa pipe éteinte, Scott estima une quinzaine.

« C'est plutôt déprimant », observa-t-il tout en énumérant, un par un, la liste de mes vieux supporters dont la plupart avaient déjà déserté. Malgré moi, je dus faire de douloureuses grimaces en entendant les noms d'hommes que j'avais aidés à se faire élire, d'hommes qui se disaient mes amis.

Goldwater me dit que, à son avis, je pourrais sans doute gagner à la Chambre sur les Articles de Révocation I et III, mais que lui-même, s'il avait à voter, pencherait en faveur de l'Article II.

« Je n'ai pas grand choix, je suppose, dis-je en levant les yeux vers le sceau présidentiel qui ornait le plafond. »

Quand je les regardai en face, Goldwater et Scott restèrent silencieux. Rhodes, lui, avait pris ma déclaration désabusée pour une question et s'empressa de répondre qu'il ne voulait pas avoir à dire aux journalistes, qui attendaient au-dehors, qu'il avait discuté avec moi des choix spécifiques que je pouvais envisager.

« Aucune importance, l'interrompis-je. Ne vous attendez pas à ce que cela me fasse verser des larmes. Je n'ai pas pleuré depuis la mort d'Eisenhower. Ma famille a bien supporté tout cela et je m'en sortirai. Je veux simplement vous remercier d'être venus me donner votre avis. »

Scott arborait une mine si solennelle pendant que nous quittions le bureau que je ne résistai pas à la tentation de faire une petite plaisanterie : « Maintenant que ce cher vieil Harry Truman n'est plus là, lui dis-je, je n'aurai personne avec qui discuter du bon vieux temps. » Scott se força à faire un sourire contraint.

Après la réunion, j'appelai Rose pour lui demander de dire à ma famille que les dernières nouvelles du Congrès confirmaient la quasi-disparition de mon soutien parlementaire et que ma démission était désormais une nécessité absolue. Ma décision était maintenant irrévocable et je ne voulais pas que le sujet soit même abordé pendant le dîner.

De retour dans le Bureau Ovale, je demandai à Kissinger de m'y rejoindre. Il était taciturne et d'humeur sombre. Je lui dis alors que j'avais décidé de rendre ma démission publique le lendemain soir. Nous échangeâmes quelques phrases sur la nécessité d'en informer les gouvernements étrangers, en envoyant des messages spéciaux à destination des leaders chinois et soviétiques ainsi qu'aux chefs d'Etat du Proche et du Moyen-Orient. Tous ces pays devraient être assurés que mon départ n'entraînerait aucun changement dans la politique étrangère des Etats-Unis. Pour eux, Jerry Ford serait un inconnu : c'est pourquoi il fallait leur faire savoir qu'il m'avait toujours résolument soutenu dans ma politique étrangère tant à la Chambre des Représentants que depuis qu'il avait pris la Vice-Présidence, et qu'ils pouvaient tous compter sur lui pour poursuivre les orientations de ma politique quand il deviendrait Président.

Pendant quelques minutes, j'essayai d'imaginer les réactions qu'allaient susciter ces télégrammes. Qu'allait en penser Chou, dans son bureau de Pékin? Comment le Président Mao allait-il prendre cette nouvelle, assis dans son cabinet de travail débordant de livres où nous nous étions rencontrés à peine deux ans plus tôt?

Quand le message parviendrait à Moscou, il ferait nuit. Je préférais ne pas être à la place de l'officier de permanence qui aurait à décider s'il fallait avertir aussitôt Brejnev ou attendre son réveil pour le mettre au courant. Brejnev avait tellement souligné l'importance de nos relations personnelles comme la véritable fondation de la politique de détente que je me suis interrogé pour savoir si son premier réflexe ne serait pas de se demander quelles seraient les conséquences de ma démission sur sa propre position, et de préparer sa réaction officielle en fonction des conclusions qu'il en déduirait.

Au Caire et à Tel-Aviv, à Damas et à Amman, la nouvelle allait également arriver tandis que les villes seraient plongées dans le sommeil. Huit semaines plus tôt, j'y avais été accueilli en triomphateur de la paix, j'avais suscité l'enthousiasme des populations. Et maintenant, j'étais obligé de démissionner à cause d'un scandale politique. Cette paix, pour laquelle nous avions si durement travaillé, allait-elle faire preuve d'autant de fragilité?

Je retombai brutalement dans les sombres réalités du moment. « Henry, dis-je à Kissinger, vous savez que vous devez rester à votre poste et poursuivre, pour Jerry, l'effort que vous et moi avons entrepris. Le monde entier aura besoin d'être certain que mon départ ne modifiera pas notre politique. Vous seul pouvez leur donner cette assurance et Jerry aura grand besoin de votre aide. De même qu'il est désormais hors de doute que je doive partir, il est non moins évident que vous devez rester. »

Quand Kissinger m'eut quitté, je regagnai seul, à pas lents, la résidence privée. J'avais craint que la rencontre vers laquelle je me rendais ne soit la plus pénible de toutes. Mais j'avais sous-estimé la force de caractère de ma famille. Ma femme et mes filles formaient un trio de courage inébranlable. Chacune avait su prendre dignement les chances que leur avait offertes ma vie publique; de même, quand les coups avaient commencé à pleuvoir, elles surent les recevoir avec dignité et avec courage.

Je les trouvai rassemblées dans le solarium. Pat était assise, très droite, sur le bord d'un canapé. Elle tenait la tête légèrement plus relevée qu'à l'ordinaire, seul signe visible de la tension qu'elle subissait. Quand j'entrai dans la pièce, elle se leva et vint m'embrasser en me serrant dans ses bras. « Nous sommes tous fiers de toi, Richard », me dit-elle. Tricia était assise sur le canapé, Ed près d'elle sur l'accoudoir. Julie était dans l'un des fauteuils jaunes, retenant à grand-peine les larmes qui lui remplissaient les yeux. David était debout, une main posée sur l'épaule de sa femme. Rose, qui était aussi proche de nous que si elle faisait vraiment partie de la famille, était assise sur un gros pouf près de mon fauteuil.

« Aucun homme au monde n'a jamais eu de famille plus merveilleuse que la mienne », leur dis-je.

J'avais demandé à Ollie Atkins, notre photographe, de prendre quelques photos. Un jour, avais-je dit, nous pourrons peut-être évoquer à nouveau cette soirée-là et nous voudrions alors nous rappeler tout ce qui s'y était passé. Je demandai à Pat de venir avec moi dans la Roseraie pour une dernière photo, mais c'était apparemment trop lui en demander. Tricia se leva et dit : « Je vais venir avec toi, papa. »

En entrant dans le jardin, elle prit mon bras comme elle l'avait fait, trois ans auparavant, le jour de son mariage. Comme moi, comme ma mère, Tricia n'aime pas déployer ses émotions en public. Elle me souriait et avait l'air encore plus jeune, plus jolie même si c'était possible, que le jour de ses noces.

Au bout d'un moment, Ollie me dit : « Je crois que cela suffira,

Monsieur le Président. » En me tournant vers lui, je vis qu'il avait les yeux pleins de larmes. « Voyons, Ollie, lui dis-je, du courage! »

Nous sommes remontés ensuite et je demandai qu'on amène les chiens pour les dernières photos. Personne n'avait le cœur de prendre des poses, aussi Tricia suggéra que nous nous mettions tous en ligne en nous tenant par le bras, comme nous l'avions fait lors de notre photo de famille préférée prise devant l'arbre de Noël du Salon Bleu en 1971.

Avant que Ollie ne puisse se mettre en place, Julie fondit en larmes. Je savais que le seul moyen de supporter cette soirée était d'affecter un courage que nous ne ressentions pourtant guère. C'est pourquoi j'intervins en disant qu'il fallait que je supervise personnellement la composition du tableau. Je fis prendre à tout le monde des postures élaborées et, grâce à Dieu, Ollie opéra rapidement. Après qu'il eut fait cliqueter son objectif quelques fois encore, il s'empressa de détourner la tête, mais pas assez vite pour que nous n'ayons pas remarqué les larmes qui ruisselaient sur ses joues.

C'en était trop pour Julie. Elle se précipita sur moi, m'entourant de ses bras en sanglotant. « Je t'aime, papa », répéta-t-elle. A travers ses larmes, Ollie put immortaliser ces touchants et émouvants instants.

Encore aujourd'hui, je n'aime pas regarder les photos prises ce soir-là. Tout ce que je peux y voir, c'est la tension qui se montre derrière les sourires, les yeux débordants de larmes.

Pour ce dernier dîner à la Maison Blanche, personne ne se sentait de l'appétit. Nous nous sommes juste fait monter quelques plateaux dans le solarium. Ce qui comptait, c'est que nous soyons ensemble. Et parce que, précisément, nous l'avons vécu ensemble, si proches les uns des autres, cet instant restera pour moi sans prix et je ne l'oublierai jamais jusqu'à mon dernier soupir. Nous avons tenté de soutenir une conversation animée, même de rire aux attitudes comiques des chiens qui venaient quêter une gâterie. Mais c'était trop nous en demander et, la plupart du temps, nous avons mangé en silence.

Quand ce fut fini, je suis retourné seul dans le salon Lincoln pour travailler sur mon discours de démission. Maintenant que ma famille avait accepté l'inévitable, je sentais un calme inattendu revenir en moi.

Ziegler vint me rejoindre peu après pour mettre au point les détails du discours. Ensuite, alors que nous évoquions les spectaculaires revirements de fortune que nous avions vécus ensemble depuis deux ans et combien il était tragique de voir tout cesser ainsi, d'une manière si brutale et si triste, il me rappela une célèbre citation de Theodore Roosevelt, passage dont je m'étais souvent servi dans les discours que j'avais prononcés pendant mes campagnes électorales. C'était le passage que Teddy Roosevelt avait appelé celui du « gladiateur dans l'arène » :

> « Il a le visage souillé de poussière, de sueur et de sang. Il revient avec vaillance, recule, repart à l'assaut, revient encore avec un courage inlassable car il n'est pas d'effort sans erreur, de victoire sans revers. Sans jamais se décourager, il s'efforce d'accomplir son action et met son énergie entière dans la balance. A la fin, s'il réussit, il connaîtra le triomphe du succès. S'il échoue, il sera au moins tombé en ayant osé. »

Je me décidai alors de citer ce passage dans mon discours.

A 21 heures, j'appelai Kissinger pour savoir s'il était encore à son bureau et lui demander s'il voulait bien venir me voir. Nous avons passé une heure à parler de nos relations avec les Chinois et les Soviétiques, des problèmes que nous avions au Moyen-Orient, en Europe et dans d'autres parties du monde. Nous avons évoqué nos souvenirs sur les grandes décisions des cinq ans et demi qui s'étaient écoulés. Sans m'en rendre compte consciemment, cette conversation avait rendu encore plus aigu, plus douloureux mon sentiment d'arrachement à ce passé, la perte qui allait s'ensuivre de ma démission imminente. Pour la première fois depuis que j'en avais pris la décision, je me suis retrouvé submergé par mes émotions.

A un moment, Kissinger laissa échapper : « S'ils vous persécutent encore après votre démission, je donnerai la mienne et je dirai pourquoi à la face du monde! »

Je lui répondis alors que le pire qui pourrait arriver à l'Amérique et au monde entier serait précisément qu'après mon départ il quitte la scène lui aussi. Il n'y avait personne à l'horizon qui soit digne de lacer ses chaussures, encore bien moins de vouloir s'y glisser et prendre sa place.

Je lui rappelai, peu après, comment nous avions bu un toast, trois ans plus tôt, après que nous ayons reçu l'invitation de Pékin à venir en Chine. Dans le noir, j'ai alors enfilé le couloir menant à la cuisine des appartements privés et en ai ramené la même bouteille de cognac. Comme ce jour-là, nous avons choqué nos verres avant de nous adresser à chacun un toast rempli de solennité. Mais, après y avoir à peine trempé nos lèvres, nous avons reposé les verres sur la table et les avons laissés là, sans plus y toucher.

Alors que Kissinger était prêt à partir, je l'entraînai du salon Lincoln à l'ancienne chambre à coucher contiguë. Du temps de Lincoln, avant la construction de l'aile Ouest, cette pièce était l'ancien bureau du Président. On y voyait l'une des cinq copies du Discours de Gettysburg écrites de la main de Lincoln, ainsi que le bureau dont il se servait dans sa résidence d'été — la maison de retraite des anciens combattants.

Lincoln, dis-je à Kissinger, n'était pas plus que moi homme à porter sa religion en écharpe. Si nous avions, littéralement, des religions différentes, nous partagions malgré tout la même croyance en un même Dieu. Cédant à l'impulsion qui me prenait, je lui dis alors comment, tous les soirs, quand j'avais fini de travailler dans le salon d'à côté, je m'agenouillais pour prier silencieusement à la manière des quakers que ma mère m'avait apprise. Et je lui demandai de s'agenouiller et de prier avec moi.

Après le départ de Kissinger, je me remis à mon travail sur le discours du lendemain. J'y ajoutai ceci : « Redevenu simple citoyen, je poursuivrai le combat pour les grandes causes auxquelles j'ai dédié ma vie tout au long des années où j'ai servi mon pays comme député, sénateur, Vice-Président et, enfin, Président : la paix, pour les Américains mais aussi pour toutes les nations, la prospérité, la justice, et des chances égales pour tous. »

Les pouvoirs d'un Président commencent à lui glisser des mains dès le moment où l'on sait qu'il va quitter son poste. J'avais déjà observé ce phénomène se produire au moment du départ de mes prédécesseurs en 1952, en 1960 et en 1968. A la veille de ma démission, je savais que mon rôle n'était déjà plus que symbolique. C'était Gerald Ford qui représentait désormais l'élément constructif et dynamique. Les derniers appels téléphoniques, les dernières réunions, les dernières décisions qui me restaient faisaient partie d'un rituel institué pour régler le passé et faire ma paix avec lui. Ses appels, ses rencontres, ses décisions étaient dorénavant celles qui allaient modeler l'avenir de l'Amérique.

Ziegler vint me retrouver dans le Salon Lincoln et me décrivit ce qui avait été prévu pour la lecture de mon discours et la cérémonie de mon départ.

Au moment de quitter le salon, je demandai à Manolo, mon valet de chambre, d'aller devant et d'allumer toutes les lumières. De l'extérieur, le premier étage de la Maison Blanche devait sembler être le théâtre d'une joyeuse fête.

Pendant ce temps, Ziegler et moi sommes entrés dans toutes les pièces : la Chambre de la Reine, le Salon des Traités, le Salon Ovale Jaune, que Pat venait de redécorer et dont nous avions à peine eu le temps de profiter.

« C'est une bien belle maison, n'est-ce pas Ron? » lui dis-je tandis que nous marchions le long du vestibule sous l'éclat des lustres de cristal.

Après avoir demandé à Manolo de me réveiller à neuf heures le lendemain matin, je m'apprêtais à me diriger vers ma chambre. Ziegler me rappela :

« Monsieur le Président! Vous avez pris la bonne décision. »
Je hochai la tête sans répondre. Je le savais.
« Vous avez été un grand Président », ajouta-t-il.
Et il se détourna pour s'éloigner.

Le jeudi 8 août 1974 était mon dernier jour dans les fonctions de Président des Etats-Unis. Comme lors de tant d'autres matins, je parcourus la colonnade que Thomas Jefferson avait dessinée et fait bâtir, traversai la Roseraie et pénétrai enfin dans le Bureau Ovale.

J'appelai Haig et lui dis que je voulais opposer mon veto à la loi sur les crédits de l'agriculture dont nous avions discuté au conseil de Cabinet de mardi, car je ne voulais pas laisser à Ford la corvée de prendre cette mesure le premier jour de sa Présidence. Peu après, Haig m'apporta la déclaration du veto, que je signai. C'était ma dernière intervention législative en tant que Président.

A onze heures, on m'annonça l'arrivée du Vice-Président. Je levai les yeux et vis entrer Jerry Ford, la mine aussi austère que son costume gris foncé. Il s'assit à côté de mon bureau et, pendant un long moment, le silence régna dans la pièce.

« Jerry, dis-je enfin, je sais que vous allez faire un excellent travail. »
Je n'avais jamais beaucoup cru à l'idée que la Présidence élève les hommes à hauteur de leurs fonctions. Ce qui a précisément donné tant de vitalité à la Présidence américaine, c'est que chacun des hommes qui l'a assumée a su garder sa personnalité distinctive. Ses capacités y sont devenues plus éclatantes, mais ses faiblesses plus aveuglantes. La Présidence n'est pas une école de perfectionnement. C'est une loupe. Je croyais que Jerry Ford saurait soutenir avec succès l'épreuve de ce grossissement des traits de son caractère.

Nous avons parlé des problèmes auxquels il devrait faire face dès qu'il deviendrait Président, dans à peine vingt-quatre heures. J'insistai sur la nécessité impérative de maintenir notre puissance militaire et de ne pas laisser ralentir l'élan vers la paix dont nous avions pris l'initiative au Proche-Orient. Avant tout, lui dis-je, nous ne devons pas laisser les leaders de Moscou et de Pékin prendre prétexte de ma démission pour éprouver la résolution des Etats-Unis au Vietnam ou ailleurs dans le monde. Il ne faut pas que les communistes fassent l'erreur de croire que l'autorité de l'Exécutif a été si amoindrie par le Watergate que le pays n'a plus la force de s'opposer à une agression, où qu'elle se produise.

Je lui ai dit ensuite que j'avais l'intention d'envoyer aux principaux chefs d'Etat des messages leur rappelant que Jerry Ford avait toujours été l'un des supporters les plus résolus de ma politique, et qu'ils pouvaient compter sur lui pour la poursuivre avec fermeté et détermination.

Ford me demanda alors si j'avais des recommandations ou des conseils particuliers à lui donner. Je pensais, lui dis-je, que le seul homme qui lui était absolument indispensable était Henry Kissinger. Il n'existait nulle part un homme possédant autant de sagesse, de maturité, de ténacité, ni d'expérience aussi étendue dans le domaine de la diplomatie. Si Kissinger abandonnait son poste, notre politique étrangère se retrouverait vite dans un chaos complet dans le monde entier. Ford me répondit qu'il entendait fermement conserver Kissinger aussi longtemps que ce dernier voudrait rester dans le Gouvernement.

Je lui conseillai également de laisser à Haig ses fonctions à la tête de la Maison Blanche, au moins pendant une période transitoire. Haig, lui dis-je, serait toujours loyal envers son chef et il constituerait une source inestimable de conseils et d'expérience pendant la période où, inévitablement, chacun s'efforcerait de tirer la couverture à soi tant au sein du Cabinet que parmi les collaborateurs de la Maison Blanche.

Je dis aussi à Ford que je serais toujours disponible s'il estimait avoir besoin de mes conseils, mais que je ne ferais jamais la moindre intrusion dans ses prises de décision. Il m'en exprima sa gratitude et me dit qu'il accueillerait toujours avec faveur mes suggestions, surtout dans le domaine de la politique étrangère.

Je ne pense pas que Ford ait su que ce n'était pas à lui que j'avais pensé en premier lieu pour remplacer Agnew à la Vice-Présidence, ni qu'il n'était arrivé que quatrième dans le sondage officieux que j'avais opéré auprès des leaders républicains. Je savais qu'il y avait eu beaucoup de gens à ne pas partager la bonne opinion que j'avais des capacités de Ford. Malgré tout, j'avais senti que Jerry Ford était l'homme qu'il fallait et c'est pour cela que je l'avais choisi. Je n'avais aucune raison de regretter mon choix.

Il était midi, il fallait qu'il s'en aille.

« Où allez-vous prêter serment? » lui demandai-je en le raccompagnant à la porte.

Il me répondit qu'il avait décidé de ne pas aller au Capitole, car ses anciens collègues pourraient prendre prétexte de la cérémonie pour en faire une célébration déplacée. Je lui dis alors que j'avais l'intention de partir vers midi; s'il le voulait, il pourrait prêter serment à la Maison Blanche, comme l'avait fait Truman.

Je lui parlai aussi du coup de téléphone que j'avais reçu d'Eisenhower la nuit qui précédait mon intronisation, le 20 janvier 1969. Il m'avait dit que c'était la dernière fois qu'il pourrait m'appeler Dick. « C'est la même chose pour nous. A partir de maintenant, Jerry, vous êtes Monsieur le Président. »

Les yeux de Ford se remplirent de larmes — les miens aussi, je dois admettre — et nous sommes restés un moment devant la porte. Je le remerciai une fois encore pour le soutien loyal qu'il m'avait apporté au cours de ces pénibles dernières semaines et je lui dis qu'il pouvait compter sur mes prières pendant les jours et les années à venir.

Après que Ford m'eut quitté, je parcourus le chemin si familier menant au bâtiment des bureaux de l'Exécutif. L'aile Ouest était étrangement calme. Des bureaux toujours croulants sous la paperasse étaient vides et nets. Seules les sonneries persistantes des téléphones donnaient à la Maison Blanche une apparence de vie. Tout le reste paraissait figé dans l'immobilité.

Fred Buzhardt vint me rejoindre et me montra une lettre de l'avocat de Haldeman demandant une grâce présidentielle. En chef de cabinet toujours efficace, Haldeman avait joint à la requête une page dactylographiée toute prête à insérer dans le texte de mon discours pour proclamer la grâce aux inculpés du Watergate et l'amnistie aux réfractaires du Vietnam. Je dis à Buzhardt d'appeler les avocats après mon discours et de leur dire que j'avais refusé. C'était pour moi une décision douloureuse, celle de ne pas accorder la grâce, mais il était impensable, dans mon esprit, de pouvoir lier cette grâce à une amnistie envers les réfractaires du Vietnam. En outre, accorder à ce point la grâce aux inculpés du Watergate ne ferait que relancer cette malheureuse affaire à un degré d'hystérie encore jamais atteint. Je croyais au contraire qu'il était essentiel, pour le pays, que ma démission soit considérée comme un acte d'apaisement et de soulagement pour des plaies encore trop sanglantes. Lier ma démission à une grâce dans le Watergate aurait irrémédiablement vicié l'effet apaisant que je voulais qu'elle ait.

Haig et Ziegler vinrent ensuite nous rejoindre. Haig sortait d'une réunion avec Jaworski, au cours de laquelle il lui avait annoncé que j'allais démissionner. Je lui avais dit, auparavant, que je ne voulais pas entendre parler d'un quelconque marchandage avec Jaworski. Ce n'étaient ni des compromis favorables ni des promesses de clémence qui me convaincraient de quitter mon poste. Je ne partais pas sous l'effet de la peur et je saurais prendre les risques que ma décision comportait. « Quelques-unes des œuvres littéraires les plus importantes de l'histoire ont été écrites en prison, avais-je dit. Prenez l'exemple de Lénine et de Gandhi. »

Haig me dit que Jaworski pensait que j'avais pris la meilleure décision compte tenu des circonstances et que, d'après leur conversation, il avait compris que je n'aurais plus rien à redouter du procureur spécial. Si l'on se basait sur la façon dont ses services avaient agi dans le passé, répondis-je, il n'y avait pas là pour moi de raisons de me sentir rassuré.

Franchement, cela me faisait bouillir que les gens s'imaginent que ma décision avait été influencée par des arrière-pensées aussi avilissantes que la peur d'être exposé à des poursuites, ou encore que le procureur spécial et mes autres assaillants avaient réussi à me chasser de mon poste. L'opinion des gens sur moi, à vrai dire, m'était totalement indifférente aussi longtemps qu'ils ne croyaient pas que j'avais lâchement abandonné parce que les choses commençaient à se gâter.

Rose arriva ensuite pour prendre note de mes dernières corrections au discours de démission. Elle allait le dactylographier sur une machine spéciale avec des caractères très gros, dont nous nous servions pour que je n'aie pas besoin de porter de lunettes à la télévision. Elle s'était habillée avec une robe et des chaussures roses, probablement pour essayer d'atténuer le caractère sombre de cette journée.

Elle me dit que la famille en avait discuté et qu'ils voulaient être dans le Bureau Ovale pendant que je prononcerais mon discours, afin que le monde entier puisse voir qu'ils étaient toujours avec moi et me soutenaient. Je lui répondis que c'était absolument hors de question : je serais incapable d'aller jusqu'au bout de mon discours s'ils étaient avec moi. Rose me dit alors qu'ils avaient prévu ma réaction et demandaient au moins de pouvoir se tenir dans la pièce d'à côté pendant que je parlerais. J'insistai auprès de Rose pour qu'elle leur dise qu'il fallait que je passe par cette épreuve tout seul et que, s'ils voulaient me rendre service, ils feraient mieux de rester dans nos appartements privés et de regarder le discours à la télévision.

Rose me dit enfin que, parmi les milliers de coups de téléphone reçus, elle se sentait obligée de me parler de celui du colonel d'aviation Theodore Guy, le chef de l'association des prisonniers de guerre. Il était en larmes pour dire à Rose qu'elle devait m'empêcher de démissionner. Je ne les avais pas abandonnés dans le besoin, avait-il dit, et ils ne voulaient pas m'abandonner à mon tour.

Cet après-midi-là, je n'étais pas d'humeur à subir la foule habituelle des photographes, des employés ou même des agents et des policiers pendant le court trajet séparant l'Exécutif de la Maison Blanche. Ziegler, à qui j'avais fait part de mon désir de tranquillité, l'avait parfaitement exaucé. Quand nous avons traversé tous deux le passage et emprunté les couloirs, nous n'avons pas rencontré âme qui vive.

Les couloirs des appartements privés étaient encombrés de malles et de caisses. Je me suis rasé et douché, puis j'ai choisi le costume et la cravate que j'avais portés à Moscou en 1972, quand j'avais fait mon allocution télévisée au peuple soviétique. C'était un costume en tissu bleu ardoise très léger et, par conséquent, me permettant de rester relativement frais sous les projecteurs de la télévision.

Je suis ensuite retourné au bâtiment de l'Exécutif pour une brève réunion avec les chefs des groupes parlementaires et présidents des assemblées pour les informer officiellement de ma démission. Je voulais que cette occasion soit aussi simple et digne que possible. Ces hommes sont des vétérans de la vie politique, et ils savaient mieux que personne que l'arrivée ou le départ des Présidents, quelles que puissent en être les conséquences individuelles, ne représentent pas ce qui a le plus d'importance pour le pays.

Ils arrivèrent à l'heure pile, 19 h 30. Carl Albert, président de la Chambre des Représentants, entra en tête du groupe.

Avant que j'aie eu le temps de placer un mot, il lâcha une phrase sans reprendre haleine : « Vous savez, j'espère, Monsieur le Président, que je n'ai rien eu à voir dans toute cette affaire de démission. — Je comprends, Carl », lui répondis-je. Nous étions arrivés ensemble, jeunes débutants, au Capitole en 1947.

Je leur dis à tous combien j'avais apprécié leur soutien sur les programmes que je leur avais soumis au cours des années passées, et que je leur étais particulièrement reconnaissant de m'avoir soutenu à l'occasion de ma dernière rencontre avec les Soviétiques, à un moment où les pressions partisanes se faisaient déjà très dures. Je leur dis aussi que j'avais toujours respecté l'opposition qu'ils me manifestaient parfois. Mike Mansfield, à qui je m'adressais particulièrement en prononçant ces mots, affecta de ne rien remarquer et resta assis, l'air maussade, en tirant sur sa pipe. « Mike, lui dis-je, nos petits déjeuners ensemble vont me manquer. » Il se borna à hocher la tête. Hugh Scott était plus cordial et plus amical que Mansfield. John Rhodes était, comme à son habitude, plaisant sans vouloir prendre parti d'un côté ni de l'autre.

Jim Eastland était le seul paraissant prendre réellement part à ma peine. Sudiste, conservateur, il avait toujours été l'un des hommes les plus sous-estimés du Sénat. Tout au long de ma carrière, il a été l'un de mes conseillers en qui je mettais le plus de confiance. Son visage exprimait une sympathie compréhensive qui valait des volumes de mots.

Je me suis levé enfin et, mettant mon bras sur les épaules de Carl Albert, je lui dis : « Nos petits déjeuners à nous aussi vont me manquer, Carl. » Nous nous fîmes nos adieux et ils sont tous partis.

Je parcourus le bureau des yeux. Mon regard s'arrêtait sur des objets familiers, les éléphants, les maillets, les caricatures encadrées, les plaques commémoratives, les livres, les photos de Pat, Tricia et Julie. Enfin, je sortis et refermai la porte derrière moi. Je savais que je n'y reviendrais plus jamais.

D'un pas rapide, je me rendis ensuite à la salle du conseil de Cabinet. Quarante-six personnes s'étaient entassées autour de la table et le long des murs, quarante-six amis et collègues ayant partagé d'innombrables efforts depuis plus de trente ans. Certains d'entre eux siégeaient déjà à la Chambre depuis des années quand j'y fis mon entrée, débutant encore « vert », frais émoulu de ma circonscription de Whittier. D'autres y étaient entrés en même temps que moi, en 1947, pleins d'espoirs et de rêves et de projets pour l'Amérique de l'après-guerre. Ensemble, au cours des derniers cinq ans et demi, nous avions inlassablement groupé nos forces, travaillé avec opiniâtreté pour resserrer la mince mais inébranlable coalition qui avait sans cesse tenu en respect, telle une réincarnation héroïque de David, le Goliath menaçant du libéralisme démocrate et républicain à la Chambre et au Sénat.

Je leur parlai des grands moments que nous avions vécus ensemble. Sans eux, leur dis-je, il m'aurait été impossible de prendre les initiatives qui avaient mené aux nouvelles relations entre notre pays et la Chine ou l'Union Soviétique, qui avaient permis à la paix de progresser au Proche-Orient et, par-dessus tout le reste, qui avaient permis de mettre fin à la guerre du Vietnam et d'en faire revenir nos prisonniers.

Je leur dis aussi que j'aurais voulu rester et poursuivre le combat, mais qu'un procès de six mois au Sénat était plus que ce que le pays pourrait supporter. Il fallait maintenant, leur dis-je, un Président à temps complet capable de concentrer toutes ses forces sur les difficiles problèmes qui se dessinaient à l'horizon. La Présidence, leur dis-je, dépasse l'homme qui la remplit, elle est plus grande que les Présidents, plus grande même que la dévotion qu'ils lui vouent. Maintenant, c'était à Jerry Ford qu'ils devaient accorder leurs voix, leur affection et leurs prières.

Dans la pièce, l'émotion avait atteint un niveau insoutenable. Je pouvais voir nombre d'entre eux qui ne se cachaient pas pour pleurer. D'un coup d'œil à ma montre, je vis qu'il était près de 20 h 30, et j'avais parlé presque une demi-heure. Quand j'entendis Les Arends, l'un de mes amis les plus chers, laisser échapper un sanglot de douleur, je ne fus plus capable de dominer mes émotions et, à mon tour, je fondis en larmes.

« J'espère simplement ne pas vous avoir déçus », dis-je en essayant de me lever.

Mais la foule était si dense, nous étions si serrés les uns contre les autres que je n'arrivais pas à repousser ma chaise. Bill Timmons dut m'aider à la faire glisser sur le plancher. Enfin, je quittai la pièce.

Quelques minutes plus tard, Haig me rejoignit dans le petit bureau contigu au Bureau Ovale, où je relisais une dernière fois le texte de mon discours. Il avait été témoin de la scène dans la salle du conseil et il craignait que je ne sois pas capable de tenir pendant toute la durée de la retransmission. « Al, lui dis-je, je suis désolé d'avoir craqué, tout à l'heure. Mais quand je vois pleurer les gens, surtout quand ils pleurent pour quelque chose qui ne les touche pas directement, c'est plus que je ne peux supporter. Maintenant, tout ira bien, ne vous faites pas d'inquiétude.

— Tout le monde était profondément ému, Monsieur le Président, me répondit-il. Et je sais bien que vous allez prononcer un grand discours, ce soir. »

Il quitta la pièce et me laissa seul avec mes pensées.

Deux minutes avant 21 heures, je retournai dans le Bureau Ovale. Je me suis assis dans mon fauteuil, derrière le bureau, pendant que les techniciens ajustaient leurs éclairages et réglaient le niveau d'enregistrement.

A 21 heures et 12 secondes, la lumière rouge de la caméra en face de moi s'alluma. Le moment était venu de m'adresser à l'Amérique et au monde.

Je commençai en disant combien il m'était difficile d'abandonner le combat avant sa fin, mais l'absence de soutien parlementaire risquerait de paralyser les affaires du pays si je décidais de poursuivre ma lutte.

« Au cours de ces derniers jours, j'ai dû me rendre à l'évidence que je ne possédais plus au Congrès un soutien politique assez fort pour justifier la poursuite de mes efforts. Aussi longtemps que je disposais de ce soutien, j'avais gardé la conviction qu'il fallait poursuivre jusqu'à son terme le processus constitutionnel engagé. Agir autrement aurait nui à l'esprit de ce processus, rendu volontairement difficile, et aurait créé un dangereux précédent déstabilisateur pour l'avenir.

Mais ce soutien m'ayant été retiré, je crois désormais que le processus constitutionnel a rempli le but qu'il s'était fixé et qu'il n'y a plus de nécessité à le prolonger. »

Venait ensuite la phrase la plus difficile qu'il me serait jamais donné de prononcer. Fixant directement la caméra des yeux, je dis alors :

« En conséquence, je démissionne de la Présidence. Cette démission prendra effet demain à midi. »

Ensuite, je poursuivis la lecture du texte :

« En agissant ainsi, j'espère hâter le début d'un processus d'apaisement et de guérison dont l'Amérique a si désespérément besoin.
J'éprouve les plus profonds regrets pour toutes les blessures qui ont pu être infligées pendant le cours des événements ayant mené à la décision que je viens de prendre. Je tiens seulement à vous dire que si j'ai pu commettre des erreurs de jugement — et j'en ai commis —, elles ne trouvaient leur source que dans ce que je croyais, à l'époque, être les intérêts profonds de la nation. »

Je parlai encore brièvement de l'Amérique et du monde. Je parlai de mes propres efforts, pendant les vingt-cinq ans de ma vie publique, pour toujours mener le combat en faveur de mes convictions. J'évoquai ensuite le souvenir de mon discours inaugural, dans lequel je prenais l'engagement de consacrer ma vie et mon énergie à promouvoir la cause de la paix entre les nations. Je continuai en ces termes :

« Chaque jour, depuis, j'ai fait de mon mieux pour être fidèle à cet engagement. Le résultat qui consacre mon effort est, je crois pouvoir le dire, que le monde est devenu aujourd'hui un endroit plus sûr non seulement pour le peuple américain mais aussi pour les peuples de tous les pays. Aujourd'hui plus qu'hier, nos enfants ont une chance accrue de vivre en paix plutôt que d'aller périr dans des guerres.
C'est cela, plus que tout le reste, que j'espérais pouvoir accomplir quand je briguais la Présidence. C'est cela, plus que tout le reste, qui constitue le capital que je vous lègue, à vous, à notre pays, en ce jour où je quitte la Présidence. »

Pendant que je prononçais ce discours, j'avais les yeux sur le texte, mais je ne lisais pas vraiment. Ce discours sortait du fond de mon cœur. En conclusion, je dis enfin : « Avoir servi le pays au poste que j'occupais était se sentir personnellement attaché par des liens puissants à chacun des Américains, mes compatriotes. En quittant mes fonctions, je ne puis le faire qu'avec une courte prière : que la grâce de Dieu soit avec vous tous pour tous les jours à venir. »

La lampe rouge de la caméra clignota et disparut. Un à un, les projecteurs aveuglants s'éteignirent. Je relevai les yeux et vis les techniciens respectueusement alignés le long du mur, faisant comme s'ils n'attendaient pas mon départ pour se mettre à démonter leur matériel. Je les ai remerciés et les ai laissés dans le Bureau Ovale.

Kissinger m'attendait dans le corridor. « Monsieur le Président, me dit-il, après tous les discours importants que vous avez prononcés dans ce bureau, je vous ai toujours raccompagné jusque chez vous. Ce serait pour moi un grand honneur de pouvoir le faire ce soir. »

Tandis que nous traversions la roseraie, Kissinger me parlait d'une voix triste et étouffée. « Historiquement, me dit-il, ce discours prendra place parmi les plus grands et l'histoire vous redonnera un jour votre place parmi les Présidents, l'une des premières. » Alors, je me tournai vers lui : « Henry, lui dis-je, cela dépendra de ceux qui écriront l'histoire. » Nous nous sommes séparés à la porte des appartements privés après que je l'eus encore remercié.

En allant vers l'ascenseur par le long couloir obscur, je vis que les agents du Service de sécurité avaient, grâce à Dieu, eu le bon esprit de disparaître ou de se dissimuler. Quand les portes de l'ascenseur s'ouvrirent sur le palier de l'étage, ma famille m'attendait au grand complet. Pat me prit dans ses bras. Puis Tricia, Julie, Ed, David. D'instinct, nous avions peu à peu formé un groupe étroitement embrassé, uni par la tendresse, l'amour et la foi.

Nous sommes ensuite allés nous asseoir et avons parlé pendant quelques minutes de la journée écoulée et du discours qui l'avait conclue. Soudain, je fus saisi d'un tremblement violent. Tricia se pencha vers moi pour me serrer contre elle. « Papa! s'écria-t-elle. Tu transpires si fort que ton costume en est tout trempé! » Je lui dis de ne pas s'inquiéter. J'avais dû transpirer abondamment pendant le discours et j'avais sans doute attrapé un coup de froid en revenant du bureau. Une minute plus tard, en effet, c'était déjà passé.

Nous avons ensuite parlé des premières réactions au discours; pour la plupart, elles étaient favorables. Presque tous les commentateurs de la télévision et de la presse avaient vu dans mon discours l'objectif que j'y recherchais, réunir le pays divisé. Mais ces premières réactions allaient constituer la plus brève des « lunes de miel » que j'aurais connues de toute ma carrière politique. A peine quelques heures plus tard, les commentaires allaient redevenir négatifs et les critiques aussi violentes.

Finalement, je dis que nous devrions aller dormir en prévision de la longue et dure journée qui nous attendait le lendemain. En allant dans le couloir, nous pouvions entendre les cris et les chants de la foule massée derrière les grilles. Il s'ensuivit une scène tragi-comique que Tricia a décrite dans son journal :

> « Nous entendions le bruit d'une foule en train de chanter sur Pennsylvania Avenue. Maman fit la méprise de croire qu'il s'agissait d'un groupe de nos sympathisants alors qu'ils n'étaient qu'un ramassis des mêmes qui, pendant toute la Présidence de papa, l'avaient pourchassé et traqué sans merci. Ce soir, ils étaient venus chanter *Jail to the Chief* [1].
> Maman essayait de pousser papa vers la fenêtre pour qu'il salue la foule. Ed et moi tâchions désespérément de parler assez fort pour noyer leurs hurlements. Nous voulions au moins que papa n'entende pas leurs méchancetés. Malgré tout, j'ai bien peur que cette dernière injustice ne lui ait pas échappé. »

En fait, j'avais déjà entendu les cris de la foule bien plus tôt, dès avant mon discours. Sans même avoir compris ce qu'ils hurlaient, donc sans savoir dans quel camp ils étaient, j'avais supposé qu'ils m'étaient hostiles, mais j'en avais tellement pris l'habitude que cela ne me dérangeait plus et que je n'y fis pas la moindre attention.

J'ai alors demandé à Manolo de me porter des œufs au bacon dans le

---

1. Selon la coutume américaine, l'arrivée du Président sur les lieux d'une cérémonie officielle est généralement marquée par l'exécution d'une marche, assez courte, intitulée : *Hail to the Chief*, « Salut au Chef ». La substitution de *Jail* (prison) à *Hail* (salut) constitue un jeu de mots intraduisible en français, mais dont la signification est assez évidente. (N. du T.)

salon Lincoln et j'y suis resté jusqu'à une heure et demie du matin à télé-phoner à des amis et des collaborateurs. J'ai dit à chacun l'expression de ma gratitude pour son soutien et mon espoir de ne pas les avoir déçus.

Manolo frappa discrètement à la porte : il me demandait si j'aurais besoin de quelque chose avant de me coucher. Je lui demandai simplement d'éteindre toutes les lumières dans les appartements. De même que la nuit précédente avait été celle de la lumière, celle-ci devait être celle de l'obscurité. Quelques minutes plus tard, je m'engageais dans le couloir plongé dans le noir. Je ne craignais pas de buter contre des obstacles. Cette maison avait été la mienne pendant près de six ans, et j'en connais-sais les moindres recoins.

Soudain, je m'éveillai en sursaut. Avec les rideaux tirés, je ne pouvais pas me rendre compte de l'heure qu'il était. Ma montre indiquait quatre heures. Ainsi, je n'avais dormi que deux heures, mais j'étais pourtant parfaitement réveillé.

J'enfilai ma robe de chambre et me décidai à descendre à la cuisine pour me préparer un petit déjeuner. A ma surprise, j'y retrouvai Johnny Johnson, l'un des serveurs de la Maison Blanche. « Que faites-vous donc ici de si bonne heure, Johnny? lui demandai-je.

— Il est bientôt six heures, Monsieur le Président », répondit-il.

Ma montre s'était donc arrêtée à quatre heures.

Je lui demandai alors de me préparer un solide petit déjeuner, contrai-rement aux habitudes frugales que j'avais prises, et de me le porter dans le salon Lincoln. Après quoi, je tirai un bloc-notes de mon porte-documents et préparai l'allocution que j'allais donner à tous ceux, hauts fonction-naires, ministres et collaborateurs de la Maison Blanche, qui devaient se rassembler dans le Salon de l'Orient à 9 h 30 pour me faire leurs adieux. Après tout ce par quoi j'étais passé depuis les dernières vingt-quatre heures, il était difficile d'imaginer quelque chose de nouveau à leur dire.

J'étais plongé dans mes réflexions quand Haig s'annonça d'un coup discret frappé à la porte. « Il reste une dernière chose à faire, Monsieur le Président, et j'ai pensé que vous préféreriez la faire maintenant. »

Il posa une feuille de papier devant moi. J'y lus la seule phrase qu'elle comportait et y apposai ma signature :

« Je déclare démissionner de mes fonctions de Président des Etats-Unis. »

Cette lecture serait remise à destination dans quelques heures, à 11 h 35, le 2 027ᵉ jour de ma Présidence.

Après que Haig eut quitté la pièce, je me souvins de quelque chose que j'avais lu dans une biographie de Theodore Roosevelt et je demandai à l'un des serviteurs des appartements privés d'aller chercher, dans mon bureau de l'Exécutif, les livres posés sur le rebord du bureau. Il revint avec trois livres, dont le *Theodore Roosevelt* de Noel Busch. J'y trouvai rapidement le passage recherché et le marquai d'un signet.

Quand j'appelai Haig pour lui faire mes adieux, il était en plein milieu d'une conférence avec le personnel pour régler les problèmes en cours et préparer la transition avec mon successeur. Mais cinq minutes plus tard, il était à la porte du Salon Lincoln.

« La réunion peut aller au diable, me dit-il en entrant. Je préfère passer ces dernières minutes en votre compagnie. »

Je lui ai dit que les mots étaient impuissants à exprimer la gratitude que j'éprouvais pour tout ce qu'il avait fait pour moi au fil des années et je lui présentai mes vœux de succès et de bonheur pour l'avenir.

Bientôt, il fut temps d'aller rejoindre ma famille. David et Julie m'attendaient dans le vestibule. Ils n'allaient pas partir avec nous : ils restaient pour superviser le déménagement et l'expédition de nos affaires à San Clemente. Tricia et Ed sortirent de leur chambre et restèrent ensemble en attendant Pat, qui ne tarda guère à nous rejoindre.

Elle avait mis une robe rose pâle et blanc et, en nous voyant, s'essaya à un sourire. Elle portait des lunettes noires pour dissimuler les stigmates des deux nuits blanches passées à tout préparer, et surtout les pleurs dont Julie m'avait dit qu'ils avaient enfin coulé ce matin en dépit de son courage. Je savais de quel héroïsme elle avait dû faire preuve pendant les jours et les nuits ayant précédé notre départ brutal. Et maintenant, elle ne pouvait même pas s'attendre à recevoir les manifestations d'admiration qu'elle méritait. Il n'allait pas y avoir la longue suite des réceptions organisées d'habitude par les épouses des parlementaires, pas de discours de remerciement, pas de cadeaux d'adieu. Elle avait rempli ses fonctions de Première Dame d'Amérique avec une dignité, une bonté rares. Elle avait tant donné d'elle-même à la nation, au monde entier... Maintenant, elle ne pouvait plus que partager mon exil. Elle méritait pourtant mieux.

Manolo vint vers moi m'annoncer que le personnel des appartements s'était rassemblé pour me faire ses adieux. Je leur fis une brève allocution où je leur dis que j'étais allé dans les plus beaux palais, de l'Europe à l'Asie, que j'avais rendu visite à des centaines de princes et de Premiers ministres dans des résidences admirables par leur splendeur et leur ancienneté. « Mais cette maison, leur dis-je, est la meilleure et la plus belle de toutes car elle a un cœur, un grand cœur. Et ce cœur bat grâce à tous ceux qui y servent. »

Je leur dis aussi que nous n'avions jamais manqué de remarquer les innombrables manières dont ils s'y étaient toujours pris pour que les hôtes du Président, qu'il s'agisse d'un roi ou d'un enfant handicapé, se sentent toujours chez eux et à l'aise dans cette maison. Désormais, ils devaient consacrer tous leurs soins au Président et à Madame Ford. « Vous êtes les meilleurs de tous ! » leur dis-je en serrant la main de chacun.

Il était temps, maintenant, de descendre au rez-de-chaussée. Je demandai à Ed de prendre le livre sur Theodore Roosevelt. J'avais décidé de lire le passage en question directement dans le livre. Je n'avais pas le temps de le faire taper et ce serait donc la première fois que je devrais porter mes lunettes en public.

Nous sommes entrés dans l'ascenseur juste après 9 h 30. Pendant ces quelques instants, Steve Bull me décrivit la manière dont le Salon de l'Orient avait été arrangé et dit à chaque membre de ma famille où il devrait se tenir, derrière moi, sur l'estrade montée pour mon allocution. Il indiqua également qu'il y aurait trois caméras de télévision. En entendant cela, Pat et Tricia laissèrent éclater leur mécontentement. C'en était trop, dirent-elles, que la télévision, après tout ce qu'elle nous avait infligé, vienne encore troubler par sa présence indiscrète les derniers moments d'intimité que nous passions ici. « C'est comme cela, leur dis-je, et il faut que cela le soit. Nous le devons à nos amis, à nos sympathisants. Nous le devons au pays. »

Pendant quelques instants, nous sommes restés immobiles derrière la porte, pour mieux nous endurcir contre l'émotion du moment qui s'annonçait. Pat décida, à la dernière minute, de ne pas garder ses lunettes noires. Ed l'approuva : en un moment comme celui-ci, il n'y avait pas de honte à montrer ses larmes. Enfin, je fis un signe de tête à Steve Bull et la porte s'ouvrit à deux battants.

Voici comment Tricia a décrit notre entrée dans son Journal :

> Je pris trois profondes inspirations, pour dissiper le vertige qui m'avait saisie. Une — deux — trois. Puis je dis à haute voix : « Respirez à fond, trois fois. » Maman et Julie suivirent mon conseil.
>
> Les battants de la porte s'ouvrirent devant nous et le grand salon parut dans toute sa beauté, inondé sous la lumière éblouissante des projecteurs de télévision. La chaleur qu'ils dégageaient était à la fois plaisante, comme un cocon, et désagréable, réconfortante mais étouffante.
>
> La pièce semblait littéralement bourrée de monde. On sentait l'air chargé d'une sorte d'électricité, assez puissante pour attirer notre petit groupe comme vers un aimant.
>
> Soudain, je me sentis agrippée par-derrière. Une des servantes — Viola, la blanchisseuse — m'étreignait avec des sanglots hystériques, Je ne pouvais même pas ressentir son chagrin, car j'avais moi-même dépassé le stade de la douleur. Je la serrai contre moi et lui murmurai : « Prenez bien soin du nouveau Président et de sa famille », puis me dégageai avec douceur, ne pensant plus qu'à rejoindre les autres qui avaient pris une avance de plusieurs pas.
>
> Le salon se mit à vibrer sous les applaudissements, le salut de tous ceux qui se souciaient vraiment de nous. Un appariteur proféra les paroles rituelles : « Mesdames et Messieurs, le Président des Etats-Unis et Mme Nixon. M. et Mme Edward Cox. M. et Mme David Eisenhower. » Les applaudissements redoublèrent. Le bruit des chaises frottant par terre tandis que tout le monde se levait pour nous accueillir. Un orchestre se mit à jouer Hail to the Chief.
>
> L'estrade devant nous. Deux marches à monter. Trouver le repère de ma place. Ne pas trébucher sur les fils électriques. Tendre la main vers celle de maman, la serrer. Des applaudissements. Papa est en train de parler. Partout, des joues ruisselantes de larmes. Ne surtout pas regarder. Ne surtout pas y penser maintenant.
>
> Ce que disait papa était unique, car les mots qu'il prononçait sortaient du cœur. Rien de formel, de préparé. J'étais heureuse que les gens aient enfin un aperçu du vrai homme, de l'homme merveilleux qu'il avait toujours été. A la fin, le « vrai » Nixon était révélé comme lui seul pouvait le faire. En parlant ainsi, du fond du cœur, il se montrait enfin aux gens tel qu'il était. Il n'était pas trop tard pour qu'ils comprennent.

La pièce était chargée d'une émotion presque insoutenable. Il me fallut plusieurs minutes pour faire cesser les applaudissements. Enfin, après avoir commencé à parler, je me mis à regarder autour de moi. La plupart des visages ruisselaient de larmes. Jusqu'à aujourd'hui, je ne peux pas oublier le spectacle que donnait Herb Stein, un homme que j'avais toujours respecté pour son esprit analytique froid et précis, son humour pince-sans-rire, qui nous regardait à travers un véritable ruisseau de pleurs qui lui trempait les joues. Si je continuais à regarder ainsi, je ne serais plus capable de contenir mes propres émotions. Aussi, je détournai le regard des yeux rougis qui m'entouraient pour le fixer sur l'œil rouge de la caméra. Je m'adressais désormais au pays.

Il me fallait maintenant repousser un flot d'émotions qui m'assaillaient. La veille au soir, j'avais prononcé le discours officiel, celui dont se souviendrait l'histoire. Maintenant, j'avais l'occasion de parler personnellement, intimement à tous ceux qui avaient travaillé si dur pour ma cause et que j'avais si durement déçus.

J'avais atteint le cauchemar où culminait un long rêve. J'avais parcouru un bien long chemin, depuis mon humble maison natale de Yorba Linda jusqu'à cette grande et noble maison de Washington. Alors, je pensai à mes parents et je me suis efforcé de dire à tous ces gens les pensées qui me venaient.

> « Je me souviens de mon père. Je crois qu'on aurait pu dire de lui que c'était un homme ordinaire, un humble. Mais il ne se considérait pas comme un humble. Savez-vous ce qu'il faisait, mon père? Il avait d'abord été conducteur de tramway, puis il a été ouvrier agricole, et enfin il s'est acheté une petite exploitation, où il cultivait des citronniers. Je peux vous garantir que c'était la ferme la plus pauvre de toute la Californie. Il a dû la revendre avant qu'on y découvre du pétrole.
>
> Ensuite, il a été épicier. Mais c'était un grand homme, parce qu'il avait toujours fait son travail et que tout travail bien fait est un travail qui compte, quoi qu'il arrive.
>
> Personne, j'imagine, n'écrira jamais un livre sur ma mère. Vous tous, je crois, pouvez dire la même chose de votre mère : c'était une sainte. Quand je repense à elle, je la vois avec deux garçons mourant de la tuberculose, en prenant quatre en nourrice pour pouvoir s'occuper de mon frère aîné en Arizona, et les voyant mourir tous les quatre. A chaque fois, c'était comme si un des siens mourait.
>
> Non, elle n'aura jamais de livre pour raconter sa vie. Et pourtant, c'était une sainte. »

J'avais voulu aussi trouver une nouvelle manière de dire aux collaborateurs de la Maison Blanche quelque chose qui les inspire et leur donne courage. J'avais cherché un moyen de les convaincre sans platitude de porter leurs regards au-delà de ce moment pénible que nous étions en train de vivre. Alors, je pris le livre que me tendait Ed, je chaussai mes lunettes et je lus l'hommage émouvant qu'avait écrit Theodore Roosevelt à la mort de sa première femme :

> « Elle était belle de corps et de visage, mais plus belle encore dans son esprit... Quand elle devint mère, et que sa vie paraissait juste à son début pour lui réserver de longues années de joie et de lumière, alors un étrange et terrible destin la saisit et étendit sur elle l'ombre de la mort. Et quand mourut l'être le plus cher à mon cœur, la lumière sembla s'éteindre de ma vie pour toujours. »

Reposant le livre, je dis que Theodore Roosevelt avait écrit ces mots quand il avait à peine vingt ans. Il croyait alors que sa vie serait pour toujours plongée dans les ténèbres. Mais pourtant, il a continué à vivre et non seulement il devint Président mais il continua, après cela, à servir son pays pour de longues années, toujours dans l'arène, toujours au premier rang, inspirant toujours aux autres le courage. Sa vie, dis-je, devrait servir d'exemple à tous et ne jamais être oubliée.

> « Parfois, quand nous sentons que les choses vont mal, quand nous perdons un être cher, quand nous sommes battus à une élection, quand nous subissons un échec, nous croyons que tout est fini. Nous pensons, comme le disait Theodore Roosevelt, que la lumière s'est éteinte à jamais dans notre vie.
> Eh bien, non! Tout est toujours un recommencement. Jeunes ou vieux, nous

devons toujours y penser. Cela doit toujours nous soutenir, car le succès, la grandeur, ne nous sont pas donnés quand tout va bien pour nous. Ils doivent être gagnés lorsqu'on a subi des épreuves, quand on a surmonté les obstacles, la tristesse, les déceptions. Car ce n'est qu'après avoir été au plus profond des vallées que l'on apprécie la magnificence de se trouver sur les cimes...

Donnez toujours le meilleur de vous-mêmes, ne vous découragez jamais, ne vous laissez jamais aller à la mesquinerie. N'oubliez jamais que d'autres peuvent éprouver de la haine envers vous, mais ceux-là ne pourront l'emporter sur vous que si vous vous laissez aller à les haïr à votre tour. En les haïssant, vous vous détruisez vous-mêmes. »

Finalement, tout fut fini. Nous sommes descendus de l'estrade. Pendant que nous passions devant eux pour la dernière fois, les gens applaudissaient en pleurant.

Jerry et Betty Ford nous attendaient dans le Salon des Diplomates. Quand j'y pénétrai, Jerry s'avança pour m'accueillir et nous nous sommes serrés la main.

« Bonne chance, Monsieur le Président, lui dis-je. Comme je vous l'ai dit quand je vous avais nommé, je sais que le pays sera en bonnes mains avec vous dans le Bureau Ovale.

— Merci, Monsieur le Président, me répondit-il.

— Faites un bon voyage, Dick », me dit Betty.

Nous sommes sortis alors sous l'auvent et avons commencé à parcourir le long tapis rouge menant à l'échelle de coupée de *Marine One,* l'hélicoptère présidentiel. Très vite, nous y sommes arrivés, plus vite encore nous avons serré les mains, celle de Jerry, Pat embrassant Betty qui embrassa Julie, David serrant les mains, moi lui disant au revoir. Enfin, je me retrouvai seul. Pat, Ed et Tricia s'étaient déjà embarqués. Debout sur la dernière marche de l'échelle, m'encadrant dans la portière, je jetai un dernier regard sur ce que je quittais.

Le souvenir de cette scène est pour moi comme l'image d'un film figée pour toujours à cet instant précis : rouge le tapis, verte la pelouse, blanche la maison, sous le gris plomb du ciel. Les uniformes empesés et les chaussures étincelantes de la garde d'honneur. Le nouveau Président et la Première Dame. Julie. David. Rose. Tant d'amis. Et la foule, couvrant presque toute la pelouse, entassée sur les balcons, se penchant aux fenêtres. Silencieuse, agitant les mains, versant des larmes. La courbe élégante du portique Sud, avec ses balcons superposés. Quelqu'un agitant un mouchoir blanc à la fenêtre du Salon Lincoln. Le drapeau, au-dessus de la Maison Blanche, pendant inerte sur sa hampe dans l'air trop calme d'un matin gris et triste.

J'ai levé les bras pour un dernier salut. J'ai souri, j'ai fait des signes d'adieu. Puis je me suis retourné vers l'intérieur de l'hélicoptère. La portière se referma. On fit rouler le long tapis rouge. Les moteurs démarrèrent, les pales des rotors se mirent à tourner lentement puis de plus en plus vite. Le fracas devint bientôt si assourdissant qu'il effaçait jusqu'aux pensées.

Soudain, nous nous sommes élevés avec lenteur. Au-dessous de nous, tout le monde faisait des signes, agitait les mains. Puis l'appareil vira de bord. La Maison Blanche était désormais derrière nous. Nous avons survolé à basse altitude le monument de Washington. Encore un virage, et voici le Grand Bassin. Puis le monument de Jefferson.

Nul ne disait mot. Nous n'avions plus de larmes à répandre. J'appuyai ma tête contre le dossier et je fermai les yeux. J'entendis Pat dire à voix basse, sans s'adresser à personne : « C'est si triste. C'est si triste. »

Un nouveau virage, et nous étions cette fois en train de nous diriger vers la base aérienne d'Andrews, où *Air Force One* nous attendait. Pour le voyage, le long voyage du retour en Californie.

Achevé d'imprimer
en juin mil neuf cent soixante-dix-huit
sur les presses de l'Imprimerie Gagné Ltée
Saint-Justin - Montréal.
Imprimé au Canada